# Guide de l'examen clinique

*À Robert A. Hoekelman, qui a lié l'humanisme à la science enseignée en faculté et dans ce livre qu'il a contribué à façonner, étudiants et patients continuent de vivre.*

Barbara BATES

# Guide
## de l'examen clinique

**Lynn S. BICKLEY, MD**
Professor of Internal Medicine
School of Medicine
Texas Tech University Health Sciences Center
Lubbock, Texas

**Peter G. SZILAGYI, MD, MPH**
Professor of Pediatrics
Chief, Division of General Pediatrics
University of Rochester School of Medicine and Dentistry
Rochester, New York

Traduit par Paul BABINET et Jean-Marc RETBI

6<sup>e</sup> édition

Arnette

© Wolters Kluwer France 2010, 6e édition française

Éditions Arnette
Wolters Kluwer France
1, rue Eugène et Armand Peugeot
92856 Rueil-Malmaison cedex
France
www.librairie-sante.fr

ISBN : 978-2-7184-1222-1

Ce livre est une traduction de la 10e édition américaine de
Bates' Guide to Physical Examination and History Taking

© 2009 by Wolters Kluwer Health/Lippincott Williams & Wilkins.
© 2007, 2003, 1999 by Lippincott Williams & Wilkins.
© 1995, 1991, 1987, 1983, 1979, 1974 by J.B. Lippincott Company.

Publié en accord avec Wolters Kluwer Health/Lippincott Williams & Wilkins, USA.

# Remerciements

Nous tenons à souligner l'importante contribution de Peter Szilagyi, MD, MPH, notre rédacteur pédiatrique, qui a révisé le chapitre 18 : « L'évaluation des enfants : du nourrisson à l'adolescent », dans la 10e édition du *Guide de l'examen clinique* de Barbara Bates. Nous avons apprécié les utiles suggestions de Christine Matson, MD, de l'*East Virginia Medical School* pour le chapitre 3 : « Entrevue et antécédents ». Nous remercions aussi pour des rédactions et des mises à jour particulières Rajat Bhatt, MD, Harry Davis, MD, FACP, Kenn Freedman, MD, Cynthia Jumper, MD, MPH, et Randolph Schiffer, MD, de la *Texas Tech University Health Sciences Center School of Medicine*, Rainier Soriano, MD, de la *Mount Sinai School of Medicine*, et Gary Sutkin, MD, de l'*University of Pittsburgh School of Medicine*.

Nous avons pris un grand plaisir à travailler avec les équipes talentueuses et dévouées de Lippincott Williams & Wilkins. Peter Darcy, notre éditeur, s'est occupé des problèmes techniques avec courtoisie et panache. Renée Gagliardi, *Senior Developmental Editor*, est restée la garante de l'excellence du contenu et de la qualité de cette dixième édition et de la sixième édition du *Guide de poche pour l'examen clinique et l'interrogatoire*. Son alliage exceptionnel de flexibilité, d'innovation et d'attention aux détails a été précieux. Sandy Cherrey Scheinin, *Senior Production Editor*, a de nouveau apporté un soin méticuleux à tous les aspects de la production du livre, lui assurant une unité d'ensemble et un format facile à suivre pour les étudiants et les enseignants. Brett Mac Naughton, *Associate Art Director*, a été responsable de l'intégration des photographies et des illustrations dans le texte. Nous sommes reconnaissants envers tous ces responsables ainsi qu'envers les nombreux autres membres de Lippincott Williams & Wilkins qui ont contribué à la présente édition.

Nous adressons des remerciements à Sophia Pena et à Colleen Sims pour les nombreuses tâches associées à la préparation et à la soumission du manuscrit, et à Victor Gonzales pour son expertise inestimable en informatique.

# Table des matières

# PARTIE III :
# Populations particulières

# Liste des tableaux

# Introduction

**Le** *Guide de l'examen clinique* de Barbara Bates est conçu pour les étudiants en médecine qui apprennent à discuter avec les patients, à les examiner et à raisonner cliniquement pour comprendre et évaluer leurs problèmes. La 10ᵉ édition a plusieurs caractéristiques nouvelles destinées à faciliter l'apprentissage des étudiants, qui sont détaillées dans les lignes qui suivent. Comme pour les éditions précédentes, ces changements ont trois motivations : les demandes des enseignants et des étudiants ; le désir de rendre le livre plus facile à lire et plus efficace à utiliser ; et l'abondance de nouvelles données étayant les techniques de l'interrogatoire, de l'examen et de la promotion de la santé.

La 10ᵉ édition du Bates aide les étudiants à tirer parti de leurs connaissances de base en anatomie et en physiologie quand ils acquièrent les compétences pour évaluer les patients qui leur serviront leur vie durant. Tout au long du livre, nous mettons l'accent sur les problèmes fréquents ou importants plutôt que sur ceux qui sont rares ou ésotériques. Les signes physiques d'affections rares sont parfois inclus quand ils occupent une niche solide dans le diagnostic physique classique ou s'ils représentent une affection qui met en jeu la vie du patient. Tous les chapitres reflètent un point de vue fondé sur les faits, citant des références qui alignent au plus près leur contenu sur les nouvelles données de la littérature médicale. La couleur aide les lecteurs à trouver plus facilement les sections des chapitres et les tableaux, et elle rehausse les encadrés sur les points importants et les astuces pour les parties difficiles de l'examen, telles que l'examen des yeux ou la mesure de la pression veineuse jugulaire. Plus de 85 photographies et dessins ont été rajoutés pour mieux illustrer des points importants du texte. Les tableaux restent tous verticaux afin que les lecteurs puissent parcourir les chapitres sans tourner le livre de côté.

## Dixième édition du Bates : points particuliers

Dans la lignée de la 9ᵉ édition, la 10ᵉ édition comprend trois parties : les *Bases de l'évaluation de l'état de santé*, les *Examens régionaux*, et les *Populations particulières*.

- Première partie : *Bases de l'évaluation de l'état de santé*. Le chapitre 1 : « Vue d'ensemble de l'interrogatoire et de l'examen physique », et l'ancien chapitre 3 : « Raisonnement clinique, évaluation et enregistrement de vos constatations » (à présent chapitre 2) se suivent dans un ordre plus logique pour initier les étudiants à l'interrogatoire et à l'examen physique, avec un exemple de compte rendu d'observation (CRO) complet et une note d'évolution. On y trouve des recommandations pour obtenir un CRO succinct et bien structuré, et des indications sur les principales techniques de l'examen, le matériel fréquemment utilisé, et les précautions standard et universelles. Un contenu nouveau étend le processus du raisonnement clinique et les méthodes pour évaluer les données cliniques. Le chapitre 3 : « Entrevue et antécédents », présente aux étudiants les techniques d'un interrogatoire adroit, en mettant l'accent sur l'empathie, le concept d'humilité culturelle et l'éthique.

■ Deuxième partie : *Examens régionaux*. Cette partie, qui va du chapitre 4 au chapitre 17, commence par l'important examen général du patient et les techniques de mesure précise des constantes vitales au chapitre 4 : « Début de l'examen physique : examen général, signes vitaux et douleur ». Ce chapitre inclut une nouvelle partie sur l'évaluation de la douleur aiguë et chronique, avec des discussions fondées sur des preuves à propos des échelles de douleur, des types de douleur, et de la prise en charge de la douleur. Étant donné que l'évaluation mentale commence dès le début de chaque rencontre avec un patient, le chapitre 5 : « Comportement et état mental », le suit (par différence avec la 9ᵉ édition, où il faisait partie des chapitres sur le système nerveux).

Les chapitres suivants sont dédiés aux techniques de l'examen des différents organes et du corps humain. Ils adoptent un ordre « tête-pieds », comme dans l'examen du patient. Ils contiennent :

■ un rappel d'anatomie et de physiologie ;

■ des questions clés pour établir l'anamnèse pertinente ;

■ les informations les plus récentes sur la promotion de la santé et les conseils ;

■ des techniques d'examen détaillées et illustrées ;

■ des exemples de transcription de l'examen physique de l'appareil dans le CRO ;

■ de nombreuses références tirées de la littérature médicale ;

■ des tableaux pour aider les étudiants à reconnaître et comparer des anomalies sélectionnées.

Le chapitre 11 : « Abdomen », et le chapitre 12 : « Système vasculaire périphérique », ont fait l'objet de révisions et mises à jour substantielles, conformément aux nouveaux critères d'évaluation et de définition des symptômes abdominaux et aux plus récentes recommandations pour identifier la maladie vasculaire périphérique. Le chapitre 12 : « Système vasculaire périphérique », a été avancé pour le rapprocher de l'examen des artères et des veines du chapitre 9 : « Appareil cardiovasculaire », et du chapitre 11 : « Abdomen ». Le chapitre 16 : « Appareil locomoteur », présente les techniques d'examen plus en détail, et une trentaine de nouvelles illustrations des manœuvres pour examiner les articulations.

■ Troisième partie : *Populations particulières*. Dans cette partie, du chapitre 18 au chapitre 20, les lecteurs trouveront les chapitres concernant certaines étapes particulières de la vie : l'enfance, la grossesse et la vieillesse.

## Une vue plus détaillée de la dixième édition

La 10e édition présente des ajouts substantiels, des révisions importantes, et 85 photos et illustrations nouvelles afin d'aider les étudiants à maîtriser les qualités que nécessite l'évaluation du patient. Nous décrivons ici les principaux changements et mises à jour. La lecture attentive des 20 chapitres fera découvrir une foule de détails supplémentaires destinés à améliorer l'apprentissage.

- Dans le chapitre 5 : « Comportement et état mental », les lecteurs trouveront une discussion nouvelle des « symptômes médicalement inexpliqués », souvent déconcertants, avec des indications sur les approches recommandées. Il y a de nouveaux tableaux sur l'incidence des affections psychiatriques fréquentes en soins primaires, les troubles du caractère, et les identificateurs qui imposent un dépistage de la santé mentale.

- Dans le chapitre 7 : « Tête et cou », les lecteurs découvriront que l'anatomie et la physiologie et les examens de la tête, des yeux, du nez, de la gorge et du cou sont à présent regroupés afin que les étudiants apprennent plus facilement les différentes techniques d'examen. De nombreuses photographies nouvelles de la papille optique améliorent la visualisation des importantes structures de l'œil.

- Dans le chapitre 8 : « Thorax et poumons », et le chapitre 9 : « Appareil cardiovasculaire », ont été entièrement mises à jour les parties fondées sur les faits de la « Promotion de la santé et les conseils », portant sur l'arrêt du tabac, la vaccination des adultes contre la grippe et la pneumonie, le dépistage de l'hypertension artérielle, et le dépistage des facteurs de risque de maladie cardiaque, accidents vasculaires cérébraux (AVC), dyslipidémie et syndrome métabolique. Par ailleurs, au chapitre 10 : « Seins et aisselles », vous verrez d'autres mises à jour sur l'évaluation du cancer du sein, les modèles de Gail et de Claus sur le dépistage du risque, les mutations de BRCA 1 et 2, et des recommandations sur la mammographie, l'examen clinique et l'auto-examen des seins.

- Parmi les autres caractéristiques notables, il faut citer les recommandations sur le dépistage de l'*American College of Cardiology* et de l'*American Heart Association*, et les nouvelles techniques d'évaluation de l'index cheville-bras au chapitre 12 : « Système vasculaire périphérique » ; un nouveau tableau sur les maladies sexuellement transmises et les organes génitaux masculins au chapitre 13 : « Organes génitaux masculins et hernies » ; l'échelle des symptômes de l'*American Urological Association* pour l'hypertrophie de la prostate au chapitre 15 : « Anus, rectum et prostate » ; de nouvelles recommandations pour l'examen de dépistage neurologique de l'*American Academy of Neurology*, et de nouveaux tableaux sur les types d'accidents vasculaires cérébraux au chapitre 17 : « Système nerveux » ; un contenu mis à jour tout au long du chapitre 18 : « Évaluation des enfants : du nourrisson à l'adolescent » ; et dans le chapitre 20 : « Sujet âgé », une discussion étendue sur les syndromes gériatriques et les mesures de promotion de la santé ainsi que de nouveaux tableaux sur les compétences gériatriques minimales des étudiants, le « Mini-Cog » pour le dépistage de l'état mental, et un cadre de travail pour la gestion des soins aux personnes âgées.

# Conseils aux étudiants pour l'utilisation de l'ouvrage

Bien que l'interrogatoire et l'examen physique soient essentiels pour l'évaluation et les soins du patient, les étudiants les apprennent souvent séparément, parfois de différents enseignants. Nous conseillons aux étudiants qui apprennent à interroger à relire le chapitre 3 : « Entrevue et antécédents », quand ils ont acquis une certaine expérience de la discussion avec des patients d'âge et de caractère différents. Les étudiants qui commencent à développer une séquence d'examen harmonieuse auront intérêt à réviser la séquence d'examen décrite dans le chapitre 1 : « Vue générale de l'interrogatoire et de l'examen physique ».

Aux étudiants qui commencent à intégrer l'anamnèse et les constatations de l'examen physique du patient, nous suggérons d'étudier les parties correspondantes des antécédents quand ils apprennent les différentes parties de l'examen. Souvent des groupements de symptômes poussent à examiner plus d'un appareil. Par exemple, des douleurs thoraciques incitent à examiner le thorax et les poumons et l'appareil cardiovasculaire. Les symptômes urinaires relèvent des chapitres sur l'abdomen, la prostate et les organes génitaux masculins et féminins.

Les étudiants peuvent étudier ou réviser les parties sur l'« Anatomie » et la « Physiologie » en fonction de leurs besoins individuels. Ils peuvent étudier les techniques d'examen pour apprendre à faire l'examen pertinent, les pratiquer en étant guidés par les enseignants, et les réviser pour consolider leurs acquisitions. Étudiants et enseignants tireront profit de la connaissance des trouvailles anormales fréquentes, qui apparaissent en deux endroits. La colonne de droite des « Techniques d'examen » présente des anomalies possibles, en rose, juste à côté du texte en rapport. Différencier ces trouvailles de la normale améliore le sens de l'observation et l'acuité clinique des étudiants. Pour des informations supplémentaires sur les anomalies, les lecteurs peuvent aussi consulter les « Tableaux d'anomalies » à la fin des chapitres sur les examens régionaux. Ces tableaux montrent et décrivent diverses pathologies dans un format permettant aux étudiants de comparer et d'opposer des anomalies liées en un seul ensemble.

En avançant dans les appareils et les régions du corps, les étudiants doivent lire les notes sur la patiente prise comme exemple, Mme N., qui se trouvent dans le chapitre 2 : « Raisonnement clinique, évaluation et enregistrement de vos constatations ». Ils doivent aussi se reporter fréquemment aux parties des chapitres sur les différents examens régionaux intitulés « Consigner vos observations », qui contiennent des passages du compte rendu d'observation (CRO) du patient. Le croisement entre les deux aidera les étudiants à décrire et à ordonner les informations tirées de l'interrogatoire et de l'examen physique par écrit, de façon compréhensible. De plus, l'étude du chapitre 2 aidera les étudiants à trier et à analyser les données qu'ils apprennent à recueillir.

En parcourant attentivement les « Tableaux d'anomalies », les étudiants approfondiront leurs connaissances sur des affections importantes, ce qu'ils doivent rechercher, et pourquoi ils posent certaines questions. Qu'ils n'essayent pas, néanmoins, de mémoriser tous les détails. Il vaut mieux qu'ils revoient les signes physiques et les anomalies appropriées chaque fois qu'un patient, réel ou rapporté, présente un problème. Les étudiants doivent alors se servir de livres ou de journaux pour approfondir les problèmes autant que nécessaire. Les références et les lectures supplémentaires citées à la fin de chaque chapitre fournissent de nombreuses sources pour aller plus loin.

# Bases de l'évaluation de l'état de santé

# Vue d'ensemble de l'interrogatoire et de l'examen physique

## CHAPITRE 1

Les techniques de l'interrogatoire et de l'examen physique que vous allez bientôt apprendre sont l'expression des compétences à soigner et à guérir les patients. Votre capacité à recueillir une anamnèse confidentielle et nuancée et à faire un examen complet et précis approfondit votre relation avec les patients, centre votre évaluation et oriente votre réflexion clinique. La qualité de l'anamnèse et de l'examen physique commande les étapes suivantes avec le patient et guide vos choix dans la masse initialement déroutante des examens complémentaires. Pour devenir un clinicien accompli, vous devez travailler ces importantes qualités relationnelles et cliniques votre vie durant.

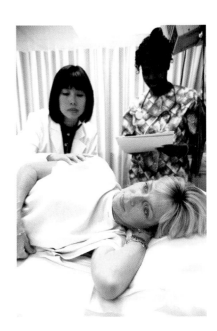

En pénétrant dans le domaine de l'évaluation du patient, vous commencez à intégrer les éléments essentiels de la clinique : écoute empathique, capacité d'entretien avec des personnes de tous âges, humeurs et origines, techniques d'examen des différents appareils et, pour finir, processus du raisonnement clinique. Votre expérience de l'interrogatoire et de l'examen physique ira croissant et enclenchera le raisonnement clinique dès le début de la rencontre avec le patient : identification des symptômes et constatations anormales, rattachement des trouvailles à un processus sous-jacent physio ou psychopathologique et élaboration et vérification d'hypothèses diverses. Ce faisant, le patient se révélera à vous dans tous ses aspects. Paradoxalement, les qualités qui vous permettent d'évaluer tous les patients façonnent l'image d'un être humain unique, qui vous fait confiance.

Ce chapitre donne la « carte routière » de la compétence clinique dans deux domaines importants : les *antécédents médicaux* et l'*examen physique*. Il décrit les composantes des antécédents et la façon d'organiser l'anamnèse ; il donne une vue d'ensemble de l'examen physique avec un ordre pour assurer le confort du patient ; et il fournit des brèves descriptions des techniques d'examen pour chaque composante de l'examen physique, de l'examen général au système nerveux. Le chapitre 2, « Raisonnement clinique, évaluation, et enregistrement de vos observations », vient aussitôt après, avec le troisième domaine de compétence, le compte rendu d'observation (CRO), ou « notes », qui contient l'évaluation et le projet. Dans le chapitre 2, vous trouverez un exemple réel de CRO et vous apprendrez comment le raisonnement clinique éclaire votre évaluation et votre projet, étapes cruciales de l'examen du patient. L'étude des chapitres suivants et le perfectionnement de vos qualités cliniques vous emmèneront dans le monde de l'évaluation du patient, progressivement d'abord, mais avec une satisfaction et une expertise croissantes ensuite.

Ce chapitre lu et les tâches qui vous attendent définies, les chapitres suivants guideront votre cheminement vers la compétence clinique. Des références tirées de la littérature médicale et des lectures supplémentaires appropriées complètent chaque chapitre, afin que vous puissiez étendre vos connaissances. De plus, à partir du chapitre 4, des parties sur la promotion de la santé et des conseils donnent les recommandations les plus récentes afin de vous aider à promouvoir et à protéger la santé et le bien-être de vos patients.

■ Le *chapitre 2, Raisonnement clinique, évaluation et projet*, étudie les étapes du raisonnement clinique et la façon de documenter vos évaluations, vos diagnostics et vos projets pour le patient. Après tout, votre CRO pose les jalons pour les nombreux membres de l'équipe médicale.

■ Le *chapitre 3, Entrevue et antécédents*, s'étend sur les qualités essentielles, variées et souvent stimulantes qu'il faut pour construire la relation avec le patient et obtenir son anamnèse.

■ Les *chapitres 4 à 17* détaillent l'anatomie et la physiologie, les antécédents médicaux, les recommandations pour la promotion de la santé et les conseils, les techniques d'examen et des exemples de CRO concernant les différents appareils et régions.

■ Les *chapitres 18 à 20* extrapolent et adaptent les éléments de l'anamnèse et de l'examen physique de l'adulte à certaines populations : nouveau-nés, nourrissons, enfants et adolescents, femmes enceintes et sujets âgés.

De la maîtrise de ces qualités et de la confiance et du respect mutuels dans votre relation avec le patient naîtra ce sentiment de gratification propre aux professions cliniques.

## ÉVALUATION DU PATIENT : COMPLÈTE OU LIMITÉE

***Déterminer le champ de l'évaluation.*** En développant vos compétences en matière d'interrogatoire et d'examen physique, vous serez presque aussitôt confronté à la question : « Jusqu'où dois-je aller ? », et vous vous demanderez : « Mon évaluation doit-elle être complète ou limitée ? » Pour les patients que vous voyez pour la première fois dans votre cabinet ou à l'hôpital, vous choisirez habituellement de faire une évaluation complète, comprenant tous les éléments de l'anamnèse et de l'examen physique. Cependant, dans de nombreuses situations, une évaluation plus souple, *limitée* ou *orientée vers les problèmes*, suffit. C'est le cas des patients que vous connaissez bien et qui reviennent pour une consultation systématique, ou des patients qui consultent en urgence pour des problèmes spécifiques, tels qu'un mal de gorge ou une douleur du genou. Comme un tailleur confectionnant un vêtement sur mesure, vous adapterez l'interrogatoire et l'examen physique à la situation qui se présente, en tenant compte de plusieurs facteurs : l'ampleur et la gravité des problèmes du patient, votre besoin d'exhaustivité, le contexte clinique (patient externe ou hospitalisé, soins primaires ou spécialisés), et le temps dont vous disposez. La maîtrise de toutes les composantes d'une évaluation complète vous permettra de choisir les éléments les plus pertinents correspondants aux problèmes du patient, tout en observant les standards d'une bonne pratique et d'un diagnostic précis.

| Interrogatoire et examen physique : complets ou limités ? | |
| --- | --- |
| **Examen complet** | **Examen limité** |
| ▪ Convient aux nouveaux patients, au cabinet ou à l'hôpital. | ▪ Convient aux patients déjà connus, notamment en consultations systématiques ou d'urgence. |
| ▪ Donne une connaissance fondamentale et personnalisée du patient. | ▪ Aborde des inquiétudes et des symptômes localisés. |
| ▪ Renforce la relation clinicien-patient. | ▪ Évalue les symptômes limités à un appareil. |
| ▪ Permet de reconnaître ou d'éliminer les causes physiques des inquiétudes du patient. | ▪ Applique les techniques d'examen appropriées à l'évaluation d'une inquiétude ou d'un problème, avec toute la précision et l'attention possibles. |
| ▪ Sert de référence pour les évaluations ultérieures. | |
| ▪ Est à l'origine du programme de promotion de la santé (éducation et conseils). | |
| ▪ Développe les compétences nécessaires à l'examen physique. | |

L'*examen complet* dépasse l'évaluation des appareils. Il est la source d'une connaissance fondamentale et personnalisée du patient qui renforce la relation clinicien-patient. La plupart des personnes recherchant des soins ont des troubles ou des symptômes spécifiques. L'examen complet fournit une base exhaustive pour évaluer les inquiétudes du patient et répondre à ses questions.

Pour l'examen limité, vous devez choisir les méthodes convenant à l'évaluation complète du problème ciblé. Les symptômes du patient, son âge et ses antécédents permettent de définir le champ de l'examen limité, de même que votre connaissance des formes cliniques des maladies. Par exemple, vous devrez décider qui, parmi tous les patients ayant une angine, peut avoir une mononucléose infectieuse et justifie une palpation soigneuse du foie et de la rate et qui, en revanche, a une angine banale et n'a pas besoin d'un tel examen. Le raisonnement clinique, qui sous-tend et oriente de telles décisions, est discuté au chapitre 2.

Qu'en est-il des *check-up cliniques systématiques* ou *bilans de santé périodiques* ? Plusieurs études ont évalué l'utilité d'un examen physique complet pour dépister et prévenir des maladies, en l'absence de symptômes.[1-6] Les résultats confirment l'importance des techniques de l'examen physique : mesure de la pression artérielle, estimation de la pression veineuse centrale d'après le pouls veineux jugulaire, auscultation du cœur pour les valvulopathies, examen clinique des seins, recherche d'une hépato ou d'une splénomégalie, examen gynécologique avec frottis cervicaux. Des conférences de consensus et des groupes d'experts ont développé des recommandations pour l'examen et le dépistage. Il existe de plus en plus de données sur l'utilité de l'évaluation clinique et des techniques d'examen.[7-9]

**Données subjectives/données objectives.** Tandis que vous acquérez les techniques de l'interrogatoire et de l'examen physique, rappelez-vous les importantes différences entre *information subjective* et *information objective*, résumées dans le tableau ci-dessous. Connaître ces différences vous aidera à raisonner cliniquement et à grouper les renseignements sur le patient. La distinction est également importante pour organiser des présentations orales ou écrites sur des patients de façon logique et compréhensible.

| Différences entre données subjectives et objectives | |
|---|---|
| **Données subjectives** | **Données objectives** |
| Ce que le patient vous dit. | Ce que vous décelez pendant l'examen. |
| L'anamnèse, du motif de consultation à la revue des appareils. | Toutes les trouvailles de l'examen physique. |
| *Exemple :* Mme G. est une coiffeuse de 54 ans qui ressent une pesanteur sur son hémithorax gauche, « comme si un éléphant était assis dessus », s'étendant à son cou et à son membre supérieur gauche. | *Exemple :* Mme G. est une femme blanche, en surpoids, âgée de 54 ans, qui est agréable et coopérative. Taille : 1,65 m, poids : 68 kg, PA : 160/80, FC : 96 et régulière, FR : 24, température : 36,4 °C. |

## ÉVALUATION COMPLÈTE DE L'ADULTE

## → Interrogatoire complet de l'adulte

**Vue d'ensemble.** Nous décrivons ici les sept composantes d'une *anamnèse complète de l'adulte* :

■ les données d'identification et la source de l'anamnèse ;

■ le(s) motif(s) de consultation (ou plainte principale) ;

■ la maladie actuelle ;

■ les antécédents médicaux personnels ;

■ les antécédents familiaux ;

■ les antécédents psychosociaux ;

■ la revue des appareils.

Voir chapitre 18, « Évaluation des enfants : du nourrisson à l'adolescent », pour *l'interrogatoire pédiatrique complet*.

Comme vous l'apprendrez au chapitre 3, « Entrevue et antécédents », quand vous parlez avec le patient, l'anamnèse jaillit rarement dans cet ordre. L'interview est plus fluide… Il faut suivre de près les répliques du patient et faire preuve d'empathie pour obtenir le récit de sa maladie et renforcer la relation. Cependant, vous apprendrez vite comment donner aux différents aspects de l'histoire du patient le format de la présentation orale ou de l'observation écrite. Vous organiserez les paroles du patient et son histoire selon les sept éléments d'échange qui sont si familiers aux membres de l'équipe soignante. Cette restructuration organisera votre raisonnement clinique et servira de matrice à votre expertise clinique grandissante.

Pour commencer votre voyage dans la clinique, revoyez les caractéristiques de l'anamnèse de l'adulte décrites ci-dessous, puis étudiez les explications détaillées qui suivent.

| Vue d'ensemble : composantes d'une anamnèse de l'adulte | |
| --- | --- |
| Données d'identification | *Données d'identification* telles que l'âge, le sexe, la profession et le statut matrimonial.<br><br>*Source d'information* : en général le patient, mais ce peut être un membre de la famille, un ami, une lettre d'accompagnement ou un dossier médical.<br><br>Si besoin est, le *correspondant*, parce qu'un rapport écrit peut être nécessaire. |
| Fiabilité | Dépend de la mémoire, de la confiance et de l'humeur du patient. |
| Motif(s) de consultations | Le ou les symptômes ou inquiétudes qui amènent le patient à consulter. |
| Maladie actuelle | Reprend le *motif de consultation* ; décrit l'apparition de chaque symptôme.<br><br>Comprend les pensées et sentiments du patient sur sa maladie.<br><br>Intègre les parties de la *revue des appareils* qui sont concernées, c'est-à-dire les signes positifs et négatifs pertinents (voir p. 10).<br><br>Peut inclure les *traitements, allergies*, consommation de *tabac* et d'*alcool*, qui ont souvent un lien avec la maladie actuelle. |
| Antécédents médicaux personnels | Énumère les maladies de l'enfance.<br><br>Énumère les maladies de l'âge adulte avec leur date, dans au moins 4 rubriques : médicales, chirurgicales, gynéco-obstétricales et psychiatriques.<br><br>Comprend les mesures préventives telles que les vaccinations, les tests de dépistage, le mode de vie et la sécurité domestique. |
| Antécédents familiaux | Indique ou note sur un schéma l'âge et l'état de santé ou l'âge et la cause du décès des membres de la fratrie, des parents et des grands-parents.<br><br>Documente la présence ou l'absence de maladies spécifiques dans la famille, telles qu'hypertension, maladie coronarienne, etc. |
| Antécédents psychosociaux | Précise le niveau d'études, l'origine de la famille, les tâches ménagères habituelles, les intérêts personnels, le mode de vie. |
| Revue des appareils | Documente la présence ou l'absence des symptômes fréquemment liés à chaque grand appareil. |

### Information initiale

**Date et heure.** La date est toujours importante. Notez systématiquement l'heure à laquelle vous évaluez le patient, surtout dans un contexte d'urgence ou hospitalier.

**Données d'identification.** À savoir, l'âge, le sexe, la situation familiale et la profession. La *source d'information* ou *référence* peut être le patient, un membre de la famille ou un ami, un administratif, le consultant, ou le dossier médical. Préciser la source d'information vous permet d'apprécier le type d'information fourni et les biais possibles.

**Fiabilité.** S'il y a lieu. Par exemple : « Le patient est vague dans sa description des symptômes et ne peut préciser les détails. » Ce jugement traduit la qualité de l'information fournie par le patient et est habituellement porté à la fin de l'entrevue.

### Motif(s) de consultation. *Essayez toujours de citer les propres mots du patient.* Par exemple : « J'ai mal à l'estomac et je me sens très mal. » Certains patients n'ont pas de plaintes définies ; indiquez alors quels sont leurs objectifs. Par exemple : « Je suis venu pour mon bilan de santé régulier », ou « J'ai été admis pour un bilan cardiaque ».

### Maladie actuelle. C'est un compte rendu complet, clair, et chronologique des problèmes pour lesquels le patient vient consulter. Ce compte rendu doit couvrir le début des troubles, leurs circonstances d'apparition, leurs manifestations, les traitements qui ont été faits.

- Les grands symptômes doivent être décrits en termes de (1) siège, (2) qualité, (3) quantité ou sévérité, (4) chronologie, c'est-à-dire début, durée et fréquence, (5) circonstances de survenue, (6) facteurs accentuant et atténuant ces symptômes et (7) manifestations associées. Ces *sept attributs* sont précieux pour comprendre tous les symptômes du patient (voir chapitre 3 : « Entrevue et antécédents », p. 55-96). Il est également important d'inclure les « signes positifs » et les « signes négatifs » des parties de la *revue des appareils*, en rapport avec le(s) *motif(s) de consultation*. Ces termes désignent la présence ou l'absence de signes utiles au *diagnostic différentiel*, c'est-à-dire les diagnostics les plus vraisemblables pour expliquer l'état du patient.

- D'autres informations sont souvent utiles, comme les facteurs de risque de maladie coronarienne en cas de douleur thoracique et les traitements en cours en cas de syncope.

- Cette partie doit aussi faire connaître les réactions du patient à ses symptômes et le retentissement de la maladie sur la vie du patient. Souvenez-vous toujours que *les informations sont données spontanément par le patient mais que leur organisation orale ou écrite vous incombe.*

- Les patients ont souvent plus d'une plainte ou d'une inquiétude. Chacune mérite un paragraphe et une description complète.

- Les *médicaments* doivent être notés, avec leur nom, leur posologie, leur voie d'administration et leur fréquence d'utilisation. Cela inclut aussi les remèdes familiaux, les médicaments pris sans ordonnance, les suppléments vitaminiques, minéraux ou végétaux, les contraceptifs et les médicaments empruntés à des parents ou amis. Demandez aux patients d'apporter tous leurs médicaments et de vous montrer ce qu'ils prennent exactement.

■ Les **allergies** doivent être notées, y compris les réactions aux médicaments, telles que des éruptions et des nausées, les allergies aux aliments, aux piqûres d'insectes ou à des facteurs d'environnement.

■ Notez la consommation de **tabac**, avec sa nature. La consommation de cigarettes est souvent chiffrée en paquets-années (une personne qui a fumé 1 paquet et demi par jour pendant 12 ans a une consommation de 18 paquets-années). En cas d'arrêt, notez depuis combien de temps.

■ Il faut toujours rechercher une *consommation d'alcool ou de drogues* (voir chapitre 3 : « Entrevue et antécédents », p. 84-85, pour les questions à poser). (Remarque : les *antécédents psychosociaux* ne se réduisent pas à ces sujets si vous les placez ici.)

## Antécédents médicaux personnels

■ Les *maladies de l'enfance* telles que la rougeole, la rubéole, les oreillons, la coqueluche, la varicelle, le rhumatisme articulaire aigu, la scarlatine et la poliomyélite figurent ici. Les maladies chroniques de l'enfance également.

■ Recueillez les informations sur les *maladies de l'âge adulte* sous quatre rubriques :
   - *médicales* : maladies telles que diabète, hypertension, hépatite, asthme, infection par le VIH ; hospitalisations ; nombre et sexe des partenaires sexuels et pratiques sexuelles à risque ;
   - *chirurgicales* : interventions chirurgicales, avec leur date, leur indication et leur type ;
   - *gynéco-obstétricales* : antécédents obstétricaux, règles, méthodes de contraception et fonction sexuelle ;
   - *psychiatriques* : troubles et temporalité, diagnostic, hospitalisations et traitements.

■ Abordez aussi certains aspects de la *protection de la santé*, notamment les vaccinations et les tests de dépistage. Pour les *vaccinations*, vérifiez si le patient a bien reçu les vaccins contre : tétanos, coqueluche, diphtérie, poliomyélite, rougeole, rubéole, oreillons, grippe, hépatite B, *Haemophilus influenzae* type B et pneumocoque. Pour les *tests de dépistage*, considérez les tests tuberculiniques, frottis cervicaux, mammographie, recherche de saignement occulte dans les selles, dosage du cholestérol, avec la date et les résultats du dernier examen. Si le patient ignore ces renseignements, demandez-lui une autorisation écrite pour obtenir d'anciens dossiers médicaux.

**Antécédents familiaux.** Dans cette rubrique, notez ou portez sur un schéma l'âge et l'état de santé ou l'âge et la cause du décès des parents proches (père et mère, grands-parents, frères et sœurs, enfants et petits-enfants). *Notez la présence ou l'absence des affections suivantes dans la famille :* hypertension artérielle, maladie coronarienne, hypercholestérolémie, accident vasculaire cérébral, diabète, maladie thyroïdienne ou rénale, rhumatisme, tuberculose, asthme ou maladie pulmonaire, céphalées, convulsions, maladie mentale, suicide, alcoolisme ou toxicomanie, allergies ainsi que les symptômes identiques à ceux du patient. Recherchez des antécédents de cancer du sein, de l'ovaire, du côlon et de la prostate. Recherchez aussi des maladies héréditaires.

**Antécédents psychosociaux.** Saisissez ici les centres d'intérêt et la personnalité du patient, ses moyens de soutien, sa façon de se débrouiller, ses forces, ses peurs. Mettez-y la profession et le niveau d'études ; la situation à la maison et les autres situations importantes ; les sources de stress, récentes et prolongées ; les expériences importantes, telles que le service militaire, la carrière professionnelle, la situation financière et la retraite ; les loisirs ; la religion et les croyances spirituelles ; les activités de la vie quotidienne (AVQ). Le niveau fonctionnel de base est particulièrement important chez les patients âgés et handicapés (voir p. 949 pour les AVQ fréquemment évaluées chez les sujets âgés). La rubrique concerne aussi les habitudes du mode de vie qui protègent ou mettent en péril la santé telles que *l'exercice physique et le régime alimentaire :* fréquence de l'exercice physique, ration alimentaire quotidienne, suppléments ou restrictions alimentaires, consommation de café, thé ou autres boissons caféinées ; et *les mesures de sécurité :* utilisation de ceintures de sécurité, casques de cycliste, protections contre le soleil, détecteurs de fumée, etc. Vous pouvez y inclure la pratique des *médecines alternatives.*

Il est préférable de répartir les questions personnelles et sociales tout au long de l'entrevue pour que le patient ne se sente pas trop gêné.

**Revue des appareils.** Comprendre et utiliser les questions de la *revue des appareils* est souvent difficile pour le débutant. Pensez à poser des séries de questions dans un ordre allant de la tête aux pieds. En préambule, vous pouvez dire au patient : « La partie suivante de l'interrogatoire peut ressembler au questionnaire de Proust, mais elle est très importante et je dois être complet. » La plupart des questions portent sur les *symptômes,* mais certains cliniciens y incluent parfois des maladies telles que la pneumonie ou la tuberculose.

Pour chaque appareil, commencez par une question assez générale. Cela fixe l'attention du patient et vous permet de passer à des questions plus précises sur les appareils qui peuvent être en cause. Voici des exemples de questions introductives : « Comment vont vos oreilles et votre audition ? », « Comment vont vos poumons et votre respiration ? », « Avez-vous des soucis avec votre cœur ? », « Qu'en est-il de votre digestion ? », « Comment vont vos intestins ? ». Remarquez que vous pouvez rajouter des questions en fonction de l'âge, des plaintes et de l'état de santé du patient, ainsi que de votre jugement clinique.

Les questions sur la *revue des appareils* peuvent mettre à jour des problèmes oubliés par le patient, notamment dans les champs non liés à la *maladie actuelle.* Des événements significatifs, tels qu'une maladie antérieure importante ou la mort d'un parent, doivent être complètement renseignés. Rappelez-vous de placer ces événements significatifs dans la *maladie actuelle* ou les *antécédents médicaux personnels* quand vous écrirez votre CRO. Ayez une technique souple. L'interrogatoire des patients produit un matériel varié que vous devez transcrire seulement après la fin de l'entrevue et de l'examen.

Certains cliniciens font la revue des appareils au cours de l'examen physique, posant des questions sur les oreilles, par exemple, pendant qu'ils les examinent. Si le patient a peu de symptômes, cette combinaison peut être efficace. Cependant, s'il a de nombreux symptômes, le cours de l'interrogatoire et de l'examen physique peut être interrompu et la prise de notes devenir malaisée.

Des séries de questions sur la revue des appareils sont listées ci-dessous. Avec l'expérience, les questions avec réponse « oui ou non », à la fin de l'entrevue, ne vous prendront pas plus de quelques minutes.

**État général :** poids habituel, changement de poids récent, habits paraissant plus serrés ou plus flottants qu'auparavant. Faiblesse, fatigue, fièvre.

**Peau :** éruptions, grosseurs, plaies, démangeaisons, sécheresse, changement de coloration, modification des cheveux et des ongles ; modifications de la taille ou de la couleur des naevi.

**Tête, Yeux, Oreilles, Nez, Gorge (TYONG)** – *Tête* : maux de tête, blessure à la tête, étourdissements, impression de tête vide. *Yeux* : vision, port de lunettes ou de lentilles de contact, dernier examen des yeux, douleur, rougeur, larmoiement excessif, vision double, vision trouble, taches ou mouches volantes, éclairs, glaucome et cataracte. *Oreilles* : audition, bourdonnement d'oreille, vertiges, douleur, infection, écoulement. En cas d'hypoacousie, utilisation ou non de prothèses auditives. *Nez et sinus* : rhumes fréquents, nez bouché, écoulement ou démangeaisons, rhume des foins, saignement de nez, troubles des sinus. *Gorge (ou bouche et pharynx)* : état des dents et des gencives, saignement des gencives, éventuelle prothèse dentaire et sa qualité d'adaptation, dernier examen dentaire, langue douloureuse, maux de gorge fréquents, voix rauque.

**Cou :** adénopathies, goitre, grosseur, douleur ou raideur du cou.

**Seins :** grosseurs, douleur ou gêne, écoulement par les mamelons, auto-examens.

**Poumons :** toux, expectoration (couleur, quantité), hémoptysies, dyspnée, sifflements, pleurésie, dernière radiographie thoracique. Vous pouvez souhaiter ajouter l'asthme, la bronchite, l'emphysème, la pneumonie et la tuberculose.

**Cœur :** troubles cardiaques, hypertension artérielle, rhumatisme articulaire aigu, souffle cardiaque, douleur ou gêne thoracique, palpitations, dyspnée, orthopnée, dyspnée nocturne paroxystique, œdème ; électrocardiogramme ou autres examens cardiaques anciens.

**Tube digestif :** troubles de la déglutition, brûlures rétrosternales, appétit, nausées. Défécation, couleur et volume des selles, modification des exonérations intestinales, douleur à la défécation, rectorragie ou melaena, hémorroïdes, constipation, diarrhée. Douleur abdominale, intolérance alimentaire, aérophagie ou flatulence. Jaunisse, troubles hépatiques ou vésiculaires, hépatite.

**Système vasculaire périphérique :** claudication intermittente, crampes, veines variqueuses, antécédents de thromboses veineuses ; gonflement des mollets, des jambes ou des pieds ; changement de coloration des bouts des doigts ou des orteils par temps froid ; gonflement avec rougeur ou douleur.

**Appareil urinaire :** fréquence des mictions, polyurie, nycturie, mictions impérieuses, brûlure ou douleur à la miction, hématurie, infections urinaires, douleur rénale ou du flanc, calculs, colique néphrétique, douleur sus-pubienne, incontinence ; chez les hommes, diminution du calibre ou de la force du jet urinaire, retard à la miction, miction goutte à goutte.

**Appareil génital.** *Homme* : hernies, écoulement ou lésions du pénis, douleur ou tumeur testiculaire, douleur ou gonflement scrotal, antécédents de maladies sexuellement transmises avec leurs traitements. Préférence sexuelle, intérêt, fonction, satisfaction, méthodes de contraception, utilisation de préservatifs, et problèmes. Exposition à l'infection au VIH. *Femme* : âge des premières règles, leur régularité, leur fréquence et leur durée, volume du saignement, saignement entre les règles ou après des rapports, date des dernières règles ; dysménorrhée, tension prémenstruelle. Âge de la ménopause, symptômes de la ménopause et saignements après la ménopause. Si la patiente est née avant 1971, exposition au diéthylstilbestrol (DES), utilisé par la mère pendant la grossesse (lien avec des carcinomes cervicaux). Écoulements vaginaux, démangeaisons, lésions, grosseurs, maladies sexuellement transmises avec leurs traitements. Nombre de grossesses, nombre d'accouchements avec leur voie, nombre d'avortements (spontanés et provoqués) ; complications de la grossesse, méthodes contraceptives. Préférence sexuelle, intérêt, fonction, satisfaction ; tout problème, y compris une dyspareunie. Inquiétudes concernant l'infection au VIH.

**Appareil locomoteur :** douleurs musculaires ou articulaires, raideur, arthrite, goutte, douleurs du dos. Si elles existent, décrivez la localisation des articulations ou des muscles touchés et les symptômes éventuels (par exemple, gonflement, rougeur, douleur, raideur, faiblesse, limitation des mouvements ou de l'activité) ; précisez le moment des symptômes (par exemple, le matin ou le soir), leur durée, un antécédent de traumatisme. Douleur du cou ou lombaire. Douleur articulaire avec des signes systémiques tels que de la fièvre, des frissons, une éruption, des signes généraux, une perte de poids ou une faiblesse.

**Psychisme :** nervosité, tension, humeur, y compris dépression, troubles de la mémoire, tentatives de suicide éventuellement.

**Système nerveux :** modifications de l'humeur, de l'attention ou de la parole ; troubles de l'orientation, mémoire, compréhension ou jugement ; céphalées, étourdissements, vertiges, évanouissements, « voile noir », convulsions, faiblesse, paralysie, engourdissement ou perte de sensibilité, fourmillements ou picotements, tremblements ou autres mouvements involontaires ; convulsions.

**Sang :** anémie, ecchymoses ou saignements faciles, transfusions antérieures et réactions transfusionnelles.

**Glandes endocrines :** troubles thyroïdiens, intolérance à la chaleur ou au froid, transpiration excessive, soif ou faim excessives, polyurie, changement de pointure de gants ou de chaussures.

# ➜ Examen physique complet de l'adulte

## Début de l'examen : la préparation

Avant de commencer l'examen physique, prenez le temps de vous préparer aux tâches à venir. Réfléchissez à l'abord du patient, à votre comportement professionnel et aux moyens de mettre à l'aise et de détendre le patient. Revoyez les mesures destinées à mettre le patient à l'aise et faites les arrangements nécessaires de l'éclairage et de l'environnement.

Voir chapitre 18, « Évaluation des enfants : du nourrisson à l'adolescent », pour l'examen complet des nourrissons, des enfants et des adolescents.

---

### Préparation à l'examen physique

- Réfléchissez à la façon d'aborder le patient.
- Arrangez l'éclairage et l'environnement.
- Installez le patient confortablement.
- Vérifiez votre matériel.
- Choisissez la séquence d'examen.

---

***Réfléchissez à la façon d'aborder le patient.*** Au début de votre pratique, le sentiment de manquer d'assurance est inévitable, mais il diminuera rapidement avec l'expérience. Soyez direct. Présentez-vous en tant qu'étudiant. Essayez de paraître calme, organisé et compétent, même si n'est pas le cas. Oublier de faire une partie de l'examen n'est pas rare, surtout au début. Réparez cet oubli après la séquence, calmement. Retournez au chevet du patient et demandez-lui de pouvoir vérifier les items que vous avez « sautés ».

En tant que débutant, il vous faudra plus de temps qu'à un clinicien expérimenté pour réaliser certaines parties de l'examen comme l'ophtalmoscopie ou l'auscultation cardiaque. Pour éviter d'effrayer le patient, avertissez-le à l'avance en lui disant, par exemple : « J'aimerais consacrer du temps à ausculter votre cœur, mais cela ne signifie pas qu'il y a quelque chose d'anormal. »

La plupart des patients envisagent l'examen physique avec quelque anxiété. Ils se sentent vulnérables, mis à nu, et ils appréhendent une possible douleur ou les découvertes du clinicien. En même temps, ils apprécient l'intérêt porté à leurs problèmes et peuvent être heureux de l'attention qu'ils reçoivent. Connaissant ces sentiments, un clinicien expérimenté est minutieux sans perdre de temps, systématique sans être rigide, doux mais capable d'infliger un désagrément nécessaire. Il examine chaque partie du corps et, en même temps, perçoit le sujet en entier, remarque la grimace ou le regard inquiet et donne l'information qui calme, explique ou rassure.

Au bout d'un certain temps, vous commencerez à faire part de vos constatations au patient. Au début, *évitez d'interpréter ces constatations*. Vous n'êtes pas le médecin traitant du patient et vos opinions peuvent être contradictoires ou erronées. Quand vous acquerrez de l'expérience et des responsabilités, il deviendra plus opportun de communiquer vos trouvailles. Si le patient a des inquiétudes spécifiques, discutez-en avec vos enseignants avant de le rassurer. Il arrive parfois de découvrir des anomalies, telles qu'une énorme tumeur ou un ulcère profond et suintant. Évitez toujours de montrer du dégoût, de l'inquiétude ou d'autres réactions négatives.

***Arrangez l'éclairage et l'environnement.*** De façon surprenante, plusieurs facteurs environnementaux peuvent affecter l'importance et la fiabilité de vos constatations. Pour optimiser les techniques d'examen, il importe d'« arranger le décor », de telle sorte que vous et votre patient soyez à l'aise. Vous vous apercevrez que certaines positions gênantes altèrent la qualité de votre examen. Prenez le temps de régler le lit à une hauteur convenable (mais n'oubliez pas de l'abaisser ensuite !) et demandez au patient de se rapprocher de vous si cela vous permet d'examiner une zone du corps plus soigneusement.

Un bon éclairage et un environnement silencieux améliorent ce que vous voyez et entendez, mais ils peuvent être difficiles à obtenir. Faites du mieux que vous pouvez. Si la télévision vous gêne pour ausculter le cœur de votre malade, demandez poliment au voisin de baisser le son du poste. La plupart des gens coopèrent volontiers. Soyez poli et remerciez le patient en partant.

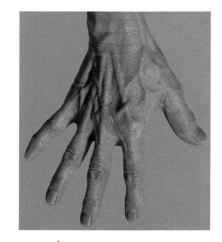

**ÉCLAIRAGE TANGENTIEL**

L'*éclairage tangentiel* est optimal pour l'inspection de diverses structures comme le pouls veineux jugulaire, la glande thyroïde et le choc de la pointe du cœur. Il envoie une lumière sur les surfaces corporelles qui fait ressortir les contours, les saillies et les dépressions, le déplacement et l'immobilité.

Quand la lumière est perpendiculaire à la surface ou diffuse, les ombres sont réduites et les discrètes ondulations de la surface moins visibles. Faites un essai avec un éclairage tangentiel centré sur les tendons et les veines du dos de votre main, et essayez de voir les pulsations de l'artère radiale à votre poignet.

***Vérifiez votre matériel.*** Les instruments nécessaires pour l'examen physique sont les suivants.

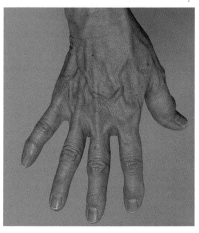

**ÉCLAIRAGE PERPENDICULAIRE**

## MATÉRIEL POUR L'EXAMEN PHYSIQUE

✔ Un ophtalmoscope et un otoscope. Si l'otoscope doit être utilisé chez l'enfant, il doit permettre des otoscopies pneumatiques.

✔ Une lampe torche ou une lampe stylo.

✔ Des abaisse-langue.

✔ Une règle et un ruban à mesurer flexible, gradués de préférence en centimètres.

✔ Un thermomètre.

✔ Une montre marquant les secondes.

✔ Un sphygmomanomètre.

✔ Un stéthoscope ayant les caractéristiques suivantes :
– des embouts auriculaires bien adaptés et indolores. Pour une bonne adaptation, choisissez les embouts auriculaires de taille adéquate, alignez les embouts suivant l'angle de vos conduits auditifs, et ajustez de façon convenable la tension de la branche métallique à laquelle ils sont fixés ;
– des tuyaux à paroi épaisse aussi courts que possible pour avoir une transmission maximale du son : environ 30 cm si possible, et pas plus de 38 cm ;
– un pavillon et une membrane faciles à intervertir.

✔ Des gants et un lubrifiant, pour l'examen de la bouche, du vagin et du rectum.

✔ Des spéculums vaginaux et du matériel de prélèvement pour examen cytologique et éventuellement bactériologique.

✔ Un marteau à réflexes.

✔ Des diapasons, idéalement un de 128 Hz et un de 512 Hz.

✔ Des cotons-tiges, des épingles de sûreté ou d'autres objets à usage unique pour tester la sensibilité discriminative.

✔ Du coton pour tester le toucher léger.

✔ Deux tubes à essais (facultatifs) pour tester la sensibilité thermique.

✔ Du papier et un stylo.

**Installez le patient confortablement.** Votre accès au corps du patient est le privilège unique et consacré par le temps de votre rôle de clinicien. Le souci de l'intimité et de la pudeur du patient doit être enraciné dans votre comportement professionnel. De cette façon, le patient se sent respecté et à l'aise. Fermez les portes et tirez les rideaux à l'hôpital ou dans une pièce de consultation avant de commencer l'examen.

Vous apprendrez à disposer la blouse ou le drap du patient en fonction de la partie examinée. *Votre but est de rendre visible une seule zone du corps à la fois.* Cela ménage la pudeur du patient et vous aide aussi à vous concentrer sur la zone à examiner. Par exemple, chez le patient assis, ouvrez la blouse dans le dos pour l'auscultation des poumons. Pour l'examen des seins, découvrez le sein droit mais laissez la partie gauche du thorax recouverte ; puis recouvrez le sein droit, découvrez la partie gauche du thorax et examinez le sein gauche et le cœur. Pour l'examen de l'abdomen, n'exposez que l'abdomen ; arrangez la blouse afin de recouvrir le thorax et placez un drap ou un champ sur la région inguinale.

Pour préparer le patient aux passages qui peuvent être embarrassants, annoncez brièvement vos projets avant de commencer l'examen. En cours d'examen, avertissez le patient si une gêne ou un inconfort sont prévisibles, comme lors de la palpation des pouls fémoraux. Essayez aussi de deviner ce que le patient veut savoir. Le patient s'intéresse-t-il aux découvertes pulmonaires ou à votre méthode d'évaluation du foie et de la rate ?

À chaque étape de l'examen, donnez au patient des instructions claires mais courtoises. Par exemple : « À présent, j'aimerais examiner votre cœur. Allongez-vous, s'il vous plaît. »

Comme lors de l'interrogatoire, soyez attentif aux sentiments du patient et à son confort. En observant la mimique du patient et en lui demandant : « Ça va ? », au cours de l'examen, vous pourrez apprendre des inquiétudes ou une douleur jusque-là inexprimées. Pour le confort du patient, il peut être utile de régler l'inclinaison du lit ou de la table d'examen. Réarranger les oreillers, rajouter des couvertures démontre que vous vous souciez de son bien-être.

L'examen terminé, indiquez au patient votre impression générale et les étapes à venir. Pour les patients hospitalisés, assurez-vous qu'ils sont confortablement installés et réarrangez leur environnement immédiat selon leurs désirs. N'oubliez pas d'abaisser le lit et, si besoin est, de relever les barrières, pour éviter les chutes. En partant, lavez-vous les mains, nettoyez vos instruments et jetez le matériel à usage unique utilisé.

### Choisissez la séquence de l'examen.

*La clé d'un examen physique complet et précis est l'adoption d'une séquence d'examen systématique.* Organisez votre examen complet ou limité en visant trois objectifs :

- procurer au patient le maximum de confort ;

- éviter les changements de position inutiles ;

- renforcer l'efficacité clinique.

En général, allez « de la tête aux pieds ». Par exemple, évitez d'examiner les pieds du patient avant sa face ou sa bouche. Vous vous apercevrez rapidement que certaines parties de l'examen sont plus faciles chez le patient assis, comme l'examen de la tête et du cou, du thorax et des poumons, alors que d'autres sont plus aisées chez le patient couché sur le dos, comme l'examen cardiovasculaire et de l'abdomen.

Souvent, surtout à l'hôpital, vous devrez examiner un patient *alité*, incapable de s'asseoir dans son lit ou de se mettre debout. Cela impose la séquence de votre examen. Vous pouvez examiner la tête, le cou et la partie antérieure du thorax chez le patient en décubitus dorsal. Tournez ensuite le patient sur les côtés pour ausculter les poumons, examiner le dos et inspecter la peau. Remettez le patient sur le dos et finissez l'examen en décubitus dorsal.

Avec la pratique, vous mettrez au point votre propre séquence d'examen, qui devra concilier minutie et confort du patient. Au début, vous aurez peut-être besoin de notes pour vous rappeler ce qu'il faut rechercher quand vous examinez telle ou telle région du corps mais après quelques mois de pratique, vous aurez acquis votre propre séquence systématique. Cette séquence deviendra une habitude et souvent vous poussera à revenir à une partie de l'examen que vous avez sautée par inadvertance, ce qui vous aidera à être complet.

Pour avoir une idée de la séquence de l'examen physique, étudiez ses grandes lignes, résumées ci-dessous.

## EXAMEN PHYSIQUE : RÉSUMÉ DE LA SÉQUENCE PROPOSÉE

- ✔ Examen général

- ✔ Constantes vitales

- ✔ Peau : partie supérieure du torse (l'avant et l'arrière)

- ✔ Tête et cou, y compris thyroïde et ganglions

- ✔ *Optionnel* : système nerveux (état mental, nerfs crâniens, membres supérieurs : force, masse et tonus musculaires, fonctions cérébelleuses)

- ✔ Thorax et poumons

- ✔ Seins

- ✔ Appareil locomoteur si c'est indiqué : membres supérieurs

- ✔ Appareil cardiovasculaire, y compris PVJ, pouls et souffles carotidiens, choc de la pointe, etc.

- ✔ Appareil cardiovasculaire pour B3 et le souffle du rétrécissement mitral

- ✔ Appareil cardiovasculaire pour le souffle de l'insuffisance aortique

- ✔ *Optionnel* : thorax et poumons (l'avant)

- ✔ Seins et aisselles

- ✔ Abdomen

- ✔ Appareil vasculaire périphérique. *Optionnel* : peau – partie inférieure du torse et membres

- ✔ Système nerveux : force, masse et tonus musculaires des membres inférieurs, sensibilité, réflexes, réflexe cutané plantaire

- ✔ Appareil locomoteur, si c'est indiqué

- ✔ *Optionnel* : peau (en avant et en arrière)

- ✔ *Optionnel* : système nerveux, y compris la démarche

- ✔ *Optionnel* : appareil locomoteur, exhaustif

- ✔ *Femmes* : examen gynécologique et rectal

- ✔ *Hommes* : examen prostatique et rectal

### Symboles des positions du patient

Assis

Couché sur le dos, avec la tête du lit relevée à 30 degrés

*Idem*, en partie tourné sur le côté gauche

Assis, penché en avant

Couché sur le dos (décubitus dorsal)

Debout

Couché sur le dos, les hanches en flexion, abduction et rotation externe et les genoux en flexion (position gynécologique)

Couché sur le côté gauche (décubitus latéral gauche)

Chaque symbole reste valable jusqu'à l'apparition du suivant. Deux symboles séparés par une barre oblique indiquent l'une ou l'autre ou les deux positions.

# Techniques d'examen

À présent, concentrez-vous sur la description plus détaillée de l'examen physique, qui suit. Revoyez les principales techniques d'examen, la séquence de l'examen et le positionnement pour l'examen, ainsi que les précautions à observer dans tous les cas.

***Principales techniques d'examen.*** Notez que l'examen physique repose sur quatre techniques classiques : l'inspection, la palpation, la percussion, et l'auscultation. Vous verrez dans d'autres chapitres que plusieurs manœuvres sont aussi utilisées pour amplifier des signes d'examen, comme faire pencher le patient en avant pour mieux entendre un souffle d'insuffisance aortique ou faire ballotter la rotule pour rechercher un épanchement dans l'articulation du genou.

| Principales techniques d'examen | |
|---|---|
| **Inspection** | Observation minutieuse de l'aspect du patient, son comportement, sa mimique, son humeur, son état corporel, sa peau (à la recherche de pétéchies, d'ecchymoses), ses mouvements oculaires, la couleur de son pharynx, la symétrie de son thorax, le niveau de ses pulsations jugulaires, les contours de son abdomen, un œdème de ses membres inférieurs, et sa démarche. |
| **Palpation** | Pression exercée avec la face palmaire ou la pulpe des doigts pour apprécier des zones de la peau surélevées, déprimées, chaudes ou douloureuses, des adénopathies, les contours et la taille des organes ou de masses, et des crépitations dans les articulations. |
| **Percussion** | Utilisation d'un doigt (*doigt percuteur*), en général le médius droit, pour frapper brièvement (percuter) l'extrémité distale d'un doigt de l'autre main (*doigt plessimètre*), en général le médius gauche, posé à la surface du thorax ou de l'abdomen, afin de produire une onde sonore, telle qu'une résonance ou une matité, provenant des tissus ou des organes sous-jacents. Cette onde sonore génère aussi une vibration tactile, ressentie par le doigt plessimètre. |
| **Auscultation** | Utilisation de la membrane ou du pavillon du stéthoscope pour détecter les bruits du cœur, des poumons et de l'intestin et préciser leurs caractéristiques (localisation, chronologie, durée, tonalité et intensité). Pour le cœur, l'auscultation concerne les bruits dus à la fermeture des quatre valvules, le débit du sang dans les ventricules, ainsi que les souffles. Elle permet aussi de détecter des souffles ou une turbulence dans les vaisseaux sanguins. |

***Précautions standard et universelles.*** Les CDC *(Centers for Disease Control and Prevention)* ont émis plusieurs recommandations afin d'éviter la propagation des maladies infectieuses aux patients et aux soignants. Il est fortement conseillé à tous les cliniciens qui examinent des patients de prendre connaissance de ces précautions sur les sites Web du CDC, et de les respecter. Les précautions standard et contre les *Staphylococcus aureus* résistants à la méthicilline (SARM) et les précautions universelles sont résumées ci-dessous.[10-12]

- *Précautions standard et contre les SARM* : les précautions standard reposent sur le principe que le sang, les liquides corporels, les sécrétions et excrétions à l'exception de la sueur, la peau lésée et les muqueuses peuvent contenir des agents infectieux transmissibles. Ces pratiques s'appliquent à tous les patients, quelles que soient les circonstances. Elles comprennent l'hygiène des mains ; quand utiliser des gants, des blouses, des masques pour la bouche et le nez, et des lunettes pour les yeux ; l'hygiène respiratoire et celle de la toux (« étiquette de la toux ») ; les critères d'isolement du patient ; les précautions relatives aux instruments, jouets et surfaces solides, et à la manipulation du linge ; et des pratiques sûres pour les injections avec une aiguille. *Lavez-vous les mains avant et après l'examen du patient.* Cela montrera votre souci du bien-être du patient et votre connaissance d'un point crucial pour sa sécurité. Des savons antibactériens sont souvent à portée de main. *Changez fréquemment de blouse blanche*, parce que les poignets peuvent devenir humides et tachés.

- *Précautions universelles* : on appelle précautions universelles un ensemble de recommandations conçues pour éviter la transmission du virus de l'immunodéficience humaine (VIH), du virus de l'hépatite B (VHB), et d'autres agents hématogènes, lors des premiers secours ou des soins médicaux. Les liquides suivants sont considérés comme potentiellement infectieux : le sang et tous les liquides corporels contenant visiblement du sang, le sperme et les sécrétions vaginales, le liquide céphalorachidien (LCR), les liquides synoviaux, pleuraux, péritonéaux et péricardiques, et le liquide amniotique. Les « barrières de protection » comprennent les gants, les blouses, les tabliers, les masques et les protections oculaires. Tous les professionnels de la santé doivent *observer les importantes précautions concernant la sécurité des injections et la prévention des blessures par des aiguilles, bistouris, et autres instruments et appareils acérés.* Le cas échéant, signalez immédiatement ce type de blessure à votre service de médecine du travail.

**Champ et positionnement pour l'examen.** Avant de lire les techniques d'examen résumées p. 19-23, notez que les cliniciens ne réalisent pas toutes les parties de l'examen au même moment, en particulier l'examen de l'appareil locomoteur et celui du système nerveux. Certaines de ces variantes sont indiquées en rouge dans la marge de droite.

En mettant au point votre propre séquence d'examen, *efforcez-vous de limiter le nombre de fois où vous demanderez au patient de changer de position*, et de passer de la position couchée à la position assise ou de la position debout à la position couchée. Quelques suggestions sur la position du patient au cours des différentes parties de l'examen sont aussi indiquées *en rose* dans la marge de droite.

*Ce livre recommande d'examiner le patient en se tenant **à sa droite** et de se déplacer de l'autre côté ou vers le pied du lit ou de la table d'examen si besoin est. C'est la position standard pour l'examen physique ; elle a plusieurs avantages par rapport au côté gauche : il est plus fiable d'estimer la pression veineuse jugulaire à droite, la main qui palpe repose plus confortablement sur le choc de la pointe du cœur, le rein droit est plus souvent palpable que le gauche, et les tables d'examen sont fréquemment posées contre un mur de façon à privilégier l'approche par le côté droit.

Nous encourageons les étudiants gauchers à se mettre du côté droit du patient, même s'ils sont gênés au début. Il peut être tout de même plus facile de se servir de la main gauche pour percuter ou pour tenir certains instruments, tels qu'un otoscope ou un marteau à réflexes.

## Vue d'ensemble de l'examen physique

Lisez attentivement la séquence « de la tête aux pieds », les techniques d'examen des différentes régions du corps, et les façons d'améliorer le confort du patient et de limiter ses changements de position.

***Examen général.*** Observez l'état de santé du patient, sa taille, sa corpulence et son développement sexuel. Demandez-lui son poids. Notez son attitude, son activité et sa démarche, son habillement, sa toilette et son hygiène personnelle, l'odeur du corps ou une haleine particulière. Regardez son expression, ses manières, son émotivité, ses réactions aux personnes et aux choses qui l'entourent. Écoutez son discours et notez sa vigilance ou son niveau de conscience.

L'examen général se poursuit au cours de l'interrogatoire et de l'examen physique.

***Constantes vitales.*** Mesurez la pression artérielle. Comptez le pouls et la fréquence respiratoire. Si c'est indiqué, prenez la température.

Le **patient est assis** au bord du lit ou de la table d'examen, à moins que son état ne le contre-indique. Tenez-vous en face de lui et déplacez-vous d'un côté ou de l'autre selon les besoins.

***Peau.*** Observez la peau et ses caractéristiques. Identifiez d'éventuelles lésions, en notant leur siège, leur répartition, leur disposition, leur type et leur couleur. Inspectez et palpez les cheveux et les ongles. Examinez les mains du patient. Continuez l'évaluation de la peau tout en examinant les autres zones du corps.

***Tête, yeux, oreilles, nez, gorge (TYONG).*** ***Tête :*** examinez les cheveux, le cuir chevelu, le crâne et le visage. ***Yeux :*** Vérifiez l'acuité visuelle et le champ visuel. Notez la position et l'alignement des yeux. Observez les paupières et inspectez la sclérotique et la conjonctive des deux yeux. Avec une lumière oblique, inspectez la cornée, l'iris et le cristallin de chaque côté. Comparez les pupilles et testez leurs réactions à la lumière. Étudiez la motricité extrinsèque. Avec un ophtalmoscope, regardez les fonds d'yeux. ***Oreilles :*** inspectez les pavillons, les conduits auditifs externes, les tympans. Vérifiez l'audition. Si elle est diminuée, testez la latéralisation (test de Weber) et comparez la transmission aérienne et osseuse (test de Rinne). ***Nez et sinus :*** examinez le nez et, à l'aide d'une lampe et d'un spéculum, inspectez la muqueuse, la cloison, les cornets. Recherchez, à la palpation, une sensibilité des sinus frontaux et maxillaires. ***Gorge (ou bouche et pharynx) :*** inspectez les lèvres, la muqueuse buccale, les gencives, les dents, la langue, le palais, les amygdales et le pharynx. *(Vous pouvez souhaiter évaluer les nerfs crâniens au cours de cette partie de l'examen.)*

Il faut faire l'obscurité dans la pièce pour l'examen ophtalmoscopique. Cela favorise la dilatation des pupilles et la visibilité des fonds d'yeux.

**Cou.** Inspectez et palpez les ganglions cervicaux. Notez toute masse anormale ou pulsatilité inhabituelle du cou. Recherchez une déviation de la trachée. Observez le son produit et l'effort nécessaire à la respiration du patient. Inspectez et palpez la glande thyroïde.

Mettez-vous derrière le patient assis pour palper la thyroïde et examiner son dos, la face postérieure de son thorax et ses poumons.

**Dos.** Inspectez et palpez le rachis et les muscles du dos. Vérifiez la hauteur des épaules.

***Partie postérieure du thorax et des poumons.*** Inspectez et palpez le rachis et les muscles de la partie haute du dos. Inspectez, palpez, percutez le thorax. Déterminez le niveau de la matité diaphragmatique de chaque côté. Écoutez le murmure vésiculaire, identifiez tout bruit surajouté et, s'il y a lieu, écoutez la transmission de la voix (voir p. 315-316).

***Seins, aisselles et ganglions épitrochléens.*** Chez une femme, examinez les seins, les bras tombants puis relevés, puis les mains aux hanches. Dans les deux sexes, inspectez les aisselles et recherchez des ganglions axillaires. Recherchez des ganglions épitrochléens.

Le patient est **encore assis**. Remettez-vous devant lui.

*Note sur l'appareil locomoteur :* à ce stade, vous avez fait les premières observations sur l'appareil locomoteur. Vous avez examiné les mains du patient, contrôlé le dos et, au moins chez les femmes, apprécié l'amplitude des mouvements des épaules. Ces observations, et d'autres, vous serviront à décider s'il faut faire ou non un examen complet de l'appareil locomoteur. Si besoin est, examinez les mains, les membres supérieurs, les épaules, le cou et les articulations temporomandibulaires tant que le patient est assis. Inspectez et palpez les articulations et contrôlez l'amplitude de leurs mouvements. *(Vous pouvez décider d'examiner maintenant la masse, le tonus et la force des muscles ainsi que les réflexes des membres supérieurs, ou le faire plus tard.)*

Palpez les seins tout en continuant votre inspection.

Le patient est **couché sur le dos**. Demandez-lui de s'allonger. Vous devez vous tenir du *côté droit* de son lit.

***Partie antérieure du thorax et des poumons.*** Inspectez, palpez, percutez le thorax. Écoutez le murmure vésiculaire et tout bruit surajouté et, s'il y a lieu, la transmission de la voix.

***Appareil cardiovasculaire.*** Observez les pulsations jugulaires et mesurez la pression veineuse jugulaire par rapport à l'angle sternal. Inspectez et palpez les pulsations carotidiennes. Recherchez des bruits carotidiens.

**Relevez la tête du lit à environ 30°** pour l'examen cardiovasculaire, et faites les ajustements nécessaires pour voir les pulsations veineuses jugulaires.

Inspectez et palpez la région précordiale. Notez la localisation, le diamètre, l'amplitude et la durée du choc apexien. Auscultez la pointe et la partie basse du bord gauche du sternum avec le pavillon du stéthoscope, et chaque foyer d'auscultation avec la membrane. Écoutez les deux bruits du cœur et un dédoublement physiologique du deuxième bruit du cœur. Recherchez des bruits et souffles cardiaques anormaux.

Le patient doit se tourner en partie sur le côté gauche quand vous auscultez la pointe du cœur, à la recherche d'un B3 ou d'une sténose mitrale. Le patient doit être assis, se pencher en avant et expirer quand vous recherchez un souffle d'*insuffisance aortique*.

**Abdomen.** Inspectez, auscultez et percutez l'abdomen. Palpez superficiellement puis profondément. Examinez le foie et la rate par percussion puis palpation. Essayez de percevoir les reins et de palper l'aorte avec ses pulsations. Si vous suspectez une infection urinaire, percutez, en arrière, les angles costovertébraux.

Abaissez la tête du lit à l'horizontale. **Le patient doit être en décubitus dorsal.**

**Membres inférieurs.** Examinez les membres inférieurs. Évaluez trois systèmes pendant que le patient est encore couché. Vous approfondirez votre examen sur le patient debout.

Le patient est **couché sur le dos.**

*Sur le patient en décubitus dorsal*

■ *Système vasculaire périphérique.* Palpez les pouls fémoraux et, si besoin, les pouls poplités. Palpez les ganglions inguinaux. Recherchez par l'inspection un trouble de la coloration, des ulcères des membres inférieurs et, par la palpation, un œdème prenant le godet.

■ *Appareil locomoteur.* Notez toute déformation ou augmentation de volume des articulations. S'il y a lieu, palpez les articulations et notez l'amplitude de leur mobilité et exécutez les manœuvres nécessaires.

■ *Système nerveux.* Évaluez la masse, le tonus et la force des muscles des membres inférieurs ; évaluez aussi la sensibilité et les réflexes. Observez tout mouvement anormal.

*Sur le patient debout*

Le patient est **debout.** Vous êtes assis sur une chaise ou un tabouret.

■ *Système vasculaire périphérique.* Recherchez des varices.

■ *Appareil locomoteur.* Examinez l'alignement du rachis et l'amplitude de sa mobilité, l'alignement des membres inférieurs et des pieds.

■ *Organes génitaux et hernies chez l'homme.* Examinez le pénis et les bourses et recherchez des hernies.

■ *Système nerveux.* Observez la démarche du patient et sa capacité à marcher sur la plante des pieds, sur la pointe des pieds ou sur les talons, à sautiller sur place et à fléchir les genoux. Cherchez un signe de Romberg et une dérive en pronation.

**Système nerveux.** L'examen complet du système nerveux peut être également fait à la fin de l'examen. Il comprend les 5 parties décrites ci-dessous : l'*état mental*, les *nerfs crâniens* (y compris l'examen des fonds d'yeux), la *motricité*, la *sensibilité* et les *réflexes*.

Le patient est **assis** ou **couché sur le dos.**

**État mental.** S'il y a lieu, et si cela n'a pas encore été fait durant l'interrogatoire, évaluez l'orientation et l'humeur du patient, les processus et le contenu de la pensée, les perceptions anormales, la compréhension et le jugement, la mémoire et l'attention, l'information et le vocabulaire, les capacités de calcul, la pensée abstraite et la capacité de construction.

**Nerfs crâniens.** S'ils ne sont pas encore examinés : odorat, force des muscles temporaux et masséters, réflexes cornéens, mimique, réflexe nauséeux et force des muscles trapèzes et sternocléidomastoïdiens.

**Système moteur.** Masse, tonus et force des principaux groupes musculaires. Fonction cérébelleuse : mouvements alternants rapides, mouvements d'un point à un autre, tels que doigt au nez (D → N) et talon au tibia (T → T) ; démarche.

**Système sensitif.** Douleur, température, toucher léger, vibration et discrimination. Comparez le côté droit avec le gauche et l'extrémité avec la racine des membres.

**Réflexes.** Réflexes ostéotendineux bicipital, tricipital, styloradial, rotulien et achilléen, réflexe cutané plantaire (voir p. 729-736).

***Examens supplémentaires.*** L'examen *rectal* et *génital* est souvent pratiqué à la fin de l'examen physique. La position du patient est indiquée en marge.

**Examen rectal chez l'homme.** Inspectez les régions sacrococcygienne et périanale. Palpez le canal anal, le rectum et la prostate. Si le patient ne peut se tenir debout, examinez les organes génitaux avant de faire le toucher rectal.

Le patient est **couché sur le côté gauche** pour le toucher rectal (ou debout et penché en avant).

**Organes génitaux et toucher rectal chez la femme.** Examinez les organes génitaux externes, le vagin, le col utérin. Faites des frottis cervicaux. Palpez l'utérus et ses annexes à deux mains.

La patiente est **couchée sur le dos, en position gynécologique.** Vous devez être assis pendant l'examen avec le spéculum, puis debout pendant le toucher vaginal (et éventuellement rectal).

## Bibliographie

### RÉFÉRENCES

1. U.S. Preventive Services Task Force. The guide to clinical preventive services 2007: recommendations of the U.S. Preventive Services Task Force. Washington DC: U.S. Department of Health and Human Services, Agency for Healthcare Research and Quality, September 2007. Available at: http://www.ahrq.gov/clinic/pocketgd07/pocketgd07.pdf. Accessed February 9, 2008.
2. Boulware LE, Marinopoulos S, Phillips KA, et al. Systematic review: the value of the periodic health evaluation. Ann Intern Med 146(4):289–300, 2007.
3. Oboler SK, Prochazka AV, Gonzales R, et al. Public expectations and attitudes for annual physical examinations and testing. Ann Intern Med 136(9):652–659, 2002.
4. Laine C. The annual physical examination: needless ritual or necessary routine? Ann Intern Med 136(9):701–702, 2002.
5. Culica D, Rohrer J, Ward M, et al. Medical check-ups: who does not get them? Am J Public Health 92(1):88–91, 2002.
6. Hesrud DD. Clinical preventive medicine in primary care: background and practice. Rational and current preventive practice. Mayo Clin Proc 75(4):1165–1172, 2000.
7. Simel DL, Rennie D. The clinical examination: an agenda to make it more rational. JAMA 277(7):572–574, 1997.
8. Sackett DL. A primer on the precision and accuracy of the clinical examination. JAMA 267(19):2638–2644, 1992.
9. Evidence-Based Working Group. Evidence-based medicine: a new approach to teaching the practice of medicine. JAMA 268(17):2420–2425, 1992.
10. Centers for Disease Control and Prevention (CDC). Standard precautions. Excerpt from the guidelines for isolation precautions: preventing transmission of infectious agents in healthcare settings 2007. Available at: http://www.cdc.gov/ncidod/dhqp/gl_isolation_standard.html. Accessed February 7, 2008.
11. Centers for Disease Control and Prevention. Information about MRSA for healthcare personnel. Available at:

http://www.cdc.gov/ncidod/dhqp/ar_mrsa_healthcareFS. html#. Accessed February 7, 2008.

12. Centers for Disease Control and Prevention. Universal precautions for the prevention for transmission of HIV and other bloodborne infections. Updated 1996. At http://www.cdc. gov/ncidod/dhqp/bp_universal_precautions.html#. Accessed February 7, 2008.

## AUTRES LECTURES

### Anatomie et physiologie

Agur AMR, Dalley AF, Grant JC, et al. Grant's Atlas of Anatomy, 11th ed. Philadelphia: Lippincott Williams & Wilkins, 2005.

Berne RM, Koeppen BM. Physiology, 6th ed. Philadelphia: Mosby–Elsevier, 2008.

Buja LM, Krueger GRF, Netter FH. Netter's Illustrated Human Pathology. Teterboro, NJ: Icon Learning Systems, 2005.

Gray H, Standring S, Ellis H, et al. Gray's Anatomy: The Anatomical Basis of Clinical Practice, 39th ed. New York: Elsevier–Churchill Livingstone, 2005.

Guyton AC, Hall JE. Textbook of Medical Physiology, 11th ed. Philadelphia: WB Saunders, 2005.

Moore KL, Dalley AF, Agur AMR. Clinically Oriented Anatomy, 5th ed. Baltimore: Lippincott Williams & Wilkins, 2006.

### Médecine, chirurgie et gériatrie

Barker LR, Burton JR, Zeive PD. Barker, Burton, and Zeive's Principles of Ambulatory Medicine, 7th ed. Philadelphia: Lippincott Williams & Wilkins, 2007.

Brunicardi FC, Schwartz SI, eds. Schwartz's Principles of Surgery, 8th ed. New York: McGraw-Hill Medical, 2006.

Cassel C, Leipzig RM, Cohen HJ, et al. Geriatric Medicine: An Evidence-based Approach, 4th ed. New York: Springer, 2003.

Cecil RL, Goldman L, Ausiello DA. Cecil Textbook of Medicine, 23rd ed. Philadelphia: WB Saunders–Elsevier, 2008.

Hazzard WR. Principles of Geriatric Medicine and Gerontology, 5th ed. New York: McGraw-Hill Professional, 2003.

Kasper DL, Harrison TR, eds. Harrison's Principles of Internal Medicine, 16th ed. New York: McGraw-Hill, 2005.

Mandell GL. Essential Atlas of Infectious Diseases, 3rd ed. Philadelphia: Current Medicine, 2004.

Mandell GL, Gordon R, Bennett JE, et al., eds. Mandell, Douglas, and Bennett's Principles and Practice of Infectious Diseases, 6th ed. Philadelphia: Elsevier–Churchill Livingstone, 2005.

Mandell GL, Mildvan D. Atlas of AIDS, 3rd ed. Philadelphia: Current Medicine, 2001.

Sabiston DC, Townsend CM, eds. Sabiston Textbook of Surgery: The Biological Basis of Modern Surgical Practice, 18th ed. Philadelphia: WB Saunders–Elsevier, 2008.

Youngkin EQ, Davis MS. Women's Health: A Primary Care Clinical Guide, 3rd ed. Upper Saddle River, NJ: Pearson–Prentice Hall, 2004.

### Promotions de la santé et conseils

American Public Health Association. Public Health Links (for public health professionals). Available at: http://www.apha.org/about/Public+Health+Links. Accessed June 7, 2008.

Centers for Disease Control and Prevention. Vaccines and immunizations. Available at: http://www.cdc.gov/vaccines/. Accessed June 7, 2008.

Hesrud DD. Clinical preventive medicine in primary care: background and practice. Rational and current preventive practice. Mayo Clin Proc 75(4):1165–1172, 2000.

National Quality Measures Clearinghouse. Agency for Healthcare Research and Quality (AHRQ). Available at: http://www.quality measures.ahrq.gov. Accessed June 7, 2008.

National Guideline Clearinghouse. Agency for Healthcare Research and Quality (AHRQ). Available at: http://www.ahrq.gov/clinic/cps3dix.htm. Accessed June 7, 2008.

# Raisonnement clinique, évaluation et enregistrement de vos constatations

Une fois que vous avez gagné la confiance du patient, recueilli une anamnèse détaillée et fait un examen physique complet, vous atteignez l'étape critique de la formulation de l'*évaluation* et du *projet*. Il vous faut analyser vos constatations et identifier les problèmes du patient. Il vous faut aussi communiquer vos impressions au patient, lui faire exprimer ses inquiétudes et vous assurer qu'il comprend et accepte les étapes à venir. Enfin, vous devez inscrire vos constatations dans le compte rendu d'observation (CRO) du patient, dans un format concis et lisible. Le CRO fera connaître l'histoire du patient, votre raisonnement clinique et votre projet aux autres membres de l'équipe soignante.

Ce chapitre adopte une approche « par paliers successifs » afin de vous aider à acquérir la capacité de raisonner cliniquement, d'évaluer et de consigner vos observations après la consultation du patient. Tout en écoutant les patients et en les examinant, vous commencez à regrouper les informations selon des modèles qui forment une liste de problèmes, ce qu'on appelle l'évaluation. Dans un CRO bien construit, les problèmes sont listés par ordre de priorité, explicités par des arguments cliniques et un diagnostic différentiel, et suivis d'un projet pour les aborder. Les projets sont souvent larges ; ils comprennent les examens complémentaires à réaliser, une modification de traitement, une consultation spécialisée ou une seconde consultation pour des conseils et un soutien.

## Raisonnement clinique, évaluation et enregistrement de vos constatations : vue d'ensemble du chapitre

- Évaluation et projet : le processus du raisonnement clinique.
- Consigner vos observations : le CRO de Mme N. et les difficultés inhérentes aux données cliniques.
- Consigner vos observations : *check-list* pour un CRO clair et précis.
- Évaluation des données cliniques.
- Apprentissage continu : intégration du raisonnement clinique, de l'évaluation et de l'analyse des données cliniques.

Le processus du raisonnement clinique est essentiel pour déterminer de quelle façon vous allez interpréter l'interrogatoire et l'examen physique du patient, individualiser les problèmes listés dans votre évaluation, et passer de chaque problème à un plan d'action. Avec de l'expérience, un apprentissage ininterrompu, la lecture d'articles cliniques et la collaboration avec vos collègues, votre raisonnement clinique se développera et progressera tout au long de votre carrière. Le CRO du patient a un double but : il reflète votre analyse de l'état de santé du patient et il consigne les particularités de l'anamnèse, de l'examen physique et des résultats des examens complémentaires, l'évaluation et le projet, dans un document écrit.

L'anamnèse et l'examen physique complets constituent les bases de votre évaluation clinique. Comme vous l'avez vu au chapitre 1, grâce à un interrogatoire habile du patient ou de sa famille, vous pouvez obtenir l'anamnèse *(données subjectives)*, mener l'examen physique et prescrire les examens complémentaires *(données objectives)*. Les informations sont en premier lieu factuelles et descriptives. Au stade de l'évaluation, vous dépassez l'observation et la description pour analyser et interpréter. Vous sélectionnez et regroupez des informations pertinentes, analysez leurs significations possibles et essayez de les expliquer logiquement en utilisant un modèle biopsychosocial ou biomédical. L'*évaluation* et le *projet* comprennent les réactions du patient aux problèmes identifiés et à vos projets diagnostiques et thérapeutiques. Un *projet* réussi demande des qualités relationnelles et une réceptivité aux objectifs du patient, des moyens économiques, des responsabilités partagées et une dynamique familiale. Le CRO du patient facilite le raisonnement clinique, favorise la communication et la coordination des nombreux professionnels qui s'occupent de votre patient, et il documente les problèmes du patient et leur prise en charge dans un but médicolégal.

## ÉVALUATION ET PROJET : LE PROCESSUS DU RAISONNEMENT CLINIQUE

L'évaluation se déroulant dans l'esprit du clinicien, le processus du raisonnement clinique semble souvent inaccessible et même mystérieux au débutant. Souvent les cliniciens expérimentés pensent vite, avec peu de manifestations ou d'efforts conscients. Ils se différencient par leur style personnel, leurs qualités de communication, leur formation clinique, leur expérience et leurs centres d'intérêt. Certains ont du mal à expliquer la logique qui sous-tend leur réflexion clinique. En tant qu'étudiant actif, on attend de vous que vous demandiez aux enseignants et aux cliniciens de vous donner plus de détails sur les points importants de leurs raisonnements et de leurs prises de décision cliniques.[1, 2]

La psychologie cognitive a démontré que les cliniciens utilisaient trois types de raisonnement pour résoudre des problèmes cliniques : la reconnaissance d'un modèle, le développement de schémas, et l'application de connaissances cliniques et fondamentales.[3-6] Avec l'expérience, votre raisonnement clinique commencera dès le début de la rencontre du patient, pas à sa fin. Étudiez les étapes décrites ci-dessous, puis appliquez-les au *cas de Mme N.*, qui suit. Pensez à ces étapes en voyant vos premiers patients. Comme pour tout patient, cherchez les réponses à ces deux questions : « Qu'est-ce qui ne va pas chez ce patient ? » et « Quels sont les problèmes et les diagnostics ? ».[7, 8]

### Identifier les problèmes et faire les diagnostics : les étapes du raisonnement clinique

- Identifier les constatations anormales.
- Localiser ces constatations anatomiquement.
- Interpréter les constatations en termes de processus probable.
- Faire des hypothèses sur la nature du problème du patient.
- Tester les hypothèses et retenir un diagnostic provisoire.
- Élaborer un projet que le patient peut accepter.

- **Identifiez les constatations anormales.** Dressez la liste des symptômes éprouvés par le patient, des signes que vous avez notés à l'examen physique et des examens de laboratoire dont vous disposez.

- **Localisez ces constatations anatomiquement.** Cette étape peut être facile. Le symptôme « gorge irritée » et le signe « pharynx rouge », par exemple, localisent nettement le problème au pharynx. La plainte « céphalées » vous mène rapidement au crâne et au cerveau. Cependant, d'autres symptômes soulèvent plus de difficultés. Une douleur thoracique, par exemple, peut provenir des artères coronaires, de l'estomac et de l'œsophage, ou de la cage thoracique. Si la douleur survient à l'effort et disparaît au repos, le cœur ou l'appareil locomoteur peuvent être concernés.

Si le patient ne souffre qu'en portant son panier à commissions avec le bras gauche, l'appareil locomoteur devient le coupable probable.

Quand vous localisez des constatations, soyez aussi précis que possible, mais gardez en tête qu'il peut s'agir d'une partie du corps, comme le thorax, ou d'un appareil, comme l'appareil locomoteur. Parfois, vous arriverez à définir exactement la structure intéressée, comme le muscle pectoral gauche. Certains signes, comme la fatigue ou la fièvre, n'ont pas de valeur localisatrice mais sont utiles pour les étapes suivantes.

■ **Interprétez les constatations en termes de processus probable.** Le problème du patient peut découler d'un *processus anatomopathologique* affectant une structure du corps. Il y a beaucoup de processus de ce type, diversement classés : congénitaux, inflammatoires ou infectieux, immunologiques, néoplasiques, métaboliques, nutritionnels, dégénératifs, vasculaires, traumatiques et toxiques. Par exemple, des céphalées peuvent être dues à un traumatisme, une hémorragie méningée ou à une compression par une tumeur cérébrale. La fièvre et la raideur méningée, ou nuque raide, sont deux des signes classiques d'une méningite. Même en l'absence d'autres signes, tels que l'éruption et l'œdème papillaire, ils évoquent fortement un processus infectieux.

D'autres problèmes sont *physiopathologiques*, traduisant des perturbations de fonctions biologiques, comme l'insuffisance cardiaque et la migraine. D'autres encore sont *psychiques*, comme les troubles de l'humeur tels que la dépression ou les céphalées de somatisation.

■ **Faites des hypothèses sur la nature du problème du patient.** Ici, vous devez faire appel à tout le savoir et à toute l'expérience que vous pouvez réunir. Vos lectures vous seront des plus utiles pour apprendre les types d'anomalies et de maladies et, en conséquence, regrouper les constatations faites chez votre patient.

En consultant la littérature médicale, vous vous engagez dans l'objectif de la **prise de décision fondée sur les faits.**[9, 10]

Jusqu'à ce que votre savoir et votre expérience aient grandi, vous n'arriverez pas à des hypothèses très précises, mais avancez aussi loin que vous le pouvez avec les données et le savoir que vous possédez. Les étapes suivantes vous aideront.

---

**RAISONNEMENT CLINIQUE : FAIRE DES HYPOTHÈSES SUR LES PROBLÈMES DU PATIENT**

1. *Choisissez les constatations les plus spécifiques et les plus importantes pour étayer votre hypothèse.* Si le patient rapporte, par exemple, « la céphalée la plus pénible de sa vie », des nausées et vomissements, et que vous constatez des modifications intellectuelles, un œdème papillaire et une raideur méningée, construisez plutôt votre hypothèse sur une hypertension intracrânienne que sur des troubles digestifs. D'autres symptômes peuvent être utiles au diagnostic mais ils sont beaucoup moins spécifiques.

*(suite)*

2. En utilisant vos déductions sur les structures et les processus intéressés, *confrontez vos constatations à tous les états connus de vous qui peuvent les produire.* Par exemple, vous pouvez confronter l'œdème papillaire du patient à la liste des affections modifiant la pression intracrânienne ou comparer les symptômes et signes associés à la céphalée du patient avec les diverses conditions infectieuses, vasculaires, métaboliques ou néoplasiques pouvant donner ce tableau clinique.

3. *Éliminez les diagnostics qui n'expliquent pas toutes les constatations.* Vous pourriez envisager une céphalée vasculaire de Horton comme cause des céphalées de Mme N. (voir p. 31-35), mais cette hypothèse est à éliminer parce qu'elle n'explique pas la localisation bifrontale et le caractère pulsatile des céphalées, ni les nausées et les vomissements. De même, les céphalées de Mme N. ne cadrent pas avec des céphalées vasculaires : elles ne sont pas unilatérales et térébrantes, elles ne surviennent pas de façon répétée au même moment plusieurs jours de suite, enfin elles ne s'accompagnent ni d'un larmoiement ni d'une rhinorrhée.

4. *Comparez les différentes possibilités et retenez le diagnostic le plus vraisemblable,* parmi toutes les affections qui peuvent produire les signes du patient. Vous recherchez une correspondance étroite entre le tableau clinique du patient et la forme typique d'une affection donnée. D'autres éléments vont également vous aider à choisir. La *probabilité statistique* d'une maladie donnée chez un sujet en fonction de son âge, de son sexe, de ses habitudes, de son style de vie et de son pays, va influencer votre choix. Par exemple, vous devez envisager la possibilité d'une arthrose et d'un cancer de la prostate métastasé chez un homme de 70 ans qui a des dorsalgies, mais pas chez une femme de 25 ans qui a les mêmes douleurs. La *chronologie des troubles du patient* a aussi un intérêt différentiel. Des céphalées dans un contexte de fièvre, éruption et nuque raide, qui apparaissent brusquement, sur 24 heures, évoquent un problème très différent des céphalées récidivant pendant des années, lors d'un stress, avec un scotome visuel, des nausées et des vomissements, qui sont soulagées par le repos.

5. Enfin, en envisageant les explications possibles du problème du patient, *accordez une attention particulière aux affections qui comportent un risque vital mais qui peuvent être traitées,* telles qu'une méningite cérébro-spinale, une endocardite bactérienne, une embolie pulmonaire ou un hématome sous-dural. Efforcez-vous de réduire le risque de méconnaître des affections moins fréquentes ou moins probables, mais qui sont particulièrement graves. *Une méthode éprouvée consiste à toujours inclure la « pire éventualité » dans votre liste de diagnostics différentiels et à vous assurer que vous avez éliminé cette possibilité d'après vos constatations et l'évaluation du patient.*

Voir la partie sur l'évaluation des données cliniques, p. 44-49.

■ **Testez vos hypothèses.** Après avoir fait une hypothèse sur le problème du patient, vous devez *tester cette hypothèse.* Vous avez probablement besoin d'un complément d'anamnèse, de techniques d'examen supplémentaires, d'examens de laboratoire ou radiologiques pour confirmer ou éliminer votre diagnostic provisoire ou pour retenir l'un des deux ou trois diagnostics les plus probables. Quand le diagnostic semble évident – une simple infection des voies respiratoires ou une crise d'urticaire, par exemple – cette étape n'est pas nécessaire.

■ **Retenez un diagnostic provisoire.** Vous devez maintenant être prêt à définir une orientation diagnostique. Faites-le au plus haut niveau de clarté et de certitude autorisé par les données. Vous pouvez être limité à un symptôme, tel que « céphalée de tension, de cause indéterminée ». Ailleurs, vous pouvez définir le problème explicitement, en termes de structure, processus et cause. Par exemple, « méningite à pneumocoques », « hémorragie sous-arachnoïdienne en regard du lobe temporo-pariétal gauche », ou « hypertension artérielle avec dilatation du ventricule gauche et insuffisance cardiaque congestive ».

Quoique le diagnostic médical repose surtout sur l'identification de structures anormales, de processus perturbés et de causes spécifiques, vous verrez souvent des malades dont les troubles n'entrent pas clairement dans l'une de ces catégories. Certains symptômes défient l'analyse et peut-être n'arriverez-vous pas à aller plus loin que de simples constats, comme « fatigue » ou « anorexie ». D'autres problèmes sont liés à des événements stressants dans la vie du patient. Des événements tels que la perte d'un emploi ou d'un être cher augmentent le risque de maladie ultérieure. L'identification de ces événements et l'aide apportée au patient pour qu'il s'y adapte sont aussi importantes que la prise en charge de céphalées ou d'un ulcère duodénal.

Voir au chapitre 5 : « Comportement et état mental », la partie sur les « Symptômes médicalement inexpliqués », p. 140-142.

Une autre catégorie de plus en plus importante dans les listes de problèmes est la *protection de la santé*. Renseigner systématiquement cette catégorie vous permettra de suivre plus efficacement plusieurs problèmes importants : vaccinations, mesures de dépistage (par exemple, mammographies, examens prostatiques), instructions concernant la nutrition et les auto-examens des seins et des testicules, recommandations sur l'exercice physique et l'utilisation des ceintures de sécurité, réactions aux grands événements de la vie.

■ **Élaborez un projet acceptable pour le patient.** Concevez et écrivez un *projet* pour chaque problème du patient. Votre projet découle logiquement des problèmes ou des diagnostics que vous avez identifiés ; il spécifie les étapes suivantes. Ces étapes vont des examens nécessaires pour confirmer ou évaluer plus avant le diagnostic aux consultations de spécialistes, aux modifications thérapeutiques (ajouts, suppressions, remplacements de médicaments), et à l'organisation d'une rencontre avec la famille. Vous vous apercevrez que beaucoup de diagnostics ne changent pas avec le temps mais que votre *projet* devient souvent plus fluide en englobant les changements qui ressortent de chaque consultation du patient. Le *projet* doit faire référence au diagnostic, au traitement et à l'éducation du patient.

Avant de finaliser votre projet, il est important de faire part de votre évaluation et de votre réflexion clinique au patient et de préciser ses opinions, inquiétudes et désirs d'examens complémentaires. Rappelez-vous que les patients ont besoin d'entendre la même information à plusieurs reprises et de plusieurs façons avant de la comprendre. Vous renforcerez votre relation avec le patient si celui-ci participe activement au projet de soins.

## CONSIGNER VOS OBSERVATIONS : LE CAS DE MME N. ET LES DIFFICULTÉS INHÉRENTES AUX DONNÉES CLINIQUES

Venons-en maintenant au cas de Mme N et étudions son anamnèse, son examen physique, son évaluation et son projet. Appliquez votre raisonnement clinique personnel aux constatations présentées et commencez à analyser ses soucis. Voyez si vous êtes d'accord avec l'évaluation et le projet, ainsi qu'avec l'ordre de priorité des problèmes listés.

### LE CAS DE MME N.

11 h, le 25/8/2008
Mme N. est une femme agréable de 54 ans, veuve, vendeuse, habitant à Paris.
*Correspondant :* aucun.
*Source et fiabilité :* elle-même ; semble fiable.

**Motif de consultation :** « Mes maux de tête. »

**Maladie actuelle :** depuis environ 3 mois, Mme N. est de plus en plus gênée par des céphalées frontales. Celles-ci sont habituellement bifrontales, pulsatiles, d'intensité légère à modérée. Elle a dû manquer son travail à plusieurs reprises à cause des nausées et des vomissements associés. À présent, les céphalées surviennent en moyenne une fois par semaine, en rapport habituellement avec un stress et durent 4 à 6 heures. Elles sont soulagées par le sommeil et l'application d'une serviette humide sur le front mais presque pas par l'aspirine. Pas de troubles visuels, de déficits sensori-moteurs ni de paresthésies associées.
Des « maux de tête » avec nausées et vomissements sont apparus à 15 ans, se sont répétés jusqu'à 25 ans, puis se sont espacés, et finalement ont presque disparu.
Mme N. rapporte une tension accrue au travail, du fait d'un nouveau patron exigeant ; elle a aussi des soucis au sujet de sa fille (voir *Antécédents psychosociaux*). Elle pense que les maux de tête pourraient être les mêmes qu'autrefois, mais souhaite en être sûre parce que sa mère est morte après une « attaque ». Elle s'inquiète du retentissement sur son travail et de son irritabilité vis-à-vis de sa famille.
Elle prend trois repas par jour et boit trois tasses de café par jour et du Coca-Cola au coucher.

> *Médicaments.* Aspirine, 1 ou 2 comprimés toutes les 4 à 6 heures si nécessaire. Dans le passé, diurétiques pour des œdèmes des chevilles (pas de prise récente).
>
> *Allergies.** Rash dû à l'ampicilline.
>
> *Tabac.* Environ 1 paquet de cigarettes par jour depuis l'âge de 18 ans (soit 36 paquets-années).
>
> *Alcool/drogues.* Du vin, rarement. Pas de drogues illégales.

---

* Mettre un astérisque devant les points importants ou les souligner.

*(suite)*

### Antécédents médicaux personnels

***Maladies de l'enfance.*** Rougeole, varicelle. Pas de scarlatine ni de rhumatisme articulaire aigu.

***Maladies de l'âge adulte.*** *Médicales :* pyélonéphrite en 1998, avec fièvre et douleur du flanc droit, traitée par ampicilline. Éruption généralisée avec prurit quelques jours plus tard. Radiographies rénales dites normales. Pas de récidive de l'infection. *Chirurgicales :* amygdalectomie à 6 ans, appendicectomie à 13 ans. Suture d'une plaie, en 2001, après avoir marché sur des morceaux de verre. *Gyn.-obst. :* G3-P3, avec des accouchements par voie basse, normaux. Trois enfants vivants. Réglée à 12 ans. Dernières règles il y a 6 mois. Peu d'intérêt pour le sexe ; pas de relations sexuelles actuellement. Pas de risque d'infection à VIH. *Psychiatriques :* aucune.

***Protection de la santé.*** *Vaccinations :* Vaccin antipolio oral (année ?), 2 injections antitétaniques en 1991 et 1 rappel l'année suivante ; vaccin antigrippal en 2000 (pas de réaction). *Dépistages :* derniers frottis cervicaux en 2004, « normaux ». Pas de mammographie à ce jour.

G3-P3 : G pour gestation (ou grossesse), P pour parité ; Mme N. est une 3e geste, 3e pare (elle n'a pas fait de fausse couche).

### Antécédents familiaux

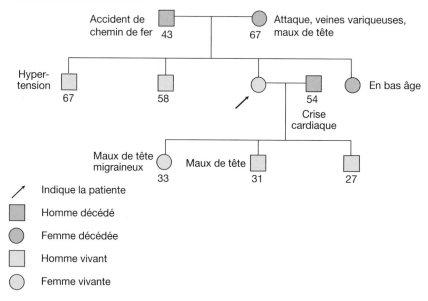

Les *antécédents familiaux* peuvent être rédigés ou portés sur un arbre généalogique. Le schéma est plus parlant pour les anomalies génétiques. Les données négatives peuvent prendre n'importe quelle forme.

### Ou

Père mort à 43 ans, dans un accident de chemin de fer. Mère morte à 67 ans, d'un accident vasculaire cérébral ; a souffert de varices, et de maux de tête.
Un frère de 61 ans, hypertendu, bien portant par ailleurs. Un frère de 58 ans, apparemment en bonne santé, sauf une légère arthrose. Une sœur morte en bas âge, de cause inconnue.
Mari décédé à 54 ans, d'une crise cardiaque.
Une fille de 33 ans, « migraineuse » ; bien portante sinon. Un fils de 31 ans, souffrant de céphalées. Un fils de 27 ans, en bonne santé.
Pas d'antécédents familiaux de diabète, tuberculose, maladies cardiaques ou rénales, cancer, anémie, épilepsie ou maladie mentale.

**Antécédents psychosociaux.** Est née et a grandi à Provinceville ; a fait des études secondaires ; s'est mariée à 19 ans. A travaillé comme vendeuse

*(suite)*

pendant 2 ans, puis a déménagé avec son mari à Paris ; a eu 3 enfants. Mme N. a recommencé à travailler il y a 15 ans pour des raisons financières. Enfants tous mariés. Il y a 4 ans, M. N. est mort subitement d'une crise cardiaque, sans laisser beaucoup d'économies. A déménagé dans un petit appartement pour être plus près de sa fille Hélène. Le mari d'Hélène est alcoolique. L'appartement de Mme N. sert de refuge à Hélène et ses deux jeunes enfants, Kevin, 6 ans, et Linda, 3 ans. Mme N. se sent responsable d'eux, elle est tendue et nerveuse, mais nie être déprimée. A quelques bons amis mais n'aime pas les ennuyer avec ses soucis familiaux. « Je préfère garder ça pour moi. Je n'aime pas les commérages. » Pas de soutien de la religion ou d'une organisation.

Habituellement levée à 7 heures, travaille de 9 h à 17 h 30, dîne seule.

*Exercice physique et régime alimentaire :* fait peu d'exercice. A un régime riche en glucides.

*Mesures de sécurité :* met sa ceinture de sécurité et utilise des écrans solaires. Médicaments gardés dans une armoire à pharmacie non fermée à clé. Produits domestiques dans un meuble non fermé à clé, sous l'évier. Le fusil de chasse de M. N., avec une boîte de cartouches, est dans un placard, à l'étage supérieur.

**Revue des appareils**

*État général\*.* A pris environ 5 kg en 4 ans.

*Peau.* Pas d'éruption ni d'autres modifications.

*Tête, yeux, oreilles, nez et gorge (TYONG).* Voir *Maladie actuelle.* Pas d'antécédent de traumatisme crânien. *Yeux :* lunettes pour lire depuis 5 ans ; dernier examen il y a 1 an ; pas d'autres symptômes. *Oreilles :* entend bien ; pas de bourdonnements, de vertiges, d'infection. *Nez, sinus :* rhumes modérés occasionnels, pas de rhume des foins ou de troubles des sinus. *Gorge (bouche et pharynx) :\** saignement des gencives récemment, dernière visite au dentiste il y a 2 ans ; aphtes occasionnels.

*Cou.* Pas de grosseur, de goitre ou de douleur. Pas d'adénopathies.

*Seins.* Pas de nodules, de douleur, d'écoulement ; examine ses seins elle-même de temps à autre.

*Respiratoire.* Pas de toux, de sifflements, d'essoufflement. Dernière radiographie thoracique en 1986 à l'hôpital Saint-Joseph, normale.

*Cardiovasculaire.* Pas de maladie cardiaque ni d'hypertension connues ; dernière mesure de la PA en 2003. Pas de dyspnée, d'orthopnée, de douleurs thoraciques, de palpitations. N'a jamais eu d'ECG (électrocardiogramme).

*Tube digestif.* Bon appétit, pas de nausées, de vomissements, d'indigestion ; va à la selle une fois par jour environ, mais \*a parfois des selles dures tous les 2-3 jours, en particulier quand elle est tendue ; pas de diarrhée, ni de saignement. Pas de douleur, de jaunisse, de troubles vésiculaires ou hépatiques.

*Urinaire.* Pas de pollakiurie, de dysurie, d'hématurie, de douleur du flanc récente ; une miction nocturne abondante. \*Perd parfois un peu d'urine, quand elle tousse fort.

*Génital.* Pas d'infection vaginale ni pelvienne. Pas de dyspareunie.

*Vaisseaux périphériques.* Varices des membres inférieurs apparues lors de la première grossesse. Depuis 10 ans, chevilles gonflées après une station debout prolongée ; porte des collants élastiques ; a pris un diurétique il y a 5 mois, sans grand effet ; pas d'antécédents de phlébite ou de douleur dans les jambes.

*(suite)*

*Locomoteur.* Douleurs lombaires modérées, souvent après une longue journée de travail ; pas d'irradiation dans les jambes ; a pratiqué des exercices pour le dos, mais pas en ce moment ; pas d'autres douleurs articulaires.

*Psychiatrique.* Pas d'antécédent de dépression ou de traitement pour des troubles psychiatriques. Voir aussi la *Maladie actuelle* et les *Antécédents psychosociaux*.

*Neurologique.* Pas de pertes de connaissance, de convulsions, de déficit sensitif ou moteur. Bonne mémoire.

*Sang.* En dehors de saignements des gencives, pas de saignements faciles, pas d'anémie.

*Glandes endocrines.* Pas de troubles thyroïdiens connus, d'intolérance thermique, transpiration moyenne. Pas de symptômes ou d'antécédents de diabète.

### Examen physique

Mme N. est une petite femme boulotte, d'âge moyen, qui est alerte et répond rapidement aux questions. Elle est un peu tendue et a les mains froides et moites, ses cheveux sont bien coiffés et ses vêtements propres. Elle a un bon teint et reste couchée à plat, sans être gênée.

*Constantes vitales.* Taille (pieds nus) : 1,57 m. Poids (habillée) : 65 kg. IMC : 26. PA : 16,4/9,8 au bras droit, couchée ; 16,0/9,6 au bras gauche, couchée ; 15,2/8,8 au bras droit, debout, avec un grand brassard. FC : 88, régulière. FR : 18. Température (buccale) : 37 °C.

*Peau.* Paumes froides et moites, mais coloration normale. Angiomes tubéreux disséminés sur la partie supérieure du tronc. Pas d'hippocratisme digital ni de cyanose unguéale.

*Tête, yeux, oreilles, nez, gorge (TYONG).* *Tête :* cheveux de texture moyenne. Cuir chevelu et crâne normaux. *Yeux :* acuité 7/10 des deux côtés. Champs visuels complets par confrontation. Conjonctives roses. Sclérotiques blanches. Pupilles rondes, régulières, égales, réagissant à la lumière, passant de 4 à 2 mm. Mouvements des globes oculaires normaux. Papilles à bords nets, sans hémorragies ni exsudats. Pas de rétrécissement artériolaire, de signe du croisement. *Oreilles :* tympan droit partiellement masqué par du cérumen. Tympan gauche visible, normal. Bonne acuité (à la voix chuchotée). Test de Weber normal. CA > CO. *Nez :* muqueuse rose, cloison médiane. Pas de sensibilité des sinus. *Bouche :* muqueuse rose. Plusieurs papilles interdentaires rouges et un peu gonflées. Dents en bon état. Langue médiane avec petite (3 × 4 mm) ulcération blanche, peu profonde, sur une base érythémateuse, située sous la langue, près de la pointe, légèrement douloureuse, mais non indurée. Pas d'amygdales. Pharynx propre.

*Cou.* Cou souple. Trachée sur la ligne médiane. Isthme thyroïdien à peine palpable, lobes non perçus.

*Ganglions.* Petits (< 1 cm), mous, non douloureux, mobiles, amygdaliens et cervicaux postérieurs, bilatéraux. Pas de ganglions axillaires, ni épithrochléens. Plusieurs petits ganglions inguinaux bilatéraux, mous et indolores.

*Thorax et poumons.* Thorax symétrique. Bonne ampliation. Poumons sonores. Murmure vésiculaire audible, sans bruits surajoutés. Course diaphragmatique de 4 cm de chaque côté.

*(suite)*

*Cardiovasculaire.* Pression veineuse jugulaire à 1 cm au-dessus de l'angle du sternum, avec la tête du lit relevée à 30°. Pouls carotidiens normaux et symétriques. Choc de la pointe du cœur à peine palpable dans le 5ᵉ espace intercostal gauche, à 8 cm de la ligne médiane. B1 et B2 bien frappés. Pas de B3 ni de B4. Souffle mésosystolique, 2/6, de tonalité moyenne, entendu au foyer aortique, n'irradiant pas dans le cou. Diastole libre.

*Seins.* Pendulaires, symétriques. Pas de nodules ni d'écoulement par les mamelons.

*Abdomen.* Proéminent. Cicatrice de bonne qualité dans le quadrant inférieur droit. Bruits intestinaux audibles. Pas de douleur ni de masses. Foie haut de 7 cm sur la ligne médioclaviculaire droite ; bord inférieur mousse, palpable à 1 cm en dessous du rebord costal droit. Rate et reins non palpables. Pas de sensibilité de l'angle costovertébral.

*Organes génitaux.* Vulve normale. Petite cystocèle quand la patiente pousse. Muqueuse vaginale rose. Col de multipare, rose, sans écoulement. Utérus antérieur, médian, lisse, pas augmenté de volume. Annexes difficiles à percevoir du fait de l'obésité et d'une mauvaise relaxation. Pas de douleur provoquée du col et des annexes. Frottis cervicaux faits. Cloison rectovaginale intacte.

*Rectal.* Ampoule rectale sans tumeur. Selles brunes ; recherche de sang occulte négative.

*Membres inférieurs.* Chauds et pas œdématiés. Mollets souples, indolores.

*Vaisseaux périphériques.* Discrets œdèmes des chevilles. Petites varices des veines saphènes des deux membres inférieurs. Pas de pigmentation ni d'ulcères de stase. Pouls (2+ = bien perçus ou normaux) :

|  | Radial | Fémoral | Poplité | Pédieux | Tibial postérieur |
|---|---|---|---|---|---|
| **Droit** | 2+ | 2+ | 2+ | 2+ | 2+ |
| **Gauche** | 2+ | 2+ | 2+ | Absent | 2+ |

*Locomoteur.* Pas de déformations articulaires. Amplitude normale des mouvements des mains, poignets, coudes, épaules, rachis, hanches, genoux, chevilles.

*Neurologique. État mental :* tendue mais alerte et coopérative. Pensée cohérente. Bien orientée. *Nerfs crâniens :* II à XII intacts. *Motricité :* tonus et masses musculaires normaux. Force 5/5 partout. *Cervelet :* mouvements alternatifs rapides et d'un point à un autre conservés. Démarche normale. *Sensibilité :* à la piqûre, au toucher léger, de position, vibratoire et stéréognosique, normale. Signe de Romberg négatif. *Réflexes :*

Voir la « Cotation de la force musculaire », p. 712.

| | Bicipital | Tricipital | Supinat. | Rotulien | Achilléen | Cutané plant. |
|---|---|---|---|---|---|---|
| **Droit** | 2+ | 2+ | 2+ | 2+ | 1+ | ↓ |
| **Gauche** | 2+ | 2+ | 2+ | 2+ | 1+ | ↓ |

**Ou**

On peut utiliser deux techniques pour noter les réflexes : un tableau ou un schéma ; 2+ = bien perçus ou normaux. Voir p. 729 le système de cotation.

**Résultats d'examens de laboratoire**

Aucun actuellement : voir le projet.

## ÉVALUATION ET PROJET

**1. Migraines.** Femme de 54 ans qui a depuis l'enfance des céphalées pulsatiles avec souvent des nausées et des vomissements. Ces céphalées sont liées au stress, soulagées par le sommeil et les compresses froides. Pas d'œdème papillaire, pas de déficit moteur ni sensitif à l'examen neurologique. Le diagnostic différentiel comprend les céphalées de tension, également associées au stress, mais il n'y a pas de soulagement par le massage et la douleur est pulsatile plutôt que sourde. Pas de fièvre, de raideur méningée ou d'autres signes évoquant une méningite, et l'allure récurrente depuis plusieurs années est contre une hémorragie sous-arachnoïdienne (souvent décrite comme la « pire céphalée de ma vie »).

**Projet :**

✔ Discuter migraine *versus* céphalées de tension.

✔ Discuter le *biofeedback* et la gestion du stress.

✔ Conseiller à la patiente d'éviter la caféine sous forme de café, Coca-Cola et autres boissons gazeuses.

✔ Prescrire des anti-inflammatoires non-stéroïdiens (AINS) en cas de crise.

✔ À la prochaine consultation, instaurer un traitement prophylactique si la patiente fait plus de trois crises par mois.

**2. Hypertension artérielle.** Il y a une hypertension systolique avec un grand brassard. Peut être liée à l'obésité et aussi à l'anxiété de la première consultation. Pas de signes de retentissement sur la rétine ou le cœur.

**Projet :**

✔ Discuter des valeurs normales de la pression artérielle.

✔ Recontrôler la pression artérielle dans 1 mois, avec un grand brassard.

✔ Faire un bilan biologique et une analyse d'urines.

✔ Proposer un programme de perte de poids et d'exercice physique (voir le point 4).

✔ Diminuer l'ingestion de sel.

**3. Cystocèle avec incontinence d'effort épisodique.** Cystocèle à l'examen pelvien, vraisemblablement due à un relâchement de la vessie. La patiente est périménopausique. Incontinence à la toux, évoquant une anomalie du col vésical. Pas de dysurie, de fièvre, de douleur du flanc. Pas de prise de médicaments prédisposants. En général, pertes de petit volume, pas goutte à goutte.

**Projet :**

✔ Expliquer la cause de l'incontinence d'effort.

✔ Faire une analyse d'urines.

✔ Préconiser les exercices de Kegel.

✔ À la prochaine consultation, prescrire une crème aux œstrogènes s'il n'y a pas d'amélioration.

**4. Surcharge pondérale.** La patiente pèse 65 kg pour une taille de 1,57 m. IMC = 26.

*(suite)*

**Projet :**

✔ Étudier le régime alimentaire, demander à la patiente de noter ses ingesta.

✔ Explorer la motivation pour perdre du poids, fixer le poids à perdre d'ici la prochaine consultation.

✔ Programmer une consultation avec la diététicienne.

✔ Discuter un programme d'exercice physique, notamment une marche quotidienne de 30 minutes.

**5. Stress familial.** Beau-fils alcoolique ; fille et petits-enfants qui se réfugient chez elle, d'où des relations familiales tendues. La patiente a aussi des difficultés financières. Stress conjoncturel. Pas de signes en faveur d'une dépression actuellement.

**Projet :**

✔ Explorer les idées de la patiente sur des stratégies de gestion du stress.

✔ Rechercher des aides comme l'association des Alcooliques anonymes pour sa fille, et un conseil financier pour elle.

✔ Dépister une dépression.

**6. Épisodes de lombalgies.** Souvent en rapport avec une station debout prolongée. Pas d'antécédent de traumatisme ni d'accident automobile. La douleur n'irradie pas ; pas de douleur provoquée, pas de déficit moteur ou sensitif à l'examen. Doute sur la compression d'une racine nerveuse ou d'un disque, une bursite trochantérienne ou une sacro-iléite.

**Projet :**

✔ Exposer les effets favorables de la perte de poids et des exercices pour renforcer les muscles lombaires.

**7. Tabagisme.** 1 paquet de cigarettes par jour depuis 36 ans.

**Projet :**

✔ Faire une spirométrie.

✔ Recommander vigoureusement d'arrêter de fumer.

✔ Proposer d'adresser à une consultation de désintoxication.

✔ Proposer des patches de nicotine, qui renforcent l'abstinence.

**8. Varices des membres inférieurs.** Ne s'en plaint pas actuellement.

**9. Antécédent de pyélonéphrite droite en 1998.**

**10. Allergie à l'ampicilline.** A eu une éruption mais pas d'autre réaction.

**11. Protection de la santé.** Dernier frottis cervical en 2004 ; n'a jamais eu de mammographie.

**Projet :**

✔ Apprendre à la patiente à s'examiner les seins. Prescrire une mammographie.

✔ Prévoir un frottis cervical à la prochaine consultation.

✔ Donner 3 cartes pour la recherche de sang dans les selles ; à la prochaine consultation, discuter une coloscopie de dépistage.

✔ Suggérer des soins dentaires pour la gingivite.

✔ Conseiller à la patiente de mettre sous clé les médicaments et les produits de nettoyage caustiques, si possible en hauteur.

***Générer la liste des problèmes.*** Une fois l'évaluation terminée et le CRO écrit, il peut être utile de dresser une *liste des problèmes* résumant les problèmes du patient sur la couverture du dossier du cabinet ou de l'hôpital. *Inscrivez en premier les problèmes les plus évolutifs et les plus graves et notez leur date de début.* Certains cliniciens distinguent les problèmes évolutifs et les problèmes non évolutifs, d'autres les classent par ordre de priorité. Lors des consultations de suivi, la *liste des problèmes* vous fait penser à vérifier où en sont les problèmes dont le patient ne parle pas. Elle permet aussi aux autres membres de l'équipe soignante d'embrasser l'état de santé du patient d'un coup d'œil.

Un exemple de la *liste des problèmes* de Mme N est présenté ci-dessous. Vous pouvez donner un numéro à chaque problème et désigner le problème par son numéro dans les notes suivantes.

Les cliniciens peuvent organiser différemment la liste des problèmes d'un même patient. Les problèmes peuvent être des symptômes, des signes, des événements concernant la santé, tels qu'une hospitalisation ou une intervention chirurgicale, ou des diagnostics. Vous pourriez choisir d'autres entrées que celles-ci. Les listes diffèrent par leur importance relative, leur longueur et leurs détails, en fonction de la philosophie, de la spécialité et de la fonction du clinicien. La liste suivante pourrait sembler trop longue à certains cliniciens, alors que d'autres seraient plus explicites sur le « stress familial » ou les « varices ».

## LISTE DES PROBLÈMES : LE CAS DE MME N.

| Date de saisie | N° du problème | Problème |
|---|---|---|
| 30/08/2008 | 1 | Migraines |
| | 2 | Hypertension artérielle |
| | 3 | Cystocèle, avec incontinence d'effort épisodique |
| | 4 | Surcharge pondérale |
| | 5 | Stress familial |
| | 6 | Lombalgie |
| | 7 | Tabagisme (depuis l'âge de 18 ans) |
| | 8 | Varices |
| | 9 | Antécédent de pyélonéphrite droite (en 1998) |
| | 10 | Allergie à l'ampicilline |
| | 11 | Protection de la santé |

La liste présentée ici comprend des problèmes qui imposent une attention immédiate, comme les céphalées, et des problèmes qui nécessitent une attention et une observation ultérieures, comme l'hypertension et la cystocèle. La mention de l'allergie à l'ampicilline vous avertit de ne pas prescrire de pénicilline. Certains symptômes, comme les aphtes et la constipation, n'apparaissent pas dans la liste des problèmes parce que ce sont des soucis mineurs, qu'on peut négliger lors de la première consultation. Les listes de problèmes qui comportent beaucoup d'items peu importants perdent de leur valeur. Si ces symptômes prennent de l'importance, ils pourront toujours être rajoutés sur la liste lors d'une consultation ultérieure.

***Difficultés inhérentes aux données cliniques.*** Comme le montre le cas de Mme N., l'organisation des données cliniques du patient soulève plusieurs difficultés. Le débutant doit décider de regrouper les symptômes et les signes du patient en un ou plusieurs problèmes. Il peut lui sembler impossible de traiter la masse des données. La qualité de celles-ci peut être source d'erreurs. Vous trouverez des directives pour vous aider à aborder ces difficultés dans les paragraphes qui suivent.

■ **Regrouper les données en un *versus* plusieurs problèmes.** L'une des plus grandes difficultés qu'affrontent les étudiants est la façon de regrouper les données cliniques. Est-ce que les données correspondent à un ou à plusieurs problèmes ? L'*âge* du patient peut vous aider : les sujets jeunes ont plus souvent une seule maladie et les gens âgés plusieurs. La *chronologie* des symptômes est souvent utile. Par exemple, un épisode de pharyngite 6 semaines auparavant est vraisemblablement sans rapport avec la fièvre, les frissons, la douleur thoracique et la toux qui motivent la consultation d'aujourd'hui. Pour utiliser efficacement la chronologie, vous avez besoin de connaître l'histoire naturelle des maladies. La succession d'un écoulement urétral jaunâtre et, 3 semaines plus tard, d'une ulcération insensible du pénis évoque deux problèmes : une gonorrhée et une syphilis primaire. En revanche, la succession d'une ulcération du pénis et, dans les 6 semaines, d'une éruption maculopapuleuse et d'une adénopathie généralisée fait penser à deux stades de la même affection : une syphilis primaire et secondaire.

Les *différents appareils atteints* peuvent vous aider à regrouper les données. Les symptômes et signes concernant un seul appareil peuvent souvent être expliqués par une maladie, alors que des manifestations concernant des appareils différents, sans relation apparente, imposent souvent plus d'une explication. À nouveau, il est nécessaire de connaître le schéma des maladies. Vous pouvez décider, par exemple, pour associer l'hypertension artérielle d'un malade et l'intensité du choc de pointe avec des hémorragies rétiniennes en flammèches, de les localiser à l'appareil cardiovasculaire et de les dénommer « maladie hypertensive avec rétinopathie ». Vous recourrez vraisemblablement à une autre explication pour la fébricule, la diarrhée et la sensibilité de la fosse iliaque gauche du patient.

Certaines maladies touchent plus d'un appareil. À mesure que vous acquerrez de l'expérience et du savoir, vous deviendrez de plus en plus apte à reconnaître des *affections multisystémiques* et à élaborer des explications plausibles pour relier entre elles des manifestations apparemment sans relation. Pour expliquer une toux productive, une hémoptysie et une perte de poids chez un plombier de 60 ans qui a fumé des cigarettes pendant 40 ans, vous mettrez vraisemblablement au premier rang du diagnostic différentiel le cancer du poumon. Votre diagnostic pourra être étayé par la constatation d'une cyanose unguéale. Avec l'expérience et des lectures, vous reconnaîtrez que ses autres signes peuvent être rattachés au même diagnostic. La dysphagie est due à l'extension du cancer à l'œsophage, l'inégalité pupillaire est un syndrome de Claude Bernard-Horner dû à la compression du sympathique cervical, et la jaunisse consécutive à des métastases hépatiques.

Autre cas de maladie multisystémique, un homme jeune qui se présente avec une odynophagie, de la fièvre, une perte de poids, des lésions cutanées violacées, une leucoplasie, des adénopathies généralisées et une diarrhée chronique a vraisemblablement un SIDA. Il faut rechercher rapidement les facteurs de risque.

■ **Passer au crible un grand nombre de données.** Il est fréquent de se trouver en face d'une liste de symptômes et de signes assez longue et d'une liste aussi longue d'explications possibles. Une approche consiste *à constituer des groupes distincts d'observations et à les analyser l'un après l'autre*, comme cela a été dit plus haut. Vous pouvez aussi poser une série de questions clés, qui orienteront votre réflexion dans une direction, vous autorisant à ignorer les autres temporairement. Par exemple, vous pouvez demander ce qui cause et soulage la douleur thoracique du sujet. Si la réponse est l'effort et le repos, vous pouvez vous centrer sur l'appareil cardiovasculaire et l'appareil locomoteur et laisser de côté le tube digestif. Si la douleur est épigastrique, à type de brûlure et postprandiale, vous pouvez vous concentrer sur le tube digestif. Une série de questions discriminatives forme un arbre de décision ou algorithme, très utile pour recueillir des données, les analyser et aboutir à des conclusions et des explications logiques.

■ **Évaluer la qualité des données.** Presque toutes les informations cliniques sont sujettes à erreur. Des patients oublient de citer des symptômes, mélangent les événements de leur maladie, passent sous silence des faits gênants et souvent orientent leur récit vers ce que le clinicien veut entendre. Les cliniciens interprètent mal les déclarations du patient, négligent des renseignements, ne posent pas la « question clé », « sautent » trop tôt aux conclusions et au diagnostic ou oublient une partie importante de l'examen, comme l'examen des fonds d'yeux d'une femme qui se plaint de céphalées. Vous pouvez éviter certaines de ces erreurs en acquérant les habitudes d'un clinicien expérimenté, résumées ci-après.

**ASTUCES POUR VOUS ASSURER
DE LA QUALITÉ DES DONNÉES DU PATIENT**

✔ Posez des questions ouvertes et écoutez attentivement et patiemment l'histoire du patient.

✔ Adoptez une séquence complète et systématique pour l'interrogatoire et l'examen physique.

✔ Ayez l'esprit réceptif au patient et aux données.

✔ Envisagez toujours la « pire éventualité » dans la liste des explications possibles du problème du patient et assurez-vous que vous pouvez l'éliminer à coup sûr.

✔ Analysez toute erreur de recueil ou d'interprétation des données.

✔ Consultez des collègues et relisez la littérature pour éclaircir les incertitudes.

✔ Appliquez les principes de l'analyse des données à l'information et à l'exploration du patient.

Rédigez le CRO le plus tôt possible après avoir vu le patient, avant que vos constatations ne s'effacent de votre mémoire. Au début, vous pouvez prendre des notes, mais travaillez à consigner chaque partie de l'anamnèse au cours de l'entretien, en laissant des espaces pour les compléter dans un second temps. Notez sur-le-champ la pression artérielle, la fréquence cardiaque, et les principales anomalies trouvées, afin de vous en rappeler quand vous compléterez le CRO.

Voir tableau 2-1, p. 53, un exemple de note d'évolution sur le suivi en consultation de Mme N.

# CONSIGNER VOS OBSERVATIONS : *CHECK-LIST* D'UN COMPTE RENDU D'OBSERVATION CLAIR ET PRÉCIS

Un compte rendu d'observation (CRO) clair et bien organisé est l'un des grands appoints pour les soins de votre patient. Votre capacité à consigner les antécédents et l'examen physique se développera parallèlement à vos qualités de raisonnement clinique et votre aptitude à formuler l'*évaluation* et le *projet* du patient. Votre objectif doit être un CRO clair, concis mais complet, qui présente les constatations clés de l'évaluation du patient et qui communique les problèmes du patient dans un format bref mais *lisible* pour les autres intervenants et membres de l'équipe soignante. Même si votre établissement a des formulaires imprimés ou électroniques tout prêts pour enregistrer les « informations patient », vous devez être capables de produire vous-même le CRO.

Quelle que soit votre expérience, certains principes vous aideront à organiser un bon CRO. Pensez notamment à l'*ordre* et à la *lisibilité* du CRO et à la *quantité de détails* nécessaire. Jusqu'où aller dans les détails pose souvent un problème contrariant. En tant qu'étudiant, vous pouvez souhaiter (ou on peut vous demander) d'être très détaillé. Cela vous permet de développer vos qualités descriptives, votre vocabulaire et votre rapidité, un processus qui, de l'avis général, prend beaucoup de temps. Très vite, cependant, sous la pression de la charge de travail et du temps disponible, vous serez obligé de faire des compromis. Il reste qu'un bon CRO, avec l'anamnèse, l'examen physique et les résultats des examens de laboratoire, constitue une base de données pour tous les problèmes et diagnostics identifiés.

---

### *CHECK-LIST* D'UN CRO CLAIR ET PRÉCIS

**L'ordre est-il clair ?**

L'ordre est impératif. Assurez-vous que les futurs lecteurs, vous y compris, pourront trouver facilement des renseignements précis. Par exemple, placez les items *subjectifs* de l'anamnèse dans l'anamnèse, ne les laissez pas s'égarer dans l'examen physique. Avez-vous :

✔ fait ressortir les titres ?

✔ souligné votre organisation avec des alinéas et des espaces ?

✔ disposé la *Maladie actuelle* dans l'ordre chronologique, en commençant par l'épisode actuel, puis en remplissant les renseignements sur le contexte ?

**Est-ce que les données rapportées contribuent directement à l'évaluation ?**

Vous devez énoncer clairement les arguments – positifs et négatifs – pour chaque problème ou diagnostic que vous identifiez. Assurez-vous qu'il y a suffisamment de détails pour étayer l'évaluation et le projet.

**Est-ce que les signes négatifs pertinents sont décrits avec précision ?**

Souvent des parties de l'anamnèse ou de l'examen suggèrent qu'une anomalie pourrait exister ou apparaître dans telle ou telle zone.

Chez un patient qui a des ecchymoses, notez les signes négatifs tels que l'absence de traumatisme ou de violence, d'affections hémorragiques familiales, de traitements ou de carences nutritionnelles qui pourraient en être responsables.

Si un patient se sent déprimé mais n'a pas de tendance suicidaire, notez les deux faits. En revanche, s'il n'a qu'une « saute d'humeur » passagère, un commentaire sur le suicide est superflu.

**Y a-t-il omission ou « survol » de données importantes ?**

*Rappelez-vous que les données qui ne sont pas inscrites sont des données perdues.* Même si vous vous rappelez très bien un détail aujourd'hui, vous l'aurez probablement oublié dans quelques mois. Une phrase comme : « Examen neurologique négatif », même écrite de votre main, pourra vous amener à vous demander quelques mois plus tard : « Est-ce que j'avais vraiment fait un examen de la sensibilité ? »

**Y a-t-il trop de détails ?**

Les informations sont-elles trop répétitives (redondance) ?

Un renseignement important est-il noyé dans une masse de détails, où il ne pourra être découvert que par un lecteur très attentif ? *Omettez la plupart des constatations négatives*, à moins qu'elles n'aient un rapport direct avec les plaintes du patient ou l'exclusion de certains diagnostics.

*(suite)*

---

*N'énumérez pas toutes les anomalies que vous ne constatez pas, limitez-vous aux quelques signes négatifs importants (« pas de souffle cardiaque »…) et décrivez les structures de façon positive et concise. Vous pouvez omettre certaines structures, bien que vous les ayez examinées, telles que des sourcils et des cils normaux.*

« Col rose et lisse » indique que vous n'avez pas vu de rougeur, d'ulcérations, de nodules, de masses, de kystes ni d'autres lésions suspectes, mais la description est plus courte et plus facile à lire.

### Utilisez-vous des mots et des phrases courtes à bon escient ? Y a-t-il des répétitions inutiles ?

Omettez les mots inutiles, tels que ceux entre parenthèses dans les exemples suivants. Vous gagnerez du temps et de la place.

« Le col est (de couleur) rose. » « Les poumons sont sonores (à la percussion). » « Le foie est sensible (à la palpation). » « Présence de cérumen dans les deux oreilles (droite et gauche). » « Souffle systolique éjectionnel 2/6 (audible). » « Thorax symétrique (des deux côtés). »

Omettez les phrases d'introduction à répétition telles que : « Le patient ne signale pas… », puisque le patient est supposé être la source de l'anamnèse, sauf indication contraire.

Utilisez des mots courts à la place de mots longs et plus recherchés quand ils signifient la même chose, tels que « vus » pour « visualisés » et « entendus » pour « perçus à l'auscultation ».

*Décrivez ce que vous observez, pas ce que vous faites.* « Papilles optiques vues » est moins instructif que « papilles à bords nets », même si c'est la première fois que vous les voyez !

### Le style est-il « télégraphique » ? Y a-t-il trop d'abréviations ?

Les CRO sont des documents scientifiques et légaux, ils doivent donc être clairs et compréhensibles.

Si l'utilisation de mots et de phrases brefs à la place de phrases entières est admise, les abréviations et les symboles ne doivent être utilisés que s'ils sont compris de tous.

De même, un style trop élégant est moins attirant qu'un résumé concis.

Assurez-vous que votre compte rendu est lisible ; sinon, tout ce qui y est consigné sera sans valeur pour vos lecteurs.

### Y a-t-il des schémas et des mesures précises quand c'est possible ?

Les schémas augmentent notablement la clarté du compte rendu.

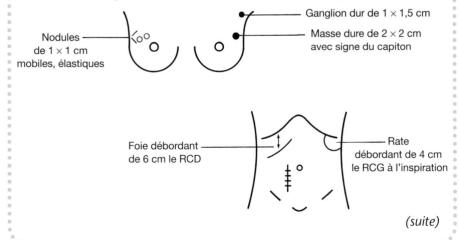

*(suite)*

Pour assurer la précision des évaluations et des comparaisons futures, faites des mesures en centimètres, pas en fruits ou en légumes :

« Ganglion de 1 × 1 cm » au lieu de « Ganglion de la taille d'un petit pois » ou « Nodule de 2 × 2 cm dans le lobe gauche de la prostate » au lieu de « Nodule prostatique de la taille d'une noisette ».

**Est-ce que le ton des notes est neutre, professionnel ?**

Il est important d'être objectif. Les commentaires hostiles, moralisateurs ou désapprobateurs n'ont pas leur place dans le CRO. N'utilisez pas des mots, une écriture ou une ponctuation incendiaires ou péjoratifs. Des commentaires comme « Patient IVRE et À NOUVEAU EN RETARD À LA CONSULTATION ! » ne sont pas professionnels et donnent un mauvais exemple aux autres personnes qui lisent le dossier. Ils sont aussi indéfendables dans un cadre légal.

# ÉVALUATION DES DONNÉES CLINIQUES

Les symptômes, les signes physiques, les examens de laboratoire et les radiographies permettent de déterminer si un patient a ou n'a pas une affection donnée. Cependant, les données cliniques, y compris les examens de laboratoire, sont intrinsèquement imparfaites. Apprenez à appliquer les principes de *fiabilité, validité, sensibilité, spécificité* et *valeur prédictive* à vos constatations cliniques et aux examens de laboratoire que vous prescrivez. Ces critères vous aideront à décider quelle confiance accorder à vos trouvailles et aux résultats des analyses quand vous recherchez la présence ou l'absence d'une maladie ou d'un problème. Vous devez aussi comprendre deux concepts supplémentaires : *le coefficient de concordance kappa (κ) et les rapports de vraisemblance (RV)* ou *likelihood ratios*. Ces sept outils statistiques servent fréquemment à évaluer les données dans la littérature médicale. Prenez le temps de les étudier, avec l'aide de vos enseignants, et utilisez-les. Ils faciliteront votre formation continue, renforceront votre raisonnement clinique et vous aideront à prendre des décisions dans votre pratique clinique.

***Disposer les données cliniques.*** Pour utiliser ces principes, il est important de disposer les données dans un tableau à 2 × 2 entrées, présenté ci-après. L'utilisation d'un tel tableau assure la précision des calculs de sensibilité, spécificité et valeur prédictive. Remarquez que la présence ou l'absence d'une maladie suppose un « étalon or » pour déterminer si la maladie est véritablement présente ou absente. C'est habituellement le meilleur test disponible, par exemple une coronarographie pour la maladie coronarienne ou une biopsie tissulaire pour les cancers.

## PRINCIPES DE SÉLECTION ET D'UTILISATION D'UN TEST

**Fiabilité.** Indique jusqu'à quel point des mesures répétées d'un même phénomène relativement stable donnent les mêmes valeurs (précision). La fiabilité peut être mesurée chez un ou plusieurs observateurs.

**Exemple :** si, à plusieurs reprises, un clinicien trouve toujours la même hauteur de matité du foie, à la percussion, chez un patient, on dit que la *fiabilité intra-observateur* est bonne. En revanche, si plusieurs observateurs trouvent des hauteurs de matité hépatique très différentes chez le même patient, on dit que la *fiabilité interobservateurs* est mauvaise.

**Validité.** Indique jusqu'à quel point une observation donnée concorde avec la « réalité des choses » ou la meilleure mesure possible de la réalité.

**Exemple :** la mesure de la pression artérielle avec un sphygmomanomètre à mercure est moins valable que l'enregistrement intra-artériel.

**Sensibilité.** Identifie la proportion des sujets qui sont « positifs » au test parmi ceux qui ont la maladie ou la condition, ou la proportion des sujets qui sont des « vrais positifs » parmi ceux qui ont vraiment la maladie. Quand l'observation ou le test est négatif chez des sujets qui ont la maladie, on dit que le résultat est un « faux négatif ». *Les bons tests et observations ont une sensibilité supérieure à 90 % et aident à éliminer une maladie parce qu'ils donnent peu de faux négatifs. Ils sont très utiles en dépistage.*

**Exemple :** la sensibilité du signe de Homans dans le diagnostic d'une thrombose veineuse profonde (TVP) du mollet est de 50 %. Autrement dit, dans un groupe de patients ayant une TVP démontrée par phlébographie, seulement 50 % ont un signe de Homans positif. Ainsi, l'absence de ce signe n'aide pas puisque 50 % des patients peuvent avoir une TVP.

Moyen mnémotechnique = *SnNout* : « quand la *Sensibilité* d'un symptôme ou d'un signe est élevée, une réponse *Négative* fait éliminer *(out)* la pathologie ciblée ».[11]

**Spécificité.** Identifie la proportion des sujets qui sont « négatifs » au test parmi ceux qui n'ont pas la maladie ou la condition, ou la proportion des sujets qui sont des « vrais négatifs » parmi ceux qui n'ont pas la maladie. Quand l'observation ou le test est positif chez des sujets qui n'ont pas la maladie, on dit que le résultat est un « faux positif ». Les bons tests ou observations ont une spécificité supérieure à 90 % et aident à « retenir » une maladie parce que le test est rarement positif en l'absence de la maladie et donne peu de faux positifs.

**Exemple :** la spécificité de l'amylasémie chez les patients suspects de pancréatite aiguë est de 70 %. Autrement dit, sur 100 patients sans pancréatite, 70 % ont une amylasémie normale et 30 % une amylasémie faussement élevée.

De la même façon, quand la *Spécificité* est élevée, un résultat *Positif* du test fait retenir *(in)* la pathologie ciblée. Moyen mnémotechnique : *SpPin*.[11]

**Valeur prédictive.** Indique dans quelle mesure un symptôme, un signe ou le résultat d'un test – positif ou négatif – prédit la présence ou l'absence d'une maladie.

*(suite)*

**Valeur prédictive positive (VPP).** C'est la probabilité de maladie chez un patient ayant un test positif (c'est-à-dire anormal), ou la proportion de « vrais positifs » au sein de la population testée.

**Exemple :** dans un groupe de femmes ayant des nodules mammaires palpables dans un programme de dépistage du cancer, la proportion de celles qui ont un cancer du sein confirmé est la VPP des nodules mammaires palpables pour le diagnostic de cancer du sein.

**Valeur prédictive négative (VPN).** C'est la probabilité d'absence de la maladie ou de la condition quand le test est négatif ou normal, ou encore la proportion de « vrais négatifs » au sein de la population testée.

**Exemple :** dans un groupe de femmes n'ayant pas de nodules mammaires palpables dans un programme de dépistage du cancer, la proportion de celles qui n'ont pas de cancer du sein est la VPN de l'absence de nodules du sein.

Notez que les nombres relatifs à la présence ou l'absence de maladie, déterminées d'après l'étalon or, sont toujours placés **sous le tableau**, sous les colonnes de gauche et de droite *(présence = a + c ; absence = b + d)*, alors que les nombres liés à l'observation ou au test sont toujours placés **à droite du tableau**, en regard des rangées supérieure et inférieure *(tests positifs = a + b ; tests négatifs = c + d)*.

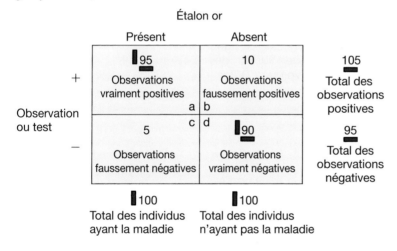

À présent vous êtes prêt à faire les calculs.

$$\text{Sensibilité} = \frac{a}{a+c} = \frac{\text{observations vraiment positives (95)}}{\text{total des individus ayant la maladie (95 + 5)}} \times 100 = 95\,\%$$

$$\text{Spécificité} = \frac{d}{b+d} = \frac{\text{observations vraiment négatives (90)}}{\text{total des individus n'ayant pas la maladie (90 + 10)}} \times 100 = 90\,\%$$

$$\text{Valeur prédictive positive} = \frac{a}{a+b} = \frac{\text{observations vraiment positives (95)}}{\text{total des observations positives (95 + 10)}} \times 100 = 90,5\,\%$$

$$\text{Valeur prédictive négative} = \frac{d}{c+d} = \frac{\text{observations vraiment négatives (90)}}{\text{total des observations négatives (90 + 5)}} \times 100 = 94,7\,\%$$

À présent retournez au tableau de la page précédente. *Les **barres verticales rouges** désignent la sensibilité (a/a + c) et la spécificité (d/b + d) et les **barres horizontales rouges** la valeur prédictive positive (a/a + b) et la valeur prédictive négative (d/c + d).* Les données présentées indiquent que le test a d'excellentes caractéristiques. Sa sensibilité et sa spécificité sont toutes les deux supérieures à 90 %, de même que les valeurs prédictives positives (VPP) et négatives (VNP). Un tel test serait cliniquement utile pour évaluer la maladie ou la condition de votre patient.

Notez que la valeur prédictive d'un test ou d'une observation dépend beaucoup de la *prévalence* de l'affection dans la population étudiée. La prévalence est la proportion de personnes qui a, dans une population définie, à un moment donné, la condition en question. Quand la prévalence de la condition est *faible*, la VPP du test baisse. Quand la prévalence est *élevée*, la sensibilité, la spécificité et la VPP sont élevées et la VPN tend vers zéro. Pour approfondir ces relations, reportez-vous aux tableaux ci-dessous sur la prévalence et la valeur prédictive et faites les calculs indiqués.

## PRÉVALENCE ET VALEUR PRÉDICTIVE

Deux exemples illustrent plus avant ces notions et montrent *comment les valeurs prédictives varient avec la prévalence.* Considérez d'abord *(exemple 1)* une population imaginaire A, de 1 000 individus. La prévalence de la maladie *X* est de 40 % dans cette population, ce qui est élevé. Vous pouvez rapidement calculer que 400 individus ont *X*. Vous supposez ensuite que l'on décèle ces cas avec une observation qui a une sensibilité de 90 % et une spécificité de 80 %. Sur les 400 individus atteints par *X*, cette observation en décèle donc 0,90 × 400 = 360 (les vrais positifs). Elle méconnaît les 40 autres (400 – 360, les faux négatifs). Parmi les 600 individus n'ayant pas *X*, l'observation s'avère négative chez 0,80 × 600 = 480 d'entre eux. Ces individus sont vraiment indemnes de *X*, comme l'observation le suggère (les vrais négatifs). Mais l'observation vous induit en erreur chez les 120 restants (600 – 480). Ces individus sont faussement étiquetés comme ayant *X*, alors qu'ils sont en réalité indemnes (les faux positifs).

Ces calculs sont résumés ci-dessous.

*Exemple 1. Prévalence de la maladie X = 40 %*

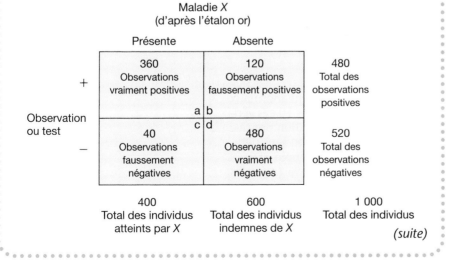

En tant que clinicien n'ayant pas la connaissance exacte de ceux qui ont ou n'ont pas réellement la maladie *X*, vous vous trouvez devant un total de 480 personnes ayant des observations positives. Il vous faut essayer de distinguer les vrais positifs des faux positifs, ce qui vous conduira sans doute à utiliser d'autres sortes de données. Cependant, avec la sensibilité et la spécificité de votre observation seulement, vous pouvez déterminer la probabilité pour qu'une observation positive soit un vrai positif, et vous pouvez désirer l'expliquer au patient concerné. Cette probabilité se calcule comme suit :

$$\textbf{Valeur prédictive positive} = \frac{a}{a+b} = \frac{\text{vrais positifs (360)}}{\text{total des positifs (360 + 120)}} \times 100 = 75\,\%$$

Donc, sur 4 personnes ayant une observation positive, 3 ont réellement la maladie et 1 ne l'a pas.

Par un calcul similaire, vous pouvez déterminer la probabilité pour qu'une observation négative soit un vrai négatif. Les résultats sont ici raisonnablement rassurants pour le patient concerné :

$$\textbf{Valeur prédictive négative} = \frac{d}{c+d} = \frac{\text{vrais négatifs (480)}}{\text{total des négatifs (480 + 40)}} \times 100 = 92\,\%$$

Cependant, quand la *prévalence* de la maladie dans une population diminue, la valeur prédictive d'une observation positive diminue notablement, tandis que celle d'une observation négative augmente. Dans l'exemple 2, considérez une deuxième population B, de 1 000 individus, dont seulement 1 % a la maladie *X*. Maintenant, il y a seulement 10 cas de *X* et 990 individus n'ont pas *X*. Si cette population est l'objet d'un dépistage avec la même observation, ayant une sensibilité de 90 % et une spécificité de 80 %, voici les résultats :

*Exemple 2. Prévalence de la maladie X = 1 %*

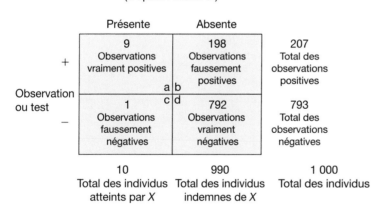

Vous êtes maintenant confrontés à 207 individus possiblement anormaux (tous ceux ayant une observation positive) pour déceler 9 des 10 cas véritablement pathologiques. La valeur prédictive d'une observation positive n'est que de 4 %. Améliorer la spécificité de votre observation sans diminuer sa sensibilité serait très utile, si c'était possible. Par exemple, si vous pouviez porter la sensibilité de l'observation de 80 à 98 % (pour les mêmes prévalence de 1 % et sensibilité de 90 %), la valeur prédictive positive de l'observation passerait de 4 % à 31 %, ce qui n'est pas idéal mais certainement meilleur. Les bonnes observations et les bons tests ont une sensibilité et une spécificité de l'ordre de 90 % ou plus.

Étant donné qu'elle influe fortement sur la valeur prédictive d'une observation, la prévalence influe aussi sur le processus d'évaluation. Comme la maladie coronarienne est beaucoup plus fréquente chez les hommes d'âge moyen que chez les femmes jeunes, vous devez rechercher une angine de poitrine comme cause de douleur thoracique avec plus de persévérance dans le premier groupe. L'effet de la prévalence sur les valeurs prédictives explique que vos chances de faire la bonne appréciation sont meilleures quand vous supputez une affection fréquente au lieu d'une affection rare. L'association d'une fièvre, de céphalées, de myalgies et de toux a probablement une sensibilité et une spécificité identiques pour la grippe tout au long de l'année, mais votre chance de faire correctement le diagnostic de grippe avec ce groupement de symptômes est beaucoup plus élevée pendant une épidémie hivernale de grippe qu'au mois d'août.

La prévalence varie notablement avec le lieu d'exercice et la saison. La bronchite chronique est vraisemblablement la cause la plus fréquente d'hémoptysie chez les patients vus dans une consultation de médecine générale. Dans la consultation d'oncologie d'un hôpital de référence, le cancer du poumon est, en revanche, en tête de liste, alors que chez des sujets opérés dans un service de chirurgie générale, l'irritation due à l'intubation trachéale et l'infarctus pulmonaire sont des plus vraisemblables. Dans certaines régions d'Asie, il faudrait penser en premier lieu à une parasitose, la paragonimiase. Comme dit la sagesse populaire, quand vous entendez un bruit de galop dans le lointain, pariez sur des chevaux, pas sur des zèbres, à moins naturellement que vous ne soyez en train de visiter un zoo !

***Rapport de vraisemblance (RV).*** Exprime les chances qu'une constatation soit faite chez un patient atteint de l'affection par rapport à un patient qui n'en est pas atteint. Quand le RV est supérieur à 1,0, la probabilité de l'affection augmente ; quand il est inférieur à 1,0, la probabilité de cette affection diminue.

✔ RV positif $= \dfrac{\text{sensibilité}}{(1 - \text{spécificité})}$

✔ RV négatif $= \dfrac{\text{spécificité}}{(1 - \text{sensibilité})}$

***Exemple.*** Le RV d'une hémorragie méningée est de 10 s'il existe une raideur de la nuque, et de 0,4 si elle est absente. Autrement dit, une hémorragie méningée est 10 fois plus probable en présence de raideur de la nuque qu'en l'absence de ce signe. La probabilité d'absence de raideur de la nuque chez un patient qui a fait une hémorragie méningée est 0,4 fois celle d'un patient qui n'a pas saigné.

**Coefficient kappa (κ).** Mesure du degré de concordance interobservateurs, ou précision d'une constatation clinique, par comparaison avec une concordance purement aléatoire. Équivaut à un coefficient de corrélation.

Concordance en fonction des valeurs de κ : mauvaise = 0,0-0,20 ; médiocre = 0,21-0,40, moyenne = 0,41-0,60 ; bonne = 0,61-0,80 ; très bonne = 0,81-1,0.[11]

***Exemple.*** Deux cliniciens sont d'accord 89 % des fois pour juger qu'un patient a une migraine. Les calculs montrent qu'ils pourraient être d'accord par pur hasard 59 % des fois. Leur concordance au-delà du hasard est au maximum de 41 % (100 % – 59 %) et en réalité de 30 % (89 % – 59 %). Leur coefficient κ est de 30 %/41 %, soit 0,73. La probabilité que les deux cliniciens soient d'accord sur le diagnostic de migraine est « bonne ».

Deux autres paramètres statistiques sont aussi utiles en clinique : le coefficient kappa (κ), pour mesurer le degré de concordance entre observateurs, et les rapports de vraisemblance (ou *likelihood ratios*). Nous incitons les étudiants à approfondir ces concepts par des lectures supplémentaires.[12-14]

## UN APPRENTISSAGE CONTINU : L'INTÉGRATION DU RAISONNEMENT CLINIQUE, DE L'ÉVALUATION ET DE L'ANALYSE DES DONNÉES CLINIQUES

Les concepts de sensibilité et de spécificité sont utiles au recueil et à l'analyse des données. Ils sous-tendent même certaines stratégies de base de l'interrogatoire. Une question caractérisée par une sensibilité élevée, à laquelle il est répondu affirmativement, peut être particulièrement utile au dépistage et au recueil d'arguments à l'appui d'une hypothèse. Par exemple : « Avez-vous éprouvé des sensations désagréables ou une gêne dans la poitrine ? » est une question très sensible pour l'angine de poitrine, qui donnera peu de réponses faussement négatives. C'est donc une bonne question de « débrouillage », mais comme il y a bien d'autres causes de gêne thoracique, elle n'est pas du tout spécifique. Une douleur rétrosternale, constrictive et durant moins de 10 minutes – chacune de ces caractéristiques de l'angine de poitrine étant assez sensible – sera très en faveur de ce diagnostic. Pour confirmer l'hypothèse, une question plus spécifique, à laquelle il est répondu affirmativement, est nécessaire : « Est-ce que la douleur est déclenchée par l'effort ? », ou « La douleur est-elle soulagée par le repos ? »

Les données destinées à tester une hypothèse proviennent aussi de l'examen physique. Les souffles cardiaques fournissent de bons exemples de sensibilité et de spécificité variables. La plupart des patients ayant un *rétrécissement aortique* valvulaire significatif ont un souffle systolique d'éjection audible au foyer aortique. Le souffle systolique est donc un critère très sensible de rétrécissement aortique. Il est constaté dans la plupart des cas. Le taux de faux négatifs est bas. D'un autre côté, plusieurs autres conditions, comme l'augmentation du débit à travers une valve normale ou une athérosclérose due au vieillissement, peuvent produire cette sorte de souffle. La découverte d'un souffle systolique n'est donc pas très spécifique. Si le souffle cardiaque était votre seul critère pour diagnostiquer un rétrécissement aortique, les faux positifs seraient nombreux.

En revanche, un souffle diastolique aigu, *decrescendo*, latérosternal gauche, est un signe tout à fait spécifique d'*insuffisance aortique*. Les gens normaux n'ont quasiment jamais un tel souffle et les autres conditions qui pourraient en donner un sont rares, ce qui fait qu'il y a peu de faux positifs.

La combinaison de l'anamnèse et de l'examen physique vous permet de tester vos hypothèses, de dépister certaines conditions, de construire votre cas et d'évoquer un diagnostic avant les examens complémentaires. Considérez la liste des signes suivants : toux, fièvre, frisson solennel, douleur thoracique gauche augmentée par l'inspiration et matité de la base du champ pulmonaire gauche, avec râles crépitants, murmure vésiculaire aboli et vibrations vocales augmentées. La toux et la fièvre sont de bons éléments d'orientation pour une pneumonie, les autres éléments étayent cette hypothèse diagnostique, et l'abolition du murmure vésiculaire avec augmentation des vibrations vocales à la base est très spécifique d'une pneumonie lobaire. La radiographie du thorax confirmera le diagnostic.

L'absence de symptômes et de signes choisis est aussi utile au diagnostic, notamment quand ils sont habituellement présents dans une affection donnée, c'est-à-dire quand ils ont une grande sensibilité. Par exemple, si un patient qui tousse et a une douleur thoracique gauche de type pleural n'a pas de fièvre, le diagnostic de pneumonie bactérienne devient peu vraisemblable (sauf, peut-être, aux âges extrêmes). Pareillement, chez un patient très dyspnéique, l'absence d'orthopnée rend l'insuffisance ventriculaire gauche peu vraisemblable comme explication de la dyspnée.

Les cliniciens expérimentés utilisent cette sorte de logique même quand ils ne sont pas conscients de ses fondements statistiques. Ils commencent à émettre des hypothèses provisoires dès que le patient expose son *Motif de consultation*, puis ils cherchent des arguments en faveur d'une ou plusieurs de ces hypothèses et abandonnent les autres au cours de l'interrogatoire et de l'examen. En développant la *Maladie actuelle*, ils empruntent des items aux autres parties de l'anamnèse telles que les *Antécédents médicaux personnels*, les *Antécédents familiaux* et la *Revue des appareils*. Chez un homme de 55 ans qui a une douleur thoracique, le clinicien expérimenté ne s'arrête pas aux caractères de la douleur mais recherche les facteurs de risque d'une maladie coronarienne comme les antécédents familiaux, l'hypertension, le diabète, la dyslipidémie et le tabagisme. Par l'interrogatoire et l'examen physique, il recherche explicitement les autres manifestations possibles de la maladie cardiovasculaire comme l'insuffisance cardiaque ou une claudication intermittente et la diminution des pouls aux membres inférieurs. En émettant précocement des hypothèses et en les testant successivement, les praticiens expérimentés améliorent leur efficacité et accroissent la pertinence et la valeur des données qu'ils recueillent. Ils creusent et ramassent moins de minerai mais ils trouvent plus d'or.

La séquence de recueil des données et de mise à l'épreuve des hypothèses est schématisée ci-dessous.

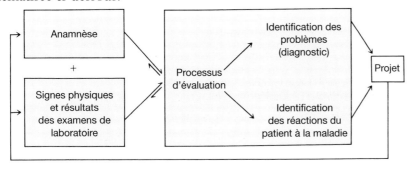

Une fois que le projet est mis en œuvre, le processus recommence. Le clinicien recueille d'autres données, évalue l'évolution, modifie la liste des problèmes si besoin est et adapte le projet en conséquence. Avec l'expérience, l'interaction de l'évaluation et du recueil des données vous deviendra plus familière. Vous en viendrez à apprécier les difficultés et les gratifications du raisonnement clinique et de l'évaluation qui rendent les soins au patient si chargés de sens.

## Bibliographie

### RÉFÉRENCES

1. Peterson MC, Holbrook JH, Von Hales DE, et al. Contributions of the history, physical examination, and laboratory investigation in making medical diagnoses. West J Med 156(2): 163–165, 1992.
2. Hampton JR, Harrison MJ, Mitchell JRA, et al. Relative contributions of history-taking, physical examination, and laboratory investigation to diagnosis and management of medical outpatients. Brit Med J 2(5969):486–489, 1975.
3. Bowen J. Educational strategies to promote clinical diagnostic reasoning. New Engl J Med 355(21): 2217–2225, 2006.
4. Coderre S, Mandin H, Harasym P, et al. Diagnostic reasoning strategies and diagnostic success. Med Educ 37(8):695–703, 2003.
5. Elstein A, Schwarz A. Clinical problem solving and diagnosis decision making: selective review of the cognitive literature. Brit Med J 324(7339):729–732, 2002.
6. Norman, G. Research in clinical reasoning: past history and current trends. Med Educ 39(4):418–427, 2005.
7. Schneiderman H. Bedside Diagnosis. An Annotated Bibliography of Literature on Physical Examination and Interviewing, 3rd ed. Philadelphia: American College of Physicians, 1997.
8. McGee S. Evidence Based Physical Diagnosis, 2nd ed. St. Louis: Saunders/Elsevier, 2007.
9. Evidence-Based Medicine Working Group. Evidence-based medicine: a new approach to teaching the practice of medicine. JAMA 268(17):2420–2425, 1992.
10. Guyatt G. Users' Guide to the Medical Literature: A Manual for Evidence-Based Clinical Practice. New York: McGraw-Hill Medical, 2008.
11. Sackett D. A primer on the precision and accuracy of the clinical examination. JAMA 267(19):2638–2644, 1992.
12. Fletcher RH, Fletcher SW. Clinical Epidemiology: The Essentials, 4th ed. Philadelphia: Lippincott Williams & Wilkins, 2005.
13. Black E (ed). Diagnostic Strategies in Common Medical Problems, 2nd ed. Philadelphia: American College of Physicians, 1999.
14. Sackett DL. Evidence-Based Medicine: How to Practice and Teach EBM, 2nd ed. New York: Churchill Livingstone, 2000.

### AUTRES LECTURES

Alfaro-LeFevre R. Critical Thinking and Clinical Judgment: A Practical Approach to Outcome-Focused Thinking, 4th ed. St. Louis: WB Saunders–Elsevier, 2009.

Carpenito LJ. Nursing Diagnosis: Application to Clinical Practice, 12th ed. Philadelphia: Lippincott Williams & Wilkins, 2007.

Cherry B, Jacob SR. Contemporary Nursing: Issues, Trends, and Management, 4th ed. St. Louis: Mosby–Elsevier, 2008.

Fletcher RH, Fletcher SW. Clinical Epidemiology: The Essentials, 4th ed. Philadelphia: Lippincott Williams & Wilkins, 2005.

Innui TS. Establishing the doctor–patient relationship: science, art, or competence? Schweiz Med Wochenschr 128:225, 1998.

Laditka JN, Laditka SB, Mastanduno MP. Hospital utilization for ambulatory care sensitive conditions: health outcome disparities associated with race and ethnicity. Soc Sci Med 57(8):1429–1441, 2003.

Nettina SM. The Lippincott Manual of Nursing Practice Handbook, 3rd ed. Ambler, PA: Lippincott Williams & Wilkins, 2006.

Sackett DL. Evidence-based Medicine: How to Practice and Teach EBM, 2nd ed. New York: Churchill Livingstone, 2000.

**TABLEAU 2-1    Exemple de note d'évolution**

Un mois plus tard, Mme N. revient pour une consultation de suivi. La note d'évolution a un format très variable, mais elle doit obéir aux mêmes normes que l'évaluation initiale. Elle doit être claire, suffisamment détaillée, facile à suivre. Elle doit refléter votre raisonnement clinique et préciser votre évaluation et votre projet. Vous devez connaître les documents de facturation en usage dans votre établissement car cela peut influer sur les informations (nature et détails) dont vous aurez besoin dans votre note d'évolution.

La note ci-dessous adopte le format **SOAP** (**S**ubjectif, **O**bjectif, **A**ppréciation, **P**rojet) mais vous pourrez rencontrer bien d'autres styles et vous intéresser à une note plus « centrée sur le patient ». Souvent les cliniciens consignent l'anamnèse et l'examen physique d'un patient puis documentent le projet avec la liste des problèmes et leur évaluation.

25/09/2008

Mme N. revient en consultation pour ses céphalées migraineuses. Elle déclare qu'elle a moins de céphalées depuis qu'elle évite les boissons caféinées. Elle boit à présent du café décaféiné et a arrêté le Coca-Cola. Elle est entrée dans un groupe de soutien et fait des efforts pour diminuer son stress. Des céphalées surviennent encore une ou deux fois par mois, avec des nausées, mais elles sont moins intenses et en général soulagées par les AINS. Elle n'a pas eu de fièvre, de raideur de la nuque, de déficits sensitifs ou moteurs ou de paresthésies.
Elle a contrôlé sa pression artérielle à la maison. Celle-ci tourne autour de 15,0/9,0 cmHg. Elle marche 30 minutes 3 fois par semaine près de chez elle et a réduit sa ration calorique quotidienne. Elle n'a pas réussi à s'arrêter de fumer. Elle a fait des exercices de Kegel, mais elle a encore quelques pertes d'urines quand elle tousse ou rit.

*Médicaments :* ibuprofène 400 mg, jusqu'à 3 fois par jour en cas de migraine.
*Allergies :* éruption due à l'ampicilline.
*Tabac :* un paquet/jour depuis l'âge de 18 ans.

**Examen physique :** femme d'âge moyen, en surpoids, agréable ; elle est animée et un peu tendue. Taille = 1,57 m. Poids = 63 kg. IMC = 26. PA = 15/9. FC = 86, régulière. FR = 16. Apyrexie.
*Peau :* pas de naevus suspect. ***TYONG :*** tête normale ; pharynx propre. ***Cou :*** souple, pas de goitre. ***Ganglions :*** pas d'adénopathies. ***Poumons :*** sonores et libres. ***CV :*** PVJ à 6 cm au-dessus de l'oreillette droite ; carotides battantes, sans souffle. B1 et B2 bien frappés. Pas de souffle cardiaque ce jour. Pas de B3 ni de B4. ***Abdomen :*** souple et dépressible ; bruits intestinaux audibles ; pas d'hépatosplénomégalie. ***Membres inférieurs :*** pas d'œdèmes.

**Examens de laboratoire :** bilan biologique de base et examen des urines normaux le 25/08/2008. Frottis cervicaux normaux.

**Évaluation et projet**
1. Migraines : à présent, plus qu'une ou deux par mois, du fait de la réduction des boissons caféinées et du stress. Les céphalées sont sensibles aux AINS.
   - Repousser un traitement de fond puisque la patiente fait moins de trois crises par mois et se sent mieux.
   - Insister sur la nécessité d'arrêter de fumer et de continuer l'exercice physique.
   - Encourager la participation au groupe de soutien pour diminuer le stress.

2. Hypertension artérielle : la PA reste élevée, à 15/9.
   - Instaurer un traitement diurétique.
   - Demander à la patiente de prendre sa PA 3 fois par semaine et d'apporter les chiffres à la prochaine consultation.
   - Insister sur la nécessité de faire de l'exercice, de perdre du poids et d'arrêter de fumer.

3. Cystocèle avec incontinence d'effort épisodique : l'incontinence a été améliorée par les exercices de Kegel, mais il persiste quelques pertes d'urines ; examen des urines prescrit à la consultation précédente : pas d'infection.
   - Mettre une crème aux œstrogènes.
   - Continuer les exercices de Kegel.

4. Surcharge pondérale : a perdu 2 kg.
   - Continuer l'exercice physique.
   - Revoir le régime, encourager la perte de poids.

5. Stress familial : la patiente le gère mieux. Voir ci-dessus.

6. Épisode de lombalgie : RAS aujourd'hui.

7. Tabagisme : voir ci-dessus.

8. Protection de la santé : frottis cervicaux faits lors de la consultation précédente. Rendez-vous de mammographie pris. Coloscopie conseillée.

# Entrevue et antécédents

L'interrogatoire est une conversation avec un objectif. En apprenant à établir les antécédents, vous ferez appel à plusieurs des qualités relationnelles dont vous vous servez chaque jour mais avec des différences importantes. Contrairement à la conversation sociale, où vous pouvez exprimer librement vos besoins et vos intérêts et qui n'engage que vous-même, l'objectif premier de l'entrevue clinicien-patient est d'améliorer le bien-être du patient. À un niveau plus basique, le but de la conversation avec le patient est triple : établir une relation de confiance et de soutien, rassembler des renseignements et donner une information.[1-3]

Échanger efficacement avec les patients est l'une des qualités les plus précieuses des soins cliniques. Comme clinicien débutant, vous devez vous efforcer de rassembler des renseignements. En même temps, en utilisant des techniques qui inspirent la confiance et traduisent le respect, vous permettrez à l'anamnèse de se dérouler de façon complète et détaillée. L'établissement d'une interaction rassurante met à l'aise le patient pour donner des informations et cette interaction devient la base de la relation clinicien-patient.[4] Comme la maladie peut décourager et isoler le patient, « l'impression de communiquer avec le médecin, d'être bien entendu et compris, diminue le sentiment d'isolement et de désespoir. Cette impression est la clé de la guérison ».[5]

Ce chapitre vous présente les principaux points de l'entrevue. Il met l'accent sur l'approche du recueil des antécédents mais envisage aussi les habitudes fondamentales que vous devez continuellement utiliser et perfectionner en parlant avec les patients. Vous apprendrez quels sont les principes directeurs d'une entrevue bien rodée et comment forger une relation de confiance avec le patient. Vous apprendrez la préparation de l'entrevue, la séquence de l'entrevue, les techniques d'interrogatoire importantes et les stratégies pour affronter les difficultés variées qui peuvent surgir au cours d'une entrevue. Pour apprendre à vous débrouiller, jetez un coup d'œil sur les « Points importants de l'entretien », page suivante, qui jalonnent la tâche complexe d'une bonne entrevue.

En tant que clinicien, vous en viendrez à faire une série d'hypothèses sur la nature des troubles du patient. Vous testerez alors les différentes hypothèses en cherchant des renseignements supplémentaires. Vous explorerez aussi les sentiments et les croyances du patient sur son problème. Le cas échéant, avec l'expérience clinique, vous réagirez en fonction de votre compréhension des inquiétudes du patient. Même s'il y a peu de choses à faire, inciter le patient à parler de son *vécu de la maladie* a en soi une vertu thérapeutique, comme le montrent les paroles ci-dessous d'un patient ayant un rhumatisme chronique grave :

> Elle n'a jamais dit ce que les symptômes signifiaient pour elle. Elle n'a jamais dit : « Cela veut dire que je ne peux pas aller seule au cabinet de toilette, me déshabiller, et même sortir du lit sans demander de l'aide. »

> Quand nous avons terminé l'examen clinique, j'ai dit quelque chose comme : « Votre polyarthrite rhumatoïde ne vous a vraiment pas épargnée ! » Elle a fondu en larmes, sa fille aussi, et moi, j'étais assis là, à la limite de perdre pied moi-même.

> Elle a dit : « Vous savez, avant, personne n'a jamais parlé de ça comme d'une chose personnelle, personne ne m'a jamais parlé comme si c'était une chose qui avait de l'importance, qui me concernait personnellement. »

> C'était la chose importante de cet entretien ; je n'avais vraiment pas beaucoup d'autres choses à offrir... Quelque chose de vraiment significatif s'est passé entre nous, quelque chose qui avait de la valeur pour elle, et qu'elle porterait désormais en elle.[6]

Comme le montre cette histoire, le *processus* de l'interrogatoire des patients exige une délicatesse extrême vis-à-vis de leurs sentiments et de leurs réactions comportementales ; c'est bien plus qu'un simple questionnaire ! Ce processus s'écarte notablement du *plan* des antécédents présenté au chapitre 1. Les deux sont fondamentaux pour votre travail clinique mais ont des buts différents :

- le *plan des antécédents* est un cadre pour organiser les renseignements sur le patient, dans une *forme écrite ou orale* à l'intention des autres soignants ; il concentre l'attention du clinicien sur des renseignements spécifiques à obtenir du patient ;

- le *processus de l'entrevue*, qui fournit en vérité ces éléments d'information, est beaucoup plus fluide et exige une communication efficace et des qualités relationnelles. Il nécessite non seulement la connaissance des données à recueillir mais aussi la capacité à obtenir une information précise et des qualités d'échange permettant de réagir aux sentiments et aux inquiétudes du patient.

Ce qui sous-tend les qualités à acquérir, c'est un bagage intellectuel qui vous permettra de collaborer avec le patient et de construire avec lui une relation thérapeutique.

**Différentes sortes d'anamnèse.** Comme vous l'avez appris au chapitre 1, les sortes de renseignements que vous recherchez dépendent de plusieurs facteurs. Le domaine et le degré de détail sont fonction des besoins et des inquiétudes du patient, des objectifs du clinicien pour cette rencontre et du contexte de l'entrevue (patient interne ou externe, temps disponible, soins primaires ou spécialisés...).

- Pour les nouveaux patients, quel que soit le contexte, vous devez *relever une anamnèse exhaustive.*

- Pour les patients qui consultent pour un symptôme donné (par exemple : toux, miction douloureuse), un entretien plus limité, dirigé sur ce problème spécifique, peut être indiqué *(interrogatoire orienté par les problèmes).*

- Pour les patients qui consultent pour des problèmes en cours ou chroniques, un entretien centré sur la prise en charge de sa maladie par le patient, l'état de ce(s) problème(s), et la capacité fonctionnelle du patient, y compris sa qualité de vie, est le mieux adapté.[7]

Voir le chapitre 1 : « Vue d'ensemble de l'interrogatoire et de l'examen physique », p. 3-24.

Dans un contexte de soins primaires, les cliniciens abordent volontiers les problèmes de protection de la santé, tels que l'arrêt du tabac ou la réduction des comportements sexuels à risque. Un spécialiste peut faire une anamnèse approfondie pour évaluer un problème qui touche plusieurs champs d'investigation. La connaissance de la teneur et de la pertinence de toutes les composantes d'une anamnèse exhaustive vous permet de choisir les sortes d'informations les plus utiles pour répondre aux buts du clinicien et du patient. Soyez assuré qu'avec l'expérience, vous saurez quels types d'informations rechercher et quand les rechercher.

---

### Points importants de l'entretien

**■ Se préparer : l'approche de l'entrevue**

Prendre le temps de réfléchir. Revoir la fiche. Revoir votre comportement clinique et votre présentation. Arranger l'environnement. Prendre des notes.

**■ Connaître le patient : la séquence de l'entrevue**

Saluer le patient et établir le contact avec lui. Établir le programme de l'entrevue. Entamer l'interrogatoire. Identifier les manifestations émotionnelles et réagir. Développer et clarifier l'anamnèse du patient. Créer une compréhension partagée des inquiétudes du patient. Mettre au point un projet. Prévoir le suivi et conclure l'entrevue.

**■ Construire la relation : les techniques d'un bon interrogatoire**

Écoute attentive. Questionnaire orienté. Communication non verbale. Réactions empathiques. Validation. Réconfort. Partenariat. Résumé. Transitions. Responsabilisation du patient.

**■ Adapter votre entrevue à des situations particulières**

Le patient silencieux. Le patient déroutant. Le patient incapable. Le patient bavard. Le patient coléreux ou perturbateur. Les barrières linguistiques. Le patient illettré. Le patient malentendant. Le patient malvoyant. Le patient qui a une intelligence limitée. Le patient qui cherche des conseils personnels.

**■ Sujets délicats, qui nécessitent des qualités particulières**

Sexualité. Santé mentale. Consommation d'alcool et de drogue. Violence familiale. Mort ou fin de vie.

**■ Aspects sociétaux de l'entrevue**

Acquisition d'une compétence culturelle. Sexualité dans les relations clinicien-patient. Considérations éthiques.

## SE PRÉPARER : L'APPROCHE DE L'ENTREVUE

L'entretien suppose un plan. Sans doute êtes-vous impatient de commencer à tisser des relations avec le patient, mais considérez d'abord les étapes cruciales pour réussir : prendre le temps de réfléchir, revoir la fiche, se fixer des objectifs pour l'entrevue, revoir son comportement et sa présentation, arranger l'environnement et être prêt à prendre des notes brèves.

***Prendre le temps de réfléchir.*** Les cliniciens rencontrent des gens très divers, chaque personne étant unique. Établir des relations avec des individus d'une grande diversité d'âge, de classe sociale, d'ethnie, *bien portants ou malades* est une occasion extraordinaire. C'est un des défis du clinicien que d'être constamment ouvert et respectueux des différences humaines. Puisque nous apportons nos propres valeurs, croyances et partis pris à chaque rencontre, nous devons travailler à prendre conscience de la façon dont nos propres attentes et réactions peuvent affecter notre écoute et notre comportement. *Cette réflexion doit être un processus continu pour améliorer notre pratique professionnelle. L'accroissement de la conscience de soi qui résulte de notre travail avec les patients est une des retombées les plus gratifiantes des soins aux patients.*[8]

***Revoir la fiche.*** Avant de voir le patient, revoyez sa fiche ou son dossier médical. Ce faisant, vous obtiendrez des renseignements et imaginerez quels domaines sont à explorer avec le patient. Regardez de près les données d'identification, telles que l'âge, le sexe, l'assurance médicale, et lisez attentivement la liste des problèmes, les traitements et les détails tels que les allergies. La fiche fournit souvent des renseignements précieux sur les diagnostics et traitements antérieurs mais elle ne doit pas vous empêcher de concevoir de nouvelles idées ou approches. Rappelez-vous que les renseignements de la fiche proviennent de divers observateurs et que les formulaires reflètent des normes institutionnelles différentes. De plus, la fiche n'est pas conçue pour donner une idée exacte de la personne unique que vous allez rencontrer. Les données peuvent être incomplètes ou discordantes avec ce que vous apprenez du patient ; la compréhension de telles discordances peut s'avérer utile aux soins du patient.

**_Se fixer des objectifs pour l'entrevue._** Avant de voir le patient, vous devez clarifier les buts de l'entrevue. En tant qu'étudiant, votre objectif est d'obtenir une histoire complète dont vous pourrez soumettre le compte rendu écrit à votre enseignant. En tant que clinicien, vos objectifs peuvent aller de remplir les formulaires demandés par les établissements de soins pour la prise en charge des problèmes médicaux à tester les hypothèses émises lors de votre révision de la fiche. _Un clinicien doit maintenir l'équilibre entre ses objectifs cliniques et les objectifs du patient._ Il peut y avoir tension entre les besoins du clinicien, les exigences de l'institution et les besoins du patient et de sa famille. Une des tâches du clinicien est de garder en tête ces différents impératifs. Consacrer quelques minutes à préciser par avance vos objectifs vous aidera à trouver le bon équilibre entre ces objectifs pour l'entrevue à venir.

**_Revoir votre comportement clinique et votre présentation._** Tandis que vous observez le patient pendant l'entrevue, celui-ci vous observe. Consciemment ou non, vous envoyez des messages par vos paroles et votre comportement. Soyez sensible à ces messages et essayez de les contrôler autant qu'il est possible. L'attitude, les gestes, les regards et les mots peuvent exprimer l'intérêt, l'attention, l'accord et la compréhension. Le clinicien expérimenté paraît calme et pas pressé, même lorsque son temps est limité. Les réactions qui trahissent le dégoût, la désapprobation, l'embarras, l'impatience ou l'ennui bloquent la communication, comme le font les comportements condescendants, stéréotypés, critiques ou dévalorisants pour le patient. Le professionnalisme exige de l'impassibilité de la part du médecin. La « considération positive inconditionnelle », dont parle le psychothérapeute Carl Rogers, est un élément de l'effet thérapeutique de la relation avec les patients.[9]

Votre aspect personnel peut aussi affecter la facilité avec laquelle vous établissez une relation. Un aspect propre et soigné, un vêtement classique, un badge nominatif rassurent le patient. Ayez en tête le *point de vue du patient* si vous voulez que le patient vous accorde sa confiance.

***Aménager l'environnement.*** Rendez le cadre aussi intime et confortable que possible. Bien que l'on puisse avoir à parler avec le patient dans des conditions difficiles, par exemple dans une salle à deux lits ou dans le couloir d'un service d'urgences bourdonnant, un environnement convenable améliore la communication. S'il y a des rideaux, demandez la permission de les tirer. Proposez d'aller dans une chambre vacante au lieu de parler dans une salle d'attente. *En tant que clinicien, vous devez faire le nécessaire pour disposer d'un lieu et de sièges améliorant votre confort et celui du malade.* Ce n'est jamais une perte de temps.

***Prendre des notes.*** Comme néophyte, vous aurez besoin de noter beaucoup de ce que vous aurez appris pendant l'entrevue. Si un clinicien expérimenté peut retenir la plus grande partie d'un interrogatoire sans prendre de notes, personne ne peut se rappeler de tous les détails d'une anamnèse exhaustive. Notez des phrases courtes, des dates particulières, des mots au lieu d'essayer de faire une rédaction définitive, mais ne laissez pas les notes ou les formulaires détourner votre attention du patient. Maintenez un bon contact oculaire et chaque fois que le patient aborde des sujets délicats ou difficiles, posez votre stylo ou abandonnez le clavier. La plupart des patients ont l'habitude de voir prendre des notes. À ceux que cela gêne, demandez de préciser leurs craintes et expliquez la nécessité d'un compte rendu précis. Si vous utilisez un dossier médical électronique, relisez l'observation du patient avant d'entrer dans la pièce ; obtenez l'histoire du patient en vous plaçant en face de lui, maintenez un contact oculaire, et notez les comportements non verbaux ; ne vous intéressez à l'écran de l'ordinateur qu'après avoir établi la relation et faites participer le patient au processus.[10]

## CONNAISSANCE DU PATIENT : LA SÉQUENCE DE L'ENTREVUE

Ayant consacré du temps et de la réflexion à préparer l'entrevue, vous êtes tout à fait prêt à écouter le patient, à apprendre ses inquiétudes et à préciser son état de santé. En général, une entrevue passe par plusieurs stades. *Au cours de cette séquence, vous, le clinicien, devez susciter les sentiments du patient, faciliter leur expression, réagir à leur contenu et valider leur signification.* Voici une séquence typique.

*patient* éprouve la maladie, avec ses effets relationnels, fonctionnels et sur la sensation de bien-être. De nombreux facteurs façonnent cette expérience, à savoir l'état de santé personnel ou familial antérieur, le retentissement des symptômes sur la vie de tous les jours, la façon personnelle de voir les choses et les attentes des soins médicaux. Un mélange de ces perspectives est à la base du programme d'évaluation et de traitement. *L'entrevue doit tenir compte de ces deux points de vue sur la réalité.*

Même un symptôme aussi simple que le mal de gorge peut illustrer ces vues divergentes. Le patient peut s'inquiéter en raison de la douleur et de la difficulté à avaler, de son arrêt de travail, ou d'un cousin qui a été hospitalisé pour une amygdalite. Le clinicien s'intéresse plutôt aux éléments permettant de différencier la pharyngite streptococcique des autres étiologies ou à un antécédent discutable d'allergie à la pénicilline. Pour satisfaire aux attentes du patient, le clinicien doit aller au-delà des attributs des symptômes. Il doit se renseigner sur le vécu du patient, en posant des « questions centrées sur le patient » dans les quatre domaines énumérés ci-dessous. Cette information est cruciale pour la satisfaction du patient, l'efficacité des soins et le suivi du patient.[18, 24]

---

### EXPLORER LE POINT DE VUE DU PATIENT

✔ Les sentiments du patient sur le problème, c'est-à-dire ses peurs et ses inquiétudes.

✔ Les idées du patient sur la nature et la cause du problème.

✔ Le retentissement du problème sur la vie du patient.

✔ Les attentes du patient concernant la maladie, le médecin ou les soins, qui dépendent souvent d'expériences personnelles ou familiales antérieures.

---

L'exploration du point de vue du patient conduit à poser différents types de questions. Pour découvrir les sentiments du patient, le clinicien peut demander : « Qu'est-ce qui vous inquiète le plus dans cette douleur ? » ou « Comment avez-vous vécu cela ? » Pour connaître ses idées sur la cause du problème, vous pouvez dire : « D'après vous, à quoi est due cette douleur de l'estomac ? », ou « Qu'avez-vous déjà essayé ? », parce que les traitements essayés suggèrent des modèles explicatifs. Un patient peut craindre que la douleur soit le symptôme d'une maladie grave et avoir besoin d'être rassuré, ou il peut ne rechercher qu'un soulagement. Pour préciser l'impact de la maladie sur le mode de vie et les activités du patient, surtout s'il s'agit d'une maladie chronique, demandez : « Qu'est-ce que vous ne pouvez pas faire maintenant que vous pouviez faire avant ? », « Comment la douleur du dos (l'essoufflement, etc.) retentit-elle sur votre aptitude au travail ? Votre vie à la maison ? Vos activités sociales ? Votre rôle de parent ? Vos relations intimes ? L'image que vous avez de vous-même ? » Vous devez découvrir ce que le patient attend de vous, le médecin, ou des soins médicaux en général... « Je suis content que la douleur soit presque partie, comment puis-je vous aider à présent ? » Même si la douleur de l'estomac a presque cessé, le patient peut avoir besoin d'un justificatif pour son employeur.

***Mettre au point un projet.*** La connaissance de l'affection et la conception de la maladie vous donnent l'occasion ainsi qu'au patient de brosser un tableau complet du problème. Ce tableau aux multiples facettes sert alors de base pour programmer une évaluation plus poussée (examen physique, examens de laboratoire, consultations) et pour mettre au point un projet thérapeutique. Il joue aussi un rôle important dans la construction de la relation avec le patient. Des compétences pointues, telles que l'entretien de motivation et l'utilisation de la relation clinicien-malade à des fins thérapeutiques sortent du cadre de ce livre.

***Prévoir le suivi et terminer l'entretien.*** Vous pouvez avoir des difficultés à terminer l'entretien. Les patients posent souvent beaucoup de questions et, si vous avez bien fait votre travail, ils sont contents de parler avec vous. Avertissez le patient que la fin de l'entrevue est proche pour lui donner le temps de poser les dernières questions. Assurez-vous que le patient a bien compris les projets mutualisés que vous avez développés. Par exemple, avant de ramasser vos papiers ou de vous lever pour quitter la pièce, dites-lui : « Nous devons terminer maintenant. Avez-vous encore des questions à me poser ? » En terminant, il est utile de rappeler les examens complémentaires, le traitement et le suivi. « Prenez bien les médicaments prescrits, faites l'examen de sang avant de partir aujourd'hui et prenez un rendez-vous dans 4 semaines. Avez-vous des questions à ce sujet ? » Revenez sur ces points si le patient a encore des questions ou des inquiétudes.

Le patient doit avoir la possibilité de poser d'ultimes questions, mais les dernières minutes ne sont pas le moment de discuter de nouveaux problèmes. Si cela se produit et si le problème n'est pas vital, il suffit d'assurer le patient de votre intérêt et de votre intention d'aborder le problème ultérieurement. « Cette douleur du genou est embêtante. Pourquoi ne pas prendre rendez-vous pour la semaine prochaine afin que nous puissions en parler ? » La réaffirmation de votre engagement à améliorer l'état de santé du patient est toujours appréciée.

Voir aussi chapitre 2 : « Raisonnement clinique, évaluation et enregistrement de vos constatations », pour les techniques plus précises de négociation d'un projet.

## CONSTRUIRE UNE RELATION THÉRAPEUTIQUE : LES TECHNIQUES D'UN BON INTERROGATOIRE

***Construire la relation.*** Vous avez eu sûrement plusieurs raisons pour devenir un professionnel de santé, l'une d'entre elles étant sans aucun doute le désir de rendre service à autrui. Pour atteindre cet objectif louable, vous devez entretenir votre motivation tout au long de votre formation et acquérir plusieurs approches comportementales du patient.

Le paradigme qui sous-tend votre relation avec le patient dans le processus thérapeutique même a plusieurs noms et modèles, parmi lesquels le modèle biopsychosocial et les soins centrés sur le patient.[5, 18, 26, 27]

La comparaison des différents modèles fait ressortir des éléments communs, à savoir l'intérêt pour le patient en tant que personne globale, la responsabilisation du patient et l'implication du clinicien au plan affectif et intellectuel.[28] Une robuste littérature démontre qu'une approche des soins du patient inspirée de ces principes est plus satisfaisante pour le patient et le clinicien et aussi plus efficace pour obtenir de bons résultats des soins.[8, 29]

Cette partie décrit les qualités qui constituent les outils de base de l'entrevue. Certaines de ces habitudes sont de simples techniques que vous pouvez mettre aisément en application. D'autres sont des concepts qui inspireront vos comportements pendant l'entrevue. Utilisez ces qualités pour accomplir plus efficacement les tâches décrites plus haut dans la séquence de l'entrevue (voir p. 61). Vous devez vous entraîner à utiliser ces outils et aussi vous faire observer et enregistrer afin d'avoir un retour sur vos progrès. Plusieurs de ces qualités sont énumérées ci-dessous puis décrites en détail. Utilisez-en une ou deux dans votre prochaine entrevue, puis revenez à ce chapitre pour élargir votre répertoire de qualités.

## Les techniques d'un bon interrogatoire

- Écoute attentive
- Questionnaire orienté
- Communication non verbale
- Réactions empathiques
- Validation

- Réconfort
- Partenariat
- Résumé
- Transitions
- Responsabilisation du patient

***Écoute attentive.*** L'*écoute attentive* sous-tend les diverses techniques. C'est un processus qui consiste à suivre attentivement ce que le patient communique, à avoir conscience de son état émotionnel et à utiliser des moyens verbaux et non verbaux pour l'encourager à continuer et à s'épancher. Cela vous permet de comprendre les multiples aspects du ressenti du patient[30], mais cela demande de la pratique. Il est facile de passer à la question suivante ou au diagnostic différentiel quand votre concentration sur l'écoute remplit son office pour vous et pour le patient.

***Questionnaire orienté : les options pour développer et clarifier l'anamnèse du patient.*** Il y a plusieurs façons de demander plus d'informations au patient sans interférer avec le cours de son histoire. Votre but est de faciliter une communication complète.

- Aller de questions ouvertes à des questions ciblées.
- Utiliser un questionnement qui suscite une réponse graduée.
- Poser les questions l'une après l'autre.
- Poser des questions à choix multiples.
- Éclaircir ce que le patient veut dire.
- Inciter à continuer.
- Faire l'écho.

Apprendre les techniques suivantes vous permettra de faciliter les révélations des patients en réduisant le risque de déformer leurs idées ou de manquer des détails significatifs. Vous éviterez ainsi de poser des séries de questions spécifiques, ce qui prend plus de temps et donne au patient un sentiment de passivité.

**Aller de questions ouvertes à des questions ciblées.** Les questions doivent aller du général au particulier. Pensez à nouveau à l'entonnoir évasé en haut, étroit en bas. Entamez la conversation par une question très générale : « Que puis-je faire pour vous ? » Posez des questions ouvertes mais circonscrites, comme : « Parlez-moi de votre traitement », puis des questions fermées comme : « Est-ce que vous avez bien supporté le nouveau traitement ? » Commencez par une question véritablement ouverte, ne comportant pas une réponse dans son énoncé. Voici un exemple :

« Parlez-moi de votre douleur thoracique. » (Pause)

« Quoi d'autre ? » (Pause)

« Où l'avez-vous ressentie ? » (Pause) « Montrez-moi l'endroit »

« Ailleurs ? » (Pause) « Est-ce qu'elle se déplace ? » (Pause) « Vers quel bras ? »

Évitez les *questions tendancieuses* qui contiennent la réponse dans la question ou qui suggèrent la réponse désirée : « Votre douleur s'est-elle améliorée ? » ou « Vous n'avez pas du tout eu de sang dans les selles, n'est-ce pas ? » Si vous demandez : « Est-ce que votre douleur vous serre ? » et que le patient répond « oui », vous avez en fait répondu à sa place. Il vaut mieux dire de façon plus neutre : « S'il vous plaît, décrivez votre douleur. »

**Questions qui suscitent des réponses graduées.** Si besoin est, posez des questions qui requièrent une *réponse cotée* plutôt qu'une réponse simple. « Combien de marches pouvez-vous monter sans être essoufflé ? » est préférable à « Êtes-vous essoufflé en montant un escalier ? »

**Poser les questions une par une.** *Ne posez qu'une question à la fois.* « Pas de tuberculose, pleurésie, diabète, asthme, bronchite, pneumonie ? » peut obtenir une réponse négative par pure confusion. Essayez plutôt : « Avez-vous eu l'une des affections suivantes ? » Marquez une pause et établissez un contact oculaire tandis que vous énumérez les affections.

**Proposer des questions à choix multiples.** Certains patients semblent incapables de décrire leurs symptômes sans aide. Pour réduire les biais, proposez-leur des *questions à choix multiple* : « Lequel des mots suivants décrit le mieux votre douleur : sourde, vive, oppressante, cuisante, lancinante ou un autre ? » Presque toutes les questions peuvent avoir au moins deux réponses possibles. « Votre toux est-elle sèche ou productive ? »

**Clarifier ce que le patient veut dire.** Parfois les patients emploient des mots ambigus ou font des associations vagues. Pour comprendre ce qu'ils veulent dire, vous avez besoin d'*éclaircissements*. Par exemple : « Dites-moi ce que vous entendez par refroidissement », ou bien « Vous dites que vous vous comportez comme votre mère. Que voulez-vous dire par là ? »

**Inciter à continuer.** Vous pouvez inciter le patient à en dire plus par des attitudes, des gestes ou des mots, sans contenu précis. S'arrêter en hochant la tête ou rester silencieux, tout en étant attentif et détendu est une *incitation à continuer pour le patient.* Se pencher en avant, regarder le sujet dans les yeux, dire « Mmm-mm » ou « Continuez » ou bien « Je vous écoute », l'aide à poursuivre son histoire.

**Faire l'écho.** La simple répétition des derniers mots du patient, ou *faire l'écho*, incite le patient à exprimer des détails factuels et des sentiments, comme dans l'exemple suivant :

Malade : « La douleur a augmenté et a commencé à se propager. » (Pause)

Médecin : « Elle s'est propagée ? »

Malade : « Oui, elle a commencé à l'épaule, puis est descendue dans le bras gauche jusqu'aux doigts. Cela me faisait si mal que j'ai cru que j'allais mourir. » (Pause)

Médecin : « Vous alliez mourir ? »

Malade : « Oui, c'était la même douleur que mon père a eue lors de sa crise cardiaque et j'avais peur que la même chose m'arrive. »

Ici, la technique de répétition a servi à préciser non seulement le siège et l'intensité de la douleur, mais aussi sa signification pour le malade. Il n'y avait aucun risque de l'influencer ou d'interrompre la suite de ses idées.

***Communication non verbale.*** La communication par d'autres moyens que la parole est permanente et donne des indices importants sur les sentiments et les émotions. En devenant plus conscient des messages non verbaux, vous pourrez mieux « déchiffrer » le patient et lui envoyer des messages. Faites très attention au contact oculaire, à la mimique, à l'attitude et aux mouvements de la tête (dénégation ou acquiescement), à la distance patient-médecin et à la disposition des membres (croisés, neutres, ouverts). Sachez que la communication non verbale dépend de la culture.

De même que refléter votre attitude peut indiquer le rapprochement du patient, calquer votre attitude sur celle du patient peut signifier une relation accrue. Vous pouvez aussi imiter le *paralangage* du patient ou les qualités de son discours, telles que le rythme, le ton et le volume pour accroître la relation. Vous pouvez vous rapprocher du patient ou le toucher en posant votre main sur son bras pour manifester votre empathie ou l'aider à se contrôler. La prise de conscience de la communication non verbale est l'étape qui précède l'utilisation de cette forme cruciale d'interaction avec le patient.

***Réactions empathiques.*** Les manifestations d'empathie renforcent beaucoup la relation avec les patients. En parlant avec vous, ils peuvent exprimer – avec ou sans mots – des sentiments dont ils peuvent avoir pris conscience ou pas. Ces sentiments sont essentiels pour comprendre leur maladie et établir une relation de confiance. *Pour manifester de l'empathie à votre patient, vous devez d'abord identifier ses sentiments.* Cela nécessite de votre part bonne volonté et intérêt soutenu quand vous écoutez et déclenchez des émotions. Au premier abord, cela peut sembler étrange ou gênant. Quand vous décelez des sentiments importants mais inexprimés d'après le visage, la voix, les mots, le comportement du patient, renseignez-vous sur eux au lieu de faire des suppositions. Vous pouvez demander tout simplement : « Que ressentiez-vous à ce sujet ? » Faites savoir aux patients que vous vous intéressez aux sentiments aussi bien qu'aux faits, sinon vous pourriez manquer des aperçus importants.

Quand des sentiments sont exprimés, répondez de façon bienveillante et compréhensive. Les réponses peuvent être aussi simples que : « Je comprends », « C'est bouleversant », « Vous avez l'air triste ». L'empathie peut aussi être non verbale, par exemple en offrant un mouchoir à un individu qui pleure ou en mettant doucement la main sur son bras pour manifester sa compréhension. Pour être empathique, une réaction doit exprimer une compréhension correcte de ce que le patient ressent. Si on a pensé que le patient était bouleversé par la mort d'un parent alors qu'en fait il était soulagé d'être libéré d'un fardeau financier et affectif longtemps supporté, on s'est mépris sérieusement sur la situation. Au lieu de faire des suppositions, vous pouvez interroger directement le patient sur ses réactions émotionnelles. « Je suis navré d'apprendre la mort de votre père. Comment l'avez-vous ressentie ? »

***Validation.*** Une autre façon de faire importante pour que le patient se sente accepté consiste à valider ou à légitimer son vécu émotionnel. Si un patient victime d'un accident de voiture est physiquement indemne mais éprouve toujours une souffrance morale, vous pouvez l'assurer du caractère normal de la chose par une phrase du genre : « Je comprends que cet accident a dû être très effrayant pour vous. Les accidents d'automobile sont toujours très perturbants parce qu'ils nous rappellent que nous sommes vulnérables et mortels. C'est pourquoi vous restez bouleversé. » De cette façon, le patient sent que ses sentiments sont légitimes et compréhensibles.

***Réconfort.*** Quand vous parlez à des patients anxieux ou bouleversés, il est tentant de vouloir les rassurer : « Ne vous inquiétez pas. Tout ira bien. » Cette façon de faire peut convenir à des relations non professionnelles, mais, de la part d'un clinicien, elle est habituellement contre-productive. Vous risquez de rassurer le patient à tort. De plus, tranquilliser prématurément le patient peut empêcher des révélations de sa part, surtout s'il sent que le clinicien est gêné par son anxiété ou n'a pas pris la mesure de sa souffrance. Les confessions du patient doivent être facilitées, pas inhibées.

*La première étape d'un réconfort efficace consiste à identifier et à accepter les sentiments du patient.* Cela instaure un sentiment de connexion. Le véritable réconfort arrive beaucoup plus tard dans la consultation, après la fin de l'interrogatoire, l'examen physique et peut-être quelques examens de laboratoire. À ce moment-là, vous pouvez livrer au patient votre interprétation des troubles et discuter ouvertement des inquiétudes exprimées. Le réconfort est la conséquence d'une information délivrée de manière compétente, qui fait croire au patient que ses problèmes ont été bien compris et seront correctement abordés.

***Partenariat.*** Dans la construction de votre relation avec les patients, une des étapes les plus utiles est de dire explicitement que vous désirez travailler avec eux dans la même direction. Quand vous discutez un diagnostic ou exprimez vos doutes sur la façon d'expliquer leurs symptômes, il est rassurant de déclarer que, quoi qu'il arrive, vous vous engagez à rester leur partenaire, en tant que soignant. Même en tant qu'étudiant, ce soutien peut faire une grande différence, surtout en milieu hospitalier.

***Résumé.*** Faire un résumé récapitulant l'histoire du malade en cours d'interrogatoire est une technique très utile. Cela indique au patient que vous l'avez écouté attentivement et clarifie ce que vous savez et ce que vous ne savez pas. « À présent, je dois être sûr que l'anamnèse est complète. Vous venez de dire que vous toussez depuis 3 jours, que c'était pire cette nuit et que vous ramenez maintenant des crachats jaunes. Vous n'avez pas de fièvre ni d'essoufflement, mais vous vous sentez congestionné, avec des difficultés pour respirer par le nez. » Marquez une pause ou dites : « Quoi d'autre ? », afin de permettre au patient de rajouter d'autres renseignements et de rectifier une mauvaise compréhension.

Un résumé peut être fait à différents moments de l'entrevue pour structurer la consultation, notamment lors des transitions (voir ci-dessous). Cette technique vous permet, vous clinicien, d'organiser le raisonnement clinique et de communiquer votre pensée au patient, ce qui améliore la collaboration. *C'est aussi une technique utile aux étudiants en formation, quand ils ont un « trou » dans les questions à poser au patient.*

**Transitions.** Les patients ont de nombreuses raisons de se sentir vulnérables pendant une consultation. Pour les mettre plus à l'aise, dites-leur quand vous changez de direction durant l'entrevue. Comme la signalisation le long d'une autoroute, ces indications donnent au patient une plus grande impression de maîtrise. Quand vous passez d'une partie de l'anamnèse à l'autre, il est utile d'orienter le patient par de courtes phrases de transition : « Je voudrais maintenant vous poser quelques questions sur votre état de santé passé. » Annoncez clairement ce que le patient va devoir subir ou faire : « Avant que nous passions en revue vos traitements, avez-vous eu d'autres problèmes de santé par le passé ? » « Maintenant je vais vous examiner. Je vais sortir quelques minutes. S'il vous plaît, déshabillez-vous complètement et mettez la blouse. » Précisez que la blouse se ferme dans le dos, pour ménager la pudeur du patient et vous éviter d'être gêné.

**Responsabilisation du patient.** La relation clinicien-patient est intrinsèquement inégale. Il est prévisible que votre sentiment d'inexpérience en tant qu'étudiant se transformera avec le temps en un sentiment de confiance en votre savoir, vos compétences et votre autorité en tant que clinicien. Les patients auront toujours de nombreuses raisons de se sentir vulnérables. Ils peuvent avoir mal ou être inquiets à cause d'un symptôme. Ils peuvent être submergés par le système de santé ou simplement ne pas connaître le processus allant de soi à vos yeux. Les différences de sexe, ethnie, race ou classe peuvent aussi créer des différences de pouvoir. Cependant, en fin de compte, les patients sont responsables de leurs soins.[31] Ceux qui ont confiance en eux et qui comprennent vos recommandations sont les plus aptes à suivre vos conseils, modifier leur mode de vie et prendre les traitements prescrits.

Vous trouverez ci-dessous des principes qui vous aideront à partager les responsabilités avec vos patients. Plusieurs d'entre eux ont été discutés ailleurs dans ce chapitre, mais il est si important de responsabiliser les patients que cela vaut la peine de les résumer ici.

---

### RESPONSABILISATION DU PATIENT : PRINCIPES DE PARTAGE DU POUVOIR

✔ Enquérez-vous du point de vue du patient.

✔ Exprimez votre intérêt pour la personne, pas seulement pour son problème.

✔ Suivez ce que le patient a en tête.

✔ Mettez à jour et reconnaissez la charge émotionnelle.

✔ Partagez l'information avec le patient, notamment au moment des transitions.

✔ Rendez votre raisonnement clinique transparent pour le patient.

✔ Révélez les limites de vos connaissances.

---

# ADAPTATION DE L'ENTREVUE À DES CAS PARTICULIERS

L'interrogatoire des patients peut entraîner des comportements ou des situations qui semblent déconcertants ou humiliants. Votre capacité à gérer ces situations s'élaborera tout au long de votre carrière. *Rappelez-vous toujours qu'il est important d'écouter le patient et de tirer au clair ses inquiétudes.*

***Le patient silencieux.*** Les néophytes sont souvent mal à l'aise pendant les périodes de silence, se sentant obligés d'entretenir la conversation. Les silences peuvent avoir plusieurs significations et plusieurs buts. Lorsqu'ils racontent leur maladie actuelle, les patients sont souvent silencieux pendant de courtes périodes pour rassembler leurs souvenirs ou se rappeler des détails, ou décider s'ils peuvent vous confier certaines informations. Le silence semble toujours plus long au clinicien qu'au patient. Le clinicien doit paraître attentif et, si besoin est, inciter brièvement le patient à continuer. Pendant les silences, observez le patient à la recherche de signaux non verbaux, comme la difficulté à contrôler ses émotions.

Les patients déprimés ou déments peuvent avoir perdu leur spontanéité d'expression habituelle ; ils donnent de brèves réponses aux questions et deviennent silencieux après chaque réponse. Si vous avez déjà essayé de reconstituer les événements récents ou un jour type, passez à la recherche de symptômes de dépression ou commencez à explorer l'état mental.

Voir chapitre 5 : « Comportement et état mental », p. 139-168.

Quelquefois, le silence est la réaction du patient à votre façon de poser des questions. Posez-vous des questions à réponse courte trop nombreuses et trop rapprochées ? Avez-vous blessé le patient par des manifestations de désapprobation ou de critique ? Avez-vous méconnu un symptôme prédominant tel qu'une douleur, des nausées, une dyspnée ? S'il en est ainsi, il peut être nécessaire de demander directement au patient : « Vous vous taisez. Ai-je fait quelque chose qui vous a bouleversé ? »

***Le patient déroutant.*** Certains patients présentent un éventail de symptômes déroutants *(patients polysymptomatiques)*. Ils semblent avoir tous les symptômes que vous recherchez, ou une « revue des appareils positive ». Dans ce cas, concentrez-vous sur la signification ou la fonction des symptômes, en privilégiant le point de vue du patient (voir p. 67) et orientez l'interrogatoire vers une évaluation psychosociale. Il est peu productif de détailler tous les symptômes. Bien que le patient puisse avoir plusieurs maladies, une somatisation est vraisemblable.

Voir chapitre 5 : « Comportement et état mental », les symptômes médicalement inexpliqués, p. 140-142, et tableau 5-1 : « Troubles somatoformes : types et approches des symptômes », p. 164-165.

D'autres fois, vous pouvez être perplexe, frustré, dérouté, parce que vous n'arrivez pas à donner un sens à l'anamnèse du patient. L'histoire est vague et difficile à comprendre, les idées mal reliées les unes aux autres, la parole difficile à suivre. Même en énonçant soigneusement les questions, vous pouvez ne pas réussir à obtenir des réponses claires. La façon de raconter peut aussi paraître bizarre, distante, réservée ou inadéquate. Les symptômes peuvent être décrits avec des termes étranges : « Mes ongles me semblent trop lourds », ou « Mon estomac fait des nœuds comme un serpent. » Peut-être y a-t-il des troubles mentaux tels qu'un délire ou une psychose, ou des troubles neurologiques. Méfiez-vous d'un délire chez des patients intoxiqués ou malades aigus et d'une démence chez le sujet très âgé. Ces patients vous livrent des anamnèses incohérentes, sans chronologie claire. Certains peuvent même affabuler pour combler leurs trous de mémoire.

Voir tableau 20-2 : « Délire et démence », p. 977.

Si vous soupçonnez un trouble psychiatrique ou neurologique, ne consacrez pas trop de temps à essayer d'obtenir une histoire détaillée. Ce ne serait que fatigue et frustration pour le patient et pour vous-même. Passez plutôt à une évaluation de l'état mental, en vérifiant particulièrement le niveau de conscience, l'orientation, la mémoire et la compréhension. Posez les premières questions en douceur en demandant : « Quand avez-vous eu votre dernier rendez-vous à la clinique ?... Voyons, c'était il y a combien de temps ? Votre adresse actuelle est ?... Et votre numéro de téléphone ? » Vous pouvez vérifier les réponses sur la fiche ou auprès des parents et des amis, après avoir obtenu la permission de leur parler.

Voir l'examen de l'état mental, chapitre 5 : « Comportement et état mental », p. 149-161.

***Le patient incapable.*** Certains patients ne peuvent raconter leur histoire à cause d'un délire, d'une démence ou d'autres troubles mentaux. D'autres sont incapables de raconter certains antécédents, comme les événements liés à une maladie fébrile ou une convulsion. Dans ces cas, vous devez déterminer si le patient a la « capacité de prendre des décisions » ou la capacité à comprendre les informations sur sa santé pour faire des choix médicaux fondés et exprimer ses préférences thérapeutiques. Le terme de capacité est préférable à celui de compétence, qui est un terme légal. Vous n'avez pas besoin de recourir à un psychiatre pour évaluer la capacité, à moins que la maladie mentale n'altère la prise de décision. Chez de nombreux patients ayant des maladies psychiatriques ou des troubles cognitifs, la capacité de décision reste intacte.

Pour les patients « capables », obtenez leur consentement avant de parler de leur santé avec d'autres personnes. Même si les patients ne peuvent communiquer que par des mimiques ou des gestes, vous devez respecter la confidentialité et susciter la coopération. Confirmez aux patients que tout ce qu'ils racontent restera confidentiel et précisez ce que vous pouvez discuter avec d'autres personnes. Votre connaissance du patient peut être très étendue, malgré cela d'autres peuvent fournir des renseignements importants et surprenants. Une épouse, par exemple, peut rapporter des tensions familiales, des symptômes dépressifs ou une intempérance que le patient a niée. Envisagez de scinder l'entrevue en deux parties, l'une avec le patient et l'autre avec le patient et un autre informateur. Chacune des parties a sa valeur propre. Les renseignements provenant d'autres sources vous donnent souvent des idées pour planifier les soins du patient mais ils doivent rester confidentiels. Aux États-Unis, le *Health Insurance Portability and Accountability Act*, voté par le Congrès en 1996, fixe les règles de communication de l'information entre organismes et professionnels de santé.[32]

Pour les patients incapables, vous aurez en général besoin de trouver une « personne de confiance » pour vous aider dans l'interrogatoire. Vérifiez si le patient a un mandataire en matière de soins médicaux. Sinon, l'époux ou un membre de la famille, représentant le patient, peut jouer ce rôle.

Appliquez les principes de base de l'entrevue à vos conversations avec les parents ou les amis des patients. Trouvez un endroit intime pour parler. Présentez-vous, indiquez votre but, renseignez-vous sur leur vécu et identifiez et admettez leurs inquiétudes. En entendant leur version de l'histoire, appréciez la qualité de leur relation avec le patient, qui peut nuancer leur crédibilité. Précisez jusqu'à quel point ils connaissent le patient. Par exemple, quand un enfant est amené en consultation, l'accompagnant adulte n'est pas forcément celui qui s'occupe de l'enfant mais celui qui est disponible. Cherchez toujours la meilleure source d'information. Parfois, un parent ou un ami insiste pour assister à l'entrevue. Cherchez à savoir pourquoi et précisez ce que désire le patient.

***Le patient bavard.*** Le patient prolixe ou qui tient des propos décousus peut être aussi difficile que le patient silencieux ou déroutant. Pris entre un temps limité et le besoin de savoir toute l'histoire, le clinicien peut devenir impatient, voire exaspéré. Quoiqu'il n'y ait pas de solution parfaite à ce problème, plusieurs techniques sont utiles. Laissez le patient parler librement pendant les 5 à 10 premières minutes, en l'écoutant attentivement. Peut-être a-t-il besoin tout simplement d'un bon auditeur et extériorise-t-il des inquiétudes accumulées. Peut-être encore, le style du patient est-il de raconter des histoires détaillées. Semble-t-il obsédé par les détails ou bien anormalement anxieux ? A-t-il une fuite des idées ou une désorganisation de la pensée qui évoque des troubles intellectuels. Est-il fabulateur ?

Concentrez-vous sur ce qui semble le plus important pour le patient. Montrez votre intérêt en posant des questions sur ces points. Interrompez-le si vous le devez, mais poliment. Apprenez comment mettre des limites quand c'est nécessaire. Rappelez-vous que votre tâche consiste en partie à structurer l'entrevue pour obtenir des renseignements importants sur la santé du patient. Un bref résumé peut aider à changer de sujet tout en validant des inquiétudes. « Si j'ai bien compris, vous avez exprimé plusieurs inquiétudes. En particulier, vous m'avez parlé de deux sortes de douleur, l'une du côté gauche qui descend dans l'aine et est récente, l'autre dans la partie supérieure de l'abdomen, après les repas, qui dure depuis plusieurs mois. Concentrons-nous d'abord sur la douleur du côté gauche. À quoi ressemble-t-elle ? »

Voir le résumé, p. 73.

Enfin, ne manifestez pas votre impatience. Si le temps est écoulé, expliquez la nécessité d'une deuxième rencontre. Il est utile de fixer une limite de temps pour le prochain rendez-vous. « Je sais que nous avons encore beaucoup à discuter. Pouvez-vous revenir la semaine prochaine ? Nous aurons une heure entière devant nous. »

***Le patient qui pleure.*** Pleurer traduit des émotions fortes, allant de la tristesse à la colère et à la frustration. Si le patient est au bord des larmes, une pause, une question gentille, une marque d'empathie peuvent le faire pleurer. Les pleurs ont en général une vertu thérapeutique, comme l'est votre acceptation silencieuse de la détresse ou de la douleur du patient. Offrez-lui un mouchoir et attendez qu'il se calme. Faites une remarque compatissante : « Cela fait du bien de pouvoir exprimer ses sentiments. » Dans ce genre de contexte, la plupart des patients recouvrent bientôt leur calme et reprennent leur histoire. Sauf perte ou chagrin aigu, il est rare que les pleurs augmentent et deviennent intarissables.

Les pleurs gênent beaucoup de gens. Si c'est votre cas, apprenez à accepter les manifestations d'émotion, afin de pouvoir soutenir les patients dans ces moments-là.

***Le patient coléreux ou perturbateur.*** Beaucoup de patients ont des raisons d'être en colère : ils sont malades, diminués, ils n'ont plus prise sur leur propre vie et ils se sentent impuissants face au système de soins.[33] Ils peuvent diriger cette colère contre le médecin. Il est possible que celui-ci ait mérité leur hostilité. Était-il en retard au rendez-vous, inattentif, indifférent ou en colère lui-même ? S'il en est ainsi, on doit reconnaître les faits et essayer de s'amender. Plus souvent, cependant, le patient cristallise sa colère sur le clinicien parce qu'il symbolise tout ce qui va mal.

Admettez les sentiments de colère des patients. Permettez-leur d'exprimer ces émotions sans vous mettre en colère à votre tour. Évitez de faire chorus avec eux quand ils visent un autre soignant, la polyclinique ou l'hôpital, même si vous partagez leurs sentiments en votre for intérieur. Vous pouvez valider leurs sentiments sans être d'accord avec leurs motifs. « Je comprends votre ressentiment d'avoir longtemps attendu et d'avoir dû répondre plusieurs fois aux mêmes questions. Notre système de santé peut paraître indifférent à la souffrance des gens. » Après que le patient s'est calmé, aidez-le à trouver ce qui évitera de telles situations dans l'avenir. Cependant, la solution rationnelle des problèmes émotionnels n'est pas toujours possible et les gens ont besoin de temps pour exprimer et travailler leurs sentiments de colère.

Certains patients en colère deviennent perturbateurs. Peu de gens peuvent perturber une consultation ou un service d'urgences plus vite que les patients en colère, agressifs ou hors de leurs gonds. Avant de les aborder, avertissez l'équipe de sécurité ; en tant que clinicien, il est de votre responsabilité de maintenir un environnement sûr. Restez calme, ayez l'air tolérant, ne les défiez pas. Adoptez une attitude détendue, non menaçante, les mains ouvertes. Il ne faut pas essayer de faire baisser le ton au patient ni de l'empêcher d'insulter le personnel soignant, mais l'écouter attentivement et tenter de comprendre ce qu'il dit. Une fois le contact établi, proposez-lui gentiment d'aller dans un endroit plus intime (cela causera aussi moins de perturbation).

***Les barrières linguistiques.*** Rien ne vous convaincra mieux de l'importance de l'interrogatoire que d'être incapable de parler avec un patient, une situation qui devient de plus en plus fréquente. L'anglais n'est pas la première langue de plus de 46 millions des habitants des États-Unis, et il n'est pas parlé couramment par environ 21 millions de personnes.[34] Or ces personnes ont moins de chances de bénéficier de soins primaires et de soins préventifs, et plus de risques de présenter des problèmes avec les soins et même de subir des erreurs médicales. Apprendre à travailler avec des interprètes qualifiés est non seulement rentable, mais aussi important pour optimiser les soins.[34-36]

Si votre patient parle une autre langue, efforcez-vous de trouver un interprète. Quelques mots et gestes ne remplacent pas un interrogatoire complet. L'interprète idéal est une personne neutre, connaissant la langue et la culture. Enrôler des parents ou des amis pour servir d'interprètes est dangereux : la confidentialité peut être violée, le sens déformé et les renseignements communiqués incomplets. Des interprètes inexpérimentés peuvent essayer d'abréger l'entrevue en résumant de longues réponses en quelques mots, ce qui fait perdre des détails significatifs.

Au début du travail avec l'interprète, établissez la relation et indiquez quels renseignements vous seront les plus utiles. Dites-lui de tout vous traduire et de ne pas condenser ni résumer. *Rendez vos questions claires, courtes et simples.* Vous pouvez aussi aider l'interprète en indiquant les buts de chaque partie de l'anamnèse. Cela étant fait, aménagez la pièce de façon à avoir aisément un contact oculaire et une communication non verbale avec le patient. Puis adressez-vous directement au patient… « Depuis combien de temps êtes-vous malade ? », plutôt que « Depuis combien de temps le patient est-il malade ? » En plaçant l'interprète à côté du patient, vous éviterez les allers et retours de la tête, comme dans un match de tennis !

Lorsqu'ils sont disponibles, les questionnaires bilingues sont précieux, surtout pour la revue des appareils. Cependant, avant de s'en servir, on s'assurera que le patient peut lire dans sa propre langue ; sinon, on demandera de l'aide à l'interprète. Il est aussi possible d'accéder à des traductions téléphoniques dans certains endroits. Ne les utilisez que faute de mieux.

## RECOMMANDATIONS POUR TRAVAILLER AVEC UN INTERPRÈTE

✔ Choisissez un interprète expérimenté de préférence à un employé de l'hôpital, un bénévole ou un parent.

✔ Utilisez l'interprète comme personne ressource pour les informations culturelles.

✔ Indiquez à l'interprète les différents points que vous voulez aborder au cours de l'entrevue. Rappelez-lui qu'il doit traduire tout ce que le patient dit.

✔ Aménagez la pièce de façon à avoir un contact oculaire et des échanges non verbaux avec le patient. Faites asseoir l'interprète à côté du patient.

✔ Laissez l'interprète et le patient entrer en relation.

✔ Adressez-vous directement au patient. Soulignez vos questions par des comportements non verbaux.

✔ Faites des phrases courtes et simples. Concentrez-vous sur les concepts les plus importants de la communication.

✔ Vérifiez votre compréhension mutuelle en demandant au patient de répéter ce qui lui a été dit.

✔ Soyez patient. L'entretien prendra plus de temps et pourra être moins informatif.

***Le patient illettré.*** Avant de faire des prescriptions écrites, vérifiez que le patient sait lire. Les niveaux de lecture sont très variables et l'illettrisme est beaucoup plus répandu qu'on ne le croit. Les gens n'arrivent pas à lire pour plusieurs raisons : barrières linguistiques, troubles de l'apprentissage, vision défectueuse ou manque d'instruction. Certains patients n'osent pas avouer qu'ils ont des difficultés à lire. Les interroger sur leur niveau d'instruction peut s'avérer utile, mais d'autres façons de procéder sont plus fructueuses. Demandez : « Avez-vous des difficultés à remplir les formulaires médicaux ? » ou priez le patient de lire vos prescriptions (cela teste aussi les difficultés pour déchiffrer votre écriture). Un dépistage rapide consiste à tendre au patient un texte « à l'envers » : la plupart des patients qui savent lire redressent immédiatement la page. L'illettrisme peut être la raison pour laquelle le patient n'a pas pris les médicaments prescrits ou tout son traitement. Réagissez avec délicatesse et ne confondez pas le degré d'alphabétisation avec le niveau d'intelligence.

***Le patient malentendant.*** La communication avec un patient sourd pose à peu près les mêmes problèmes que la communication avec un patient qui parle une autre langue. Les gens qui ont un déficit auditif partiel se définissent aussi comme sourds, un groupe culturel à part. Recherchez la méthode de communication préférée du patient. Le patient peut utiliser le langage des signes, un langage qui a sa propre syntaxe, ou diverses combinaisons de signes et de paroles. Donc, il s'agit souvent d'une communication véritablement interculturelle. Demandez quand est survenue la surdité par rapport à l'acquisition du langage et des autres compétences linguistiques. Renseignez-vous sur les écoles que le patient a fréquentées. Vous déterminerez ainsi si le patient se situe dans la « culture des sourds » ou dans celle de « ceux qui entendent ». Les questionnaires écrits sont aussi utiles. Si le patient préfère le langage des signes, cherchez un interprète et utilisez les principes cités plus haut. Les questions et réponses par écrit, très consommatrices de temps, peuvent être la seule solution mais l'illettrisme peut aussi poser problème.

Les déficits auditifs sont variables. Si le patient à une prothèse auditive, vérifiez qu'il s'en sert et qu'elle fonctionne. Avec les patients ayant un déficit auditif unilatéral, asseyez-vous du côté de la « bonne oreille ». Une personne « dure d'oreille » peut ignorer son problème, une situation à gérer avec tact. Éliminez autant que possible les bruits de fond (télévision, conversations dans un hall d'entrée). Quand les patients ont un déficit auditif partiel ou peuvent lire sur les lèvres, mettez-vous directement en face d'eux, en pleine lumière. Les patients doivent porter leurs lunettes pour mieux capter les indices visuels qui facilitent la compréhension.

Parlez normalement en termes de volume et de débit et ne laissez pas traîner votre voix à la fin des phrases. Évitez de cacher votre bouche ou de consulter des papiers tout en parlant. Rappelez-vous que même ceux qui lisent bien sur les lèvres ne comprennent qu'une partie de ce qui est dit. Il est donc important de faire répéter par les patients ce que vous avez dit. À la fin, écrivez toutes les prescriptions faites oralement.

***Le patient malvoyant.*** Quand vous rencontrez un patient aveugle, touchez-lui la main pour établir le contact et expliquez-lui qui vous êtes et pourquoi vous êtes là. Si la pièce ne lui est pas familière, orientez le patient dans l'environnement et dites-lui si quelqu'un d'autre est présent. Il peut être également utile de régler l'éclairage. Incitez les patients malvoyants à porter leurs lunettes partout où c'est possible. Servez-vous de mots, car les postures et les gestes ne sont pas vus.

***Le patient dont l'intelligence est limitée.*** Les patients ayant une intelligence modérément limitée peuvent habituellement fournir une histoire correcte. En fait, on peut méconnaître leur handicap dans leurs évaluations. Si vous suspectez de tels problèmes, portez une attention particulière à la scolarité et à l'autonomie du patient. Jusqu'à quand est-il allé à l'école ? S'il s'est arrêté, pourquoi l'a-t-il fait ? Quels cours a-t-il suivis ? Comment faisait-il ? A-t-il passé des tests ? Vit-il seul ? A-t-il besoin d'aide pour certaines activités (transports, achats) ? Les antécédents sexuels sont également importants, mais souvent négligés. Le patient est-il sexuellement actif ? Si besoin est, informez-le sur la grossesse et les maladies sexuellement transmises.

Si vous avez des doutes sur le niveau d'intelligence du patient, passez en douceur à l'examen de son état mental et testez les calculs simples, le vocabulaire, la mémoire et la pensée abstraite.

Voir chapitre 5 : « Comportement et état mental », p. 139-168.

Pour les patients qui ont un retard mental sévère, vous devrez vous tourner vers la famille ou ceux qui s'occupent d'eux pour éclaircir leur histoire. Identifiez l'accompagnant mais montrez toujours de l'intérêt au patient d'abord. Établissez une relation et un contact oculaire et engagez une conversation simple. Comme pour les enfants, évitez le « parler bébé », ainsi que le langage affecté ou les comportements condescendants. Le patient, ses parents, ses gardiens, ses amis le remarqueront et vous en sauront gré.

***Le patient qui a des problèmes personnels.*** Des patients peuvent vous demander conseil pour des problèmes personnels qui sortent du domaine de votre compétence professionnelle. Par exemple, le patient doit-il changer de travail ou de domicile ? Au lieu de répondre, interrogez-le sur ses propres considérations, « les pour et les contre », les avis des autres personnes, et les ressources qui peuvent l'aider dans ses choix. Il vaut mieux laisser le patient parler de son problème que lui fournir une réponse.

## SUJETS DÉLICATS NÉCESSITANT DES APPROCHES SPÉCIFIQUES

Les cliniciens parlent avec les patients de nombreux sujets qui ont une charge émotionnelle. Ces discussions peuvent s'avérer particulièrement difficiles pour des cliniciens inexpérimentés ou durant les évaluations de patients qu'on ne connaît pas bien. Même des cliniciens expérimentés sont gênés par des tabous sociétaux concernant certains sujets : l'abus d'alcool et de drogues, les pratiques sexuelles, la mort et la fin de vie, les soucis financiers, les préjugés raciaux et ethniques, les interactions familiales, la violence conjugale, les maladies psychiatriques, les disgrâces physiques, le fonctionnement de l'intestin, etc. Plusieurs de ces sujets déclenchent des réactions personnelles fortes liées aux valeurs familiales, culturelles et sociétales. La maladie mentale, la toxicomanie pendant la grossesse et l'homosexualité sont trois grands exemples de problèmes qui peuvent biaiser l'entrevue avec le patient. Cette partie explore les difficultés que peut rencontrer le clinicien dans ces domaines sensibles.

Plusieurs principes de base peuvent vous aider à gérer les sujets délicats.

## RECOMMANDATIONS POUR ABORDER LES SUJETS DÉLICATS

✔ *La règle la plus importante est de ne pas porter de jugement.* Le rôle du clinicien est de s'informer sur le patient et de l'aider à aller mieux. La désapprobation vis-à-vis de certains éléments ou comportements dans les antécédents va à l'encontre de ce but.

✔ *Expliquez ce que vous cherchez pour obtenir certains renseignements.* Le patient sera moins inquiet. Par exemple, dites aux patients : « Étant donné que certaines pratiques sexuelles font courir le risque d'attraper certaines maladies, je pose à tous mes patients les questions suivantes… »

✔ Trouvez des questions ouvertes pour les sujets sensibles et apprenez à connaître les types d'informations nécessaires à vos évaluations.

✔ Enfin, prenez conscience de votre gêne éventuelle. Nier votre gêne pourrait vous conduire à éluder le sujet.

Pour être plus à l'aise sur les sujets délicats, il y a d'autres stratégies possibles. Vous pouvez lire des articles sur ces problèmes dans la littérature médicale et de vulgarisation, faire part de vos préoccupations à certains collègues et enseignants, suivre des cours spéciaux destinés à vous aider à explorer vos propres sentiments et réactions et, en dernier lieu, vous pencher sur votre propre expérience de la vie. Tirez profit de toutes ces ressources. Chaque fois que c'est possible, écoutez des cliniciens expérimentés discuter de tels sujets, puis faites de même avec vos patients. La gamme des sujets que vous pourrez explorer sans être gêné s'élargira progressivement.

***Sexualité.*** Les questions portant sur le comportement sexuel peuvent avoir une importance vitale. Les pratiques sexuelles déterminent les risques de grossesse, de maladies sexuellement transmises (MST) et de SIDA (une bonne entrevue permet la prévention ou la réduction de ces risques). Elles peuvent être directement liées aux symptômes du patient et être partie intégrante du diagnostic et du traitement. Beaucoup de patients ont des interrogations ou des inquiétudes sur la sexualité, dont ils parlent plus volontiers si vous posez des questions à ce sujet. Enfin, les dysfonctionnements sexuels peuvent être dus à un traitement médical ou à une mauvaise information, facile à rectifier.

Les questions portant sur le comportement sexuel peuvent intervenir à plusieurs moments de l'entrevue. Si le motif de consultation est un symptôme urinaire, posez les questions sur la sexualité dans la partie « Développer et clarifier » l'anamnèse du patient. Pour les femmes, ces questions font partie de la partie gynéco-obstétricale des « Antécédents médicaux personnels ». Vous pouvez aussi les poser dans la « Protection de la santé », avec le régime, l'exercice et les tests de dépistage, ou dans le « Mode de vie » ou les « Antécédents psychosociaux ». Dans une anamnèse exhaustive, vous pouvez encore poser ces questions dans la « Revue des appareils ». N'oubliez pas de les poser même si le sujet est très âgé, handicapé, ou porteur d'une maladie chronique.

Une phrase ou deux d'introduction sont souvent utiles. « Pour évaluer les risques de diverses maladies, je dois vous poser quelques questions sur votre santé et vos pratiques sexuelles », ou « J'interroge systématiquement mes patients sur leur fonction sexuelle. » Si les plaintes sont spécifiques, vous pouvez déclarer : « J'ai besoin maintenant de vous poser quelques questions sur votre vie sexuelle, pour arriver à comprendre la raison de cet écoulement et déterminer ce qu'on doit faire à ce sujet. » Tenez-vous en aux faits ; le patient vous suivra vraisemblablement mieux. *Utilisez des termes précis.* Désignez les organes génitaux par leur nom exact, tels que le pénis ou le vagin, et évitez des expressions comme les « parties intimes ». Choisissez des mots que le patient comprend ou expliquez-lui ce que vous voulez dire. « Par relation sexuelle, j'entends la pénétration du pénis d'un homme dans le vagin d'une femme. »

En règle générale, posez des questions sur le comportement sexuel et la satisfaction sexuelle. Voici des exemples de questions qui peuvent amener les patients à révéler leurs inquiétudes dans la discussion.

Des questions spécifiques se trouvent au chapitre 13 : « Organes génitaux de l'homme et hernies », p. 526-527, et au chapitre 14 : « Organes génitaux de la femme », p. 547-548.

- « Quand avez-vous eu un contact physique intime avec quelqu'un pour la dernière fois ? Est-ce que vous avez eu un rapport sexuel au cours de ce contact ? » Le terme de « sexuellement actif » peut être ambigu. Des patients ont répondu : « Non, je reste juste étendu. »

- « Avez-vous eu des rapports sexuels avec des hommes, des femmes ou les deux ? » Des individus peuvent avoir des relations sexuelles avec des personnes du même sexe et ne pas se considérer comme homo ou bisexuels. Certains homosexuels peuvent avoir des relations sexuelles avec des personnes du sexe opposé. Vos questions ne doivent porter que sur les comportements.

- « Combien de partenaires sexuels avez-vous eu au cours des 6 derniers mois ? Ces 5 dernières années ? Dans toute votre vie ? » Ces questions donnent à nouveau l'occasion au patient de faire état de multiples partenaires. Interrogez-le aussi sur l'utilisation systématique de préservatifs : « Utilisez-vous *toujours* des préservatifs ? »

- Il est important de demander à tous les patients : « Avez-vous des inquiétudes au sujet de l'infection à VIH ou du SIDA ? », même s'il n'y a pas de facteurs de risque explicites.

Remarquez que ces questions ne préjugent pas de l'état matrimonial, des préférences sexuelles, ni de l'attitude vis-à-vis de la grossesse ou de la contraception. Écoutez toutes les réponses du patient et posez des questions supplémentaires si besoin est. Pour obtenir des renseignements sur les comportements sexuels, il faut poser plus de questions spécifiques et ciblées que dans les autres parties de l'entrevue.

***Santé mentale et antécédents psychiatriques.*** Les notions de maladie mentale et de maladie physique varient beaucoup d'une culture à l'autre, d'où des différences d'acceptation et d'attitude. Songez combien les patients parlent facilement de leur diabète et de la prise d'insuline par différence avec la schizophrénie et la prise de médicaments psychotropes. Pour commencer, posez des questions ouvertes : « Vous est-il arrivé d'avoir des troubles émotionnels ou mentaux ? » Puis passez à des questions plus spécifiques, telles que : « Avez-vous déjà consulté un conseiller ou un psychothérapeute ? », « Vous a-t-on prescrit des médicaments pour des problèmes émotionnels ou mentaux ? », « Avez-vous ou un membre de votre famille a-t-il été hospitalisé pour un problème émotionnel ou mental ? »

Pour les patients avec une dépression ou des troubles de la pensée, tels que les schizophrènes, une anamnèse soigneuse de la maladie s'impose. La dépression est fréquente, universelle, mais reste sous-diagnostiquée et sous-traitée. Faites attention si le patient rapporte des changements d'humeur ou des symptômes tels que de la fatigue, des pleurs inhabituels, des modifications de l'appétit ou du poids, de l'insomnie et des plaintes physiques vagues. Deux questions de dépistage sont : « Au cours des 2 semaines passées, vous êtes-vous senti cafardeux, déprimé ou désespéré ? », et « Au cours des 2 semaines passées, avez-vous pris peu d'intérêt ou peu de plaisir à vos activités ? »[37] Si le patient semble déprimé, recherchez des pensées suicidaires : « Avez-vous déjà pensé à vous faire du mal ou à mettre fin à vos jours ? » Vous devez évaluer la gravité d'une dépression comme vous évaluez celle d'une douleur thoracique. Toutes les deux sont potentiellement létales.

Beaucoup de patients schizophrènes ou psychotiques peuvent vivre au sein de la communauté et vous entretenir de leur diagnostic, de leurs symptômes, de leurs hospitalisations et de leurs traitements. Vous devez explorer leurs symptômes et apprécier les répercussions sur leur humeur et sur leurs activités quotidiennes.

***Alcool et drogues illégales.*** Beaucoup de cliniciens hésitent à interroger les patients sur leur consommation d'alcool et de drogues, prescrites ou illégales. Les excès d'alcool ou de drogues contribuent souvent aux symptômes et au besoin de soins et de traitement. Malgré la prévalence élevée de troubles qui sont liés à l'abus de substances – plus de 13 % pour l'alcool et de 4 % pour les drogues illégales aux États-Unis –, ces excès restent sous-diagnostiqués.[38]

Il faut empêcher nos sentiments personnels d'interférer avec notre rôle de clinicien. Notre travail consiste à rassembler des données, à apprécier les effets sur la santé du patient et à planifier un traitement. Les cliniciens doivent poser systématiquement des questions sur la consommation actuelle et

Pour approfondir, allez au chapitre 5 : « Comportement et état mental », p. 148.

passée d'alcool et de drogue, les types de consommation, les antécédents familiaux. Les adolescents et les personnes âgées doivent faire l'objet du même questionnement.[39, 40]

**Alcool.** Les questions sur l'alcool et les autres drogues viennent naturellement après celles sur le café ou le tabac. « Qu'aimez-vous boire ? », ou « Parlez-moi de votre consommation d'alcool » sont de bonnes questions introductives, qui évitent une réponse facile par oui ou non. Précisez ce que le patient entend par alcool : certains patients n'utilisent pas ce terme pour le vin et la bière. Pour déceler un problème de boisson, plusieurs outils de dépistage rapide, qui ne prennent pas beaucoup de temps, sont bien validés. Deux questions supplémentaires : « Avez-vous déjà eu des problèmes de boisson ? » et « À quand remonte votre dernier verre d'alcool ? », avec la prise d'une boisson alcoolisée dans les dernières 24 heures, permettent de suspecter un alcoolisme.[41] Le questionnaire « CAGE » est le plus utilisé en dépistage. **CAGE** est l'acronyme anglais de ***Cutting down, Annoyance by criticism, Guilty feelings, Eye-openers.***

## LE QUESTIONNAIRE CAGE

✔ Vous est-il arrivé de ressentir le besoin de diminuer votre consommation d'alcool ?

✔ Êtes-vous contrarié par les critiques sur votre consommation d'alcool ?

✔ Avez-vous eu des sentiments de culpabilité vis-à-vis de l'alcool ?

✔ Vous est-il arrivé de boire un verre d'alcool en vous levant le matin, pour vous calmer les nerfs ou surmonter une « gueule de bois » ?

D'après Mayfield D, McLeod G, Hall P. The CAGE Questionnaire : validation of a new alcoholism screening instrument. Am J Psychiatry 1974 ; 131 : 1121-3.

Deux réponses affirmatives ou plus au questionnaire CAGE suggèrent un alcoolisme ; leur sensibilité va de 43 % à 94 % et leur spécificité de 70 % à 96 %.[37, 42] Si vous décelez un excès, recherchez des trous de mémoire (concernant ce qui s'est passé pendant l'ivresse), convulsions, accidents et blessures sous l'emprise de l'alcool, pertes d'emploi, conflits personnels ou délits. Posez aussi des questions sur la consommation d'alcool au volant ou dans le travail posté.[43, 44]

**Drogues illégales.** Comme pour l'alcool, les questions sur les drogues doivent devenir plus ciblées pour obtenir des réponses précises, permettant de distinguer l'usage de l'abus. Une bonne question d'entrée en matière est : « Avez-vous déjà pris des drogues ou des médicaments sans raison médicale ? »[45] À partir de là, vous pouvez poser des questions spécifiques sur le type de consommation (dernière prise, fréquence, substance utilisée, quantité) ou sur la voie d'utilisation : « Vous êtes-vous injecté une drogue ? », « Avez-vous inhalé ou fumé une drogue ? », « Avez-vous pris une pilule pour une raison autre que médicale ? » Comme les drogues ont leur mode, il est important de se tenir au courant de leur actualité (substances et risques d'une overdose).

Une autre approche consiste à adapter le questionnaire CAGE au dépistage de la toxicomanie en ajoutant « ou de drogues » à chaque question. Une fois la drogue identifiée, continuez avec des questions comme « Arrivez-vous à toujours contrôler votre consommation de drogue ? », « Avez-vous eu des mauvaises réactions ? », « Qu'est-il arrivé ?... Des accidents, des blessures ou des arrestations dus à la drogue ?... Des problèmes professionnels ou familiaux ? »..., « Avez-vous déjà essayé d'arrêter ? Parlez m'en. »

***Violence familiale.*** En raison de la prévalence élevée des violences physiques, sexuelles et psychiques, plusieurs autorités préconisent le dépistage systématique de la violence conjugale chez les femmes. Les autres patients à risque élevé sont les enfants et les personnes âgées.[46, 47] Comme pour d'autres sujets sensibles, débutez cette partie de l'entrevue par des questions générales, « banalisées » : « Étant donné que les violences sont fréquentes dans une vie de femme, je pose systématiquement des questions dessus », « Vous est-il arrivé d'avoir peur ou de courir un danger dans votre vie de couple ? », « Plusieurs femmes m'ont dit que quelqu'un à la maison les blessait d'une façon ou d'une autre. Est-ce votre cas ? », « Au cours de l'année écoulée, avez-vous été frappée ou violentée d'une autre façon par quelqu'un que vous connaissez ? Si oui, par qui ? » Comme pour d'autres parties de l'anamnèse, allez du général au particulier, du plus facile au plus difficile.

Des sévices physiques, souvent tus par la victime ou son bourreau, doivent être soupçonnés dans les circonstances suivantes.

### INDICES DE POSSIBLES VIOLENCES PHYSIQUES

✔ Si des lésions sont inexpliquées, ne correspondent pas à l'histoire du patient, sont cachées par le patient ou provoquent sa gêne.

✔ Si le patient a tardé à se faire traiter pour un traumatisme.

✔ S'il existe des antécédents de lésions ou d'« accidents » à répétition.

✔ Si le patient ou l'un de ses proches a des antécédents d'alcoolisme ou de toxicomanie.

✔ Si le partenaire essaie de mener l'entrevue, ne veut pas quitter la pièce ou semble trop anxieux ou trop bienveillant.

Quand vous soupçonnez des sévices, il est important de rester seul un moment avec le patient. Vous pouvez utiliser le passage à l'examen physique comme excuse pour demander à l'autre personne de quitter la pièce. Si le patient lui-même y est hostile, n'insistez pas, car vous risquez de mettre la victime en danger. Certains diagnostics sont fortement associés avec les sévices, comme la grossesse et les troubles de somatisation.

Les mauvais traitements à enfant sont également fréquents, malheureusement. Questionner les parents sur leurs conceptions de la discipline, c'est se préoccuper du bien-être de l'enfant. Vous pouvez aussi demander aux parents comment ils réagissent envers un bébé qui ne veut pas s'arrêter de pleurer ou un enfant qui se conduit mal. « La plupart des parents sont contrariés par les pleurs de leur bébé ou quand leur enfant n'est pas sage.

Voir chapitre 18 : « Évaluation des enfants : du nourrisson à l'adolescent », p. 771.

Qu'est-ce que vous ressentez quand votre bébé pleure ? », « Que faites-vous si votre bébé ne veut pas s'arrêter de pleurer ? », « Avez-vous peur de faire du mal à votre enfant ? » Précisez aussi les réactions des autres personnes qui s'occupent de l'enfant dans les mêmes circonstances.

***La mort et le patient en fin de vie.*** Dans les études médicales, l'accent est de plus en plus mis sur la formation sur la mort et la fin de vie. Nombre de cliniciens évitent de parler de la mort parce qu'ils sont mal à l'aise ou inquiets. Surmontez vos propres sentiments grâce à des lectures et des discussions. Les concepts basiques des soins sont pertinents même pour les débutants parce que vous serez en contact avec des patients de tous âges en fin de vie.

Kubler-Ross a décrit 5 stades dans la réaction d'une personne à un décès ou à l'annonce d'une mort imminente : déni et isolement, colère, marchandage, dépression ou tristesse, et acceptation.[48] Ces stades peuvent se succéder ou se recouper dans n'importe quel ordre ou combinaison. À chaque stade, ayez la même approche. Soyez réceptifs aux sentiments du patient sur la mort ; recherchez les signes indiquant que le patient est prêt à en discuter. Faites des ouvertures au patient pour qu'il pose des questions : « Je me demande si vous n'avez pas d'inquiétudes pour l'opération ?... votre maladie ?... Comment ça se passera quand vous rentrerez à la maison ? » Explorez toutes ces inquiétudes et fournissez toute l'information que le patient demande. Évitez de rassurer le patient de façon injustifiée. Si on peut explorer et accepter ses sentiments, répondre à ses questions et lui prouver qu'on pourra rester près de lui tout au long de sa maladie, le patient sera de plus en plus rassuré, là où c'est important, dans son for intérieur.

Les malades en fin de vie aiment rarement parler de leur maladie tout le temps, pas plus qu'ils ne désirent se confier à toutes les personnes qu'ils rencontrent. Il faut leur donner l'occasion de parler et les écouter attentivement ; mais s'ils préfèrent maintenir la conversation sur un plan social, respectez leurs préférences. Rappelez-vous qu'une maladie – même en phase terminale – n'est qu'une petite partie de la personne. Un sourire, un contact, une question sur un membre de la famille, un commentaire sur les événements du jour, ou même une plaisanterie gentille confirment et soutiennent l'individu unique que vous soignez. Une communication efficace nous fait connaître le patient dans sa totalité ; c'est une partie du processus de soutien.

Comprendre les désirs du malade sur le traitement en fin de vie est une responsabilité clinique importante. Ne pas réussir à échanger sur les décisions de fin de vie est généralement considéré comme un échec clinique. Même si les discussions sur la mort et la fin de vie vous sont difficiles, vous devez apprendre à poser des questions spécifiques. L'état du patient et le cadre de soins détermineront souvent ce dont il faut discuter. Avec un malade dans un état aigu et hospitalisé, découvrir ce qu'il désire qu'on fasse en cas d'arrêt cardiorespiratoire est généralement obligatoire. Interroger sur le *Do Not Resuscitate\* (DNR) status* est souvent difficile faute d'une relation antérieure avec le patient et de l'ignorance de ses valeurs personnelles et de son expérience de la vie. Cherchez quel est le cadre de référence du patient parce

Pour la discussion de la décision de fin de vie, du chagrin et du deuil, et des directives anticipées, allez au chapitre 20 : « Sujet âgé », p. 952-953.

---

\* NdT. « Ne pas réanimer ».

que les médias donnent à beaucoup de patients une vision irréaliste de la réanimation. « Qu'avez-vous ressenti à l'occasion de la mort d'un ami proche ou d'un parent ? », « Que savez-vous sur la réanimation cardiorespiratoire ? » Informez les patients des chances de réussite de la réanimation, surtout s'il s'agit de malades chroniques ou très âgés. Dites-leur que les soins palliatifs et le traitement de la douleur seront une priorité.

En règle générale, il faut inciter tous les adultes, surtout ceux qui sont très âgés ou atteints de maladie chronique, à désigner un mandataire en matière de santé*, qui pourra intervenir à leur place dans les décisions de santé. Cette partie de l'interrogatoire est en somme une « anamnèse des valeurs », qui a pour but de découvrir ce à quoi les patients attachent de l'importance, ce qui fait que leur vie vaut la peine d'être vécue, et à partir de quel point elle ne le vaudrait plus. Les questions qui portent sur l'emploi du temps quotidien des patients, ce qui les rend joyeux et ce qu'ils attendent sont ici utiles. Clarifiez bien la signification de toutes les déclarations : « Vous avez dit que vous ne vouliez pas être une charge pour votre famille. Que voulez-vous dire exactement par là ? » Explorez le cadre de référence religieux ou spirituel du patient afin de pouvoir prendre avec lui les meilleures décisions en matière de soins.

Voir la discussion sur le « Patient incapable », p. 76-77.

## ASPECTS SOCIÉTAUX DE L'ENTREVUE

***Faire preuve d'humilité culturelle : un changement de paradigme.*** Arriver à échanger efficacement avec des patients d'origines diverses est toujours une compétence professionnelle importante. Néanmoins, il existe des disparités marquées de risques de maladie, morbidité, et mortalité entre les différents groupes composant la population. Ces disparités, bien documentées, reflètent des inégalités dans l'accès aux soins, les revenus, l'instruction, la maîtrise de la langue et la prise de décision des dispensateurs de soins.[49, 50] Pour réduire ces disparités, les médecins sont fortement incités à se pencher sur leurs propres caractéristiques et leurs réactions face à la diversité qu'ils rencontrent dans leur pratique clinique.

La *compétence culturelle* a été couramment définie comme « la capacité d'agir de façon efficace en tant qu'individu ou organisation dans le contexte des besoins, des comportements et des croyances culturels » que présentent les patients et leurs communautés.[51, 52] Néanmoins, d'après certains experts, la compétence culturelle se réduit trop souvent à attribuer des ensembles statiques et hors contexte de traits et de croyances à des groupes ethniques particuliers.[53] Cela peut faire considérer comme « autres » ces patients et renforcer implicitement le point de vue de la culture dominante (souvent occidentale)[54], alors que « la culture est toujours en changement et en révision dans le contexte dynamique de sa réalisation ».[53] Cependant, « cette dynamique est souvent menacée par des désaccords socioculturels variés entre les

Voir dans les chapitres 4 à 20, les parties sur « Promotion de la santé et conseils », et certaines notes dans la marge de droite (exemples d'anomalies).

---

* NdT. En France, la loi du 4 mars 2002 prévoit la possibilité de désigner une personne de confiance.

patients et les dispensateurs de soins ».[55] Ces désaccords résultent d'une méconnaissance des croyances et des expériences des patients par les dispensateurs de soins et de stéréotypes et préjugés à l'œuvre, consciemment ou non, dans les rencontres avec les patients.

Imprégnez-vous plutôt des préceptes de l'*humilité culturelle*. L'humilité culturelle est un « processus exigeant de l'humilité, où les individus se livrent continuellement à une réflexion sur eux-mêmes et à une autocritique en tant qu'apprentis permanents et praticiens réfléchis ».[55] C'est un processus qui comprend « un difficile travail d'analyse des croyances et des valeurs des patients et des soignants afin de pointer les discordances et les synergies qui influent sur le devenir des patients ».[56] Il amène le clinicien « à mettre en lumière les déséquilibres de pouvoir qui existent dans la dynamique de la communication entre le patient et le clinicien » et à établir, dans le respect mutuel, un partenariat avec les patients et les communautés. Pour y parvenir, recherchez les modèles de formation les plus efficaces.[57-62]

Engagez-vous dans une pratique réfléchie en commençant par étudier les vignettes cliniques qui suivent. Ces exemples illustrent la manière dont les différences culturelles et les préjugés inconscients entraînent involontairement une mauvaise communication et influent sur la qualité des soins.

## HUMILITÉ CULTURELLE : SCÉNARIO 1

Un chauffeur de taxi ghanéen, âgé de 28 ans, récemment immigré, se plaignait à un compatriote des soins médicaux aux États-Unis. Il avait consulté pour fièvre et fatigue. Il rapportait la pesée, la prise de température et la pose d'une pièce de vêtement très serrée autour du bras. Le clinicien, une femme de 36 ans, lui avait posé de nombreuses questions, l'avait examiné et avait voulu prélever du sang, ce qu'il avait refusé. Son commentaire final était : « (…) et elle ne m'a même pas donné de la chloroquine », ce qui était le principal motif de sa consultation. Ce Ghanéen s'attendait à peu de questions, pas d'examen et à un traitement du paludisme, ce qui est la sanction habituelle de la fièvre au Ghana.

Dans cet exemple, le malentendu interculturel est clair et facile à analyser. Des préjugés inconscients entraînant un malentendu surviennent dans nombre de situations cliniques. Étudiez le scénario ci-dessous, plus proche de la pratique quotidienne.

## HUMILITÉ CULTURELLE : SCÉNARIO 2

Une étudiante de 16 ans se présenta au centre de santé pour adolescents pour des douleurs menstruelles qui perturbaient sa scolarité. Elle portait un haut moulant et une minijupe et avait plusieurs piercings, notamment des sourcils. Le clinicien, un homme de 30 ans, lui posa les questions suivantes : « Comptez-vous terminer vos études ? Quelle sorte de travail ferez-vous alors ?... Quelle contraception désirez-vous ?... » L'adolescente se trouva contrainte d'accepter une contraception alors qu'elle avait clairement dit qu'elle n'avait jamais eu de relations sexuelles et qu'elle ne comptait pas

*(suite)*

en avoir jusqu'à son mariage. C'était une bonne élève et une athlète qui projetait de faire des études supérieures, mais cet objectif n'avait pas été entendu par le praticien. Celui-ci n'avait pas accordé beaucoup d'attention au problème des douleurs. « Oh, vous n'avez qu'à prendre un peu d'ibuprofène. Cela s'atténuera avec l'âge. » La patiente ne prit pas la contraception orale prescrite et ne revint pas consulter. Elle avait vécu la consultation comme un interrogatoire policier et, de ce fait, n'avait pas eu confiance dans le clinicien. De plus, les questions dénotaient des présupposés sur sa vie et ne tenaient pas compte de ses inquiétudes. Même si les domaines évoqués étaient importants, elle n'avait pas reçu de soins efficaces du fait d'un conflit de valeurs et de préjugés inconscients de la part du clinicien.

Dans les deux cas ci-dessus, l'échec est dû aux suppositions et aux préjugés du clinicien. Dans le premier cas, il n'a pas pris en compte les nombreuses variables influant sur les croyances du patient en matière de santé et ses attentes pour les soins. Dans le second cas, il a laissé des stéréotypes dicter l'ordre du jour au lieu d'écouter et de respecter son patient en tant qu'individu. Nous avons tous notre propre fonds culturel et nos préjugés. Ils ne disparaissent pas quand nous devenons cliniciens.

Comme vous prodiguerez des soins à des groupes de patients de plus en plus nombreux et variés, vous devez comprendre comment la culture forge les croyances des patients et aussi les nôtres. La *culture* est un système d'idées, de règles et de significations partagées, qui influence la façon dont nous voyons le monde, le ressentons affectivement et nous comportons avec les gens. C'est pour ainsi dire le « prisme » à travers lequel les individus perçoivent et interprètent le monde où ils habitent. Le concept de culture est plus large que celui d'ethnie. Les influences culturelles ne sont pas limitées aux minorités ; elles concernent chacun de nous.

S'il est important de connaître des groupes culturels particuliers, il ne faut pas tomber dans les stéréotypes au lieu de comprendre. Par exemple, on vous a dit que les Hispano-Américains exprimaient leur douleur de façon spectaculaire. Reconnaissez que c'est un stéréotype. Vous devez évaluer chaque patient algique en tant qu'individu, ne pas diminuer la dose d'analgésique *a priori* et vous rendre compte de vos réactions au style du patient. Adoptez une approche clinique éclairée et appropriée pour tous vos patients, en prenant conscience de vos propres valeurs et préjugés, en développant des qualités de communication qui dépassent les différences culturelles et en construisant un partenariat thérapeutique fondé sur le respect du vécu de chaque patient. Le cadre décrit ci-dessous vous permettra d'aborder chaque patient comme un être unique.

## LES TROIS DIMENSIONS DE L'HUMILITÉ CULTURELLE

✔ *Conscience de soi*. Apprenez à connaître vos préjugés… Nous en avons tous.

✔ *Communication respectueuse*. Travaillez à éliminer les suppositions sur ce qui est « normal ». Renseignez-vous directement auprès de vos patients : ils sont les experts de leur culture et de leur maladie.

✔ *Partenariat de collaboration*. Construisez votre relation avec le patient sur le respect et l'acceptation mutuelle des projets.

**Conscience de soi.** Commencez par explorer votre propre identité culturelle. Comment vous définissez-vous en ce qui concerne l'ethnie, la classe sociale, la région ou le pays d'origine, la religion, les opinions politiques ? N'oubliez pas les caractéristiques que nous considérons souvent comme innées – le sexe, l'orientation sexuelle, les aptitudes physiques, la race – surtout si nous faisons partie de groupes majoritaires. Par quels aspects vous rattachez-vous à votre famille d'origine et par quels autres en différez-vous ? Comment ces facteurs influencent-ils vos croyances et vos comportements ?

Une autre tâche de la connaissance de soi consiste à prendre pleinement conscience de ses propres valeurs et préjugés. Les *valeurs* sont les étalons que nous utilisons pour mesurer les opinions et les comportements ; elles peuvent sembler absolues. Les *préjugés* sont des attitudes ou des sentiments que nous lions à la perception de différences. Saisir la différence est une aptitude normale, qui était vitale dans un passé lointain. Reconnaître intuitivement les membres du même groupe est une aptitude à survivre que nous avons dépassée socialement, mais qui est toujours à l'œuvre.

Nous nous sentons souvent si coupables au sujet de nos préjugés que nous avons du mal à les reconnaître et à les admettre. Commencez par des notions moins menaçantes telles que le rapport au temps d'un individu. C'est un phénomène déterminé culturellement. Êtes-vous toujours à l'heure – une valeur positive dans la culture occidentale – ou avez-vous tendance à être toujours un peu en retard ? Que pensez-vous des gens qui ont des habitudes contraires aux vôtres ? La prochaine fois que vous assistez à une réunion ou un cours, remarquez qui est en avance, à l'heure ou en retard. Cela est-il prévisible ? Pensez à l'importance de l'apparence physique. Vous considérez-vous comme mince, moyen ou fort ? Que pensez-vous de votre poids ? Qu'est-ce que la culture dominante nous apprend à valoriser dans le physique ? Qu'éprouvez-vous à l'égard des gens qui ont des poids différents ?

**Communication respectueuse.** Étant donné la complexité culturelle, personne ne peut connaître les croyances et pratiques de santé de chaque culture et sous-culture. Que vos patients soient les experts de leur propre culture ! Même s'ils sont gênés pour décrire leurs valeurs et leurs croyances, ils sont capables de répondre à des questions spécifiques. Renseignez-vous sur le fonds culturel du patient. Utilisez quelques-unes des questions discutées dans la partie « Obtenir une compréhension partagée du problème » (voir p. 66-67). Gardez une attitude ouverte, respectueuse et investigatrice. « Qu'attendez-vous de cette consultation ? » Si vous réussissez à établir une relation de confiance avec les patients, ceux-ci seront désireux de vous instruire. Méfiez-vous des questions à présupposés. Soyez toujours prêt à admettre votre ignorance ou vos préjugés. « Je sais bien peu de choses sur le Ghana. Qu'aurait-on fait là-bas si vous aviez eu les mêmes troubles ? » Ou avec le deuxième patient, et bien plus difficilement : « J'ai fait des suppositions erronées sur vous. Je m'en excuse. Voudriez-vous m'en dire plus sur vous et vos projets ? »

S'instruire sur des cultures spécifiques est aussi précieux parce que cela permet d'élargir les champs que vous devez explorer, en tant que clinicien. Faites des lectures sur les façons de vivre des groupes raciaux ou ethniques qui habitent dans votre région. Il peut y avoir des raisons à la perte de confiance dans les médecins et les soins médicaux.[63] Allez voir des films tournés dans des pays étrangers ou des documentaires. Instruisez-vous sur les inquiétudes et les attentes de différents groupes d'usagers. Apprenez à connaître les « guérisseurs » de toutes sortes et leurs pratiques. Surtout, soyez réceptifs à ce que disent vos patients et ne supposez pas que ce que vous savez d'un groupe culturel s'applique forcément à l'individu devant vous.

**Partenariat de collaboration.** En travaillant continuellement sur lui-même et en regardant à travers le « prisme » des autres, le clinicien pose les fondations d'une relation de collaboration qui renforce la santé du patient. Une communication reposant sur la confiance, le respect et la volonté de réexaminer les suppositions permettra aux patients d'exprimer les aspects de leurs préoccupations qui vont à l'encontre de la culture dominante. Ces préoccupations peuvent être associées à de puissants sentiments d'angoisse ou de honte. Vous, le clinicien, devez vouloir écouter et valider ces sentiments au lieu de laisser vos propres sentiments vous empêcher d'explorer des domaines sensibles. Vous devez aussi vouloir réexaminer votre conception de la bonne approche des soins dans une situation donnée. Efforcez-vous d'être souple et créatif dans vos projets et respectueux des connaissances qu'ont les patients sur leurs intérêts majeurs. En distinguant clairement ce qui est véritablement important pour la santé du patient de ce qui est juste un avis, vous pourrez élaborer avec lui une approche des soins unique, qui fera coïncider ses croyances avec des soins cliniques efficaces. Rappelez-vous que si le patient cesse de vous écouter, ne suit pas vos conseils ou ne revient pas, c'est que vos soins ont échoué.

### *Sexualité dans les relations clinicien-patient.* Les cliniciens des deux sexes peuvent occasionnellement se trouver attirés par leurs patients. De même, des patients peuvent faire des avances sexuelles ou tenter de flirter avec les cliniciens. L'intimité émotionnelle et physique de la relation clinicien-patient peut faire naître des sentiments sexuels.

Si on se rend compte de tels sentiments, on les acceptera comme une réaction humaine normale, mais on veillera à ce qu'ils n'affectent pas le comportement. Nier ces sentiments serait une réaction inadaptée. Les relations sexuelles ou sentimentales avec les patients sont *contraires à l'éthique*. On doit maintenir des relations avec le (la) patient(e) dans les limites des relations professionnelles et demander de l'aide si besoin est.[64-66]

Certains patients peuvent être franchement séducteurs ou faire des avances sexuelles. Vous pouvez être tenté de négliger ce comportement parce que vous n'êtes pas sûr de sa réalité ou que vous espérez qu'il cessera. Expliquez, calmement mais fermement, que vos relations sont professionnelles, pas personnelles. Si les avances indésirables continuent, quittez la pièce et cherchez quelqu'un d'autre pour reprendre l'entrevue. Vous devez aussi vous pencher sur votre image. Votre tenue ou votre comportement sont-ils inconsciemment séduisants ? Avez-vous été trop chaleureux avec le patient ? Même s'il est de votre responsabilité d'éviter de contribuer à de tels problèmes, habituellement vous n'êtes pas en faute. Souvent ces problèmes ne font que traduire la « gêne » du patient à se sentir en état d'infériorité.

***Éthique et déontologie.*** Vous pouvez vous demander pourquoi un chapitre d'introduction sur l'entrevue comprend une partie sur l'éthique clinique. La puissance potentielle de la communication clinicien-patient nécessite des recommandations au-delà de notre sens moral inné.[67] L'*éthique* est un ensemble de principes mis au point par la réflexion et la discussion pour définir le bien et le mal. L'*éthique médicale*, qui gouverne notre comportement professionnel, n'est ni figée ni simple, mais plusieurs principes ont guidé les cliniciens depuis des siècles. Bien que dans la plupart des situations votre sens viscéral du bien et du mal soit suffisant, vous pouvez être confronté, même en tant qu'étudiant, à des décisions demandant l'application de principes éthiques.

Quelques-uns des grands principes toujours appliqués dans les professions de santé sont énumérés ci-dessous. Cette doctrine a été appelée le *principalisme*. Avec le développement de l'éthique médicale, d'autres doctrines sont entrées en scène : l'*utilitarisme* (procurer le plus grand bien au plus grand nombre), fondé sur la philosophie de John Stuart Mill, le *féminisme*, qui invoque le problème de la marginalisation de certains groupes sociaux, la *casuistique*, qui étudie les cas antérieurs exemplaires, le *communautarisme*, qui fait passer les intérêts de la communauté et de la société avant ceux de l'individu et insiste sur les responsabilités sociales, afin de maintenir les institutions de la société civile.[68]

## PILIERS DE L'ÉTHIQUE PROFESSIONNELLE DANS LES SOINS AU PATIENT

✔ ***Principe de non-malfaisance.*** Il est exprimé par la formule *primum non nocere* (d'abord ne pas nuire). Dans le contexte de l'entrevue, donner des informations incorrectes ou sans véritable rapport avec le problème du patient peut être nocif. Éviter les sujets appropriés ou créer des obstacles à une communication ouverte peut aussi être nocif.

✔ ***Principe de bienfaisance.*** Il dit que le clinicien doit « faire du bien » au patient. Les actions du clinicien doivent être motivées par l'intérêt supérieur du patient.

✔ ***Principe d'autonomie.*** Il rappelle que le patient a le droit de décider ce qui est le mieux pour lui. Ce principe a pris une importance croissante avec le temps et est cohérent avec des relations clinicien-patient coopératives plutôt que paternalistes.

✔ ***Principe de confidentialité.*** C'est un principe très stimulant. Comme clinicien, il vous est interdit de répéter ce que vous apprenez ou savez du patient. La confidentialité est essentielle à notre relation avec les patients. Dans l'agitation quotidienne d'un hôpital, il est facile d'y faire des entorses. Vous devez faire très attention.

En tant qu'étudiant, vous êtes exposé à quelques-uns des problèmes éthiques auxquels vous serez confrontés plus tard en tant que praticien. Cependant, certains dilemmes sont propres aux étudiants, vous les affronterez dès que vous vous occuperez de patients. Les vignettes suivantes rapportent quelques-unes des expériences les plus fréquentes. Elles soulèvent des problèmes éthiques et pratiques qui se recoupent.

---

### ÉTHIQUE ET PROFESSIONNALISME : SCÉNARIO 1

Vous êtes un étudiant en 3e année de médecine qui fait son premier stage clinique à l'hôpital. Il est tard dans la soirée quand on vous attribue le patient à « préparer » pour le présenter le lendemain aux travaux dirigés. Vous allez à la chambre du patient et trouvez celui-ci épuisé par les événements du jour, prêt à se mettre au lit pour la nuit. Vous savez que l'interne et l'assistant ont déjà fait leurs évaluations. Allez-vous faire un interrogatoire et un examen physique, qui prendront vraisemblablement 1 à 2 heures ? Est-ce que cela ne concerne que votre instruction ? Demanderez-vous la permission avant de commencer ? Qu'inclurez-vous ?

---

Ici, *le besoin d'apprendre en pratiquant* est en tension avec le principe de *ne pas être nocif pour le patient*. Si les cliniciens en formation ne s'entraînent pas, il n'y aura plus de soignants mais « éviter de faire du mal » et « agir dans l'intérêt supérieur du patient » sont clairement en conflit avec le besoin futur de soignants. En tant qu'étudiant, vous rencontrerez souvent ce dilemme.

Obtenir le *consentement éclairé* du patient est le moyen de trancher ce dilemme. Il importe de vous assurer que le patient se rend compte que vous êtes un étudiant en formation, néophyte dans l'évaluation du patient. On ne peut qu'être impressionné par le nombre de fois où les patients acceptent que des étudiants prennent part à leurs soins. Même quand les activités cliniques ont purement un but d'instruction, elles peuvent être bénéfiques pour le patient. Plusieurs soignants donnent des points de vue multiples et le fait d'être écouté peut avoir une vertu thérapeutique.

---

### ÉTHIQUE ET PROFESSIONNALISME : SCÉNARIO 2

Il est plus de 22 heures, et votre résident et vous devez aller compléter le formulaire de directives anticipées avec un patient âgé, admis ce jour, qui a une pneumonie bilatérale. Le formulaire, qui comprend la discussion des ordres de non-réanimation (DNR), doit être rempli avant que l'équipe quitte son travail. Juste à ce moment le résident est bipé pour une urgence et il vous demande d'aller vous-même remplir le formulaire avec le patient ; il le cosignera plus tard. Vous avez eu une conférence sur les directives anticipées et les discussions de fin de vie en première année mais vous n'avez jamais vu un clinicien en parler avec un patient. Vous n'avez jamais rencontré le patient et jamais eu l'occasion de voir le formulaire. Que faire ? Devez-vous dire au résident que vous n'avez jamais fait ni vu faire cela auparavant ? Devez-vous dire au patient que tout cela est nouveau pour vous ? Qui décidera si vous êtes ou non compétent pour le faire seul ?

---

Dans cette situation, on vous demande de prendre une responsabilité médicale qui dépasse votre niveau d'aisance et peut-être votre compétence. Cela peut se produire dans plusieurs situations : on peut vous demander d'évaluer une situation clinique sans être encadré, de prélever du sang ou de faire une injection IV sans être supervisé. Pour le patient ci-dessus, les pensées suivantes peuvent vous venir à l'esprit : « Le formulaire du patient doit être rempli avant qu'il ne s'endorme ; ce sera donc bénéfique », « Le risque pour le patient de parler des directives anticipées est minime », « Vous vous débrouillez bien avec les patients âgés et vous pensez que vous y arriverez », « Qu'adviendra-t-il si le patient s'arrête de respirer cette nuit et que vous n'avez pas rempli le formulaire ? », et enfin « Si vous contrariez le résident, il sera en colère et votre note d'évaluation s'en ressentira ». Être poussé aux limites de ses connaissances a une valeur éducative pour résoudre les problèmes et devenir autonome. Mais quelle est la bonne chose à faire dans cette situation ?

Les principes énumérés ci-dessus ne vous aident qu'en partie à vous sortir de cette difficulté parce qu'une partie seulement du dilemme relève de la relation avec le patient. Une grande partie de la tension dans ce scénario relève de la dynamique de l'équipe de soins et de votre rôle dans cette équipe. Vous êtes là pour apprendre avant d'aider l'équipe. Des préconisations actuelles de l'éthique médicale abordent ces problèmes ainsi que d'autres, et parmi elles, les principes de Tavistock.[69] Ces principes construisent un cadre de travail pour analyser des situations qui vont des soins à des patients individuels à des choix complexes concernant les interactions entre équipes soignantes et la répartition des ressources pour le bien-être de la société. Un groupe représentatif, qui s'est réuni pour la première fois à Tavistock Square à Londres en 1998, a élaboré un document évolutif des principes éthiques gouvernant le comportement soignant des individus et des institutions dans différents domaines de la santé. Voici la dernière version de ces principes.

## PRINCIPES DE TAVISTOCK

✔ **Droits :** les gens ont droit à la santé et à des soins médicaux.

✔ **Équilibre :** l'individu est au centre des soins, mais la santé de la population est aussi notre souci.

✔ **Exhaustivité :** en plus de traiter la maladie, nous devons soulager la souffrance, réduire le handicap, prévenir la maladie et promouvoir la santé.

✔ **Coopération :** la réussite des soins est conditionnée par notre coopération avec les patients, les autres soignants et les autres intervenants.

✔ **Amélioration :** l'amélioration des soins de santé est une responsabilité importante et permanente.

✔ **Sécurité :** ne pas nuire.

✔ **Ouverture :** les soins de santé exigent ouverture, honnêteté et fiabilité.

Dans le deuxième scénario, pensez aux principes de Tavistock *d'ouverture et de coopération*, en plus de l'équilibre entre *ne pas nuire et bien faire*. Vous devez travailler avec votre équipe de façon honnête et fiable dans l'intérêt supérieur du patient. Vous pouvez aussi voir qu'il n'y a pas de solution claire ou facile à de telles situations. Comment réagir à ces dilemmes et à d'autres ?

Vous devez vous pencher sur vos croyances et évaluer votre niveau d'aisance dans une situation donnée. Parfois, il y a des alternatives. Par exemple, dans le scénario 1, le patient peut vraiment désirer subir l'interrogatoire et l'examen physique malgré l'heure tardive, ou vous pouvez fixer l'heure au lendemain matin. Dans le scénario 2, vous pourriez chercher une personne plus qualifiée pour compléter le formulaire ou vous superviser. Vous pourriez aussi décider d'y aller et de remplir le formulaire, en avertissant le patient de votre inexpérience et en demandant son consentement. À vous de décider quelles situations justifient l'expression de vos inquiétudes, malgré le risque d'une mauvaise évaluation.

Demandez conseil à quelqu'un sur la façon d'exprimer vos réserves, afin qu'elles soient entendues. En tant qu'étudiant, recherchez un cadre pour parler de ces dilemmes éthiques d'actualité avec d'autres étudiants, des seniors et des enseignants universitaires. Des petits groupes structurés pour aborder ce type de problèmes sont utiles pour apporter validation et soutien. Tirez profit de telles occasions chaque fois que c'est possible.

## ÉTHIQUE ET PROFESSIONNALISME : SCÉNARIO 3

Vous êtes étudiant dans l'équipe qui s'occupe de Mme Robin, une femme de 64 ans admise pour amaigrissement et asthénie. Pendant l'hospitalisation, elle a subi la biopsie d'une masse thoracique et d'autres examens. Vous la connaissez bien pour avoir passé beaucoup de temps à répondre à ses questions, lui expliquer la procédure et l'interroger sur elle et sa famille. Elle a parlé avec vous de sa peur de ce qu'« ils » trouveront et de son désir de « tout savoir » sur sa santé et les soins. Vous l'avez même entendue exprimer sa frustration à l'assistant parce qu'« on ne lui dit pas toujours la vérité ». Nous sommes vendredi après-midi mais vous avez promis à Mme Robin de revenir la voir avant le week-end et de lui dire si le résultat de la biopsie est arrivé. Juste avant, le résident vous dit que l'« ana-path » de sa biopsie est revenue et qu'il s'agit d'un cancer métastasique mais que le médecin traitant a interdit à l'équipe de dire quoi que ce soit avant son retour, lundi.

Que devez-vous faire ? Vous sentez qu'il n'est pas bien d'éluder le problème en n'allant pas dans la chambre. Vous croyez aussi que, compte tenu de la préférence et de l'anxiété de la patiente, il vaut mieux qu'elle n'attende pas 3 jours pour savoir. Vous ne voulez pas enfreindre les instructions du médecin traitant, à la fois parce que c'est sa patiente et que ce serait déloyal.

Dans cette situation, parler de sa biopsie à la patiente est étayé par plusieurs principes éthiques : l'intérêt supérieur du patient, l'autonomie et votre intégrité morale. L'autre partie du dilemme concerne la révélation de votre projet au médecin traitant. Quelquefois la partie la plus difficile de tels dilemmes porte sur votre volonté de mener l'action à son terme. Bien que cela ressemble à une cause perdue d'avance, une discussion honnête et respectueuse avec le médecin traitant, en exprimant ce qui vous semble le mieux pour la patiente, sera souvent bien reçue. Demandez le soutien de votre résident ou d'un autre médecin si c'est possible. Apprendre à gérer des discussions difficiles est une qualité professionnelle utile.

## Bibliographie

### RÉFÉRENCES

1. Cohen-Cole SA. The Medical Interview: The Three Function Approach. St. Louis: MosbyYear Book, 1991.
2. Bird J, Cohen-Cole SA. The three function model of the medical interview. Adv Psychosom Med 20:65–88, 1990.
3. Lazare A, Putnam SM, Lipkin M Jr. Three functions of the medical interview. In: Lipkin M Jr, Putnam SM, Lazare A, et al, eds. The Medical Interview: Clinical Care, Education, and Research. New York: Springer-Verlag, 1995.
4. Novack DH. Therapeutic aspects of the clinical encounter. In Lipkin M Jr, Putnam SM, et al, eds. The Medical Interview: Clinical Care, Education, and Research. New York: Springer-Verlag:32, 1995.
5. Suchman AL, Matthews DA. What makes the patient-doctor relationship therapeutic? Exploring the connectional dimension of medical care. Ann Intern Med 108(1):25–130, 1988.
6. Hastings C. The lived experiences of the illness: making contact with the patient. In: Benne P, Wrubel J, eds. The Primacy of Caring: Stress and Coping in Health and Illness. Menlo Park CA: Addison-Wesley, 1989.
7. Wagner EH, Austin BT, Korff MV. Organizing care for patients with chronic illness. Milbank Q 74(4):511–544, 1996.
8. Epstein RM. Mindful practice. JAMA 282(9):833–839, 1999.
9. Balint M. The Doctor, His Patient and the Illness. 2nd ed. New York: International Universities Press, 1964.
10. Ventres W, Kooienga S, Vuvkovic N, et al. Physicians, patients and the electronic health record: an ethnographic analysis. Ann Fam Med 4(2):124–131, 2006.
11. Conant EB. Addressing patients by their first names. N Engl J Med 308(4):226, 1998.
12. Heller ME. Addressing patients by their first names. N Engl J Med 308(18):1107, 1987.
13. Platt FW, Gaspar DL, Coulehan JL, et al. "Tell me about yourself": the patient-centered interview. Ann Int Med 134(11):1079–1085, 2001.
14. Baron RJ. An introduction to medical phenomenology: I can't hear you while I'm listening. Ann Intern Med 103(4): 606–611, 1985.
15. Bass LW, Cohen RL. Ostensible versus actual reasons for seeking pediatric attention: another look at the parental ticket of admission. Pediatrics 70(6):870–874, 1982.
16. Beckman HB, Frankel RM. The effect of physician behavior on the collection of data. Ann Intern Med 101(4):692–696, 1984.
17. White J, Levinson W, Roter D. "Oh, by the way…:" the closing moments of the medical visit. J Gen Intern Med 9(1):24–28, 1994.
18. Smith RC. Patient-Centered Interviewing: An Evidence-Based Method. Philadelphia: Lippincott Williams & Wilkins, 2002.
19. Von Korff M, Shapiro S, Burke JD, et al. Anxiety and depression in a primary care clinic. Arch Gen Psychiatry 44(2): 152–156, 1987.
20. Lang F, Floyd MR, Beine KL. Clues to patients' explanations and concerns about their illnesses: a call for active listening. Arch Fam Med 9(3):222–227, 2000.
21. Brown JB, Weston W, Stewart M. Patient-centered interviewing part II: finding common ground. Can Fam Physician 35:153–157, 1989.
22. Neighbour R. The Inner Consultation: How to Develop an Effective and Intuitive Consulting Style. Lancaster, England: MTP Press Ltd.:164–178, 1987.
23. Kleinman A, Eisenberg L, Good B. Culture, illness, and care: clinical lessons from anthropological and cross-cultural research. Ann Intern Med 88(2):251–258, 1978.
24. Smith RC, Lyles JS, Mettler J, et al. The effectiveness of an intensive teaching experience for residents in interviewing: a randomized controlled study. Ann Intern Med 128(2): 118–126, 1998.
25. Miller WM, Rollnick S. Motivational Interviewing–Preparing People for Change. 2nd ed. New York: Guilford Press, 2002.
26. Engel GL. The need for a new medical model: a challenge for biomedicine. Science 196(4286):126–129, 1977.
27. Engel GL, Morgan WL Jr. Interviewing the Patient. Philadelphia: WB Saunders, 1973.
28. Bayer–Fetzer Conference on physician–patient communication in medical education. Essential elements of communication in medical encounters: the Kalamazoo Consensus Statement. Acad Med 76(4):390–393, 2001.
29. Stewart M. Questions about patient-centered care: answers from quantitative research. In: Stewart M, et al, eds. Patient-Centered Medicine: Transforming the Clinical Method. Abington, UK: Radcliffe Medical Press: 263–268, 2003.
30. Coulehan JL, Block MR. The Medical Interview: Mastering Skills for Clinical Practice, 4th ed. Philadelphia: FA Davis Company, 2001.
31. Lipkin M Jr, Putnam SM, Lazare A, et al (eds). The Medical Interview: Clinical Care, Education, and Research. New York: Springer-Verlag, 1995.
32. Office for Civil Rights–HIPAA, U.S. Department of Health and Human Services. Available at: http://www.hhs.gov/ocr/hipaa/. Accessed February 17, 2008.
33. Platt FW. Field Guide to the Difficult Patient Interview. Philadelphia: Lippincott Williams and Wilkins, 1999.
34. Jacobs EA, Shephard DS, Suya JA, et al. Overcoming language barriers in health care: costs and benefits in interpreter services. Am J Public Health 94(5):866–869, 2004.
35. Jacobs EA, Sadowski LS, Rathous PJ. The impact of enhanced interpreter service intervention on hospital costs and patient satisfaction. J Gen Intern Med 22(suppl 2):306–311, 2007.
36. Hardt E, Jacobs EA, Chen A. Insights into the problems that language barriers may pose for the medical interview. J Gen Intern Med 21(12):1357–1358, 2006.
37. U.S. Preventive Services Task Force. Screening and behavioral counseling interventions in primary care to reduce alcohol misuse: recommendation statement. Rockville, MD, Agency for Healthcare Research and Quality, April 2004. Available at: http://www.ahrq.gov/clinic/3rduspstf/alcohol/alcomisrs.htm. Accessed February 18, 2008.
38. Regier DA, Farmer ME, Rae DS, et al. Comorbidity of mental disorders with alcohol and other drug abuse. Results from the Epidemiologic Catchment Area (ECA) study. JAMA 264(19): 2511–2518, 1990.

39. Saitz R. Unhealthy alcohol use. N Engl J Med 352(67): 596–607, 2005.

40. Carni J, Farre M. Drug addiction. N Engl J Med 349(10): 975–986, 2003.

41. Cyr MG, Wartman SA. The effectiveness of routine screening questions in the detection of alcoholism. JAMA 259(1): 51–54, 1988.

42. Ewing JA. Detecting alcoholism: the CAGE questionnaire. JAMA 252(14):1905–1907, 1984.

43. National Institute on Alcohol Abuse and Alcoholism. Helping patients who drink too much. A clinician's guide. Available at: http://pubs.niaaa.nih.gov/publications/Practitioner/Clinicians Guide2005/clinicians_guide.htm. Accessed February 18, 2008.

44. National Institute on Alcohol Abuse and Alcoholism. Alcohol Alert No. 62. Alcohol–an important issue in women's health. July 2004. Available at: http://pubs.niaaa.nih.gov/publications/aa62/aa62.htm. Accessed February 18, 2008.

45. Cocco KM, Carey KB. Psychometric properties of the drug abuse screening test in psychiatric outpatients. Psychol Assessment 10(4):408–414, 1998.

46. U.S. Preventive Services Task Force. Screening for family and intimate partner violence: recommendation statement. Rockville MD, Agency for Healthcare Research and Quality, March 2004. Available at: http://www.ahrq.gov/clinic/3rduspstf/famviolence/famviolrs.htm. Accessed February 18, 2008.

47. Rhodes KV, Frankel RM, Levinthal N, et al. "You're not the victim of domestic violence, are you?" Provider-patient communication about domestic violence. Ann Intern Med 147(9): 620–627, 2007.

48. Kübler-Ross E. On Death and Dying. New York: Macmillan, 1997.

49. Smedley BA, Stith AY, Nelson AR (eds). Committee on Understanding and Eliminating Racial and Ethnic Disparities in Health Care. Unequal Treatment: Confronting Racial and Ethnic Disparities in Health Care. Washington DC: Institute of Medicine, 2003.

50. Agency for Healthcare Quality and Research. National Health Care Disparities Report 2006–Highlights. Available at: http://www.ahrq.gov/qual/nhdr06/nhdr06high.pdf. Accessed February 17, 2008.

51. Office of Minority Health, U.S. Department of Health and Human Services. National standards on culturally and linguistically appropriate services (CLAS). Available at: http://www.omhrc.gov/templates/browse.aspx?lvl=2&lvlID=15. Accessed February 16, 2008.

52. Office of Minority Health, U.S. Department of Health and Human Services. National standards on culturally and linguistically appropriate health care. Executive summary. Available at: http://www.omhrc.gov/assets/pdf/checked/executive.pdf. Accessed February 16, 2008.

53. Hunt LM. Beyond cultural competence. Park Ridge Bulletin 24:3–4, 2001. Available at: http://www.parkridgecenter.org/Page1882.html. Accessed February 16, 2008.

54. Kumas-Tan Z, Beagan B, Loppie C, et al. Measures of cultural competence: examining hidden assumptions. Acad Med 82(6):548–557, 2007.

55. Tervalon M, Murray-Garcia J. Cultural humility versus cultural competence: a critical distinction in defining physician training outcomes in multicultural education. J Health Care Poor Underserved 9(2):117–125, 1998.

56. Tervalon M. Components of culture in health for medical students' education. Acad Med 78(6):570–576, 2003.

57. Smith WR, Betancourt JR, Wynia MK, et al. Recommendations for teaching about racial and ethnic disparities in health and health care. Ann Intern Med 147(9):654–665, 2007.

58. National Center for Cultural Competence. Georgetown University Center for Child and Human Development. Available at: http://www11.georgetown.edu/research/gucchd/nccc/index.html. Accessed February 16, 2008. See also: Tools and Processes for Self Assessment. Available at: http://www11.georgetown.edu/research/gucchd/nccc/foundations/assessment.html. Accessed February 16, 2008.

59. Jacobs EA, Kohrman C, Lemon M, et al. Teaching physicians-in-training to address racial disparities in health: a community-hospital partnership. Public Health Rep 18(4):349–356, 2003.

60. Juarez JA, Marvel K, Brezinski KL, et al. Bridging the gap: a curriculum to teach residents cultural humility. Fam Med 38(2):97–102, 2006.

61. Office of Minority Health, U.S. Department of Health and Human Services. Think cultural health: bridging the health care gap through cultural competency continuing education programs. Available at: http://www.thinkculturalhealth.org/. Accessed February 16, 2008.

62. National Consortium for Multicultural Education for Health Professionals. Available at: http://culturalmeded.stanford.edu/. Accessed February 17, 2008.

63. Jacobs EA, Rolle I, Ferrans CE, et al. Understanding African Americans' views of the trustworthiness of physicians. J Gen Intern Med 21(6):642–647, 2006.

64. Committee on Ethics, American College of Obstetricians and Gynecologists. ACOG Committee Opinion No. 373. Sexual misconduct. Obstet Gynecol 110(2 Pt 1):441–444, 2007.

65. Gabbard GO, Nadelson C. Professional boundaries in the physician-patient relationship. JAMA 273(18):1445–1449, 1995.

66. Council on Ethical and Judicial Affairs. American Medical Association: sexual misconduct in the practice of medicine. JAMA 266(19):2741–2745, 1991.

67. ABIM Foundation, American Board of Internal Medicine, ACP-ASIM Foundation, American College of Physicians-American Society of Internal Medicine, European Federation of Internal Medicine. Medical professionalism in the new millennium: a physician charter. Ann Intern Med 136(3):243–246, 2002.

68. Giordano J. The ethics of interventional pain management: basic concepts and theories: problems and practice. Presentation at: Texas Tech University Health Sciences Center, February 15, 2008, Lubbock, TX.

69. Berwick D, Davidoff F, Hiatt H, et al. Refining and implementing the Tavistock principles for everybody in health care. Brit Med J 323(7313):616–619, 2001.

## AUTRES LECTURES

### Construire la relation : les techniques d'un bon interrogatoire

Billings JA, Stoeckle JD. The Clinical Encounter: A Guide to the Medical Interview and Case Presentation, 2nd ed. St. Louis: Mosby, 1999.

Côté L, Leclère H. How clinical teachers perceive the doctor-patient relationship and themselves as role models. Acad Med 75(11):1117–1124, 2000.

Delbanco TL. Enriching the doctor-patient relationship by inviting the patient's perspective. Ann Intern Med 116(5):414–418, 1993.

Frankel RM, Quill TE, McDanial SH. The biopsychosocial approach: past, present, and future. Rochester, NY: University of Rochester Press, 2003.

Kurtz SM, Silverman J, Draper J. Teaching and learning communication skills in medicine, 2nd ed. Oxford, San Francisco: Radcliffe Publishers, 2005.

McAulay V. The changing doctor–patient relationship: diagnoses are made from careful history and examination. BMJ 320 (7238):873–874, 2000.

### Adapter les techniques de l'entrevue à des situations particulières

Agency for Healthcare Research and Quality. Evidence Report/Technology Assessment No. 87. Literacy and Health Outcomes. January 2004. Available at: http://www.ahrq.gov/downloads/pub/evidence/pdf/literacy/literacy.pdf. Accessed June 8, 2008.

Americans with Disabilities Act Home Page, U.S. Department of Justice. Available at http://www.ada.gov/#Anchor-47857. Accessed June 7, 2008.

Barnett S. Cross-cultural communication with patients who use American sign language. Fam Med 34(5):376–382, 2002.

Grantmakers in Health: In the right words: addressing language and culture in providing health care. Issues in Brief 18:1–54, 2003.

Iezzoni LI, O'Day BL, Killeen M, et al. Communicating about health care: observations from persons who are deaf or hard of hearing. Ann Intern Med 140(5):356–362, 2004.

Marcus EN. The silent epidemic—the health effects of illiteracy. N Engl J Med 355(4):339–341, 2006.

McDaniel SH, Campbell TL, Hepworth J, et al. Family-Oriented Primary Care, 2nd ed. New York: Springer, 2005.

Putsch RW. Cross-cultural communication: the special case of interpreters in health care. JAMA 254(23):3344–3348, 1985.

Rivadeneyra R, Elderkin-Thompson V, Silver RC, et al. Patient centeredness in medical encounters requiring an interpreter. Am J Med 108(6):470–474, 2000.

Schwartzberg JG, Cowett A, VanGeest J, et al. Communication techniques for patients with low health literacy: a survey of physicians, nurses, and pharmacists. Am J Health Behav 31(Suppl. 1):S96–104, 2007.

### Sujets délicats qui nécessitent des abords spécifiques

Cochran SD, Mays VM. Physical health complaints among lesbians, gay men, and bisexual and homosexually experienced heterosexual individuals: results from the California Quality of Life Survey. Am J Public Health 97(11):2048–2055, 2007.

End of Life/Palliative Education Resource Center. Available at: http://www.eperc.mcw.edu/index.htm. Accessed June 8, 2008.

Fiellin DA, Reid MC, O'Connor PG. Screening for alcohol problems in primary care: a systematic review. Arch Intern Med 160(13):1977–1989, 2000.

Lee R. Health care problems of lesbian, gay, bisexual, and transgender patients. West J Med 172(6):403–408, 2000.

Marlatt GA, Donovan DM. Relapse Prevention: Maintenance Strategies in the Treatment of Addictive Behaviors, 2nd ed. New York: Guilford Press, 2005.

Miller WR, Rollnick S. Motivational Interviewing, 2nd ed. New York: Guilford Press, 2002.

Rastegar DA, Fingerhood MI. Addiction Medicine: An Evidence-based Handbook. Philadelphia: Lippincott Williams & Wilkins, 2005.

Vandemark LM, Mueller M. Mental health after sexual violence: the role of behavioral and demographic risk factors. Nurs Res 57(3):175–181, 2008.

### Aspects sociétaux de l'entrevue

Carrillo JE, Green AR, Betancourt JR. Cross-cultural primary care: a patient-based approach. Ann Intern Med 130:829–834, 1999.

Council on Ethical and Judicial Affairs, American Medical Association. Sexual misconduct in the practice of medicine. JAMA 266(19):2741–2745, 1991.

Doyal L. Closing the gap between professional teaching and practice. BMJ 322(7288):685–686, 2001.

Enbom JA, Parshley P, Kollath J. A follow-up evaluation of sexual misconduct complaints: the Oregon Board of Medical Examiners, 1998 through 2002. Am J Obstet Gynecol 190(6): 1642–1650; discussion, 1650–1653; 6A, 2004.

Fadiman A. The Spirit Catches You and You All Fall Down. New York: Farrar, Straus and Giroux, 1997.

Gabbard GO, Nadelson C. Professional boundaries in the physician–patient relationship. JAMA 273(18):1445–1449, 1995.

Medical professionalism in the new millennium: a physician charter. Ann Intern Med 136(3):243–246, 2002.

Lo B. Resolving Ethical Dilemmas: A Guide for Clinicians, 3rd ed. Philadelphia: Lippincott Williams & Wilkins, 2005.

Makoul G. Essential elements of communication in medical encounters: the Kalamazoo consensus statement. Acad Med 76(4):390–393, 2001.

Robinson GE, Stewart DE. A curriculum on physician–patient sexual misconduct and teacher–learner mistreatment. Part 1: Content. Can Med Assoc J 154(1):643–649, 1996.

# Début de l'examen physique : examen général, signes vitaux, et douleur

Une fois que vous avez compris les inquiétudes du patient et obtenu une histoire minutieuse, vous êtes prêt à commencer l'examen physique. Au début, vous pouvez être incertain de l'attitude du patient à votre égard. Avec la pratique, vous acquerrez plus de compétence dans l'examen physique et de confiance en vous. Par l'étude et la répétition, l'examen se déroulera plus facilement et vous pourrez reporter votre attention de la technique et de l'instrumentation à ce que vous entendez, voyez et ressentez. Palper le corps du patient vous semblera plus naturel et vous apprendrez à réduire l'inconfort du patient. Vous deviendrez plus réactif au patient et le rassurerez si besoin est. Très vite, avec une compétence croissante, ce qui vous prenait de 1 à 2 heures vous prendra beaucoup moins de temps.

Ce chapitre, restructuré pour cette édition, traite des « Symptômes banals ou inquiétants » en rapport avec l'état général. La « Promotion de la santé et les conseils » concernent des habitudes importantes pour un mode de vie sain : le poids optimal et une bonne alimentation, l'exercice physique, la pression artérielle et le régime alimentaire. Cette partie vous fournit des informations qui vous seront utiles quand vous parlerez aux patients de leur indice de masse corporelle (IMC), en particulier parce que le surpoids et l'obésité sont devenus une menace croissante pour la santé dans toutes les tranches de la population. Les autres parties du chapitre suivent le déroulement de la consultation du patient.

- *Examen général.* L'examen général commence dès les premiers instants de la rencontre avec le patient. Quelle perception avez-vous de l'état de santé apparent du patient, de son comportement et de sa mimique, de sa toilette, de son attitude et de sa démarche ? La taille et le poids, en général mesurés avant que le patient entre dans la pièce d'examen, sont aussi des éléments importants de l'examen général.

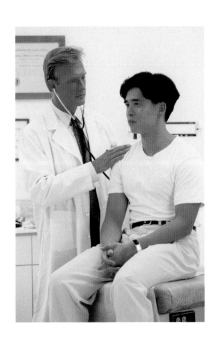

- *Signes vitaux.* Les constantes vitales comprennent la pression artérielle, la fréquence cardiaque, la fréquence respiratoire et la température, avec leurs valeurs normales.

- *Douleur.* C'est le « cinquième signe vital ». Cette édition développe l'évaluation de la douleur, trop souvent sous-estimée, qui représente un axe important des soins aux patients dans toutes les professions de santé.

## ANTÉCÉDENTS MÉDICAUX

### Symptômes banals ou inquiétants

- Variations du poids.
- Fatigue et faiblesse.
- Fièvre, frissons et sueurs nocturnes.
- Douleur.

*Variations du poids.* Les variations du poids résultent de changements dans les tissus ou les liquides corporels. De bonnes questions d'introduction sont : « Tous les combien vérifiez-vous votre poids ? », « Comment est-il par rapport à l'année dernière ? » En cas de changement, demandez : « Pourquoi pensez-vous qu'il a changé ? », « Combien aimeriez-vous peser ? » Si un gain ou une perte de poids semble constituer un problème, précisez l'importance de la variation, sa chronologie, son contexte et les symptômes associés.

Une *prise de poids* se produit quand l'apport calorique dépasse la dépense calorique pendant un certain temps et se manifeste typiquement par une augmentation de la graisse corporelle. Il peut aussi refléter l'accumulation de liquides corporels. Quand la rétention d'eau est assez discrète, elle peut être invisible ; quand elle atteint plusieurs kilogrammes, elle se manifeste par de l'*œdème*.

Par exemple, chez un patient en surpoids, quand la prise de poids a-t-elle débuté ? Le patient était-il gros quand il était bébé ou enfant ? En utilisant des repères adaptés au sexe et à l'âge du patient, demandez le poids au moment de la naissance, lors de l'entrée à l'école maternelle, lors de l'obtention des diplômes scolaires ou universitaires, à la fin du service national, au moment du mariage, dans les suites de chaque grossesse, à la ménopause et lors de la retraite. Qu'était-il arrivé dans la vie du patient dans les périodes de prise de poids ? Le patient a-t-il essayé de perdre du poids ? De quelle façon ? Avec quels résultats ?

Une *perte de poids* ou amaigrissement est un symptôme important aux causes multiples. Elle est due à un ou plusieurs des mécanismes suivants : diminution des ingesta alimentaires, par anorexie, dysphagie, vomissements ou insuffisance d'apport ; défaut d'absorption des nutriments par l'intestin ; accroissement des besoins métaboliques ; perte de nutriments par l'urine, les selles ou des lésions cutanées. Une personne peut également perdre du poids quand un état de rétention de liquides s'améliore ou est traité.

Des variations rapides du poids (sur quelques jours) évoquent des variations des liquides du corps, pas des tissus.

Les causes d'amaigrissement incluent des *maladies gastro-intestinales*, des *maladies endocriniennes* (diabète sucré, hyperthyroïdie, insuffisance surrénale), les *infections chroniques*, les *cancers*, l'*insuffisance cardiaque, pulmonaire ou rénale chronique*, une *dépression*, une *anorexie mentale*, ou une *boulimie* (voir tableau 4-1 : « Troubles du comportement alimentaire et IMC très bas », p. 131).

Essayez de déterminer si la perte de poids est en rapport avec une diminution des ingesta ou si ceux-ci sont restés normaux ou, même, ont augmenté.

Un amaigrissement malgré des ingesta alimentaires relativement importants évoque un *diabète sucré*, une *hyperthyroïdie* ou une *malabsorption*. Pensez aussi à une alimentation sans frein (boulimie) avec vomissements clandestins.

Les symptômes associés à une perte de poids suggèrent souvent sa cause, de même qu'une anamnèse psychosociale complète. Qui fait la cuisine et les courses pour le patient ? Où et avec qui mange le patient ? A-t-il des difficultés à se procurer, conserver, préparer ou mâcher les aliments ? Évite-t-il ou restreint-il certains aliments pour des raisons médicales, religieuses ou autres ?

Misère, vieillesse, isolement, handicap physique, troubles émotifs ou psychiques, édentation, prothèses dentaires mal adaptées, alcoolisme ou toxicomanie, augmentent la probabilité de malnutrition.

En étudiant les antécédents, soyez attentif aux manifestations d'une malnutrition. Les signes en sont souvent discrets et non spécifiques : faiblesse, fatigabilité facile, intolérance au froid, dermatose squameuse et gonflement des chevilles. Il est indispensable d'obtenir une bonne anamnèse des habitudes alimentaires et des quantités ingérées. Posez des questions générales sur les ingesta aux différents repas quotidiens, telles que : « Dites-moi ce que vous mangez typiquement au déjeuner ? », « Que prenez-vous en guise de casse-croûte ? », « Quand ? »

Voir tableau 4-2 : « Dépistage nutritionnel », p. 132.

***Fatigue et faiblesse.*** Comme la perte de poids, la *fatigue* est un symptôme relativement non spécifique ayant de nombreuses causes. Elle désigne un sentiment de lassitude ou de perte d'énergie que les patients décrivent de diverses manières : « J'ai perdu mon entrain », « Je suis épuisé », « J'ai du mal à tenir toute la journée », « Quand j'arrive au bureau, j'ai l'impression d'avoir travaillé toute la journée ». Comme la fatigue est la conséquence normale d'un travail pénible, d'un stress durable ou d'un chagrin, vous devez essayer de tirer au clair les circonstances dans lesquelles elle survient. Une fatigue sans relation avec de telles circonstances nécessite plus d'explorations.

La fatigue est un symptôme courant dans la dépression et les états anxieux, mais pensez aussi aux *infections* (telles qu'une hépatite, une mononucléose infectieuse ou une tuberculose), aux *maladies endocriniennes* (hypothyroïdie, insuffisance surrénale, diabète sucré et panhypopituitarisme), à l'*insuffisance cardiaque*, à une *maladie chronique des poumons, des reins ou du foie*, à un *déséquilibre hydroélectrolytique*, à une *anémie plus ou moins sévère*, à des *cancers*, à des *carences nutritionnelles*, à des *médicaments*.

Utilisez des questions ouvertes pour préciser les attributs de la fatigue du patient ; incitez-le à décrire complètement ce qu'il éprouve. Des indices importants sur l'étiologie sont souvent fournis par une bonne anamnèse psychosociale, l'exploration des habitudes de sommeil et une revue complète des appareils.

Une *faiblesse musculaire* est différente d'une fatigue. Elle traduit une perte objective de force musculaire et sera envisagée plus loin avec d'autres symptômes neurologiques (voir p. 695).

Une faiblesse musculaire, surtout lorsqu'elle correspond à un schéma neuroanatomique, évoque une affection du *système* nerveux ou des *muscles*.

***Fièvre, frissons et sueurs nocturnes.*** La *fièvre* est une élévation anormale de la température corporelle (voir p. 122 les valeurs normales). Recherchez-la quand le patient a une maladie aiguë ou chronique. Demandez si le patient a mesuré sa température avec un thermomètre. Souvenez-vous que des erreurs techniques aboutissent à des résultats peu fiables. Est-ce que le patient s'est senti fébrile ou anormalement chaud, a noté des sueurs excessives, ou a ressenti des frissons ou a eu froid ? Essayez de faire la distinction entre une *sensation subjective de froid* et de *grands frissons* au cours desquels le corps tremble et les dents claquent.

De grands frissons répétés évoquent des variations extrêmes de la température et une *septicémie.*

Des sensations de froid, une chair de poule et des frissons accompagnent une ascension thermique, alors qu'une sensation de chaleur et des sueurs accompagnent la défervescence. Normalement, la température du corps s'élève durant le jour et s'abaisse durant la nuit. Quand la fièvre exagère cette variation, des *sueurs nocturnes* surviennent. Un malaise, des céphalées, et des douleurs musculaires et articulaires accompagnent souvent une fièvre.

Des bouffées de chaleur et des sueurs accompagnent aussi la ménopause. Des sueurs nocturnes surviennent dans la *tuberculose* et les *cancers.*

La fièvre a de nombreuses causes. Centrez vos questions sur la chronologie de la maladie et les symptômes associés. Apprenez à bien connaître les tableaux des maladies infectieuses qui peuvent affecter votre patient et questionnez-le sur ses voyages, les contacts avec des personnes malades, et d'autres expositions inhabituelles. Posez des questions sur les médicaments pris ; ils peuvent être cause de fièvre. À l'inverse, la prise récente d'aspirine, de paracétamol, de corticoïdes ou d'anti-inflammatoires non stéroïdiens peut masquer la fièvre et modifier la température enregistrée lors de l'examen physique.

***Douleur.*** La douleur est l'un des principaux symptômes qui amènent à consulter. Chaque année, environ 70 millions d'Américains se plaignent de douleurs permanentes ou intermittentes, qui sont souvent sous-estimées et insuffisamment traitées.[1-3] Adoptez une approche exhaustive pour la suite de l'examen physique et de la prise en charge. En raison de son importance dans le bien-être des patients, allez à la nouvelle partie qui lui est consacrée dans ce chapitre pour apprendre à aborder les patients algiques.

Voir la douleur aiguë et chronique, p. 124-127, un peu plus loin dans ce chapitre, pour la discussion des causes de douleur et les façons d'évaluer la douleur.

## PROMOTION DE LA SANTÉ ET CONSEILS

### Sujets importants pour la promotion de la santé et les conseils

- Poids optimal, nutrition, et régime alimentaire.
- Exercice physique.

***Poids optimal, nutrition et régime alimentaire.*** Moins de la moitié des adultes américains ont un poids correct (IMC entre 18 et 25). L'obésité a augmenté dans toutes les tranches de la population des États-Unis, quels que soient l'âge, le sexe, l'ethnie ou la classe socioéconomique. Voyez les statistiques alarmantes sur l'obésité aux États-Unis et dans le monde qui figurent dans le tableau ci-après.

Voir tableau 4-3 : « Facteurs de risque et maladies liés à l'obésité », p. 133.

## L'obésité d'un coup d'œil

- Plus de 60 % des adultes américains sont en surpoids ou obèses (IMC > 25).

- Plus de 14 % des enfants et adolescents américains sont en surpoids.

- Disparités sanitaires : la prévalence du surpoids et de l'obésité est plus élevée dans certains groupes ethniques et certaines classes de revenus :

  - femmes : femmes noires = 69 %, femmes blanches = 47 % ;

  - femmes : par rapport à celles qui ont des revenus plus élevés, les femmes ayant des revenus < 130 % du seuil de pauvreté ont un risque d'obésité multiplié par 1,5 ;

  - hommes : hommes noirs = 58 %, hommes blancs = 62 % ;

  - adolescents : prévalence plus élevée chez les garçons d'origine mexicaine, les filles noires, les garçons blancs de familles à faibles revenus.

- Le surpoids et l'obésité augmentent le risque de maladie cardiaque, de plusieurs types de cancer, de diabète de type 2, d'accident vasculaire cérébral, de rhumatisme, d'apnées du sommeil, et de dépression.

- Plus de 50 % des personnes atteintes d'un diabète non insulinodépendant et 20 % des personnes hypertendues ou hypercholestérolémiques sont en surpoids ou obèses.

- L'obésité est une épidémie mondiale : alors que dans les pays pauvres, la pauvreté est associée à la maigreur et à la sous-nutrition, elle est associée à un risque croissant d'obésité dans les pays émergents, qui adoptent un mode de vie occidental.

- Seulement 42 % des adultes américains obèses déclarent que des professionnels de santé leur ont conseillé de perdre du poids.

Sources : Surgeon General, U.S. Department of Health and Human Services. Surgeon General's Call to Action to Prevent and Decrease Overweight and Obesity. Overweight and Obesity: At a Glance. Accessible sur : http://www.surgeongeneral.gov/topics/obesity/calltoaction/fact_glance.htm. Visité le 19 janvier 2008 ; McTigue KM, Harris R, Hemphill B, *et al.* Screening and interventions for obesity in adults: summary of the evidence for the U.S. Preventive Services Task Force. Ann Intern Med 139(11):933–949, 2003; Hossain P, Kawar B, El Hahas M. Obesity and diabetes in the developing world: a growing challenge. N Engl J Med 356(3):213–215, 2007.

Pour promouvoir un poids optimal et une bonne nutrition, adoptez l'approche en quatre points indiquée ci-dessous. Même une perte de poids de 5 à 10 % peut améliorer la pression artérielle, le taux des lipides et la tolérance au glucose et diminuer le risque de diabète ou d'hypertension.

### ASTUCES POUR PROMOUVOIR UN POIDS OPTIMAL ET UNE BONNE NUTRITION

✔ Calculez l'IMC et mesurez le tour de taille ; identifiez un risque de surpoids et d'obésité.

✔ Listez les autres facteurs de risque de maladies cardiaques et de maladies liées à l'obésité.

✔ Évaluez les ingesta alimentaires.

✔ Évaluez la motivation du patient pour changer ; donnez-lui des conseils sur la nutrition et l'exercice physique.

Voir tableau 4-4 : « Obésité : modèle du changement de comportement et évaluation de la volonté de changement », p. 134.

Tirez profit des ressources disponibles pour évaluer le patient et le conseiller ; elles sont résumées ci-dessous. Revoyez le rôle du poids dans la prévalence croissante du *syndrome métabolique* (voir p. 360).

Voir tableau 4-3 : « Facteurs de risque et maladies liés à l'obésité », p. 133.

**Interprétation de l'IMC.** Classez l'IMC selon les recommandations nationales du tableau ci-dessous. Si l'IMC est *au-dessus de 25*, recherchez chez le patient des *facteurs de risque supplémentaires* de maladies, cardiaques ou autres, liées à l'obésité : hypertension artérielle, LDL-cholestérol élevé, HDL-cholestérol bas, hypertriglycéridémie, hyperglycémie, antécédents familiaux de maladie cardiaque précoce, absence d'exercice physique, et tabagisme. Les patients ayant un IMC > 25 et 2 facteurs de risque ou plus doivent chercher à perdre du poids, surtout si leur tour de taille est excessif.

| Classification du surpoids et de l'obésité d'après l'IMC | | |
|---|---|---|
| | Classe d'obésité | IMC (kg/m²) |
| Maigreur | | < 18,5 |
| Normale | | 18,5–24,9 |
| Surpoids | | 25–29,9 |
| Obésité | I | 30,0–34,9 |
| | II | 35,0–39,9 |
| Obésité extrême | III | ≥ 40 |

Source : National Institutes of Health and National Heart, Lung, and Blood Institute: Clinical Guidelines on the Identification, Evaluation, and Treatment of Overweight and Obesity in Adults: The Evidence Report. NIH Publication 98-4083. Juin 1998.

**Évaluation des ingesta alimentaires.** Il est important de conseiller les patients sur le régime et la perte de poids, compte tenu des régimes souvent contradictoires qui sont proposés dans la presse populaire. Lisez les trois documents suivants pour conseiller vos patients :

Voir tableau 4-5 : « Une alimentation saine : la pyramide alimentaire de l'USDA », p. 135.

■ *National Institutes of Health and National Heart, Lung and Blood Institute.* Clinical Guidelines on the Identification, Evaluation and Treatment of Overweight and Obesity in Adults. Disponible sur : www.nhlbi.nih.gov/guidelines/obesity/ob_home.htm (visité le 19 janvier 2008)[7] ;

■ *US Preventive Services Task Force.* Screening for Obesity in Adults : recommendations and rationale. Rockville MD. Agency for Heathcare Research and Quality, novembre 2003. Disponible sur : www.ahrq.gov/clinic/3rduspstf/obesity/obssr.htm (visité le 19 janvier 2008)[8] ;

■ *US Department of Health and Human Services and US Department of Agriculture.* Dietary Guidelines for Americans 2005. Disponible sur : www.health.gov/dietaryguidelines/dga2005/document/pdf/DGA2005.pdf (visité le 19 janvier 2008).[9]

Les recommandations alimentaires dépendent de l'appréciation de la motivation et de la disposition du patient à perdre du poids et des facteurs de risque individuels. Les *Clinical Guidelines on the Identification, Evaluation and Treatment of Overweight and Obesity in Adults*[7] donnent les directives générales suivantes :

■ une perte de poids de 10 % en 6 mois ou une restriction de 300 à 500 kcal/jour pour les gens dont l'IMC est entre 27 et 35 ;

■ un objectif de perte de poids de 250 à 500 g/semaine, parce qu'une perte de poids plus rapide ne donne pas de meilleurs résultats à 1 an.[8]

Ces recommandations préconisent des régimes « basses calories » de 800 à 1 500 kcal/jour. Les interventions qui associent l'éducation nutritionnelle, le régime et l'exercice physique modéré à des stratégies comportementales ont plus de chances de réussir (voir p. 110). Les *Clinical Guidelines* citent des arguments en faveur du rôle de l'exercice physique modéré dans les programmes d'amaigrissement et de stabilisation du poids : il augmente et aide à maintenir la perte de poids ; il augmente la capacité cardiorespiratoire et il peut faire fondre la graisse abdominale.

Si l'IMC tombe *en dessous de 18,5*, pensez à une anorexie mentale, à une boulimie ou à d'autres affections, qui sont résumées dans le tableau 4-1 : « Troubles du comportement alimentaire et IMC très bas », p. 131 (voir aussi p. 106-108 pour la promotion de la santé et les conseils chez les patients trop gros ou trop maigres).

Après avoir évalué les ingesta alimentaires, l'état nutritionnel et la motivation pour perdre du poids ou adopter de bonnes habitudes alimentaires, délivrez au patient les « neuf grands messages » du *Dietary Guidelines for Americans 2005*, résumés et adaptés ci-dessous.

Voir tableau 4-5 : « Une alimentation saine : la pyramide alimentaire de l'USDA », p. 135.

## NEUF MESSAGES CLÉS POUR PROMOUVOIR LA SANTÉ[9]

✔ Consommez toutes sortes d'aliments appartenant aux différents groupes d'aliments, en restant dans les limites des besoins caloriques.

✔ Surveillez l'apport en calories et la taille des portions pour contrôler votre poids.

✔ Ayez une activité physique modérée pendant au moins 30 minutes chaque jour ; par exemple, en marchant à une vitesse de 5-6 km/heure.

✔ Augmentez la ration de fruits et de légumes, de céréales entières, et de lait et de produits laitiers écrémés ou demi-écrémés.

✔ Mangez des lipides avec modération, en maintenant bas les ingesta de graisses saturées, de graisses trans présentes dans les huiles végétales partiellement hydrogénées, et de cholestérol.

✔ Mangez des glucides – sucres, amidon, fibres – raisonnablement.

✔ Mangez des aliments peu salés et salez peu vos aliments.

✔ Si vous consommez des boissons alcoolisées, faites-le avec modération.

✔ Conservez correctement vos aliments.

Supplémentez les adolescents et les femmes en âge de procréer avec du fer et de l'acide folique. Apprenez aux adultes âgés de plus de 50 ans quels sont les aliments riches en vitamine B12 et en calcium. Conseillez aux personnes âgées et à celles qui ont la peau noire ou une faible exposition au soleil un supplément de vitamine D.

Voir tableau 4-6 : « Conseils nutritionnels : les sources de nutriments », p. 136.

**Pression artérielle et régime.** Il est démontré qu'un exercice physique régulier, une diminution de l'apport sodé et une augmentation de l'apport potassique, et le maintien d'un poids correct réduisent le risque d'hypertension et abaissent la pression artérielle des sujets hypertendus. Expliquez aux patients que la plus grande partie du sel de l'alimentation provient du sel de table (chlorure de sodium). L'apport quotidien recommandé (AQR) de sodium est < 2 400 mg, soit une cuillère à café par jour. Les patients doivent lire les étiquettes attentivement. On appelle aliments désodés les aliments qui contiennent moins de 5 % de l'AQR. Pour la réduction du risque de maladie cardiaque, allez à la page 362.

Voir tableau 4-7 : « Patients hypertendus : recommandations alimentaires », p. 136.

***Exercice physique.*** L'activité physique est l'un des éléments clés du contrôle du poids et de la perte de poids. On recommande actuellement 30 minutes d'activité modérée, à savoir une marche de 3 kilomètres en 30 minutes tous les jours de la semaine ou presque, ou un équivalent. Les patients peuvent augmenter leur activité physique par des moyens aussi simples que se garer plus loin que leur place réservée au travail ou emprunter l'escalier au lieu de l'ascenseur. L'objectif est de perdre 250 g à 1 kg par semaine.

## Exercice physique modéré à vigoureux

Un homme de 70 kg (pour 1,78 m) brûlera approximativement le nombre de calories indiqué pour chaque activité énumérée ci-dessous. **Ceux qui pèsent plus en brûleront plus et ceux qui pèsent moins en brûleront moins.** Les valeurs caloriques indiquées comprennent les calories consommées par l'activité et les calories consommées par le fonctionnement normal du corps.

| | Calories consommées approximativement par un homme de 70 kg | |
| --- | --- | --- |
| | *En 1 heure* | *En 30 minutes* |
| **Activités physiques modérées** | | |
| Randonnée | 370 | 185 |
| Jardinage/travail dans la cour (sans forcer) | 330 | 165 |
| Danse | 330 | 165 |
| Golf (marche, transport de clubs) | 330 | 165 |
| Bicyclette (à une vitesse < 16 km/h) | 290 | 145 |
| Marche (à une vitesse 5-6 km/h) | 280 | 140 |
| Musculation (sans forcer) | 220 | 110 |
| Stretching | 180 | 90 |
| | | *(suite)* |

| | Calories consommées approximativement par un homme de 70 kg | |
|---|---|---|
| | *En 1 heure* | *En 30 minutes* |
| **Activités physiques intenses** | | |
| Course à pied/jogging (à 8 km/h) | 590 | 295 |
| Bicyclette (à une vitesse > 16 km/h) | 590 | 295 |
| Natation | 510 | 255 |
| Aérobic | 480 | 240 |
| Marche (à ~ 7 km/h) | 460 | 230 |
| Jardinage intensif (couper du bois) | 440 | 220 |
| Haltérophilie | 440 | 220 |
| Basket-ball | 440 | 220 |

Source : U.S. Department of Agriculture: Inside the Pyramid—Calories used. Accessible sur : http://www.mypyramid.gov/pyramid/calories_used_table.html. Visité le 23 janvier 2008.

# EXAMEN GÉNÉRAL

L'*examen général* du patient débute dès les premiers instants de la rencontre par l'aspect, la taille et le poids du patient, mais vos observations sur l'aspect du patient se concrétiseront quand vous entreprendrez l'examen physique. Les meilleurs cliniciens affinent continuellement leurs capacités d'observation et de description, comme des naturalistes qui identifient des oiseaux dans le ciel. Il est important d'aiguiser votre perception clinique de la morphologie, de l'humeur et du comportement du patient. Ces précisions enrichissent et approfondissent votre première impression clinique. Un observateur entraîné peut décrire si bien les traits distinctifs d'un patient qu'un collègue le repérera dans un groupe.

Plusieurs facteurs contribuent à l'habitus du patient : le statut socioéconomique, la nutrition, l'hérédité, la condition physique, l'état d'esprit, les maladies antérieures, le sexe, l'origine géographique et la tranche d'âge. Rappelez-vous que l'état nutritionnel affecte plusieurs des éléments que vous vérifiez au cours de l'*examen général* : le poids et la taille, la pression artérielle, la posture, l'humeur et la vigilance, le teint, la dentition, l'état de la langue et des gencives, la couleur des lits unguéaux et la masse musculaire, pour n'en citer que quelques-uns. L'évaluation de la taille et du poids, de l'IMC et du risque d'obésité doit être systématique en clinique.

Vous devez à présent récupérer les observations que vous avez faites depuis le début de l'entrevue et les affiner au cours de l'évaluation. Est-ce que le patient vous entend quand vous le saluez dans la salle d'attente ou la pièce d'examen ? Se lève-t-il facilement ? Marche-t-il aisément ou avec raideur ? S'il est hospitalisé lors de votre première rencontre, qu'est-il en train de faire : est-il assis, en train de regarder la télévision ? Ou couché dans son lit ? Qu'y a-t-il sur sa table de chevet : un magazine ? Un paquet de cartes de vœux de bonne santé ? Une Bible ou un rosaire ? Un haricot ? Ou rien du tout ? Ces observations font naître une ou plusieurs hypothèses à tester ultérieurement.

# ➜ Aspect général

***État de santé apparent.*** Essayez de porter un jugement général d'après les observations faites au cours de l'entretien. Étayez-le avec des éléments significatifs.

> Malade de façon aiguë ou chronique, frêle, ou en forme et robuste.

***Niveau de conscience.*** Le patient est-il conscient, éveillé, réactif à vous et à autrui ? Si ce n'est pas le cas, appréciez rapidement le niveau de conscience.

> Voir au chapitre 17, « Système nerveux », le niveau de conscience, p. 740.

***Signes de détresse.*** Par exemple, le patient présente-t-il des signes de :

- détresse cardiorespiratoire ;

> Se tenant la poitrine, pâle, en sueur ; respiration pénible, sifflements, toux.

- douleur ;

> Grimaces, transpiration, protection d'une zone douloureuse ; rictus douloureux, attitude antalgique.

- anxiété ou dépression.

> Faciès anxieux, nervosité, paumes froides et moites ; affect inexpressif et lisse, contact oculaire médiocre, ralentissement psychomoteur. Voir chapitre 5 : « Comportement et état mental », p. 151.

***Coloration de la peau et lésions cutanées évidentes.*** Voir le chapitre 6 : « La peau et ses annexes », pour les détails.

> Pâleur, cyanose, jaunisse, éruptions, ecchymoses.

***Habillement, soins corporels.*** Comment le patient est-il habillé ? Sa tenue vestimentaire convient-elle à la température et au temps ? Est-elle propre et bien boutonnée ? Comparez avec l'habillement des personnes du même âge et du même groupe social.

> L'excès de vêtements peut traduire la frilosité de l'*hypothyroïdie*, le désir de cacher une éruption cutanée ou des traces de piqûres, ou des préférences personnelles.

Jetez un coup d'œil aux chaussures du patient. Des trous y ont-ils été découpés ? Les lacets sont-ils attachés ? Ou le patient porte-t-il des pantoufles ?

Des trous découpés dans les chaussures ou les pantoufles peuvent indiquer la goutte, des oignons ou d'autres affections douloureuses des pieds. Des lacets dénoués ou des pantoufles évoquent aussi un œdème.

Le patient porte-t-il des bijoux inhabituels ? Où ? A-t-il des piercings ?

Des bracelets en cuivre sont parfois portés en cas de *rhumatisme*. Les piercings peuvent siéger sur n'importe quelle partie du corps.

Notez l'aspect des cheveux et des ongles du patient, l'emploi de produits de beauté. Ils reflètent la personnalité du patient, son humeur et son mode de vie. Un vernis à ongles, une teinture des cheveux « défraîchis » peuvent être dus à un désintérêt pour l'apparence personnelle.

Une teinture de cheveux et un vernis à ongle défraîchis vous permettent d'estimer la durée d'une maladie quand le patient ne peut fournir une anamnèse. Des ongles rongés peuvent traduire un stress.

Est-ce que l'hygiène personnelle et la toilette du patient sont en rapport avec son âge, son mode de vie, son activité et son niveau socioéconomique ? Il y a, bien sûr, de grandes variations dans les normes.

Une apparence négligée peut se voir dans la *dépression* et la *démence*, mais il faut la comparer à la norme pour le patient.

**Expression du visage.** Observez-la au repos, au cours de la discussion de sujets spécifiques, de l'examen physique et dans les rapports avec autrui. Observez le contact oculaire. Est-il naturel ? Soutenu, sans cillements ? Rapidement évité ? Absent ?

Regard fixe de l'*hyperthyroïdie* ; visage figé de la *maladie de Parkinson* ; affect lisse et triste de la *dépression*. La diminution du contact oculaire peut être culturelle ou évoquer l'anxiété, la crainte ou la tristesse.

**Odeurs du corps ou de l'haleine.** Les odeurs peuvent être aussi des arguments diagnostiques importants, comme l'odeur fruitée du diabète ou l'haleine alcoolisée (pour l'alcool, le questionnaire CAGE, p. 85, permet de suspecter une consommation excessive).

Haleines particulières dans l'alcoolisme, le diabète (acétone), les infections pulmonaires, l'insuffisance rénale chronique, l'insuffisance hépatique.

Il ne faut jamais supposer que l'haleine alcoolisée d'un patient explique ses troubles mentaux ou neurologiques.

Les alcooliques peuvent avoir d'autres problèmes graves mais traitables tels qu'une hypoglycémie, un hématome sous-dural, un accident vasculaire cérébral.

**Posture, démarche et activité motrice.** Quelle est la posture préférée du patient ?

Préférence pour la position assise dans l'*insuffisance ventriculaire gauche*, et pour l'inclinaison en avant avec les bras joints dans la *maladie pulmonaire chronique obstructive*.

Le patient est-il agité ou calme ? Combien de fois change-t-il de position ? Quelle est la rapidité de ses mouvements ?

Mouvements fréquents et rapides de l'*hyperthyroïdie* ; activité ralentie de l'*hypothyroïdie*.

Y a-t-il des mouvements involontaires ? Certaines parties du corps sont-elles inertes ? Lesquelles ?

Tremblements et autres mouvements involontaires, paralysies. Voir tableau 17-4 : « Tremblements et mouvements involontaires », p. 754-755.

Le patient marche-t-il facilement, avec aisance, assurance et un bon équilibre ou y a-t-il une boiterie, une gêne à la marche, une peur de tomber, un déséquilibre, des anomalies du mouvement ?

Voir tableau 17-10 : « Anomalies de la démarche et de la posture », p. 764.

**Taille.** Mesurez si possible la taille du patient sans chaussures. Est-il inhabituellement petit ou grand ? Mince et efflanqué, musclé ou trapu ? Son corps est-il symétrique ? Notez les proportions générales du corps et d'éventuelles déformations.

Une très petite taille se voit dans le *syndrome de Turner*, l'*insuffisance rénale de l'enfant*, l'*achondroplasie* et l'*hypopituitarisme* ; des membres longs par rapport au tronc se voient dans l'*hypogonadisme* et le *syndrome de Marfan* ; une diminution de la taille dans l'*ostéoporose* et les tassements vertébraux.

**Poids.** Le patient est-il amaigri, menu, bien en chair, obèse, ou dans un état intermédiaire ? En cas d'obésité, la graisse est-elle répartie de façon homogène, ou est-elle concentrée sur le tronc, la partie supérieure du torse ou les hanches ?

Surcharge graisseuse généralisée dans l'obésité simple, localisée au tronc avec des membres relativement minces dans le *syndrome de Cushing* et le *syndrome métabolique*.

Si possible, pesez le patient sans ses chaussures. Le poids reflète l'apport calorique, et ses variations dans le temps donnent d'autres renseignements précieux. Rappelez-vous que des variations de poids peuvent traduire des variations de l'eau corporelle aussi bien que de la masse musculaire ou des graisses.

Un amaigrissement peut être dû à un *cancer*, un *diabète*, une *hyperthyroïdie*, une *infection chronique*, une *dépression*, un *traitement diurétique* ou un *régime amaigrissant* efficace.

**Calcul de l'IMC.** Utilisez les valeurs de la taille et du poids pour calculer l'*indice de masse corporelle* (IMC). Les graisses de l'organisme sont surtout composées de triglycérides et elles sont stockées sous forme de tissu adipeux sous la peau, dans la paroi abdominale et dans les muscles, impossible à mesurer directement. L'IMC en donne une estimation plus précise que le poids. Notez bien que les valeurs limites de l'IMC pour le surpoids et l'obésité ne sont pas strictes. Elles indiquent plutôt des risques croissants pour la santé et le bien-être du patient, liés à l'excès comme à l'insuffisance de poids. Chez les sujets âgés, le risque de sous-nutrition est très élevé.

## Méthodes de calcul de l'indice de masse corporelle (IMC)

| Unité de mesure | Méthode de calcul |
|---|---|
| Poids en livres (*pounds*) et taille en pouces (*inches*) | (1) Table d'IMC (voir ci-dessous)<br><br>$$(2)\ \dfrac{\left(\dfrac{\text{Poids (livres)} \times 700^{\star}}{\text{Taille (pouces)}}\right)}{\text{Taille (pouces)}}$$ |
| Poids en *kilogrammes* et taille en *mètres carrés* | $$(3)\ \dfrac{\text{Poids (kg)}}{\text{Taille (m}^2)}$$ |
| Pour les deux | (4) Calculateur d'IMC du site : www.nhlbisupport.com/bmi/bmicalc.htm |

\* Plusieurs organismes utilisent 704,5 mais la différence d'IMC est négligeable. Conversions : 2,20 livres = 1 kg ; 1,0 pouce = 2,54 cm ; 100 cm = 1 mètre.

Source : National Institutes of Health and National Heart, Lung and Blood Institute. Body Mass Index Calculator. Accessible sur : http://www.nhlbisupport.com/bmi/bmicalc.htm (visité le 22 janvier 2008).

## Table de l'indice de masse corporelle

| IMC | Normale | | | | | | Surpoids | | | | | Obésité | | | | | | | | | |
|---|---|---|---|---|---|---|---|---|---|---|---|---|---|---|---|---|---|---|---|---|---|
| | 19 | 20 | 21 | 22 | 23 | 24 | 25 | 26 | 27 | 28 | 29 | 30 | 31 | 32 | 33 | 34 | 35 | 36 | 37 | 38 | 39 |
| **Taille (en pouces)** | | | | | | | | | | Poids (en livres) | | | | | | | | | | | |
| 58 | 91 | 96 | 100 | 105 | 110 | 115 | 119 | 124 | 129 | 134 | 138 | 143 | 148 | 153 | 158 | 162 | 167 | 172 | 177 | 181 | 186 |
| 59 | 94 | 99 | 104 | 109 | 114 | 119 | 124 | 128 | 133 | 138 | 143 | 148 | 153 | 158 | 163 | 168 | 173 | 178 | 183 | 188 | 193 |
| 60 | 97 | 102 | 107 | 112 | 118 | 123 | 128 | 133 | 138 | 143 | 148 | 153 | 158 | 163 | 168 | 174 | 179 | 184 | 189 | 194 | 199 |
| 61 | 100 | 106 | 111 | 116 | 122 | 127 | 132 | 137 | 143 | 148 | 153 | 158 | 164 | 169 | 174 | 180 | 185 | 190 | 195 | 201 | 206 |
| 62 | 104 | 109 | 115 | 120 | 126 | 131 | 136 | 142 | 147 | 153 | 158 | 164 | 169 | 175 | 180 | 186 | 191 | 196 | 202 | 207 | 213 |
| 63 | 107 | 113 | 118 | 124 | 130 | 135 | 141 | 146 | 152 | 158 | 163 | 169 | 175 | 180 | 186 | 191 | 197 | 203 | 208 | 214 | 220 |
| 64 | 110 | 116 | 122 | 128 | 134 | 140 | 145 | 151 | 157 | 163 | 169 | 174 | 180 | 186 | 192 | 197 | 204 | 209 | 215 | 221 | 227 |
| 65 | 114 | 120 | 126 | 132 | 138 | 144 | 150 | 156 | 162 | 168 | 174 | 180 | 186 | 192 | 198 | 204 | 210 | 216 | 222 | 228 | 234 |
| 66 | 118 | 124 | 130 | 136 | 142 | 148 | 155 | 161 | 167 | 173 | 179 | 186 | 192 | 198 | 204 | 210 | 216 | 223 | 229 | 235 | 241 |
| 67 | 121 | 127 | 134 | 140 | 146 | 153 | 159 | 166 | 172 | 178 | 185 | 191 | 198 | 204 | 211 | 217 | 223 | 230 | 236 | 242 | 249 |
| 68 | 125 | 131 | 138 | 144 | 151 | 158 | 164 | 171 | 177 | 184 | 190 | 197 | 203 | 210 | 216 | 223 | 230 | 236 | 243 | 249 | 256 |
| 69 | 128 | 135 | 142 | 149 | 155 | 162 | 169 | 176 | 182 | 189 | 196 | 203 | 209 | 216 | 223 | 230 | 236 | 243 | 250 | 257 | 263 |
| 70 | 132 | 139 | 146 | 153 | 160 | 167 | 174 | 181 | 188 | 195 | 202 | 209 | 216 | 222 | 229 | 236 | 243 | 250 | 257 | 264 | 271 |
| 71 | 136 | 143 | 150 | 157 | 165 | 172 | 179 | 186 | 193 | 200 | 208 | 215 | 222 | 229 | 236 | 243 | 250 | 257 | 265 | 272 | 279 |
| 72 | 140 | 147 | 154 | 162 | 169 | 177 | 184 | 191 | 199 | 206 | 213 | 221 | 228 | 235 | 242 | 250 | 258 | 265 | 272 | 279 | 287 |
| 73 | 144 | 151 | 159 | 166 | 174 | 182 | 189 | 197 | 204 | 212 | 219 | 227 | 235 | 242 | 250 | 257 | 265 | 272 | 280 | 288 | 295 |
| 74 | 148 | 155 | 163 | 171 | 179 | 186 | 194 | 202 | 210 | 218 | 225 | 233 | 241 | 249 | 256 | 264 | 272 | 280 | 287 | 295 | 303 |
| 75 | 152 | 160 | 168 | 176 | 184 | 192 | 200 | 208 | 216 | 224 | 232 | 240 | 248 | 256 | 264 | 272 | 279 | 287 | 295 | 303 | 311 |
| 76 | 156 | 164 | 172 | 180 | 189 | 197 | 205 | 213 | 221 | 230 | 238 | 246 | 254 | 263 | 271 | 279 | 287 | 295 | 304 | 312 | 320 |

Source : D'après National Institutes of Health and National Heart, Lung, and Blood Institute: Clinical Guidelines on the Identification, Evaluation and Treatment of Overweight and Obesity in Adults: The Evidence Report. June 1998. Accessible sur : www.nhlbi.nih.gov/guidelines/obesity/bmi_tbl.pdf. Visité le 22 janvier 2008.

Les normes de l'IMC sont issues de deux études : la *National Health Examination Survey*, avec 3 cycles d'enquêtes entre 1960 et 1970, et la *National Health and Nutrition Examination Survey*, avec 3 cycles entre 1970 et 1990.

Il y a plusieurs façons de calculer l'IMC, comme le montre le tableau de la page précédente. Choisissez la méthode qui vous convient le mieux. Le NIH *(National Institutes of Health)* et le NHLBI *(National Heart, Lung and Blood Institute)* signalent que les gens très musclés peuvent avoir un IMC élevé et être bien portants.[7] De même, les IMC des gens peu musclés et dénutris peuvent sembler faussement « normaux ».

Si l'IMC est ≥ 35, mesurez le tour de taille du patient. Chez le patient debout, prenez cette mesure juste au-dessus des hanches. Le patient peut avoir une adiposité si le tour de taille mesure :

- ≥ 88 cm pour les femmes ;

- ≥ 100 cm pour les hommes.

***Taille et poids au cours de la vie.*** Durant l'enfance et l'adolescence, la taille et le poids reflètent les changements comportementaux, cognitifs et physiologiques de la croissance et du développement. Les grandes étapes du développement, les marqueurs des poussées de croissance et les appréciations de la maturation sexuelle se trouvent au chapitre 18 : « Évaluation des enfants : du nouveau-né à l'adolescent ». Avec le vieillissement, certains de ces changements s'inversent, comme décrit au chapitre 20 : « Sujet âgé ». La taille peut diminuer, la posture devenir plus courbée, du fait d'une cyphose dorsale, et l'extension des genoux et des hanches peut diminuer. Les muscles abdominaux peuvent se relâcher, ce qui change le contour de l'abdomen, et la graisse s'accumuler sur les hanches et dans la partie basse de l'abdomen. Pensez à ces modifications quand vous évaluez des patients âgés.

## CONSTANTES VITALES

Vous êtes maintenant prêt à mesurer les *constantes vitales* : pression artérielle, fréquence cardiaque, fréquence respiratoire et température. Ces constantes peuvent être déjà relevées et notées dans le dossier ; si elles sont anormales, il vaut mieux les reprendre vous-même. Vous pouvez aussi les mesurer plus tard, au début de l'examen cardiorespiratoire, mais elles fournissent souvent des premières informations importantes, susceptibles d'orienter votre évaluation.

Contrôlez d'abord la pression artérielle ou la fréquence cardiaque. Si la pression artérielle est élevée, reprenez-la en cours d'examen. Pour la fréquence cardiaque, comptez le pouls radial, avec les doigts, ou les battements cardiaques, avec le stéthoscope posé sur la pointe du cœur. En continuant ces gestes, comptez la fréquence respiratoire à l'insu du patient, parce qu'elle peut se modifier si le patient s'aperçoit qu'elle est comptée. La température

Voir tableau 9-3 : « Anomalies des pouls et des ondes de pression artériels », p. 393. Voir tableau 4-8 : « Anomalies de la fréquence et du rythme respiratoires », p. 137.

est prise avec des thermomètres tympaniques ou des sondes thermiques électroniques. Dans les pages qui suivent, vous trouverez plus de détails pour mesurer précisément les constantes vitales.

# → Pression artérielle

***Choix d'un brassard à tension (sphygmomanomètre).*** Plus de 72 millions d'Américains ont une pression artérielle élevée.[10] Pour détecter une élévation de la pression artérielle, un instrument précis est indispensable. Les appareils à tension ou sphygmomanomètres peuvent être à mercure, anéroïdes ou électroniques. Il existe des procédures internationales pour apprécier leur précision.[11-13]

Prenez le temps de choisir un brassard d'une taille adaptée au bras de votre patient. Suivez les recommandations ci-dessous et conseillez vos patients pour l'achat d'un bon autotensiomètre (ce type d'appareil doit être réétalonné périodiquement).

L'automesure de la pression artérielle par des patients bien éduqués, utilisant des appareils approuvés, améliore le contrôle de la pression artérielle si elle est faite deux fois par jour au membre supérieur, avec des lectures automatiques.[14-16]

## CHOIX D'UN BRASSARD À TENSION ADAPTÉ

✔ La largeur de la chambre gonflable du brassard doit faire environ 40 % de la circonférence du bras (soit 12 à 14 cm pour un adulte moyen).

✔ La longueur de la chambre gonflable doit faire environ 80 % de cette circonférence (c'est-à-dire presque le tour du bras).

✔ Un brassard standard de 12 × 23 cm convient pour une circonférence du bras ≤ 28 cm.

Si le brassard est trop *petit* (étroit), la valeur de la pression artérielle sera trop *élevée* ; s'il est trop *grand* (large), elle sera *basse* sur un petit bras et *élevée* sur un gros bras.

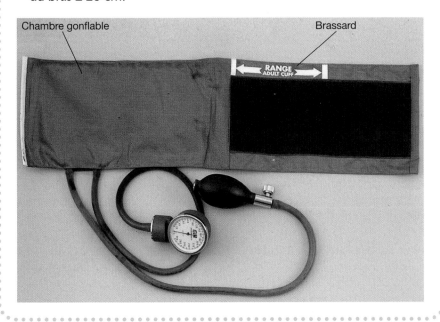

Chambre gonflable          Brassard

***Technique de mesure de la pression artérielle.*[17]** Avant de mesurer la pression artérielle, il faut prendre plusieurs précautions pour que la mesure soit précise. Une bonne technique est importante pour diminuer la variabilité inhérente au patient ou à l'examinateur, au matériel ou à la technique elle-même.

---

### PRÉPARATION À LA PRISE DE LA PRESSION ARTÉRIELLE

✔ Demandez au patient d'éviter de fumer et de boire des boissons caféinées 30 minutes avant la prise de la pression artérielle.

✔ Vérifiez que la pièce est calme et agréablement chauffée.

✔ Demandez au patient de rester assis tranquillement au moins 5 minutes, dans une chaise plutôt que sur le bord de la table d'examen. Le bras doit être maintenu au niveau du cœur.

✔ Assurez-vous que le bras choisi est dénudé. Il ne doit pas y avoir de fistule artérioveineuse de dialyse, de cicatrice de dénudation de l'artère humérale ni de lymphœdème (recherchez un curage ganglionnaire de l'aisselle ou une radiothérapie).

✔ Palpez l'artère brachiale (ou humérale) pour vous assurer de l'existence d'un pouls.

✔ Positionnez le membre supérieur de telle sorte que l'artère brachiale (au pli du coude) soit au niveau du cœur, c'est-à-dire à peu près au niveau du 4e espace intercostal, à la jonction de celui-ci et du sternum.

✔ Si le patient est assis, faites reposer le membre supérieur sur une table, un peu au-dessus de sa taille ; s'il est debout, essayez de le maintenir à mi-poitrine.

---

Si l'artère brachiale (ou humérale) est à 7-8 cm *au-dessous* du cœur, la valeur indiquée de la pression artérielle lue sera trop élevée d'environ 6 cm ; si elle est à 6-7 cm *au-dessus* du cœur, la valeur indiquée sera trop basse de 5 cm.[18, 19]

À présent, vous êtes prêt à mesurer la pression artérielle.

■ Centrez la chambre gonflable sur l'artère brachiale. Le bord inférieur du brassard doit être situé à environ 2,5 cm au-dessus du pli du coude. Ajustez bien la contention du brassard. Fléchissez un peu le coude du patient.

Un brassard trop lâche et une chambre gonflable faisant une hernie à l'extérieur du brassard donnent des chiffres faussement élevés.

■ Pour déterminer jusqu'à quelle valeur il faut gonfler le brassard, appréciez d'abord la pression systolique par la palpation. Tout en palpant l'artère radiale avec les doigts d'une main, gonflez rapidement le brassard, jusqu'à ce que le pouls radial disparaisse. Lisez cette pression sur le manomètre et ajoutez-lui 30 mmHg. Utilisez cette somme comme objectif des gonflements ultérieurs pour éviter la gêne résultant de pressions inutilement élevées du brassard. Cela évite également l'erreur qui peut résulter d'un *trou auscultatoire*, un intervalle silencieux qui peut exister entre la pression systolique et la pression diastolique.

■ Dégonflez rapidement et complètement le brassard et attendez 15 à 30 secondes.

Méconnaître un trou auscultatoire peut conduire à une sous-estimation importante de la pression systolique (150/98 dans l'exemple ci-dessous) ou à une surestimation de la pression diastolique.

■ Placez maintenant le pavillon du stéthoscope au-dessus de l'artère brachiale, en prenant soin de faire une poche d'air avec la totalité de son rebord. Étant donné que les bruits entendus *(bruits de Korotkoff)* ont une tonalité assez grave, on les entend mieux avec le pavillon.

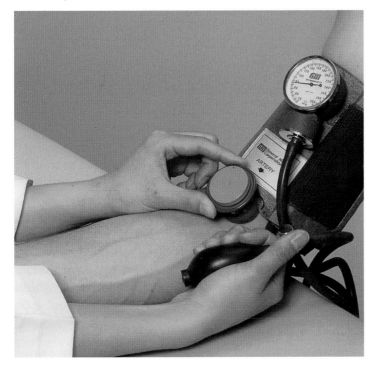

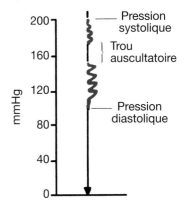

Si vous découvrez un trou auscultatoire, notez soigneusement vos constatations (par exemple, 200/98 avec un trou auscultatoire entre 170 et 150).

Un trou auscultatoire est lié à une rigidité artérielle ou à une athérosclérose.[20]

■ Regonflez rapidement le brassard jusqu'à la valeur déterminée, puis dégonflez-le lentement à raison de 2 ou 3 mmHg par seconde. Notez la valeur à laquelle vous entendez le bruit d'au moins deux battements successifs. C'est la pression systolique.

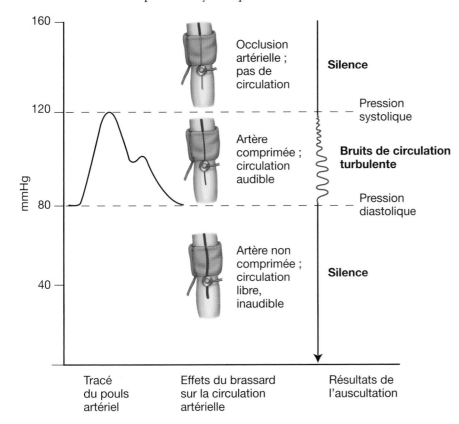

■ Continuez à abaisser lentement la pression, jusqu'à ce que les bruits s'assourdissent puis disparaissent. Pour être sûr de la disparition des bruits, écoutez tandis que la pression diminue de 10 à 20 mmHg supplémentaires. Dégonflez alors rapidement le brassard jusqu'à 0. Le point de disparition, habituellement situé quelques mmHg seulement en dessous du point d'assourdissement, vous donne la meilleure estimation de la pression diastolique véritable chez les adultes.

Chez certains sujets, le point d'assourdissement et le point de disparition sont plus éloignés l'un de l'autre. Parfois, comme dans l'insuffisance aortique, les bruits ne disparaissent jamais. S'il y a plus de 10 mmHg de différence, notez les deux chiffres (par exemple, 154/80/68).

■ Lisez les valeurs des pressions systolique et diastolique à 2 mmHg près. Attendez 2 minutes ou plus et recommencez. Faites la moyenne de vos mesures. Si les deux premières mesures diffèrent de plus de 5 mmHg, effectuez d'autres mesures.

■ Quand vous utilisez un sphygmomanomètre à mercure, maintenez le manomètre verticalement (à moins que vous n'utilisiez un modèle orientable sur pied) et faites toutes les lectures en gardant l'œil à hauteur du ménisque. Quand vous utilisez un instrument anéroïde, maintenez le cadran directement en face de vous. Évitez de gonfler le brassard de façon lente ou rapprochée car la congestion veineuse qui en résulte peut fausser les mesures.

En rendant les bruits moins audibles, une congestion veineuse peut provoquer des artéfacts tels qu'une pression systolique basse ou diastolique élevée.

■ Vous devez prendre la pression artérielle aux deux bras au moins une fois. Il peut exister une différence de pression de 5 mmHg entre les deux bras ; cette différence est normale jusqu'à 10 mmHg. Les mesures ultérieures seront faites au bras ayant la pression la plus élevée.

Une différence de pression de plus de 10-15 mmHg suggère un *syndrome du vol sous-clavier* ou une *dissection aortique*.

### Classification de la pression artérielle normale et anormale.

Dans son 7e rapport de 2003, le JNC *(Joint National Committee)* pour la prévention, la détection, l'évaluation et le traitement de l'hypertension artérielle a recommandé d'utiliser la moyenne de deux mesures ou plus de la pression artérielle (PA), prises en position assise, à deux consultations ou plus, pour poser le diagnostic d'hypertension artérielle.[17] La mesure de la PA doit être contrôlée à l'autre bras.

Ce comité a défini quatre niveaux d'hypertension systolique et diastolique. Notez que chaque composante peut être élevée de façon indépendante.

| Classification de la pression artérielle du JNC VII pour les adultes (> 18 ans) | | |
|---|---|---|
| Catégorie | PA systolique (mmHg) | PA diastolique (mmHg) |
| Normale | < 120 | < 80 |
| Préhypertension | 120-139 | 80-89 |
| Hypertension | | |
| Stade 1 | 140-159 | 90-99 |
| Stade 2 | ≥ 160 | ≥ 100 |

Notez que l'objectif de la pression artérielle est < 130/80 mmHg chez les hypertendus, les diabétiques et les malades rénaux.

L'évaluation d'une hypertension artérielle inclut aussi celle de ses effets sur les organes cibles : yeux, cœur, cerveau et reins. Cherchez une rétinopathie hypertensive, une hypertrophie ventriculaire gauche, des déficits neurologiques évoquant un accident vasculaire cérébral. L'étude des reins nécessite des examens urinaires et sanguins de la fonction rénale.

Quand la PA systolique et la PA diastolique appartiennent à des catégories différentes, retenez la catégorie la plus haute. Par exemple, 170/92 mmHg est une hypertension de stade 2 ; 135/100 mmHg une hypertension de stade 1. Dans l'*hypertension systolique isolée*, la PA systolique est ≥ 140 mmHg et la PA diastolique < 90 mmHg.

**Patient hypertendu avec une inégalité de PA entre membres supérieurs et inférieurs.** Pour déceler une coarctation aortique, faites deux mesures de PA supplémentaires au moins une fois chez tout patient hypertendu :

- comparez les PA des bras et des cuisses ;

- comparez la force et la chronologie des pouls radiaux et fémoraux. Normalement, les pouls sont égaux et synchrones.

Pour déterminer la pression artérielle au membre inférieur, utilisez un brassard de cuisse, long et large, dont la chambre gonflable mesure 18 × 42 cm. Appliquez-le à mi-cuisse, et centrez la chambre gonflable sur la face postérieure ; attachez-le et auscultez l'artère poplitée. Si possible, le patient doit être couché sur le ventre. Vous pouvez aussi demander au patient couché sur le dos de fléchir un peu le membre inférieur, le talon reposant sur le lit. Quand on utilise des brassards de taille appropriée pour la cuisse et le bras, les pressions doivent être égales aux deux endroits (si on utilisait un brassard de bras pour la cuisse, on obtiendrait une valeur faussement élevée).

# → Fréquence et rythme cardiaques

Examinez les pouls artériels, la fréquence et le rythme cardiaques, et l'amplitude et la forme de l'onde de pouls.

***Fréquence cardiaque.*** On utilise le pouls radial pour compter la fréquence cardiaque. Comprimez l'artère radiale avec la pulpe de l'index et du majeur jusqu'à ce que vous détectiez une pulsation maximale. Si le rythme est régulier et que la fréquence paraît normale, comptez la fréquence durant 30 secondes et multipliez par 2. Si la fréquence est anormalement rapide ou lente, comptez-la sur 60 secondes. Les valeurs normales vont de 50 à 90 battements par minute.[24]

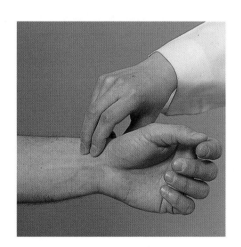

Le traitement de l'*hypertension artérielle systolique isolée* des patients de 60 ans et plus réduit la mortalité globale et la mortalité ainsi que les complications dues à la maladie cardiovasculaire.[21, 22]

La *coarctation de l'aorte* est un rétrécissement de l'aorte thoracique, le plus souvent en amont, mais parfois en aval de l'origine de l'artère sous-clavière gauche.

La *coarctation de l'aorte* et la *maladie oblitérante de l'aorte* se caractérisent par une hypertension aux membres supérieurs et une hypotension aux membres inférieurs ainsi que par une diminution et un retard des pouls fémoraux.[23]

***Rythme cardiaque.*** Pour commencer, palpez le pouls radial. S'il présente des irrégularités, vérifiez le rythme cardiaque en auscultant à la pointe du cœur. Les contractions cardiaques prématurées ne sont pas toujours détectées en périphérie, ce qui fait que le rythme cardiaque peut être très sous-estimé. Le rythme est-il régulier ou irrégulier ? S'il est irrégulier, essayez d'établir son type : (1) les contractions prématurées surviennent-elles au sein d'un rythme de base régulier ? (2) l'irrégularité est-elle liée à l'inspiration ? (3) le rythme est-il tout à fait anarchique ?

Des niveaux relativement bas de pression artérielle doivent toujours être interprétés en fonction des mesures antérieures et de l'état actuel du patient.

Si c'est indiqué, évaluez la *pression artérielle orthostatique ou posturale* (voir chapitre 20 : « Sujet âgé », p. 961). Mesurez la PA et la fréquence cardiaque dans deux positions : *couchée* après un repos d'une dizaine de minutes, puis *debout*, dans les 3 minutes suivant le lever. Normalement, quand le patient passe de la position couchée à la position debout, la PA systolique diminue un peu ou reste inchangée, tandis que la PA diastolique augmente un peu. On parle d'hypotension orthostatique quand la baisse de la PA systolique est ≥ 20 mmHg ou quand celle de la PA diastolique est ≥ 10 mmHg dans les 3 minutes suivant le lever.[25, 26]

Voir tableau 9-1 : « Fréquences et rythmes cardiaques sélectionnés », p. 391, et tableau 9-2 : « Rythmes irréguliers sélectionnés », p. 392.

Une pression de 110/70 mmHg peut être normale, mais elle peut aussi indiquer une hypotension significative chez un malade dont la pression était auparavant élevée.

Une chute de la pression systolique de 20 mmHg ou plus, surtout si elle s'accompagne de symptômes et de tachycardie, indique une *hypotension orthostatique (posturale)*. Ses causes comprennent certains médicaments, une spoliation sanguine modérée à sévère, un repos prolongé au lit, et des maladies du système nerveux autonome.

## → Fréquence et rythme respiratoires

Observez la *fréquence*, le *rythme*, l'*amplitude* et l'*aisance* de la respiration. Comptez le nombre de respirations sur 1 minute par l'inspection ou l'auscultation non appuyée de la trachée, avec votre stéthoscope, au cours de l'examen de la tête et du cou ou du thorax. Normalement un adulte respire 14 à 20 fois par minute, de façon calme et régulière. Un soupir épisodique est normal. Notez si l'expiration est prolongée.

Voir tableau 4-8 : « Anomalies de la fréquence et du rythme respiratoires », p. 137.

Expiration prolongée dans la MPCO.

## → Température

La *température buccale* normale, classiquement de 37 °C, varie considérablement. Tôt le matin, elle peut descendre à 35,8 °C et tard dans l'après-midi ou en soirée monter à 37,3 °C. Les *températures rectales* moyennes se situent à 0,4-0,5 °C *au-dessus* des températures buccales, mais la différence est très variable. En revanche, les *températures axillaires* sont *plus basses* que les températures buccales d'environ 1 °C, mais elles demandent 5 à 10 minutes pour leur mesure et sont considérées, en général, comme moins précises que les autres.

La fièvre ou pyrexie désigne une élévation de la température corporelle. On parle d'*hyperthermie majeure* pour des températures supérieures à 41 °C et d'*hypothermie* pour des températures anormalement basses, en dessous de 35 °C, par voie rectale.

La plupart des patients préfèrent la mesure de la température buccale à celle de la température rectale, mais la prise de la température buccale est déconseillée chez les patients inconscients, agités ou incapables de fermer la bouche. Les mesures peuvent être imprécises et les thermomètres cassés par des mouvements intempestifs des mâchoires du patient.

*Température buccale.* La *température buccale* peut être prise avec des thermomètres en verre ou électroniques. Si vous utilisez un *thermomètre en verre*, secouez-le pour abaisser le niveau en dessous de 35 °C. Placez le thermomètre sous la langue du patient, demandez à celui-ci de fermer les lèvres et attendez 3 à 5 minutes. Puis lisez le thermomètre, remettez-le en place une minute, et relisez-le. Si la température continue à monter, recommencez jusqu'à ce qu'elle soit stable. Notez que les liquides chauds et froids, et même une cigarette peuvent fausser la mesure de la température. Dans ce cas, il vaut mieux retarder la prise de température de 10 à 15 minutes. À cause de leur fragilité et de l'intoxication au mercure, les thermomètres de verre sont remplacés par des thermomètres électroniques.

*Thermomètres électroniques.* Si vous utilisez un thermomètre électronique, recouvrez soigneusement la sonde avec une protection à usage unique et placez le thermomètre sous la langue. Demandez au patient de rapprocher les lèvres et attendez la fin de la mesure ; une température précise s'obtient en une dizaine de secondes.

*Température rectale.* Pour la *température rectale*, demandez au patient de se coucher sur le côté, les hanches fléchies. Choisissez un thermomètre rectal, lubrifiez son extrémité mince et enfoncez-le de 3 à 4 cm dans le canal anal, en direction de l'ombilic. Retirez-le au bout de 3 minutes et lisez. Vous pouvez aussi utiliser un thermomètre électronique après avoir bien lubrifié la protection de la sonde. Attendez une dizaine de secondes l'apparition de l'enregistrement de l'affichage digital.

*Température tympanique.* Prendre la *température du tympan* est une pratique de plus en plus répandue ; elle est rapide, sûre et fiable si elle est correctement exécutée. Vérifiez l'absence de cérumen dans le conduit auditif externe (le cérumen abaisserait la valeur). Placez la sonde dans le canal de telle sorte que le faisceau d'infrarouges vise le tympan (sinon la mesure ne sera pas valable). Attendez 2 à 3 secondes l'apparition de l'affichage digital. Cette méthode mesure la température centrale du corps, qui est en général plus haute que la température buccale normale d'environ 0,8 °C. Les températures tympaniques varient plus que les températures buccales ou rectales, y compris entre l'oreille droite et l'oreille gauche chez le même individu.[27]

# ➜ Cas particuliers

*Bruits de Korotkoff faibles ou inaudibles.* Pensez à des difficultés techniques telles qu'une mauvaise position de votre stéthoscope, un défaut d'adhérence complète du pavillon à la peau et un engorgement veineux du

---

Les fréquences respiratoires rapides tendent à accroître la différence entre les températures buccale et rectale. La température rectale est plus fiable dans ce cas.

Les causes de *fièvre* comprennent les infections, les traumatismes (chirurgie, écrasement), les cancers, les affections hématologiques (comme une anémie hémolytique aiguë), les réactions à des médicaments, les collagénoses et autres troubles immunitaires.

La principale cause d'*hypothermie* est l'exposition au froid. Les autres causes favorisantes sont une activité motrice diminuée (par exemple, lors d'une paralysie), une vasoconstriction (due à l'alcool ou à une maladie infectieuse), le jeûne, l'hypothyroïdie et l'hypoglycémie. Les sujets âgés sont plus enclins à l'hypothermie, et moins à la fièvre.

bras du patient à la suite de gonflements répétés du brassard. Pensez aussi à la possibilité d'un état de choc.

Si vous n'arrivez pas à entendre les bruits de Korotkoff, vous pouvez mesurer la pression systolique par la palpation. Il peut être nécessaire d'utiliser d'autres méthodes telles que la technique Doppler ou la prise de pression « sanglante ».

Pour augmenter l'intensité des bruits de Korotkoff, l'une des techniques suivantes peut être utile :

- levez le bras du patient avant et pendant que vous gonflez le brassard. Puis abaissez son bras et mesurez la pression artérielle ;

- gonflez le brassard. Demandez au patient de serrer le poing plusieurs fois, puis mesurez la pression artérielle.

***Arythmies.*** Des rythmes irréguliers produisent des variations de pression et par conséquent des mesures non fiables. On négligera les effets d'une extrasystole occasionnelle. Lorsque les extrasystoles sont fréquentes et en cas de fibrillation auriculaire, on prendra la moyenne de plusieurs mesures et on notera que les mesures sont approximatives. Vérifiez vos trouvailles avec un électrocardiogramme.

La perception d'un rythme cardiaque anarchique indique une *fibrillation auriculaire*. Pour toutes les autres arythmies, un ECG est indispensable pour identifier le trouble du rythme.

***Hypertension de la blouse blanche.*** L'« hypertension de la blouse blanche », en général de l'ordre de 140/90 mmHg, désigne l'hypertension des personnes qui ont des valeurs de PA plus élevées en consultation qu'à la maison ou dans des endroits où ils sont plus décontractés. Ce phénomène affecte 10 à 25 % des patients, surtout les femmes et les sujets anxieux, et il peut persister à plusieurs consultations. Essayez de détendre le patient et remesurez la PA plus tard au cours de la consultation.

Une hypertension à la maison ou au cabinet médical (s'il ne s'agit pas d'une « hypertension de la blouse blanche ») indique un risque accru de maladie cardio-vasculaire.[28-31]

***Patient obèse ou très mince.*** Pour le bras obèse, il importe d'utiliser un brassard large de 15 cm. Si la circonférence du bras dépasse 41 cm, utilisez un brassard de cuisse de 18 cm. Pour un bras très mince, un brassard pédiatrique peut être indiqué.

L'utilisation d'un brassard trop petit surestime la pression artérielle chez les patients obèses.[32]

# → Douleur aiguë et chronique

***Compréhension de la douleur aiguë et chronique.*** L'IASP *(International Association for the Study of Pain)* définit la *douleur* comme « une expérience sensorielle et émotionnelle désagréable » associée à des lésions tissulaires et/ou décrite en des termes évoquant de telles lésions. L'expérience de la douleur est complexe et multifactorielle. La douleur a des composantes sensorielles, émotionnelles et cognitives mais peut ne pas avoir de cause organique précise.[1]

Une douleur chronique peut être associée à une maladie mentale ou à une affection somatique. Voir chapitre 5 : « Comportement et état mental », « Symptômes et comportement », p. 140-144.

La *douleur chronique* est définie de plusieurs façons : une douleur qui n'est pas associée à un cancer ou à une autre affection médicale, et qui dure plus de 3 à 6 mois ; une douleur qui persiste plus de 1 mois après la guérison d'une maladie aiguë ou une blessure ; ou encore une douleur récidivant à plusieurs mois ou années de distance.[33] Des douleurs chroniques non cancéreuses affectent 5 à 33 % des patients vus en soins primaires. Plus de 40 % des patients rapportent que leurs douleurs sont mal contrôlées.[34]

***Évaluation de l'histoire du patient.*** Adoptez une approche exhaustive pour comprendre la douleur du patient : écoutez soigneusement la description que le patient fait des caractéristiques de la douleur et de ses facteurs favorisants. Acceptez le récit du patient, qui est, d'après les experts, le meilleur indicateur de sa douleur.[1]

**Localisation.** Demandez au patient de montrer du doigt le siège de la douleur, parce que les termes courants ne sont pas assez précis pour la localiser.

**Intensité.** L'évaluation de l'intensité de la douleur est particulièrement importante. Employez une méthode fiable pour déterminer cette intensité. Trois échelles sont fréquemment utilisées : l'échelle visuelle analogique (EVA), et deux échelles utilisant des cotations de 1 à 10, l'échelle numérique et l'échelle des visages. Il existe aussi des outils multidimensionnels comme l'inventaire court de la douleur ; ils demandent plus de temps, mais ils apprécient les répercussions de la douleur sur le niveau d'activité du patient.[35] L'échelle des visages est reproduite ci-dessous, parce qu'elle est utilisable aussi bien chez les enfants que chez les patients qui ont des barrières linguistiques ou des troubles cognitifs.[36]

1. Expliquez à l'enfant que chaque visage appartient à une personne qui est heureuse parce qu'elle n'a pas mal (n'éprouve pas de douleur) ou se sent triste parce qu'elle a un peu ou très mal.
2. Indiquez le visage et l'état correspondant :
   « Ce visage montre quelqu'un qui… » :
   0 – « est très heureux parce qu'il n'a pas mal du tout »
   1 – « a juste un peu mal »
   2 – « a un peu plus mal »

3 – « a encore plus mal »
4 – « a très mal »
5 – « a tellement mal qu'il pleure » (mais tu peux avoir aussi mal que lui sans pleurer pour autant)

3. Demandez à l'enfant de choisir le visage qui décrit le mieux ce qu'il ressent. Précisez l'origine de la douleur (par exemple, une piqûre ou une coupure) et son moment (par exemple, maintenant ? avant le repas ?).

Adapté avec autorisation de : Wong DL, Hockenberry-Eaton M, Wilson D, Winkelstein ML, Schwartz P. Wong's Essentials of Pediatric Nursing, 6th ed. St. Louis, 2001: 1301. Copyrighted by Mosby, Inc.

**Autres caractéristiques.** Demandez au patient de décrire la douleur et comment elle a commencé. Est-elle en relation avec un traumatisme, un mouvement, un moment de la journée ? Quelle est sa qualité : vive, sourde, à type de brûlure ? Irradie-t-elle ou a-t-elle un trajet particulier ? Qu'est-ce qui l'améliore ou l'aggrave ? Recherchez les sept attributs de la douleur, comme vous le feriez pour tout autre symptôme.

Voir chapitre 3, les sept attributs d'un symptôme, p. 65.

**Traitements essayés, médicaments, maladies liées, et impact sur les activités quotidiennes.** N'oubliez pas de demander tous les traitements que le patient a essayés, à savoir les médicaments, la kinésithérapie, et les médecines alternatives. Un inventaire complet des médicaments pris vous permet de reconnaître ceux qui présentent des interactions avec les analgésiques et diminuent leur efficacité.

Identifiez toutes les comorbidités, telles que le rhumatisme, le diabète, l'infection à VIH/SIDA, les toxicomanies, la drépanocytose, ou les troubles psychiatriques. Elles peuvent avoir des effets importants sur l'expérience de la douleur du patient.

La douleur chronique est la principale cause d'invalidité et de manque de performance au travail. Renseignez-vous sur les répercussions qu'a la douleur sur les activités quotidiennes, l'humeur, le sommeil, et la vie sexuelle du patient.

**Disparités sanitaires.** Ayez conscience des disparités dans le traitement de la douleur et l'accès aux soins, qui vont de l'utilisation moindre des analgésiques chez les Afro-Américains et les Hispaniques dans les services d'urgence à l'utilisation inégale des analgésiques dans le cancer, en postopératoire et dans les lombalgies.[33] Des études montrent que les stéréotypes cliniques, les barrières linguistiques et les préjugés inconscients du clinicien dans la prise de décision contribuent à ces disparités. Analysez votre mode de communication, cherchez des renseignements et les meilleurs standards de pratiques, et améliorez vos techniques d'éducation et de responsabilisation du patient ; ce sont les premières étapes pour prendre en charge la douleur de façon uniforme et efficace.

Voir le rapport de l'*Institute of Medicine* : « *Unequal treatment : confronting racial and ethnic disparities in health care* », 2002.[37]

***Types de douleur.*** Prenez connaissance des récentes avancées scientifiques dans la compréhension des mécanismes de la douleur, qui sont décrits dans d'excellents modules accessibles en ligne.[1, 33, 38] Revoyez les différents types de douleur, résumés dans l'encadré ci-dessous, afin de faciliter le diagnostic et le traitement de la douleur.

---

### TYPES DE DOULEUR [1, 33, 39]

| | |
|---|---|
| **Douleur nociceptive ou somatique** | La douleur liée à des lésions tissulaires est dite *nociceptive* ou *somatique*. La douleur nociceptive peut être aiguë et intermittente ou chronique et permanente. Elle est déclenchée par des stimuli nocifs, véhiculée par les fibres afférentes A-delta et C du système sensitif, et modulée par des neurotransmetteurs et des mécanismes psychiques. Les neurotransmetteurs qui la modulent comprennent des endorphines, l'histamine, l'acétylcholine et les monoamines (sérotonine, noradrénaline et dopamine). Les médiateurs de l'inflammation peuvent avoir un effet potentialisateur. |

*(suite)*

---

| | |
|---|---|
| **Douleur neuropathique** | La douleur due à l'atteinte directe du système nerveux central ou périphérique est dite *neuropathique*. La douleur neuropathique peut évoluer indépendamment de la lésion qui l'a provoquée, devenir à type de brûlure, d'élancement ou de choc électrique, et persister après cicatrisation de la lésion initiale. Les mécanismes invoqués pour l'expliquer comprennent les lésions du cerveau ou de la moelle épinière après un accident vasculaire ou un traumatisme ; les affections du système nerveux périphérique qui compriment ou envahissent des nerfs rachidiens, des plexus ou des nerfs périphériques ; et les syndromes de douleur projetée, avec des réactions douloureuses accrues et prolongées à des stimuli déclenchants. Ces stimuli semblent modifier la voie de signalisation de la douleur par l'intermédiaire du phénomène de « plasticité neuronale », ce qui entraîne la persistance de la douleur après cicatrisation de la lésion initiale.[33] |
| **Douleur psychogène et douleur idiopathique** | La *douleur psychogène* est liée aux nombreux facteurs qui influent sur la façon dont la douleur est rapportée par le patient : affections psychiatriques, telles que l'anxiété ou la dépression, la personnalité et la capacité d'adaptation, les normes culturelles et les soutiens sociaux. La *douleur idiopathique* est une douleur sans étiologie identifiable. |

***Traitement de la douleur.*** Le traitement de la douleur nécessite une connaissance détaillée des thérapeutiques antalgiques – analgésiques non morphiniques, morphiniques, autres, thérapies comportementales, kinésithérapie – qui sort du cadre de cet ouvrage. Cherchez à vous former aux traitements de la douleur, lisez des articles médicaux sur les problèmes et les progrès de la lutte contre la douleur.[3, 34, 40] Les cliniciens sont souvent réticents pour administrer des stupéfiants parce qu'ils craignent d'induire une toxicomanie. Servez-vous des définitions suivantes, et utilisez des outils de dépistage validés pour l'évaluation des opiacés chez les patients algiques.[41, 42]

Concentrez-vous sur les *quatre A* pour surveiller l'évolution du patient :

- *Analgésie*

- *Activités de la vie quotidienne*

- *Effets indésirables* (en anglais, Adverse effects)

- *Comportements Aberrants liés aux médicaments*

## TOLÉRANCE, DÉPENDANCE PHYSIQUE ET ADDICTION[43]

**Tolérance :** état d'adaptation dans lequel l'exposition à une substance induit des changements qui entraînent une diminution d'un ou de plusieurs effets de cette substance avec le temps.

**Dépendance physique :** état d'adaptation qui se manifeste par un syndrome de sevrage spécifique si la prise de la substance est arrêtée brusquement, si sa posologie est réduite rapidement, si le taux sérique de la substance diminue et/ou si un antagoniste est administré.

**Addiction (ou dépendance psychologique) :** maladie neurobiologique chronique primitive, dont l'apparition et les manifestations sont influencées par des facteurs génétiques, psychosociaux et environnementaux. Elle se caractérise par un ou plusieurs des comportements suivants : perte de contrôle de l'utilisation de la substance, utilisation compulsive, persévérance malgré les effets néfastes, et désir irrépressible de consommer la substance *(craving)*.

## CONSIGNER VOS OBSERVATIONS

Vos notes sur l'examen physique commencent en général par la description de l'aspect du patient, fondée sur l'examen général. Notez qu'au début vous pouvez faire des phrases pour décrire vos constatations ; plus tard, vous utiliserez des phrases courtes. Le style ci-dessous emploie des phrases convenant à la plupart des rapports écrits.

### Consigner l'examen physique : l'examen général et les signes vitaux

Choisissez des adjectifs clairs et pittoresques, comme si vous décriviez une peinture avec des mots. Évitez les clichés tels que « bien développé » ou « bien nourri » ou « pas en détresse vitale », parce qu'ils peuvent s'appliquer à n'importe quel patient et n'apportent rien de plus sur le patient qui est devant vous.

Consignez les valeurs des constantes vitales pendant votre examen. Elles sont préférables à celles relevées plus tôt par d'autres soignants (les abréviations courantes pour la pression artérielle, la fréquence cardiaque et la fréquence respiratoire sont admises).

« Mme Scott est une femme jeune, apparemment bien portante, soignée, en forme et de bonne humeur. Taille = 1,62 m, poids = 61 kg, IMC = 24, PA = 120/80, FC = 72, régulière, FR = 16, température = 37,5 °C. »

**Ou**

« M. Jean est un homme très âgé qui semble pâle et malade. Il est conscient, avec un bon contact oculaire mais incapable de prononcer plus de deux ou trois mots à la suite parce qu'il est essoufflé. Il a un tirage intercostal et se tient droit dans le lit. Il est mince, avec une fonte musculaire diffuse. Taille = 1,87 m, poids = 79,5 kg, PA = 160/95, FC = 108, irrégulière, FR = 38, pénible, température = 38,4 °C. »

Suggère une poussée de *maladie pulmonaire chronique obstructive* (MPCO).

## Bibliographie

### RÉFÉRENCES

1. American Medical Association. Pain Management: The Online Series. Module 1.Pathophysiology of Pain and Pain Assessment. September 2007. Available at: http://www.ama-cmeonline. com/pain_mgmt/. Accessed January 19, 2008.

2. Upshur CC, Luckmann RS, Savageau JA. Primary care provider concerns about management of chronic pain in community clinic populations. J Gen Int Med 21(6):652–655, 2006.

3. Sinatra R. Opioid analgesics in primary care: challenges and new advances in the management of noncancer pain. J Am Board Fam Med 19(2):165–167, 2006.

4. Surgeon Genera l, U.S. Department of Health and Human Services. Surgeon General's Call to Action to Prevent and Decrease Overweight and Obesity. Overweight and Obesity:

At a Glance. Available at: http://www.surgeongeneral.gov/ topics/obesity/calltoaction/fact_glance.htm. Accessed January 19, 2008.

5. McTigue KM, Harris R, Hemphill B, et al. Screening and interventions for obesity in adults: summary of the evidence for the U.S. Preventive Services Task Force. Ann Intern Med 139(11):933–949, 2003.

6. Hossain P, Kawar B, El Hahas M. Obesity and diabetes in the developing world: a growing challenge. N Engl J Med 356(3):213–215, 2007.

7. National Institutes of Health and National Heart, Lung, and Blood Institute. Clinical Guidelines on the Identification, Evaluation, and Treatment of Overweight and Obesity in

# BIBLIOGRAPHIE

Adults. Available at: http://www.nhlbi.nih.gov/guidelines/obesity/ob_home.htm. Accessed January 19, 2008.

8. U.S. Preventive Services Task Force. Screening for Obesity in Adults: Recommendations and Rationale. Rockville, MD, Agency for Healthcare Research and Quality, November 2003. Available at: http://www.ahrq.gov/clinic/3rduspstf/obesity/obesrr.htm. Accessed January 19, 2008.

9. U.S. Department of Health and Human Services and U.S. Department of Agriculture. Dietary Guidelines for Americans 2005. Available at:http://www.health.gov/dietaryguidelines/dga2005/document/pdf/DGA2005.pdf. Accessed January 19, 2008.

10. American Heart Association. Heart Disease and Stroke Statistics, 2007 Update. Available at: http://www.americanheart.org/downloadable/heart/1166712318459HS_StatsInsideText.pdf) and Cardiovascular Disease Statistics. Available at: http://www.americanheart.org/presenter.jhtml?identifier=4478). See also: National Center for Health Statistics. Fast Stats A to Z. Available at:http://www.cdc.gov/nchs/fastats/heart.htm. Accessed December 2, 2007.

11. O'Brien E, Asmar R, Beilin L, et al. European Society of Hypertension recommendations for conventional, ambulatory, and more blood pressure measurement. J Hypertens 21(5):821–848, 2005.

12. O'Brien E, Pickering T, Asmar R, et al. International protocol for validation of blood pressure measuring devices in adults. Blood Press Monit 7(1):3–17, 2002.

13. O'Brien E, Waider B, Parati G, et al. Blood pressure measuring devices: recommendations of the European Society of Hypertension. BMJ 322(7285):531–536, 2001.

14. Verberk WJ, Kroon AA, Kessles AGH, et al. Home blood pressure measurement: a systematic review. J Am Coll Cardiol 46(5):743–751, 2005.

15. McManus RJ, Mant J, Roalfe A, et al. Targets and self monitoring in hypertension: randomized controlled trial and cost effectiveness analysis. BMJ 331(7515):493, epub 2005.

16. Bakx JC, van der Wel MC, van Weel. Self monitoring of high blood pressure. BMJ 331(7515):466–467, 2005.

17. Chobanian AV, Bakris GL, Black HR, et al. The Seventh Report of the Joint National Committee on Prevention, Detection, Evaluation, and Treatment of High Blood Pressure—The JNC 7 Report. JAMA 289(19):2560–2572, 2003. Available at:http:// www.nhlbi.nih.gov/guidelines/hypertension/jnc7full.pdf. Accessed January 20, 2008.

18. McGee S. Blood pressure. In: Evidence-Based Physical Diagnosis, 2nd ed. St. Louis: Saunders, 2007:153–173.

19. Mitchell PL, Parlin RW, Blackburn H. Effect of vertical displacement of the arm on indirect blood-pressure measurements. N Engl J Med 271:72–74, 1064.

20. Cavallini MC, Roman MJ, Blank SG, et al. Association of the auscultatory gap with vascular disease in hypertensive patients. Ann Intern Med 124(10):877–883, 1996.

21. Chaudhry SI, Krumholz HM, Foody JM. Systolic hypertension in older persons. JAMA 292(9):1074–1080, 2004.

22. Chobanian A. Isolated systolic hypertension in the elderly. N Engl J Med 357(8):789–796, 2007.

23. Brickner ME, Hillis LD, Lange RA. Congenital heart disease in adults: first of two parts. N Engl J Med 342(2):256–263, 2000.

24. Spodick DH. Normal sinus heart rate: appropriate rate thresholds for sinus tachycardia and bradycardia. South Med J 89(7):666–667, 1996.

25. Carslon JE. Assessment of orthostatic blood pressure: measurement technique and clinical applications. South Med J 92(2):167–173, 1999.

26. Consensus Committee of the American Autonomic Society and the American Academy of Neurology. Consensus statement on the definition of orthostatic hypotension, pure autonomic failure, and multiple system atrophy. Neurology 46(5):1470, 1996.

27. McGee S. Chapter 16, Temperature. In Evidence-Based Physical Diagnosis, 2nd ed. St. Louis: Saunders, 2007:174–186.

28. Bobrie G, Genes N, Vaur L, et al. Is "isolated home" hypertension as opposed to "isolated office" hypertension a sign of greater cardiovascular risk? Arch Int Med 161(18):2205–2211, 2001.

29. Clement DL, De Buysere ML, DeBacquer DA, et al. Prognostic value of ambulatory blood-pressure recordings in patients with treated hypertension. N Engl J Med 348(24):2407–2415, 2003.

30. Rickerby J. The role of home blood pressure measurement in managing hypertension: an evidence-based review. J Hum Hypertens 16(7):469–472, 2002.

31. Pickering TG, Shimbo D, Hass D. Ambulatory blood pressure monitoring. N Engl J Med 354(22):2368–2374, 2006.

32. Fonseca-Reyes S, de Alba-García JG, Parra-Carrillo JZ, et al. Effect of standard cuff on blood pressure readings in patients with obese arms: how frequent are arms of a 'large circumference'? Blood Press Monit 8(3):101–106, 2003.

33. American Medical Association. Pain Management: The Online Series. Pathophysiology of pain and pain assessment. Module 7— Assessing and Treating Persistent Nonmalignant Pain: an overview. September 2007. Available at: http://www.ama-cmeonline.com/pain_mgmt/. Accessed January 19, 2008.

34. Nicholson B, Passik SD. Management of chronic noncancer pain in the primary care setting. South Med J 100(10): 1028–1036, 2007.

35. Daut RL, Cleeland CS, Flanery RC. Development of the Wisconsin Brief Pain Questionnaire to assess pain in cancer and other diseases. Pain 17(2):197–210, 1983.

36. Bieri D, Reeve R, Champion GD, et al. The Faces Pain Scale for the self-assessment of the severity of pain experienced by children: development, initial validation and preliminary investigation for ratio scale properties. Pain 41(2):139–150, 1990.

37. Smedley BR, Stith AY, Nelson AR (eds). Committee on Understanding and Eliminating Racial and Ethnic Disparities in Health Care. Unequal Treatment: Confronting Racial and Ethnic Disparities in Health Care. Washington, DC: National Academies Press, 2002.

38. American Medical Association. Pain Management: The Online Series. Pathophysiology of pain and pain assessment. Module 3. Pain management: Barriers to Pain Management & Pain in Special Populations. September 2007. Available at: http://www. ama-cmeonline.com/pain_mgmt/. Accessed January 19, 2008.

39. Foley K. Opioids and chronic neuropathic pain. N Engl J Med 348(13):1279–1280, 2003.

40. Gilron I, Watson PN, Cahill CM, et al. Neuropathic pain: a practical guide for the clinician. CMAJ 175(3):256–275, 2006.

41. Butler SF, Budman SH, Fernandez K, et al. Validations of a screener and opioid assessment measure for patients with chronic pain. Pain 112(1–2):65–75, 2004.

42. Webster LR, Webster RM. Predicting aberrant behaviors in opioid-treated patients: preliminary validation of the Opioid Risk Tool. Pain Med 6(6):432–442, 2005.

43. American Pain Society. Definitions Related to the Use of Opioids for the Treatment of Pain. A consensus statement from the American Academy of Pain Medicine, the American Pain Society, and the American Society of Addiction Medicine, 2001. Available at: http://www.ampainsoc.org/advocacy/opioids2.htm. Accessed January 20, 2008.

## AUTRES LECTURES

### Poids et nutrition

American Academy of Family Physicians. Nutrition Screening Initiative. Available at: http://www.aafp.org/afp/980301ap/edits.html. Accessed June 8, 2008.

Ashar BH, Rowland Seymour A. Advising patients who use dietary supplements. Am J Med 121(12):91–97, 2008.

Ashen MD, Blumenthal RS. Low HDL cholesterol levels. N Engl J Med 353(12):1252–1260, 2005.

Ford ES, Wayne G, Dietz WH, et al. Prevalence of the metabolic syndrome among U.S. adults: findings from the Third National Health and Nutrition Examination Survey. JAMA 287(3):356–359, 2002.

Huang HY, Caballero B, Change S, et al. The efficacy and safety of multivitamins and mineral supplement use to prevent cancer and chronic disease in adults: a systematic review for a National Institutes of Health State-of-the-Science Conference. Ann Intern Med 145(5):372–385, 2006.

Lien LF, Brown AJ, Ard JD, et al. Effects of PREMIER lifestyle modifications on participants with and without the metabolic syndrome. Hypertension 50(4):609–616, 2007.

Mehler PS. Bulimia nervosa. N Engl J Med 349(9):875–880, 2003.

National Institute of Diabetes & Digestive & Kidney Diseases. National Diabetes Statistics. Available at: http://diabetes.niddk.nih.gov/dm/pubs/statistics/index.htm. Accessed January 15, 2008.

Pearson TA, Blair SN, Daniels SR, et al. AHA guidelines for primary prevention of cardiovascular disease and stroke: 2002 update. Circulation 106:388–391, 2002.

Sacks FM, Svetkey LP, Vollmer WM, et al. Effects on blood pressure of reduced dietary sodium and the dietary approaches to stop hypertension (DASH) diet. N Engl J Med 344(1):3–10, 2001.

Samaha FF, Iqbal N, Seshadri P, et al. A low-carbohydrate as compared with a low-fat diet in severe obesity. N Engl J Med 34(21):2074–2081, 2003.

Stevens VJ, Obarzanek E, Cook NR, et al. Long-term weight loss and changes in blood pressure: results of the trials of hypertension prevention, Phase II. Ann Intern Med 134(1):1–11, 2001.

### Pression artérielle

Beevers G, Lip GY, O'Brien E. ABC of hypertension. Blood pressure measurement. Part I. Sphygmomanometry: factors common in all techniques. BMJ 322(7292):981–985, 2001.

Beevers G, Lip GY, O'Brien E. ABC of hypertension. Blood pressure measurement. Part II. Conventional sphygmomanometry: technique of auscultatory blood pressure measurement. BMJ 322(7293):1043–1047, 2001.

Bobrie G, Genes N, Vaur L, et al. Is "isolated home" hypertension as opposed to "isolated office" hypertension a sign of greater cardiovascular risk? Arch Intern Med 161(18):2205–2211, 2001.

McAlister FA, Straus SE. Evidence-based treatment of hypertension. Measurement of blood pressure: an evidence based review. BMJ 322:908–911, 2001.

Perry HM, Davis BR, Price TR, et al, for the Systolic Hypertension in the Elderly Program Cooperative Research Group. Effect of treating isolated systolic hypertension on the risk of developing various types and subtypes of stroke: the Systolic Hypertension in the Elderly Program (SHEP). JAMA 284(4):465–471, 2000.

Tholl U, Forstner K, Anlauf M. Measuring blood pressure: pitfalls and recommendations. Nephrol Dial Transplant 19:766, 2004.

U.S. Preventive Services Task Force. Screening for High Blood Pressure: U.S. Preventive Services Task Force Reaffirmation Recommendation Statement. AHRQ Publication No. 08-05105-EF-2, December 2007; first published in Ann Intern Med 147:783–786, 2007. Agency for Healthcare Research and Quality, Rockville, MD. Available at: http://www.ahrq.gov/clinic/uspstf07/hbp/hbprr.htm. Accessed June 8, 2008.

Writing Group of the PREMIER Collaborative Research Group. Effects of comprehensive lifestyle modification on blood pressure control: main results of the PREMIER clinical trial. JAMA 289(16):2083–2093, 2003.

### Douleur aiguë et chronique

Caraceni A, Portenoy RK. An international survey of cancer pain characteristics and syndromes. IASP Task Force on Cancer Pain. International Association for the Study of Pain. Pain 82(3):263–274, 1999.

Charlton JE, ed. Core Curriculum for Professional Education in Pain, 3rd ed. Seattle: International Association for the Study of Pain, 2005. Available at: http://www.iasp-pain.org/AM/Template.cfm?Section=Publications&Template=/CM/HTMLDisplay.cfm&ContentID=2307#TOC. Accessed June 9, 2008.

Aux États-Unis, on estime que 5 à 10 millions de femmes et 1 million d'hommes souffrent de troubles de l'appétit. Ces troubles graves du comportement alimentaire sont souvent difficiles à détecter, notamment chez les adolescents qui portent des vêtements vagues (style *baggy*) et les individus qui « s'empiffrent » puis se font vomir ou exonérer. Connaissez bien les deux principaux troubles de l'appétit, l'*anorexie mentale* et la *boulimie*. Ces deux affections se caractérisent par une distorsion de la perception de l'image du corps et du poids. Leur détection précoce est importante parce que leur pronostic est meilleur quand elles sont traitées aux stades de début.

## Manifestations cliniques

| *Anorexie mentale* | *Boulimie* |
|---|---|

**Anorexie mentale**

- Refus de maintenir un poids normal minimal (ou IMC au-dessus de 17,5 kg/m²)

- Peur de paraître gros

- Jeûne fréquent mais nié ; manque de lucidité

- Souvent amené par des membres de la famille

- Peut se présenter comme une maigreur chez l'enfant et l'adolescent, une aménorrhée chez la femme, une perte de libido ou une impuissance chez l'homme

- Associée à des symptômes de dépression tels que humeur déprimée, irritabilité, isolement social, insomnie, libido diminuée

- Arguments diagnostiques supplémentaires : vomissements provoqués ou purges, exercice physique excessif, prise d'anorexigènes et/ou de diurétiques

- Complications biologiques

  - *Modifications neurohormonales :* aménorrhée, augmentation du CRF (substance libératrice de la corticotrophine), du cortisol, de la GH (hormone de croissance), de la sérotonine, diminution des variations diurnes du cortisol, de la LH, de la FSH et de la TSH

  - *Troubles cardiovasculaires :* bradycardie, hypotension, arythmie, cardiomyopathie

  - *Troubles métaboliques :* hypokaliémie, alcalose métabolique hypochlorémique, hyperazotémie, œdèmes

  - *Autres :* peau sèche, caries dentaires, évacuation gastrique retardée, constipation, anémie, ostéoporose

**Boulimie**

- Excès de table répétés suivis de vomissements provoqués, de prise de laxatifs, diurétiques ou autres médicaments, de jeûne, ou d'excès d'exercice physique

- Souvent, avec un poids normal

- Excès alimentaires au moins 2 fois par semaine sur une période de 3 mois ; grande quantité de nourriture consommée sur une période brève (≈ 2 heures)

- Obsession de l'alimentation ; besoins impérieux de manger et compulsions alimentaires ; périodes de suralimentation alternant avec des périodes de jeûne

- Hantise de l'excès de poids mais peut être obèse

- Formes cliniques

  - *Avec purges :* épisodes de boulimie avec vomissements provoqués ou utilisation de laxatifs, diurétiques ou lavements

  - *Sans purges :* épisodes de boulimie avec des activités de compensation telles que le jeûne, l'exercice physique, mais pas de purges

- Complications biologiques

Voir celles de l'anorexie mentale ; en particulier, faiblesse, fatigue, troubles cognitifs discrets, érosion de l'émail dentaire, parotidite, pancréatite avec hyperamylasémie, neuropathies, convulsions, hypokaliémie, acidose métabolique hypochlorémique, hypomagnésémie

Sources : World Health Organization: The ICD-10 Classification of Mental and Behavioral Disorders: Diagnostic Criteria for Research. Geneva, World Health Organization, 1993. American Psychiatric Association: DSM-IV-TR: Diagnostic and Statistical Manual of Mental Disorders, 4th ed. Washington, DC, American Psychiatric Association, 1994. Halmi KA: Eating Disorders: *In:* Kaplan HI, Sadock BJ, eds. Comprehensive Textbook of Psychiatry, 7th ed. Philadelphia, Lippincott Williams & Wilkins, 1663-1676, 2000. Mehler PS. Bulimia nervosa. N Engl J Med 349 (9) : 875-880, 2003.

## *Check-list* pour le dépistage nutritionnel

| | |
|---|---|
| J'ai une maladie ou une affection qui m'a fait changer la nature et/ou la quantité de nourriture que je mange | Oui (2 pts) ____ |
| Je fais moins de 2 repas par jour | Oui (3 pts) ____ |
| Je mange peu de fruits ou de légumes, ou de produits laitiers | Oui (2 pts) ____ |
| Je bois 3 verres ou plus de bière, alcool ou vin presque tous les jours | Oui (2 pts) ____ |
| J'ai des problèmes dentaires ou buccaux qui me gênent pour manger | Oui (2 pts) ____ |
| Je n'ai pas toujours assez d'argent pour m'acheter la nourriture dont j'ai besoin | Oui (4 pts) ____ |
| Je mange seul la plupart du temps | Oui (1 pt) ____ |
| Je prends 3 médicaments ou plus – prescrits ou non – par jour | Oui (1 pt) ____ |
| Sans le vouloir, j'ai perdu ou pris 5 kg les 6 derniers mois | Oui (2 pts) ____ |
| Je ne suis pas toujours capable de faire les courses, cuisiner et/ou m'alimenter seul | Oui (2 pts) ____ |
| | TOTAL ____ |

*Instructions* : cochez « oui » pour chaque condition que vous remplissez et faites le total (score nutritionnel). Pour les scores compris entre 3 et 5 points (risque modéré) et supérieurs ou égaux à 6 (risque élevé), une évaluation plus poussée est nécessaire (surtout chez le sujet âgé).

## Estimation rapide des ingesta alimentaires

| | Portions consommées | Portions recommandées |
|---|---|---|
| Groupe céréales et pain | _____ | 6-11 |
| Groupe fruits | _____ | 2-4 |
| Groupe légumes | _____ | 3-5 |
| Groupe viande et substituts | _____ | 2-3 |
| Groupe produits laitiers | _____ | 2-3 |
| Groupe sucreries, graisses, casse-croûte | _____ | — |
| Groupe boissons sucrées | _____ | — |
| Groupe boissons alcoolisées | _____ | < 2 |

*Instructions :* demandez au patient de rapporter le régime d'une journée (voire deux) avant de remplir le formulaire.

---

Source : *Dépistage nutritionnel* – American Academy of Family Physicians: The Nutrition Screening Initiative. Accessible sur : www.aafp.org/PreBuilt/NSI_DETERMINE.pdf. Visité le 23 janvier 2008. *Estimation rapide des ingesta alimentaires* – Nestle M. Nutrition. In: Woolf SH, Jonas S, Lawrence RS, eds. Health Promotion and Disease Prevention in Clinical Practice. Baltimore: Williams and Wilkins, 1996.

## TABLEAU 4-3 — Facteurs de risque et maladies liés à l'obésité

**Cardiovasculaires**

- Hypertension artérielle
- Insuffisance cardiaque
- Cœur pulmonaire
- Varices
- Embolie pulmonaire
- Maladie coronarienne

**Endocriniens**

- Syndrome métabolique
- Diabète de type 2
- Dyslipidémies
- Syndrome des ovaires polykystiques/Hyperandrogénie
- Aménorrhée/Stérilité/Troubles menstruels

**Digestifs**

- Reflux gastro-œsophagien (RGO)
- Stéatose hépatique non alcoolique (SHNA)
- Lithiase biliaire
- Hernies
- Cancer du côlon

**Urogénitaux**

- Incontinence urinaire d'effort
- Néphropathie glomérulaire liée à l'obésité
- Hypogonadisme (chez l'homme)
- Cancers du sein et de l'utérus
- Complications gravidiques

**Cutanés**

- Vergetures
- Pigmentation des membres inférieurs (dermite ocre)
- Lymphœdème
- Cellulite
- Intertrigo, anthrax
- Acanthosis nigricans/Acrochordons (ou *molluscum pendulum*)

**Ostéoarticulaires**

- Hyperuricémie et goutte
- Impotence
- Arthrose (genoux et hanches)
- Lombalgies

**Neurologiques**

- Accident vasculaire cérébral
- Hypertension intracrânienne idiopathique
- Méralgie paresthésique

**Psychiques**

- Dépression/Faible estime de soi
- Perturbations de l'image du corps
- Stigmatisation sociale

**Respiratoires**

- Dyspnée
- Apnées obstructives du sommeil
- Syndrome d'hypoventilation
- Syndrome de Pickwick
- Asthme

Source : American Medical Association. Roadmaps for Clinical Practice—Case Studies in Disease Prevention and Health Promotion—Assessment and Management of Adult Obesity: A Primer for Physicians. Accessible sur : http://www.ama-assn.org/ama1/pub/upload/mm/433/healthrisks.pdf (visité le 16 janvier 2008).

TABLEAU 4-4

## Obésité : modèle du changement de comportement et évaluation de la volonté de changement

| Étapes | Caractéristiques | Phrase type | Intervention appropriée | Exemple de dialogue |
|---|---|---|---|---|
| Indétermination | N'est pas conscient du problème, n'est pas intéressé par un changement | « Je ne désire pas perdre du poids ; ce n'est pas un problème » | Informer sur les risques pour la santé et les bienfaits d'une perte de poids | « Aimeriez-vous lire un document sur les aspects médicaux de obésité ? » |
| Intention | Est conscient du problème, commence à envisager un changement | « Je sais que je devrais perdre du poids, mais avec tout ce qui m'arrive actuellement, je ne m'en sens pas capable » | Aider à sortir de l'ambivalence ; discuter des obstacles | « Voyons les bienfaits d'une perte de poids et ce que vous pouvez faire pour changer » |
| Préparation | Réalise les bénéfices d'un changement et réfléchit à la façon de changer | « Je dois perdre du poids et je projette de le faire » | Enseigner la modification du comportement ; éduquer | « Voyons de plus près comment vous pouvez diminuer votre ration calorique et augmenter votre activité dans la journée » |
| Action | S'engage activement dans le changement | « Je fais de mon mieux. C'est plus dur que je le croyais » | Soutenir et conseiller, avec une perspective à long terme | « C'est super que vous fassiez autant d'efforts. Quels problèmes avez-vous rencontrés jusqu'à présent ? Comment les avez-vous résolus ? » |
| Maintien | A atteint les objectifs du traitement d'attaque | « J'ai beaucoup appris en maigrissant » | Éviter la rechute | « Dans quelles situations êtes-vous encore tenté de trop manger ? Qu'est-ce qui peut vous aider à résister la prochaine fois ? » |

Sources : American Medical Association. Roadmaps for Clinical Practice—Case Studies in Disease Prevention and Health Promotion—Assessment and Management of Adult Obesity: A Primer for Physicians. Accessible sur : http://www.ama-assn.org/ama1/pub/upload/mm/433/healthrisks.pdf (visité le 16 janvier 2008). D'après Prochaska JO, DiClemente CC. Toward a comprehensive model of change. In : Miller WR, ed. *Treating Addictive Behaviors*. New York, NY : Plenum, 1986:3–27.

**ACTIVITÉ PHYSIQUE**
30 min, presque tous les jours
60 min, pour ne pas grossir
60 à 90 min, pour aider
à perdre du poids

| PRODUITS CÉRÉALIERS<br>Consommez pour moitié<br>des céréales complètes | LÉGUMES FRAIS<br>Variez les légumes | FRUITS<br>Mangez des fruits | LAIT<br>Consommez des aliments<br>riches en calcium | VIANDES, POISSONS<br>ET LÉGUMES<br>Restez mince<br>grâce aux protéines |
|---|---|---|---|---|
| Pour un régime de 2 000 calories, vous avez besoin des quantités ci-dessous de chaque groupe d'aliments. | | | | |
| Mangez-en environ 170 g/j | Mangez-en environ 600 mL/j<br>(le contenu de 2,5 tasses*) | Mangez-en environ 500 mL/j<br>(2 tasses*) | Buvez-en environ 700 mL/j<br>(3 tasses*) (pour les enfants<br>entre 2 et 8 ans, 500 mL<br>sont suffisants) | Mangez-en environ 150 g/j |

\* La capacité d'une « tasse » est de 237 mL aux États-Unis.

---

\* Prospectus simplifié du Ministère de l'Agriculture américain.

## TABLEAU 4-6 Conseils nutritionnels : les sources de nutriments

| Nutriment | Source alimentaire |
|---|---|
| Calcium | Produits laitiers tels que yaourts, lait, fromages naturels<br>Céréales du petit-déjeuner, jus de fruits supplémentés en calcium<br>Légumes à feuilles vert foncé, tels que feuilles de choux, navets |
| Fer | Fruits de mer<br>Viande maigre, escalope de dinde<br>Céréales supplémentées en fer<br>Épinards, petits pois, lentilles<br>Pain entier et enrichi |
| Acide folique | Haricots secs et petits pois cuits<br>Oranges, jus d'orange<br>Légumes à feuilles vert foncé |
| Vitamine D | Lait (enrichi)<br>Œufs, beurre, margarine<br>Céréales (enrichies) |

Source : d'après Dietary Guidelines Committee, 2000 Report. Nutrition and Your Health: Dietary Guidelines for Americans. Washington, DC, Agricultural Research Service, U.S. Department of Agriculture, 2000.

## TABLEAU 4-7 Patients hypertendus : recommandations alimentaires

| Modifications du régime | Source alimentaire |
|---|---|
| **Augmenter** les aliments riches en potassium | Pommes de terre et patates douces au four, légumes cuits, tels que les épinards<br>Bananes (fruits et légumes), fruits secs, jus d'orange |
| **Diminuer** les aliments riches en sodium | Conserves alimentaires (soupes, thon)<br>Bretzels, frites, conserves au vinaigre, olives<br>Aliments conditionnés (plats surgelés, ketchup, moutarde)<br>Aliments frits<br>Sel de table, y compris pour la cuisson |

Source : d'après Dietary Guidelines Committee, 2000 Report. Nutrition and Your Health: Dietary Guidelines for Americans. Washington, DC, Agricultural Research Service, U.S. Department of Agriculture, 2000.

TABLEAU 4-8    Anomalies de la fréquence et du rythme respiratoires

Les rythmes respiratoires sont caractérisés par leur *fréquence*, leur *amplitude* et leur *régularité*. Décrivez ce que vous observez dans ces termes. Les termes classiques, tels que tachypnée, sont indiqués ci-dessous pour qu'on les connaisse, mais une description simple est recommandée pour l'usage courant.

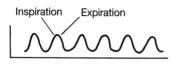

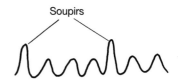

### Normale

La fréquence respiratoire est d'environ 14 à 20 par minute chez les adultes et jusqu'à 44 par minute chez les nourrissons.

### Respiration lente *(bradypnée)*

Une respiration lente peut être secondaire à un coma diabétique, à une dépression respiratoire d'origine médicamenteuse ou à une hypertension intracrânienne.

### Respiration suspirieuse

Une respiration ponctuée par de fréquents soupirs doit attirer l'attention sur la possibilité d'un syndrome d'hyperventilation, cause fréquente de dyspnée et d'étourdissements. Des soupirs occasionnels sont normaux.

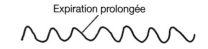

### Respiration rapide et superficielle *(tachypnée)*

Une respiration rapide et superficielle peut avoir plusieurs causes, comprenant une affection pulmonaire restrictive, une douleur thoracique pleurétique et un diaphragme surélevé.

### Respiration de Cheyne-Stokes

Des périodes de respiration profonde alternent avec des périodes d'apnée (pas de respiration). Cela est normal pendant le sommeil chez certains enfants et sujets âgés. Autres causes : défaillance cardiaque, urémie, dépression respiratoire médicamenteuse, lésions cérébrales (deux côtés des hémisphères cérébraux, diencéphale).

### Respiration obstructive

Dans les maladies pulmonaires obstructives, l'expiration est prolongée parce que le rétrécissement des voies aériennes augmente la résistance au débit aérien. Les causes sont l'asthme, la bronchite chronique et la maladie pulmonaire chronique obstructive (MPCO).

### Respiration rapide et ample
*(hyperpnée, hyperventilation)*

Une respiration rapide et ample a plusieurs causes, comprenant l'exercice, l'anxiété et l'acidose métabolique. Chez un malade comateux, un infarctus, une hypoxie ou une hypoglycémie affectant le mésencéphale ou la protubérance annulaire doivent être envisagés. La *respiration de Kussmaul* est une respiration ample associée à l'acidose métabolique. Elle peut être rapide, normale ou lente.

### Respiration ataxique
*(respiration de Biot)*

La respiration ataxique est caractérisée par une irrégularité imprévisible. Les mouvements peuvent être superficiels ou amples, s'arrêter pendant de courtes périodes. Les causes comprennent une dépression respiratoire et une lésion cérébrale, typiquement au niveau du bulbe.

# Comportement et état mental

En tant que cliniciens, nous sommes spécialement formés à dépister, détecter, explorer et encourager les comportements sains. Une écoute empathique et une observation fine nous donnent un aperçu exceptionnel sur les idées, les inquiétudes et les habitudes du patient. Cependant, nous passons souvent à côté des signes de maladie mentale et des comportements anormaux de nos patients. Ce chapitre expose les principaux symptômes et comportements rencontrés dans les interactions patient-médecin, les concepts guidant l'interrogatoire qui porte sur la santé mentale, les priorités pour la promotion et les conseils en santé mentale, et les éléments habituels de l'*examen mental* à faire quand des troubles du comportement font suspecter une maladie mentale.

La santé et le comportement humain sont étroitement liés, comme cela est largement indiqué dans les parties de cet ouvrage consacrées à la Promotion de la santé et aux conseils. Les statistiques gouvernementales, les avis du ministre de la Santé, les rapports de l'USPSTF *(US Preventive Services Task Force)* et des CDC *(Centers for Disease Control and Prevention)* et les positions des grandes sociétés savantes attestent de l'importance de la promotion et du maintien de la santé mentale et physique de nos patients. En dépit de leur fréquence, les troubles mentaux sont difficiles à détecter, et donc insuffisamment diagnostiqués et traités. La prévalence des maladies mentales est de 30 % dans la population américaine[1] ; cependant, seulement environ 20 % des patients affectés reçoivent un traitement. De plus, quand les patients sont pris en charge en soins primaires, il semble que leur traitement ne soit conforme aux recommandations que dans moins de 50 % des cas.[2]

Il est très important que les cliniciens apprennent les caractéristiques fréquentes des maladies mentales et physiques étant donné le manque de psychiatres et la nécessité incontestable d'améliorer la qualité des soins en ville. Fréquemment des patients ont plus qu'un trouble mental, avec des symptômes qui simulent des maladies organiques. On a remarqué que « ces troubles sont associés à une morbidité psychosociale importante et qu'ils sont tous traitables ».[3] Il est conseillé, par exemple, de rechercher une dépression ou une anxiété chez les patients toxicomanes et un abus de substances chez les patients déprimés ou anxieux. Il est de plus en plus important pour les cliniciens de reconnaître que les « patients difficiles » sont fréquemment des patients qui ont plusieurs symptômes inexpliqués et des affections psychiatriques sous-jacentes accessibles à un traitement. Si nous ne faisons pas de progrès dans les « doubles diagnostics », la santé, le fonctionnement et la qualité de vie des patients sont menacés.

## SYMPTÔMES ET COMPORTEMENT

***Symptômes du patient : quelle est leur signification ?*** Pour les débutants, la difficulté est de démêler l'écheveau des symptômes rencontrés dans la pratique clinique. Comme nous l'avons vu, les symptômes peuvent être *psychiques*, en relation avec un trouble de l'humeur ou une anxiété, ou *physiques*, en relation avec une sensation corporelle, comme une douleur, de la fatigue ou des palpitations. Dans la littérature psychiatrique, les symptômes physiques sont souvent appelés *somatiques*. Des études montrent que les symptômes physiques motivent plus de 50 % des consultations en médecine de ville, aux États-Unis.[4] Environ 5 % de ces symptômes sont aigus et déclenchent une évaluation immédiate, et 70 à 75 % sont mineurs ou autolimités et disparaissent en moins de 6 semaines. Cependant, environ 25 % des patients présentent des symptômes persistants ou récidivants, qui ne sont pas élucidés par l'interrogatoire et l'examen physique et qui ne s'améliorent pas. Globalement, 30 % des symptômes sont *médicalement inexpliqués*. Certains sont des plaintes isolées qui durent plus longtemps que d'autres – par exemple, une lombalgie, des céphalées, ou des plaintes ostéoarticulaires. D'autres sont groupés en *syndromes fonctionnels*, tels que le syndrome de l'intestin irritable, la fibromyalgie, la fatigue chronique, la pathologie de l'articulation temporomandibulaire, l'hypersensibilité chimique multiple.

***Symptômes médicalement inexpliqués.*** Les cliniciens doivent assumer la tâche difficile de décider de donner une étiquette médicale ou psychiatrique aux symptômes et aux syndromes médicalement inexpliqués. Comme l'ont fait remarquer des experts, « les cabinets de soins primaires sont la porte d'entrée des patients qui ont des troubles mentaux ou psychosomatiques ».[6] Par exemple, deux tiers des patients déprimés se présentent avec des plaintes somatiques et la moitié rapportent plusieurs symptômes physiques inexpliqués.[7] De plus, on a montré que les syndromes fonctionnels « survenaient souvent en même temps (co-occurrence) et partageaient des symptômes clés et certaines anomalies objectives ».[8] Par exemple, les taux de co-occurrence de la fibromyalgie et du syndrome de fatigue chronique vont de 34 à 70 % dans 53 études. La méconnaissance de l'intrication de symptômes physiques et de syndromes fonctionnels avec des troubles mentaux fréquents – anxiété, dépression, symptômes physiques somatoformes ou médicalement inexpliqués et abus de substances – diminue la qualité de vie et obère les résultats du traitement. Ces patients sont souvent de « grands utilisateurs » du système de santé et ils ont une invalidité importante.

Voir tableau 5-1 : « Troubles somatoformes », p. 164, pour les types de troubles somatoformes et les recommandations pour leur prise en charge.

Un *symptôme physique* peut avoir une explication organique ou médicale ou être inexpliqué ; un *symptôme somatoforme* ne reçoit pas d'explication organique ou médicale. Un *trouble somatoforme* remplit les critères diagnostiques du DSM-IV-TR.[5]

Les patients qui présentent des symptômes médicalement inexpliqués ou des problèmes psychiques méconnus sont souvent étiquetés « patients difficiles ». La dépression et l'anxiété du patient multiplient par trois le risque que la consultation soit jugée difficile par le praticien ; la somatisation multiplie ce risque par neuf.[9] Les patients qui ont des symptômes médicalement inexpliqués ne sont pas homogènes ; leurs troubles forment un continuum des limites du normal aux troubles thymiques et somatoformes remplissant les critères du DSM-IV-TR. Les auteurs du premier essai contrôlé et randomisé d'intervention sur des patients présentant des symptômes médicalement inexpliqués suggèrent de considérer ces symptômes comme « un signal d'alarme général d'une souffrance psychologique sous-jacente, dont la dépression est la manifestation évoluée ».[10]

## TROUBLES MENTAUX ET SYMPTÔMES INEXPLIQUÉS EN SOINS PRIMAIRES

### Troubles mentaux en soins primaires

✔ Environ 20 % des patients externes vus en soins primaires ont des troubles mentaux, mais 50 à 75 % de ces troubles ne sont ni diagnostiqués ni traités.[11, 12]

✔ En soins primaires, la prévalence approximative des troubles mentaux est la suivante[5, 11, 13, 14] :
– anxiété : 20 % ;
– troubles de l'humeur (dysthymie, troubles dépressifs et bipolaires) : 25 % ;
– dépression : 10 % ;
– troubles somatoformes : 10 à 15 % ;
– abus d'alcool et de substances : 15 à 20 %.

### Symptômes expliqués et inexpliqués

✔ Les symptômes physiques rendent compte d'environ la moitié des consultations dans un cabinet médical.

✔ Approximativement un tiers des symptômes physiques sont inexpliqués. Chez 20 à 25 % des patients, les symptômes physiques deviennent chroniques ou récidivants.[4, 7]

✔ Chez les patients qui présentent des symptômes *médicalement inexpliqués*, la prévalence de la dépression et de l'anxiété dépasse 50 % et elle augmente avec le nombre de symptômes physiques rapportés,[4, 7] ce qui fait de leur détection et du « double diagnostic » des objectifs cliniques importants.

### Syndromes fonctionnels fréquents

✔ Les taux de co-occurrence des *syndromes fonctionnels fréquents* tels que le syndrome de l'intestin irritable, la fibromyalgie, la fatigue chronique, la pathologie de l'articulation temporomandibulaire et l'hypersensibilité chimique multiple atteignent 30 à 90 %, selon les pathologies comparées.[8]

✔ La prévalence des symptômes qui se recoupent dans les syndromes fonctionnels fréquents est élevée, à savoir : les sensations de fatigue, les troubles du sommeil, les douleurs ostéoarticulaires, les céphalées et les troubles digestifs.

*(suite)*

✔ Les syndromes fonctionnels fréquents influent aussi sur les taux d'atteinte fonctionnelle, de comorbidité psychiatrique, et de réponse aux traitements antidépressifs et cognitivocomportementaux.

***Identifiants du patient pour le dépistage sélectif des troubles mentaux.*** Des affections inexpliquées durant plus de 6 semaines sont de plus en plus souvent reconnues comme des pathologies chroniques qui doivent susciter un dépistage de la dépression et/ou de l'anxiété. Étant donné qu'un dépistage généralisé prend du temps et revient cher, les experts recommandent une approche en deux temps : quelques questions de dépistage à sensibilité et spécificité élevées pour les patients à risque, suivies d'une exploration approfondie si c'est indiqué. Plusieurs groupes de patients justifient un dépistage bref parce qu'ils ont des taux élevés de dépression et d'anxiété associées.

Bien que les explications ne soient pas encore tout à fait claires, des études récentes ont contribué à la compréhension de ces *symptômes de recoupement* et de ces *syndromes fonctionnels* et ont fourni des outils de dépistage simples et pratiques, convenant à la médecine ambulatoire. Un bon exemple de ces outils est le PRIME-MD *(Primary Care Evaluation of Mental Disorders)*. Cependant, il comprend 26 questions et nécessite jusqu'à une dizaine de minutes. Une meilleure définition des catégories diagnostiques multi-items actuelles du DSM-IV-TR est à prévoir dans les 5 à 8 prochaines années, et des techniques plus efficaces de dépistage et de traitement en médecine ambulatoire continuent à apparaître.[10, 14, 15]

## IDENTIFIANTS DU PATIENT POUR LE DÉPISTAGE DES TROUBLES MENTAUX[4, 7]

✔ Symptômes physiques médicalement inexpliqués. Plus de la moitié vont de pair avec des troubles dépressifs ou anxieux.

✔ Symptômes physiques ou somatiques nombreux (patient « polysymptomatique »).

✔ Symptômes somatiques très sévères.

✔ Douleur chronique.

✔ Symptômes durant plus de 6 semaines.

✔ Rencontre jugée « difficile » par le praticien.

✔ Stress récent.

✔ Déconsidération de la santé.

✔ Recours fréquent aux services de santé.

✔ Abus de substances.

Une douleur chronique peut être l'un des symptômes de l'anxiété, de la dépression ou un symptôme somatique. Voir chapitre 4 : « Le début de l'examen physique : examen général, constantes vitales et douleur », p. 103-137.

**QUESTIONS DE DÉPISTAGE À FORT RENDEMENT EN MÉDECINE AMBULATOIRE (MAIS DES SYSTÈMES DE SUIVI POUR LE DIAGNOSTIC ET LE TRAITEMENT SONT NÉCESSAIRES...)**

**Dépression**[11, 16, 17]

✔ Au cours des 2 dernières semaines écoulées, vous êtes-vous senti cafardeux, déprimé ou désespéré ?

✔ Au cours des 2 dernières semaines écoulées, avez-vous pris peu d'intérêt ou de plaisir à faire les choses (anhédonie) ?

**Anxiété**

✔ Les troubles anxieux comprennent le trouble anxieux généralisé, la phobie sociale, le trouble panique, le stress post-traumatique, et le stress aigu.

✔ Échelle du trouble anxieux généralisé : à 2 ou à 7 items.[18, 19]

✔ Trouble panique : au cours des 4 dernières semaines écoulées, avez-vous eu une crise d'anxiété – un sentiment brusque de peur ou de panique ?[20]

**Traits hypocondriaques**

✔ Index de Whiteley : échelle d'auto-évaluation à 14 items.[15, 21]

**Abus d'alcool et de substances**

✔ Questionnaire CAGE, adapté à l'alcool et aux drogues (voir chapitre 3 : « Entrevue et antécédents », p. 85).

**Outils multidimensionnels**

✔ PRIME-MD *(Primary Care Evaluation of Mental Disorders)*, visant les cinq troubles les plus fréquents en soins primaires : la dépression, l'anxiété, l'alcoolisme, les troubles somatoformes, et les troubles du comportement alimentaire ; questionnaire patient de 26 items, suivi d'un examen clinique ; nécessite environ 10 minutes.[22]

✔ PRIME-MD *Patient Health Questionnaire*, disponible sous forme de questionnaire patient pour autoévaluation ; nécessite environ 3 minutes.[13]

*Troubles de la personnalité.* Les troubles de la personnalité, également appelés *troubles du caractère,* constituent un autre groupe de « patients difficiles », qui échappe souvent au diagnostic en médecine ambulatoire. Ces patients ont des façons de réagir anormales qui perturbent et déstabilisent leurs relations, y compris celles qu'ils ont avec les dispensateurs de soins. Souvent les traits du comportement inadapté apparaissent dès la petite enfance. Le DSM-IV-TR distingue 10 types de troubles de la personnalité, résumés dans le tableau ci-dessous. Ils doivent débuter tôt, être stables dans le temps, quelles que soient les situations, et ne pas seulement résulter d'une affection médicale, d'un traitement ou de l'abus d'une substance.[23] Sur la durée d'une vie, leur prévalence est d'environ 6 %, d'après des études en communauté.[24, 25] Les dispensateurs de soins primaires méconnaissent à peu près la moitié des patients atteints de ces troubles, qui surviennent très fréquemment en même temps que l'abus d'alcool (28 %) et de substances (48 %).[26, 27]

| Troubles de la personnalité | |
| --- | --- |
| **Type de personnalité** | **Critères comportementaux** |
| Paranoïaque | Méfiance et suspicion. |
| Schizoïde | Détachement des relations sociales, avec une gamme restreinte d'expressions émotionnelles. |
| Schizotypique | Comportements excentriques et distorsions cognitives ; malaise aigu dans les relations avec les autres. |
| Antisociale | Mépris des droits d'autrui ; absence de scrupules ou de remords pour avoir lésé quelqu'un. |
| Borderline (état limite) | Instabilité des relations interpersonnelles, de l'image de soi et des affects. |
| Histrionique | Réactions émotionnelles excessives, comportement théâtral, et séduction. |
| Narcissique | Comportements grandioses, besoin d'être admiré, et manque d'empathie. |
| Évitante | Inhibition sociale, sentiment de ne pas être à la hauteur, hypersensibilité au jugement négatif d'autrui. |
| Dépendante | Soumission et comportement « collant ». |
| Obsessionnelle-compulsive | Comportement rigide et souci du détail, souvent associés à des activités compulsives (tâches inutilement répétées). |

Source : Schiffer RB. Psychiatric disorders in medical practice. In: Goldman L, Ausiello D, eds. Cecil Textbook of Medicine, 22nd ed. Philadelphia: Saunders, 2004:2628–2639.

Les schémas élaborés des troubles du caractère sortent du cadre de cet ouvrage mais valent la peine d'être étudiés. Les interactions avec les patients qui ont une *personnalité « borderline »* sont particulièrement difficiles. La prévalence des états limites est de 6 % en soins primaires, quoique le diagnostic soit souvent manqué.[25] Plus de 90 % des patients atteints de ce trouble remplissent aussi les critères d'autres troubles de la personnalité. Étant donné que plusieurs symptômes de l'état limite sont fréquents dans certaines pathologies telles que la dépression, l'anxiété, l'abus de substances, et les troubles du comportement alimentaire, l'état sous-jacent peut rester méconnu. Les patients qui ont une personnalité borderline sont impulsifs : plus de 50 % font des tentatives de suicide et se blessent eux-mêmes.[28] Plus de la moitié perdent leur emploi à cause de problèmes relationnels ; environ un tiers sont victimes d'abus sexuels ; quand ces patients mettent de l'ordre dans leurs idées et leurs sentiments, ils déclarent en général se sentir malheureux, déprimés ou abattus, avoir des sautes d'humeur ou des émotions échappant à leur contrôle, qui les mettent dans des états de fureur, de tristesse ou d'anxiété extrêmes, la peur d'être rejetés ou abandonnés par ceux dont ils s'occupent (ou encore une incapacité à maintenir des bonnes relations), et l'incapacité de se calmer ou de se consoler par eux-mêmes quand ils souffrent, ce qui les rend dépendants d'autres personnes pour obtenir un réconfort, avec une impression de vide. Les médecins ont tendance à qualifier ces patients d'exigeants, perturbateurs ou manipulateurs. La reconnaissance des traits de la personnalité borderline entraîne une demande d'avis précoce, une meilleure relation et, possiblement, l'allègement de la souffrance et de la douleur qu'éprouvent ces patients dans leur vie de tous les jours.[23]

## ANTÉCÉDENTS MÉDICAUX

### Symptômes banals ou inquiétants

- Modifications de l'attention, de l'humeur ou de la parole.
- Modifications de la compréhension intuitive *(insight)*, du jugement, de l'orientation ou de la mémoire.
- Anxiété, panique, comportement ritualiste et phobies.
- Délire ou démence.

***Vue d'ensemble.*** Comme pour l'examen général, l'évaluation de l'état mental commence dès les premiers mots du patient. En recueillant les antécédents médicaux, vous préciserez rapidement le *niveau de vigilance et d'orientation* du patient, son *humeur*, son *attention* et sa *mémoire*. Au fil de l'interrogatoire, vous obtiendrez des renseignements sur l'*intuition*, le *jugement* du patient, ainsi que sur d'éventuelles *pensées ou perceptions inhabituelles ou récurrentes*. Pour certains patients, vous devrez compléter l'entrevue par des questions spécifiques et une évaluation plus spécialisée de l'état mental. De même que les symptômes, la pression artérielle et les souffles cardiaques vous permettent de séparer la bonne santé de la maladie pour l'appareil cardiovasculaire, les composantes du fonctionnement mental éclairent les problèmes et les affections spécifiques.

Beaucoup des termes utilisés pour décrire l'état mental vous sont déjà connus dans leurs acceptions courantes. Prenez le temps d'apprendre leur signification exacte dans le cadre de l'évaluation de l'état mental (comme détaillé dans l'encadré ci-après).

***Attention, humeur, parole, compréhension intuitive, orientation, mémoire.*** Une grande partie des informations sur l'état mental du patient s'acquiert pendant l'entrevue. En parlant avec le patient et en écoutant son histoire, *appréciez son niveau de conscience, son aspect, son humeur,* incluant la dépression ou la manie, *ainsi que sa capacité d'attention, de mémoire et de compréhension, et son langage.* En rapportant le vocabulaire et les connaissances du patient à son niveau d'instruction et de culture, vous pouvez souvent estimer grossièrement son intelligence. De même, les réactions du patient à la maladie et aux circonstances de la vie vous donnent souvent des indications sur son degré de *compréhension intuitive* et de *jugement*.

Voir tableau 5-2 : « Troubles de l'humeur », p. 166, et tableau 17-5 : « Troubles de la parole », p. 756.

## TERMINOLOGIE : L'EXAMEN DE L'ÉTAT MENTAL

| | |
|---|---|
| *Niveau de conscience* | Vigilance ou état de perception de l'environnement. |
| *Attention* | Capacité à se concentrer pendant un certain temps sur une tâche ou une activité. Une personne inattentive ou distraite, dont la conscience est altérée, a des difficultés pour raconter son histoire ou répondre aux questions. |
| *Mémoire* | Processus d'enregistrement de l'information, qui est testé en demandant de répéter immédiatement ce qui vient d'être dit, puis de stockage ou rétention de l'information. La *mémoire récente ou à court terme* porte sur des minutes, des heures ou des jours ; la *mémoire lointaine ou à long terme* porte sur des années. |
| *Orientation* | Connaissance de son identité, du temps et du lieu. Nécessite mémoire et attention. |
| *Perceptions* | Expérience sensible des objets de l'environnement et de leurs interrelations (stimuli externes). Désigne aussi des stimuli internes comme les rêves et les hallucinations. |
| *Processus de la pensée* | Logique, cohérence et pertinence de la pensée du patient, pour atteindre des objectifs choisis, ou *comment* les gens pensent. |
| *Contenu de la pensée* | *Ce que* les gens pensent. Inclut la compréhension et le jugement. |
| *Compréhension intuitive (insight)* | Conscience que des symptômes ou des troubles du comportement sont normaux ou anormaux. Par exemple, distinction entre les rêves éveillés et les hallucinations qui semblent réelles. |
| *Jugement* | Processus de comparaison et évaluation des alternatives quand on décide du cours d'une action. Reflète des valeurs fondées sur la réalité et les conventions ou normes sociales. |
| *Affect* | Sentiment ou état d'esprit habituellement passager, qui s'exprime dans la voix, la mimique et le comportement. |
| *Humeur* | Émotion plus durable qui colore la vision du monde qu'a une personne (l'humeur est à l'affect ce que le climat est au temps). |
| *Langage* | Système symbolique complexe d'expression, de réception et de compréhension des mots. Comme la conscience, l'attention et la mémoire, le langage est essentiel à d'autres fonctions mentales. |
| *Fonctions cognitives supérieures* | Évaluées par le vocabulaire, le fonds de connaissances, la pensée abstraite, le calcul, la construction d'objets à deux ou trois dimensions. |

Si vous soupçonnez un problème d'orientation ou de mémoire, vous pouvez demander : « Voyons, quelle était la date de votre dernière consultation ? Et aujourd'hui, quel jour sommes-nous… ? » Plus vous réussirez à intégrer votre exploration du statut mental dans l'histoire du patient, moins cela ressemblera à un interrogatoire.

***Anxiété, panique, comportement ritualiste, phobies.*** Si le patient a des pensées, préoccupations, croyances ou perceptions inhabituelles, vous devez les explorer quand elles se présentent en cours d'entretien. Par exemple, des inquiétudes qui durent plus de 6 mois évoquent la possibilité d'un *trouble anxieux généralisé*, l'affection psychiatrique la plus fréquente aux États-Unis après l'abus de substances, avec une prévalence d'environ 5 % sur toute une vie.[29] Avec le temps, vous apprendrez à reconnaître ce qui peut le simuler : le *trouble panique*, avec ses attaques de panique récidivantes suivies de la crainte d'autres attaques, le *trouble obsessionnel compulsif*, avec ses pensées intrusives et ses comportements ritualistes, le *stress post-traumatique*, caractérisé par l'évitement, l'émoussement émotionnel et l'hypervigilance, et la *phobie sociale*, avec son anxiété à l'avance, en société. Chez de tels patients, vous aurez besoin de compléter l'entrevue par des questions dans des domaines particuliers. Vous pouvez éprouver le besoin d'aller plus loin et de recourir à un examen mental spécialisé. Les composantes de l'examen de l'état mental sont décrites dans la partie sur les techniques d'examen, p. 149-160.

Voir tableau 5-3 : « Troubles anxieux », p. 167, et tableau 5-4 : « Troubles psychotiques », p. 168.

***Délire et démence.*** Tous les patients qui ont des lésions cérébrales suspectées ou prouvées, des symptômes psychiatriques ou des troubles du comportement plus ou moins nets et plus ou moins récents, rapportés par des parents, ont besoin d'une évaluation complémentaire. Certains patients peuvent avoir des discrètes modifications du comportement, des difficultés à prendre correctement leurs médicaments, des problèmes pour s'occuper des tâches ménagères ou payer les factures ou se désintéresser de leurs activités habituelles. D'autres patients peuvent se comporter bizarrement après une opération chirurgicale ou au cours d'une maladie aiguë. Tous ces problèmes doivent être identifiés aussi rapidement que possible. L'état mental influence la capacité à tenir un emploi et il est souvent important dans l'évaluation d'une invalidité.

Voir tableau 20-2 : « Délire et démence », p. 977.

Signes possibles de dépression ou de démence.

# PROMOTION DE LA SANTÉ ET CONSEILS

## Sujets importants pour la promotion de la santé et les conseils

- Dépistage de la dépression et des tendances suicidaires.
- Dépistage de l'abus d'alcool et de substances.

Le poids de la souffrance imposée par les troubles mentaux est important. Les troubles mentaux affectent 26 % des Américains âgés de 18 ans et plus, soit environ 58 millions de personnes.[30] Ce nombre correspond approximativement à un adulte sur quatre, une année donnée. Des maladies mentales graves affectent environ 6 % de la population. Presque la moitié des gens qui ont une maladie mentale (45 %) présentent des critères de deux autres maladies mentales ou plus. La gravité de la maladie est fortement liée aux comorbidités. Pour la population générale, axez la promotion de la santé et les conseils sur la dépression, le risque de suicide et la démence, trois affections importantes, souvent méconnues, et dépistez systématiquement l'addiction à l'alcool et aux drogues.

Voir chapitre 3 : « Entrevue et antécédents », p. 84-85.

**Dépression.** La *dépression majeure* est une maladie fréquente, qui coexiste souvent avec d'autres troubles mentaux, en particulier les troubles anxieux et l'abus de substances. Sa prévalence est élevée aux États-Unis : 16 % sur toute une vie, 6,7 % sur une année, soit presque 15 millions d'adultes.[1, 30] Le risque sur la durée d'une vie est de 20 à 25 % chez les femmes, le double de celui des hommes. La dépression va souvent de pair avec des maladies médicales graves, comprenant le diabète, les maladies cardiaques, le cancer, les accidents vasculaires cérébraux, et l'infection à VIH/SIDA ; l'évolution et le coût de ces maladies s'améliorent quand la dépression est traitée. En soins primaires, les signes précoces de dépression, tels qu'une faible estime de soi, un manque de plaisir dans les activités de tous les jours *(anhédonie)*, les troubles du sommeil et la difficulté à se concentrer ou à prendre des décisions, sont souvent méconnus. Recherchez soigneusement les symptômes de dépression, notamment chez les jeunes, les femmes, les célibataires, les gens divorcés ou séparés, les malades graves ou chroniques ou les personnes endeuillées. Ceux qui ont un antécédent personnel ou familial de dépression sont aussi « à risque ».

L'USPSTF *(US Preventive Services Task Force)* recommande de faire le dépistage dans un cadre clinique permettant d'assurer le diagnostic, le traitement et le suivi.[31, 32] Il existe des outils de dépistage convenant aux cabinets médicaux. Un dépistage positif justifie une évaluation diagnostique spécialisée. La méconnaissance du diagnostic de dépression peut avoir des conséquences fatales. Les taux de suicide chez les patients ayant une dépression majeure sont 8 fois plus élevés que dans la population générale.

Voir les questions de dépistage p. 85 et revoir les outils de dépistage utilisables dans un cabinet médical.[17, 33-35]

**Suicide.** La prévention du suicide est un impératif national de santé publique. Les suicides viennent maintenant au 11e rang des causes de décès aux États-Unis et représentent la 3e cause de décès des personnes de 10 à 24 ans.[36, 37] Les données les plus récentes, datant de 2004, indiquent que le taux global de décès par suicide est de 10,9 pour 100 000 habitants. Il y a 8 à 25 tentatives pour un suicide « réussi ». Les hommes ont des taux de suicide quatre fois plus élevés que les femmes ; par comparaison avec elles, ils utilisent plus souvent des armes à feu et moins souvent des poisons. Le taux le plus élevé se voit chez les hommes blancs de plus de 65 ans (14,3 décès pour 100 000). Chez les hommes blancs de 85 ans et plus, il atteint 17,8 pour 100 000.

Les indices d'un suicide imminent sont variables et subtils. Plus de la moitié des patients qui sont passés à l'acte ont consulté leur médecin le mois précédent, et 10 à 40 % la semaine précédente.[38] Deux tiers des suicides « réussissent » dès la première tentative. Les grands facteurs de risque sont identifiés : plus de 90 % des gens décédés par suicide avaient une dépression

Voir chapitre 20 : « Sujet âgé », p. 935-979, tableau 20-1 : « Compétences minimales en gériatrie », p. 976, et tableau 20-2 : « Délire et démence », p. 977.

ou d'autres troubles mentaux ou étaient toxicomanes. Les autres facteurs de risque sont des tentatives de suicide antérieures, des pensées délirantes ou psychotiques, des antécédents familiaux de suicide, troubles mentaux ou toxicomanie, la violence familiale, y compris les sévices physiques et sexuels, la présence d'armes à feu à la maison, et l'emprisonnement. Précisez toute suspicion clinique de suicide en interrogeant sans détour les patients sur des idées ou des projets de suicide. Les patients à risque doivent être immédiatement adressés en psychiatrie. Actuellement, étant donné la faible incidence du suicide, les cliniciens sont incités à intensifier le dépistage ciblé plutôt qu'à faire un dépistage généralisé.

***Abus d'alcool et de substances.*** Comme cela est précisé tout au long de ce chapitre, les interactions et la co-occurrence de l'abus d'alcool/de substances et des troubles mentaux et du suicide sont à la fois étendues et profondes. L'alcool, le tabac et les drogues illégales sont responsables de plus de maladies, de décès, et d'invalidités que toute autre affection évitable. Aux États-Unis, les prévalences de la consommation d'alcool et de drogues sur la durée d'une vie sont de 13 et 3 %, respectivement. D'après des études américaines récentes, 8 % des sujets de 12 ans et plus, soit 19 millions de personnes, rapportent avoir consommé des drogues illégales au cours du mois écoulé. On estime que 3 % d'entre elles abusent ou sont dépendantes de ces drogues ; il s'agit de la marijuana ou cannabis dans 60 % des cas.[39] Étant donné que le dépistage de la consommation d'alcool et de drogues fait partie de l'anamnèse de *tous* les patients, les renseignements sur ce dépistage se trouvent au chapitre 3 : « Entrevue et antécédents ».

Voir au chapitre 3 : « Entrevue et antécédents », l'alcool et les drogues illégales, p. 84-85. Voir aussi au chapitre 11 : « Abdomen », le dépistage de l'abus d'alcool, p. 449-450.

## TECHNIQUES D'EXAMEN

### Points importants de l'examen

- Aspect et comportement.
- Parole et langage.
- Humeur.
- Pensées et perceptions.
- Fonctions cognitives, à savoir mémoire, attention, connaissances et vocabulaire, calcul, pensée abstraite et capacité de construction.

Les interactions entre les troubles mentaux et la santé du corps sont passionnantes et complexes. Les troubles mentaux se manifestent souvent par des plaintes somatiques, les maladies somatiques entraînent des réactions comportementales et émotionnelles. Recherchez toujours soigneusement des causes organiques ou pharmacologiques quand vous explorez le contexte et la portée émotionnelle de modifications de l'état mental. La personnalité, la dynamique psychique, et les expériences personnelles du patient peuvent compliquer l'évaluation de l'état mental. Vous pouvez explorer ces aspects durant l'entrevue. En intégrant et en reliant toutes les observations et trouvailles provenant de l'anamnèse et de l'examen, vous arriverez à comprendre la personne comme un tout, façonné par les expériences de la vie, la famille et la culture.

Comme vous le verrez au chapitre 17 : « Système nerveux », l'état mental et le cerveau (structure et fonction) sont inséparables. Votre évaluation de l'état mental fait partie de l'évaluation du système nerveux, et constitue la première partie de vos notes sur le système nerveux. Avec de la persévérance et de la pratique, vous apprendrez à décrire l'humeur, le langage, le comportement et la cognition du patient et à rapprocher vos constatations de l'examen des nerfs crâniens, des systèmes moteur et sensitif, et des réflexes.

Au début, vous pourrez avoir des réticences à faire les examens de l'état mental et vous demander si ces examens ne vont pas perturber les patients, violer leur intimité ou aboutir à étiqueter leurs pensées et leurs comportements comme pathologiques. De tels scrupules sont compréhensibles. Un examen sans tact de l'état mental peut inquiéter le patient ; même un examen habile peut lui faire prendre conscience d'un déficit qu'il essayait d'ignorer. Vous pouvez désirer parler de ces craintes avec votre enseignant ou d'autres cliniciens expérimentés. Comme dans d'autres domaines de l'évaluation clinique, vos compétences et votre confiance en vous s'amélioreront avec la pratique, la satisfaction suivra. Rappelez-vous que les patients apprécient une écoute compréhensive et certains d'entre eux devront leur santé, leur sécurité, voire leur vie à votre attention.

L'examen de l'état mental porte sur les composantes suivantes :

■ aspect et comportement ;

■ parole et langage ;

■ humeur ;

■ pensées et perceptions ;

■ fonctions cognitives, à savoir mémoire, attention, connaissances et vocabulaire, calcul, pensée abstraite et capacité de construction.

Le plan qui suit devrait vous aider à organiser vos observations, mais il n'est pas conçu pour être suivi pas à pas. Quand un examen approfondi est indiqué, vous devez avoir un abord souple tout en étant complet. Dans certains cas cependant, l'ordre est important. Si au cours de votre interrogatoire initial, la conscience du patient, son attention, sa compréhension des mots ou sa capacité de s'exprimer paraissent altérées, analysez-les rapidement. Un sujet ainsi atteint ne peut vous fournir une histoire fiable et vous serez dans l'impossibilité de tester la plupart de ses autres fonctions mentales.

# → Aspect et comportement

Utilisez ici les observations faites au cours de l'anamnèse et de l'examen, comprenant les points suivants.

***Niveau de conscience.*** Le patient est-il éveillé et vigilant ? Semble-t-il comprendre vos questions et y répondre convenablement et raisonnablement vite ou perd-il le fil du sujet, se tait-il ou même s'endort-il ?

Si le patient ne répond pas à vos questions, augmentez le stimulus par degré :

■ appelez le patient par son nom, d'une voix forte ;

■ secouez-le gentiment, comme pour réveiller un dormeur.

S'il n'y a pas de réponse à ces stimuli, évaluez rapidement le patient pour une obnubilation ou un coma, c'est-à-dire des troubles de la conscience plus graves.

***Posture et comportement moteur.*** Le patient est-il alité ou préfère-t-il marcher ? Notez sa capacité à se relaxer et la façon dont il se tient. Observez le rythme, l'amplitude et le type des mouvements. Sont-ils accomplis volontairement ? Certaines parties du corps sont-elles inertes ? Est-ce que l'attitude et la motricité changent selon les sujets de discussion, les activités ou l'entourage du patient ?

***Habillement, soins corporels.*** Comment le patient est-il habillé ? Ses vêtements sont-ils propres, repassés et bien attachés ? Comparez avec les habits portés par des gens d'âge et de groupe social similaires. Notez l'état de ses cheveux, ongles, dents, peau et, éventuellement, barbe. Comment sont-ils entretenus ? Comparez avec la toilette et l'hygiène de gens d'âge, de mode de vie et de niveau socioéconomique similaires. Comparez un côté du corps avec l'autre.

***Expression du visage.*** Observez le visage, au repos et au contact d'autres personnes. Observez ses variations avec les sujets discutés. Sont-elles appropriées ? Ou la face reste-t-elle peu mobile ?

***Manières, affect et relations avec les personnes et les objets environnants.*** Avec vos observations sur l'expression faciale, la voix et les mouvements du corps, vous appréciez l'émotivité du patient. Se modifie-t-elle convenablement selon les sujets discutés ou est-elle labile, émoussée ou pauvre ? Semble-t-elle inappropriée ou extrême sur certains points ? Si oui, comment ? Le patient est-il ouvert, accessible ? Réagit-il aux autres et à son environnement ? Semble-t-il voir ou entendre des choses que vous ne percevez pas, ou parle-t-il avec quelqu'un qui n'est pas là ?

Voir le tableau sur le niveau de conscience, chapitre 17 : « Système nerveux », p. 740.

Les patients *léthargiques* sont somnolents mais ouvrent les yeux et vous regardent, répondent aux questions puis se rendorment.

Les patients *obnubilés* ouvrent les yeux et vous regardent mais répondent lentement et sont un peu confus.

Attitude tendue, agitation et nervosité de l'*anxiété* ; cris, allées et venues et torsion des mains de l'*agitation dépressive* ; attitude désespérée et effondrée et mouvements lents de la *dépression* ; chants, danses et mouvements amples de la *manie*.

Une détérioration de la toilette et de l'hygiène personnelle peut survenir au cours de la *dépression*, de la *schizophrénie* et de la *démence*. Une méticulosité excessive peut se voir dans un *trouble obsessionnel compulsif*. La méconnaissance d'un hémicorps peut être due à une lésion pariétale controlatérale, en général du côté non dominant.

Expressions d'anxiété, dépression, apathie, colère, exaltation. Faciès figé du parkinsonien.

Colère, hostilité, suspicion, réponses évasives des *paranoïaques*. Exaltation et euphorie des *maniaques*. Émotivité pauvre et isolement du *schizophrène*. Apathie (émotivité faible, avec détachement et indifférence) de la *démence*. Anxiété, dépression.

# → Parole et langage

Au cours de l'interrogatoire, notez les caractéristiques du langage.

**Quantité.** Le patient est-il bavard ou relativement silencieux ? Fait-il des commentaires spontanés ou ne répond-il qu'aux questions directes ?

**Vitesse.** Le discours est-il rapide ou lent ?

Parole lente de la *dépression*. Parole rapide et forte de la manie.

**Volume ou force.** Le patient parle-t-il d'une voix forte ou faible ?

**Articulation des mots.** Les mots sont ils prononcés clairement et distinctement ? La parole est-elle nasonnée ?

La *dysarthrie* est une articulation défectueuse, l'*aphasie* un trouble du langage. Voir tableau 17-5 : « Troubles de la parole », p. 756.

**Facilité.** Elle concerne la vitesse, le débit et la mélodie du discours, et le contenu et l'utilisation des mots. Recherchez des anomalies du discours spontané comme :

■ des hésitations et des ruptures dans le débit et le rythme de la parole ;

■ des inflexions modifiées, comme une parole monotone ;

Ces anomalies suggèrent une *aphasie*. Le patient peut avoir tellement de difficultés à parler ou à comprendre que l'interrogatoire devient impossible. Vous pouvez aussi soupçonner à tort un trouble psychotique.

■ des circonlocutions, où des phrases ou des expressions remplacent un mot qui échappe à la personne, comme « ce avec quoi vous écrivez » pour « stylo » ;

■ une paraphasie, où les mots sont déformés (« J'écris avec un prayon »), erronés (« J'écris avec une règle ») ou inventés (« J'écris avec un bogue »).

Si le discours du patient manque de sens ou de facilité, testez-le comme indiqué dans le tableau ci-dessous.

| Tester l'aphasie | |
|---|---|
| **Compréhension des mots** | Demandez au patient d'exécuter un ordre simple, tel que « Montrez-moi votre nez ». Essayez une double commande : « Montrez-moi votre bouche puis votre genou ». |
| **Répétition** | Demandez au patient de répéter une phrase avec des mots monosyllabiques (ce qui est le plus difficile en matière de répétition) : « Pas de si, de et, ni de mais ». |
| **Dénomination** | Demandez au patient de nommer les différentes parties d'une montre. |
| **Compréhension de la lecture** | Demandez au patient de lire un paragraphe à voix haute. |
| **Écriture** | Demandez au patient d'écrire une phrase. |

Ces tests permettent de préciser le type d'aphasie du patient. Rappelez-vous que les déficits visuels, auditifs et intellectuels et le manque d'instruction peuvent aussi être en cause. Deux types courants d'aphasie, de Wernicke et de Broca, sont comparés dans le tableau 17-5 : « Troubles de la parole », p. 756.

Une personne qui peut écrire une phrase correctement n'a pas d'aphasie.

## → Humeur

Vous devez évaluer l'humeur du patient au cours de l'interrogatoire ainsi que la façon dont lui-même la perçoit. Précisez son humeur habituelle et ses variations avec les événements de la vie : « Que pensez-vous de cela ? » ; ou, de façon plus générale : « Quel est votre état d'esprit ? » Ce que rapportent les parents et les amis peut avoir une grande valeur pour faire cette évaluation.

À quoi ressemblait l'humeur du patient ? Quelle était son intensité ? Était-elle changeante ou assez stable ? Combien de temps cela a-t-il duré ? Était-ce approprié aux circonstances ? En cas de dépression, y a-t-il eu aussi des épisodes d'excitation suggérant un trouble bipolaire ?

Si vous soupçonnez une dépression, il est essentiel d'évaluer sa profondeur et les risques associés de suicide. Une série de questions comme ci-dessous est utile, en allant aussi loin que les réponses positives du sujet le justifient :

- Vous sentez-vous très découragé (ou déprimé), avez-vous le « blues » ?

- À quel point vous sentez-vous abattu ?

- Comment voyez-vous votre avenir ?

- Avez-vous pensé que la vie ne valait pas la peine d'être vécue ? Ou que vous préféreriez être mort ?

- Avez-vous jamais pensé à vous supprimer ?

- Comment pensez-vous que vous le feriez ?

- Que pensez-vous qu'il arriverait après votre mort ?

Poser des questions sur les pensées suicidaires ne donne pas au patient l'idée de se suicider, et ce peut être la seule façon de se renseigner. Bien que vous puissiez être gêné de poser des questions directes, beaucoup de patients parlent librement de leurs idées et de leurs sentiments, parfois avec un grand soulagement. Par une discussion ouverte, vous montrez votre intérêt et votre souci pour ce qui peut bien être un problème vital.

## → Pensée et perceptions

***Processus de la pensée.*** Évaluez la logique, la pertinence, l'organisation et la cohérence des processus de pensée du patient, qui se traduisent dans ses mots et son discours au cours de l'interrogatoire. Est-ce que le discours progresse logiquement vers un but ? Le discours du patient est ici une fenêtre

Dans l'humeur, on inclut la tristesse et la mélancolie profonde, la satisfaction, la joie, l'euphorie et l'exaltation, la colère et la fureur, l'anxiété et l'inquiétude, le détachement et l'indifférence.

Pour les troubles dépressifs et bipolaires, voir le tableau 5-2 : « Troubles de l'humeur », p. 166.

qui ouvre sur son esprit. Faites attention aux types de langage suggérant des troubles du processus de pensée tels qu'ils sont schématisés dans le tableau ci-dessous.

| Variations et anomalies des processus de la pensée | | |
|---|---|---|
| Circonstantialité | Discours caractérisé par ses détours et ses digressions, du fait de détails inutiles, toutes les composantes gardant une connexion significative. La circonstantialité se rencontre chez nombre d'individus mentalement sains. | Observée chez les sujets obsessionnels. |
| Relâchement des associations | En parlant, le sujet saute d'un sujet à un autre sans rapport net avec le précédent et il ne se rend pas compte de l'absence de lien logique. Le « déraillement » a lieu d'une phrase à l'autre, pas à l'intérieur d'une phrase. | Observé dans la *schizophrénie*, les *accès maniaques* et d'autres *troubles psychiatriques*. |
| Fuite des idées | Un flux presque continu de paroles rapides, avec des changements brusques de sujet, fondés sur des associations compréhensibles, des jeux de mots, des stimuli intercurrents, mais les idées ne s'ordonnent pas en une conversation sensée. | Le plus souvent observée lors d'*accès maniaques*. |
| Néologismes | Mots inventés ou déformés ou mots employés avec des sens nouveaux et ésotériques. | Observés dans la *schizophrénie*, d'autres *troubles psychotiques*, et l'*aphasie*. |
| Incohérence | Discours en majeure partie incompréhensible, illogique, sans connexions significatives, avec changements brusques de sujet, grammaire perturbée ou mauvais usage des mots. Le déraillement a lieu à l'intérieur des phrases. La fuite des idées, quand elle est marquée, conduit à l'incohérence. | Observée chez les sujets ayant des troubles psychotiques sévères (habituellement *schizophrènes*). |
| Blocage | Interruption brusque du discours au milieu d'une phrase ou avant la fin d'une idée. L'individu dit qu'il a perdu le fil de sa pensée. Le blocage survient chez les individus normaux. | Un blocage peut être saisissant dans la *schizophrénie*. |
| Fabulation | Invention de faits ou d'événements en réponse à des questions, pour combler les trous d'une mémoire altérée. | Se voit dans le syndrome de Korsakoff de l'alcoolisme. |
| Persévération | Répétition obstinée de mots ou d'idées. | Se voit dans la *schizophrénie* et d'autres *troubles psychotiques*. |
| Écholalie | Répétition de mots ou de phrases prononcés par d'autres. | Se voit dans les *accès maniaques* et la *schizophrénie*. |
| Associations par assonances | Discours où les mots sont choisis plus d'après leur sonorité que leur sens, comme dans les vers et les calembours. Par exemple, « le ciel est artificiel ». | Se voit dans la *schizophrénie* et dans les *accès maniaques*. |

***Contenu de la pensée.*** Vous devez recueillir des renseignements sur le contenu de la pensée au cours de l'entrevue. Mieux vaut suivre le fil du discours du patient qu'utiliser une liste de questions toutes faites. Par exemple : « Vous avez mentionné, il y a quelques minutes, qu'un voisin était responsable de toute votre maladie. Pouvez-vous m'en dire plus là-dessus ? » Ou, dans une autre situation : « Que pensez-vous d'une époque comme la nôtre ? »

Si vous devez poser des questions plus précises, formulez-les avec tact. « Parfois, lorsque des gens sont aussi bouleversés que vous, ils n'arrivent pas à chasser certaines pensées de leur esprit », ou « … les choses paraissent irréelles. Avez-vous déjà ressenti cela ? » Informez-vous de cette façon sur les anomalies possibles, résumées dans le tableau suivant.

| Anomalies du contenu de la pensée | | |
|---|---|---|
| **Compulsions** | Actes mentaux et comportements répétitifs qu'une personne se sent obligée d'effectuer pour provoquer ou empêcher un événement, bien qu'il soit irréaliste d'en attendre un tel effet. | *Compulsions*, *obsessions*, *phobies* et *angoisses* sont souvent associées à des troubles névrotiques. Voir tableau 5-3 : « Troubles anxieux », p. 167. |
| **Obsessions** | Pensées, images ou impulsions récurrentes incontrôlables qui sont inacceptables et aliénantes. | |
| **Phobies** | Peurs irrationnelles, persistantes, avec le désir irrésistible d'éviter le stimulus. | |
| **Angoisses** | Appréhensions, peurs, tensions ou malaises qui peuvent être focalisés (phobie) ou flottants (craintes mal définies ou pressentiments funestes). | |
| **Sensation d'irréalité** | Sensation que les choses environnantes sont étranges, irréelles, ou lointaines. | |
| **Sentiment de dépersonnalisation** | Sentiment que son propre moi est différent, changé, irréel, a perdu son identité ou s'est séparé de son corps et de son esprit. | Délires et sentiments d'irréalité ou de dépersonnalisation sont plus souvent associés à des *troubles psychotiques*. Voir tableau 5-4 : « Troubles psychotiques », p. 168. Les délires peuvent aussi se voir dans le *delirium tremens*, les troubles thymiques sévères et la démence. |
| **Délires** | Croyances personnelles, fixées et fausses, qui ne sont pas partagées par d'autres membres de la même culture ou sous-culture. Par exemple : <br><br> ▪ *délires de persécution* ; <br><br> ▪ *délires de grandeur* ; <br><br> ▪ *jalousie délirante* ; <br><br> ▪ *délires de référence* : le sujet croit que des événements extérieurs, des objets ou des gens ont une signification personnelle particulière et inhabituelle (par exemple, que la radio ou la télévision font des commentaires sur lui ou lui donnent des instructions) ; <br><br> ▪ *délires d'influence* : le sujet se sent contrôlé par une force extérieure ; <br><br> ▪ *délires somatiques* : le sujet est persuadé d'avoir une maladie, un trouble, un défaut physique ; <br><br> ▪ *délires systématisés* : un délire unique avec des élaborations multiples ou un groupe de délires articulés autour d'un thème unique, tous systématisés en un réseau complexe. | |

**Perceptions.** Recherchez des fausses perceptions par un questionnaire similaire à celui utilisé pour le contenu de la pensée. Par exemple : « Quand vous entendez la voix qui vous parle, que dit-elle ? Que vous fait-elle ressentir ? » Ou bien : « Après avoir beaucoup bu, vous est-il arrivé de voir des choses qui n'existent pas en réalité ? » Ou : « Il arrive qu'après une intervention chirurgicale aussi importante que celle-ci, des gens entendent des choses étranges ou effrayantes. Avez-vous eu une expérience de ce genre ? » Renseignez-vous de cette façon sur les perceptions anormales suivantes.

| Anomalies de perception | |
| --- | --- |
| **Illusions** | Interprétations erronées de stimuli externes réels. |
| **Hallucinations** | Perceptions sensorielles subjectives en l'absence de stimuli externes responsables. La personne peut se rendre compte ou non que ses sensations sont fausses. Les hallucinations peuvent être auditives, visuelles, olfactives, gustatives, tactiles ou somesthésiques. (Les fausses perceptions associées au rêve, à l'endormissement et à l'éveil ne sont pas classées dans les hallucinations). |

Des illusions sont possibles dans les réactions de deuil, les *délires*, les *stress aigus* et *post-traumatiques*, et la *schizophrénie*.

Des hallucinations sont possibles dans les *délires*, la *démence* (moins souvent), le *stress post-traumatique*, la *schizophrénie* et l'alcoolisme.

**Compréhension intuitive et jugement.** Ces attributs sont d'habitude évalués au mieux au cours de l'entretien.

**Compréhension intuitive *(insight).*** Certaines de vos toutes premières questions au patient vous donnent souvent des informations importantes sur la compréhension. « Qu'est-ce qui vous a amené à l'hôpital ? Quelle paraît être votre maladie ? Qu'est-ce qui ne va pas ? » De façon plus spécifique, notez si le patient est ou non conscient qu'une humeur, une pensée ou une perception est anormale ou fait partie d'une maladie.

Les psychotiques sont souvent incapables de se rendre compte de leur maladie. La négation du trouble s'observe dans certaines affections neurologiques.

**Jugement.** Vous pouvez d'habitude apprécier le jugement du patient en notant ses réactions à des situations familiales, professionnelles, à l'utilisation de l'argent et aux conflits personnels. « Quels sont vos projets pour vous faire aider après avoir quitté l'hôpital ? Qu'allez-vous faire si vous perdez votre emploi ? Si votre mari se remet à vous maltraiter, que ferez-vous ? Qui va s'occuper de vos finances pendant que vous êtes hospitalisé ? »

La capacité de jugement peut être réduite dans un délire, une démence, un retard mental, une psychose. Le jugement dépend aussi de l'humeur, de l'intelligence, de l'instruction, du niveau socioéconomique et des valeurs culturelles.

Notez si les décisions et actions s'appuient sur la réalité ou, par exemple, sur l'impulsion, la satisfaction du désir, ou une pensée déréglée. Quelles valeurs paraissent sous-tendre les décisions ou le comportement du patient ? Compte tenu des différences culturelles, comparez-les aux valeurs d'un adulte d'âge mûr. Étant donné que le jugement reflète la maturité, il peut être variable et imprévisible durant l'adolescence.

La désorientation est fréquente quand la mémoire et l'attention sont altérées, comme dans les délires.

# ➜ Fonctions cognitives

***Orientation.*** Par un interrogatoire habile, la capacité d'orientation du patient peut être souvent déterminée au cours de l'entrevue. Par exemple, vous pouvez demander très naturellement des dates ou des périodes spécifiques et vous enquérir de l'adresse du patient, de son numéro de téléphone, du nom de ses parents, ou du chemin qu'il a pris pour venir à l'hôpital. Parfois, chez un patient délirant, par exemple, des questions simples et directes sont indiquées : « Quelle heure est-il maintenant ? Quel jour sommes-nous ? » Précisez ainsi l'orientation du patient sur les points suivants :

■ *le temps* : le moment de la journée, le jour de la semaine, le mois, l'année et la durée de l'hospitalisation ;

■ *le lieu* : l'adresse du patient, le nom de l'hôpital, de la ville, du pays ;

■ *les personnes* : le nom même du patient, ceux de ses proches et du personnel soignant.

***Attention.*** Les tests suivants sont d'utilisation courante.

**Suite de chiffres.** Expliquez au patient que vous désirez tester sa capacité à se concentrer, en ajoutant que cela peut être difficile si les gens sont souffrants, malades, ou fiévreux. Récitez une série de chiffres, en commençant par deux à la fois et en prononçant clairement chaque chiffre, à la vitesse d'un par seconde. Demandez au patient de répéter les chiffres. Si la répétition est exacte, essayez avec une série de trois chiffres, puis de quatre, et ainsi de suite aussi longtemps que le patient répond correctement. Notez les chiffres au fur et à mesure que vous les prononcez, pour être sûr de vous-même. Si le patient fait une erreur, réessayez avec d'autres séries de la même longueur. Arrêtez après une deuxième erreur dans une même série.

De mauvais résultats se voient dans un *délire*, la *démence*, le *retard mental* et le trac.

Dans le choix des chiffres, on peut utiliser des numéros de rue, des codes postaux, des numéros de téléphone et d'autres suites numériques familières, mais on évitera les chiffres qui se suivent, les dates faciles à reconnaître, les suites éventuellement familières au patient.

Maintenant, en commençant de nouveau avec une série de deux, demandez au patient de répéter les chiffres à l'envers.

Normalement, un sujet doit être capable de répéter correctement au moins 5 à 8 chiffres dans l'ordre et 4 à 6 à l'envers.

**Série de 7.** Expliquez au patient : « En partant de 100, soustrayez 7 et encore 7, etc. » Notez l'effort nécessaire, la vitesse et la précision des réponses. En écrivant les réponses, on peut mieux suivre l'arithmétique du patient. Normalement, une personne peut effectuer une série de 7 en 1 minute et demie avec moins de 4 erreurs. Si le sujet ne peut effectuer une série de 7, on essaie avec une série de 3 ou on le fait compter à l'envers.

Une mauvaise performance peut être due à un délire, une démence très évoluée, un retard mental, une perte de capacité en calcul, à de l'anxiété et de la dépression. Pensez aussi à une instruction insuffisante.

**Épeler à l'envers.** Cela peut remplacer une série de 7. Dites un mot de cinq lettres, épelez-le, par exemple M-O-N-D-E, et demandez au patient de l'épeler à l'envers.

**Mémoire lointaine.** Posez des questions sur les dates de naissance, les anniversaires, le numéro de Sécurité sociale, les noms des écoles fréquentées, les métiers exercés ou des événements historiques, tels que des guerres, ayant un lien avec le passé du patient.

La mémoire lointaine peut être altérée dans une *démence* très évoluée.

**Mémoire récente.** Elle concerne notamment les événements du jour. Posez des questions dont vous pouvez vérifier les réponses auprès d'autres sources et, ainsi, savoir si le patient fabule (c'est-à-dire invente des faits pour compenser une mémoire défaillante). Ce peut être le temps qu'il fait, l'heure du rendez-vous d'aujourd'hui, les médicaments pris ou les examens de laboratoire prélevés le jour même (demander ce que le patient a mangé au petit déjeuner est une perte de temps, à moins que vous puissiez vérifier l'exactitude de sa réponse).

La mémoire récente est altérée dans la *démence* et le *délire*. Les *troubles mnésiques* altèrent la mémoire et les capacités d'apprentissage. Ils ont un retentissement social et professionnel mais n'ont pas toutes les caractéristiques du délire ou de la démence. L'anxiété, la dépression et le retard mental peuvent aussi affecter la mémoire récente.

**Capacité d'apprentissage.** Dites au patient trois ou quatre mots tels que : « 83, rue du Château et bleu » ou « table, fleur, vert et hamburger ». Demandez-lui de les répéter afin de savoir s'il les a entendus et retenus. Cette étape, comme les séries de chiffres, teste l'enregistrement et la mémoire immédiate. Ensuite, procédez aux autres parties de l'examen et, 3 à 5 minutes plus tard, demandez au patient de répéter les mots. Notez la précision des réponses, le souci de répondre correctement et toute tendance à fabuler. Normalement, une personne doit être capable de se rappeler les mots.

# → Fonctions cognitives supérieures

**Connaissances et vocabulaire.** L'exploration clinique des connaissances et du vocabulaire permet d'évaluer sommairement l'intelligence du patient. Étudiez-les durant l'interrogatoire. Interrogez par exemple un étudiant sur ses cours préférés, ou posez des questions sur le travail, les passe-temps, les lectures, les programmes préférés de télévision ou l'actualité. Posez d'abord des questions simples, puis d'autres plus difficiles. Notez la capacité qu'a le sujet de saisir une information, la complexité des idées exprimées et le vocabulaire utilisé.

Vous pouvez poser des questions plus directes sur des faits particuliers tels que :

■ le nom du président, du Premier ministre ;

■ les noms des quatre ou cinq derniers présidents ;

■ les noms de cinq grandes villes du pays.

Rapportés au niveau de culture et d'instruction du patient, les connaissances et le vocabulaire sont de bons indicateurs de son intelligence. Ils ne sont affectés que par les troubles psychiatriques les plus graves et peuvent permettre de distinguer les adultes mentalement retardés (qui ont peu de connaissances et de vocabulaire), de ceux qui ont une démence légère ou modérée (dont les connaissances et le vocabulaire sont relativement conservés).

**Capacité de calcul.** Testez la capacité de calcul arithmétique du patient en commençant au niveau minimal, par une addition simple (« Que font 4 + 3 ?... 8 + 7 ? ») et une multiplication simple (« Que font 5 × 6... 9 × 7 ? »). La tâche peut être rendue plus difficile en utilisant des nombres à deux chiffres (« 15 + 12 » ou « 25 × 12 ») ou des exemples plus longs, écrits.

Autrement, vous pouvez poser des questions d'ordre pratique telles que : « Si quelque chose coûte 78 cents et que vous donnez au vendeur un billet de 1 dollar (ou 1 euro), combien doit-il vous rendre ? »

Une mauvaise performance peut être un signe de démence ou peut accompagner une *aphasie*, mais elle doit être évaluée en fonction de l'intelligence et de l'instruction du patient.

**Raisonnement abstrait.** La capacité à raisonner abstraitement est évaluée de deux façons.

Des réponses concrètes sont souvent données par les retardés mentaux, les *délirants* et les *déments* mais peuvent être aussi le fait de sujets peu instruits. Les *schizophrènes* peuvent faire des réponses concrètes ou des interprétations personnelles bizarres.

**Proverbes.** Demandez au sujet ce que les gens veulent dire lorsqu'ils emploient les proverbes suivants :

- Tout vient à point à qui sait attendre.

- Il ne faut pas vendre la peau de l'ours avant de l'avoir tué.

- C'est au pied du mur qu'on reconnaît le maçon.

- Pierre qui roule n'amasse pas mousse.

- L'eau va à la rivière.

Notez la pertinence des réponses et leur degré d'abstraction. Par exemple : « Vous devez coudre une déchirure avant qu'elle ne s'agrandisse » est concret, tandis que « En ne négligeant pas un problème, on évite les complications » est abstrait. Le patient moyen donne des réponses abstraites ou semi-abstraites.

**Analogies.** Demandez au sujet ce que les mots suivants ont de commun :

- une orange et une pomme     une église et un théâtre

- un chat et une souris     un piano et un violon

- un enfant et un nain     du bois et du charbon

Notez la précision des réponses, leur pertinence et leur degré d'abstraction. Par exemple : « Le chat et la souris sont deux animaux » est abstrait, alors que « Tous les deux ont une queue » est concret et « Un chat chasse les souris » est inapproprié.

***Capacité de construction.*** Ici la tâche consiste à copier des figures de complexité croissante sur un morceau de papier blanc, sans lignes. Montrez chaque figure une à une et demandez au patient de les copier aussi fidèlement que possible.

Les trois losanges ci-dessous sont cotés médiocre, moyen et bon (mais non excellent).[40]

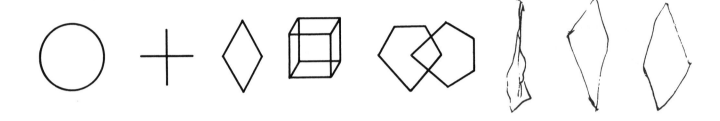

Dans une autre approche, demandez au patient de dessiner le cadran complet d'une horloge avec les chiffres et les aiguilles. L'exemple ci-dessous est coté « excellent ».

Les trois horloges ci-dessous sont cotées médiocre, moyen et bon.[40]

Si la vision et la motricité sont intactes, une mauvaise performance à la copie suggère une démence ou une lésion du lobe pariétal. Un retard mental peut aussi perturber la performance.

# → Techniques spéciales

***Mini-Mental State Examination (MMSE : Examen de l'état mental minimal).*** Ce test rapide est utile pour dépister un dysfonctionnement cognitif ou une démence et pour suivre leur évolution. Pour plus de détails sur le MMSE, contacter l'éditeur (Psychological Assessment Resources, Inc., 16204 North Florida Avenue, Lutz, Florida 33549). Voici quelques exemples de questions.

### ITEMS DU MMSE

**Orientation dans le temps**

« Quel jour sommes-nous ? »

**Enregistrement**

« Écoutez attentivement, je vais prononcer trois mots. Vous devrez les répéter après moi. Prêt ? Voilà, ce sont…

MAISON *(pause)*, VOITURE *(pause)*, LAC *(pause)*. Maintenant, répétez-les ». *(Faites répéter ces mots jusqu'à 5 fois, mais ne cotez que le premier essai.)*

**Dénomination**

« Qu'est-ce que c'est ? » *(Désignez un crayon ou un stylo.)*

**Lecture**

« S'il vous plaît, lisez ceci et faites ce qui est dit. » *(Montrez les mots sur le formulaire.)* FERMEZ LES YEUX

Reproduit avec la permission de l'éditeur, Psychological Assessment Resources, Inc., 16204 North Florida Avenue, Lutz, Florida 33549, tiré du Mini-Mental State Examination, de Marshal Folstein et Susan Folstein, copyright 1975, 1998, 2001, par Mini Mental LLC, Inc. Published 2001 par Psychological Assessment Resources, avec l'aimable autorisation de PAR, Inc.

## CONSIGNER VOS OBSERVATIONS

### Consigner le comportement et l'état mental

« *État mental* : le patient est vigilant, soigné, de bonne humeur. Sa parole est fluide et ses mots distincts ; sa pensée est cohérente et sa compréhension bonne. Il est orienté dans le temps, l'espace et vis-à-vis des personnes. Série de 7 juste ; mémoire récente et lointaine intactes. Calculs justes ».

**Ou**

« *État mental* : le patient semble triste et fatigué ; ses vêtements sont froissés. Il parle lentement, entre ses dents. Sa pensée est cohérente, mais il a une compréhension limitée de ses ennuis actuels. Il est orienté dans le temps, l'espace et vis-à-vis des personnes. Suite de chiffres, série de 7 et calculs justes, mais délai de réponse. Le dessin de l'horloge est satisfaisant.

Suggère une dépression.

## Bibliographie

### RÉFÉRENCES

1. Kessler RC, Demnler O, Frank RG, et al. Prevalence and treatment of mental disorders, 1990 to 2003. N Engl J Med 352(24):2515–2523, 2005.

2. Hepner KA, Rowe M, Rost K, et al. The effect of adherence to practice guidelines on depression outcomes. Ann Intern Med 147(5):320–329, 2007.

3. Schiffer RB. Psychiatric disorders in medical practice. In: Goldman L, Ausiello D, eds. Cecil Textbook of Medicine, 22nd ed. Philadelphia: Saunders, 2004: 2628–2639.

4. Kroenke K. Patients presenting with somatic complaints: epidemiology, psychiatric comorbidity, and management. Int J Methods Psychiatr Res 12(1):34–43, 2003.

5. Kroenke K, Spitzer RL, deGruy, et al. A symptom checklist for screen for somatoform disorders in primary care. Psychosomatics 39(3):263–272, 1998.

6. Rief W, Hessel A, Braehler E. Somatization symptoms and hypochondriacal features in the general population. Psychosomatic Medicine 63(4):595–602, 2001.

7. Kroenke K. The interface between physical and psychological symptoms. Primary Care Companion. J Clin Psychiatry 5(Suppl. 7):11–18, 2003.

8. Aaron LA, Buchwald D. A review of the evidence for overlap among unexplained clinical conditions. Ann Intern Med 134(9):868–881, 2001.

9. Jackson JL, Kronke K. Managing somatization—medically unexplained should not mean medically ignored. J Gen Int Med 21(7):797–799, 2006.

10. Smith RC, Lyles JS, Gardiner JC, et al. Primary care clinicians treat patients with medically unexplained symptoms: a randomized controlled trial. J Gen Int Med 21(7):671–677, 2006.

11. Staab JP, Datto CJ, Weinreig RM, et al. Detection and diagnosis of psychiatric disorders in primary medical care settings. Med Clin N Am 85(3):579–596, 2001.

12. Ansseau, Dierick M, Buntinkxz F, et al. High prevalence of mental disorders in primary care. J Affect Disord 78(1):49–55, 2004.

13. Spitzer RL, Kroenke K, Williams JBW, et al. Validation and utility of a self-report version of PRIME-MD–the PHQ Primary Care Study. JAMA 282(18):1737–1744, 1999.

14. Kroenke K, Sharpe M, Sykes R. Revising the classification of somatoform disorders: key questions and preliminary recommendations. Psychosomatics 48(4):277–285, 2007.

15. Reif W, Martin A, Rauh E, et al. Evaluation of general practitioners' training: how to manage patients with unexplained physical symptoms. Psychosomatics 47(4):304–311, 2006.

16. U.S. Preventive Services Task Force. Screening for depression: recommendations and rationale. Ann Intern Med 136(10):760–764, 2002.

17. Whooley MA, Avins AL, Miranda J, et al. Case-finding instruments for depression: two questions are as good as many. J Gen Intern Med 12(7):439–445, 1997.

18. Spitzer RL, Kroenke K, Williams JB, et al. A brief measure for assessing generalized anxiety disorder: the GAD 7. Arch Intern Med 166(10):1092–1097, 2006.

19. Kroenke K, Spitzer RL, Williams JBW, et al. Anxiety disorders in primary care: prevalence, impairment, comorbidity, and detection. Ann Intern Med 146(5):317–325, 2007.

20. Lowe B, Grafe K, Zipfel S, et al. Detecting panic disorder in medical and psychosomatic outpatients: comparative validation of the Hospital Anxiety and Depression Scale, the Patient Health Questionnaire, a screening question, and physicians' diagnosis. J Psychosom Res 55(6):515–519, 2003.

21. Pilowsky U. Dimensions of hypochondriasis. Br J Psychiatry 113(494):89–93, 1967.

22. Spitzer RL, Williams JB, Kroenke K, et al. Utility of a new procedure for diagnosing mental disorders in primary care. The PRIME-MD 1000 study. JAMA 272(22):1749–1756, 1994.

23. Oldham JM. A 44-year-old woman with borderline personality disorder. JAMA 287(8):1029–1037, 2002.

24. Paris J. Borderline personality disorder. CMAJ 172(12): 1579–1583, 2005.

25. Gross R, Olfson M, Gameroff M, et al. Borderline personality disorder in primary care. Arch Intern Med 162(1):53–60, 2002.

26. Grant BF, Stinson FS, Dawson DA, et al. Co-occurrence of 12-month alcohol and drug use disorders and personality disorders in the United States: results from the national epidemiologic survey on alcohol and related conditions. Arch Gen Psychiatry 61(8):361–368, 2004.

27. Compton WM, Thomas YF, Stinson FS, et al. Prevalence, correlates, disability, and comorbidity of DSM-IV drug abuse and dependence in the United States: results from the national epidemiologic survey on alcohol and related conditions. Arch Gen Psychiatry 64(5):566–576, 2007.

28. Conklin CZ, Westen D. Borderline personality disorder in clinical practice. Am J Psychiatry 162(5):867–875, 2005.

29. Fricchione G. Generalized anxiety disorder. N Engl J Med 351(7):675–682, 2004.

30. National Institutes of Mental Health. The numbers count: mental disorders in America. Available at: http://www.nimh.nih.gov/health/publications/the-numbers-count-mental-disorders-in-america.shtml. Accessed February 1, 2008.

31. U.S. Preventive Services Task Force. Screening for depression in adults: recommendations and rationale. Ann Intern Med 136(10):760–764, 2002. Available at: http://www.ahrq.gov/clinic/3rduspstf/depression/depressrr.htm. Accessed February 1, 2008.

32. U.S. Preventive Services Task Force. Screening for depression in adults: summary of the evidence. Ann Intern Med 136(10): 765–776, 2002. Available at: http://www.ahrq.gov/clinic/3rduspstf/depression/depsum1.htm. Accessed February 1, 2008.

33. Williams JW, Noel H, Cordes JA, et al. Is this patient clinically depressed? JAMA 287(9):1160–1170, 2002.

34. Beck AT, Steer RA. Internal consistencies of the original and revised Beck Depression Inventory. J Clin Psychol 40(6): 1365–1367, 1984.

35. Zung A. A self-rating depression scale. Arch Gen Psychiatry, 12(1):63–70, 1965. Also available at: http://healthnet.umassmed.edu/mhealth/ZungSelfRatedDepressionScale.pdf. Accessed February 3, 2008.

# BIBLIOGRAPHIE

36. National Institute of Mental Health. Suicide in the U.S.: statistics and prevention. Available at: http://www.nimh.nih.gov/health/publications/suicide-in-the-us-statistics-and-prevention.shtml. Accessed January 26, 2008.

37. Centers for Disease Control and Prevention. Suicide facts at a glance. Summer 2007. Available at: http://www.cdc.gov/ncipc/dvp/suicide/SuicideDataSheet.pdf. Accessed January 28, 2008.

38. U.S. Preventive Services Task Force. Screening for suicide risk in adults: recommendations and rationale. May 2004. Available at: http://www.ahrq.gov/clinic/3rduspstf/suicide/suiciderr.htm. Accessed January 26, 2008.

39. U.S. Preventive Services Task Force. Screening for illicit drug use: recommendation statement. January 2008. Available at:http://www.ahrq.gov/clinic/uspstf08/druguse/drugrs.htm#clinical. Accessed February 3, 2008.

40. Strub RL, Black FW. The Mental Status Examination in Neurology, 2nd ed. Philadelphia: F.A. Davis, 1985.

## AUTRES LECTURES

American Psychiatric Association. Diagnostic and Statistical Manual of Mental Disorders, 4th ed. Washington, DC: American Psychiatric Association, 2000.

Antai-Otong D. Managing geriatric psychiatric emergencies: delirium and dementia. Nurs Clin North Am 38(1):123–135, 2003.

Coffey CE, Cummings JL. American Psychiatric Press Textbook of Geriatric Neuropsychiatry, 2nd ed. Washington, DC: American Psychiatric Press, 2000.

Cottler LB, Campbell W, Krishna VAS, et al. Predictors of high rates of suicidal ideation among drug users. J Nerv Ment Dis 193(7):431–437, 2005.

Fancher T, Kravitz R. In the clinic: depression. Ann Intern Med 146(9):ITC5-1–ITC5-16, 2007.

Folstein M, Folstein SE, McHugh PR. "Mini-mental state": a practical method for grading the cognitive state of patients for the clinician. J Psych Res 12(3):189–198, 1975.

Haas LJ, Leiser JP, Magill MK. Management of the difficult patient. Am Fam Phys 72(10):2063–2068, 2005.

Hales RE, Yudofsky SC, eds. Essentials of Clinical Psychiatry, 2nd ed. Washington, DC: American Psychiatric Press, 2004.

Hull SK, Broquet K. How to manage difficult patient encounters. Family Practice Management, June 2007. Available at: www.aafp.org/fpm. Accessed January 5, 2008.

Khan AK, Khan A, Harezlak JH, et al. Somatic symptoms in primary care. Psychosomatics 44(6):471–478, 2003.

Luoma JB, Martin CE, Pearson JL. Contact with mental health and primary care providers before suicide: a review of the evidence. Am J Psychiatry 159(6):909–916, 2002.

Manchikanti L, Giordano J, Boswell MV, et al. Psychological factors as predictors of opioid abuse and illicit drug use in chronic pain patients. J Opioid Manag 3(2):89–100, 2007.

National Center for Health Statistics. Fast stats A to Z: self-inflicted injury/suicide. Available at: http://www.cdc.gov/nchs/fastats/suicide.htm. Accessed January 26, 2008.

Sadock BJ, Sadock VA, Kaplan HI, eds. Kaplan & Sadock's Comprehensive Textbook of Psychiatry, 8th ed. Philadelphia: Lippincott Williams & Wilkins, 2005.

Schiffer RB, Rao SM, Fogel BS, eds. Neuropsychiatry. Philadelphia: Lippincott Williams & Wilkins, 2002.

Silber MH. Chronic insomnia. N Engl J Med 353(8):803–810, 2005.

Weisner C, Mertens J, Parthasarathy S, et al. Integrating primary medical care with addiction treatment: a randomized controlled trial. JAMA 286(14):1715–1723, 2001.

**TABLEAU 5-1**   **Troubles somatoformes : types et approche des symptômes**

## TYPES DE TROUBLES SOMATOFORMES

### Troubles somatoformes[a]

| Trouble | Caractéristiques |
|---|---|
| Trouble de somatisation | Trouble multisystémique chronique, caractérisé par des plaintes de douleur, un dysfonctionnement digestif et sexuel, et des symptômes pseudoneurologiques. Débute souvent tôt dans la vie. Les satisfactions psychosociales et professionnelles sont rares. |
| Trouble de conversion | Ensemble de symptômes déficitaires qui simulent une maladie neurologique ou médicale, dans lequel des facteurs psychologiques jouent un rôle étiologique important. |
| Trouble douloureux | Syndrome clinique comportant surtout des douleurs, dans lequel des facteurs psychologiques jouent un rôle étiologique important. |
| Hypocondrie | Crainte chronique d'être atteint d'une maladie grave. En général, on n'arrive pas à rassurer le patient. |
| Dysmorphophobie | Préoccupation au sujet d'un défaut imaginaire ou exagéré de l'apparence physique. |

### Troubles ressemblant à des troubles somatoformes

| | |
|---|---|
| Troubles factices (ou pathomimie) | Production intentionnelle ou feinte de signes physiques ou psychologiques, sans motifs extérieurs à ce comportement (par exemple, fuir des responsabilités, obtenir de l'argent). |
| Simulation | Production intentionnelle ou feinte de signes physiques ou psychologiques, avec des motifs extérieurs à ce comportement (par exemple, fuir des responsabilités, obtenir de l'argent). |
| Troubles dissociatifs | Perturbations de la conscience, de la mémoire, de l'identité, ou de la perception attribuées à des facteurs psychologiques. |

## APPROCHE DES SYMPTÔMES SOMATIQUES ET INEXPLIQUÉS

### Approche par étape des symptômes somatiques en soins primaires[b]

| Est-ce que le symptôme est probablement… | L'action clinique pourrait consister à… |
|---|---|
| Aigu et grave ? (< 5 % des cas) | Bilan clinique rapide |
| Mineur/autolimité ? (70-75 % des cas) | Définition des attentes du patient<br>Traitement symptomatique<br>Consultation de suivi dans 2 à 6 semaines |
| Chronique ou récidivant ? (20-25 % des cas) | Dépistage de la dépression et de l'anxiété |
| Causé ou aggravé par un trouble dépressif ou anxieux ? | Traitement antidépresseur et/ou thérapie cognitivocomportementale (TCC) |

| Dû à un syndrome somatique fonctionnel ? | Traitement spécifique du syndrome.<br>Traitement antidépresseur et/ou TCC. |
|---|---|
| Persistant et médicalement inexpliqué ? | Consultations régulières pendant un temps limité.<br>Avis d'un psychiatre à envisager. |
| | Stratégies de prise en charge des symptômes, si leur efficacité est prouvée (par exemple, thérapies comportementales, programmes d'autocontrôle de la douleur, consultations spécialisées dans la douleur ou d'autres troubles, médecines complémentaires et alternatives).<br>Approche de rééducation plutôt que de handicap. |

## Recommandations pour la prise en charge des patients qui ont des symptômes médicalement inexpliqués[c]

| Aspects généraux | Montrez de l'empathie et de la compréhension pour les plaintes et les frustrations éprouvées par le patient (par exemple, expliquez-lui que des symptômes médicalement inexpliqués sont fréquents). |
|---|---|
| | Développez une bonne relation patient-médecin ; essayez d'être le coordinateur des explorations diagnostiques et des soins. |
| Diagnostic | Explorez non seulement l'histoire des symptômes et des traitements antérieurs, mais aussi la perturbation, l'anxiété et les problèmes psychosociaux. |
| | Utilisez des tests de dépistage et des autoquestionnaires comme outils de détection bon marché ; utilisez des agendas de symptômes pour préciser l'évolution et les facteurs qui influent sur les symptômes. |
| | Si le patient présente un nouveau symptôme, examinez l'appareil concerné. |
| | Montrez les résultats des explorations pour expliquer l'absence de pathologie organique et pour rassurer le patient sur l'absence de maladie grave. |
| | Évitez les examens complémentaires et les interventions chirurgicales inutiles. |
| Traitement | Donnez des rendez-vous de consultation réguliers (par exemple, toutes les 4-6 semaines), surtout si le patient est un grand utilisateur du système de santé.<br>Expliquez que le traitement sert à « vivre avec », pas à guérir (quand une pathologie organique ne peut être découverte ou qu'elle n'explique pas l'intensité des symptômes). |
| | Proposez des stratégies d'ajustement *(coping)* telles qu'une activité physique régulière, la relaxation, les loisirs. |
| Envoi au spécialiste | S'il est nécessaire d'adresser le patient à un spécialiste pour commencer une psychothérapie ou un traitement psychopharmacologique, préparez-le au traitement et rassurez-le sur le fait que vous resterez « son médecin ». |

Sources : [a]Schiffer RB. Psychiatric disorders in medical practice. In: Goldman L, Ausiello D, eds. Cecil Textbook of Medicine. 22nd ed. Philadelphia: Saunders 2004, pp. 2628–2639; [b]Kroenke K. Patients presenting with somatic complaints: epidemiology, psychiatric comorbidity, and management. Int J Methods Psychiatr Res 12(1):34–43, 2003; [c]Reif W, Martin A, Rauh E, et al. Evaluation of general practitioners' training: how to manage patients with unexplained physical symptoms. Psychosomatics 47(4):304–311, 2006.

Les *troubles de l'humeur* sont dépressifs ou bipolaires. Un trouble bipolaire comporte des traits maniaques ou hypomaniaques et des traits dépressifs. *Quatre types d'épisodes*, décrits ci-dessous, se combinent de différentes façons en troubles de l'humeur. Un trouble dépressif majeur comprend un ou plusieurs épisodes dépressifs majeurs. Un *trouble bipolaire de type I* comprend un ou plusieurs épisodes maniaques ou mixtes, avec habituellement des épisodes dépressifs majeurs. Un *trouble bipolaire de type II* comprend un ou plusieurs épisodes dépressifs majeurs avec au moins un épisode hypomaniaque.

La *dysthymie* et la *cyclothymie* sont chroniques, moins graves et ne remplissent pas les critères des autres troubles. Les troubles de l'humeur dus à des affections générales ou à l'abus de certaines substances sont classés à part.

## Épisode dépressif majeur

On exige au moins 5 des symptômes énumérés ci-dessous, dont un des deux premiers, pendant une même période de 2 semaines. Ils doivent aussi représenter une modification de l'état antérieur de la personne.

- Humeur dépressive (possible irritabilité chez les enfants et les adolescents) presque toute la journée et presque chaque jour.
- Intérêt ou plaisir nettement diminués pour presque toutes les activités, la plus grande partie de la journée, presque chaque jour.
- Prise ou perte de poids significatifs (sans régime), ou appétit augmenté ou diminué presque chaque jour.
- Insomnie ou hypersomnie presque chaque jour.
- Agitation ou ralentissement psychomoteur presque chaque jour.
- Fatigue ou manque d'énergie presque chaque jour.
- Sentiments de dévalorisation ou de culpabilité sans raison presque chaque jour.
- Incapacité à penser et à se concentrer ou indécision presque chaque jour.
- Idées récurrentes de mort ou de suicide ou un plan pour ou une tentative de suicide.

Ces symptômes provoquent une détresse significative ou perturbent les activités sociales, professionnelles et autres. Dans les cas graves, peuvent survenir des hallucinations et des délires.

## Épisode mixte

Un épisode mixte, dont la durée doit être supérieure ou égale à 1 semaine, remplit les critères des épisodes dépressifs et maniaques majeurs.

## Dysthymie

Une humeur dépressive et des symptômes la plus grande partie de la journée, plus d'un jour sur deux, pendant au moins 2 ans (1 an chez les enfants et les adolescents). Les intervalles libres durent moins de 2 mois d'affilée.

## Épisode maniaque

C'est une période distincte d'humeur anormalement et durablement exaltée, expansive ou irritable, durant au moins 1 semaine (durée quelconque si une hospitalisation est nécessaire). Pendant ce temps, il faut au moins trois des symptômes cités ci-dessous, de façon persistante et significative (quatre sont nécessaires si l'humeur est seulement irritable).

- Estime démesurée de soi-même ou folie des grandeurs.
- Diminution du besoin de sommeil (par exemple, est frais et dispos après avoir dormi 3 heures).
- Loquacité inhabituelle ou monopolisation de la parole.
- Fuite des idées ou précipitation des pensées.
- Distraction accrue.
- Hyperactivité dans un but défini (socialement, au travail ou à l'école, ou sexuellement) ou agitation psychomotrice.
- Intérêt excessif pour des activités agréables à risque élevé (par exemple, achats extravagants, entreprises déraisonnables, écarts sexuels).

Le trouble est suffisamment grave pour perturber les relations et les activités sociales et professionnelles. L'hospitalisation peut être nécessaire pour protéger le sujet ou autrui. Dans les cas graves surviennent des hallucinations et des délires.

## Épisode hypomaniaque

L'humeur et les symptômes ressemblent à ceux d'un épisode maniaque, mais sont moins perturbants, ne nécessitent pas d'hospitalisation, ne comprennent ni hallucinations ni délires et ont une durée minimale moindre (4 jours).

## Cyclothymie

Nombreuses périodes de symptômes dépressifs et hypomaniaques sur au moins 2 ans (1 an pour les enfants et les adolescents). Les intervalles libres durent moins de 2 mois d'affilée.

---

Les tableaux 5-2 à 5-4 sont fondés sur le *Diagnostic and Statistical Manual of Mental Disorders*, 4th ed., texte révisé (DSM-IV-TR). Washington DC, American Psychiatric Association, 2000. Pour des détails et critères supplémentaires, le lecteur pourra consulter ce manuel ou sa version plus récente, ou un traité de psychiatrie.

| | |
|---|---|
| **Panique** | Un *trouble panique* est défini par des accès de panique récidivants, imprévus, dont au moins un a été suivi de la crainte persistante de nouveaux accès pendant au moins un mois, de soucis à propos de leurs implications et conséquences, ou de modifications significatives du comportement en rapport avec les accès. Une *attaque de panique* est une période discontinue de peur ou de malaise intense qui apparaît brutalement et atteint son maximum en 10 minutes. Elle comprend au moins quatre des symptômes suivants : 1) palpitations, cœur qui bat très fort ou tachycardie, 2) sueurs, 3) tremblements, 4) respiration courte ou suffocation, 5) impression d'étranglement, 6) gêne ou douleur thoracique, 7) nausées ou douleurs abdominales, 8) sensations de vertiges, instabilité, tête vide ou évanouissement, 9) sensation d'irréalité ou de dépersonnalisation, 10) peur de perdre son contrôle ou de devenir fou, 11) peur de mourir, 12) paresthésies (engourdissements ou fourmillements), 13) frissons ou bouffées de chaleur. Le trouble panique peut survenir avec ou sans *agoraphobie*. |
| **Agoraphobie** | L'agoraphobie est l'anxiété de se trouver dans des endroits ou des situations où la fuite sera difficile, gênante, ou une aide indisponible. Ces situations sont évitées, nécessitent un accompagnateur et entraînent une anxiété marquée. |
| **Phobies spécifiques** | Une phobie spécifique est une peur marquée, persistante, excessive ou déraisonnable provoquée par la présence ou l'anticipation d'un objet ou d'une situation spécifique, tels que les chiens, les injections, les voyages en avion. Le sujet reconnaît que sa peur est excessive ou déraisonnable mais son exposition à l'agent déclenche immédiatement l'anxiété. L'évitement et la peur perturbent les activités courantes, professionnelles, universitaires, sociales du sujet, et ses relations. |
| **Phobie sociale** | Une phobie sociale est la peur marquée, persistante d'une ou plusieurs situations sociales ou exécutives impliquant l'exposition à des personnes étrangères ou au regard des autres. Ceux qui en sont atteints craignent d'agir de façon embarrassante ou humiliante comme de montrer leur angoisse. L'exposition provoque de l'anxiété et possiblement une attaque de panique et le sujet évite les situations déclenchantes. Il reconnaît que sa peur est excessive ou déraisonnable. Les activités courantes, professionnelles, universitaires, sociales et les relations sont perturbées. |
| **Trouble obsessionnel compulsif** | Ce trouble consiste en des obsessions et des compulsions qui causent une anxiété et une souffrance marquées. Bien qu'ils soient reconnus comme excessifs et déraisonnables, jusqu'à un certain point, ces troubles font perdre beaucoup de temps et perturbent les activités courantes, professionnelles et sociales, et les relations. |
| **Stress aigu** | Une personne a été exposée à un traumatisme impliquant une mort effective ou potentielle, ou une blessure grave chez elle-même ou chez d'autres personnes, et a manifesté une peur intense, de l'impuissance ou de l'horreur. Pendant ou aussitôt après cet événement, elle présente au moins trois de ces symptômes de dissociation : 1) un sentiment d'indifférence ou l'absence de réaction, 2) une diminution de la conscience de l'environnement, comme si elle était hébétée, 3) des sentiments d'irréalité, 4) des sentiments de dépersonnalisation et 5) l'amnésie d'une grande partie de l'événement. Cet événement est continuellement revécu, dans des pensées, des images, des rêves, des illusions, des retours en arrière et les souvenirs sont douloureux. La personne est très anxieuse ou surexcitée et cherche à éviter ce qui rappelle cet événement. Le trouble fait beaucoup souffrir ou perturbe les activités sociales, professionnelles et autres. Les symptômes surviennent dans les 4 semaines qui suivent l'événement et durent de 2 à 4 semaines. |
| **Stress post-traumatique** | L'événement, la réaction de peur, et la reviviscence persistante du traumatisme sont semblables à ceux du stress aigu. Il peut y avoir des hallucinations. La personne est surexcitée, essaye d'éviter les stimuli liés au traumatisme et a « gelé » sa réactivité générale. Le trouble provoque une souffrance marquée, altère les activités sociales, professionnelles et autres, et dure plus d'un mois. |
| **Trouble anxieux généralisé** | Il n'y a pas ici d'événement traumatique ou de sujet d'inquiétude précis. L'hyperanxiété, difficile à contrôler par le sujet, concerne beaucoup d'événements et d'activités. Trois symptômes au moins sont associés : 1) le sentiment d'être nerveux, tendu, 2) une fatigabilité anormale, 3) une difficulté de concentration, une sensation d'esprit vide, 4) une irritabilité, 5) une tension musculaire, 6) une difficulté à s'endormir, ou un sommeil bref, agité, non réparateur. Le trouble provoque une souffrance significative ou perturbe les activités sociales, professionnelles et autres. |

**TABLEAU 5-4**    Troubles psychotiques

Les troubles psychotiques sont caractérisés par une altération importante de l'appréhension de la réalité. Le diagnostic spécifique dépend de la nature et de la durée des symptômes et de la cause, quand elle peut être identifiée. Sept troubles sont décrits ci-dessous.

| | |
|---|---|
| **Schizophrénie** | La schizophrénie altère le fonctionnement normal, au travail, à l'école, dans les relations entre personnes ou pour l'entretien de soi-même. Pour poser ce diagnostic, il faut qu'au moins une de ces activités soit tombée à un niveau nettement inférieur au stade antérieur pendant un temps significatif. De plus, le sujet doit avoir 2 des signes suivants pendant une période significative sur 1 mois : 1) délires, 2) hallucinations, 3) parole désorganisée, 4) comportement désorganisé ou catatonique* et 5) des symptômes négatifs, tels qu'un affect pauvre, une alogie (manque de contenu dans le discours) ou une aboulie (manque d'intérêt, de pulsion et d'aptitude à se fixer et à atteindre des objectifs). Les signes doivent durer au moins 6 mois, sans discontinuité. |
| | Principaux sous-types : schizophrénie paranoïde, désorganisée, catatonique. |
| **Trouble schizophréniforme** | Les symptômes ressemblent à ceux de la schizophrénie, mais durent moins de 6 mois et les altérations fonctionnelles rencontrées dans la schizophrénie peuvent manquer. |
| **Trouble schizoaffectif** | Il comporte des traits d'un trouble de l'humeur majeur et des traits de schizophrénie. Le trouble de l'humeur (dépressif, maniaque ou mixte) est présent pendant presque toute la maladie et doit, pendant un certain temps, coexister avec les symptômes de la schizophrénie (énumérés ci-dessus). Pendant la même période, il doit y avoir aussi des délires ou des hallucinations pendant plus de 2 semaines sans symptômes thymiques prédominants. |
| **Trouble délirant** | Un trouble délirant est caractérisé par des délires non bizarres, concernant des situations de la vie réelle comme une maladie ou une infidélité. Le délire persiste plus d'un mois mais le fonctionnement du sujet n'est pas notablement altéré, et son comportement n'est pas étrange ou bizarre de façon évidente. Les symptômes de la schizophrénie sont absents, si l'on excepte les hallucinations tactiles et olfactives en rapport avec le délire. |
| **Trouble psychotique bref** | Dans ce trouble, il faut qu'au moins un des symptômes psychotiques suivants soit présent : délires, hallucinations, langage altéré, qui « déraille » souvent ou est incohérent, ou comportement grossièrement désorganisé ou catatonique. Le trouble dure de 1 jour à 1 mois et le sujet revient à son niveau de fonctionnement antérieur. |
| **Trouble psychotique dû à une affection médicale** | Des hallucinations ou des délires peuvent survenir au cours d'une affection médicale. Ils ne doivent pas survenir exclusivement pendant l'évolution du délire. L'affection médicale doit être documentée et les symptômes doivent lui être imputables. |
| **Trouble psychotique induit par une substance** | Des hallucinations et des délires peuvent être provoqués par une intoxication par ou le sevrage de produits tels que l'alcool, la cocaïne ou les opiacés. Pour ce diagnostic, les symptômes ne doivent pas survenir seulement pendant l'évolution du délire. Les symptômes doivent être imputables à la substance. |

* Les comportements catatoniques sont des anomalies psychomotrices comprenant stupeur, mutisme, résistance négative aux ordres ou essais pour mobiliser le sujet, des postures rigides, bizarres et une activité agitée mais apparemment sans but.

# La peau et ses annexes

## ANATOMIE ET PHYSIOLOGIE

La principale fonction de la peau est le maintien de l'homéostasie du corps, en dépit des agressions quotidiennes de l'environnement. La peau retient les liquides corporels ; elle protège les tissus sous-jacents contre les micro-organismes, les substances nuisibles et les radiations. Elle module la température corporelle et synthétise de la vitamine D. Les poils, les ongles, les glandes sébacées et sudoripares sont considérées comme des annexes de la peau. La peau et ses annexes subissent de nombreuses modifications avec le vieillissement. Allez au chapitre 20 : « Sujet âgé », p. 937-938, pour étudier les changements normaux et anormaux de la peau dus à l'âge.

***Peau.*** C'est l'organe le plus lourd du corps ; elle pèse environ 16 % du poids du corps et a une surface comprise entre 1,2 et 2,3 m². La peau est composée de trois couches : l'épiderme, le derme et le tissu sous-cutané.

La couche la plus superficielle, l'*épiderme*, est mince, dépourvue de vaisseaux sanguins et divisée elle-même en deux couches : une couche cornée externe de cellules mortes kératinisées et une couche interne, cellulaire, où se forment la mélanine et la kératine. L'ascension des cellules de la couche basale à la superficie de l'épiderme prend environ 1 mois.

L'épiderme dépend du *derme* sous-jacent pour sa nutrition. Le derme, richement vascularisé, contient du tissu conjonctif, des glandes sébacées et une partie des follicules pileux. Il se confond en dessous avec le *tissu sous-cutané* ou *adipeux* (graisse).

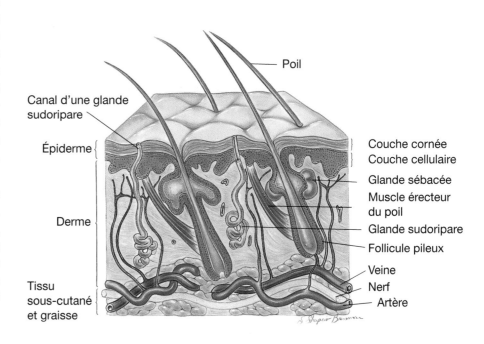

Poil

Canal d'une glande sudoripare

Épiderme {

Derme

Tissu sous-cutané et graisse

Couche cornée
Couche cellulaire
Glande sébacée
Muscle érecteur du poil
Glande sudoripare
Follicule pileux
Veine
Nerf
Artère

La couleur de la peau normale dépend essentiellement de quatre pigments : mélanine, carotène, oxyhémoglobine et désoxyhémoglobine. Le taux de *mélanine* – pigment brun de la peau – est génétiquement déterminé et augmenté par l'exposition au soleil. Le *carotène* est un pigment jaune doré présent dans la graisse sous-cutanée et dans les zones très riches en kératine comme les paumes et les plantes.

L'*hémoglobine*, qui circule dans les globules rouges et transporte la majeure partie de l'oxygène sanguin, existe sous deux formes. L'*oxyhémoglobine*, un pigment rouge vif, prédomine dans les artères et les capillaires. Une augmentation du flux sanguin dans les artérioles et les capillaires de la peau provoque une rougeur de la peau alors que l'inverse est cause de pâleur. La peau des sujets peu colorés est normalement plus rouge sur les paumes, les plantes, le visage, le cou et la partie supérieure du thorax.

Quand le sang traverse le lit capillaire, une partie de l'oxyhémoglobine délivre son oxygène aux tissus, et se change alors en *désoxyhémoglobine*, pigment plus sombre et bleuâtre. Une concentration accrue en désoxyhémoglobine dans les vaisseaux sanguins cutanés donne à la peau un teint bleuâtre dénommé *cyanose*.

Il y a deux sortes de cyanose d'après la teneur en oxygène du sang artériel. Si cette teneur est basse, la cyanose est *centrale*. Si elle est normale, la cyanose est *périphérique*. Une cyanose périphérique apparaît lorsque le débit sanguin cutané est diminué, ralenti, et quand les tissus extraient du sang davantage d'oxygène que d'habitude. Ce peut être une réponse normale à l'anxiété et au froid.

La couleur de la peau dépend non seulement des pigments, mais aussi de la dispersion de la lumière réfléchie par les couches superficielles de la peau et les parois des vaisseaux. Cette dispersion rend la couleur plus bleue et moins rouge. La couleur bleuâtre des veines sous-cutanées provient par exemple de cet effet, elle est beaucoup plus bleue que le sang veineux obtenu par ponction veineuse.

**Poils.** Les adultes ont deux types de pilosité : le *duvet* et les poils proprement dits. Le duvet est court, fin, invisible et non pigmenté, alors que les *poils* sont plus gros, plus épais, plus visibles et, habituellement, pigmentés. Les cheveux et les sourcils sont des exemples de poils.

**Ongles.** Les ongles protègent les extrémités des doigts et des orteils. La *lame unguéale*, solide, rectangulaire et habituellement bombée, tient sa couleur rose du lit unguéal vasculaire auquel elle est fermement attachée. Notez la *lunule*, blanchâtre, et le bord libre de la lame. Environ un quart de la lame, la *racine unguéale*, est recouvert par le repli unguéal proximal. La *cuticule* provient de ce repli et assure l'étanchéité de l'espace entre le repli et la lame. Les *replis latéraux* recouvrent les bords latéraux de la lame. Notez que l'angle entre le repli proximal et la lame est normalement inférieur à 180°.

Les ongles des doigts poussent d'environ 0,1 mm par jour ; ceux des orteils poussent plus lentement.

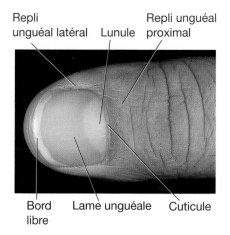

Repli
unguéal latéral    Lunule

Repli unguéal
proximal

Bord
libre    Lame unguéale    Cuticule

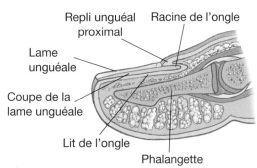

Repli unguéal
proximal    Racine de l'ongle

Lame
unguéale

Coupe de la
lame unguéale

Lit de l'ongle

Phalangette

**Glandes sébacées et glandes sudoripares.** Les *glandes sébacées* sécrètent une substance grasse protectrice qui parvient à la surface de la peau par les follicules pileux. Ces glandes sont présentes sur toute la peau, excepté les paumes des mains et les plantes des pieds.

Les *glandes sudoripares* sont de deux types : eccrines et apocrines. Les *glandes eccrines*, largement distribuées, s'ouvrent directement à la surface de la peau et, par la production de sueur, contribuent à la régulation de la température du corps. Les *glandes apocrines* se trouvent surtout dans les aisselles et les régions génitales, et s'ouvrent habituellement dans les follicules pileux. Elles sont stimulées par une tension émotive. La décomposition bactérienne de la sueur apocrine est responsable de l'odeur du corps de l'adulte.

## ANTÉCÉDENTS MÉDICAUX

### Symptômes banals ou inquiétants

- Chutes de poils (alopécie).
- Éruption.
- Grains de beauté (naevus).

Commencez votre interrogatoire sur la peau par quelques questions ouvertes : « Avez-vous remarqué des changements affectant votre peau ? Vos poils ? Vos ongles ? »… « Avez-vous eu une éruption ? Des ulcères ? Des grosseurs ? Des démangeaisons ? »

Demandez : « Avez-vous remarqué des grains de beauté qui vous inquiètent ? Est-ce qu'un grain de beauté a changé de taille, forme, couleur ou sensibilité ? Y a-t-il de nouveaux grains de beauté ? » Dans l'affirmative, recherchez des antécédents personnels ou familiaux de mélanome et les résultats de biopsies de peau éventuelles.

Les causes de démangeaison généralisée comprennent la peau sèche, la vieillesse, la grossesse, l'insuffisance rénale chronique, l'ictère, les lymphomes et leucémies, les intolérances médicamenteuses et les poux.

Environ la moitié des *mélanomes* sont détectés par le patient lui-même.[1]

Vous pouvez désirer repousser d'autres questions sur la peau au moment où, dans l'examen physique, vous inspecterez la peau et identifierez les lésions qui inquiètent le patient.

## PROMOTION DE LA SANTÉ ET CONSEILS

### Sujets importants pour la promotion de la santé et les conseils

- Facteurs de risque des cancers cutanés.
- Éviter une exposition au soleil excessive.

Les cliniciens jouent un rôle important dans l'éducation des patients sur la détection précoce de grains de beauté suspects, les mesures de protection de la peau et les dangers de l'exposition au soleil excessive. Les cancers de la peau sont les cancers les plus fréquents aux États-Unis ; ils surviennent habituellement sur les régions découvertes, en particulier la tête, le cou et les mains. Ils sont de trois grands types[2, 3] :

- le *carcinome (ou épithélioma) basocellulaire*, qui naît dans la couche la plus profonde ou basale de l'épiderme et qui représente environ 80 % des cancers cutanés. Il est blanc nacré et translucide, croît lentement et métastase exceptionnellement ;

- le *carcinome (ou épithélioma) spinocellulaire*, qui naît dans les couches superficielles de l'épiderme et qui représente environ 16 % des cancers cutanés. Il est souvent croûteux et squameux, avec un aspect inflammatoire ou ulcéré et peut métastaser ;

- le *mélanome*, qui naît des mélanocytes de l'épiderme – les cellules produisant le pigment colorant la peau – et qui représente environ 4 % des cancers cutanés. Il est le plus dangereux. Il est rare mais sa fréquence augmente rapidement : actuellement, le risque de mélanome sur toute une vie est de 1 sur 49 chez les hommes et de 1 sur 73 chez les femmes.[4] Le mélanome peut envahir rapidement les ganglions lymphatiques et les organes.[5] Son taux de mortalité est plus élevé chez les hommes blancs, d'environ 3,6 % par an, peut-être à cause d'une « vigilance cutanée » et de taux d'auto-examens moindres.[6]

**Facteurs de risque de mélanome.** Informez vos patients des *facteurs de risque du mélanome*. L'analyse de plus de 364 000 personnes dépistées au cours du programme national de dépistage du mélanome et des cancers cutanés de l'AAD (*American Academy of Dermatology*) a validé le modèle HARMM (*History, Age, Regular, Mole, Male*) pour identifier les personnes à risque élevé au cours d'un dépistage du cancer cutané en population générale.[7]

| Modèle de risque de mélanome HARMM | |
|---|---|
| **Facteur de risque** | **Risque relatif de mélanome** |
| **H** (*History*) : antécédent de mélanome | 3,3 |
| **A** (*Age*) : âge > 50 ans | 1,2 |
| **R** (*Regular*) : pas de dermatologue attitré | 1,4 |
| **M** (*Mole*) : modification du naevus | 2,0 |
| **M** (*Male*) : sexe masculin | 1,4 |
| **Nombre de facteurs de risques** | **Rapport de vraisemblance de mélanome** |
| 0-1 | 1,0 |
| 2 | 1,7 |
| 3 | 2,5 |
| 4-5 | 4,5 |

Source : Goldberg MS, Doucette JT, Lim HW, *et al.* Risk factors for presumptive melanoma in skin cancer screening : American Academy of Dermatology National Melanoma/Skin Cancer Screening Program experience 2001–2005. J Am Acad Dermatology 57(1):60–66, 2007.

Les autres facteurs de risque sont l'existence de 50 grains de beauté ou plus, 1 à 4 grains de beauté atypiques ou inhabituels, notamment dysplasiques[8, 9] ; une pilosité rousse ou blonde, un lentigo actinique, c'est-à-dire des macules ou des taches brunes sur les régions exposées au soleil (taches de rousseur) ; une exposition aux rayons UV du soleil, d'une lampe à bronzer ou d'une cabine de bronzage ; une couleur claire de peau ou d'yeux, notamment une peau qui se couvre de taches de rousseur ou rougit facilement au soleil ; des brûlures solaires (avec phlyctènes) dans l'enfance ; une dépression immunitaire due à une infection à VIH ou à une chimiothérapie ; des antécédents familiaux de mélanome.[6, 10] La détection précoce des mélanomes quand ils mesurent 3 mm ou moins améliore significativement le pronostic.

La mesure de dépistage des cancers de la peau la plus conseillée est *l'examen de la totalité de la peau* par un médecin, mais son utilité est sujette à caution quand cet examen n'est pas fait par un dermatologue. Bien que l'USPSTF (*US Preventive Services Task Force*) n'ait pas trouvé de données probantes permettant de recommander l'inspection pour le dépistage systématique, l'ACS (*American Cancer Society*) préconise d'intégrer l'inspection de la peau dans le bilan de dépistage du cancer à faire tous les 3 ans entre 20 et 40 ans et 1 fois par an après 40 ans.[11, 12] Seules quelques études ont montré que l'*auto-examen de la peau* améliorait la détection,[13-15] mais cette méthode d'éducation du patient peu coûteuse peut stimuler la vigilance des patients à risque (voir les techniques d'auto-examen de la peau, p. 177-178).

***Détection des grains de beauté.*** Les patients et les praticiens qui découvrent des grains de beauté (naevi mélaniques) doivent appliquer la ***méthode ABCD*** pour détecter leur transformation maligne (mélanomes). Cette méthode a une sensibilité de 50 à 97 % et une spécificité de 96 à 99 %.[1, 12, 16]

Voir tableau 6-10 : « Naevi bénins et malins », p. 193.

> **L'ABCD DE L'EXAMEN DES GRAINS DE BEAUTÉ POUR DÉTECTER DES MÉLANOMES**
>
> ✔ **A** pour asymétrie d'un bord du naevus par comparaison avec l'autre.
>
> ✔ **B** pour bords irréguliers, notamment déchiquetés, indentés, ou estompés.
>
> ✔ **C** pour changement de couleur, notamment bleue ou noire.
>
> ✔ **D** pour diamètre ≥ 6 mm ou différent des autres, surtout en cas de modification, démangeaison ou saignement.

***Prévention des cancers de la peau.*** Conseillez les patients sur les stratégies préventives comme la réduction de l'exposition au soleil et l'utilisation d'écrans solaires (bien que leur efficacité ne soit pas définitivement confirmée).[13] Incitez les patients à diminuer l'exposition directe au soleil, surtout en milieu de journée quand les rayons ultraviolets B (UVB), les plus cancérigènes, sont les plus intenses. Les écrans solaires se classent en deux catégories : les « crèmes » qui arrêtent tous les rayons solaires, et les « produits » qui absorbent la lumière, cotés par un « indice de protection solaire » (IPS). L'IPS est le rapport du nombre de minutes que mettent à rougir une peau traitée et une peau non traitée exposées aux UVB. L'IPS minimal conseillé est de 15 ; il « arrête » 93 % des UVB (il n'y a pas d'échelle pour les UVA, responsables du vieillissement dû à la lumière, ni pour les UVC, très cancérigènes mais arrêtés dans l'atmosphère par l'ozone). Les écrans solaires résistant à l'eau, qui demeurent longtemps sur la peau, sont préférables. Sachez cependant que l'utilisation d'écrans solaires peut donner aux patients un faux sentiment de sécurité et augmenter l'exposition au soleil.

# TECHNIQUES D'EXAMEN

On commencera l'observation de la peau et de ses annexes avec l'examen général et on la poursuivra tout au long de l'examen physique. Prenez cependant le temps de vous assurer que le patient porte une blouse et est vêtu de façon à permettre une inspection minutieuse des cheveux, des faces antérieure et postérieure du corps, des paumes et des plantes et des espaces interdigitaux.

La surface entière de la peau doit être inspectée sous un bon éclairage, de préférence à la lumière naturelle ou une lumière artificielle semblable. Confrontez ce que vous découvrez avec l'examen des muqueuses, notamment quand vous appréciez la couleur de la peau, parce que certaines maladies touchent la peau et les muqueuses. Les techniques d'examen des muqueuses sont décrites plus loin.

La lumière artificielle altère souvent les couleurs et masque une jaunisse.

Pour affiner vos observations, vous pouvez consulter dès à présent les tableaux à la fin du chapitre pour mieux identifier les colorations de la peau et les types de lésions que vous pouvez rencontrer en cours d'examen.

# ➜ Peau

Inspectez et palpez la peau. Notez ses caractéristiques.

***Coloration.*** Les patients peuvent remarquer un changement de couleur de leur peau avant le médecin. Questionnez-les à ce sujet. Recherchez une augmentation de pigmentation (bronzage), un défaut de pigmentation, une rougeur, une pâleur, une cyanose et un jaunissement de la peau.

Appréciez la couleur rouge de l'oxyhémoglobine et la pâleur résultant de son déficit, là où la couche cornée de l'épiderme est la plus mince et disperse le moins la lumière : ongles des doigts, lèvres et muqueuses, en particulier la muqueuse buccale et les conjonctives palpébrales. Chez les sujets à peau sombre, l'inspection des paumes et des plantes peut aussi être utile.

La cyanose centrale se reconnaît bien au niveau des lèvres, de la muqueuse buccale et de la langue. Cependant, les lèvres peuvent bleuir de froid et leur mélanine simuler la cyanose chez les gens à peau sombre.

La cyanose des ongles, des mains et des pieds peut être d'origine centrale ou périphérique. La cyanose périphérique peut être due à l'anxiété ou à la fraîcheur de la salle d'examen.

Recherchez la coloration jaune d'un ictère au niveau des sclérotiques. L'ictère peut aussi être apparent sur les conjonctives palpébrales, les lèvres, la voûte du palais, la face inférieure de la langue et la peau. Pour voir plus facilement un ictère au niveau des lèvres, chassez-en le sang en appuyant dessus avec un verre de montre.

Pour la coloration jaune de l'hypercarotinémie, regardez les paumes, les plantes et la face.

***Humidité.*** Par exemple, sécheresse, transpiration ou aspect graisseux.

***Température.*** Elle s'apprécie avec la face dorsale des doigts. En plus de reconnaître une élévation ou une diminution diffuse de la température cutanée, notez la température de toute zone rouge.

***Texture.*** Par exemple, rugueuse ou lisse.

---

*Exemples d'anomalies (colonne de droite) :*

Voir tableau 6-1 : « Colorations de la peau », p.181-182.

La pâleur est due à la diminution de la rougeur, comme dans l'*anémie*, et à la diminution du flux sanguin, comme lors d'un évanouissement ou d'une insuffisance artérielle.

Les causes de *cyanose centrale* comprennent des maladies pulmonaires à un stade avancé, des cardiopathies congénitales et des hémoglobinopathies.

La *cyanose* est habituellement périphérique dans l'*insuffisance cardiaque*, traduisant une diminution du débit sanguin, mais elle peut aussi être centrale dans l'*œdème pulmonaire*. L'*obstruction veineuse* donne une cyanose périphérique.

Un *ictère* évoque une maladie hépatique ou une hémolyse excessive des globules rouges.

Hypercarotinémie.

Peau sèche dans l'hypothyroïdie, huileuse dans l'acné.

Sensation de chaleur diffuse dans la fièvre, l'*hyperthyroïdie*, ou de fraîcheur dans l'*hypothyroïdie*. Chaleur localisée dans l'inflammation ou la cellulite.

Texture rugueuse dans l'*hypothyroïdie*, veloutée dans l'*hyperthyroïdie*.

***Mobilité et turgor.*** Plissez la peau et notez la facilité avec laquelle le pli est fait (mobilité) et la vitesse avec laquelle il s'efface (turgor).

Mobilité diminuée dans l'œdème, la *sclérodermie*. Turgor diminué en cas de déshydratation.

***Lésions.*** Observez toutes les lésions de la peau et précisez leurs caractéristiques :

■ leur *localisation anatomique* et leur *répartition* à la surface du corps. Sont-elles généralisées ou localisées ? Par exemple, n'intéressent-elles que les régions exposées, les plis cutanés (intertrigos), ou les régions exposées à des allergènes ou à des irritants spécifiques, tels que les bracelets et les bagues, ou à des produits chimiques industriels ?

De nombreuses maladies de peau ont une répartition caractéristique. L'*acné* touche le visage, le haut du thorax et le dos, le *psoriasis*, les genoux et les coudes (entre autres), et les *candidoses*, les plis (intertrigo). Voir tableau 6-2 : « Lésions cutanées : localisation anatomique et répartition », p. 183.

■ leur *schéma* et leur *forme*. Par exemple, sont-elles linéaires, « en bouquet », annulaires, arciformes, « en carte de géographie », ou serpigineuses (comme un serpent ou un ver) ? Sont-elles métamériques, recouvrant une bande de peau (dermatome) qui correspond à une racine nerveuse sensitive ?

Les vésicules intéressant un métamère sont caractéristiques d'un zona.[17] Voir schémas dans le tableau 6-3 : « Lésions cutanées : schémas et formes », p. 184.

■ leur *type* (par exemple, macules, papules, vésicules, naevi). Si possible, trouvez des lésions représentatives récentes qui n'ont pas été altérées par grattage ou d'une autre façon. Inspectez-les soigneusement et palpez-les ;

■ leur *couleur*.

Voir tableau 6-4 : « Lésions cutanées primaires », p. 185-187 ; tableau 6-5 : « Lésions cutanées secondaires », p. 188 ; tableau 6-6 : « Lésions secondaires en creux », p. 189 ; tableau 6-7 : « Acné vulgaire : lésions primaires et secondaires », p. 190 ; tableau 6-8 : « Lésions vasculaires et purpuriques de la peau », p. 191 ; tableau 6-9 : « Tumeurs cutanées », p. 192 ; tableau 6-10 : « Naevi bénins et malins », p. 193.

# ➡ Lésions cutanées dans leur contexte

Après vous être familiarisé avec les lésions élémentaires, revoyez leur aspect sur les tableaux 6-11 et 6-12 et dans un traité de dermatologie bien illustré. Chaque fois que vous voyez une lésion cutanée, prenez l'habitude de consulter ce genre de livre. Le type des lésions, leur siège et leur répartition, joints à d'autres renseignements tirés de l'interrogatoire et de l'examen, vous aideront dans vos recherches et, avec le temps, vous permettront d'arriver à des diagnostics dermatologiques précis.

Voir tableau 6-11 : « Lésions cutanées dans leur contexte », p. 194-195, et tableau 6-12 : « Manifestations cutanées au cours de maladies », p. 196-197.

***Évaluation du patient alité.*** Les patients qui sont confinés au lit, surtout s'ils sont amaigris, très âgés ou neurologiquement atteints, sont particulièrement enclins aux lésions et ulcérations de la peau. Les *escarres* surviennent quand une compression prolongée supprime la circulation sanguine dans les artérioles et les capillaires vers la peau. Des ulcérations peuvent aussi être dues aux forces de cisaillement résultant des mouvements du corps. Quand une personne glisse vers le bas du lit à partir d'une position demi-assise ou est tirée plutôt que soulevée à partir d'une position couchée, les mouvements peuvent déformer les parties molles des fesses et en écraser les artères et les artérioles. Le frottement et l'humidité aggravent le risque.

Évaluez tous les patients à risque en inspectant soigneusement la peau qui recouvre le sacrum, les fesses, les grands trochanters, les genoux et les talons. Tournez le patient sur le côté pour voir le sacrum et les fesses.

Voir tableau 6-13 : « Escarres », p. 198.

Une rougeur localisée de la peau annonce une nécrose imminente mais certaines escarres ne sont pas précédées par un érythème. On peut voir des ulcérations.

## → Cheveux

Inspectez et palpez les cheveux en notant leur abondance, leur distribution et leur texture.

L'*alopécie* désigne une chute de cheveux, diffuse, en plaques ou totale. Cheveux clairsemés dans l'*hypothyroïdie*, chevelure fine et soyeuse dans l'*hyperthyroïdie*.

Voir tableau 6-14 : « Alopécies », p. 199.

## → Ongles

Inspectez et palpez les ongles des doigts et des orteils. Notez leur coloration, leur forme et des lésions éventuelles. Des bandes pigmentées longitudinales peuvent se voir sur les ongles des sujets de race noire normaux.

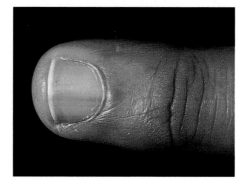

Voir tableau 6-15 : « Lésions unguéales et péri-unguéales », p. 200-201.

## → Techniques spéciales

***Instructions pour l'auto-examen de la peau.*** L'AAD (*American Academy of Dermatology*) recommande un auto-examen régulier de la peau avec les techniques ci-dessous. Le patient a besoin d'un grand miroir et d'un miroir à main et d'une pièce bien éclairée où il peut s'isoler. Apprenez-lui la méthode **ABCD** pour l'évaluation des grains de beauté (voir p. 193) et montrez-lui les photographies de naevi bénins et malins du tableau 6-10, p. 193.

## INSTRUCTIONS AU PATIENT POUR L'AUTO-EXAMEN DE LA PEAU

 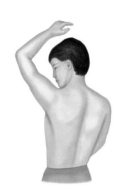

✔ Examinez votre corps dans le miroir : de face et de dos, puis du côté droit et du côté gauche, les bras relevés.

✔ Pliez les coudes et regardez soigneusement les avant-bras, le dessous des bras et les paumes.

✔ Regardez l'arrière des jambes et des pieds, les espaces entre les orteils et la plante des pieds.

✔ Examinez l'arrière du cou et du cuir chevelu avec un miroir à main. Séparez les cheveux pour une meilleure vue.

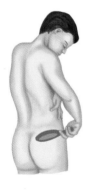

✔ Enfin, vérifiez le dos et les fesses avec un miroir à main.

Source : d'après l'American Academy of Dermatology, SkinCancerNet, accessible sur : http://www.skincarephysicians.com/skincancernet, et l'American Academy of Dermatology, How to perform a self-examination, accessible sur : http://www.aad.org/public/News/DermInfo/SelfExam.htm (visité le 16 juin 2007).

# CONSIGNER VOS OBSERVATIONS

Notez qu'au début, vous pouvez faire des phrases pour décrire vos constatations. Plus tard, vous utiliserez des phrases courtes. Le style ci-dessous emploie des phrases convenant à la plupart des rapports écrits.

## Consigner l'examen physique : la peau

« Coloration rose. Peau chaude et humide. Ongles sans bombement ni cyanose. Pas de naevus suspect. Pas d'éruption, de pétéchies ou d'ecchymoses. »

**Ou**

« Pâleur extrême du visage, avec cyanose péribuccale. Paumes froides et moites. Cyanose des lits unguéaux des doigts et des orteils. Un naevus bleu foncé, de 1×2 cm, à bordure irrégulière sur l'avant-bras droit. Pas d'éruption. »

*Évoque une cyanose centrale et un mélanome.*

**Ou**

« Faciès congestif. Peau ictérique. Angiome stellaire sur la face antérieure du torse. Érythème palmaire. Une papule nacrée à centre déprimé et des télangiectasies, de 1×1 cm, sur la face postérieure du cou. Pas de naevus suspect. Ongles bombés mais pas cyanosés. »

*Évoque une maladie hépatique et un carcinome basocellulaire.*

## Bibliographie

### RÉFÉRENCES

1. Whited JD, Grichnik JM. Does this patient have a mole or a melanoma? The rational clinical examination. JAMA 279(9): 696–701, 1998.
2. American Academy of Dermatology. Public Resource Center: 2004 Melanoma fact sheet. Available at: http://www.aad.org/public/News/DermInfo/2004MelanomaFAQ.htm. Accessed June 16, 2007.
3. American Academy of Dermatology. What is skin cancer? Skincare.net. Available at: http://www.skincarephysicians.com/skincancernet/whatis.html. Accessed January 29, 2005.
4. National Cancer Institute. Cancer Topics. Melanoma. Available at: http://www.cancer.gov/cancertopics/types/melanoma/. Accessed June 16, 2007.
5. Miller AJ, Mihm MC. Melanoma. N Engl J Med 355(1): 51–65, 2006.
6. Helfand M, Krages KP. Counseling to Prevent Skin Cancer: A Summary of the Evidence for the U.S. Preventive Services Task Force. Rockville, MD, Agency for Healthcare Research and Quality, October 2003. Available at: http://www.ahrq.gov/clinic/3rduspstf/skcacoun/skcounsum.htm. Accessed June 16, 2007.
7. Goldberg MS, Doucette JT, Lim HW, et al. Risk factors for presumptive melanoma in skin cancer screening: American Academy of Dermatology National Melanoma/Skin Cancer Screening Program experience 2001–2005. J Am Acad Dermatology 57(1):60–66, 2007.
8. Naeyaert JM, Broches L. Dysplastic nevi. N Engl J Med 349(23):2233–2240, 2003.
9. Tucker MA, Halpern A, Holly EA, et al. Clinically recognized dysplastic nevi: a central risk factor for cutaneous melanoma. JAMA 277(18):1439–1444, 1997.
10. National Cancer Institute. Melanoma: who's at risk? Available at: http://www.cancer.gov/cancertopics/wyntk/melanoma/page7. Accessed June 16, 2007.
11. U.S. Preventive Services Task Force. Screening for Skin Cancer: Recommendations and Rationale. [Article originally published in Am J Prev Med 20(3S):44–46, 2001.] Rockville, MD, Agency for Healthcare Research and Quality. Available at: http://www.ahrq.gov/clinic/ajpmsuppl/skcarr.htm. Accessed June 16, 2007.
12. American Cancer Society. Skin cancer, 2005. Available at: http://www.cancer.org/downloads/PRO/SkinCancer.pdf. Accessed June 16, 2007.
13. U.S. Preventive Services Task Force: Counseling to Prevent Skin Cancer: Recommendations and Rationale. Rockville, MD, Agency for Healthcare Research and Quality, 2003. Available at: http://www.ahrq.gov/clinic/3rduspstf/skcacoun/skcarr.htm. Accessed June 16, 2007.

14. Berwick M, Begg CB, Fine JA, et al. Screening for cutaneous melanoma by skin self-examination. J Natl Cancer Inst 88: 17–23, 1996.

15. Robinson JK, Fisher SG, Turrisi RJ. Predictors of skin self-examination performance. Cancer 95(1):135–146, 2002.

16. American Academy of Dermatology. SkinCancerNet. Skin Examinations. Available at: http://www.skincarephysicians. com/skincancernet/skin_examinations.html#Examination%20 by%20a%20Dermatologist. Accessed June 16, 2007.

17. U.S. Preventive Services Task Force: Screening for Skin Cancer: Summary of the Evidence. [Article originally published in Am J Prev 20(3S):47–58, 2001.] Rockville, MD, Agency for Healthcare Research and Quality, 2001. Available at: http://www.ahrq. gov/clinic/ajpmsuppl/helfand1.htm. Accessed June 16, 2007.

18. Goodheart HP. Goodheart's Photoguide of Common Skin Disorders: Diagnosis and Management, 2nd ed. Philadelphia: Lippincott Williams & Wilkins, 2003.

19. Spicknall KE, Zirwas MJ, English JC 3rd. Clubbing: an update on diagnosis, differential diagnosis, pathophysiology, and clinical relevance. J Am Acad Dermatol 52(6):1020–1028, 2005.

20. Fawcett RS, Hart TM, Lindford S, et al. Nail abnormalities: clues to systemic diseases. Am Fam Phys 69(6):1418–1425, 2004.

21. Hanford RR, Cobb MW, Banner NT. Unilateral Beau's lines associated with a fractured and immobilized wrist. Cutis 56(5): 263–264, 1995.

## AUTRES LECTURES

Alam M, Ratner D. Cutaneous squamous cell carcinoma. N Engl J Med 344(13):975–983, 2001.

American Academy of Dermatology. Malignant Melanoma. Available at: http://www.aad.org/public/Publications/ pamphlets/MalignantMelanoma.htm. Accessed June 16, 2007.

American Cancer Society. Cancer Statistics Presentation 2007. Available at: http://www.cancer.org/docroot/PRO/content/ PRO_1_1_Cancer_Statistics_2007_Presentation.asp. Accessed June 16, 2007.

Boulton AJM, Kirsner RS, Vileikyte L. Neuropathic diabetic foot ulcers. N Engl J Med 351(1):48–55, 2004.

Fitzpatrick TB, Wolff K, Johnson RA, et al. Fitzpatrick's Color Atlas and Synopsis of Clinical Dermatology, 5th ed. New York: McGraw-Hill, 2005.

Fitzpatrick TB, Wolff K. Fitzpatrick's Dermatology in General Medicine, 7th ed. New York: McGraw-Hill, 2008.

Gnann JW, Whitley RJ. Herpes zoster. N Engl J Med 347(5): 340–346, 2002.

Grimes P. New insights and new therapies in vitiligo. JAMA 293(6):730–735, 2005.

Habif TP. Clinical Dermatology: A Color Guide to Diagnosis and Therapy, 4th ed. New York: Mosby, 2004.

Habif TP. Skin Disease: Diagnosis and Treatment, 2nd ed. Philadelphia: Elsevier–Mosby, 2005.

Hall AH. Chronic arsenic poisoning. Toxicol Lett 128(1–3): 69–72, 2002.

Hall JC. Sauer's Manual of Skin Diseases, 9th ed. Philadelphia: Lippincott Williams & Wilkins, 2006.

Hordinsky M, Sawaya M, Roberts JL. Hirsutism and hair loss in the elderly. Clin Geriatr Med 18(1):121–133, 2002.

Miller AJ, Mihm MC. Melanoma. N Engl J Med 355(1):51–65, 2006.

Lyder CH. Pressure ulcer prevention and management. JAMA 289(2):223–226, 2003.

Myers KA, Farquhar DRE. Does this patient have clubbing? JAMA 286(3):341–347, 2001.

Rubin A, Elbert HC, Ratner D. Basal-cell carcinoma. N Engl J Med 353(21):2262–2269, 2005.

Scanlon E, Stubbs N. Pressure ulcer risk assessment in patients with darkly pigmented skin. Professional Nurse 19(6):339–341, 2004.

Schon MP, Henning-Boehncke W. Psoriasis. N Engl J Med 352(18): 1899–1912, 2005.

Singer AJ, Clark RAF. Cutaneous wound healing. N Engl J Med 341(10):738–746, 1999.

Singh N, Armstrong DG, Lipsky BA. Preventing foot ulcers in patients with diabetes. JAMA 293(2):217–228, 2005.

Swartz MN. Cellulitis. N Engl J Med 350(9):904–912, 2004.

Yancey KB, Egan GA. Pemphigoid: clinical, histologic, immuno-pathologic, and therapeutic considerations. JAMA 284(3): 350–356, 2000.

## Modifications de la pigmentation

Une augmentation généralisée de la *mélanine* peut être due à une maladie d'Addison (insuffisance surrénale) ou à certaines tumeurs hypophysaires. Il est plus fréquent de trouver des zones d'hypo ou d'hyperpigmentation.

### Tache café au lait
Macule ou tache légèrement mais uniformément hyperpigmentée, à bordure un peu irrégulière, ayant en général un diamètre de 0,5 à 1,5 cm, bénigne. S'il y a 6 taches ou plus, de diamètre > 1,5 cm, il faut évoquer une maladie de Recklinghausen (voir p. 197). (Les petites macules plus sombres n'ont pas de rapport.)

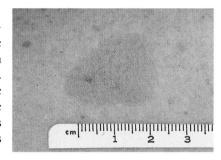

### Pityriasis versicolor
Infection mycosique superficielle de la peau, qui donne des macules hypopigmentées et légèrement squameuses sur le tronc, le cou et les bras. Ces macules se voient plus facilement sur une peau sombre et peuvent devenir plus évidentes après bronzage. Sur une peau claire, les macules peuvent sembler rougeâtres ou brunâtres.

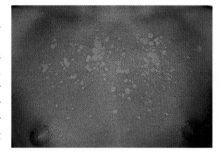
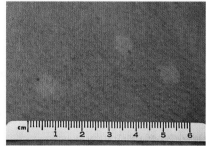

### Vitiligo
Dans le vitiligo, des macules dépigmentées apparaissent sur la face, les mains et les pieds, les faces d'extension des membres et sur d'autres régions. Elles peuvent confluer pour former de vastes zones dépourvues de mélanine. La pigmentation brune est la couleur normale de la peau, les zones claires sont du vitiligo. L'anomalie peut être héréditaire. Ces modifications peuvent faire souffrir le patient.

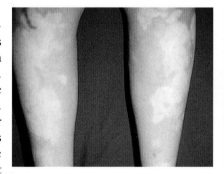
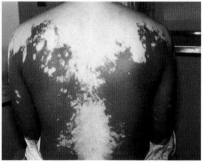

## Cyanose

La cyanose est une coloration quelque peu bleuâtre qui est visible ici au niveau des orteils et de leurs ongles. Comparez cette couleur à la coloration rose normale des doigts et des ongles des doigts du même patient. Une gêne au retour veineux des membres inférieurs est responsable de cette cyanose périphérique. La cyanose, particulièrement quand elle est discrète, peut être difficile à différencier de la coloration normale de la peau.

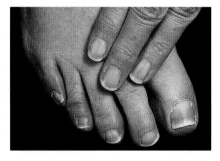

*(suite)*

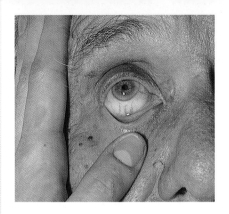

## Ictère (ou jaunisse)

La jaunisse rend la peau uniformément jaune. La couleur de la peau de ce patient contraste avec celle de la main de l'examinateur. La coloration de la jaunisse est très visible et très fiable au niveau des sclérotiques, comme montré ici. Elle est aussi visible au niveau des muqueuses. Parmi ses causes, on trouve des *maladies hépatiques* et l'*hémolyse des globules rouges*.

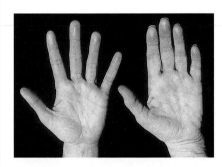

## Hypercarotinémie

La paume jaunâtre d'une hypercarotinémie, à gauche, est comparée à une paume rose normale. À la différence de l'ictère, l'hypercarotinémie respecte les sclérotiques, qui restent blanches. Elle est due à un régime riche en carottes et autres légumes et fruits contenant du carotène. L'hypercarotinémie n'est pas nuisible ; elle doit faire vérifier le régime alimentaire.

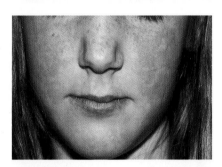

## Érythème

Couleur rouge, par vasodilatation, donnant un aspect de «joues souffletées» dans le *mégalérythème épidémique* (« cinquième maladie »).

## Érythème liliacé

Éruption violacée des paupières (« en lunettes ») de la *dermatomyosite*.

Source des photographies : *Pytyriasis versicolor* : Ostler HB, Mailbach HI, Hoke AW, Schwab IR. Diseases of the Eye and Skin. A Color Atlas. Philadelphia : Lippincott Williams & Wilkins, 2004. *Vitiligo, érythème* : Goodheart HP. Goodheart's Photoguide of Common Skin Disorders. Diagnosis and Management. 2nd ed. Philadelphia : Lippincott Williams & Wilkins, 2003. *Érythème liliacé* : Hall JC. Sauer's Manual of Skin Diseases. 8th ed. Philadelphia : Lippincott Williams & Wilkins, 2000.

**TABLEAU 6-2**   **Lésions cutanées : localisation anatomique et répartition**

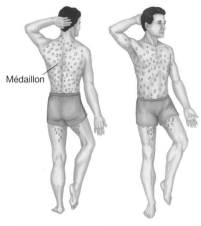

Médaillon

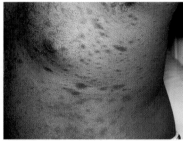

### Pityriasis rosé de Gibert
Lésions annulaires ovalaires, rougeâtres.

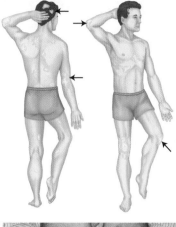

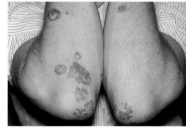

### Psoriasis
Lésions squameuses, argentées, principalement sur les zones d'extension.

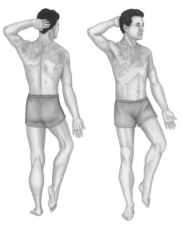

### Pityriasis versicolor
Lésions brun clair, planes, squameuses.

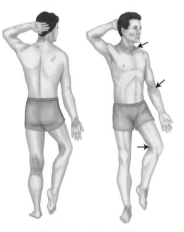

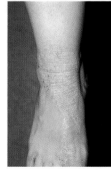

### Eczéma atopique
*(forme de l'adulte)*
Apparaît principalement sur les zones de flexion.

Source : Hall JC. *Sauer's Manual of Skin Diseases*. 8th ed. Philadelphia : Lippincott Williams & Wilkins, 2000. Photos tirées de : Goodheart HP. Goodheart's Photoguide of Common Skin Disorders: Diagnosis and Management, 2nd ed. Philadelphia, Lippincott Williams & Wilkins, 2003.

**TABLEAU 6-3**     **Lésions cutanées : schémas et formes**

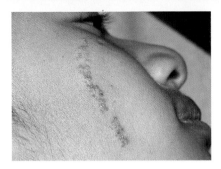

**Linéaire**

*Exemple* : naevus épidermique linéaire.

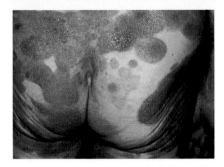

**En carte de géographie**

*Exemple* : mycosis fongoïde.

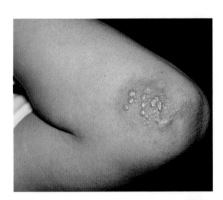

**En bouquet**

*Exemple :* lésions groupées de l'*Herpes simplex.*

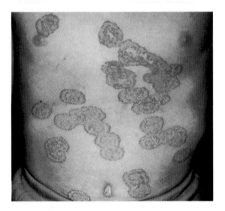

**Serpigineux**

*Exemple :* teigne du corps.

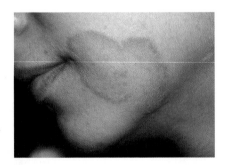

**Annulaire, arciforme**

*Exemple :* lésion annulaire
d'une teigne faciale.

---

Source des photographies : *Naevus épidermique linéaire, Herpes simplex, teigne faciale* : Goodheart HP. Goodheart's Photoguide of Common Skin Disorders. Diagnosis and Management. 2nd ed. Philadelphia : Lippincott Williams & Wilkins, 2003. *Mycosis fongoïde, teigne du corps* : Hall JC. Sauer's Manual of Skin Diseases. 8th ed. Philadelphia : Lippincott Williams & Wilkins, 2000.

TABLEAU 6-4    Lésions cutanées primaires (aspect initial)

**Lésions planes, non palpables, avec changement de la coloration de la peau**

*Macule* – Petite tache plane, jusqu'à 1 cm.

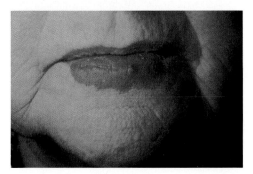

**Hémangiome**

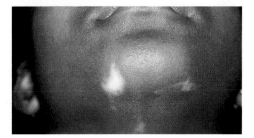

**Vitiligo**

*Tache* – Plane, de plus de 1 cm.

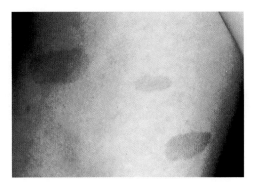

**Tache café au lait**

**Lésions surélevées palpables : masses pleines**

*Plaque* – Lésion superficielle surélevée de plus de 1,0 cm, souvent formée par la confluence de papules.

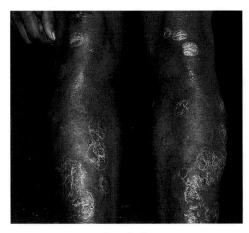

**Psoriasis**

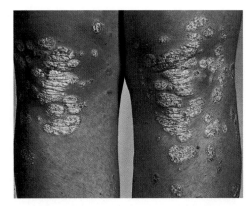

**Psoriasis**

*(suite)*

*Papule* – jusqu'à 1 cm.

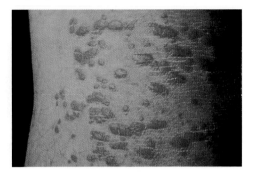

**Psoriasis**

*Nodule* – Lésion en forme de bille, de plus de 0,5 cm, souvent plus profonde et plus ferme qu'une papule.

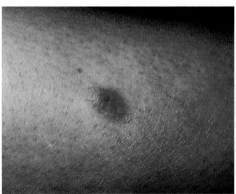

**Dermatofibrome**

*Kyste* – Nodule rempli d'un matériel liquide ou semi-solide, qu'on peut exprimer.

**Kyste épidermoïde**

*Papule ortiée* – Zone localisée d'œdème de la peau, superficielle, irrégulière, et transitoire.

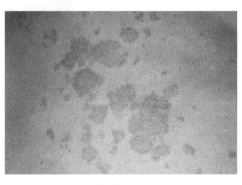

**Urticaire**

## Lésions surélevées, palpables : cavités remplies de liquide

*Vésicule* – Jusqu'à 1 cm, remplie de liquide séreux.

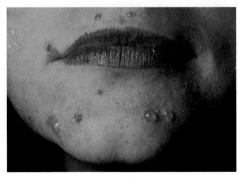

**Herpes simplex**

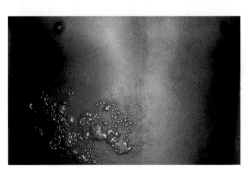

**Zona**

***Bulle*** – Plus de 1 cm, remplie de liquide séreux.

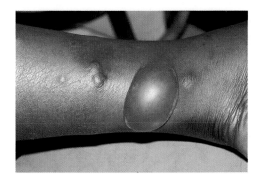

**Piqûre d'insecte**

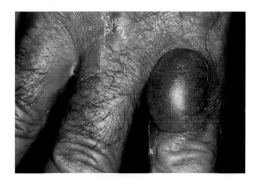

**Piqûre d'insecte**

***Pustule*** – Remplie de pus.

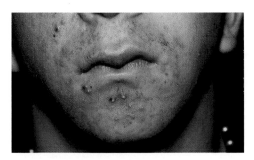

**Acné**

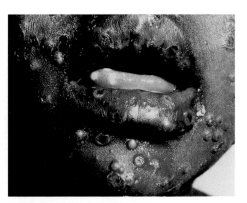

**Variole**

***Sillon de la gale*** – Galerie minuscule, légèrement surélevée, creusée dans l'épiderme, siégeant en général dans les espaces interdigitaux ou sur les faces latérales des doigts. Elle ressemble à une ligne grise, droite ou courbe, courte (5-15 mm), qui peut se terminer par une toute petite vésicule. Les autres lésions sont des petites papules, des pustules, des zones lichénifiées et des excoriations. Avec une loupe, recherchez le sillon de l'acarien responsable de la gale.

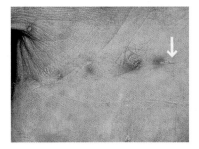

**Gale**

Source des photographies : *Hémangiome, tache café au lait, psoriasis* (en bas), *dermatofibrome, Herpes simplex, zona, piqûre d'insecte* (à droite) : Hall JC. Sauer's Manual of Skin Diseases. 9th ed. Philadelphia : Lippincott Williams & Wilkins, 2006. *Vitiligo, psoriasis* (en haut), *kyste épidermoïde, urticaire, piqûre d'insecte* (à gauche), *acné, gale* : Goodheart HP. Goodheart's Photoguide of Common Skin Disorders. Diagnosis and Management. 2nd ed. Philadelphia : Lippincott Williams & Wilkins, 2003. *Variole* : Ostler HB, Mailbach HI, Hoke AW, Schwab IR. Diseases of the Eye and Skin. A Color Atlas. Philadelphia : Lippincott Williams & Wilkins, 2004.

*Squame* – Écaille de peau morte.

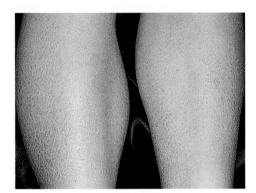

**Ichtyose vulgaire**

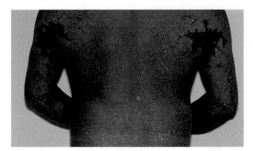

**Peau sèche**

*Croûte* – Résidu desséché d'un exsudat cutané, tel que du sérum, du pus ou du sang.

*Lichénification* – Épaississement visible et palpable de l'épiderme. La peau devient rugueuse et ses sillons plus visibles (souvent du fait d'un frottement chronique).

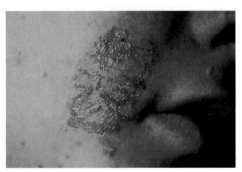

**Impétigo**

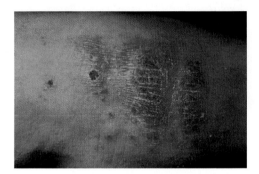

**Névrodermite circonscrite**

*Cicatrices* – Tissu conjonctif qui prolifère à la suite d'un traumatisme ou d'une maladie.

*Chéloïdes* – Cicatrisation hypertrophique qui s'étend au-delà des limites du traumatisme initial.

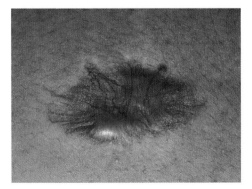

**Cicatrice hypertrophique après injection de corticostéroïdes**

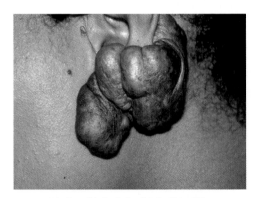

**Chéloïde du lobule de l'oreille**

Source des photographies : *Lichénification* : Hall JC. Sauer's Manual of Skin Diseases. 9th ed. Philadelphia : Lippincott Williams & Wilkins, 2006. *Ichtyose vulgaire, peau sèche, cicatrice hypertrophique, chéloïde* : Goodheart HP. Goodheart's Photoguide of Common Skin Disorders. Diagnosis and Management. 2nd ed. Philadelphia : Lippincott Williams & Wilkins, 2003.

**TABLEAU 6-6**     **Lésions cutanées secondaires « en creux »**

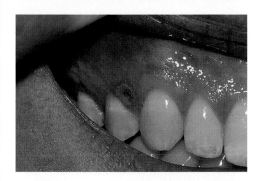

**Érosion** – Perte de l'épiderme superficiel, non cicatrisée ; la surface est humide mais ne saigne pas.

> *Exemple :* stomatite aphteuse ; zone humide après rupture d'une vésicule, comme dans la varicelle.

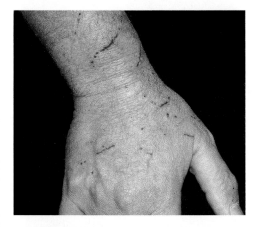

**Excoriation** – Érosions punctiformes ou linéaires dues à des égratignures.

> *Exemple :* griffures de chat.

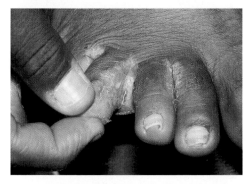

**Fissure** – Crevasse linéaire de la peau, souvent due à une sécheresse excessive.

> *Exemple :* pied d'athlète.

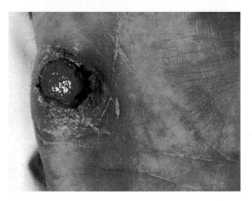

**Ulcère** – Perte de substance plus profonde, intéressant l'épiderme et le derme ; peut saigner, cicatriser.

> *Exemples :* ulcère de stase de l'insuffisance veineuse, chancre syphilitique.

Source des photographies : *Érosion, excoriation, fissure* : Goodheart HP. Goodheart's Photoguide of Common Skin Disorders. Diagnosis and Management. 2nd ed. Philadelphia : Lippincott Williams & Wilkins, 2003. *Ulcère* : Hall JC. Sauer's Manual of Skin Diseases. 8th ed. Philadelphia : Lippincott Williams & Wilkins, 2000.

L'*acné vulgaire* est l'affection dermatologique la plus fréquente ; elle touche 85 % des adolescents américains.[18] C'est une anomalie des follicules pilosébacés avec une prolifération de kératinocytes près de l'ouverture du follicule ; une production accrue de sébum, stimulée par les androgènes, formant avec les kératinocytes des bouchons qui obstruent l'ouverture des follicules ; la pullulation de *Propionibacterium acnes*, une bactérie anaérobie normalement présente sur la peau ; et une inflammation résultant de l'activité bactérienne et de la libération d'acides gras libres et d'enzymes provenant des polynucléaires neutrophiles activés.[18] Les cosmétiques, l'humidité, la transpiration et le stress sont des facteurs favorisants.

Les lésions apparaissent dans les zones de forte densité des glandes sébacées, à savoir la face, le cou, le thorax, la partie supérieure du dos, et les membres supérieurs. Elles peuvent être primaires, secondaires ou mixtes.

## Lésions primaires

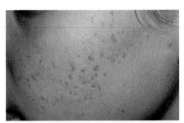

### Acné légère

Comédons ouverts (« points noirs ») et fermés (microkystes), parfois papules.

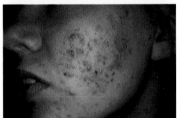

### Acné modérée

Comédons, papules et pustules.

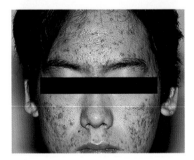

### Acné sévère, kystique

## Lésions secondaires

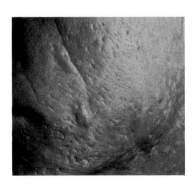

### Acné avec dépressions et cicatrices

## Lésions vasculaires

| | Angiome stellaire* | Étoile veineuse* | Angiome tubéreux |
|---|---|---|---|
| | | | |
| **Coloration et taille** | Rouge très vif. De très petite jusqu'à 2 cm | Bleuâtre. Taille variable : de très petite à plusieurs centimètres | Rouge clair ou rubis. Peut devenir marron avec l'âge. 1-3 mm |
| **Forme** | Point rouge central, parfois surélevé, entouré d'érythème et de branches rayonnantes | Variable. Peut ressembler à une araignée, être linéaire ou irrégulière | Arrondie, parfois saillante ; peut être entouré d'un halo pâle |
| **Pulsatilité et effet de la pression** | Souvent visible au centre, lorsqu'on appuie dessus avec une lame de verre. La pression sur le corps central fait pâlir l'angiome | Absente. La pression sur le centre ne provoque pas de blanchiment mais une pression globale fait pâlir les veines | Absente. Peut pâlir partiellement, surtout si la pression est exercée avec une pointe |
| **Répartition** | Visage, cou, bras et partie supérieure du tronc ; presque jamais en dessous de la ceinture | Le plus souvent sur les jambes, près des veines, et sur la partie antérieure du thorax | Le tronc et aussi les membres |
| **Signification** | Affection hépatique, grossesse, carence en vitamine B ; parfois chez des sujets normaux | Accompagne souvent une pression accrue dans les veines superficielles, comme dans les varices | Aucune ; croît en taille et en nombre avec l'âge |

## Lésions purpuriques

| | Pétéchies/Purpura | Ecchymose |
|---|---|---|
| | | |
| **Coloration et taille** | Rouge sombre ou pourpre rougeâtre, s'effaçant avec le temps. Pétéchie : 1-3 mm ; purpura : plus étendu | Violette ou violet bleuâtre, devenant verte, jaune et brune avec le temps. Taille variable, plus grande que les pétéchies, > 3 mm |
| **Forme** | Arrondie, parfois irrégulière, aplatie | Arrondie, ovale ou irrégulière ; peut avoir un nodule central sous-cutané aplati (hématome) |
| **Pulsatilité et effet de la pression** | Absente. Aucun effet de la pression | Absente. Aucun effet de la pression |
| **Répartition** | Variable | Variable |
| **Signification** | Extravasation du sang ; peut évoquer un trouble hémorragique ou, en cas de pétéchies, des embolies cutanées ; tangible dans les vascularites | Extravasation du sang ; souvent secondaire à un traumatisme ; peut aussi se voir dans des troubles de l'hémostase |

---

* Ce sont des télangiectasies ou des petits vaisseaux dilatés qui semblent rouges ou bleuâtres.
Source des photographies : *Angiome stellaire* : Marks R. Skin Disease in Old Age. Philadelphia : JB Lippincott, 1987. *Pétéchies/Purpura* : Kelley WN. Textbook of Internal Medicine. Philadelphia : JB Lippincott, 1989.

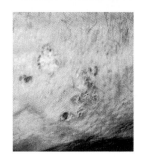

## Kératose sénile (ou kératose actinique)

Papules superficielles aplaties recouvertes par une squame sèche. Souvent multiples, elles peuvent être rondes ou irrégulières et sont roses, brun clair, ou grisâtres. Elles apparaissent sur les zones exposées au soleil des sujets âgés à peau claire. Bien que bénignes elles-mêmes, elles peuvent se compliquer de carcinome spinocellulaire (évoqué par un développement rapide, une induration, une rougeur à la base et une ulcération). On voit ici des lésions kératosiques de la face et de la main, des localisations typiques.

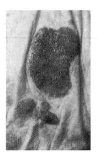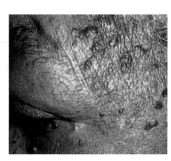

## Kératose séborrhéique

Lésions fréquentes et bénignes, surélevées, jaunâtres à brunes, légèrement graisseuses, veloutées et verruqueuses à la palpation. Typiquement multiples et réparties symétriquement sur le tronc des personnes âgées, elles peuvent aussi se voir sur le visage ou partout ailleurs. Chez les sujets noirs, souvent des femmes jeunes, elles peuvent se présenter sous forme de petites papules fortement pigmentées sur les joues et les tempes (*dermatosis papulosa nigra*).

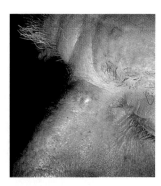

## Carcinome basocellulaire

Le carcinome basocellulaire, bien que malin, croît lentement et métastase rarement. Il se voit le plus souvent chez des adultes à peau claire de plus de 40 ans, et siège en général sur le visage. Un nodule initial translucide s'étend, faisant place à une dépression centrale à bords fermes et surélevés. Des télangiectasies sont souvent visibles.

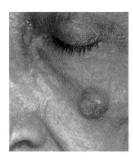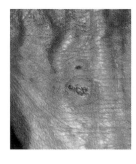

## Carcinome spinocellulaire

Il apparaît habituellement sur la peau exposée au soleil des adultes de plus de 60 ans à peau claire. Il peut se développer sur une kératose actinique. Sa croissance est généralement plus rapide que celle d'un carcinome basocellulaire, il est plus ferme et paraît plus rouge. Le visage et le dos des mains sont souvent atteints, comme montré ici.

**TABLEAU 6-10**   **Naevi bénins et malins**

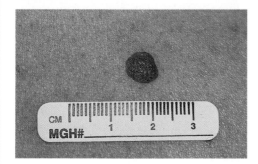

## Naevus bénin

Le *naevus bénin*, ou grain de beauté vulgaire, apparaît au cours des premières décennies de vie. Plusieurs naevi peuvent apparaître en même temps, mais leur aspect reste en général identique. Notez les caractéristiques suivantes et comparez-les à celles des naevi atypiques ou des mélanomes :

- forme ronde ou ovale ;
- bords nets ;
- coloration uniforme, surtout brune ou brun clair ;
- diamètre < 6 mm ;
- surface plane ou surélevée.

Toute modification fait craindre un *naevus atypique (dysplasique)* ou un mélanome. Les naevi atypiques ont une coloration variable mais souvent sombre et une taille supérieure à 6 mm, des bords irréguliers et estompés. Recherchez des naevi atypiques en premier lieu sur le tronc. Leur nombre peut dépasser 50 à 100.

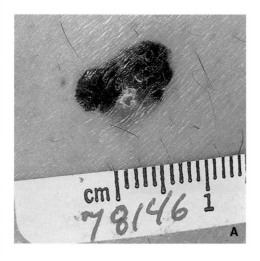

## Mélanome malin

Apprenez l'**ABCD** des mélanomes en étudiant les photographies de référence de l'ACS *(American Cancer Society)* :

- *Asymétrie* (fig. A) ;
- *Bords irréguliers*, notamment indentés (fig. B) ;
- Changement de *Couleur*, notamment mélange de blanc, de bleu et de rouge (fig. B, C) ;
- *Diamètre* > 6 mm (fig. C).

Revoyez les *facteurs de risque du mélanome* tels qu'une exposition intense au soleil, toute l'année, des brûlures solaires phlycténulaires pendant l'enfance, une peau claire qui se couvre de taches de rousseur et rougit facilement (notamment si les cheveux sont blonds ou roux), des antécédents familiaux de mélanome, et des naevi qui changent ou sont atypiques, surtout si leur nombre est > 50. Les naevi qui changent peuvent présenter un gonflement nouveau ou une rougeur au-delà de leur limite, une desquamation, un suintement ou un saignement, ou donner des démangeaisons, des brûlures ou des douleurs.

Chez les sujets à peau foncée, recherchez des mélanomes sous les ongles, sur les mains ou sur la plante des pieds.

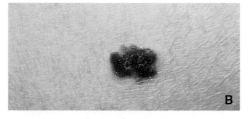

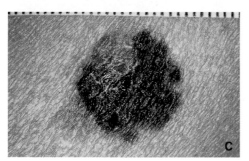

Source : American Cancer Society ; American Academy of Dermatology.

Cette planche montre diverses lésions cutanées primaires et secondaires. Essayez de les identifier, y compris celles indiquées par des lettres, avant de lire le texte d'accompagnement.

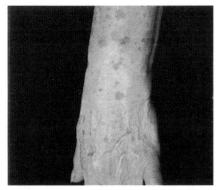

Macules du dos de la main, du poignet et de l'avant-bras *(lentiginose actinique)*.

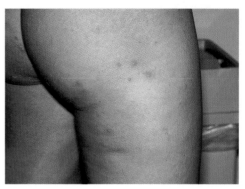

Papules et pustules d'une folliculite à *Pseudomonas*.

Pustules sur la paume *(psoriasis pustuleux)*.

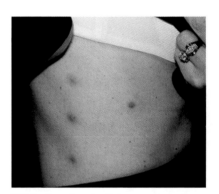

Vésicules *(varicelle)*.

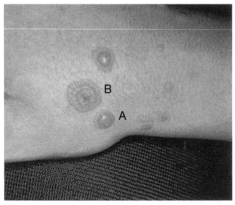

(A) Lésion bulleuse et (B) lésion en cocarde (dans un *érythème polymorphe)*.

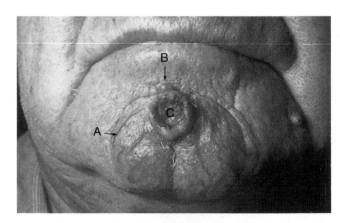

(A) Télangiectasie, (B) nodule, (C) ulcère (dans un *carcinome spinocellulaire)*.

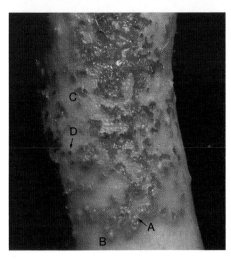

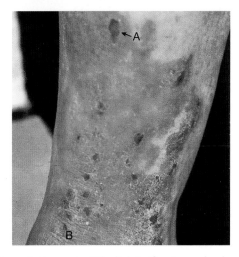

(A) Vésicule, (B) pustule, (C) érosions, et (D) croûtes sur la face postérieure du genou *(dermatite atopique infectée)*.

(A) Excoriation et (B) lichénification de la jambe *(dermatite atopique)*.

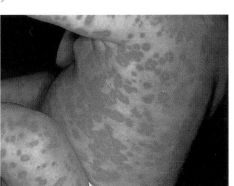

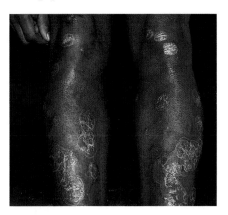

Éruption ortiée (ou *urticaire*) due à des médicaments chez un nourrisson.

Plaques squameuses *(psoriasis)* sur les genoux et les jambes.

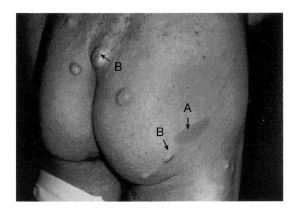

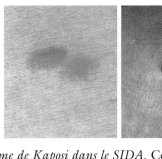

(A) Tache (tache café au lait), (B) nodules – Une association typique de la neurofibromatose.

*Sarcome de Kaposi dans le SIDA.* Cette tumeur maligne peut se présenter sous plusieurs formes : macules, papules, plaques et nodules, n'importe où sur le corps. Les lésions sont souvent multiples et peuvent atteindre d'autres organes que la peau. À gauche : plaques ovoïdes, rose-rouge, typiquement étendues le long des plis cutanés, qui peuvent se pigmenter. À droite : nodule rouge pourpre du pied.

Source des photographies : Hall JC. Sauer's Manual of Skin Diseases. 9th ed. Philadelphia : Lippincott William & Wilkins, 2006. *Sarcome de Kaposi dans le SIDA* : DeVita VT Jr, Hellman S, Rosenberg SA, eds. AIDS : Etiology, Diagnosis, Treatment, and Prevention. Philadelphia : JB Lippincott, 1985. *Psoriasis, papules, vésicules (varicelle)* : Goodheart HP. Goodheart's Photoguide of Common Skin Disorders : Diagnosis and Management. 2nd ed. Philadelphia : Lippincott Williams & Wilkins, 2003.

**TABLEAU 6-12**    **Manifestations cutanées au cours des maladies**

| | |
|---|---|
| Arthrite rhumatoïde | Vascularite, *phénomène de Raynaud*, nodules rhumatoïdes, pyoderma gangrenosum, papules rhumatoïdes, éruptions érythémateuses ou saumonées |
| Cancer du pancréas | Panniculite, thrombophlébite migratrice |
| Coagulation intravasculaire disséminée | Nécrose cutanée, pétéchies, ecchymoses, bulles hémorragiques, purpura fulminans |
| Dermatomyosite | Érythème liliacé, papules de Gottron, télangiectasies péri-unguéales, alopécie, poïkilodermie des régions exposées au soleil, phénomène de Raynaud |
| Diabète | Nécrose lipoïdique des diabétiques, maladie bulleuse, dermatose diabétique, granulome annulaire, acanthosis nigricans, candidose, ulcérations de la neuropathie diabétique, xanthomes éruptifs, maladie vasculaire périphérique |
| Drépanocytose | Jaunisse, *ulcères de jambe* (régions malléolaires), pâleur |
| Dyslipidémies | Xanthomes (tendineux, éruptifs et tubéreux), xanthélasma (peut se voir chez des sujets sains) |
| Endocardite infectieuse | Placards de Janeway, faux panaris d'Osler, hémorragies linéaires sous-unguéales, pétéchies |
| Exanthèmes viraux | |
| *Coxsackie A (syndrome mains, pieds, bouche)* | Ulcérations buccales, nodules, papules et vésicules sur les mains, les pieds et les fesses |
| *Mégalérythème épidémique (5ᵉ maladie)* | Érythème des joues (« joues souffletées »), suivi d'une éruption érythémateuse, réticulée et prurigineuse, débutant sur le tronc et la racine des membres (aggravée par le soleil, la fièvre et les changements de température) |
| *Roséole infantile (HSV6)* | Éruption érythémateuse, maculopapuleuse, discrète (souvent fébrile), débutant par la tête et s'étendant au tronc et aux membres ; pétéchies sur le voile du palais |
| *Rougeole* | Éruption érythémateuse, maculopapuleuse, débutant par la tête et s'étendant au tronc et aux membres (confluant sur la face et le tronc, mais restant discrète sur les membres), signe de Koplik |
| *Rubéole* | Éruption érythémateuse, maculopapuleuse, discrète, (souvent fébrile), débutant par la tête et s'étendant au tronc et aux membres ; pétéchies sur le voile du palais |
| *Varicelle* | Éruption vésiculeuse (vésicules sur une base érythémateuse, comme « une goutte de rosée sur une pétale de rose »), prurigineuse, généralisée, débutant sur le tronc et s'étendant en périphérie. Plusieurs poussées successives, ce qui fait que les lésions sont à différents stades de cicatrisation |
| *Zona* | Éruption vésiculeuse (vésicules sur une base érythémateuse), prurigineuse, métamérique |
| Fièvre pourprée des Montagnes rocheuses | Éruption érythémateuse qui débute sur les poignets et les chevilles puis s'étend aux paumes et aux plantes ; devient purpurique en se généralisant |
| Gonococcie | Des macules érythémateuses aux pustules hémorragiques ; lésions siégeant sur les extrémités, pouvant intéresser les paumes et les plantes |
| Grossesse (changements physiologiques) | Masque de grossesse, hyperpigmentation des aréoles, ligne brune, érythème palmaire, varices, vergetures, *angiomes stellaires*, hirsutisme, granulome pyogénique |
| Hémochromatose | Hyperpigmentation (« mine de plomb ») |
| Hyperthyroïdie | Peau chaude, humide, douce et veloutée ; poils fins et soyeux ; alopécie ; vitiligo ; myxœdème prétibial (dans la maladie de Basedow) ; hyperpigmentation (localisée ou généralisée) |
| Hypothyroïdie | Peau sèche, rugueuse et pâle ; poils grossiers et cassants ; myxœdème ; alopécie (du tiers externe des sourcils ou diffuse) ; peau fraîche au toucher ; ongles minces et cassants |

| | |
|---|---|
| Insuffisance rénale chronique | Pâleur, xérose, prurit, hyperpigmentation, givre d'urée, calcifications cutanées métastatiques, calciphylaxie, ongles anormaux, maladie cutanée liée à la dialyse |
| Leucémie/lymphome | Pâleur, érythrodermie desquamative, nodules, *pétéchies*, ecchymoses, prurit, vascularite, pyoderma gangrenosum, maladies bulleuses |
| Lupus érythémateux aigu disséminé | Photosensibilité, éruption « en ailes de papillon » sur les malaires ; érythème discoïde, alopécie, vascularite, ulcérations buccales, phénomène de Raynaud |
| Maladie d'Addison | Hyperpigmentation de la peau et des muqueuses |
| Maladie de Crohn | Érythème noueux, pyoderma gangrenosum, fistules entérocutanées, aphtes |
| Maladie de Cushing | Vergetures, atrophie cutanée, purpura, ecchymoses, télangiectasies, acné, faciès lunaire, bosse de bison, hypertrichose |
| Maladie de Kawasaki | Érythème des muqueuses (lèvres, langue et pharynx), langue framboisée, lèvres rouge cerise, éruption polymorphe (d'abord sur le tronc), érythème des paumes et des plantes avec desquamation secondaire des doigts |
| Maladie hépatique | *Jaunisse, angiomes stellaires* et autres télangiectasies, érythème palmaire, *ongles de Terry*, prurit, purpura, tête de méduse |
| Maladie vasculaire périphérique | Peau atrophique, brillante, sèche et squameuse, ongles des orteils dystrophiques, cassants ; peau fraîche ; crêtes tibiales dépourvues de poils ; ulcérations ; pâleur ; cyanose ; gangrène |
| Méningococcémie | Macules et papules rosées, pétéchies, purpura hémorragique, bulles hémorragiques, purpura fulminans |
| Neurofibromatose de type 1 (maladie de von Recklinghausen) | *Neurofibromes*, taches café au lait, lentigo axillaire et inguinal, neurofibrome plexiforme |
| Pancréatite hémorragique | Signe de Turner, signe de Cullen, panniculite |
| Purpura thrombopénique | *Pétéchies, ecchymoses* |
| Rectocolite hémorragique | *Érythème noueux*, pyoderma gangrenosum |
| Sclérodermie | Peau brillante, tendue, épaissie ; ulcérations et cicatrices déprimées sur la pulpe des doigts ; sclérodactylie ; télangiectasies ; phénomène de Raynaud |
| Sclérose tubéreuse de Bourneville | Adénomes sébacés (angiofibromes), taches « en feuille de sorbier », taches « peau de chagrin », fibromes péri-unguéaux (tumeurs de Koenen) |
| SIDA | *Leucoplasie chevelue, sarcome de Kaposi, Herpes simplex virus* (HSV), papillomavirus humain (HPV), cytomégalovirus (CMV), molluscum contagiosum, infections cutanées à mycobactéries, candidoses et autres infections fongiques cutanées, carcinome spinocellulaire buccal et anal, ichtyose acquise, abcès bactériens, *psoriasis* (souvent grave), érythrodermie, dermatite séborrhéique (souvent grave) |
| Syndrome CREST | Calcinose, phénomène de Raynaud, sclérodactylie, *télangiectasies* |
| Syndrome de Reiter | Pseudo-psoriasis de la peau et des muqueuses, kératodermie blennorragique, balanite circinée |
| Syphilis | 1. *Chancre* (indolore) (voir p. 537)<br>2. Éruptions (« la grande simulatrice ») : éruptions maculopapuleuses jambonnées à bronzées, généralisées – touchant les paumes et les plantes –, pustules, condylomes plans, alopécie (« mangée aux mites »), leucoplasies buccales et génitales<br>3. Gommes, granulomes |

TABLEAU 6-13    Escarres

Les escarres, ou ulcérations de *décubitus*, apparaissent généralement sur les saillies osseuses du corps soumises à une compression prolongée, ce qui entraîne des lésions ischémiques des tissus sous-jacents. Leur prévention est importante : inspectez la peau en totalité, à la recherche du *signe d'alarme précoce, un érythème qui blanchit à la pression*, notamment chez les patients qui ont des facteurs de risque.

Les escarres se forment le plus souvent sur le sacrum, les tubérosités ischiatiques, les grands trochanters et les talons. Une classification par stades, fondée sur la profondeur des tissus détruits, est illustrée ci-dessous. Notez que la nécrose doit être excisée avant de déterminer le stade et que l'ulcération ne passe pas toujours par les quatre stades.

Recherchez des signes d'infection (écoulement, odeur, cellulite ou nécrose). La fièvre, les frissons et la douleur évoquent une **ostéomyélite** sous-jacente. Considérez l'état de santé global du patient, y compris les *comorbidités* telles qu'une maladie vasculaire, un diabète, un déficit immunitaire, une collagénose, un cancer, une psychose ou une dépression ; l'état nutritionnel ; la douleur et le niveau d'analgésie ; le risque de récidive ; les facteurs psychosociaux tels que la capacité d'apprentissage, les aides sociales et le mode de vie ; les poly et les surmédications, l'alcoolisme, le tabagisme ou la consommation de drogues illégales.

### Facteurs de risque d'escarre

- Mobilité diminuée, surtout si elle s'associe à une pression accrue ou à des mouvements entraînant des frottements ou des cisaillements.
- Sensibilité diminuée du fait de lésions cérébrales ou médullaires ou d'une maladie des nerfs périphériques.

- Débit sanguin diminué, du fait d'une hypotension, d'une maladie microvasculaire (diabète, athérosclérose).
- Incontinence fécale ou urinaire.
- Fracture.
- Mauvais état nutritionnel, hypoalbuminémie.

### Stade I

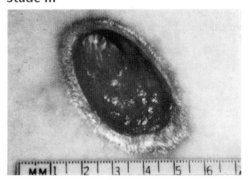

Altération par compression de la peau intacte avec modifications de la température (chaleur ou fraîcheur), consistance (ferme ou œdémateuse), sensibilité (douleur ou démangeaisons) ou couleur (rouge, bleue ou pourpre sur la peau sombre, rouge sur la peau claire).

### Stade II

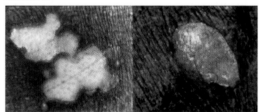

Perte de substance superficielle ou ulcération intéressant l'épiderme, le derme ou les deux.

### Stade III

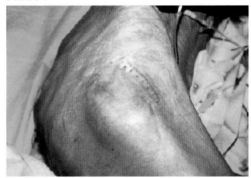

Perte de substance intéressant toute l'épaisseur de la peau avec atteinte ou nécrose du tissu sous-cutané, qui peut aller jusqu'au muscle sous-jacent (sans l'attaquer).

### Stade IV

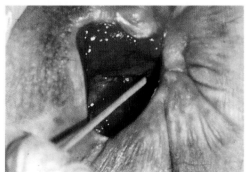

Perte de substance intéressant toute l'épaisseur de la peau, avec nécrose tissulaire ou lésion du muscle, de l'os ou d'autres structures sous-jacentes.

Source : National Pressure Ulcer Advisory Panel, Reston, VA.

## Pelade

Plaques dépourvues de cheveux, rondes ou ovales, bien délimitées, en général chez des enfants et des adultes jeunes. Pas de desquamation ni d'inflammation visibles.

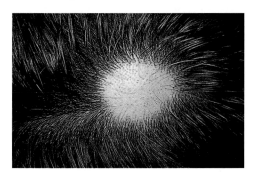 

## Trichotillomanie

Chute des cheveux par traction, arrachage ou torsion. Les tiges des cheveux sont cassées et de longueur variable. Plus fréquente chez les enfants, souvent dans un contexte de stress familial ou psychosocial.

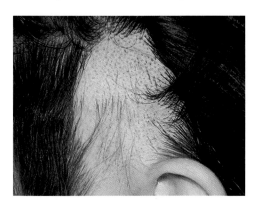 

## Teigne tondante

Plaques d'alopécie arrondies et squameuses. Les cheveux sont cassés au ras du cuir chevelu. Habituellement due à une infection fongique par un *microsporum*. Simule la dermatite séborrhéique.

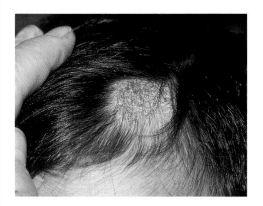 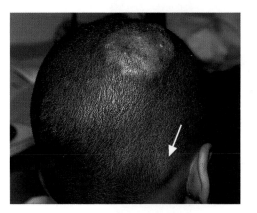

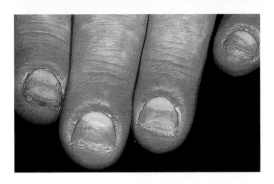

## Périonyxis

Infection superficielle des replis unguéaux proximaux et latéraux, contigus à la lame unguéale. Ces replis sont rouges, gonflés et douloureux. C'est l'infection la plus fréquente de la main, due en général à *Staphylococcus aureus* ou à *Streptococcus species*. Elle peut faire tout le tour de l'ongle et s'étendre à la pulpe du doigt pour former un panaris. Elle est consécutive à des traumatismes locaux (ongles mordillés, soins de manucure) ou à un trempage fréquent des mains dans l'eau.

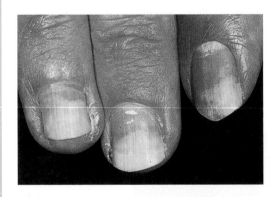

## Hippocratisme digital

Cliniquement, bombement des parties molles à la base de l'ongle, avec disparition de l'angle normal entre l'ongle et le repli unguéal proximal. Cet angle atteint et dépasse 180°, et le lit unguéal semble spongieux ou flottant à la palpation. Le mécanisme exact est inconnu, mais jouent un rôle une vasodilatation avec augmentation de l'irrigation sanguine de l'extrémité des doigts et des changements du tissu conjonctif, possiblement dus à l'hypoxie, à des modifications de l'innervation, à des facteurs génétiques, et/ou au PDGF (*Platelet-Derived Growth Factor*) libéré par des amas de plaquettes. Se voit dans les cardiopathies congénitales, les pneumopathies interstitielles, le cancer du poumon, les maladies inflammatoires de l'intestin et les cancers en général.[19]

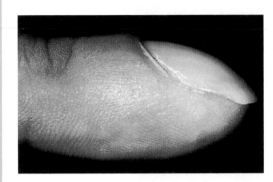

## Onycholyse

Décollement indolore de la lame unguéale, opaque et blanche, de son lit, translucide et rose. Il débute à l'extrémité et progresse vers la racine, élargissant le bord libre de l'ongle. Les causes locales comprennent les soins de manucure traumatiques, le psoriasis, les infections fongiques, et les réactions allergiques aux cosmétiques unguéaux. Les causes générales comprennent le diabète, l'anémie, les réactions de photosensibilité aux médicaments, l'hyperthyroïdie, l'ischémie périphérique, les bronchectasies et la syphilis.

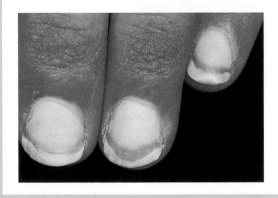

## Ongles de Terry

La lame unguéale blanchit, avec un aspect en verre dépoli, sauf une bande distale rouge brun. La lunule disparaît. En général, tous les doigts sont atteints, mais une atteinte d'un seul doigt est possible. Se voient dans les maladies hépatiques, surtout la cirrhose, l'insuffisance cardiaque et le diabète. Peuvent être dus à une diminution de la vascularisation et à une prolifération du tissu conjonctif dans le lit de l'ongle.

## Taches blanches *(leuconychie)*

Les taches blanches succèdent habituellement à un traumatisme unguéal ; elles progressent vers l'extérieur avec la croissance de l'ongle. Les taches illustrées ici sont dues à des soins de manucure trop vigoureux et répétés. Les courbures reproduisent celles de la cuticule et du repli unguéal proximal.

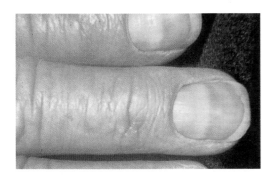

## Lignes blanches transverses (lignes de Mees)

Lignes blanches transverses, à courbure parallèle à la lunule, qui résultent d'une altération de la matrice de l'ongle. Elles varient en largeur et progressent vers l'extérieur avec la croissance de l'ongle. Se voient dans l'arsenicisme, l'insuffisance cardiaque, la maladie de Hodgkin, la chimiothérapie, l'intoxication oxycarbonée et la lèpre.[20]

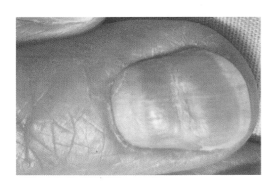

## Lignes de Beau

Dépressions transversales de la lame unguéale, qui résultent de l'interruption temporaire de la croissance de l'ongle proximal, secondaire à une maladie générale. Comme pour les lignes de Mees, l'ancienneté de la maladie responsable peut être estimée en mesurant la distance séparant la ligne de la racine de l'ongle (un ongle pousse d'environ 1 mm tous les 6-10 jours). Se voient dans les maladies aiguës graves, et après un traumatisme ou une exposition au froid en cas de maladie de Raynaud.[20, 21]

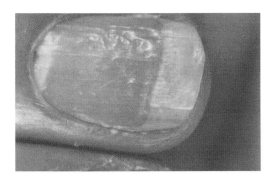

## Ongles ponctués

Dépressions ponctiformes de la lame unguéale, dues à une anomalie des couches superficielles de l'ongle, d'origine matricielle. Se voient en général dans le psoriasis, mais peuvent aussi se voir dans le syndrome de Reiter, la sarcoïdose, la pelade, et des dermatites atopiques ou chimiques localisées.

---

Source des photographie : *Hippocratisme digital, périonyxis, onycholyse, ongles de Terry* : Habif TP. Clinical Dermatology. A Color Guide to Diagnosis and Therapy. 2ⁿᵈ ed. St. Louis : CV Mosby, 1990. *Taches blanches, lignes blanches transverses, psoriasis, lignes de Beau* : Sams WM Jr, Lynch PJ. Principles and Practice of Dermatology. New York : Churchill Livingstone, 1990.

# Tête et cou

## GUIDE DE LA NOUVELLE ORGANISATION DU CHAPITRE

Plusieurs structures importantes comme les nerfs crâniens, les principaux sens (vision, audition, odorat et goût), et de nombreuses affections ont pour siège la tête et le cou. Dans cette édition, ce chapitre a été réorganisé afin de souligner les liens entre l'anatomie et la physiologie et l'examen physique, comme vous le verrez en apprenant à examiner cette région.

Comme beaucoup de symptômes de la tête et du cou et de stratégies de prévention sont intriqués, les parties sur les antécédents médicaux et la promotion de la santé restent unifiées, comme dans les éditions précédentes. Pour ces parties, les données sur la Tête, les Yeux, les Oreilles, le Nez, et la Gorge (TYONG) sont regroupées. En revanche, pour faciliter l'apprentissage, l'anatomie et la physiologie sont rattachées aux techniques d'examen, dans les parties séparées sur la tête, les yeux, les oreilles, le nez, la gorge, et le cou, comme indiqué ci-dessous.

### VUE D'ENSEMBLE : LE NOUVEAU PLAN DU CHAPITRE

- ✔ Antécédents médicaux.
- ✔ Promotion de la santé et conseils.
- ✔ Examen de la tête et du cou : l'anatomie et la physiologie, et les techniques d'examen sont à présent combinées pour :
  - la tête, p. 213-214 ;
  - les yeux, p. 214-231 ;
  - les oreilles, p. 231-237 ;
  - le nez, p. 237-241 ;
  - la gorge, p. 241-246 ;
  - le cou, p. 247-254.

## ANTÉCÉDENTS MÉDICAUX

### Symptômes banals ou inquiétants

- Céphalées.
- Troubles de la vision : hypermétropie, presbytie, myopie, scotomes.
- Vision double (diplopie).
- Surdité, otalgies, bourdonnements d'oreille (acouphènes).
- Vertiges.
- Saignements de nez (épistaxis).
- Maux de gorge, enrouement (dysphonie).
- Adénopathies.
- Goitre.

## → Tête

Les *céphalées* sont un des symptômes les plus fréquents en pratique clinique, avec une prévalence sur toute une vie de 30 % en population générale.[1,2] La migraine est de loin la forme de céphalée le plus souvent rencontrée dans un cabinet médical (environ 80 %, avec un diagnostic rigoureux). Néanmoins, toute céphalée justifie une évaluation soigneuse des causes rares mettant en jeu le pronostic vital, telles qu'une méningite, un hématome sous-dural ou une hémorragie méningée, ou une tumeur. Il est important d'obtenir une description complète de la céphalée, avec les sept attributs de la douleur (voir p. 65). La céphalée est-elle uni ou bilatérale ? Intense, avec un début brusque ? Continue ou pulsatile ? Permanente ou intermittente (elle va et vient) ?

Recherchez les « signes de danger » qui font soupçonner des causes sérieuses : début récent (moins de 6 mois), début après 50 ans, début aigu, en « coup de tonnerre » ou « la pire céphalée de toute ma vie » ; une élévation marquée de la pression artérielle ; la présence d'une éruption ou de signes infectieux ; un cancer, une infection à VIH, ou une grossesse ; des vomissements ; un traumatisme crânien récent ; ou des déficits neurologiques persistants.

Les plus importants attributs d'une céphalée sont son *intensité* et sa *chronologie*. La céphalée est-elle intense, à début brusque ? Augmente-t-elle d'intensité sur plusieurs heures ? Est-elle épisodique ? Chronique et récidivante ? A-t-elle changé d'allure récemment ? Récidive-t-elle tous les jours au même moment ?

Voir tableau 7-1 : « Céphalées primaires », p. 261, et tableau 7-2 : « Céphalées secondaires, névralgies crâniennes », p. 262-263.

Les *céphalées primaires* n'ont pas de cause sous-jacente identifiable. Les *céphalées secondaires* sont dues à d'autres affections, dont certaines engagent le pronostic vital.[3]

Une céphalée intense et brusque doit faire évoquer une *hémorragie sous-arachnoïdienne* ou une *méningite*.

La *migraine* et les *céphalées de tension* entraînent des accès de céphalées qui durent quelques heures. Une céphalée d'apparition récente, qui s'aggrave, fait craindre une *tumeur*, un *abcès* ou un autre *processus expansif intracrânien*.

Après les questions ouvertes habituelles, il est utile de demander au patient de *montrer le siège de la douleur*.

Céphalée unilatérale dans la *migraine* et les *céphalées vasculaires*.[1, 3] Les céphalées de tension siègent souvent dans les régions temporales ; les céphalées vasculaires peuvent être rétro-orbitaires.

Recherchez des symptômes associés, tels que des nausées et des vomissements.

Nausées et vomissements sont fréquents dans la *migraine* mais peuvent aussi survenir dans les *tumeurs cérébrales* et l'*hémorragie sous-arachnoïdienne*.

Y a-t-il des prodromes comme un sentiment d'euphorie, une envie irrésistible de manger, de la fatigue ou des vertiges ? Est-ce que le patient décrit une aura avec des symptômes neurologiques, tels que des troubles de la vision, un engourdissement ou une faiblesse d'un membre ?

Environ 60 à 70 % des migraineux ont des prodromes avant la crise ; 20 % présentent une aura, à savoir une photophobie, des scotomes scintillants, ou des troubles visuels ou sensitifs transitoires.

Demandez si la toux, un éternuement ou un changement de position de la tête modifient la céphalée (en mieux ou en pire) ou non.

Ces manœuvres peuvent augmenter la douleur due à une tumeur cérébrale ou à une sinusite aiguë.

Y a-t-il une histoire de surconsommation d'analgésiques, d'ergotamine ou de triptans ?

Pensez à une surmédication chez les patients souffrant de céphalées chroniques quotidiennes qui prennent des traitements symptomatiques plus de 2 fois par semaine.[1, 4]

Recherchez des antécédents familiaux.

En cas de migraine, on peut retrouver des antécédents familiaux.

## → Yeux

Commencez l'interrogatoire sur les problèmes oculaires et visuels par des questions ouvertes telles que : « Comment voyez-vous ? », et « Avez-vous un problème quelconque avec vos yeux ? » Si le patient signale un trouble visuel, détaillez-le.[5]

■ Le problème est-il plus important dans le travail de près ou la vision de loin ?

Une difficulté de vision dans le travail de près évoque une *hypermétropie* (vision de loin) ou une *presbytie* (vision des gens âgés) ; dans la vision à distance, une *myopie* (vision de près).

■ La vision est-elle brouillée ? Si oui, le début est-il brutal ou progressif ? Si elle est brusque et unilatérale, la perte de vision est-elle douloureuse ou non ?

Quand elle est *indolore*, une perte *unilatérale* brusque de la vision évoque une hémorragie du vitré au cours du diabète ou après un traumatisme, une *dégénérescence maculaire*, un *décollement de la rétine*, une *thrombose de la veine rétinienne* ou une *thrombose de l'artère centrale de la rétine*. Quand elle est *douloureuse*, ses causes se trouvent en général au niveau de la cornée ou de la chambre antérieure de l'œil ; il peut s'agir d'un *ulcère de la cornée*, d'une *uvéite*, d'un *hyphéma traumatique*, ou d'un *glaucome aigu*. La *névrite optique* de la sclérose en plaques peut aussi être douloureuse.[6] Une consultation spécialisée en urgence est justifiée.[7]

■ Une perte de vision brusque et bilatérale est rare.

Une perte de vision *bilatérale* et *indolore* peut être due à des médicaments qui modifient la réfraction, tels que les cholinergiques, les anticholinergiques et les corticostéroïdes. Une perte de vision bilatérale et douloureuse doit faire penser à une exposition à des produits chimiques ou à une irradiation.

■ Est-ce que la perte de vision bilatérale a débuté progressivement ?

Une perte de vision progressive est en général due à une *cataracte* ou à une *dégénérescence maculaire*.

■ La localisation du trouble peut aider. La vision est-elle brouillée dans la totalité ou seulement dans certaines parties du champ visuel ?

Perte lente de la vision centrale dans la cataracte nucléaire (voir p. 270), la *dégénérescence maculaire*[8] (voir p. 279) ; perte de la vision périphérique dans le *glaucome à angle ouvert* évolué (voir p. 269) ; perte unilatérale dans l'*hémianopsie* et les *quadranopsies* (voir p. 266).

■ Si le défaut du champ visuel est partiel, est-il central, périphérique, ou seulement unilatéral ?

■ Y a-t-il des points ou des zones où le patient ne voit pas *(scotomes)* ? Si oui, se déplacent-ils dans le champ visuel avec la direction du regard, ou sont-ils fixes ?

Des mouches volantes évoquent des corps flottants dans le vitré ; des défects fixes *(scotomes)* évoquent des lésions de la rétine ou des voies optiques.

■ Est-ce que le patient a vu des éclairs traverser son champ de vision ? Ce symptôme peut aller avec des corps vitréens.

Des éclairs ou de nouveaux corps flottants dans le vitré suggèrent un décollement du vitré de la rétine. Une consultation d'ophtalmologie est indiquée en urgence.

■ Le patient porte-t-il des lunettes ?

Continuez avec des questions sur une *douleur* dans ou autour des yeux, une *rougeur*, un *larmoiement excessif* (voir p. 269).

Recherchez une vision double *(diplopie)*. S'il existe une diplopie, cherchez à savoir si les images sont côte à côte (diplopie horizontale), ou l'une au-dessus de l'autre (diplopie verticale). Est-ce que la diplopie persiste quand un œil est fermé ? Quel œil est touché ?

Une variété de diplopie horizontale est physiologique. Tenez un doigt tendu à environ 20 cm devant votre visage et un autre à une longueur de bras. Quand vous fixez l'un des doigts, l'image de l'autre est double. On peut rassurer un patient qui a remarqué ce phénomène.

Chez l'adulte, la *diplopie* peut résulter d'une lésion du tronc cérébral ou du cervelet ou d'une faiblesse ou d'une paralysie d'un ou plusieurs muscles extrinsèques de l'œil. La paralysie des NC III ou VI donne une diplopie horizontale, la paralysie des NC III ou IV une diplopie verticale. Une diplopie d'un seul œil, l'autre étant fermé, évoque une anomalie de la cornée ou du cristallin.

# → Oreilles

Entamez l'interrogatoire sur les oreilles par : « Comment entendez-vous ? », et « Avez-vous un problème quelconque avec vos oreilles ? » Si le patient a noté une *perte d'audition*, concerne-t-elle une seule ou les deux oreilles ? A-t-elle débuté brusquement ou progressivement ? Quels sont les symptômes associés éventuels (voir p. 65) ?

Une surdité peut être congénitale, par mutation d'un gène.[9]

Essayez de distinguer les deux principales variétés de l'atteinte de l'audition : une *surdité de transmission*, résultant de lésions de l'oreille externe ou moyenne, ou une *surdité de perception*, résultant de lésions de l'oreille interne, du nerf cochléaire et de ses connexions centrales dans le cerveau. Deux questions sont utiles en ce domaine : le patient a-t-il une difficulté particulière à comprendre les gens quand ils parlent ? Quelles modifications provoquent un environnement bruyant ?

Les sujets ayant une surdité de perception ont des troubles particuliers de compréhension du langage et se plaignent souvent de ce que les autres « marmonnent ». Des environnements bruyants aggravent les troubles. Dans les surdités de transmission, des environnements bruyants peuvent améliorer l'audition.

Des symptômes associés au déficit auditif, comme des otalgies ou des vertiges, peuvent vous aider à en déterminer la cause. Posez de plus des questions spécifiques sur les médicaments qui peuvent porter atteinte à l'audition et recherchez une exposition prolongée au bruit.

Les médicaments qui altèrent l'audition comprennent les aminosides, l'aspirine, les anti-inflammatoires non stéroïdiens, la quinine, le furosémide, etc.

Les *otalgies* ou *douleurs d'oreille* sont très fréquentes. Recherchez une fièvre, un mal de gorge, une toux, une infection des voies respiratoires supérieures.

Une douleur évoque un problème au niveau de l'oreille externe, comme une *otite externe* ou, si elle est associée à des symptômes d'infection respiratoire, de l'oreille moyenne, comme une *otite moyenne*.[10] Elle peut aussi provenir d'autres structures de la bouche, de la gorge ou du cou.

Recherchez un *écoulement par l'oreille*, surtout en cas d'otalgie ou de traumatisme.

Cérumen ramolli, débris provenant d'une inflammation ou d'une éruption dans le conduit auditif, ou écoulement à travers un tympan perforé à la suite d'une *otite moyenne*, *aiguë* ou *chronique*.

Un *acouphène* est un bruit perçu sans qu'il y ait de stimulus externe ; il est en général à type de sifflement, bourdonnement ou grondement. Il peut intéresser une ou les deux oreilles. Il peut être associé à un déficit auditif et rester inexpliqué. Parfois des bruits secs provenant de l'articulation temporomandibulaire ou des souffles vasculaires provenant du cou peuvent être audibles.

Un *bourdonnement d'oreille* est un symptôme dont la fréquence augmente avec l'âge. Quand il est associé à une perte d'audition et à un vertige, il évoque la *maladie de Ménière*.

Un *vertige* est une sensation de tournoiement sur soi-même ou de rotation de l'environnement. Les vertiges orientent en premier lieu vers un problème concernant les labyrinthes (dans l'oreille interne), des lésions périphériques du nerf vestibulocochléaire (VIII), ou des lésions de ses voies centrales ou de ses noyaux.

Voir tableau 7-3 : « Étourdissements et vertiges », p. 264.

Les vertiges constituent un symptôme difficile pour le clinicien, parce que les patients appellent « vertiges » ou « étourdissements » des choses assez différentes. « Vous arrive-t-il d'avoir des vertiges ? » est une première question adéquate mais les patients ont souvent du mal à être plus précis. Demandez : « Vous sentez-vous instable, comme si vous alliez tomber ou vous évanouir ? »… ou « Avez-vous l'impression que la chambre tourne (vertige vrai) ? » Établissez l'anamnèse sans la biaiser. Il peut être nécessaire de laisser le patient choisir entre plusieurs mots. Demandez au patient s'il s'est senti tiré vers le sol ou d'un côté, et si le vertige est lié à un changement de position. Recherchez des sensations associées de peau froide et moite, bouffées de chaleur, nausées ou vomissements. Vérifiez s'il n'y a pas un médicament en cause.

Une sensation d'instabilité, de « tête qui tourne » ou de « jambes qui se dérobent » évoque parfois une cause cardio-vasculaire. Une sensation d'attraction évoque un vertige vrai dû à un problème de l'oreille interne ou à une lésion centrale ou périphérique du NC VIII.

# ➜ Nez et sinus

Une *rhinorrhée* désigne un écoulement nasal, qui est souvent associé à un « nez bouché » ou *sensation d'obstruction*. Ces symptômes surviennent souvent en association avec des éternuements, un larmoiement et une douleur de gorge. Un prurit peut également être ressenti dans les yeux, le nez ou la gorge.

Établissez la chronologie de l'affection. A-t-elle une durée de 8 jours environ, en particulier dans la période où sont fréquents les simples rhumes et les syndromes apparentés, ou a-t-elle un caractère saisonnier, lors de la présence de pollen dans l'air ? Est-elle liée à des contacts et des environnements particuliers ? Quels remèdes le patient a-t-il utilisés ? Combien de temps ? Et quelle a été leur efficacité ?

Est-ce que les symptômes sont apparus après une infection des voies respiratoires supérieures ? Le patient ressent-il une douleur en se penchant en avant, ou dans les dents ? De la fièvre, une douleur localisée ? Les sinus sont-ils sensibles ?

Recherchez des médicaments pouvant provoquer une obstruction nasale.

L'obstruction nasale du patient est-elle limitée à un seul côté ? Si c'est le cas, il peut s'agir d'un problème différent, nécessitant un examen physique minutieux.

Une *épistaxis* désigne un saignement de nez. Le sang provient habituellement du nez lui-même, mais il peut aussi venir d'un sinus paranasal ou du nasopharynx. L'anamnèse est en général parlante ! Chez les patients couchés sur le dos ou dont le saignement provient de structures postérieures, le sang peut s'écouler dans la gorge plutôt que par les narines. Vous devez localiser soigneusement l'origine du saignement : provient-il du nez ou a-t-il été expectoré ou vomi ? Précisez le lieu du saignement, son abondance et les symptômes associés. Distinguez soigneusement une épistaxis d'une *hémoptysie* ou d'une *hématémèse* ; leurs causes sont différentes. S'agit-il d'un problème récidivant ? Y a-t-il des hématomes ou des hémorragies en d'autres points du corps ?

Les causes comprennent les infections virales, la *rhinite allergique* (« rhume des foins ») et la *rhinite vasomotrice*. Un prurit est en faveur d'une cause allergique.

Une relation avec les saisons ou un environnement particulier évoque une allergie.[11]

L'utilisation excessive de décongestionnants peut aggraver les symptômes, et entraîner une *rhinite iatrogène*.

Ensemble, ces symptômes suggèrent une *sinusite bactérienne aiguë*. Leur sensibilité et leur spécificité sont plus grandes quand ils apparaissent après une IVRS (~ 90 % et ~ 80 %).[12-14]

Contraceptifs oraux, réserpine, guanéthidine et alcool.

Pensez à une déviation de la cloison nasale, à un corps étranger ou à une tumeur.

Les causes locales d'épistaxis incluent les traumatismes (en particulier grattage du nez), l'inflammation, la sécheresse et les croûtes de la muqueuse nasale, les tumeurs et les corps étrangers.

Des troubles hémorragiques peuvent favoriser une épistaxis.

# ➜ Bouche, gorge et cou

Un *mal de gorge* (ou une angine) est une plainte fréquente, souvent associée à une atteinte des voies respiratoires supérieures.

Fièvre, exsudats pharyngés et adénopathie cervicale antérieure, surtout en l'absence de toux, évoquent une *angine* ou une *pharyngite streptococcique* (voir p. 286).[15, 16]

Une *langue douloureuse* (glossodynie) peut être due à des lésions locales ou à une maladie systémique.

Ulcérations aphteuses (p. 244) ; langue lisse et douloureuse des carences nutritionnelles (p. 291).

Un *saignement des gencives* (gingivorragie) est un symptôme fréquent, notamment lors du brossage des dents. Recherchez des lésions buccales et une tendance aux hématomes et aux saignements en d'autres endroits.

Les saignements des gencives sont le plus souvent dus à une *gingivite* (p. 289).

Un *enrouement* désigne une altération qualitative de la voix, souvent décrite comme voilée, rauque ou rude. La hauteur de la voix peut être moindre qu'auparavant. Un enrouement résulte le plus souvent d'une maladie du larynx, mais peut être aussi la conséquence de lésions à distance du larynx comprimant les nerfs laryngés. Demandez s'il y a une utilisation excessive de la voix, une allergie, un tabagisme ou l'inhalation d'autres produits irritants, et d'autres symptômes. Faites la distinction entre problème aigu et chronique. Si l'enrouement dure plus de 2 semaines, un examen du larynx, par laryngoscopie directe ou indirecte, est conseillé.

Surmenage vocal et infections aiguës en sont les principales causes.

Les causes d'enrouement chronique comprennent le tabagisme, l'allergie, le surmenage vocal, l'*hypothyroïdie*, les infections chroniques comme la *tuberculose*, et les *tumeurs*.

Demandez : « Avez-vous remarqué des glandes enflées ou des grosseurs dans votre cou ? », ces termes étant plus familiers aux patients que ceux de « ganglions lymphatiques ».

Des ganglions augmentés de volume et douloureux accompagnent habituellement une *angine* ou une *pharyngite*.

Évaluez la fonction thyroïdienne et recherchez une augmentation de volume de la glande thyroïde *(goitre)*. Pour évaluer la fonction thyroïdienne, recherchez une *intolérance thermique* et une *transpiration*. Pour commencer, demandez : « Préférez-vous le temps chaud ou le temps froid ? », « Vous habillez-vous plus chaudement ou moins chaudement que les autres gens ? », « À propos des couvertures, en mettez-vous plus ou moins que les autres personnes à la maison ? », « Transpirez-vous plus ou moins que les autres ? », « Avez-vous eu récemment des palpitations, une variation de poids ? » Notez qu'en vieillissant, les gens transpirent moins, tolèrent moins bien le froid et ont tendance à préférer un environnement plus chaud.

Dans un *goitre*, le fonctionnement thyroïdien peut être excessif, diminué ou normal.

L'intolérance au froid, la préférence pour les vêtements chauds et les nombreuses couvertures et une diminution de la transpiration évoquent une *hypothyroïdie* ; les symptômes opposés, des palpitations et une perte de poids involontaire évoquent une *hyperthyroïdie* (p. 293).

## PROMOTION DE LA SANTÉ ET CONSEILS

### Sujets importants pour la promotion de la santé et les conseils

- Changements de la vision : cataracte, dégénérescence maculaire, glaucome.
- Surdité.
- Santé buccodentaire.

La vision et l'audition, sens essentiels pour connaître le monde qui nous entoure, sont deux domaines de grande importance pour la promotion de la santé et les conseils. La santé buccodentaire, souvent négligée, mérite aussi l'attention du clinicien.

***Modifications de la vision.*** Les troubles de la vision changent avec l'âge. Les adultes jeunes bien portants n'ont le plus souvent que des vices de réfraction. Jusqu'à 25 % des adultes de plus de 65 ans ont des vices de réfraction ; mais la prévalence des cataractes, de la dégénérescence maculaire et du glaucome augmente.[17] Ces troubles diminuent la perception de l'environnement matériel et social et entraînent des chutes et des traumatismes. Pour améliorer la détection des anomalies de la vision, testez l'acuité visuelle à l'aide d'une planche de Snellen ou de cartes spéciales (voir p. 220). Examinez le cristallin, les fonds d'yeux à la recherche d'une opacification du cristallin *(cataracte)*, d'un aspect tacheté de la macula, de changements de la pigmentation de la rétine, d'hémorragies sous-rétiniennes ou d'exsudats *(dégénérescence maculaire)*, et de modifications de la taille et de la couleur de l'excavation de la papille du nerf optique *(glaucome)*. Le diagnostic fait, revoyez les traitements efficaces : verres correcteurs, chirurgie de la cataracte, photocoagulation des néovaisseaux dans la dégénérescence maculaire, et collyres pour le glaucome.

La détection du risque de glaucome primaire à angle ouvert (GPAO) est particulièrement importante ; cependant, en 2005, l'USPSTF *(US Preventive Services Task Force)* n'a pas trouvé suffisamment de preuves en faveur d'un dépistage généralisé, compte tenu de la complexité du diagnostic et du traitement.[18] Le glaucome est la première cause de cécité chez les Afro-Américains et la deuxième dans la population globale. Environ 2,5 millions d'Américains sont touchés, mais plus de la moitié ne le savent pas. Dans le GPAO, il y a une perte progressive de la vision par destruction des fibres optiques (les axones des cellules ganglionnaires de la rétine), avec initialement une perte de la vision périphérique et une pâleur et une augmentation de taille de l'excavation de la papille optique, qui dépasse la moitié du diamètre de la papille. Une cécité survient chez 5 % des personnes atteintes. Les facteurs de risque sont un âge > 65 ans, une origine afro-américaine, le diabète sucré, la myopie, des antécédents familiaux de glaucome et une hypertension oculaire (PIO ≥ 21 mmHg). Tous les patients n'ont pas une PIO élevée, ce qui fait que la tonométrie n'est plus recommandée pour le dépistage du GPAO. De plus, certains patients ont une PIO peu élevée ou des altérations du champ visuel non évolutives, ce qui fait qu'il est difficile de prédire ceux qui vont s'aggraver. Le diagnostic de l'élargissement de la papille est difficile, même pour des experts, et les bénéfices du traitement, qui peut entraîner une cataracte, ne sont pas nets. Le médecin doit faire attention aux facteurs de risque et adresser le patient à l'ophtalmologiste, en sachant que la valeur de la tonométrie est actuellement mise en doute.

***Surdité.*** La surdité est aussi une atteinte possible due à l'âge.[19,20] Plus d'un tiers des adultes de plus de 65 ans ont des déficits auditifs, qui contribuent à leur isolement émotionnel et social. Ces déficits peuvent rester ignorés ;

par différence avec la vision (contrôles obligatoires de la vue pour la conduite automobile), il n'y a pas d'obligation de contrôle généralisé de l'audition et beaucoup de seniors évitent d'utiliser des prothèses auditives. Les questionnaires et les audiomètres portatifs conviennent bien au dépistage périodique. Les tests cliniques de la voix chuchotée, du frottement de doigts ou du diapason sont moins sensibles. Les facteurs de risque sont les antécédents de surdité congénitale ou familiale, la syphilis, la rubéole, les méningites et les traumatismes sonores, au travail ou sur un champ de bataille.

***Hygiène buccodentaire.*** Les cliniciens doivent jouer un rôle actif dans la promotion de la santé buccodentaire. Près de la moitié des enfants de 5 à 17 ans ont entre 1 et 8 caries et l'adulte nord-américain moyen a 10 à 17 dents cariées, manquantes ou obturées.[21] Chez les adultes, les prévalences de la gingivite et de la parodontolyse sont respectivement de 50 % et 80 %. Aux États-Unis, plus de la moitié des adultes de plus de 65 ans n'ont plus de dents ! Un dépistage efficace commence par l'examen soigneux de la bouche. Inspectez la cavité buccale à la recherche de dents cariées ou branlantes, d'une inflammation des gencives et de signes de parodontolyse (saignement, pus, rétraction des gencives, mauvaise haleine). Inspectez la muqueuse buccale, le palais, le plancher buccal et les faces de la langue à la recherche d'ulcérations et de leucoplasies, signes d'alarme du cancer de la bouche et du SIDA.

Pour améliorer l'hygiène buccale, conseillez aux patients d'adopter des mesures d'hygiène quotidiennes. L'utilisation d'une pâte dentifrice au fluor diminue les caries ; le brossage des dents et leur nettoyage avec un fil dentaire retardent la parodontolyse en enlevant la plaque dentaire. Incitez les patients à consulter un dentiste au moins une fois par an, pour qu'ils bénéficient de soins dentaires préventifs tels qu'un détartrage, l'abrasion des racines ou l'application de fluorures.

Le régime, la consommation de tabac et d'alcool, les modifications du flux salivaire d'origine médicamenteuse et la bonne utilisation des prothèses dentaires doivent être aussi abordés. Comme les enfants, les adultes doivent éviter la consommation excessive de sucres raffinés tels que le saccharose, qui favorise l'attachement et la prolifération des bactéries cariogènes. Il faut éviter la consommation de tabac et d'alcool, les principaux facteurs de risque des cancers de la bouche.

La salive nettoie et lubrifie la bouche. De nombreux médicaments diminuent le flux salivaire (xérostomie), ce qui augmente le risque de carie dentaire, de stomatite et de gingivite, notamment chez les sujets âgés. Les sujets qui ont des prothèses dentaires doivent les enlever et les nettoyer chaque nuit pour diminuer le risque de plaque bactérienne et de mauvaise odeur. Un massage régulier des gencives soulage la douleur et la compression exercée par les prothèses sur les parties molles sous-jacentes.

ANATOMIE, PHYSIOLOGIE
ET TECHNIQUES D'EXAMEN

# → Tête

## Anatomie et physiologie

Les régions de la tête tirent leur nom des os sous-jacents (par exemple, zone frontale). Il est utile de se familiariser avec l'anatomie du crâne pour localiser et décrire les constatations de l'examen physique.

Deux paires de glandes salivaires siègent près de la mandibule : les *parotides* superficiellement et en arrière de la mandibule (elles sont visibles et palpables quand elles sont augmentées de volume) et les *sous-maxillaires*, en profondeur. Vous pouvez percevoir ces dernières en appuyant la langue contre les incisives inférieures ; leur surface lobulée est alors souvent perçue contre les muscles contractés. Les orifices des canaux des parotides et des sous-maxillaires sont visibles dans la cavité buccale (voir p. 243).

L'*artère temporale superficielle* monte juste devant l'oreille, où elle est aisément palpable. Chez nombre de gens, surtout ceux qui sont maigres et âgés, le trajet sinueux d'une de ses branches peut être suivi sur le front.

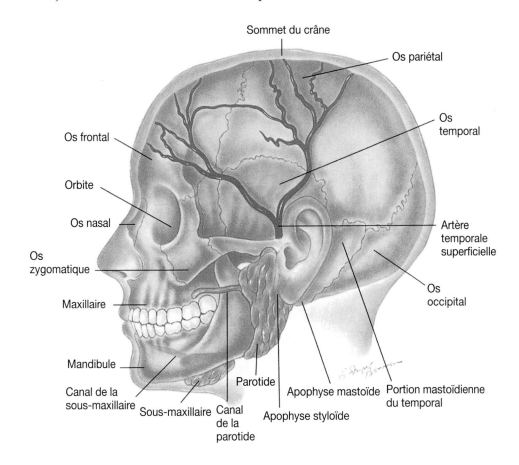

Sommet du crâne
Os pariétal
Os temporal
Os frontal
Orbite
Os nasal
Os zygomatique
Maxillaire
Mandibule
Canal de la sous-maxillaire
Sous-maxillaire
Canal de la parotide
Parotide
Apophyse styloïde
Apophyse mastoïde
Portion mastoïdienne du temporal
Os occipital
Artère temporale superficielle

## Techniques d'examen

Parce que les anomalies recouvertes par les cheveux et les poils peuvent passer facilement inaperçues, demandez au patient s'il a noté une anomalie au niveau de son cuir chevelu ou de ses cheveux. S'il porte une perruque ou un postiche, demandez-lui de l'enlever.

Examinez :

**Les cheveux.** Notez leur quantité, leur distribution, leur texture et la topographie de leur chute s'il y a lieu. Vous pouvez voir des pellicules.

Poils fins de l'*hyperthyroïdie* ; poils épais et rêches de l'*hypothyroïdie*. Les lentes (œufs des poux) sont des petits grains blanchâtres qui adhèrent aux cheveux.

**Le cuir chevelu.** Séparez les cheveux en plusieurs endroits et notez un aspect furfuracé, des bosses, des naevi ou toute autre lésion.

Rougeur et desquamation dans la *dermite séborrhéique*, le *psoriasis* ; grosseurs dues à des *kystes sébacés* (loupes) ; naevi pigmentaires.

**Le crâne.** Observez la taille générale et les contours du crâne. Notez les déformations, les dépressions, les bosses ou les points douloureux à la palpation. Familiarisez-vous avec les irrégularités d'un crâne normal, comme celles situées près des sutures entre l'os pariétal et l'os occipital.

Augmentation de volume du crâne dans l'*hydrocéphalie* et la *maladie de Paget*. Sensibilité et marche d'escalier après un traumatisme.

**Le visage.** Notez l'expression et les contours du visage du patient. Recherchez une asymétrie, des mouvements involontaires, un œdème, des masses tumorales.

Voir tableau 7-4 : « Faciès divers », p. 265.

**La peau.** Examinez la peau, notez sa coloration, sa pigmentation, sa texture, son épaisseur, la répartition des poils, et des lésions éventuelles.

L'*acné* est fréquente chez les adolescents. L'*hirsutisme* (pilosité faciale excessive) se voit chez certaines femmes ayant un *syndrome des ovaires polykystiques*.

## ➜ Yeux

### Anatomie et physiologie

Identifiez d'abord les structures illustrées ci-contre. Notez que la paupière supérieure recouvre normalement une partie de l'iris, mais pas du tout la pupille. L'ouverture entre les paupières est la *fente palpébrale*. La sclérotique blanche peut paraître de couleur un peu chamois à sa périphérie. Cette couleur ne doit pas être confondue avec le jaune d'un ictère, qui est plus foncé.

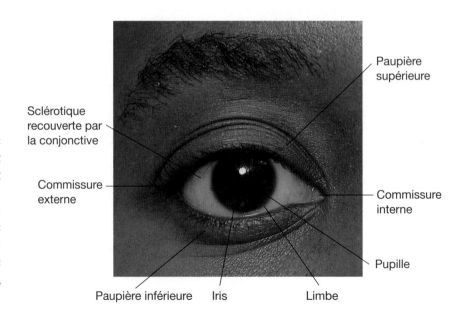

Sclérotique recouverte par la conjonctive

Commissure externe

Paupière supérieure

Commissure interne

Pupille

Paupière inférieure    Iris    Limbe

La *conjonctive* est une muqueuse comportant deux parties. La *conjonctive bulbaire* recouvre presque toute la partie antérieure du globe oculaire et adhère lâchement aux tissus sous-jacents. Elle se raccorde à la cornée au niveau du limbe. La *conjonctive palpébrale* tapisse les paupières. Les deux parties de la conjonctive se rejoignent dans un cul-de-sac qui permet au globe oculaire de bouger.

À l'intérieur des paupières se trouvent les *cartilages tarses*. Chacun d'entre eux contient une rangée de *glandes de Meibomius* parallèles qui s'ouvrent sur le bord libre des paupières. Le *muscle releveur de la paupière supérieure* est innervé par le nerf oculomoteur (ou moteur oculaire commun, III). Du muscle lisse, innervé par le sympathique, contribue aussi à l'élévation de la paupière.

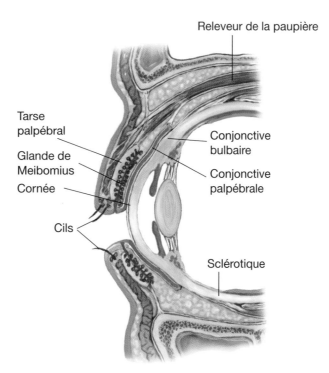

**COUPE SAGITTALE DE LA PARTIE ANTÉRIEURE DE L'ŒIL, PAUPIÈRES CLOSES**

Un film de larmes protège la conjonctive et la cornée du dessèchement, inhibe la croissance microbienne, et donne à la cornée une surface optique lisse. Les larmes proviennent de trois sources : les glandes de Meibomius, les glandes conjonctivales et les glandes lacrymales. La *glande lacrymale* est située en grande partie dans l'orbite osseuse, au-dessus et en dehors du globe oculaire. Le liquide lacrymal coule sur l'œil et s'évacue en dedans par deux petits orifices, appelés les *points lacrymaux*. Il gagne ensuite le *sac lacrymal* et, de là, le nez par le *canal lacrymal*. Vous pouvez facilement découvrir un point au sommet de la petite élevure en dedans de la paupière inférieure. Le sac lacrymal repose dans une petite dépression à l'intérieur de l'orbite ; il n'est pas visible.

Le globe oculaire est une structure sphérique qui focalise la lumière sur les éléments neuro-sensoriels de la rétine. Les muscles iriens contrôlent la taille de la pupille. Les muscles du *corps ciliaire* règlent l'épaisseur du cristallin, permettant à l'œil une mise au point sur des objets proches ou lointains.

Un liquide limpide, l'*humeur aqueuse*, remplit la chambre antérieure et la chambre postérieure de l'œil. L'humeur aqueuse est produite par le *corps ciliaire*, passe par la pupille de la chambre postérieure à la chambre antérieure de l'œil, puis est évacuée par le *canal de Schlemm*. Ce système de circulation contribue à réguler la pression intra-oculaire.

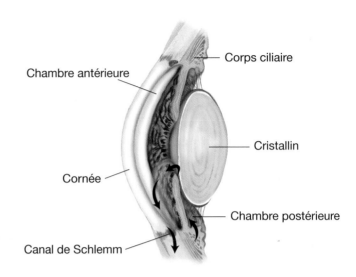

**CIRCULATION DE L'HUMEUR AQUEUSE**

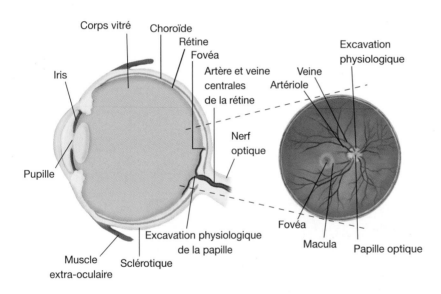

**COUPE TRANSVERSALE DE L'ŒIL DROIT VUE DE DESSUS MONTRANT LA PARTIE DU FOND D'ŒIL OBSERVÉE HABITUELLEMENT AVEC L'OPHTALMOSCOPE**

La partie postérieure de l'œil, qu'on voit à travers un ophtalmoscope, est souvent appelée le *fond* d'œil. On y trouve la rétine, la choroïde, la fovéa, la macula, la papille optique et les vaisseaux rétiniens. Le nerf optique avec les vaisseaux rétiniens pénètre dans le globe oculaire postérieurement. Vous pouvez le découvrir, avec un ophtalmoscope, au niveau de la *papille optique* (ou *disque optique*). En dehors et un peu en dessous de la papille se trouve une petite dépression de la rétine qui marque le point de la vision centrale. Elle est entourée par une zone circulaire sombre, appelée la *fovéa*. La *macula* (avec la tache jaune), grossièrement circulaire, entoure la fovéa mais n'a pas de limites discernables. Elle n'atteint pas tout à fait la papille. Vous ne voyez pas en général le *corps vitré*, masse transparente de matériel gélatineux qui remplit le globe oculaire en arrière du cristallin et sert à maintenir la forme de l'œil.

**Champs visuels.** Le *champ visuel* est la totalité de la zone vue par un œil quand il fixe un point central. Par convention, on représente les champs visuels sur des cercles du point de vue du patient. Le centre du cercle est le point fixé par le regard. La circonférence est à 90° de la ligne du regard. Chaque champ visuel, représenté par la surface jaune sur le schéma ci-dessous, est divisé en quadrants. On notera que les champs sont plus étendus du côté temporal. Les champs visuels sont normalement limités par les sourcils au-dessus, les joues en bas et le nez en dedans. L'absence de récepteurs rétiniens au niveau de la papille donne une tache aveugle ovalaire dans chaque champ visuel, en temporal, à 15° de la ligne du regard.

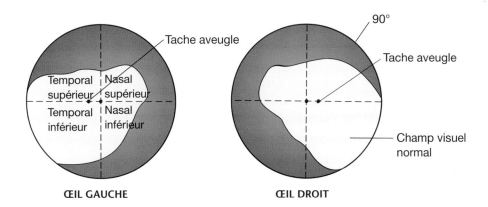

**ŒIL GAUCHE**        **ŒIL DROIT**

Quand un individu regarde avec les deux yeux, les deux champs visuels se chevauchent en une zone de vision binoculaire. En dehors de cette zone, la vision est monoculaire.

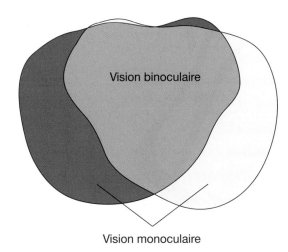

Vision monoculaire

**Voies optiques.** Pour obtenir une image visuelle nette, la lumière réfléchie sur un objet doit traverser la pupille et être mise au point sur la rétine. Les images ainsi formées sont renversées (de haut en bas) et inversées (de droite à gauche). Une image du champ visuel nasal supérieur atteindra par conséquent le quadrant temporal inférieur de la rétine.

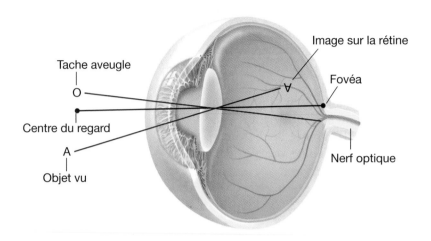

En réponse au stimulus lumineux, les influx nerveux sont conduits à travers la rétine, le nerf optique, les bandelettes optiques, jusqu'aux *radiations optiques* qui se terminent dans le cortex visuel des lobes occipitaux.

**Réactions pupillaires.** La taille des pupilles se modifie suivant l'éclairage et la distance de l'objet fixé du regard.

**Réflexe photomoteur.** Un faisceau lumineux dirigé sur une rétine provoque une constriction pupillaire à la fois dans cet œil (*réaction directe* à la lumière) et dans l'autre œil (*réflexe consensuel*). Les voies sensorielles initiales sont analogues à celles décrites pour la vision : rétine, nerf optique et bandelette optique. Les voies divergent ensuite dans le mésencéphale et les influx sont transmis par le nerf oculomoteur (III) aux muscles constricteurs de l'iris de chaque œil.

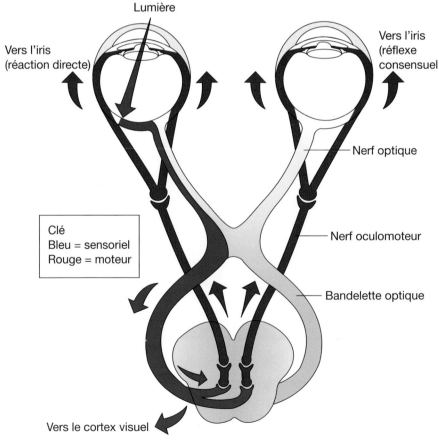

**VOIES DU RÉFLEXE PHOTOMOTEUR**

**Réflexe d'accommodation.** Quand un sujet déplace son regard d'un objet lointain à un objet proche, ses pupilles se contractent. Ce réflexe, comme le réflexe photomoteur, passe par le nerf oculomoteur (III). En même temps que la *constriction pupillaire*, se produisent : 1) une *convergence* des yeux, mouvement extra-oculaire, et 2) une *accommodation*, accroissement de la convexité des cristallins due à la contraction des muscles ciliaires. Cette modification de la forme des cristallins amène les objets proches au point focal, mais n'est pas visible par l'examinateur.

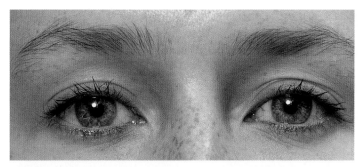

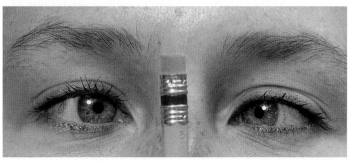

***Innervation autonome des yeux.*** Les fibres nerveuses cheminant dans le nerf oculomoteur (III) et produisant la constriction pupillaire font partie du système nerveux parasympathique. L'iris est aussi innervé par des fibres sympathiques. Lorsque celles-ci sont stimulées, la pupille se dilate et la paupière supérieure se relève un peu, comme dans la peur. La voie sympathique part de l'hypothalamus, traverse le tronc cérébral et la moelle épinière cervicale. Du cou, elle suit l'artère carotide et ses branches vers l'orbite. Une lésion de cette voie, quel que soit son siège, peut perturber la dilatation pupillaire.

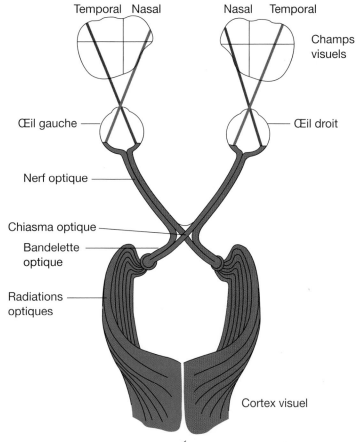

**VOIES VISUELLES DE LA RÉTINE AU CORTEX VISUEL**

***Mouvements des globes oculaires.*** Les mouvements de chaque œil sont contrôlés par l'action coordonnée de six muscles, quatre droits et deux obliques. La fonction de chaque muscle, avec celle du nerf qui l'innerve, peut être évaluée en demandant au sujet de déplacer ses yeux dans la direction contrôlée par ce muscle. Il existe six *directions cardinales* du regard, indiquées par les traits noirs sur la figure ci-dessous. Lorsque le sujet regarde vers le bas et vers la droite, par exemple, le muscle droit inférieur (NC III) est principalement responsable du déplacement de l'œil droit, tandis que le muscle grand oblique gauche (NC IV) est principalement responsable du mouvement de l'œil gauche. Si l'un de ces muscles est paralysé, l'œil dévie de sa position normale dans cette direction du regard et les yeux ne sont plus conjugués (parallèles).

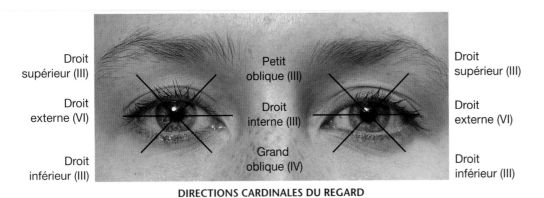

Droit supérieur (III)   Petit oblique (III)   Droit supérieur (III)

Droit externe (VI)   Droit interne (III)   Droit externe (VI)

Droit inférieur (III)   Grand oblique (IV)   Droit inférieur (III)

**DIRECTIONS CARDINALES DU REGARD**

# Techniques d'examen

## Points importants de l'examen

- Acuité visuelle.
- Champs visuels.
- Conjonctives et sclérotiques.
- Cornée, cristallin et pupilles.
- Mouvements oculaires (muscles extrinsèques).
- Fonds d'yeux, à savoir :
  - la papille optique et son excavation ;
  - la rétine ;
  - les vaisseaux rétiniens.

***Acuité visuelle.*** Pour tester la vision centrale, utilisez si possible une échelle de Snellen, et éclairez-la bien. Placez le patient à 6 mètres de la planche oculaire. S'il porte des verres autres que pour la lecture, il doit les chausser. Demandez-lui de recouvrir un œil avec une carte (de telle sorte qu'il ne puisse regarder entre ses doigts) et de lire la plus petite ligne imprimée possible. Viser la ligne suivante peut améliorer le résultat. Un patient qui n'arrive pas à lire la plus grosse lettre doit être rapproché du tableau ; notez jusqu'à quelle distance. Déterminez la plus petite ligne imprimée dont le patient déchiffre plus de la moitié des lettres. Notez l'acuité visuelle indiquée à côté de la ligne, et le port de verres, si c'est le cas. L'acuité visuelle

Une acuité visuelle de 6/18 signifie que le patient peut lire à 6 mètres ce qu'une personne ayant une vision normale est capable de lire à 18 mètres. Pour un même numérateur, plus grand est le dénominateur, plus faible est l'acuité visuelle. « 6/12 corrigé » signifie que le patient pourrait lire la ligne 12 avec des verres correcteurs.

est exprimée par une fraction (par exemple, 6/18*), où le numérateur indique la distance séparant le patient du tableau, et le dénominateur la distance à laquelle un œil normal peut lire la ligne de lettres.

Tester la vision de près avec une carte spéciale tenue à la main permet de reconnaître le besoin de verres de lecture ou bifocaux chez les patients de plus de 45 ans. Vous pouvez aussi utiliser cette carte pour tester l'acuité visuelle au lit du malade. Tenue à environ 35 cm des yeux du patient, elle équivaut à une échelle de Snellen. Vous pouvez cependant laisser le patient choisir sa propre distance.

Si vous n'avez pas d'échelle, étudiez l'acuité visuelle avec n'importe quel imprimé disponible. Si le patient ne peut pas lire les plus grosses lettres, testez sa capacité à compter vos doigts levés et à distinguer la lumière (comme celle de votre lampe de poche) de l'obscurité.

### Champs visuels, par confrontation

**Dépistage.** Le dépistage commence par les champs temporaux parce que la plupart des anomalies concernent ces zones. Imaginez que le champ visuel du patient se projette sur une coupe en verre encerclant son front. Demandez au patient de vous regarder yeux dans les yeux. Tout en le fixant des yeux, placez vos mains écartées d'environ 60 cm à hauteur de ses oreilles. Dites-lui de toucher vos doigts dès qu'il les verra. Puis ramenez lentement les doigts de vos deux mains, en les agitant sur la coupe imaginaire, des

Un *myope* ne voit pas bien au loin.

La *presbytie* est le défaut de la vision de près lié à l'âge. Une personne presbyte voit souvent mieux la carte quand elle est éloignée.

Aux États-Unis, un sujet est considéré comme légalement aveugle lorsque la vision de son meilleur œil est ≤ 1/10 après correction. La cécité légale résulte également d'une réduction du champ visuel : 20° ou moins pour le meilleur des deux yeux.

Les altérations, en totalité ou en partie, des champs temporaux sont les suivantes :

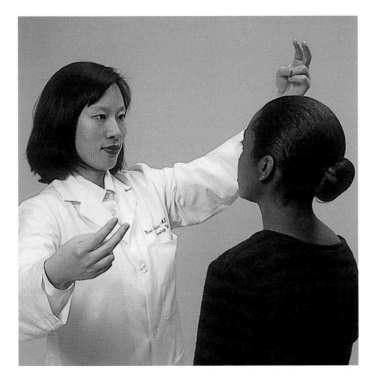

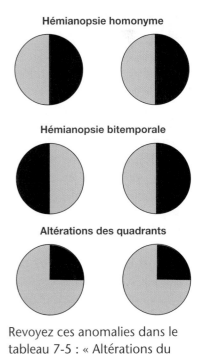

**Hémianopsie homonyme**

**Hémianopsie bitemporale**

**Altérations des quadrants**

Revoyez ces anomalies dans le tableau 7-5 : « Altérations du champ visuel », p. 266.

---

\* NdT. Cette fraction équivaut à 3/10 si on exprime l'acuité visuelle en dixièmes.

oreilles vers la ligne du regard, jusqu'à ce que le patient les voie. Répétez cette manœuvre dans les quadrants temporaux supérieurs et inférieurs. Normalement, une personne voit les doigts des deux mains au même moment. Si tel est le cas, les champs visuels sont en général normaux.

**Examen plus approfondi.** Si vous trouvez une anomalie, tâchez de la délimiter. Testez un œil après l'autre. Si vous suspectez une anomalie temporale du champ visuel gauche, par exemple, demandez au patient de masquer l'œil droit et, avec l'œil gauche, de fixer votre œil directement opposé. Puis déplacez lentement vos doigts, en les agitant, de la zone altérée vers la meilleure vision et notez l'endroit où le patient commence à réagir. Répétez cette manœuvre à plusieurs niveaux pour préciser la limite.

Quand l'œil gauche du patient ne voit pas vos doigts jusqu'à ce qu'ils aient coupé la ligne du regard et ce, de façon répétée, il y a une *hémianopsie temporale gauche*. Le schéma suivant représente le point de vue du patient.

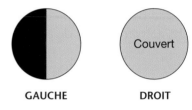

Une *hémianopsie homonyme gauche* peut donc être affirmée.

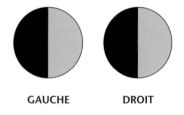

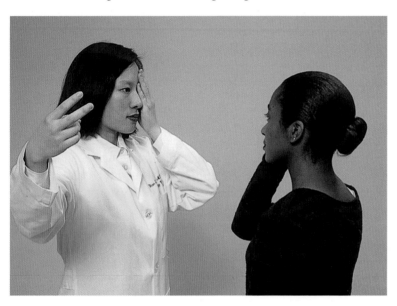

Un défect temporal dans le champ visuel d'un œil suggère un défect nasal dans l'autre œil. Pour vérifier cette hypothèse, examinez l'autre œil de la même façon, en allant de l'altération supposée vers la meilleure vision.

Les petits défects du champ visuel et les élargissements de la tache aveugle nécessitent un stimulus plus fin. Utilisez un petit objet rouge comme le bout rouge d'une allumette ou la petite gomme rouge au bout d'un crayon pour tester un œil après l'autre. Tandis que le patient regarde votre œil directement opposé, amenez l'objet dans le champ visuel. La tache aveugle normale peut être trouvée à 15° en temporal de la ligne du regard – le petit objet rouge disparaît (entraînez-vous sur vous-même).

Un élargissement de la tache aveugle survient dans les affections touchant le nerf optique, par exemple un *glaucome*, une *névrite optique* et un *œdème de la papille*.[7]

**Position et alignement des yeux.** En vous plaçant en face du patient, examinez la position des yeux et leur alignement l'un par rapport à l'autre. Si un œil ou les deux sont inhabituellement proéminents, regardez-les de dessus (voir p. 255).

Déviation interne ou externe des yeux ; protrusion anormale due à la *maladie de Basedow* ou à une tumeur oculaire.

**Sourcils.** Inspectez les sourcils en notant leur abondance, leur répartition et tout aspect furfuracé de la peau sous-jacente.

Aspect furfuracé dans la *dermite séborrhéique* ; aspect clairsemé de la queue du sourcil dans l'*hypothyroïdie*.

***Paupières.*** Notez la position des paupières par rapport aux globes oculaires. Inspectez :

Voir tableau 7-6 : « Variations et anomalies des paupières », p. 267.

■ la largeur des fentes palpébrales ;

Obliquité mongoloïde (en haut et en dehors) des fentes palpé-brales dans la *trisomie 21.*

■ un œdème palpébral ;

■ la coloration des paupières ;

Inflammation des bords libres des paupières, avec souvent forma-tion de croûtes, dans la *blépharite.*

■ les lésions éventuelles ;

■ l'état et la direction des cils ;

■ la fermeture adéquate des paupières (à rechercher surtout si les yeux sont inhabituellement proéminents, s'il existe une paralysie faciale ou si le patient est inconscient).

Le défaut de fermeture des pau-pières expose la cornée à de graves lésions.

***Appareil lacrymal.*** Inspectez brièvement les régions de la glande lacry-male ou du sac lacrymal, à la recherche d'un gonflement.

Voir tableau 7-7 : « Grosseurs et gonflements de l'œil et autour de l'œil », p. 268.

Recherchez un larmoiement excessif ou une sécheresse des yeux. Apprécier la sécheresse nécessite le recours à l'ophtalmologiste. Pour la recherche d'une obstruction du canal lacrymal, voir p. 255.

Un larmoiement exagéré peut être le résultat d'une production lacrymale accrue par une *inflam-mation conjonctivale* ou une *irrita-tion cornéenne,* ou d'un défaut d'écoulement dû à une *obstruc-tion du canal lacrymonasal* ou à un *ectropion* (p. 267).

***Conjonctive et sclérotique.*** Demandez au sujet de regarder vers le haut pendant que vous abaissez la paupière inférieure de chaque œil avec le pouce, exposant ainsi la sclérotique et la conjonc-tive. Notez la couleur des sclérotiques et des conjonctives palpébrales, et les vaisseaux san-guins sur le fond blanc de la sclé-rotique. Recherchez des nodules ou tuméfactions.

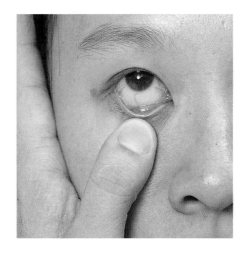
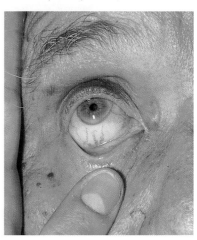

La couleur jaune des sclérotiques indique une jaunisse.

Si vous désirez voir l'œil plus complètement, faites reposer votre pouce et un doigt respectivement sur la joue et l'arcade sourcilière, et écartez les paupières.

Demandez au patient de regarder de chaque côté et vers le bas. Cette technique vous donne une bonne vue sur la sclère et la conjonctive bulbaire, mais pas sur la conjonctive de la paupière supérieure. Pour ce faire, vous devez retourner la paupière (voir p. 255).

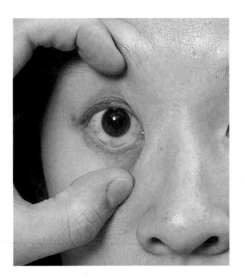

La rougeur localisée ci-dessous est due à une *épisclérite nodulaire*, une affection qui guérit souvent spontanément chez les jeunes adultes, mais qui peut aussi se voir dans l'*arthrite rhumatoïde* et le *lupus*.

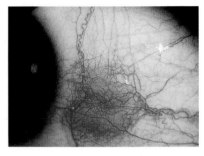

Pour comparer, voir le tableau 7-8 : « Yeux rouges », p. 269.

**Cornée et cristallin.** Avec un éclairage oblique, inspectez la cornée pour y rechercher des opacités et notez toute opacité du cristallin, visible à travers la pupille.

Voir tableau 7-9 : « Opacités de la cornée et du cristallin », p. 270.

**Iris.** Examinez simultanément l'iris. Ses limites doivent être nettes. En l'éclairant directement à partir du côté temporal, recherchez une ombre en croissant sur la partie interne de l'iris. Comme l'iris est normalement assez plat et forme un angle relativement ouvert avec la cornée, cet éclairage oblique ne projette pas d'ombre.

Parfois l'iris est anormalement convexe et forme un angle très fermé avec la cornée. La lumière projette alors une ombre en croissant.

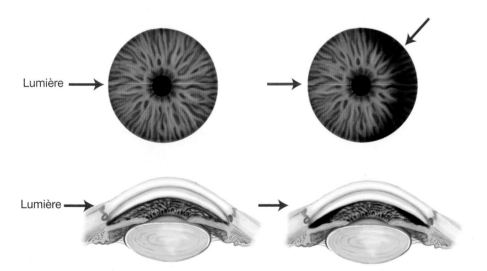

Lumière

Lumière

Cet angle étroit augmente le risque de *glaucome à angle fermé* – une augmentation brutale de la pression intra-oculaire quand l'évacuation de l'humeur aqueuse est interrompue.

Dans le *glaucome à angle ouvert* – la forme commune du glaucome –, le rapport spatial normal entre iris et cornée est conservé et l'iris est complètement éclairé.

**Pupilles.** Inspectez leur *taille*, leur *forme* et leur *symétrie*. Si elles sont larges (> 5 mm), petites (< 3 mm) ou inégales, mesurez-les. Une carte avec des ronds noirs de différents diamètres facilite la mesure.

Le *myosis* est la constriction des pupilles ; la *mydriase*, leur dilatation.

1    2    3    4    5    6    7 mm

Une inégalité pupillaire inférieure à 0,5 mm *(anisocorie)* se voit chez environ 20 % des gens normaux. Si les réactions pupillaires sont normales, cette anisocorie est bénigne.

Testez le *réflexe pupillaire photomoteur*. Demandez au patient de regarder au loin et dirigez une lumière vive obliquement sur une pupille puis l'autre (le regard au loin et l'éclairage oblique contribuent tous deux à prévenir une réaction d'accommodation). Étudiez :

- la *réaction directe* (constriction de la pupille de l'œil éclairé) ;

- la *réaction consensuelle* (constriction de la pupille de l'œil opposé).

Faites toujours l'obscurité dans la pièce et utilisez un éclairage puissant avant d'affirmer que le réflexe photomoteur est aboli.

Si la réaction à la lumière est altérée ou douteuse, étudiez la *réaction d'accommodation* dans une chambre normalement éclairée. En testant séparément chaque œil, on facilite la concentration sur les réponses pupillaires, sans que l'on soit distrait par la motricité extrinsèque de l'œil. Placez votre doigt ou un crayon à 10 cm de l'œil du patient. Demandez à celui-ci de tantôt fixer le doigt ou le crayon et tantôt regarder au-delà d'eux. Observez la constriction pupillaire pour voir de près.

*Comparez l'anisocorie bénigne avec le syndrome de Claude Bernard-Horner, la paralysie du nerf oculomoteur, et la pupille « tonique ». Voir tableau 7-10 : « Anomalies pupillaires », p. 271.*

L'étude de la réaction d'accommodation est utile pour le diagnostic du *signe d'Argyll-Robertson* et de la *pupille tonique d'Adie* (voir p. 271).

***Muscles extrinsèques de l'œil.*** En vous plaçant à 60 cm environ directement en face du patient, éclairez ses yeux et demandez-lui de regarder la source de lumière. *Observez les reflets sur les cornées.* Ils doivent être visibles légèrement en dedans du centre des pupilles.

L'asymétrie des reflets cornéens indique une déviation par rapport à l'alignement oculaire normal. Par exemple, un reflet temporal sur une cornée traduit une déviation nasale de cet œil. Voir tableau 7-11 : « Strabismes », p. 272.

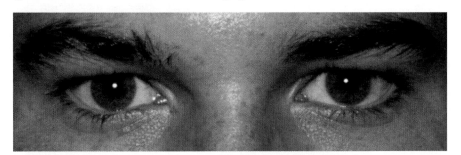

Le *test de l'écran* peut aussi révéler un déséquilibre discret ou latent, invisible autrement (voir p. 272).

À présent, *évaluez la motricité extrinsèque*, en recherchant :

- les *mouvements conjugués* normaux des yeux dans chaque direction ou une déviation de la normale ;

- un *nystagmus*, oscillation rythmique fine des yeux. Quelques battements dans le regard latéral extrême sont dans les limites de la normale. Si c'est le cas, amenez votre doigt dans le champ de la vision binoculaire et regardez à nouveau ;

- une *asynergie oculopalpébrale* quand les yeux se déplacent de haut en bas.

Voir tableau 7-11 : « Strabismes », p. 272.

Un nystagmus persistant dans le champ de la vision binoculaire se voit dans diverses affections neurologiques. Voir tableau 17-6 : « Nystagmus », p. 757-758.

Asynergie oculopalpébrale lors du regard vers le bas, dans l'*hyperthyroïdie*.

*Pour tester les six mouvements des globes oculaires, demandez au patient de suivre votre doigt ou votre stylo* pendant que vous balayez les six grandes directions du regard. En décrivant un grand H dans l'air, vous devez amener son regard : 1) à l'extrême droite, 2) à droite et en haut, et 3) en bas et à droite ; puis 4) à l'extrême gauche sans arrêt au milieu, 5) à gauche et en haut, et 6) en bas et à gauche. Marquez une pause dans le regard vers le haut et en dehors pour déceler un nystagmus. Déplacez votre doigt ou votre crayon à bonne distance du patient. Parce que les sujets d'âge moyen ou âgés ont de la difficulté à mettre au point sur les objets proches, déplacez le doigt ou l'objet à une distance plus grande que pour des sujets plus jeunes. Certains patients bougent la tête pour suivre votre doigt. Maintenez si besoin leur tête en position médiane.

Dans la paralysie du NC VI, illustrée ci-dessous, les yeux sont conjugués dans le regard latéral droit mais non dans le regard latéral gauche.

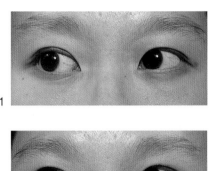
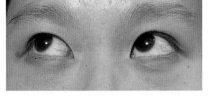
1

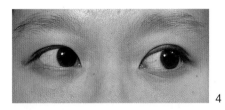
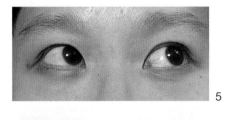
4

2

5

3

6

**REGARD LATÉRAL DROIT**

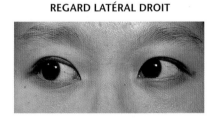

**REGARD LATÉRAL GAUCHE**

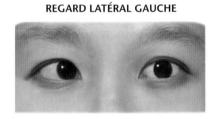

Si vous soupçonnez une asynergie oculopalpébrale ou une hyperthyroïdie, demandez au patient de suivre à nouveau votre doigt pendant que vous le déplacez lentement de haut en bas, sur la ligne médiane. La paupière doit recouvrir légèrement l'iris pendant tout son déplacement.

Notez la bande blanche de sclérotique due à l'*exophtalmie*, la protrusion du globe oculaire qui donne au regard de face de l'*hypertyhroïdie* sa fixité caractéristique.

Pour terminer, testez la *convergence*. Demandez au patient de suivre votre doigt ou un crayon pendant que vous le déplacez vers la racine du nez. Des yeux normalement convergents suivent l'objet jusqu'à 5 à 8 cm du nez.

Mauvaise convergence dans l'*hyperthyroïdie*.

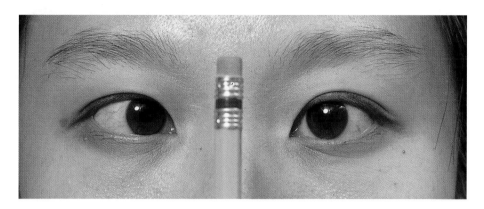

**CONVERGENCE**

***Examen ophtalmoscopique.*** En médecine générale, il est habituel d'examiner les yeux du patient sans dilater ses pupilles. Votre vue est donc réduite aux structures postérieures de la rétine. Pour voir des structures plus périphériques, pour bien examiner la macula ou pour explorer une perte de vision inexpliquée, les pupilles doivent être dilatées avec un collyre mydriatique, sauf contre-indication.

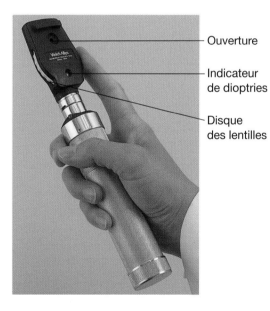

Ouverture

Indicateur de dioptries

Disque des lentilles

Les contre-indications aux collyres mydriatiques comprennent : 1) les traumatismes crâniens et le coma, au cours desquels l'observation répétée des réactions pupillaires est importante ; 2) toute suspicion de glaucome à angle étroit.

Au début, vous pouvez avoir l'impression d'être maladroit en maniant l'ophtalmoscope et éprouver des difficultés à voir le fond d'œil. Avec de la patience et une bonne technique, le fond d'œil deviendra visible et vous serez capable d'évaluer des structures aussi importantes que la papille optique et les vaisseaux rétiniens. Enlevez vos lunettes à moins que vous ne souffriez d'une forte myopie ou d'un astigmatisme sévère (cependant, si le patient a un vice de réfraction qui rend difficile l'examen des fonds d'yeux, vous pouvez avoir intérêt à garder vos lunettes).

Revoyez les parties de l'ophtalmoscope représenté ci-dessus. Puis utilisez l'appareil en suivant les étapes ci-dessous. Votre habileté grandira avec le temps.

## ÉTAPES POUR UTILISER UN OPHTALMOSCOPE

✔ Faites l'obscurité dans la pièce. Allumez l'ophtalmoscope et tournez le disque des lentilles jusqu'à voir le grand faisceau rond de lumière blanche*. Dirigez le faisceau lumineux sur le dos de votre main pour contrôler à la fois le type et l'intensité désirée de la lumière et la charge électrique de l'ophtalmoscope.

✔ Ajustez le disque des lentilles à 0 dioptrie (la dioptrie est l'unité qui mesure la puissance de convergence ou de divergence de la lentille). À 0 dioptrie, la lentille ne fait ni converger ni diverger la lumière. Maintenez le doigt sur le rebord du disque des lentilles afin de pouvoir tourner le disque pour mettre au point au cours de l'examen du fond d'œil.

✔ Tenez l'ophtalmoscope *dans la main droite* pour examiner *l'œil droit du patient* et tenez-le *dans la main gauche* pour examiner son *œil gauche*. Cela vous évitera de heurter le nez du patient et vous permettra de vous déplacer et de vous rapprocher plus facilement pour visualiser le fond d'œil. Au début, vous pourrez avoir du mal à vous servir de l'œil non dominant mais cela s'atténuera avec la pratique.

✔ Tenez l'ophtalmoscope fermement appuyé sur le rebord interne de votre orbite, le manche incliné en dehors d'environ 20° par rapport à la verticale. Vérifiez que vous voyez nettement par l'ouverture. Demandez au patient de regarder un peu vers le haut, par-dessus votre épaule, un point en face de lui sur le mur.

✔ Placez-vous à environ 40 cm du patient, *à 15° en dehors de sa ligne de vision*. Dirigez le faisceau lumineux sur la pupille et recherchez une lueur orangée dans la pupille, le *reflet rouge*. Notez d'éventuelles opacités interrompant le reflet rouge.

✔ À présent, placez le pouce de votre autre main en travers du sourcil du patient (cette technique vous stabilise mais n'est pas indispensable). En maintenant le faisceau lumineux centré sur le reflet rouge, rapprochez-vous de la pupille avec l'ophtalmoscope incliné à 15° jusqu'à être très près d'elle, quasiment au contact des cils du patient.

Essayez de garder les deux yeux ouverts et détendus, comme si vous regardiez au loin, pour réduire le flou lorsque vos yeux essayent d'accommoder.

*Vous pouvez avoir besoin de diminuer l'intensité du faisceau lumineux* pour ne pas incommoder le patient, éviter l'*hippus* pupillaire (un spasme de la pupille) et améliorer vos observations.

\* Certains cliniciens aiment se servir du grand faisceau rond pour les grandes pupilles et du petit faisceau rond pour les petites pupilles. Les autres faisceaux sont rarement utiles. Le faisceau en forme de fente est quelquefois utilisé pour apprécier les saillies ou les dépressions rétiniennes, le faisceau vert (dépourvu de rouge), pour déceler des petites lésions rouges et la grille pour faire des mesures. Ignorez les trois dernières lumières et opérez avec le grand faisceau rond de lumière blanche.

**L'EXAMINATEUR, A 15°
DE LA LIGNE DE VISION DU PATIENT,
MET EN ÉVIDENCE LE REFLET ROUGE**

L'absence du *reflet rouge* suggère une opacité du cristallin (cataracte) ou bien de l'humeur vitrée. Plus rarement, un *décollement de la rétine* ou, chez l'enfant, un *rétinoblastome*, peuvent empêcher ce reflet. Ne pas se laisser tromper par un œil artificiel, qui, naturellement, n'a pas de reflet rouge.

À présent, vous êtes prêt à examiner la *papille optique* et la *rétine*. Vous devez voir la papille, une structure jaune orangé à rose crémeux, ronde ou ovale, qui peut remplir votre champ de vision, voire le déborder. Il est intéressant de noter que l'ophtalmoscope grossit la rétine normale d'environ 15 fois et l'iris normal d'environ 4 fois. En réalité, la papille optique mesure environ 1,5 mm. Suivez les étapes ci-dessous pour cette partie importante de l'examen physique.

Quand le cristallin a été enlevé chirurgicalement, son effet grossissant n'existe plus. Les structures rétiniennes semblent plus petites et une plus grande partie du fond d'œil est visible.

## ÉTAPES DE L'EXAMEN DE LA PAPILLE OPTIQUE ET DE LA RÉTINE

### Papille optique (ou disque optique)

✔ Tout d'abord, *localisez la papille optique.* Recherchez la structure ronde jaune orangé décrite ci-dessus. Si elle n'est pas visible d'emblée, suivez un vaisseau sanguin vers le centre jusqu'à l'apercevoir. Vous pouvez préciser la direction du centre aux angles de bifurcation des vaisseaux : le calibre du vaisseau augmente à chaque bifurcation quand on se rapproche de la papille.

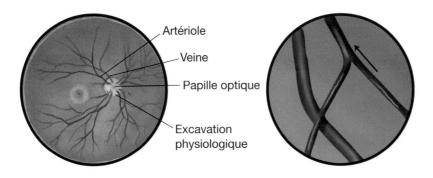

Artériole

Veine

Papille optique

Excavation physiologique

✔ À présent, *mettez au point sur la papille optique* en réglant la lentille de l'ophtalmoscope. Si ni vous ni le patient n'avez de vice de réfraction, la rétine doit être au point à 0 dioptrie. Si les structures sont floues, tournez le disque des lentilles jusqu'à trouver une mise au point nette.

Par exemple, si le patient est myope (ne voit pas bien au loin), tournez le disque des lentilles dans le sens inverse des aiguilles d'une montre, vers les dioptries négatives ; s'il est hypermétrope (ne voit pas bien de près), tournez-le dans le sens des aiguilles d'une montre, vers les dioptries positives. Vous pouvez corriger votre propre vice de réfraction de la même façon.

✔ *Inspectez la papille optique.* Notez les caractéristiques suivantes :
  – *la netteté du contour de la papille.* La partie nasale de la limite de la papille peut être un peu floue ; ce n'est pas une anomalie ;
  – *la couleur de la papille,* normalement jaune orangé à rose crémeux. Des croissants blancs ou pigmentés peuvent entourer la papille ; ce ne sont pas des anomalies ;
  – *la dimension de l'excavation physiologique,* si elle est présente. Cette excavation est normalement blanc jaunâtre. Son diamètre horizontal est habituellement inférieur à la moitié du diamètre horizontal de la papille ;
  – *la symétrie des yeux* en ce qui concerne ces observations.

### Détection d'un œdème papillaire

L'*œdème papillaire* est une saillie de la papille optique et un bombement de l'excavation physiologique. L'hypertension intracrânienne est transmise au nerf optique, provoquant un ralentissement du flux axoplasmique, un œdème axonal et un gonflement de la papille optique. L'œdème papillaire indique souvent des troubles intracérébraux graves, comme une méningite, une hémorragie sous-arachnoïdienne, des lésions traumatiques ou une tumeur, c'est pourquoi vous devez toujours le rechercher quand vous examinez les fonds d'yeux.

*(suite)*

En cas de *vice de réfraction,* les rayons lumineux venant de loin ne tombent pas sur la rétine. Dans la *myopie,* ils tombent en avant d'elle ; dans l'*hypermétropie,* en arrière d'elle. Les structures rétiniennes d'un œil myope semblent plus grandes que normalement.

Voir tableau 7-12 : « Variations normales de la papille optique », p. 273, et tableau 7-13 : « Anomalies de la papille optique », p. 274.

Une excavation élargie évoque un *glaucome chronique à angle ouvert.*

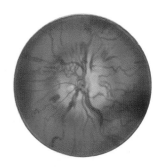

**ŒDÈME PAPILLAIRE**

La présence ou l'absence de pulsations veineuses spontanées (PVS) peut servir à préciser si un patient a un œdème papillaire. Les PVS sont fréquentes dans les yeux normaux (elles se voient chez 75 % des patients au moins) et elles indiquent que la pression intracrânienne est vraisemblablement normale ; cependant, elles manquent chez une petite proportion de sujets normaux.

### Rétine – Artères, veines, fovéa et macula

✔ *Inspectez la rétine*, y compris les artères et les veines jusqu'à la périphérie, les croisements artérioveineux, la fovéa et la macula. Les traits distinctifs des artères et des veines sont énumérés ci-dessous.

|  | Artérioles | Veines |
|---|---|---|
| **Coloration** | Rouge clair | Rouge sombre |
| **Dimension** | Plus petite (2/3 à 4/5 du diamètre des veines) | Plus grande |
| **Reflet lumineux** | Brillant | Peu net ou absent |

✔ *Suivez les vaisseaux vers la périphérie dans chacune des quatre directions*, en notant leur taille relative et l'aspect des croisements artérioveineux. Identifiez des lésions de la *rétine* environnante et notez leur taille, leur forme, leur couleur et leur répartition. Pour explorer la rétine, *déplacez en bloc votre tête et votre instrument*, la pupille du patient servant de pivot imaginaire. Au début, vous pouvez perdre à plusieurs reprises la vision de la rétine, votre lumière s'écartant de la pupille. Cela s'améliorera avec la pratique.

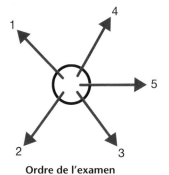

**Ordre de l'examen
de la papille à la macula**

**ŒIL GAUCHE**

Les lésions de la rétine peuvent être mesurées en « diamètres papillaires » à partir de la papille optique.

La disparition des pulsations veineuses dans des états pathologiques tels qu'un traumatisme crânien, une *méningite* ou un processus expansif, peut être un signe précoce d'hypertension intracrânienne.

Voir tableau 7-14 : « Artérioles rétiniennes et croisements artérioveineux : normale et hypertension artérielle, p. 275 ; tableau 7-15 : « Taches rouges et stries au fond d'œil », p. 276 ; tableau 7-16 : « Fonds d'yeux : normale et rétinopathie hypertensive », p. 277 ; tableau 7-17 : « Fonds d'yeux : rétinopathie diabétique », p. 278; tableau 7-18 : « Taches peu colorées au fond d'œil », p. 279.

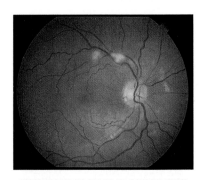

**EXSUDATS BLANCS FLOCONNEUX**

Notez les exsudats blancs floconneux situés entre 11 et 12 heures, à 1 ou 2 diamètres papillaires de la papille et mesurant chacun environ la moitié d'un diamètre papillaire.

*(suite)*

✔ Inspectez la *fovéa* et la *macula* environnante. Dirigez le faisceau lumineux en dehors ou demandez au patient de fixer directement la lumière. Sauf chez les sujets âgés, le petit point brillant au centre de la fovéa vous permet de vous orienter. De faibles reflets lumineux sur la macula sont fréquents chez les sujets jeunes.

La *dégénérescence maculaire* est une cause importante de mauvaise vision centrale chez le sujet âgé. Il en existe une forme *sèche atrophique* (plus fréquente mais moins grave) et une forme *humide exsudative*, avec néovascularisation. Les débris cellulaires non digérés, dénommés *druses*, sont bien délimités, comme ci-dessous, ou confluent avec une altération de la pigmentation (voir p. 279).

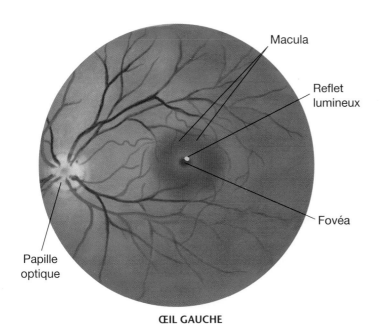

**ŒIL GAUCHE**

*Macula*

*Reflet lumineux*

*Fovéa*

*Papille optique*

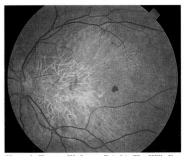

Photo de Tasman W, Jaeger E (eds). The Wills Eye Hospital Atlas of Clinical Ophthalmology, 2nd ed. Philadelphia, Lippincott Williams & Wilkins, 2001.

✔ *Inspectez les structures antérieures.* Recherchez des opacités du *vitré* ou du *cristallin* en tournant progressivement le disque des lentilles jusqu'à + 10 à + 12 dioptries. Cette technique met au point sur des structures oculaires plus antérieures.

Les corps flottants du vitré sont visibles sous la forme de petites taches ou bandes sombres entre le fond d'œil et le cristallin. Les cataractes sont des opacités dans le cristallin (voir p. 270).

# → Oreilles

## Anatomie et physiologie

L'oreille a trois compartiments : l'oreille externe, l'oreille moyenne et l'oreille interne.

L'*oreille externe* comprend le pavillon et le conduit auditif externe. Le *pavillon* de l'oreille est formé principalement de cartilage recouvert par de la peau et possède une consistance élastique ferme. Son rebord externe proéminent est l'*hélix*. Devant lui se trouve une autre zone saillante, l'*anthélix*.

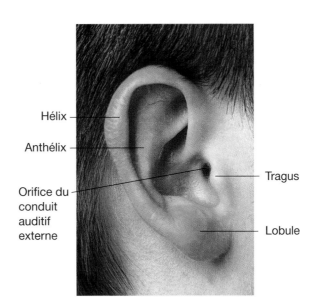

Hélix

Anthélix

Orifice du conduit auditif externe

Tragus

Lobule

En bas se trouve un prolongement charnu, le lobe de l'oreille ou *lobule*. Le *tragus* est un relief situé juste en avant du conduit auditif externe.

Le *conduit auditif externe* s'incurve vers l'intérieur et mesure environ 24 mm de long. Sa portion externe est entourée de cartilage. La peau de cette partie externe est pourvue de poils et contient des glandes fabriquant du cérumen (cire). La portion interne du conduit est entourée d'os et revêtue par une peau fine dépourvue de poils. Une pression sur cette dernière région est douloureuse, point dont il faut se souvenir en examinant l'oreille.

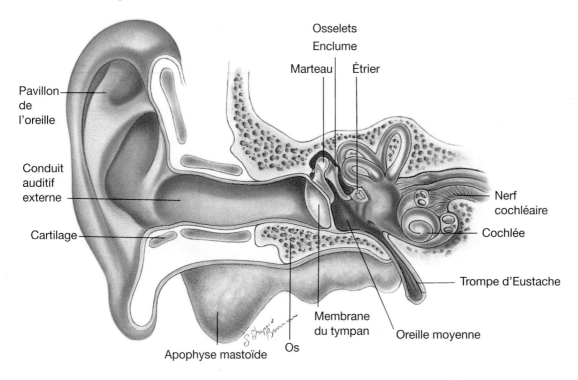

L'os situé en arrière et en dessous du conduit auditif est la portion mastoïdienne de l'os temporal. La partie inférieure de cet os, l'*apophyse mastoïde*, est palpable derrière le lobule.

À l'extrémité du conduit auditif se trouve la *membrane tympanique* ou tympan, représentant la limite externe de l'oreille moyenne. L'*oreille moyenne* est une cavité remplie d'air, à travers laquelle les sons sont transmis par l'intermédiaire de trois petits os, les *osselets*. L'oreille moyenne communique avec le nasopharynx par la *trompe d'Eustache*.

Le tympan est une membrane oblique dont le centre est attiré en dedans par un osselet, le *marteau*. Cherchez le *manche* et l'*apophyse courte* du marteau – ses deux principaux repères. De l'*ombilic*, point de contact du tympan et de l'extrémité du marteau, un reflet lumineux appelé le *cône de lumière* se déploie en bas et en avant. Au-dessus de la courte apophyse est située une portion étroite du tympan, la *pars flaccida*. Le reste de la membrane est la *pars tensa*. Les plis malléolaires antérieur et postérieur s'étendant obliquement au-dessus de l'apophyse courte et séparant la pars flaccida de la pars tensa sont d'ordinaire invisibles, sauf en cas de rétraction du tympan. Un deuxième osselet, l'*enclume*, peut parfois être vu à travers le tympan.

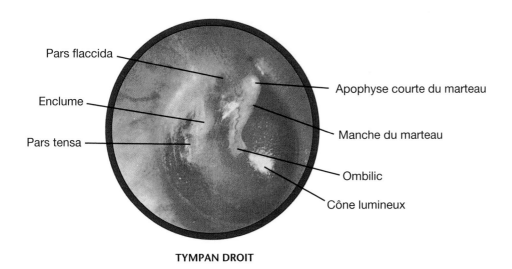

Pars flaccida

Apophyse courte du marteau

Enclume

Manche du marteau

Pars tensa

Ombilic

Cône lumineux

**TYMPAN DROIT**

La plus grande partie de l'oreille moyenne et toute l'oreille interne sont inaccessibles à l'examen direct. Cependant, certaines indications concernant leur état peuvent être obtenues en évaluant l'audition.

***Voies de l'audition.*** Les vibrations sonores traversent l'air du conduit auditif externe et sont transmises par le tympan et les osselets de l'oreille moyenne à la *cochlée*, partie de l'oreille interne. La cochlée perçoit les vibrations et les transforme en influx nerveux qui sont envoyés au cerveau *via* le nerf auditif (ou cochléaire). La première partie de cette voie – oreille externe et oreille moyenne – est la phase de *conduction* ; une atteinte de cette partie donne une *surdité de transmission* ou de *conduction*. La seconde partie de cette voie, intéressant la cochlée et le nerf cochléaire, est la phase *neurosensorielle* ; une atteinte de cette partie donne une *surdité de perception* ou *neurosensorielle*.

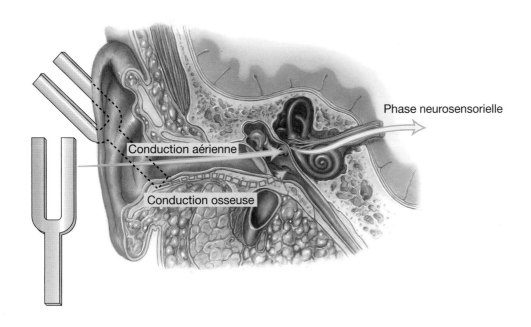

Phase neurosensorielle

Conduction aérienne

Conduction osseuse

Dans la première partie de la voie de l'audition, *la conduction est aérienne.* Il existe aussi une *conduction osseuse*, qui court-circuite l'oreille externe et l'oreille moyenne et est utilisée pour tester l'audition. Un diapason qui vibre, placé sur la tête, fait vibrer les os du crâne et stimule directement la cochlée. Chez l'individu normal, la conduction aérienne est plus sensible que la conduction osseuse.

***Équilibre.*** Dans l'oreille interne, le labyrinthe enregistre la position et les mouvements de la tête, et contribue au maintien de l'équilibre.

## Techniques d'examen

***Pavillon de l'oreille.*** Inspectez le pavillon de l'oreille et les tissus environnants pour y rechercher des déformations, des grosseurs, des lésions cutanées.

Voir tableau 7-19 : « Tuméfactions de l'oreille ou proches de l'oreille », p. 280.

En cas de douleur, d'écoulement ou d'inflammation de l'oreille, déplacez le pavillon vers le haut et vers le bas, appuyez sur le tragus et juste en arrière de l'oreille.

La mobilisation du pavillon et du tragus est douloureuse dans *l'otite externe aiguë* (inflammation du conduit auditif externe), mais pas dans l'*otite moyenne* (inflammation de l'oreille moyenne). Une douleur provoquée derrière l'oreille peut se voir en cas d'*otite moyenne.*

***Conduit auditif externe et tympan.*** Pour voir le conduit auditif externe et le tympan, utilisez un otoscope muni du plus grand spéculum que le conduit puisse admettre. Positionnez la tête du patient de façon à pouvoir voir commodément par l'instrument. Pour redresser le conduit auditif externe, saisissez le pavillon avec fermeté mais douceur, et tirez-le en haut et en arrière tout en l'écartant un peu de la tête.

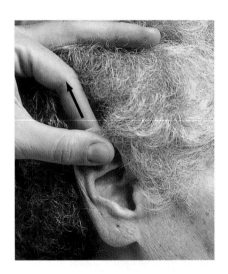

Tout en tenant le manche de l'otoscope entre le pouce et les autres doigts, appuyez votre main sur le visage du patient. Votre main et l'instrument suivront ainsi les mouvements imprévus du patient (si vous êtes gêné par le changement de mains pour l'oreille gauche, comme montré ci-après, vous pouvez atteindre cette oreille par-dessus pour la tirer en haut et en arrière avec votre main gauche et poser la main droite, qui tient l'otoscope, sur la tête, derrière l'oreille).

*Introduisez le spéculum* avec douceur dans le conduit auditif externe, en l'orientant un peu en bas et en avant, à travers les cheveux, s'il y en a.

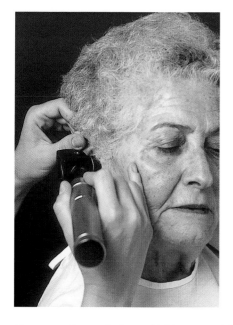

Des gonflements nodulaires indolores recouverts de peau normale, situés profondément dans les conduits auditifs, suggèrent des *exostoses*. Ce sont des excroissances bénignes qui peuvent masquer le tympan.

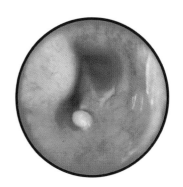

*Inspectez le conduit auditif externe* à la recherche d'un écoulement, de corps étrangers, d'une rougeur de la peau ou d'une tuméfaction. Le cérumen, dont la couleur et la consistance varient de jaune et pailleté à brun et collant, ou même noir et dur, peut gêner ou empêcher votre examen.

Dans l'*otite externe aiguë*, montrée ci-dessous, le conduit est souvent œdématié, rétréci, humide, pâle et douloureux. Il peut devenir rouge.

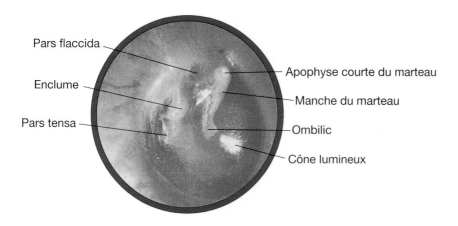

Pars flaccida

Enclume

Pars tensa

Apophyse courte du marteau

Manche du marteau

Ombilic

Cône lumineux

**TYMPAN DROIT**

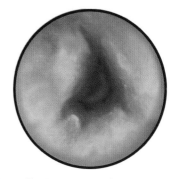

Dans l'*otite externe chronique*, la peau du conduit est souvent épaissie, rouge et prurigineuse.

*Inspectez le tympan* en notant sa couleur et son contour. Le cône ou triangle lumineux – habituellement facile à voir – vous permet de vous orienter.

Membrane tympanique rouge et bombante de l'*otite moyenne* aiguë purulente[10], et ambrée de l'otite séreuse. Voir tableau 7-20 : « Anomalies du tympan », p. 281-282.

Identifiez le *manche du marteau*, notez sa position et inspectez la *courte apophyse du marteau*.

La saillie inhabituelle de la courte apophyse et la saillie du manche, qui paraît plus horizontal, suggèrent une rétraction du tympan.

Déplacez doucement le spéculum de façon à voir la plus grande surface possible du tympan, y compris la *pars flaccida* en haut et les bords de la *pars tensa*. Recherchez des perforations. Les bords antérieur et inférieur du tympan peuvent être cachés par la paroi incurvée du conduit auditif.

La mobilité du tympan peut être appréciée avec un otoscope pneumatique.

Un épanchement séreux, un tympan épaissi ou une otite moyenne purulente peuvent diminuer la mobilité.

**Acuité auditive.** Pour évaluer l'audition, testez une seule oreille à la fois. Demandez au sujet de boucher une oreille avec son doigt ou, mieux encore, bouchez-la pour lui. Si l'acuité auditive est très différente des deux côtés, déplacez le doigt rapidement mais délicatement dans le conduit auditif bouché. Le bruit ainsi produit empêche l'oreille bouchée de faire le travail à la place de l'oreille que l'on désire évaluer. Ensuite, en se tenant à 30 ou 60 cm du sujet, expirez à fond (pour réduire l'intensité de votre voix) et murmurez doucement en direction de l'oreille non bouchée. Choisissez des nombres ou des mots qui comportent deux syllabes également accentuées, par exemple « 33 » et « *base-ball* ». Si nécessaire, augmentez l'intensité de la voix jusqu'à un murmure moyen, un murmure plus fort, puis une voix faible, moyenne et forte. Assurez-vous que le sujet ne lit pas sur vos lèvres en cachant votre bouche ou bien en masquant les yeux du patient.

**Conduction aérienne et osseuse.** Si l'audition est diminuée, *essayez de faire la distinction entre surdité de transmission et de perception*. Il est nécessaire de disposer d'une pièce silencieuse et d'un diapason de 512 Hz ou, à défaut, de 1 024 Hz. Ces fréquences se situent dans la gamme de la parole humaine (300 à 3 000 Hz) – la plus importante sur le plan fonctionnel. Les diapasons avec des sons plus graves peuvent faire surestimer la conduction osseuse ou être également ressentis comme une vibration.

Faites vibrer légèrement le diapason en le frappant entre le pouce et l'index ( ⇄ ) ou bien sur les saillies articulaires de la main.

Dans une *surdité de transmission* unilatérale, le son est entendu dans (latéralisé vers) l'oreille atteinte. Une *otite moyenne aiguë*, une perforation du tympan et une obstruction du conduit auditif avec du cérumen sont des explications évidentes. Voir tableau 7-21 : « Types de surdité », p. 283.

■ *Testez la latéralisation* (épreuve de Weber). Placez fermement le manche du diapason vibrant légèrement sur le sommet de la tête du patient ou bien au milieu de son front.

Demandez-lui où il entend le diapason : d'un côté ou des deux. Normalement, le son est perçu sur la ligne médiane ou également dans les deux oreilles. S'il n'entend rien, recommencez en appuyant le diapason plus fort sur sa tête. Étant donné que des sujets qui entendent bien peuvent latéraliser, ce test doit être limité aux malentendants.

Lors d'une *surdité de perception* unilatérale, le son est entendu dans la bonne oreille.

■ *Comparez la conduction aérienne (CA) et la conduction osseuse (CO)* (épreuve de Rinne). Placez la base du diapason vibrant légèrement sur la mastoïde en arrière de l'oreille au niveau du conduit auditif. Lorsque le patient n'entend plus le son, déplacez rapidement le diapason près du conduit auditif et vérifiez si le son peut à nouveau être entendu. Le « U » du diapason doit être ici placé en avant, ce qui accroît au maximum le son pour le patient. Normalement, le son peut être entendu plus longtemps lorsqu'il est transmis par l'air que par l'os (CA > CO).

Dans la *surdité de transmission*, le son est entendu aussi longtemps ou plus longtemps par voie osseuse que par voie aérienne (CO = CA ou > CA). Dans une *surdité de perception*, le son est entendu plus longtemps par voie aérienne (CA > CO).

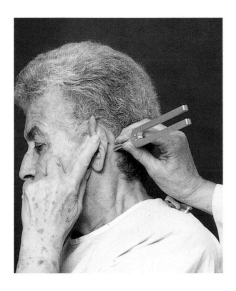
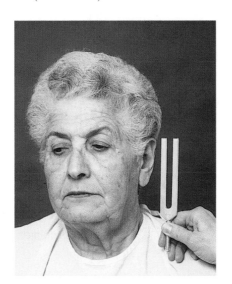

# → Nez et sinus de la face

## Anatomie et physiologie

Revoyez les termes utilisés pour décrire l'anatomie superficielle du nez.

Le tiers supérieur du nez, approximativement, est soutenu par des os, les deux tiers inférieurs par du cartilage. L'air pénètre dans les fosses nasales par la *narine*, de chaque côté, puis passe dans une cavité plus large, appelée le *vestibule*, et gagne le nasopharynx par un passage étroit.

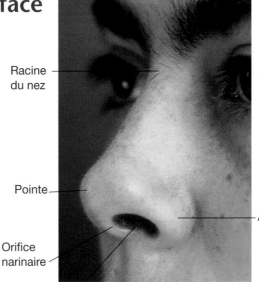

Racine du nez

Pointe

Aile du nez

Orifice narinaire

Vestibule

La paroi interne de chaque fosse nasale est constituée par la *cloison nasale*, qui est soutenue, comme la partie superficielle du nez, par de l'os et du cartilage. Elle est revêtue d'une muqueuse riche en vaisseaux sanguins. Contrairement au reste de la cavité nasale, le vestibule est recouvert d'une peau pourvue de poils et non d'une muqueuse.

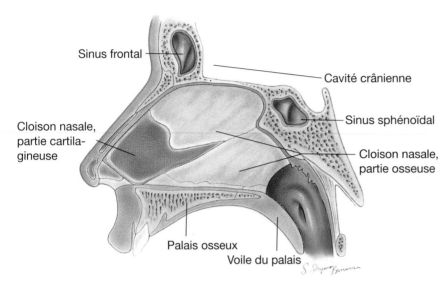

**PAROI MÉDIALE DE LA FOSSE NASALE GAUCHE (MUQUEUSE ENLEVÉE)**

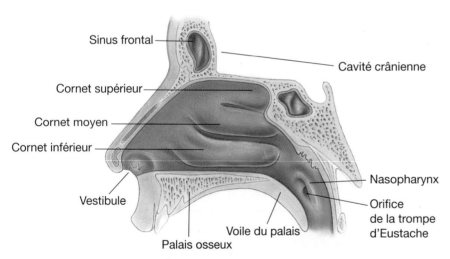

**PAROI LATÉRALE DE LA FOSSE NASALE DROITE**

Du côté externe, l'anatomie est plus complexe. Des structures osseuses recourbées, les *cornets* du nez, recouverts d'une muqueuse très vasculaire, font saillie dans la fosse nasale. Au-dessous de chaque cornet se trouve un sillon, ou méat, nommé d'après le cornet sus-jacent. Dans le méat inférieur débouche le canal lacrymonasal ; dans le méat moyen s'ouvrent la plupart des sinus paranasaux. Leurs orifices ne sont habituellement pas visibles.

La surface supplémentaire apportée par les cornets et la muqueuse qui les recouvre aide les cavités nasales à remplir leurs fonctions principales : épuration, humidification et régulation de la température de l'air inspiré.

Les *sinus de la face* sont des cavités remplies d'air, creusées dans les os du crâne. Comme les fosses nasales dans lesquelles ils s'ouvrent, les sinus sont recouverts par une muqueuse. La position des sinus est illustrée ci-dessous. Seuls les sinus frontaux et maxillaires sont aisément accessibles à l'examen clinique.

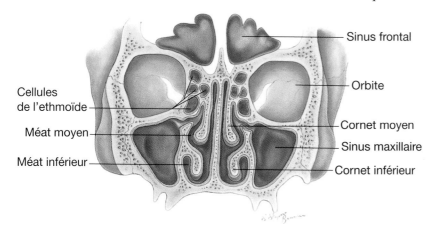

**COUPE TRANSVERSALE DES FOSSES NASALES – VUE ANTÉRIEURE**

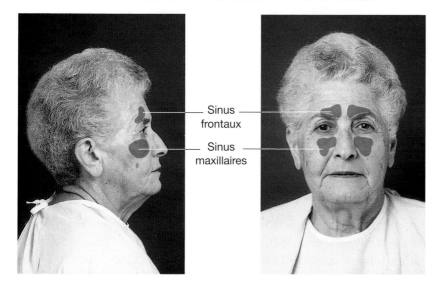

## Techniques d'examen

*Inspectez les faces antérieure et inférieure du nez.* En appuyant doucement avec votre pouce sur le bout du nez, vous élargissez les narines et vous pouvez, à l'aide d'une lampe ou d'un otoscope, avoir une vue partielle sur le *vestibule* nasal. Si le bout du nez est sensible, faites preuve de douceur et manipulez le nez le moins possible.

Notez toute asymétrie ou déformation du nez.

*Si vous suspectez une obstruction nasale*, recherchez-la en pressant alternativement chaque aile du nez tout en demandant au patient d'inspirer.

Une sensibilité de la pointe ou des ailes du nez suggère une infection locale, telle qu'un furoncle.

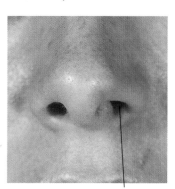

Vestibule

*Inspectez l'intérieur du nez* avec un otoscope équipé du plus gros spéculum d'oreille disponible\*. Inclinez un peu la tête du patient en arrière et introduisez doucement le spéculum dans le vestibule de chaque narine, en évitant le contact avec la cloison qui est sensible. Maintenez le manche de l'otoscope de côté pour éviter le menton et augmenter votre mobilité. En dirigeant le spéculum vers l'arrière puis petit à petit vers le haut, essayez de voir les cornets inférieur et moyen, la cloison et l'étroite filière qui les sépare. Une petite asymétrie entre les deux côtés est normale.

Une déviation de la partie basse de la cloison est courante et facile à voir. Elle gêne rarement le passage de l'air.

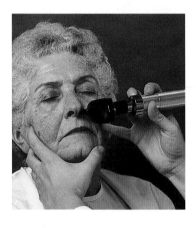
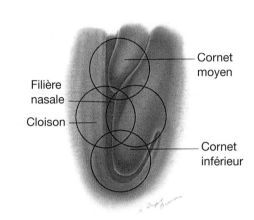

Filière nasale

Cornet moyen

Cloison

Cornet inférieur

Inspectez la muqueuse nasale, la cloison nasale, ainsi que toute anomalie :

■ la *muqueuse nasale*, qui recouvre la cloison et les cornets. Notez sa couleur et tout gonflement, saignement ou exsudat. S'il existe un exsudat, notez son caractère : clair, mucopurulent ou purulent. La muqueuse nasale est normalement un peu plus rouge que la muqueuse buccale ;

Dans une *rhinite virale*, la muqueuse est rouge et œdématiée ; dans une *rhinite allergique*, elle peut être pâle, bleuâtre ou rouge.

■ la *cloison nasale*. Notez toute déviation, inflammation ou perforation de la cloison. La portion antéro-inférieure de la cloison (que peut atteindre le doigt du patient) est fréquemment à l'origine d'épistaxis (saignement de nez) ;

On peut voir du sang frais ou des croûtes. Les causes de perforation septale comprennent les traumatismes, la chirurgie, et la consommation par voie nasale de cocaïne ou d'amphétamines.

■ toute *anomalie* telle que des ulcères ou des polypes.

Les polypes sont des formations pâles, semi-translucides, venant habituellement du méat moyen. Les ulcères peuvent être dus à la prise nasale de cocaïne.

L'inspection de la fosse nasale par la narine est habituellement limitée au vestibule, à la partie antérieure de la cloison et aux cornets inférieur et moyen. L'examen à l'aide d'un miroir nasopharyngé est nécessaire pour déceler des anomalies postérieures. Cette technique sort du cadre de ce livre.

---

\* On peut aussi utiliser un illuminateur nasal muni d'un spéculum nasal court et large, qui n'est pas grossissant, mais les structures apparaissent beaucoup plus petites. Les ORL utilisent un équipement spécial.

Prenez l'habitude de laisser, après usage, tous vos spéculums de nez et d'oreille à l'extérieur de votre boîte d'instruments. Ensuite, jetez-les ou nettoyez-les et désinfectez-les de façon appropriée (reportez-vous aux protocoles en usage dans votre hôpital).

*Recherchez par la palpation une sensibilité des sinus frontaux.* Appuyez sur les *sinus frontaux*, par la face inférieure des arcades sourcilières et en évitant une pression sur les yeux. Puis, appuyez sur les *sinus maxillaires*.

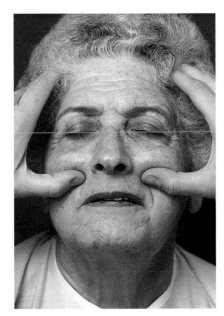

Une sensibilité locale, accompagnée de symptômes tels que douleur, fièvre et écoulement nasal, évoque une *sinusite aiguë* des sinus frontaux ou maxillaires.[12-14] La transillumination peut être utile au diagnostic. Pour cette technique, voir p. 256.

# → Bouche et pharynx

## Anatomie et physiologie

Les *lèvres* sont des replis musculaires qui entourent l'entrée de la bouche. Quand elles sont ouvertes, les gencives et les dents sont visibles. Remarquez l'aspect festonné des *bords des gencives* et l'aspect pointu des *papilles interdentaires*.

Les *gencives* sont fermement attachées aux dents et aux maxillaires dans lesquels celles-ci sont logées. Chez les sujets à la peau claire, la gencive est rose pâle ou rose corail et légèrement pointillée. Chez les sujets à la peau noire, elle est entièrement ou partiellement brunâtre, comme montré ci-après. Sur la ligne médiane, un repli muqueux, le *frein de la lèvre*, relie les lèvres aux gencives. Un *sillon gingival* peu profond, entre le bord de la gencive et la dent, n'est pas aisément visible (mais les dentistes le trouvent et le mesurent). La *muqueuse alvéolaire* est contiguë à la gencive ; elle fusionne avec la *muqueuse labiale*.

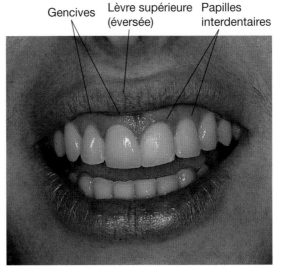

Gencives    Lèvre supérieure    Papilles
(éversée)    interdentaires

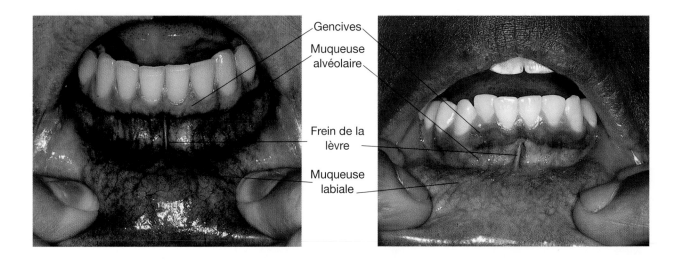

Gencives
Muqueuse alvéolaire
Frein de la lèvre
Muqueuse labiale

Chaque dent, principalement composée de dentine, est enchâssée dans une alvéole osseuse, sa couronne couverte d'émail étant seule apparente. Des petits vaisseaux et nerfs entrent dans la dent par son apex et gagnent le canal et la chambre pulpaires.

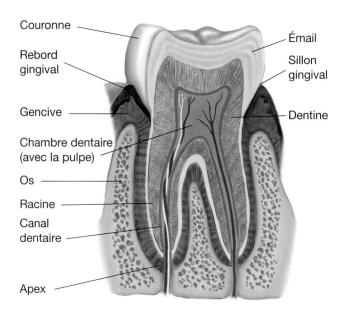

Couronne
Rebord gingival
Gencive
Chambre dentaire (avec la pulpe)
Os
Racine
Canal dentaire
Apex
Émail
Sillon gingival
Dentine

Les 32 dents adultes (16 par maxillaire) sont dénommées ci-contre.

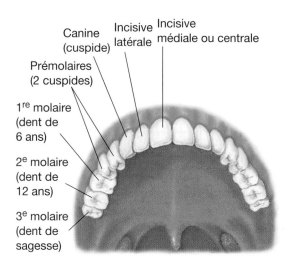

Canine (cuspide)
Incisive latérale
Incisive médiale ou centrale
Prémolaires (2 cuspides)
1re molaire (dent de 6 ans)
2e molaire (dent de 12 ans)
3e molaire (dent de sagesse)

Le dos de la *langue* est recouvert de papilles qui la rendent rugueuse. Quelques-unes de ces papilles ressemblent à des points rouges, qui contrastent avec l'enduit blanchâtre qui recouvre souvent la langue. La face inférieure de la langue ne possède pas de papilles. Remarquez le *frein lingual* médian qui relie la langue au plancher de la bouche. À la base de la langue, les *canaux des glandes sous-maxillaires* (canaux de Wharton) ont un trajet antérieur et interne avant de s'ouvrir dans des papilles situées de chaque côté du frein de la langue.

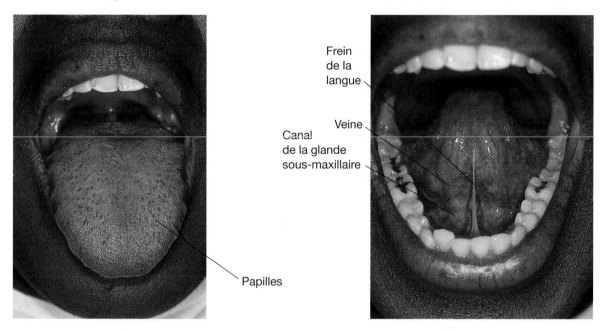

Frein de la langue

Veine

Canal de la glande sous-maxillaire

Papilles

Au-dessus et en arrière de la langue s'élève une voûte formée par les *piliers antérieur et postérieur*, le *voile du palais* (ou palais mou) et la *luette*. Un réseau de petits vaisseaux sanguins peut être visible sur voile du palais. Entre le voile du palais et la langue, on aperçoit le *pharynx*.

Sur la photo ci-dessous, l'*amygdale* droite est visible dans sa loge, entre le pilier antérieur et le pilier postérieur. Chez l'adulte, les amygdales sont souvent petites ou inexistantes, comme ici du côté gauche.

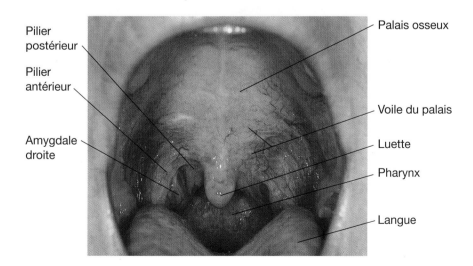

Pilier postérieur

Pilier antérieur

Amygdale droite

Palais osseux

Voile du palais

Luette

Pharynx

Langue

La *muqueuse buccale* tapisse les joues. Chaque *canal parotidien (canal de Sténon)* se déverse dans la bouche près de la 2ᵉ molaire supérieure, où son ouverture est fréquemment marquée par une petite papille.

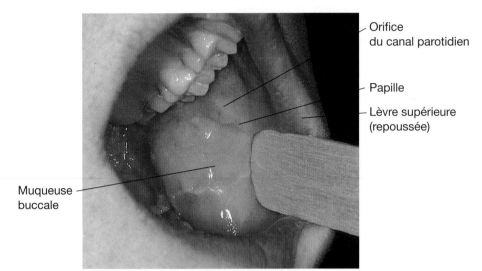

Orifice
du canal parotidien

Papille

Lèvre supérieure
(repoussée)

Muqueuse
buccale

# Techniques d'examen

Si le sujet porte une prothèse dentaire, proposez-lui une serviette en papier et demandez-lui de retirer la prothèse afin de voir la muqueuse sous-jacente. Si des ulcérations ou des nodules suspects sont visibles, mettez un gant pour palper les lésions, et notez s'il existe un épaississement ou une infiltration des tissus qui peuvent suggérer une lésion maligne.

Inspectez successivement :

**Les lèvres.** Observez la coloration, l'humidité, la présence de grosseurs, d'ulcérations, de crevasses, ou de croûtes.

**La muqueuse buccale.** Regardez la bouche du patient. Avec un bon éclairage et à l'aide d'un abaisse-langue, inspectez la muqueuse buccale concernant sa coloration, des ulcérations, des plaques blanches, des nodules. La ligne blanche ondulée de cette muqueuse buccale apparaît à l'endroit où les dents supérieures et inférieures se rencontrent. Une irritation due à la succion et à la mastication peut la créer ou l'accentuer.

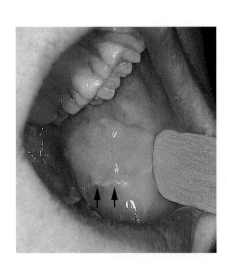

Une muqueuse sous-jacente rouge brillant et œdématiée évoque une stomatite due au port d'une prothèse dentaire. Il peut exister des ulcérations et un tissu de granulation.

Cyanose, pâleur. Voir tableau 7-22 : « Anomalies des lèvres », p. 284-285.

Ce patient a un *aphte* de la muqueuse labiale.

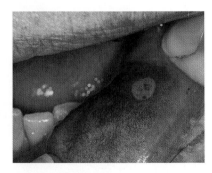

Voir tableau 7-23 : « Trouvailles dans le pharynx, le palais et la muqueuse buccale », p. 286-288.

***Les gencives et les dents.*** Notez la couleur des gencives, qui sont normalement roses. Un pointillé brunâtre peut exister, surtout mais pas exclusivement chez les sujets noirs.

Rougeur de la *gingivite*, liseré noir de l'*intoxication au plomb*.

Inspectez le bord des gencives et les papilles interdentaires à la recherche de gonflement et d'ulcération.

Papilles interdentaires enflées de la *gingivite*. Voir tableau 7-24 : « Trouvailles au niveau des gencives et des dents », p. 289-290.

Inspectez les dents. Y a-t-il des dents manquantes, de couleur anormale, déformées ou malposées ? Vous pouvez vérifier leur stabilité entre le pouce et l'index gantés.

***La voûte du palais.*** Inspectez la coloration et la forme du palais osseux.

*Torus palatinus*, une tuméfaction médiane bénigne (voir p. 287).

***La langue et le plancher de la bouche.*** Demandez au patient de tirer la langue. Observez sa symétrie, qui dépend du nerf hypoglosse (ou grand hypoglosse, nerf crânien XII).

Notez la couleur et la texture du dos de la langue.

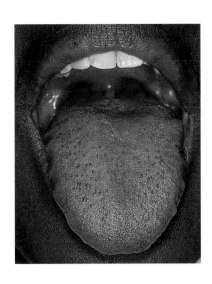

Une déviation de la langue protruse évoque une lésion du NC XII, comme montré ci-dessous.

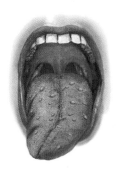

Inspectez les côtés et la face inférieure de la langue, ainsi que le plancher de la bouche. Ce sont les zones où les cancers se développent le plus souvent. Notez toute zone blanche ou rouge, des nodules ou des ulcérations. Le cancer de la langue étant plus fréquent chez les hommes de plus de 50 ans, surtout s'ils fument et boivent de l'alcool, une palpation chez ces patients est indiquée.[22] Expliquez au patient ce que vous projetez de faire et enfilez des gants. Demandez-lui de tirer la langue. Avec la main droite, saisissez l'extrémité de la langue avec une compresse, et tirez-la doucement vers la gauche du patient. Examinez le bord de la langue, puis palpez-le avec la main gauche gantée, à la recherche d'une induration.[22] Procédez symétriquement pour l'autre côté.

Le cancer de la langue est le deuxième des cancers de la bouche par ordre de fréquence, juste après le cancer de la lèvre. Tout nodule ou ulcération persistant, rouges ou blancs, sont suspects. L'induration de la lésion est un élément de suspicion supplémentaire. Le cancer siège le plus souvent sur le bord de la langue et, aussitôt après, sur sa base.

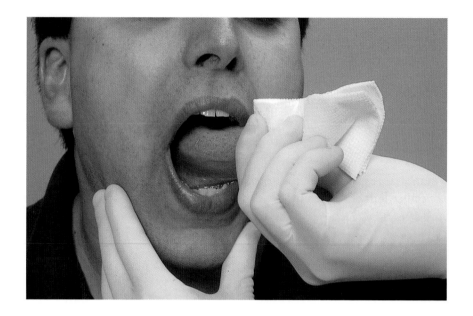

Carcinome du bord gauche de la langue :

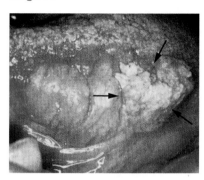

*(Photo reproduite avec l'autorisation du New England Journal of Medicine, 328 : 186, 1993 – Les flèches sont rajoutées)*

Voir tableau 7-25 : « Trouvailles dans et sous la langue », p. 291-292.

**Le pharynx.** Demandez maintenant au patient de dire « Ah » ou de bâiller, bouche ouverte mais sans tirer la langue. Cela doit suffire à vous donner une bonne vision du pharynx. Sinon, appliquez fermement un abaisse-langue sur le milieu du dos de la langue, assez loin pour avoir une bonne vue du pharynx, mais pas trop loin pour éviter le réflexe nauséeux. En même temps, demandez au sujet de dire « Ah » ou de bâiller. Notez l'élévation du voile du palais, une façon de tester le nerf vague (ou pneumogastrique, NC X).

En cas de paralysie du vague (NC X), la voûte du palais ne s'élève pas et la luette est déviée vers le côté opposé.

Pas de relèvement                    Déviation vers la gauche

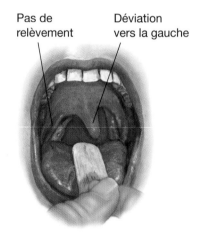

Inspectez le voile du palais, les piliers antérieurs et postérieurs, la luette, les amygdales et le pharynx. Notez leur coloration et leur symétrie, et recherchez un exsudat, un œdème, une ulcération ou une augmentation de volume des amygdales. Si possible, palpez toute zone suspecte indurée ou douloureuse. Les amygdales ont des cryptes ou replis profonds d'épithélium pavimenteux. On peut y voir quelquefois des grains blanchâtres, formés par l'épithélium qui desquame normalement.

Jetez l'abaisse-langue après usage.

Voir tableau 7-23 : « Trouvailles dans le pharynx, le palais et la muqueuse buccale », p. 286-288.

# → Cou

## Anatomie et physiologie

Dans un but descriptif, chaque côté du cou est divisé en deux triangles par le muscle sternocléidomastoïdien. Identifiez les limites de chaque triangle :

■ pour le *triangle antérieur* : la mandibule en haut, le sternocléidomastoïdien en dehors, et la ligne médiane du cou en dedans ;

■ pour le *triangle postérieur* : le sternocléidomastoïdien, le muscle trapèze et la clavicule. Notez que la portion du muscle omohyoïdien qui croise la partie inférieure de ce triangle peut être confondue avec un ganglion lymphatique ou une grosseur.

Muscle trapèze

Triangle postérieur

Muscle omohyoïdien

Clavicule

Muscle sternocléidomastoïdien

Triangle antérieur

Manubrium sternal

***Gros vaisseaux.*** Sous les sternocléidomastoïdiens passent les gros vaisseaux du cou : *artère carotide* et *veine jugulaire interne*. La *veine jugulaire externe* croise la surface du sternocléidomastoïdien ; elle peut aider à trouver le pouls veineux jugulaire (voir p. 363-365).

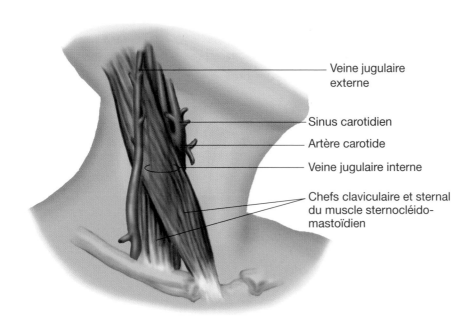

Veine jugulaire externe

Sinus carotidien

Artère carotide

Veine jugulaire interne

Chefs claviculaire et sternal du muscle sternocléidomastoïdien

***Structures médianes et glande thyroïde.*** À présent, identifiez les structures médianes suivantes : (1) l'*os hyoïde* mobile, juste au-dessous de la mandibule, (2) le *cartilage thyroïde*, facile à reconnaître grâce à l'échancrure de son bord supérieur, (3) le *cartilage cricoïde*, (4) les *anneaux de la trachée* et (5) la *glande thyroïde.*

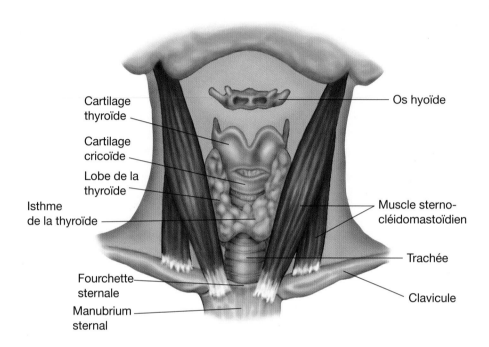

L'isthme de la glande thyroïde barre la trachée, au-dessous du cartilage cricoïde. Les lobes latéraux de la thyroïde s'incurvent en arrière sur les côtés de la trachée et de l'œsophage. Sauf sur la ligne médiane, la glande thyroïde est recouverte par des muscles fins, en forme de sangles, parmi lesquels seuls les sternocléidomastoïdiens sont visibles. Les femmes ont des glandes plus grosses et plus faciles à palper que les hommes.

***Ganglions lymphatiques.*** Les *ganglions lymphatiques* de la tête et du cou ont été classés de diverses façons. Un système de classification est illustré ci-après, avec les directions du drainage lymphatique. La chaîne cervicale profonde est en grande partie masquée par le muscle sternocléidomastoïdien qui la recouvre, mais à ses deux extrémités, le ganglion amygdalien et les ganglions sus-claviculaires peuvent être palpables. Les ganglions sous-maxillaires sont plus superficiels que la glande sous-maxillaire, dont ils doivent être différenciés. Les ganglions sont normalement ronds ou ovoïdes, lisses et plus petits que la glande ; la glande est plus grosse et a une surface lobulée un peu irrégulière (voir p. 243).

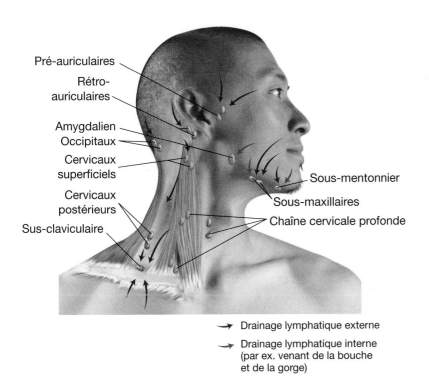

Drainage lymphatique externe

Drainage lymphatique interne
(par ex. venant de la bouche
et de la gorge)

Notez que les ganglions amygdaliens, sous-maxillaires et sous-mentonnier drainent une partie de la bouche et de la gorge, en même temps que la face.

La connaissance du système lymphatique est importante pour effectuer correctement les gestes suivants : chaque fois qu'on observe une lésion maligne ou inflammatoire, rechercher une atteinte des ganglions lymphatiques régionaux qui la drainent ; lorsqu'un ganglion est hypertrophié ou douloureux à la palpation, rechercher sa cause, telle une infection, dans le territoire qu'il draine.

## Techniques d'examen

*Inspectez le cou* pour évaluer sa symétrie, la présence de masses et de cicatrices. Recherchez une augmentation de volume des glandes parotides ou sous-maxillaires et notez les ganglions éventuellement visibles.

***Ganglions lymphatiques.*** *Palpez les ganglions lymphatiques.* Avec la pulpe de l'index et du médius, mobilisez la peau au-dessus des tissus sous-jacents dans chaque zone. Le sujet doit être détendu, le cou légèrement fléchi en avant et, si nécessaire, légèrement vers le côté examiné. Vous pouvez en général examiner les deux côtés en même temps. Pour le ganglion sous-mentonnier, il est cependant utile de palper avec une main tandis que l'autre maintient le haut de la tête.

Palpez dans l'ordre les ganglions suivants :

1. *Préauriculaires* – en avant de l'oreille.

2. *Rétro-auriculaires* – en regard de l'apophyse mastoïde.

Une cicatrice d'intervention chirurgicale ancienne sur la thyroïde est souvent l'indice d'une pathologie thyroïdienne méconnue.

3. *Occipitaux* – à la base du crâne en arrière.

4. *Amygdaliens* – à l'angle de la mandibule.

Un « ganglion amygdalien » pulsatile est en fait une artère carotide. Un « ganglion amygdalien » petit, dur et sensible, haut situé entre la mandibule et le sterno-cléidomastoïdien, est vraisemblablement une apophyse styloïde.

5. *Sous-maxillaires* – à mi-chemin entre l'angle et la pointe de la mandibule. Ces ganglions sont en général plus petits et plus lisses que la glande sous-maxillaire, lobulée, contre laquelle ils sont situés.

6. *Sous-mentonnier* – sur la ligne médiane, quelques centimètres en arrière de la pointe du menton.

7. *Cervicaux superficiels* – par-dessus le sternocléidomastoïdien.

8. *Cervicaux postérieurs* – le long du bord antérieur du trapèze.

9. *Cervicaux profonds* (chaîne cervicale profonde) – en profondeur, sous le sternocléidomastoïdien et souvent inaccessibles à l'examen. Mettre le pouce et les doigts en crochet de chaque côté du sternocléidomastoïdien pour rechercher ces ganglions.

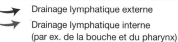

10. *Sus-claviculaires* – situés en profondeur dans l'angle formé par la clavicule et le sternocléidomastoïdien.

→ Drainage lymphatique externe
→ Drainage lymphatique interne (par ex. de la bouche et du pharynx)

Une adénopathie sus-claviculaire, surtout à gauche (ganglion de Troisier), suggère la possibilité d'une métastase d'un cancer abdominal ou thoracique.

Notez la taille des ganglions, leur forme, leurs limites (isolés ou agglomérés), leur mobilité, leur consistance, et leur éventuelle sensibilité. De petits ganglions, mobiles, isolés, indolores, dits « en grains de plomb », sont fréquemment trouvés chez des sujets normaux.

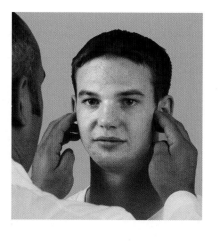

Des ganglions douloureux suggèrent une inflammation ; des ganglions durs et fixes suggèrent un cancer.

■ Avec la pulpe de l'index et du majeur, palpez les *ganglions préauriculaires* en effectuant une rotation douce. Puis examinez les ganglions rétro-auriculaires et occipitaux.

■ Palpez les ganglions de la *chaîne cervicale superficielle antérieure* et ceux de la *chaîne cervicale profonde* en avant et à la surface du sternocléidomastoïdien. Puis palpez la *chaîne cervicale postérieure* le long du bord antérieur du trapèze et du bord postérieur du sternocléidomastoïdien.

Fléchissez le cou du patient légèrement en avant et vers le côté à examiner. Examinez les ganglions sus-claviculaires dans l'angle entre la clavicule et le sternocléidomastoïdien.

Des ganglions hypertrophiés ou douloureux, s'ils sont inexpliqués, imposent : (1) un nouvel examen des régions qu'ils drainent, (2) une étude soigneuse des autres aires ganglionnaires afin de pouvoir faire la distinction entre adénopathies localisées et généralisées.

Une adénopathie généralisée fait suspecter une infection à VIH ou un SIDA.

Il pourrait vous arriver de prendre un faisceau musculaire ou une artère pour un ganglion lymphatique. Un ganglion est mobilisable dans deux directions : verticalement et latéralement. Ce test restera négatif avec un muscle ou une artère.

### Trachée et glande thyroïde.
Pour vous orienter dans le cou, identifiez les cartilages thyroïde et cricoïde et, sous eux, la trachée.

■ *Recherchez une déviation latérale de la trachée* par l'inspection puis par la palpation. Placez votre doigt le long d'un bord de la trachée et notez l'espace qui la sépare du sternocléidomastoïdien. Comparez avec l'autre côté. Les espaces doivent être symétriques.

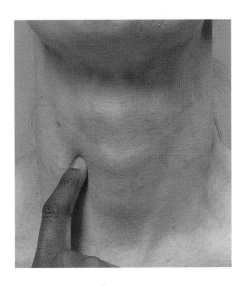

Les masses du cou ou du médiastin peuvent refouler la trachée latéralement. Une déviation trachéale peut aussi traduire un problème thoracique grave, comme une tumeur médiastinale, une atélectasie ou un pneumothorax volumineux (voir p. 332-333).

■ *Inspectez le cou pour repérer la thyroïde.* Demandez au patient de pencher légèrement la tête en arrière. À l'aide d'un éclairage tangentiel dirigé vers le bas à partir de la pointe du menton, *inspectez la région située sous le cartilage cricoïde* à la recherche de la thyroïde. La limite inférieure, ombrée, des thyroïdes montrées ici, est soulignée par des flèches.

La limite inférieure de cette thyroïde augmentée de volume est soulignée par un éclairage tangentiel. *Goitre* est le terme général désignant une thyroïde augmentée de volume.[23, 24]

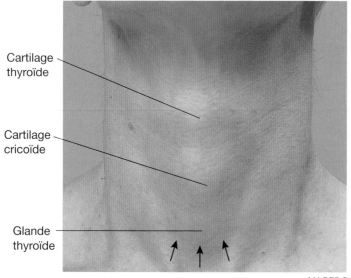
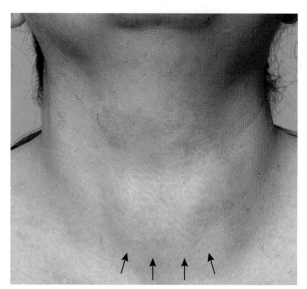

Cartilage thyroïde

Cartilage cricoïde

Glande thyroïde

**AU REPOS**

Demandez au patient de boire un peu d'eau, d'étendre à nouveau le cou et de déglutir. Observez l'ascension de la thyroïde, notez ses contours et leur symétrie. Les cartilages thyroïde et cricoïde s'élèvent lors de la déglutition, puis reviennent à leur position de repos.

Lors de la déglutition, la limite inférieure de ce goitre s'élève et semble moins symétrique.

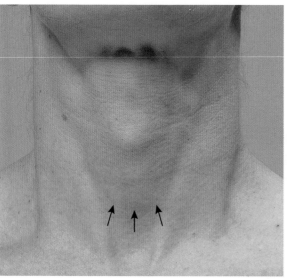
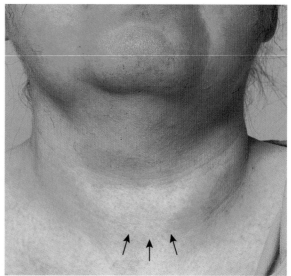

**LORS DE LA DÉGLUTITION**

Jusqu'à ce que vous soyez familier avec cet examen, contrôlez vos observations visuelles avec les doigts placés devant le patient. Cela vous amène à l'étape suivante.

Vous êtes maintenant prêt à palper la *glande thyroïde*. Cela peut sembler difficile au premier abord. Servez-vous des données de l'inspection. Trouvez vos repères : le cartilage thyroïde, avec son encoche, et le cricoïde sous lui. Localisez l'*isthme de la thyroïde*, qui recouvre habituellement les deuxième, troisième et quatrième anneaux trachéaux.

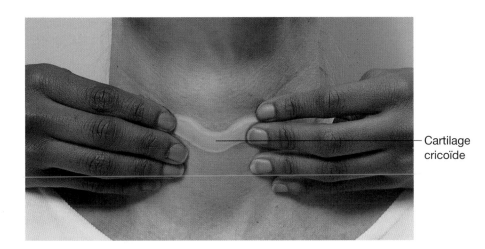

Cartilage
cricoïde

Adoptez une bonne technique et suivez les étapes indiquées ci-après qui résument l'abord par l'arrière (la technique pour l'abord par l'avant est semblable). Avec l'expérience, vous deviendrez plus habile. La glande thyroïde est en général plus facile à palper dans un cou long et mince que dans un cou court et épais. Pour les cous courts, une extension du cou peut être utile. Chez certains sujets, la thyroïde est partiellement ou entièrement rétrosternale et non accessible à l'examen physique.

## ÉTAPES DE LA PALPATION DE LA GLANDE THYROÏDE (ABORD POSTÉRIEUR)

✔ Demandez au patient de fléchir le cou légèrement en avant pour relâcher les muscles sternocléidomastoïdiens.

✔ Placez les doigts des deux mains sur le cou du patient de façon que les index soient juste en dessous du cricoïde.

✔ Demandez au patient de boire et de déglutir de l'eau comme auparavant. Cherchez à sentir l'isthme de la thyroïde qui s'élève sous la pulpe de vos doigts. Il est souvent mais pas toujours palpable.

✔ Déplacez la trachée vers la droite avec les doigts de la main gauche ; avec les doigts de la main droite, palpez en dehors à la recherche du lobe droit de la thyroïde dans l'espace entre la trachée déplacée et le sternocléidomastoïdien relâché. Localisez le bord externe. Examinez le lobe gauche de la même façon.

*(suite)*

Bien que les caractéristiques physiques de la thyroïde, comme la taille, la forme et la consistance, soient importantes pour le diagnostic, l'évaluation de la fonction thyroïdienne repose sur des symptômes et signes extrathyroïdiens et sur des examens de laboratoire.[25] Voir tableau 7-26 : « Hypertrophie et fonctionnement de la thyroïde », p. 293.

Les lobes sont un peu plus difficiles à palper que l'isthme ; il faut de la pratique. La face antérieure d'un lobe a approximativement la même taille que la phalange distale du pouce et est un peu caoutchouteuse.

✔ Notez la *taille*, la *forme* et la *consistance* de la glande et identifiez un *nodule* ou une *douleur* éventuels.

Mollesse dans la *maladie de Base-dow* ; fermeté dans la *thyroïdite de Hashimoto* et le cancer. Nodules bénins et malins[26, 27], sensibilité douloureuse dans les thyroïdites.

Si la thyroïde est hypertrophiée, auscultez au-dessus des lobes latéraux avec un stéthoscope pour rechercher un *bruit* (semblable à un souffle cardiaque, mais d'origine extracardiaque).

On peut entendre un bruit systolique ou continu dans l'*hyperthyroïdie*.

***Artères carotides et veines jugulaires.*** Attendez pour faire l'examen détaillé de ces vaisseaux que le sujet soit couché pour l'examen cardiovasculaire. Une distension de la veine jugulaire, cependant, peut être visible en position assise et ne doit pas vous échapper. Prenez garde aussi à des battements artériels anormalement amples (voir chapitre 9 pour une étude plus détaillée).

Note : de nombreux cliniciens terminent l'examen des nerfs crâniens à ce moment-là (voir p. 703-709).

# → Techniques spéciales

***Pour évaluer une protrusion des globes oculaires (exophtalmie).*** Pour les yeux qui semblent inhabituellement proéminents, mettez-vous debout derrière le patient assis et inspectez de dessus. Tirez doucement la paupière supérieure vers le haut et comparez le degré de protrusion des yeux et les rapports des cornées avec les paupières inférieures. On peut faire une mesure objective avec un exophtalmomètre, qui mesure la distance entre l'angle externe de l'orbite et une ligne imaginaire passant par le point le plus antérieur de la cornée. La limite supérieure normale de cette distance est de 20 mm chez les sujets blancs et de 22 mm chez les sujets noirs.[28, 29]

L'*exophtalmie* est une protrusion anormale de l'œil.

Si la protrusion est excessive, il faut en général recourir à une évaluation par échographie ou par tomodensitométrie.[30]

### Pour rechercher une obstruction du canal lacrymonasal.

Ce test permet de reconnaître une cause de larmoiement excessif. Demandez au patient de regarder vers le haut. Appuyez sur la paupière inférieure près de l'angle interne, juste à l'intérieur du rebord osseux de l'orbite. Vous comprimez ainsi le sac lacrymal. Recherchez un reflux de liquide par le point lacrymal. Évitez ce test si cette zone est inflammatoire ou sensible.

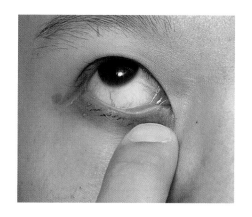

Un écoulement mucopurulent par le point lacrymal suggère une obstruction du canal lacrymonasal.

### Pour inspecter la conjonctive de la paupière supérieure.

Un examen correct de l'œil à la recherche d'un corps étranger nécessite l'éversion de la paupière supérieure. Procédez de la façon suivante :

- demandez au patient de regarder vers le bas. Aidez-le à détendre ses yeux par des paroles rassurantes et par des gestes doux, assurés et coordonnés. Soulevez légèrement la paupière supérieure de façon à faire saillir les cils, puis saisissez les cils de cette paupière et tirez-les en bas et en avant avec douceur ;

- placez une tige de bois, telle qu'un applicateur ou un abaisse-langue, à 1 bon centimètre du bord libre de la paupière (et donc au bord supérieur du cartilage tarse). Poussez vers le bas la tige de bois tandis que vous relevez le bord de la paupière pour éverser, c'est-à-dire « retourner » celle-ci. N'appuyez pas sur le globe oculaire lui-même ;

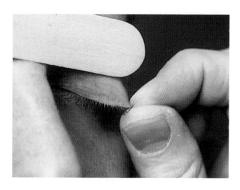

- maintenez les cils supérieurs contre le sourcil avec le pouce et inspectez la conjonctive palpébrale. L'inspection finie, saisissez les cils supérieurs et tirez-les doucement en avant. Demandez au patient de regarder vers le haut. La paupière revient à sa position normale.

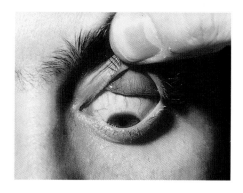

Cette vue vous permet d'observer la conjonctive de la paupière supérieure et de rechercher un corps étranger qui se serait logé à cet endroit.

***Test de l'éclairage alternatif des pupilles.*** C'est un test clinique de dysfonctionnement des nerfs optiques. Dans une pièce faiblement éclairée, notez la taille des pupilles. Demandez au patient de regarder au loin, puis déplacez le faisceau lumineux alternativement d'une pupille à l'autre. Normalement, chaque œil éclairé se met rapidement en myosis. L'autre œil a aussi un myosis consensuel.

Quand le nerf optique gauche est lésé, les pupilles réagissent habituellement de la façon suivante : quand l'œil droit normal est éclairé, il y a une vive constriction des deux pupilles (réaction directe à droite, et réaction consensuelle à gauche) ; quand l'œil gauche – anormal – est ensuite éclairé, il se produit une dilatation partielle des deux pupilles. À gauche, le stimulus afférent est réduit ; donc les signaux efférents, vers les deux pupilles, sont réduits et il s'ensuit un relâchement de la constriction, une dilatation nette. Cette réaction anormale est connue sous le nom de *phénomène de Marcus Gunn*.

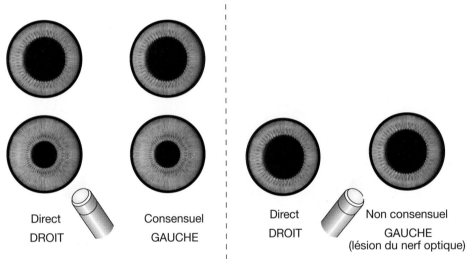

Direct
DROIT

Consensuel
GAUCHE

Direct
DROIT

Non consensuel
GAUCHE
(lésion du nerf optique)

***Transillumination des sinus.*** Si une douleur provoquée ou d'autres symptômes suggèrent une sinusite, ce test peut parfois s'avérer utile, mais il n'est ni très sensible ni très spécifique pour le diagnostic. La chambre doit être sombre. Appliquez la lumière provenant d'une source lumineuse puissante, mais étroite, juste sous chaque sourcil, près du nez. Protégez la lumière avec votre main. Recherchez une lueur rouge due à la transmission de la lumière au front par le sinus frontal rempli d'air.

L'absence de lueur de l'un ou des deux côtés suggère que la muqueuse est épaissie ou qu'il existe des sécrétions dans les sinus frontaux ; mais elle peut être également due à l'agénésie uni ou bilatérale des sinus.

Demandez au patient de pencher la tête en arrière et d'ouvrir grand la bouche (enlever au préalable une prothèse dentaire supérieure). Dirigez vers le bas la lumière posée juste sous l'angle interne de l'œil. Regardez le palais osseux par la bouche ouverte. Une lueur rougeâtre indique que le sinus maxillaire est bien rempli d'air.

L'absence de lueur évoque une muqueuse épaissie ou la présence de sécrétions dans le sinus maxillaire. Voir p. 239 une autre méthode de transillumination des sinus maxillaires.

## CONSIGNER VOS OBSERVATIONS

Notez qu'au début vous pouvez faire des phrases pour décrire vos trouvailles ; plus tard, vous utiliserez des phrases courtes. Le style ci-après emploie des phrases convenant à la plupart des rapports écrits.

### Consigner l'examen physique : Tête, Yeux, Oreilles, Nez et Gorge (TYONG)

*TYONG : Tête* – Le crâne a une forme normale ; pas de lésions traumatiques. Les cheveux ont une texture normale. *Yeux* – Acuité visuelle : 10/10 des deux côtés. Sclérotiques blanches, conjonctives roses. Pupilles passant de 4 à 2 mm, rondes, réagissant à la lumière et à l'accommodation. Papilles à bords nets ; pas d'hémorragies ni d'exsudats, pas de rétrécissement artériolaire. *Oreilles* – Bonne audition de la voix chuchotée. Tympans avec des triangles lumineux corrects. Weber médian. CA > CO. *Nez* – Muqueuse nasale rose, cloison médiane. Pas de douleur provoquée des sinus. *Gorge (ou bouche)* – Muqueuse buccale rose, dentition en bon état, pas d'exsudats pharyngés.

*Cou* – Trachée médiane. Cou souple ; isthme de la thyroïde palpable ; lobes non perçus.

*Ganglions lymphatiques* – Pas d'adénopathies cervicales, axillaires, épitrochléennes ou inguinales.

**Ou**

*Tête* – Le crâne a une forme normale, pas de lésions traumatiques. Calvitie frontale. *Yeux* – Acuité visuelle : 2/10 des 2 côtés. Sclérotiques blanches, conjonctives injectées. Pupilles passant de 3 à 2 mm, rondes, réagissant à la lumière et à l'accommodation. Papilles à bords nets. Pas d'hémorragies ni d'exsudats. Rapport artérioloveineux : 2/4. Pas de signe du croisement. *Oreilles* – Diminution de l'audition de la voix chuchotée ; voix haute : RAS. Tympans nets. *Nez* – Muqueuse œdématiée et érythémateuse, sécrétions séreuses. Cloison médiane. Sensibilité des sinus maxillaires. *Gorge* – Muqueuse buccale rose, caries des molaires inférieures, pharynx rouge, sans exsudats.

*Cou* – Trachée médiane. Cou souple ; isthme thyroïdien sur la ligne médiane, lobes palpables mais pas hypertrophiés.

*Ganglions lymphatiques* – Ganglions sous-maxillaires et cervicaux antérieurs sensibles, de 1 × 1 cm, mous, mobiles ; pas d'adénopathie cervicale postérieure, épitrochléenne, axillaire ou inguinale.

Évoque une myopie et un léger rétrécissement artériolaire. Également, une infection des voies respiratoires supérieures.

## Bibliographie

### RÉFÉRENCES

1. Taylor FR. Diagnosis and classification of headache. Primary Care: Clinics in Office Practice 31(2):243–259, 2004.

2. Lipton RB, Stewart WF, Seymour D, et al. Prevalence and burden of migraine in the United States: data from the American Migraine Study II. Headache 41(7):646–657, 2001.

3. Lipton RB, Bigal ME, Steiner TJ, et al. Classification of primary headaches. Neurology 63(3):427–435, 2004.

4. Zwart JA, Dyb G, Hagen K, et al. Analgesic use: a predictor of chronic pain and medication overuse: the Head-HUNT Study. Neurology 61:160–164, 2003.

5. Shingleton BJ, O'Donoghue MW. Blurred vision. N Engl J Med 343(8):556–562, 2000.

6. Coleman AC. Glaucoma. Lancet 20:1803–1810, 1999.

7. Balcer LJ. Optic neuritis. N Engl J Med 354(12):1273–1280, 2006.

8. deJong PTVM. Age-related macular degeneration. N Engl J Med 355(14):1474–1485, 2006.

9. Willems PJ. Genetic causes of hearing loss. N Engl J Med 342(15):1101–1109, 2000.

10. Hendley JO. Otitis media. N Engl J Med 347(15):1169–1174, 2002.

11. Plaut M, Valentine MD. Allergic rhinitis. N Engl J Med 353(18):1934–1944, 2005.

12. Piccirillo JF. Acute bacterial sinusitis. N Engl J Med 351(9): 902–910, 2004.

13. Spector SL, Bernstein IL, Li JT, et al. Parameters for the diagnosis and management of sinusitis. J Allergy Clin Immunol 102(6, Part 2):S107–S144, 1998.

14. Williams JW, Simel DL, Roberts L, et al. Clinical evaluation for sinusitis: making the diagnosis by history and physical examination. Ann Intern Med 117(9):705–710, 1992.

15. Cooper RJ, Hoffman JR, Bartlett JG, et al. Principles of appropriate antibiotic use for acute pharyngitis in adults: background. Ann Intern Med 134(6):509–517, 2001.

16. McGinn TG, Deluca J, Ahlawat SK, et al. Validation and modification of streptococcal pharyngitis clinical prediction rules. Mayo Clin Proc 78(3):289–293, 2003.

17. U.S. Preventive Services Task Force. Screening for visual impairment. In Guide to Clinical Preventive Services, 2nd ed. Baltimore: Williams & Wilkins, 1996:373–382.

18. U.S. Preventive Services Task Force. Screening for glaucoma: recommendation statement. AHRQ Publication No. 04-0548-A, March 2005. Rockville, MD, Agency for Healthcare Research and Quality, http://www.ahrq.gov/clinic/uspstf05/glaucoma/glaucrs.htm.

19. Jackler JK. A 73-year-old man with hearing loss. JAMA 289(12):1557–1565, 2003. Accessed August 28, 2007.

20. U.S. Preventive Services Task Force. Screening for hearing impairment. In Guide to Clinical Preventive Services, 2nd ed. Baltimore: Williams & Wilkins, 1996:393–405.

21. U.S. Preventive Services Task Force. Counseling to prevent dental and periodontal disease. In Guide to Clinical Preventive Services, 2nd ed. Baltimore: Williams & Wilkins, 1996: 711–721.

22. Gupta R, Pery M. Digital examination for oral cancer. BMJ 319:1113–1114, 1999.

23. McGuirt WF. The neck mass. Med Clin N Am 83:219–234, 1989.

24. Siminoski K. Does this patient have a goiter? JAMA 273(10): 813–817, 1995.

25. Surks MI, Ortiz E, Daniels GH, et al. Subclinical thyroid disease: scientific review and guidelines for diagnosis and management. JAMA 291(2):228–238, 2004.

26. Hegedus L. The thyroid nodule. N Engl J Med 351(17): 1764–1771, 2004.

27. Castro MR, Gharib H. Controversies in the management of thyroid nodules. Ann Intern Med 142(11):926–931, 2005.

28. Gladstone GJ. Ophthalmologic aspects of thyroid-related orbitopathy. Endocrinol Metab Clin North Am 27:91–100, 1998.

29. Bartley GB, et al. Clinical features of Graves' ophthalmopathy in an incidence cohort. Am J Ophthalmol 121:284–290, 1996.

30. Hallin ES, Feldon SE. Graves' ophthalmopathy. II. Correlation of clinical signs with measures derived from computed tomography. Br J Ophthalmol 72:678–682, 1988.

31. Goadsby PJ, Lipton RB, Ferrari MD. Migraine: current understanding and treatment. N Engl J Med 346(4): 257–270, 2002.

32. Smetana GW, Shmerling RH. Does this patient have temporal arteritis? JAMA 287(1):92–101, 2002.

33. Kroenke K, Lucas CA, Rosengerg ML, et al. Causes of persistent dizziness: a prospective study of 100 patients in ambulatory care. Ann Intern Med 117(11):898–904, 1992.

34. Kroenke K, Hoffman RM, Einstadter D. How common are various causes of dizziness? A critical review. South Med J 93(2):160–167, 2000.

35. Tusa RJ. Vertigo. Neurol Clin 19(1):23–55, 2001.

36. Branch W. Approach to the patient with dizziness. Available at: www.utdol.com. Accessed February 26, 2005.

37. Lockwood AH, Salvi RJ, Burkard RF. Tinnitus. N Engl J Med 347(12):904–910, 2002.

38. Matthies C, Samii M. Management of 1000 vestibular schwannomas (acoustic neuromas): clinical presentation. Neurosurgery 1:1–10, 1997.

39. Leibowitz HM. The red eye. N Engl J Med 342(5):345–351, 2000.

40. Wong TY, Mitchell P. Hypertensive retinopathy. N Engl J Med 351(22):2310–2317, 2004.

41. Frank RB. Diabetic retinopathy. N Engl J Med 350(1): 48–58, 2004.

## AUTRES LECTURES

### La tête

Bahra A, May A. Cluster headache: a prospective clinical study with diagnostic implications. Neurology 58(3):354–361, 2002.

Cady RK, Dodick DW, Levine HL, et al. Sinus headache: a neurology, otolaryngology, allergy, and primary care consensus on diagnosis and treatment. Mayo Clin Proc 80(7):908–916, 2005.

Evans RW. Headache case studies for the primary care physician. Med Clin North Am 87(3):589–607, 2003.

Franges EZ. When a headache is really a brain tumor. Nurse Pract 31(4):47–51, 2006.

Lipton RB, Bigal ME, Steiner TJ, et al. Classification of primary headaches. Neurology 63(3):427–435, 2004.

Paemeleire K, Bahra A, Evers S, et al. Medication-overuse headache in patients with cluster headache. Neurology 67(1): 109–113, 2006.

Straus SE, Thorpe KE, Holroyd-Leduc J. How do I perform a lumbar puncture and analyze the results to diagnose bacterial meningitis? JAMA 296(16):2012–2022, 2006.

Van Gijn J, Kerr RS, Rinkel GJ. Subarachnoid haemorrhage. Lancet 369(9558):306–318, 2007.

Wong TY, Klein R, Sharrett AR, et al. Retinal arteriolar diameter and risk for hypertension. Ann Intern Med 140(4):248–255, 2004.

### Les yeux

Albert DM, Miller JW, Azar DT. Albert & Jakobiec's Principles and Practice of Ophthalmology, 3rd ed. Philadelphia: Saunders–Elsevier, 2008.

Congdon N, O'Colmain, Klaver CC, et al. Causes and prevalence of visual impairment among adults in the United States. Arch Ophthalmol 122(4):477–485, 2004.

Ehlers JP, Shah CP, Chirag P, et al., eds. The Wills Eye Manual: Office and Emergency Room Diagnosis and Treatment of Eye Disease. Philadelphia: Lippincott Williams & Wilkins, 2008.

Fong DS, Aiello LP, Ferris FL, et al. Diabetic retinopathy. Diabetes Care 27(10):2540–2553, 2004.

Gold DH, Weingeist TA. Color Atlas of the Eye in Systemic Disease. Philadelphia: Lippincott Williams & Wilkins, 2001.

McCluskey PJ, Towler HM, Lightman S. Management of chronic uveitis. BMJ 320(7234):555–558, 2000.

Mohamed Q, Gillies MC, Wong TY. Management of diabetic retinopathy. JAMA 298(8):902–916, 2007.

Ostler HB, Maibach HI, Hoke AW, et al. Diseases of the Eye and Skin: A Color Atlas. Philadelphia: Lippincott Williams & Wilkins, 2004.

Spoor TC, ed. Atlas of Neuro-ophthalmology. New York: Taylor & Francis, 2004.

Tasman W, Jaeger EA. The Wills Eye Hospital Atlas of Clinical Ophthalmology, 2nd ed. Philadelphia: Lippincott Williams & Wilkins, 2001.

Yanoff M, Duker JS. Ophthalmology, 2nd ed. St. Louis: Mosby, 2004.

### Les oreilles, le nez et la gorge

Bagai A, Thavendiranathan P, Detsky AS. Does this patient have hearing impairment? JAMA 295(4):416–428, 2006.

Bevan Y, Shapiro N, MacLean CH, et al. Screening and management of adult hearing loss in primary care: scientific review. JAMA 289(15):1976–1985, 2003.

Bull TR. Color Atlas of ENT Diagnosis, 4th ed. New York: Thieme, 2003.

Cady RK, Dodick DW, Levine HL, et al. Sinus headache: a neurology, otolaryngology, allergy, and primary care consensus on diagnosis and treatment. Mayo Clin Proc 80(7):908–916, 2005.

Ebell MH, Smith MA, Barry HC, et al. Does this patient have strep throat? JAMA 284(22):2912–2918, 2000.

Hendley JO. Otitis media. N Engl J Med 347(15):1169–1174, 2002.

Kennedy DW. A 48-year-old man with recurrent sinusitis. JAMA 283(16):2143–2150, 2000.

O'Donoghue GM, Narula AA, Bates GJ. Clinical ENT: An Illustrated Textbook, 2nd ed. San Diego: Singular Publishing Group, 2000.

Patil SP, Schneider H, Schwartz AR, et al. Adult obstructive sleep apnea: pathophysiology and diagnosis. Chest 132(1):325–337, 2007.

Young T, Skatrud J, Peppard PE. Risk factors for obstructive sleep apnea in adults. JAMA 291(16):2013–2016, 2004.

### La bouche

Field EA, Longman L, Tyldesley WR, et al. Tyldesley's Oral Medicine, 5th ed. New York: Oxford University Press, 2003.

Langlais RP, Miller CS. Color Atlas of Common Oral Diseases, 3rd ed. Philadelphia: Lippincott Williams & Wilkins, 2003.

Newman MF, Carranza FA, Takei H, et al. Carranza's Clinical Periodontology, 10th ed. Philadelphia: Saunders–Elsevier, 2006.

Regezi JA, Sciubba JJ, Jordan RCK. Oral Pathology: Clinical Pathologic Correlations, 5th ed. St. Louis: Saunders–Elsevier, 2008.

# BIBLIOGRAPHIE

## Le cou

Bliss SJ, Flanders SA, Saint S. A pain in the neck. N Engl J Med 350(10):1037–1042, 2004.

Dorshimer GW, Kelly M. Cervical pain in the athlete: common conditions and treatment. Prim Care 32(1):231–243, 2005.

Henry PH, Long DL. Enlargement of the lymph nodes and spleen. In: Kasper DL, Fauci AS, Longo DL, et al., eds. Harrison's Principles of Internal Medicine, 16th ed. New York: McGraw-Hill, 2005:343–348.

Prisco MK. Evaluating neck masses. Nurse Pract 25(4):30–32, 35–36, 38, 2000.

Schwetschenau E, Kelley DJ. The adult neck mass. Am Fam Phys 67(6):1190, 1192, 1195, 2003.

|  | Migraines | Céphalées de tension | Céphalées vasculaires |
|---|---|---|---|
| | ■ avec aura<br>■ sans aura<br>■ variantes | | |
| **Physiopathologie** | Dysfonctionnement neuronal primaire, peut-être dans le tronc cérébral, entraînant un déséquilibre entre les neurotransmetteurs excitateurs et inhibiteurs, affectant la vasomotricité cérébrale | Incertaine : contraction musculaire et vasoconstriction peu vraisemblables | Incertaine : peut-être une vasodilatation extracrânienne due à un dysfonctionnement nerveux, avec douleur trigéminovasculaire |
| **Localisation** | Unilatérales dans ~ 70 % des cas ; bifrontales ou globales dans ~ 30 % des cas | Habituellement bilatérales ; peuvent être diffuses ou localisées à l'arrière de la tête et du cou ou à la région frontotemporale | Unilatérale, habituellement derrière et autour de l'œil |
| **Qualité et intensité** | Pulsatiles ou pénibles ; d'intensité variable | Pesantes ou constrictives ; d'intensité légère à modérée | Profondes, permanentes, intenses |
| **Chronologie**<br>*Début* | Assez rapide, atteignant un maximum en 1 à 2 heures | Progressif | Brusque, maximale en quelques minutes |
| *Durée* | 4 à 72 heures | De quelques minutes à plusieurs jours | Jusqu'à 3 heures |
| *Évolution* | Incidence maximale au début de l'adolescence ; la prévalence est de ~ 6 % chez les hommes et de ~ 15 % chez les femmes. Récidives habituellement mensuelles mais hebdomadaires dans ~ 10 % des cas | Récidivant ou souvent persistant sur de longues périodes, prévalence annuelle ~ 40 % | Épisodiques, groupées dans le temps avec survenue pluriquotidienne pendant 4 à 8 semaines et une rémission pendant 6 à 12 mois ; prévalence < 1 % ; plus fréquentes chez les hommes |
| **Symptômes associés** | Nausées, vomissements, photophobie, phonophobie, auras visuelles (éclairs lumineux), motrices, touchant la main et le membre supérieur, sensitives (engourdissements et fourmillements précédant habituellement les céphalées) | Parfois photophobie et phonophobie ; pas de nausées | Larmoiement, rhinorrhée, myosis, ptosis, œdème palpébral, hyperhémie conjonctivale |
| **Facteurs aggravants ou déclenchants** | Peuvent être provoquées par l'alcool, certains aliments ou une tension ; plus fréquentes en période prémenstruelle ; aggravées par le bruit et une lumière vive | Tension musculaire soutenue comme dans la conduite ou la dactylographie | Pendant l'accès, la sensibilité à l'alcool peut être accrue |
| **Facteurs d'amélioration** | Pièce obscure et silencieuse ; sommeil ; parfois amélioration transitoire en comprimant l'artère atteinte à une phase précoce de l'évolution | Parfois les massages et la relaxation | |

| Type | Physiopathologie | Localisation | Qualité et intensité |
|---|---|---|---|
| **Céphalées secondaires** | | | |
| *Rebond aux analgésiques* | Arrêt du traitement | Comme la céphalée antérieure | Variable |
| *Céphalées avec troubles oculaires* | | | |
| *Vices de réfraction (hypermétropie et astigmastisme mais pas la myopie)* | Probablement la contraction soutenue de muscles extra-oculaires, et éventuellement des muscles frontaux, temporaux et occipitaux | Autour et sur les yeux, pouvant irradier à la région occipitale | Permanentes, pénibles, sourdes |
| *Glaucome aigu* | Brusque élévation de la pression intra-oculaire (voir p. 269) | Dans et autour d'un œil | Permanentes, pénibles et souvent intenses |
| *Céphalées des sinusites* | Inflammation de la muqueuse des sinus paranasaux | Habituellement au-dessus des yeux (sinus frontaux) ou dans la région maxillaire (sinus maxillaires) | Pénibles ou pulsatiles, d'intensité variable. Penser à une migraine |
| *Méningites* | Infection des méninges entourant le cerveau | Diffuse | Permanente ou pulsatile, très intense |
| *Hémorragie sous-arachnoïdienne* | Saignement, le plus souvent par rupture d'un anévrisme intracrânien | Diffuse | Très intense, « la pire de ma vie » |
| *Tumeur cérébrale* | Déplacement ou étirement d'artères et de veines à sensibilité douloureuse, ou compression de nerfs | Varie avec le siège de la tumeur | Pénible, permanente, d'intensité variable |
| *Maladie de Horton ou artérite (temporale) à cellules géantes[32]* | Vascularite auto-immune (anticorps anti-lamina élastique) | Localisée au voisinage de l'artère (le plus souvent temporale mais aussi occipitale) ; liée à l'âge | Pulsatile, généralisée, tenace ; souvent intense |
| *Céphalées post-traumatiques* | Mécanisme obscur ; ressemblent à des céphalées par tension psychique ou à des migraines sans aura[24] | Peut être localisée, mais pas nécessairement à la zone traumatisée | Diffuses, sourdes, pénibles, permanentes |
| **Névralgies crâniennes** *Névralgie du trijumeau (NCV)* | Compression du NCV, souvent par une boucle aberrante d'une artère ou d'une veine | Joues, mâchoires, lèvres ou gencives (2e et 3e branches du nerf trijumeau > 1re branche) | Comme un coup, un élancement, une brûlure ; intense |

*Note :* les blancs dans ces tableaux signifient que les catégories sont inadaptées ou qu'elles ne sont pas utiles à l'évaluation du problème.

| Chronologie | | | Symptômes associés | Facteurs aggravant ou déclenchants | Facteurs d'amélioration |
|---|---|---|---|---|---|
| *Début* | *Durée* | *Évolution* | | | |
| Variable | Dépend du type de céphalée antérieur | Dépend de la fréquence des « mini-sevrages » | Dépend du type de céphalée antérieur | Fièvre, intoxication oxycarbonée, hypoxie, arrêt de la caféine, autres facteurs déclenchants de céphalées | Dépend de la cause |
| Progressif | Variable | Variable | Fatigue oculaire, sensation de « sable » dans les yeux, rougeur conjonctivale | Utilisation prolongée de la vision, en particulier pour travailler de près | Repos oculaire |
| Souvent rapide | Variable, peut dépendre du traitement | Variable, peut dépendre du traitement | Baisse de vision, parfois nausées et vomissements | Parfois provoquées par un collyre mydriatique | |
| Variable | Souvent plusieurs heures d'affilée, récidivant durant des jours et plus longtemps | Récidives fréquentes suivant un schéma journalier répétitif | Douleur locale, congestion nasale, écoulement et fièvre | Peuvent être aggravées par la toux, les éternuements ou des coups sur le crâne | Décongestionnants nasaux, antibiotiques |
| Rapide | Variable, plusieurs jours en général | Céphalée persistante dans une maladie aiguë | Fièvre, raideur de la nuque | | |
| Brusque, en général. Il peut y avoir des prodomes | Variable, plusieurs jours en général | Céphalée persistante dans une maladie aiguë | Nausées, vomissements, parfois perte de conscience, douleur cervicale | | |
| Variable | Souvent brève | Souvent intermittente mais évolue vers l'aggravation | Aggravation possible par la toux, les éternuements ou les mouvements brusques de la tête | | |
| Progressif ou rapide | Variable | Récidivante ou persistant durant des semaines à des mois | Sensibilité du cuir chevelu avoisinant ; fièvre (~ 50 %), fatigue, perte de poids ; céphalées récentes (~ 60 %), claudication intermittente de la mâchoire (~ 50 %), baisse de la vision ou cécité (~ 15 à 20 %), rhumatisme inflammatoire des ceintures (~ 50 %) | Mouvements du cou et des épaules | |
| Dans les heures suivant le traumatisme | Des semaines, des mois, voire des années | Tend à diminuer avec le temps | Inattention, troubles de la mémoire, vertiges, irritabilité, agitation, fatigue | Effort physique ou mental, tension, épreuves, émotions intenses, alcool | Repos |
| Brusque, paroxystique | Chaque « coup » dure quelques secondes mais se répète à des intervalles de quelques secondes ou quelques minutes | La douleur peut durer des mois puis disparaître pendant des mois, mais elle récidive souvent. Elle est rare la nuit | Épuisement, du fait des récidives de la douleur | Typiquement provoquée par le toucher de certaines zones de la partie inférieure du visage ou de la bouche, ou le fait de mâcher, parler, se brosser les dents | |

« Étourdissement » est un terme non spécifique utilisé par les patients, qui englobe différents troubles que les cliniciens doivent soigneusement caractériser. Une anamnèse détaillée permet en général de reconnaître la cause première. Il est important d'apprendre la signification précise des termes ou états suivants :

- *vertige* : une sensation de rotation accompagnée par un nystagmus et une ataxie, provenant en général d'un *dysfonctionnement vestibulaire périphérique* (~ 40 % des « étourdissements »), mais pouvant provenir d'une *lésion du tronc cérébral* (~ 10 % ; causes : athérosclérose, sclérose en plaques, migraine vertébrobasilaire ou accident ischémique transitoire) ;
- *lipothymie* (présyncope) : un « presque évanouissement » avec impression de « tête vide » ; causes : hypotension orthostatique, notamment iatrogène, troubles du rythme cardiaque et malaises vasovagaux (~ 5 %) ;
- *déséquilibre* : instabilité ou déséquilibre à la marche, notamment chez les sujets âgés (voir p. 943-944) ; causes : peur de marcher, déficit visuel, faiblesse due à des problèmes musculosquelettiques et neuropathies périphériques (jusqu'à 15 %) ;
- *psychiatrique* : causes : anxiété, panique, hyperventilation, dépression, troubles psychosomatiques, alcoolisme et toxicomanies (~ 10 %) ;
- *multifactoriel ou inconnu* (jusqu'à 20 %).

## Vertiges périphériques et centraux

| | Début | Durée et évolution | Audition | Bourdonnements d'oreille | Autres caractéristiques |
|---|---|---|---|---|---|
| **Vertiges périphériques** | | | | | |
| *Vertige positionnel bénin* | Brusque, en roulant vers le côté touché ou en relevant la tête | Quelques secondes (< 1 min). Dure quelques semaines, peut récidiver | Pas touchée | Absents | Parfois nausées, vomissements, nystagmus |
| *Névrite vestibulaire (labyrinthite aiguë)* | Brusque | De quelques heures à 2 semaines. Peut récidiver sur 12 à 18 mois | Pas touchée | Absents | Nausées, vomissements, nystagmus |
| *Maladie de Ménière* | Brusque | Plusieurs heures à ≥1 jour. Récidivante | Surdité de perception. Récidive, finalement s'aggrave | Présents, variables | Impression d'oreille comprimée ou pleine du côté touché ; nausées vomissements, nystagmus |
| *Toxicité médicamenteuse* | Insidieux ou aigu. Avec diurétiques de l'anse, aminosides, salicylés, alcool | Réversible ou pas. Adaptation partielle | Peut être altérée | Possiblement présents | Nausées, vomissements |
| *Neurinome de l'acoustique* | Insidieux, par compression de la branche vestibulaire du VIII | Variable | Altérée d'un côté | Présents | Atteinte possible des NCV et VII |
| **Vertige central** | Souvent brusque (voir causes ci-dessus) | Variable mais rarement permanent | Pas touchée | Absents | En général, avec d'autres déficits du tronc cérébral : dysarthrie, ataxie, déficits moteurs et sensitifs croisés |

## Faciès bouffis

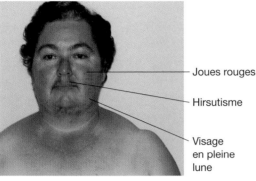

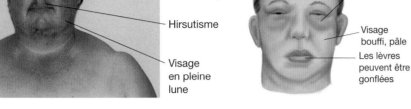

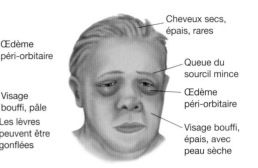

Joues rouges

Hirsutisme

Visage en pleine lune

Œdème péri-orbitaire

Visage bouffi, pâle

Les lèvres peuvent être gonflées

Cheveux secs, épais, rares

Queue du sourcil mince

Œdème péri-orbitaire

Visage bouffi, épais, avec peau sèche

### Syndrome de Cushing
Un excès d'hormones corticosurrénales donne un visage « en pleine lune », avec des joues rouges, et une pilosité excessive sur la lèvre supérieure (moustache), les côtés du visage (pattes) et le menton.

### Syndrome néphrotique
Le visage est œdématié, souvent pâle. En général, le gonflement apparaît d'abord autour des yeux et le matin. Les yeux peuvent être réduits à des fentes lorsque l'œdème est très important.

### Myxœdème
Le patient atteint d'hypothyroïdie grave (ou myxœdème) présente un faciès épaissi et bouffi. L'œdème, souvent prononcé autour des yeux, ne donne pas de godet à la pression. Les cheveux et les sourcils sont secs, épais et raréfiés. La peau est sèche.

## Autres faciès

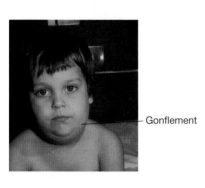

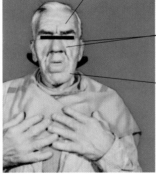

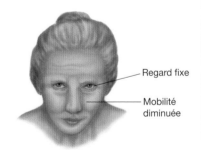

Gonflement

Arcade sourcilière proéminente

Parties molles hypertrophiées

Mâchoire proéminente

Regard fixe

Mobilité diminuée

### Hypertrophie de la parotide
L'hypertrophie bilatérale chronique asymptomatique des parotides peut être associée à une obésité, un diabète, une cirrhose du foie et d'autres affections. Notez le gonflement, en avant du lobule de l'oreille, au-dessus de l'angle de la mâchoire. Une hypertrophie progressive unilatérale évoque une néoplasie. Une hypertrophie aiguë se voit dans les oreillons.

### Acromégalie
L'augmentation de l'hormone de croissance dans l'acromégalie provoque une hypertrophie à la fois des os et des tissus mous. La tête est allongée, avec des saillies osseuses accentuées au niveau du front, du nez et de la mâchoire inférieure. Les tissus mous du nez, des lèvres et des oreilles sont aussi hypertrophiés. Les traits du visage sont généralement épaissis.

### Maladie de Parkinson
Une mobilité faciale diminuée rend le visage inexpressif : aspect de masque, diminution du clignement des yeux, regard fixe caractéristique. Le cou et la partie supérieure du tronc étant fléchis en avant, le malade semble regarder vers le haut, en direction du clinicien. Peau du visage huileuse ; écoulement de salive par la bouche.

# Défects du champ visuel

## 1 Défect horizontal

L'occlusion d'une branche de l'artère centrale de la rétine peut provoquer un défect à limite horizontale. L'ischémie du nerf optique peut produire le même défect.

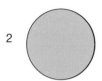

## 2 Œil droit aveugle (nerf optique droit)

Une lésion du nerf optique et naturellement de l'œil lui-même produit une cécité unilatérale.

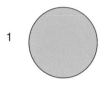

## 3 Hémianopsie bitemporale (chiasma optique)

Une lésion du chiasma optique peut ne toucher que les fibres qui se croisent et qui vont du côté opposé. Puisque ces fibres proviennent de la moitié nasale de chaque rétine, la perte visuelle atteindra la moitié temporale de chaque champ.

## 4 Hémianopsie homonyme gauche (bandelette optique droite)

Une lésion de la bandelette optique interrompt les fibres provenant du même côté des deux yeux. La perte de vision des yeux est par conséquent similaire (homonyme) et atteint la moitié de chaque champ (hémianopsie).

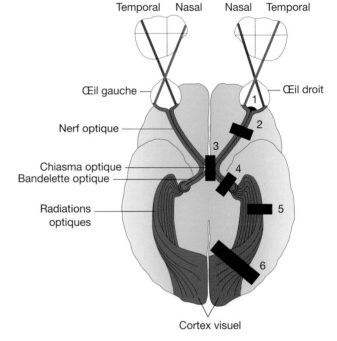

## 5 Quadranopsie homonyme supérieure gauche (radiations optiques droites, partielles)

Une lésion partielle des radiations optiques peut ne toucher qu'une partie des fibres nerveuses, produisant, par exemple, un défect des quadrants homonymes.

## 6 Hémianopsie homonyme gauche (radiations optiques droites)

L'interruption complète des fibres des radiations optiques produit un défect visuel semblable à celui d'une lésion des bandelettes optiques.

TABLEAU 7-6    Variations et anomalies des paupières

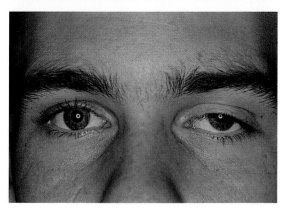

### Ptosis

On appelle ptosis la chute de la paupière supérieure. Les causes comprennent la myasthénie, l'atteinte du moteur oculaire commun et l'atteinte de l'innervation sympathique *(syndrome de Claude Bernard-Horner)*. Une faiblesse musculaire, un relâchement des tissus et le poids d'une hernie graisseuse peuvent donner un ptosis sénile. Le ptosis peut aussi être congénital.

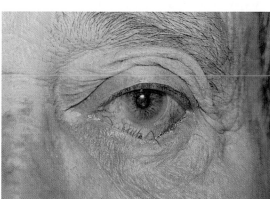

### Entropion

Dans l'entropion, fréquent chez le sujet âgé, le bord de la paupière est retourné en dedans. Les cils de la paupière inférieure, qui sont souvent invisibles quand ils sont rentrés, irritent la conjonctive et la cornée inférieure. En demandant au patient de serrer les paupières puis de les ouvrir, on peut objectiver un entropion qui n'était pas évident.

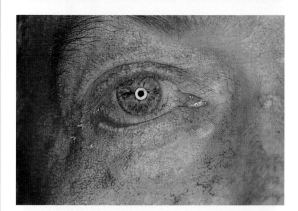

### Ectropion

Dans l'ectropion, le bord de la paupière est tourné vers le dehors, exposant la conjonctive palpébrale. Lorsque le point lacrymal de la paupière inférieure s'éverse, l'œil n'évacue plus correctement les larmes et un larmoiement apparaît. Un ectropion est plus commun dans la vieillesse.

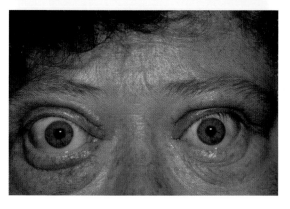

### Rétraction des paupières et exophtalmie

Un œil écarquillé fait penser à une rétraction des paupières. Notez la bande de sclérotique entre la paupière supérieure et l'iris. Des paupières rétractées et une asynergie oculopalpébrale (p. 226) sont souvent dues à une hyperthyroïdie.

Dans l'exophtalmie, le globe oculaire fait protrusion en avant. Quand l'atteinte est bilatérale, elle évoque l'infiltration ophtalmique de la maladie de Basedow. Un œdème des paupières et une injection des conjonctives peuvent être associés. Une exophtalmie unilatérale peut être due à une maladie de Basedow ou à une inflammation de l'orbite.

Source des photographies : *Ptosis, Ectropion, Entropion* – Tasman W, Jaeger E (eds). The Wills Eye Hospital Atlas of Clinical Ophthalmology, 2nd ed. Philadelphia, Lippincott Williams & Wilkins, 2001.

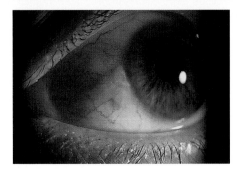

### Pinguécula

Un nodule triangulaire jaunâtre dans la conjonctive bulbaire de chaque côté de l'iris, ou pinguécula, est inoffensif. Les pinguéculas apparaissent avec l'âge, d'abord du côté nasal et ensuite du côté temporal.

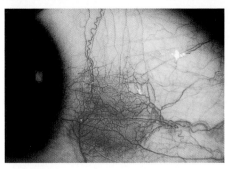

### Épisclérite

Rougeur oculaire localisée provenant d'une inflammation des vaisseaux épiscléraux. Les vaisseaux sont rose saumoné et superficiels. Peut être nodulaire, comme montré ici, ou se manifester seulement par une rougeur et des vaisseaux dilatés.

### Orgelet

Infection douloureuse spontanément et à la pression, rouge, autour d'un cil.

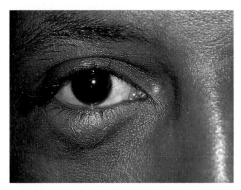

### Chalazion

Nodule subaigu, insensible et généralement indolore, intéressant une glande de Meibomius. Peut devenir inflammatoire mais, par différence avec l'orgelet, pointe habituellement à l'intérieur de la paupière plutôt que sur le bord palpébral.

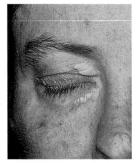

### Xanthélasma

Des plaques bien délimitées, légèrement surélevées, jaunâtres, apparaissent du côté nasal d'une ou des deux paupières. Elles peuvent accompagner un trouble du métabolisme des lipides.

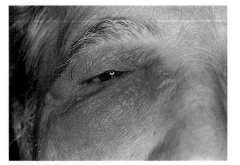

### Inflammation du sac lacrymal (dacryocystite)

Gonflement entre la paupière inférieure et le nez. Une inflammation *aiguë* (illustrée) est rouge, douloureuse spontanément et à la pression. L'inflammation *chronique* est associée à une obstruction du canal lacrymal. Le larmoiement est abondant et une pression sur le sac provoque une issue de pus par les points lacrymaux.

---

|  | **Conjonctivite** | **Hémorragie sous-conjonctivale** |
|---|---|---|

| | **Conjonctivite** | **Hémorragie sous-conjonctivale** |
|---|---|---|
| **Type de rougeur** | Injection conjonctivale : dilatation diffuse des vaisseaux de la conjonctive avec rougeur tendant à être maximale en périphérie | Extravasation de sang produisant une zone rouge homogène, à limites nettes, virant au jaune en quelques jours avant de disparaître |
| **Douleur** | Gêne légère plus que douleur | Absente |
| **Vision** | Intacte, sauf un léger trouble transitoire lié à l'écoulement | Intacte |
| **Écoulement oculaire** | Aqueux, mucoïde ou mucopurulent | Absent |
| **Pupille** | Intacte | Intacte |
| **Cornée** | Claire | Claire |
| **Signification** | Infections bactériennes, virales ou autres ; allergie ; irritation | Souvent aucune. Peut résulter d'un traumatisme, de troubles hémorragiques ou d'une élévation brusque de pression veineuse comme lors d'une toux |

|  | **Lésion ou infection de la cornée** | **Iritis aigu** | **Glaucome** |
|---|---|---|---|

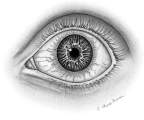  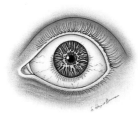  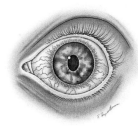

| | **Lésion ou infection de la cornée** | **Iritis aigu** | **Glaucome** |
|---|---|---|---|
| **Type de rougeur** | Injection ciliaire : dilatation des vaisseaux plus profonds visibles sous forme de radiations vasculaires ou d'une rougeur violacée autour du limbe. L'injection ciliaire est un signe important de ces trois affections, mais elle n'est pas toujours apparente. Elle peut être remplacée par une rougeur diffuse de l'œil. D'autres indices de ces affections plus graves sont la douleur, la diminution de la vision, une inégalité pupillaire et une cornée imparfaitement claire | | |
| **Douleur** | Modérée à sévère, superficielle | Modérée, pénible, profonde | Sévère, pénible, profonde |
| **Vision** | En général diminuée | Diminuée | Diminuée |
| **Écoulement oculaire** | Aqueux ou purulent | Absent | Absent |
| **Pupille** | Non atteinte sauf en cas d'iritis | Rétrécie. Peut devenir irrégulière avec le temps | Dilatée, fixe |
| **Cornée** | Modifications suivant la cause | Claire ou un peu trouble | Embuée, trouble |
| **Signification** | Abrasions ou autres lésions ; infections virales ou bactériennes | Associé à plusieurs troubles oculaires et systémiques | Augmentation aiguë de la pression intra-oculaire – c'est une urgence |

**Arc cornéen.** Arc ou cercle mince, blanc grisâtre, situé un peu en dedans du bord de la cornée. Il est normal chez les sujets âgés, mais se voit également chez des gens plus jeunes, en particulier des sujets noirs. Chez des sujets jeunes, un arc cornéen suggère une hyperlipidémie. Habituellement bénin.

**Cicatrice cornéenne.** Opacité blanc grisâtre, superficielle, de la cornée, secondaire à une blessure ou à une inflammation anciennes. La taille et la forme sont variables. L'opacité ne doit pas être confondue avec le cristallin opaque de la cataracte, visible sur un plan plus profond et seulement à travers la pupille.

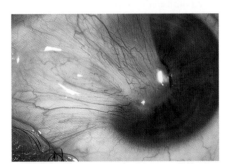

**Ptérygion.** Épaississement triangulaire de la conjonctive bulbaire qui croît lentement à travers la cornée, habituellement du côté nasal. Une rougeur peut survenir. Un ptérygion peut interférer avec la vision s'il déborde sur la pupille.

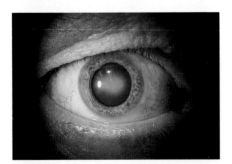

**Cataractes.** Opacité du cristallin visible à travers la pupille. La cataracte sénile est la plus fréquente.

*Cataracte nucléaire.* Une cataracte nucléaire semble grise quand on l'éclaire avec une torche électrique. Si la pupille est très dilatée, l'opacité grise est entourée par un anneau noir.

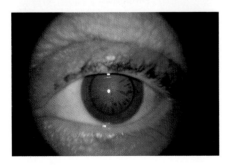

*Cataracte périphérique.* Une cataracte périphérique donne des ombres en rayons de roue dirigés vers l'intérieur, grises sur fond noir si elle est éclairée avec une torche électrique, ou noires sur fond rouge à l'ophtalmoscope. Une pupille dilatée, comme ici, facilite l'observation.

**Pupilles inégales** *(anisocorie).* Quand l'anisocorie est plus importante dans une lumière vive que dans une faible lumière, c'est que la pupille la plus large ne se contracte pas correctement. Parmi les causes, on trouve la contusion oculaire, le glaucome à angle ouvert (p. 269) et l'altération de l'innervation parasympathique de l'iris, comme dans la pupille tonique et la paralysie du nerf oculomoteur (NC III). Quand l'anisocorie est plus importante dans une faible lumière, c'est que la pupille la plus petite ne se dilate pas correctement, comme c'est le cas dans le syndrome de Claude Bernard-Horner, qui est dû à l'interruption de l'innervation sympathique. Voir aussi tableau 17-12 : « Pupilles chez les patients comateux », p. 766.

**Pupille tonique** *(pupille d'Adie).* Une pupille tonique est large, régulière, habituellement d'un seul côté. Son réflexe photomoteur est très diminué et ralenti, voire absent. Le réflexe d'accommodation, quoique très lent, est présent. Une accommodation lente donne une vision trouble. Les réflexes ostéotendineux sont souvent diminués.

**Paralysie du nerf oculomoteur (NC III).** La pupille dilatée ne réagit ni à la lumière ni à l'accommodation. Un ptosis de la paupière supérieure et une déviation externe de l'œil sont presque toujours présents.

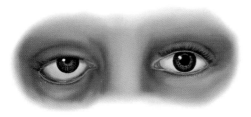

**Syndrome de Claude Bernard-Horner.** La pupille touchée, quoique petite, réagit vivement à la lumière et à l'accommodation. Il existe un ptosis palpébral avec peut-être diminution de la sudation du front. Dans le syndrome de Claude Bernard-Horner congénital, l'iris atteint a une coloration plus claire que l'autre *(hétérochromie)*.

**Petites pupilles irrégulières.** Des pupilles petites et irrégulières ne réagissant pas à la lumière mais répondant à l'accommodation constituent le *signe d'Argyll-Robertson*. Se voit dans la syphilis du système nerveux central.

**Pupilles égales et un œil aveugle.** La cécité unilatérale ne provoque pas d'anisocorie tant que les innervations sympathique et parasympathique des deux yeux sont respectées. L'éclairage direct de l'œil qui voit donne une réponse directe de cet œil et consensuelle de l'œil aveugle. L'éclairage direct de l'œil aveugle, en revanche, ne provoque pas de réponse des deux yeux.

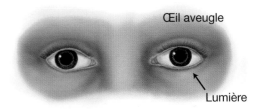

Il y a plusieurs types d'anomalies du regard qui fournissent aux cliniciens des indices sur des troubles du développement du tronc cérébral ou des anomalies des nerfs crâniens.

## Strabisme non paralytique

Un strabisme non paralytique est dû à un déséquilibre du tonus des muscles oculaires. Ce déséquilibre a de nombreuses causes, peut être héréditaire et apparaît habituellement tôt dans l'enfance. Les déviations sont ensuite classées selon leur direction.

*Strabisme convergent (ésotropie)*

*Strabisme divergent (exotropie)*

### Test de l'écran

Le test de l'écran peut être utile. Voici ce que vous devez voir dans l'ésotropie monoculaire représentée ci-dessus

Les reflets cornéens sont asymétriques.

**CACHÉ**

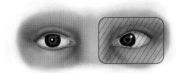

L'œil droit se déplace en dehors pour fixer la lumière (l'œil gauche n'est pas visible mais se déplace en dedans au même degré).

**DÉCOUVERT**

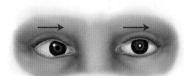

L'œil gauche se déplace en dehors pour fixer la lumière. L'œil droit se déplace de nouveau en dedans.

## Strabisme paralytique

L'apparition d'un strabisme chez l'adulte est en général due à des lésions des nerfs crâniens où à des causes telles qu'un traumatisme, une clérose en plaques, la syphilis, etc.

*Paralysie du VI<sup>e</sup> nerf crânien gauche*

**REGARD VERS LA DROITE**

Les yeux sont conjugués.

**REGARD DROIT DEVANT**

L'ésotropie apparaît.

**REGARD VERS LA GAUCHE**

L'ésotropie est maximale.

*Paralysie du IV<sup>e</sup> nerf crânien gauche*

**REGARD VERS LE BAS ET VERS LA DROITE**

L'œil gauche ne peut regarder vers le bas quand il est tourné en dedans. La déviation est maximale dans cette direction.

*Paralysie du III<sup>e</sup> nerf crânien gauche*

**REGARD DROIT DEVANT**

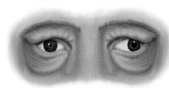

L'œil est dévié en dehors sous l'action du VI<sup>e</sup> nerf. Les mouvements vers le haut, le bas et en dedans sont diminués ou abolis. Un ptosis et une dilatation pupillaire peuvent être associées.

**TABLEAU 7-12   Variations normales de la papille optique**

## Excavation physiologique

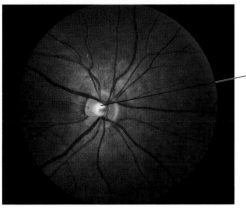

Excavation
centrale

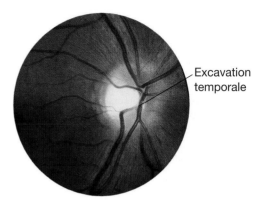

Excavation
temporale

L'excavation physiologique est une petite dépression blanchâtre de la papille optique, de laquelle paraissent émerger les vaisseaux rétiniens. Quoique parfois absente, l'excavation est habituellement visible au centre ou du côté temporal de la papille. Des taches grisâtres sont parfois observées dans le fond.

## Anneaux et croissants

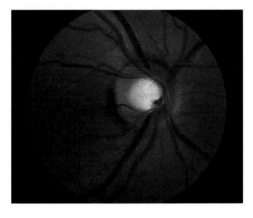

Des anneaux et des croissants sont souvent observés autour de la papille. Ce sont des variantes du développement dans lesquelles vous pouvez entrevoir la sclérotique blanche, ou le pigment rétinien noir, ou les deux, en particulier le long du bord temporal de la papille. Les anneaux et croissants ne font pas partie de la papille elle-même et ne doivent pas être inclus dans l'estimation du diamètre papillaire.

## Fibres nerveuses myéliniques

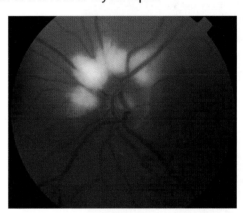

Des fibres nerveuses myéliniques représentent une découverte beaucoup moins fréquente mais impressionnante. Se présentant comme des plages blanches irrégulières à limites plumeuses, elles masquent les bords de la papille et les vaisseaux rétiniens. Elles n'ont pas de signification pathologique.

| Physiopathologie | Aspect |
|---|---|

**Normale**

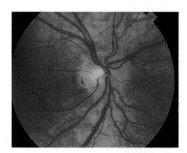

Les petits vaisseaux papillaires donnent sa coloration normale à la papille optique.

Coloration jaune-orange à rose crémeux.

Petits vaisseaux de la papille.

Bords de la papille nets (sauf peut-être du côté nasal).

L'excavation physiologique est au centre, parfois du côté temporal. Elle peut être bien visible ou absente. Son diamètre est habituellement inférieur à la moitié de celui de la papille.

**Œdème papillaire**

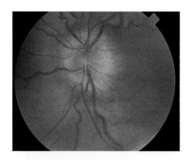

La stase veineuse entraîne un engorgement et un gonflement.

Coloration rose, hyperhémique.

Souvent disparition du pouls veineux.

Vaisseaux de la papille plus visibles, plus nombreux, courbes sur les bords de la papille.

Papille gonflée avec bords flous.

Excavation physiologique non visible.

**Excavation glaucomateuse**

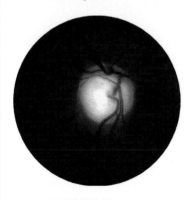

Une pression accrue dans l'œil entraîne une augmentation de l'excavation (dépression vers l'arrière de la papille) et une atrophie.

Le fond de l'excavation agrandie est pâle.

Excavation physiologique agrandie, occupant plus de la moitié du diamètre de la papille, s'étendant parfois jusqu'au bord de la papille. Vaisseaux rétiniens s'enfonçant dans la papille et pouvant être déplacés du côté nasal.

**Atrophie optique**

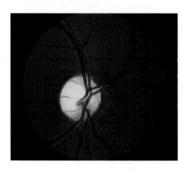

La mort des fibres nerveuses du nerf optique entraîne la disparition des petits vaisseaux de la papille.

Coloration blanche.

Petits vaisseaux de la papille absents.

Source des photographies : Tasman W, Jaeger E (eds). The Wills Eye Hospital Atlas of Clinical Ophthalmology, 2nd ed. Philadelphia : Lippincott Williams & Wilkins, 2001. *Œdème papillaire, excavation glaucomateuse, atrophie optique* : avec l'autorisation de K. Freedman.

### Artériole rétinienne normale et croisements artérioveineux (A-V) normaux

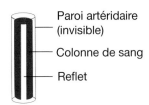

- Paroi artéridaire (invisible)
- Colonne de sang
- Reflet

La paroi artérielle normale est transparente. En général, on ne voit que la colonne de sang située à l'intérieur. Le reflet normal est *étroit – environ 1/4 du diamètre de la colonne de sang*. Puisque la paroi artérielle est transparente, une veine croisant l'artériole par-dessous peut être vue de part et d'autre de la colonne de sang.

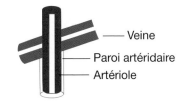

- Veine
- Paroi artéridaire
- Artériole

### Artérioles rétiniennes dans l'hypertension artérielle

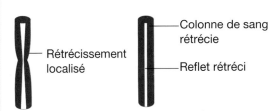

- Rétrécissement localisé
- Colonne de sang rétrécie
- Reflet rétréci

Dans l'hypertension, les artérioles peuvent présenter des zones de rétrécissement localisé ou généralisé. Le reflet lumineux est également rétréci. La paroi artériolaire s'épaissit et devient moins transparente.

### Artérioles « en fil de cuivre »

Certaines artérioles, surtout celles proches de la papille, deviennent pleines et un peu tortueuses, et présentent un reflet lumineux plus brillant et cuivré.

### Artérioles « en fil d'argent »

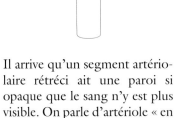

Il arrive qu'un segment artériolaire rétréci ait une paroi si opaque que le sang n'y est plus visible. On parle d'artériole « en fil d'argent ».

### Croisements artérioveineux

Quand les parois artériolaires perdent leur transparence, il apparaît des modifications des croisements artérioveineux. La diminution de transparence de la rétine contribue probablement aussi aux deux premiers des changements montrés ci-dessous.

**VEINE MASQUÉE OU ENCOCHE A-V**

La veine paraît s'arrêter de façon abrupte de chaque côté de l'artériole.

**AMINCISSEMENT PROGRESSIF**

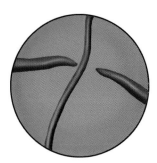

**Amincissement.** La veine paraît se terminer en pointe de chaque côté de l'artériole.

**ENGORGEMENT VEINEUX**

**Engorgement.** La veine est tordue sur la partie distale de l'artériole où elle prend un aspect de gros boudin sombre.

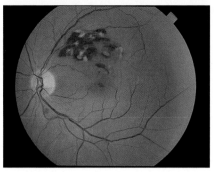
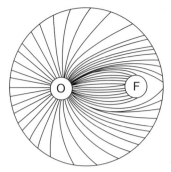

**Hémorragies rétiniennes superficielles.** Petites stries rouges linéaires et en flammèches des fonds d'yeux. Elles sont modelées par les faisceaux superficiels de fibres nerveuses rayonnant à partir de la papille suivant le schéma illustré (O : papille optique ; F : fovéa). Les hémorragies surviennent parfois en grappes et donnent l'impression d'une hémorragie plus étendue, mais elles peuvent être identifiées grâce aux stries linéaires en bordure. Les hémorragies superficielles se voient dans l'hypertension artérielle sévère, l'œdème papillaire et l'occlusion de la veine rétinienne, dans diverses affections. Il peut arriver qu'une hémorragie superficielle ait un centre blanc constitué de fibrine. Les hémorragies rétiniennes à centre blanc ont de nombreuses causes.

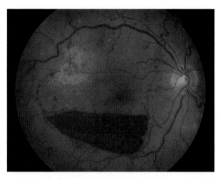

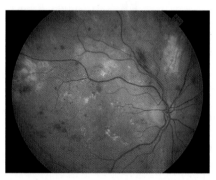

**Hémorragie prérétinienne.** Se produit quand du sang s'échappe dans l'espace virtuel entre rétine et vitré. Cette hémorragie est typiquement plus étendue que les hémorragies rétiniennes. Comme elle est située en avant de la rétine, elle masque tous les vaisseaux rétiniens sous-jacents. Chez un patient debout, les globules rouges sédimentent, créant une ligne de démarcation horizontale entre le plasma au-dessus et les cellules en dessous. L'élévation brusque de la pression intra-crânienne en est une des causes.

**Hémorragies rétiniennes profondes.** Petites taches rouges arrondies un peu irrégulières, que l'on appelle parfois hémorragies punctiformes ou en flaques. Elles surviennent dans une couche de la rétine plus profonde que les hémorragies en flammèches. Le diabète sucré en est une cause courante.

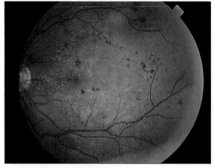

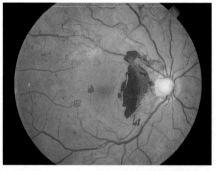

**Microanévrismes.** Très petites taches rouges arrondies, vues habituellement mais non exclusivement dans et autour de la zone de la macula. Ce sont de minuscules dilatations de très petits vaisseaux rétiniens mais les connexions vasculaires sont trop petites pour être vues à l'ophtalmoscope. Les micro-anévrismes sont caractéristiques – mais non spécifiques – de la rétinopathie diabétique.

**Néovascularisation.** Désigne la formation de nouveaux vaisseaux. Ils sont plus nombreux, plus tortueux et plus étroits que les autres vaisseaux sanguins de la région et forment des arcades d'aspect désordonné. Une cause courante est la rétinopathie diabétique à un stade tardif prolifératif. Les vaisseaux peuvent s'étendre dans le vitré, où une hémorragie ou un décollement de la rétine peut être responsable d'une cécité.

Source des photographies : Tasman W, Jaeger E (eds). The Wills Eye Hospital Atlas of Clinical Ophthalmology, 2nd ed. Philadelphia : Lippincott Williams & Wilkins, 2001.

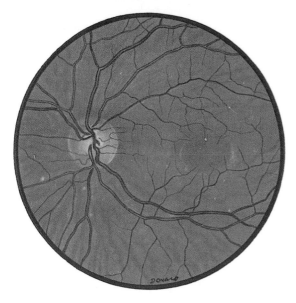

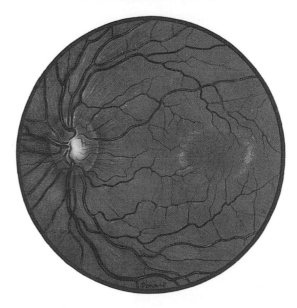

## Fond d'œil normal d'un sujet à peau claire

Inspectez la papille optique. Suivez les principaux vaisseaux dans les quatre directions, en notant leurs tailles relatives et d'éventuels croisements artérioveineux, qui sont normaux ici. Inspectez la zone maculaire. La fovéa légèrement plus sombre est à la limite de la visibilité ; il n'y a pas de reflet lumineux chez ce sujet. Recherchez des lésions de la rétine. Notez l'aspect rayé ou quadrillé caractéristique du fond d'œil, notamment dans sa partie inférieure, qui provient des vaisseaux choroïdiens sous-jacents normaux.

## Fond d'œil normal d'un sujet à peau foncée

Inspectez à nouveau la papille, les vaisseaux, la macula et la rétine. L'anneau entourant la fovéa est un reflet lumineux normal. La couleur du fond d'œil a une nuance gris brunâtre, presque rouge violacé, qui lui est donnée par les pigments rétiniens et choroïdiens. Les vaisseaux choroïdiens sont masqués et le quadrillage est invisible. Le fond d'œil d'un sujet blanc à peau brune est plus rouge.

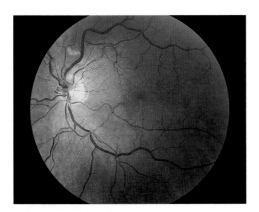

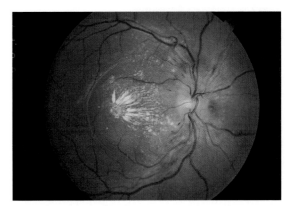

## Rétinopathie hypertensive[40]

Les croisements artérioveineux sont marqués, surtout le long des vaisseaux inférieurs. Il existe des artérioles en fil de cuivre. Une tache cotonneuse est visible juste au-dessus de la papille. Il y a aussi des druses papillaires, mais elles ne sont pas liées à l'hypertension.

## Rétinopathie hypertensive avec étoile maculaire

Des exsudats punctiformes sont bien visibles : certains sont dispersés ; d'autres rayonnent à partir de la fovéa pour former une étoile maculaire. Notez les deux petits exsudats mous situés à environ 1 diamètre papillaire de la papille. Trouvez les hémorragies en flammèches qui s'étendent vers 7 et 8 heures ; on peut en voir d'autres vers 10 heures. Ces anomalies du fond d'œil sont caractéristiques de l'hypertension maligne. Elles sont souvent associées à un œdème papillaire (p. 229).

---

Source des photographies : *Rétinopathie hypertensive, rétinopathie hypertensive avec étoile maculaire* : Tasman W, Jaeger E (eds). The Wills Eye Hospital Atlas of Clinical Ophthalmology. 2nd ed. Philadelphia : Lippincott Williams & Wilkins, 2001.

## Rétinopathie diabétique

Étudiez attentivement les fonds d'yeux de cette série de photographies. Ils constituent la référence nationale utilisée par les ophtalmologistes pour l'évaluation de la rétinopathie diabétique.

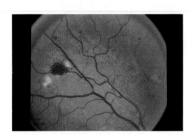

### Rétinopathie non proliférative, modérément sévère

Notez les petits points rouges ou microanévrismes. Notez aussi l'anneau d'exsudats durs (taches blanches) en temporal supérieur. L'épaississement ou l'œdème de la rétine dans cette zone d'exsudats durs peut altérer la vision s'il s'étend au centre de la macula (la détection nécessite un examen stéréoscopique spécialisé).

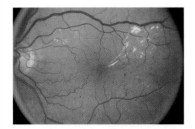

### Rétinopathie non proliférative, sévère

Dans le quadrant temporal supérieur, notez la grande hémorragie rétinienne entre deux exsudats cotonneux, l'aspect moniliforme de la veine rétinienne juste au-dessus d'eux et les petits vaisseaux tortueux au-dessus de l'artère temporale supérieure.

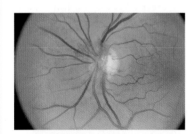

### Rétinopathie proliférative, avec néovascularisation

Notez les néovaisseaux prérétiniens naissant sur la papille et dépassant ses bords. L'acuité visuelle est encore normale, mais le risque de baisse de la vision est élevé (la photocoagulation diminue ce risque de plus de 50 %).

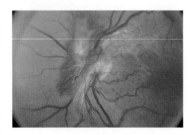

### Rétinopathie proliférative, évoluée

C'est le même œil, 2 ans plus tard et non traité. La néovascularisation a augmenté, avec maintenant une prolifération fibreuse, une déformation de la macula et une baisse de l'acuité visuelle.

Source des photographies : *Rétinopathie non proliférative modérément sévère, rétinopathie non proliférative sévère, rétinopathie proliférative avec néovascularization ; rétinopathie proliférative évoluée* : Early Treatment Diabetic Retinopathy Study Research Group. Avec l'aimable autorisation de MF Davis, MD, University of Wisconsin, Madison.

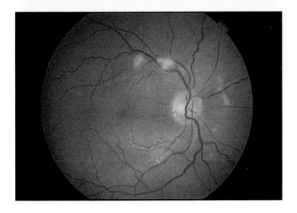

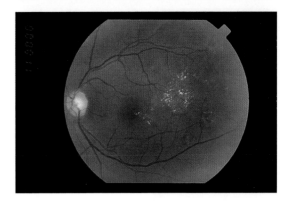

## Exsudats cotonneux (exsudats mous)

Les exsudats cotonneux sont des lésions ovoïdes blanches ou grisâtres à bords irréguliers (donc « mous »). Ils ont une taille modérée mais sont en général plus petits que la papille. Ils résultent de l'infarctus de fibres nerveuses et se voient dans l'hypertension artérielle et d'autres affections.

## Exsudats durs

Les exsudats durs sont des lésions souvent brillantes, de couleur crème ou jaunâtre, à bords nets (donc « durs »). Ils sont petits et ronds, mais peuvent confluer en taches irrégulières plus étendues. Ils apparaissent souvent en amas ou suivant une disposition circulaire, linéaire ou étoilée. Les causes comprennent le diabète et l'hypertension.

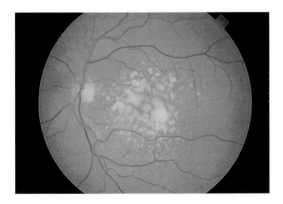

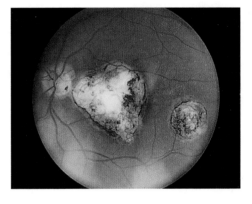

## Druses

Les druses sont des taches rondes jaunâtres dont la taille varie de très petite à petite. Leurs bords peuvent être « mous », comme ici, ou « durs » (p. 231). Ils sont répartis au hasard mais peuvent se concentrer au pôle postérieur. Les druses apparaissent lors du vieillissement normal mais peuvent aussi se voir dans diverses affections, dont la dégénérescence maculaire sénile.

## Cicatrices de choriorétinite

Ici, l'inflammation a détruit les tissus superficiels, découvrant une plage irrégulière et à limites nettes de sclérotique blanche pigmentée en noir. La taille varie de petite à très grande. Une *toxoplasmose* est illustrée ici. Des zones multiples et petites, d'apparence relativement semblable, peuvent être dues à un traitement par laser. Ici, il y a également une cicatrice temporale près de la macula.

Source des photographies : *Taches cotonneuses, druses, cicatrices de choriorétinite* : Tasman W, Jaeger E (eds). The Wills Eye Hospital Atlas of Clinical Ophthalmology. 2nd ed. Philadelphia : Lippincott Williams & Wilkins, 2001. *Exsudats durs* : avec l'aimable autorisation de K. Freedman.

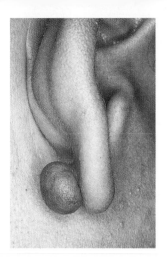

**Chéloïde.** Masse hypertrophique nodulaire, ferme, de tissu cicatriciel qui déborde la zone de la blessure. Elle peut se former dans n'importe quelle cicatrice mais est plus fréquente sur les épaules et la partie supérieure du thorax. Une chéloïde sur un lobule d'oreille percé pour des boucles d'oreille peut être particulièrement gênante au plan esthétique. Les gens à peau sombre font plus de chéloïdes que les gens à peau claire. Les chéloïdes peuvent récidiver après traitement.

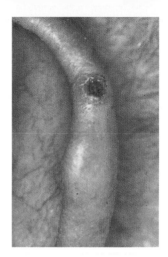

**Chondrodermatite de l'hélix.** Cette lésion inflammatoire chronique commence par une papule douloureuse sur l'hélix ou l'anthélix. Ici, la lésion supérieure est au stade tardif d'ulcération et de croûte. Une rougeur peut se produire. Il faut faire une biopsie pour éliminer un cancer.

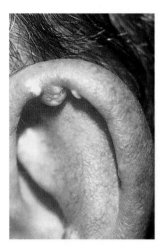

**Tophi.** Dépôt de cristaux d'acide urique, caractéristique de la goutte tophacée chronique. Les tophi sont des nodules durs de l'hélix et de l'anthélix qui peuvent vider leurs cristaux blancs crayeux à travers la peau. Ils peuvent aussi apparaître près des articulations, aux mains (p. 677), aux pieds et ailleurs. En général, ils apparaissent après des années d'hyperuricémie.

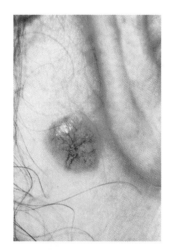

**Carcinome basocellulaire.** Ce nodule surélevé présente la surface luisante et les télangiectasies d'un carcinome basocellulaire, un cancer à croissance lente, qui métastase rarement. Il peut grossir et s'ulcérer. Il est plus fréquent chez les sujets à peau claire, surexposés au soleil.

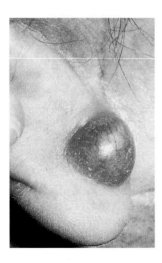

**Kyste cutané.** Autrefois appelé kyste sébacé. C'est une grosseur en forme de dôme intradermique, qui correspond à une poche bénigne, ferme, adhérant à l'épiderme. Un point noir (comédon) peut être visible à sa surface. Histologiquement, il peut s'agir : 1) d'un kyste *épidermoïde*, fréquent sur la face et dans le cou, ou 2) d'un kyste *pilaire*, fréquent dans le cuir chevelu. Les deux peuvent devenir inflammatoires.

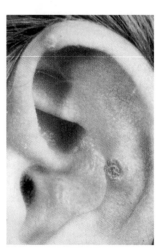

**Nodules rhumatoïdes.** Dans la polyarthrite rhumatoïde chronique, recherchez des petites tuméfactions sur l'hélix et l'anthélix ainsi que des nodules sur les mains, le long de l'ulna, en dessous du coude (p. 676), sur les genoux et sur les talons. De petits traumatismes répétés peuvent provoquer une ulcération. Les nodules rhumatoïdes peuvent précéder la polyarthrite.

Source des photographies : *Chéloïde* : Sams WM Jr, Lynch PJ (eds). Principles and Practice of Dermatology. Edinburgh : Churchill Livingstone, 1990. *Tophi* : Du Vivier A. Atlas of Clinical Dermatology. 2ⁿᵈ ed. London, UK : Gower Medical Publishing, 1993. *Kyste cutané, chondrodermatite de l'hélix* : Young EM, Newcomer VD, Kligman AM. Geriatric Dermatology : Color Atlas and Practitioner's Guide. Philadelphia : Lea & Febiger, 1993. *Carcinome basocellulaire* : N Engl J Med 1992 ; 326 : 169-170. *Nodules rhumatoïdes* : Champion RH, Burton JL, Ebling FJG (eds). Rook/Wilkinson/Ebling Textbook of Dermatology. 5ᵗʰ ed. Oxford, UK : Blackwell Scientific, 1992.

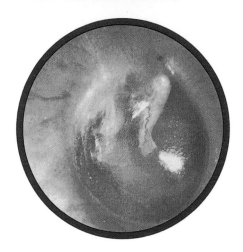

### Tympan normal (droit)

Ce tympan droit normal est gris rosé. Notez le marteau situé derrière la partie supérieure de la membrane tympanique. Au-dessus de la courte apophyse se trouve la *pars flaccida*. Le reste de la membrane est la *pars tensa*. Le cône lumineux s'élargit en éventail, de l'ombilic vers l'avant et le bas. En arrière du marteau, une partie de l'enclume est visible sous la membrane tympanique. Les petits vaisseaux sanguins visibles le long du manche du marteau sont normaux.

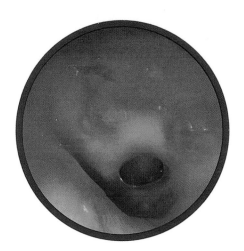

### Perforation du tympan

Les perforations sont des trous dans le tympan dus en général à des infections purulentes de l'oreille moyenne. Elles sont classées en perforations *centrales*, ne s'étendant pas jusqu'au bord du tympan, et perforations *marginales*, qui atteignent le bord.

La perforation centrale, la plus courante, est illustrée ici. Dans ce cas, un anneau rouge de tissu de granulation entoure la perforation, indiquant un processus infectieux chronique. Le tympan lui-même est cicatriciel et on n'y discerne aucun repère. Un écoulement de l'oreille moyenne peut se faire par la perforation. Une perforation du tympan se ferme souvent au cours du processus de guérison, comme l'illustre la photo suivante. La membrane recouvrant le trou peut être extrêmement fine et transparente.

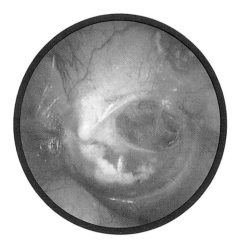

### Sclérose du tympan

Il y a, dans la partie inférieure de ce tympan gauche, une grande plage blanche crayeuse à bords irréguliers. Elle est typique de la sclérose tympanique : dépôt de matériel hyalin dans les couches superficielles de la membrane tympanique, souvent à la suite d'une otite moyenne sévère. En général elle n'altère pas l'audition et elle est rarement cliniquement significative.

Les autres anomalies dans ce tympan comprennent une *perforation cicatrisée* (la grande zone ovalaire dans la partie postérosupérieure du tympan) et des signes de *rétraction du tympan*. Un tympan rétracté est refoulé vers l'intérieur – en s'éloignant de l'œil de l'examinateur –, et les replis malléolaires sont tendus et plus accentués. La courte apophyse fait souvent fortement saillie et le manche du marteau, attiré en dedans au niveau de l'ombilic, paraît raccourci et plus horizontal.

*(suite)*

---

Source des photographies : *Tympan normal* : Hawke M, Keene M, Alberti PW. Clinical Otoscopy : A Text and Colour Atlas. Edinburgh : Churchill Livingstone, 1984. *Perforation du tympan, sclérose du tympan* : avec l'aimable autorisation de M. Hawke, MD, Toronto, Canada.

## Épanchement séreux

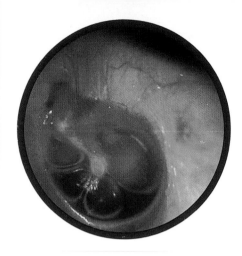

Les épanchements séreux sont en général dus à des infections virales des voies respiratoires supérieures *(otite moyenne avec épanchement séreux)*, ou à de brusques variations de la pression atmosphérique comme lors d'un vol aérien ou d'une plongée *(otite barotraumatique)*. La trompe d'Eustache ne peut équilibrer la pression de l'oreille moyenne avec celle de l'atmosphère. L'air de l'oreille moyenne est partiellement ou complètement absorbé dans le sang et remplacé par du liquide. Les symptômes comprennent des sensations de plénitude et d'éclatements dans l'oreille, une légère surdité de transmission et même une certaine douleur.

Le fluide ambré derrière le tympan est caractéristique chez ce patient, qui souffre d'une otite barotraumatique. Un niveau liquide est visible de chaque côté de la courte apophyse, sous forme d'une ligne entre l'air au-dessus et le liquide ambré en dessous. Des bulles d'air (inconstantes) sont visibles ici dans le liquide ambré.

## Otite moyenne aiguë avec épanchement purulent

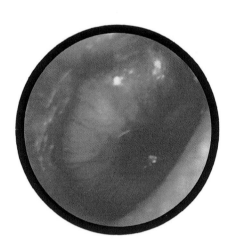

L'*otite moyenne aiguë* avec épanchement purulent est due à une infection bactérienne. Les symptômes comprennent une otalgie, de la fièvre et une surdité. Le tympan devient rouge, perd ses repères et bombe à l'extérieur, vers l'œil de l'examinateur.

Ici le tympan est bombant et la plupart de ses repères sont effacés. La rougeur est maximale à l'ombilic mais des vaisseaux dilatés sont partout visibles. Une rougeur diffuse du tympan apparaît souvent. Une rupture spontanée (perforation) du tympan peut survenir, avec un écoulement de pus dans le conduit auditif externe.

La baisse d'audition est du type surdité de conduction. L'otite moyenne purulente aiguë est beaucoup plus fréquente chez l'enfant que chez l'adulte.

## Myringite phlycténulaire

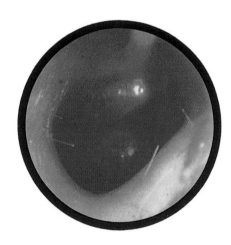

La myringite phlycténulaire est une infection virale caractérisée par des vésicules hémorragiques douloureuses apparaissant sur la membrane tympanique, le conduit auditif ou les deux. Les symptômes comprennent une otalgie, un écoulement de l'oreille teinté de sang et une surdité de transmission.

Dans cette oreille droite, on aperçoit au moins deux bulles sur le tympan. Celui-ci est rouge et ses repères ne sont pas visibles.

Plusieurs virus, y compris les mycoplasmes, peuvent être la cause de cette affection.

---

Source des photographies : *Épanchement séreux* : Hawke M, Keene M, Alberti PW. Clinical Otoscopy : A Text and Colour Atlas. Edinburgh : Churchill Livingstone, 1984. *Otite moyenne aiguë, myringite phlycténulaire* : The Wellcome Trust, National Medical Slide Bank, London, UK.

| Surdité de transmission | Surdité de perception (ou neurosensorielle) |
|---|---|
| 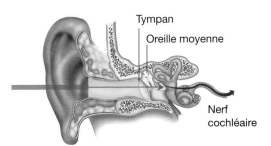 | 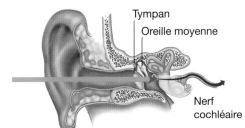 |

| | Surdité de transmission | Surdité de perception (ou neurosensorielle) |
|---|---|---|
| **Physiopathologie** | Une anomalie de l'oreille externe (CAE) ou moyenne (OM) entrave la conduction des sons vers l'oreille interne. Causes : corps étranger, *otite moyenne*, perforation tympanique, otosclérose | Une anomalie de l'oreille interne affecte le nerf cochléaire et la transmission de l'influx nerveux au cerveau. Causes : traumatisme sonore, infections de l'oreille interne, traumatisme, tumeurs, maladies congénitales et familiales, vieillissement |
| **Âge de début habituel** | Enfance et âge adulte jusqu'à 40 ans | Âge mûr et vieillesse |
| **Conduit auditif externe et tympan** | Anomalie habituellement visible, sauf dans l'otosclérose | Pas d'anomalie visible |
| **Effets** | ■ Peu d'effet sur le son<br>■ L'audition est meilleure dans un environnement bruyant<br>■ La voix s'assourdit parce que l'oreille interne et le nerf cochléaire sont intacts | ■ Perte des aigus, qui peut déformer les sons<br>■ L'audition est moins bonne dans un environnement bruyant<br>■ La voix peut être forte parce que l'audition est difficile |
| **Épreuve de Weber** (*dans la surdité unilatérale*) | ■ Diapason sur le vertex<br>■ Latéralisation du son du côté de l'*oreille atteinte* : bruit de la pièce pas bien entendu, ce qui fait que la détection des vibrations *s'améliore* | ■ Diapason sur le vertex<br>■ Latéralisation du son du côté de la *bonne oreille*. La lésion de l'oreille interne ou du nerf cochléaire altère la transmission à l'oreille atteinte |
| **Épreuve de Rinne** | ■ Diapason devant le méat du CAE puis sur la mastoïde<br>■ Conduction osseuse durant plus ou autant que la conduction aérienne (CO ≥ CA). La CA par le CAE ou l'OM est perturbée mais les vibrations osseuses court-circuitent l'anomalie pour atteindre la cochlée | ■ Diapason devant le méat du CAE puis sur la mastoïde<br>■ Conduction aérienne durant plus que la conduction osseuse (CA > CO). L'oreille interne ou le nerf cochléaire transmettent moins bien les influx quelle que soit la façon dont les vibrations atteignent la cochlée. Le schéma normal prévaut |

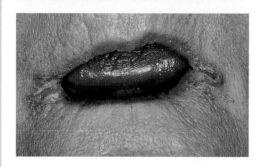

## Chéilite commissurale (perlèche)

La chéilite commissurale commence par un ramollissement de la peau aux commissures des lèvres, suivi de fissuration. Elle peut être due à une carence nutritionnelle ou, plus souvent, à une fermeture excessive de la bouche comme chez les personnes édentées ou ayant des prothèses dentaires mal ajustées. La salive humecte et fait macérer les plis cutanés, entraînant souvent une infection secondaire à *Candida*, comme ici.

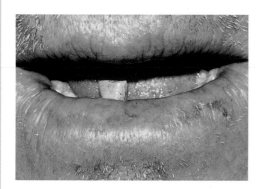

## Chéilite actinique

La chéilite actinique est due à une exposition solaire excessive et affecte principalement la lèvre inférieure. Les hommes à peau claire travaillant en plein air sont le plus souvent atteints. La lèvre perd de sa rougeur normale et devient squameuse, un peu épaissie et légèrement éversée. Comme l'exposition solaire prédispose aussi au carcinome de la lèvre, n'oubliez pas cette possibilité.

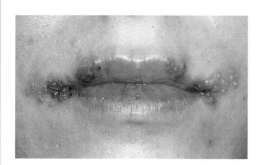

## Herpès *(boutons de fièvre)*

Le virus de l'*Herpes simplex* (HSV) donne des éruptions vésiculeuses douloureuses récidivantes sur les lèvres et la peau environnante. Un petit bouquet de vésicules apparaît d'abord. Lorsque celles-ci se rompent, une croûte jaune-brun se forme et la cicatrisation se produit en 10 à 14 jours. Tous ces stades sont visibles ici.

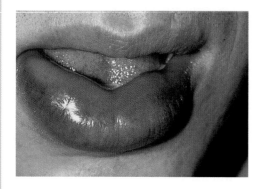

## Œdème angioneurotique

L'œdème angioneurotique est un gonflement tendu, ne prenant pas le godet, diffus, du derme et du tissu sous-cutané. Il se constitue rapidement et disparaît typiquement en quelques heures ou jours. Bien que de nature généralement allergique et quelquefois associé à de l'urticaire, l'angio-œdème n'est pas prurigineux.

---

Source des photographies : *Chéilite commissurale, Herpes simplex, œdème angioneurotique* : Neville B *et al.* Color Atlas of Clinical Oral Pathology. Philadelphia : Lea & Febiger, 1991 (avec autorisation). *Chéilite actinique* : Langlais RP, Miller CS. Color Atlas of Common Oral Diseases. Philadelphia : Lea & Febiger, 1992 (avec autorisation).

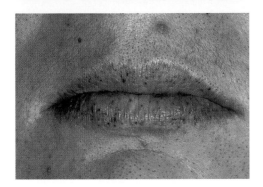

## Angiomatose hémorragique familiale (maladie de Rendu-Osler)

De multiples taches rouges sur les lèvres évoquent fortement une maladie de Rendu-Osler. Les taches sont aussi visibles sur la face et les mains et dans la bouche. Ce sont des capillaires dilatés, qui peuvent saigner s'ils sont traumatisés. Les gens atteints font des épistaxis et des hémorragies digestives.

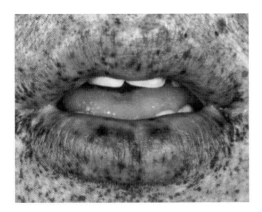

## Syndrome de Peutz-Jeghers

Quand les taches pigmentaires sur les lèvres sont plus importantes que sur la peau environnante, pensez à ce syndrome. La pigmentation de la muqueuse buccale permet de confirmer le diagnostic. Des taches pigmentées peuvent être aussi trouvées sur la face et les mains. Il s'y associe souvent une polypose intestinale.

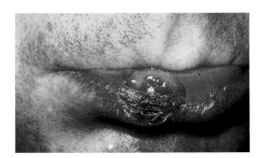

## Chancre syphilitique

Cette lésion de la syphilis primaire peut apparaître sur la lèvre plutôt que sur les organes génitaux. C'est une lésion ferme, en forme de bouton, qui s'ulcère et peut devenir croûteuse. Un chancre peut ressembler à un carcinome ou à un herpès croûteux. Vu sa nature infectieuse, il faut mettre des gants pour examiner une lésion suspecte.

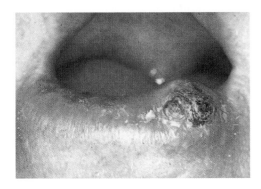

## Carcinome de la lèvre

Comme la chéilite actinique, il touche habituellement la lèvre inférieure. Il peut réaliser une plaque squameuse, un ulcère avec ou sans croûte, ou un nodule, comme sur cette illustration. Les facteurs de risque habituels sont la peau claire et l'exposition prolongée au soleil.

Source des photographies : *Maladie de Rendu-Osler* : Langlais RP, Miller CS. Color Atlas of Common Oral Diseases. Philadelphia : Lea & Febiger, 1992 (avec autorisation). *Syndrome de Peutz-Jeghers* : Robinson HBG, Miller AS. Colby, Kerr, and Robinson's Color Atlas of Oral Pathology. Philadelphia : JB Lippincott, 1990. *Chancre syphilitique* : Wisdom A. A Colour Atlas of Sexually Transmitted Diseases. 2nd ed. London : Wolfe Medical Publications, 1989. *Carcinome de la lèvre* : Tyldesley WR. A Colour Atlas of Orofacial Diseases. 2nd ed. London : Wolfe Medical Publications, 1991.

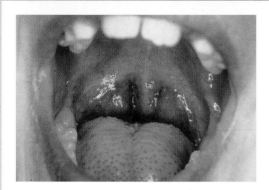

## Grosses amygdales normales

Des amygdales normales peuvent être grosses sans être infectées, notamment chez les enfants. Elles peuvent déborder les piliers et même atteindre la ligne médiane. Ici, elles touchent les bords de la luette et cachent le pharynx. Leur couleur est rose. Les marques blanches sont des reflets lumineux, pas des exsudats.

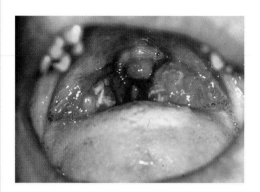

## Angine érythématopultacée

Cette gorge rouge présente un enduit blanchâtre sur les amygdales. Cet aspect, la fièvre et les adénopathies associées augmentent la vraisemblance d'une *infection à streptocoques A* ou d'une *mononucléose infectieuse*. L'adénopathie est plutôt cervicale antérieure dans le premier cas, cervicale postérieure dans le second.

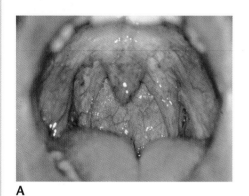

## Pharyngite

Ces deux photos montrent des gorges rouges, sans exsudat.

En **A**, la rougeur et la vascularisation des piliers et de la luette sont légères à modérées.

**A**

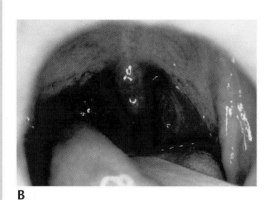

En **B**, la rougeur est diffuse et intense. Les deux patients se plaignent d'un mal de gorge ou du moins d'une irritation. Les causes possibles en sont plusieurs sortes de virus et de bactéries. Si le sujet n'a ni fièvre, ni exsudats, ni adénopathies, il a peu de chances d'avoir une infection à *streptocoques A* ou à *virus d'Epstein-Barr* (mononucléose infectieuse), deux causes fréquentes de pharyngite.

**B**

---

Source des photographies : *Grosses amygdales normales, angine érythématopultacée, pharyngite (A et B)* : The Wellcome Trust, National Medical Slide Bank, London, UK.

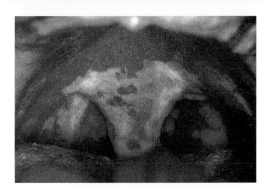

### Diphtérie

La diphtérie (infection due à *Corynebacterium diphteriae*) est actuellement rare mais encore grave. Un diagnostic rapide permet un traitement salvateur. La gorge est rouge terne et un enduit grisâtre (fausse membrane) recouvre la luette, le pharynx et la langue. Il peut y avoir obstruction des voies respiratoires.

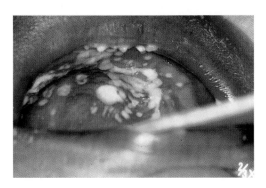

### Candidose du palais (muguet)

Le muguet est une mycose due à des *Candida*. On voit ici des lésions du palais mais les lésions peuvent siéger ailleurs dans la bouche (voir p. 291). Les plaques blanches, épaisses adhèrent quelque peu à la muqueuse sous-jacente. Facteurs prédisposants : 1) antibiothérapie et corticothérapie prolongées ; 2) SIDA.

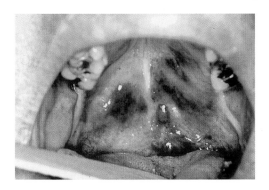

### Sarcome de Kaposi dans le SIDA

La couleur pourpre foncé de ces lésions, bien qu'inconstante, évoque fortement un sarcome de Kaposi. Les lésions peuvent être surélevées ou plates. Chez les sidéens, le palais est un siège fréquent de cette tumeur, comme illustré ici.

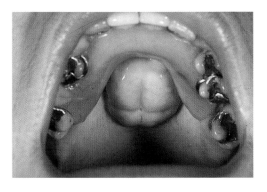

### Torus palatinus

C'est une excroissance osseuse médiane du palais dur, assez banale chez l'adulte. Sa taille et sa localisation varient. Inquiétant à première vue, il est sans danger. Dans cet exemple, un dentier entoure le torus.

*(suite)*

Source des photographies : *Diphtérie* : Harnisch JP *et al.* Diphtheria among alcoholic urban adults. Ann Intern Med 1989 ; 111 : 77. *Candidose du palais* : The Wellcome Trust, National Medical Slide Bank, London, UK. *Sarcome de Kaposi dans le SIDA* : Ioachim HL. Textbook and Atlas of Disease Associated with Acquired Immune Deficiency Syndrome. London, UK : Gower Medical Publishing, 1989.

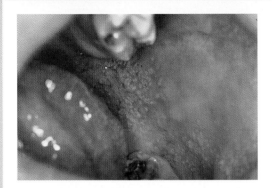

### Grains de Fordyce

Ce sont des glandes sébacées normales qui apparaissent comme de petites taches jaunâtres sur la muqueuse buccale ou sur les lèvres. Une personne inquiète parce qu'elle vient d'en découvrir peut être rassurée. Ici, on les voit bien en avant de la langue et de la mâchoire inférieure. Habituellement, ils ne sont pas si nombreux.

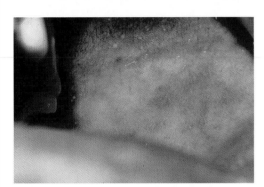

### Signe de Koplik

Le signe de Koplik se voit à la période d'invasion de la rougeole. Recherchez des petits points blancs qui ressemblent à des grains de sel sur fond rouge. On les trouve en général sur la muqueuse buccale en regard des deux premières molaires. Sur cette photo, regardez aussi le tiers supérieur de la muqueuse. L'éruption morbilleuse apparaîtra dans les 24 heures.

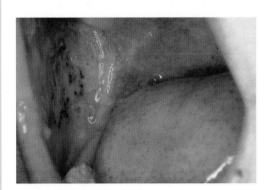

### Pétéchies

Les *pétéchies* sont de petits points rouges résultant de l'extravasation de sang des capillaires dans les tissus. Celles de la muqueuse buccale, comme montré ici, sont souvent dues à des morsures accidentelles de la joue. Les pétéchies buccales peuvent être dues à une infection, à une thrombopénie, aussi bien qu'à un traumatisme.

### Leucoplasie

Une plaque blanche épaisse ou *leucoplasie* peut apparaître n'importe où sur la muqueuse buccale. La lésion ci-dessus est étendue parce que le sujet chique du tabac, qui est un irritant local. Il peut s'agir d'une lésion précancéreuse.

Source des photographies : *Grains de Fordyce* : Neville B *et al.* Color Atlas of Clinical Oral Pathology. Philadelphia : Lea & Febiger, 1991 (avec autorisation). *Signe de Koplik, pétéchies* : The Wellcome Trust, National Medical Slide Bank, London, UK. *Leucoplasie* : Robinson HBG, Miller AS. Colby, Kerr, and Robinson's Color Atlas of Oral Pathology. Philadelphia : JB Lippincott, 1990.

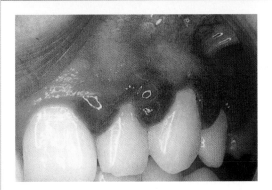

### Gingivite marginale

La gingivite marginale est fréquente chez les adolescents et les adultes jeunes. Le rebord des gencives est rouge et gonflé, les papilles interdentaires sont arrondies, gonflées et rouges. Le brossage des dents fait souvent saigner les gencives. La *plaque dentaire* – ce film blanc de sels, protéines et bactéries qui recouvre les dents et entraîne la gingivite – n'est pas toujours visible.

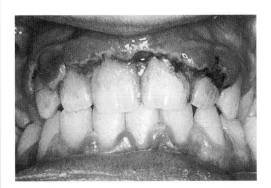

### Gingivite ulcéronécrotique aiguë

Cette forme rare de gingivite survient brusquement chez des adolescents et des adultes jeunes. Elle s'accompagne de fièvre, malaise et adénopathies. Des ulcérations apparaissent sur les papilles interdentaires. Puis la nécrose s'étend le long des rebords gingivaux, où se forme une fausse membrane grisâtre. Les gencives, rouges et douloureuses, saignent facilement ; l'haleine est fétide.

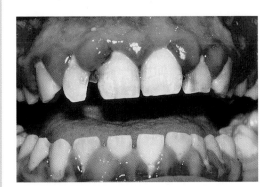

### Hypertrophie gingivale (gingivite hypertrophique)

Les gencives hypertrophiques forment des masses qui peuvent même recouvrir les dents. Une rougeur inflammatoire peut coexister, comme dans cet exemple. Les causes en sont un traitement par phénytoïne (comme dans ce cas), la puberté, la grossesse, une leucémie.

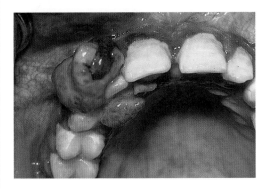

### Tumeur de la grossesse (épulis, granulome infectieux)

L'augmentation du volume gingival peut être localisée, réalisant une masse pseudotumorale s'implantant en général sur une papille interdentaire. Cette masse est rouge, molle et saigne facilement. Sa fréquence est estimée à 1 % au cours de la grossesse. Notez la gingivite associée, dans cet exemple.

*(suite)*

Source des photographies : *Gingivite marginale, gingivite ulcéronécrotique* : Tyldesley WR. A Colour Atlas of Orofacial Diseases, 2nd ed. London : Wolfe Medical Publications, 1991. *Hypertrophie gingivale* : avec l'aimable autorisation de J. Cottone. *Épulis* : Langlais RP, Miller CS. Color Atlas of Common Oral Diseases. Philadelphia : Lea & Febiger, 1992.

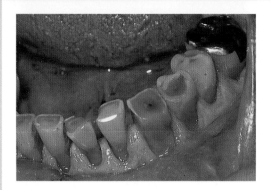

### Dents usées et déchaussées

Chez nombre de personnes âgées, la surface de mastication des dents a été érodée par l'usage et fait apparaître la dentine jaune-brun ; c'est le processus d'*attrition*. Notez aussi le recul des gencives, qui expose les racines dentaires et donne l'aspect de dents « déchaussées ».

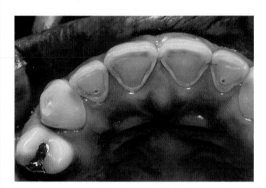

### Érosion des dents

Les dents peuvent être érodées par un produit chimique. Notez ici l'érosion de l'émail de la surface linguale des incisives supérieures, qui fait apparaître la dentine jaune-brun. C'est le résultat de la régurgitation répétée du contenu gastrique, comme dans la boulimie.

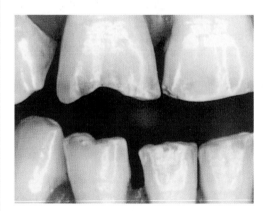

### Dents abrasées avec échancrure

La surface d'affrontement des dents peut devenir abrasée ou échancrée du fait de traumatismes répétés, par exemple se ronger les ongles ou ouvrir des épingles à cheveux avec les dents. Par différence avec les dents de Hutchinson, ces dents ont des côtés à contours normaux ; la taille et l'espacement de ces dents sont aussi normaux.

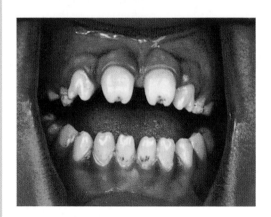

### Dents de Hutchinson

Les dents de Hutchinson sont plus petites et plus espacées que normalement, et elles sont échancrées sur leurs surfaces d'affrontement. Leurs côtés se rétrécissent vers le bord libre. Les incisives médianes supérieures de la dentition définitive (pas la dentition provisoire) sont le plus souvent atteintes. Les dents de Hutchinson sont un signe de syphilis congénitale.

Source des photographies : *Dents usées et déchaussées, érosion des dents* : Langlais RP, Miller CS. Color Atlas of Common Oral Diseases. Philadelphia : Lea & Febiger, 1992. *Dents abrasées, dents de Hutchinson* : Robinson HBG, Miller AS. Colby, Kerr, and Robinson's Color Atlas of Oral Pathology. Philadelphia : JB Lippincott, 1990.

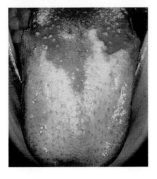

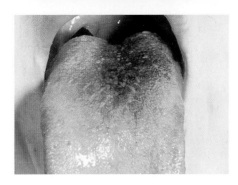

**Langue géographique.** Dans cette affection bénigne, le dos de la langue présente des zones rouges lisses disséminées, qui sont dépourvues de papilles. Ces zones et les zones rugueuses normales donnent un aspect en carte de géographie, qui change avec le temps.

**Langue pileuse.** Les « poils » d'une langue pileuse sont des papilles étirées sur le dos de la langue, jaune-brun ou noires. La langue pileuse peut faire suite à une antibiothérapie ou survenir spontanément.

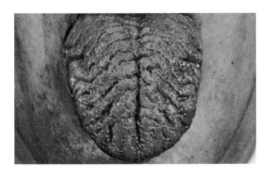

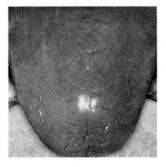

**Langue plicaturée.** Avec l'âge, des fissures peuvent apparaître dans la langue. Cet aspect est aussi appelé *langue cérébriforme* ou *scrotale*. Bien que des débris alimentaires puissent s'accumuler dans les crevasses et devenir irritants, une langue plicaturée n'a habituellement aucune signification pathologique.

**Langue lisse (glossite atrophique).** Une langue lisse et souvent douloureuse, qui a perdu ses papilles, évoque une carence en riboflavine, acide nicotinique, acide folique, vitamine B12, pyridoxine ou fer, ou une chimiothérapie.

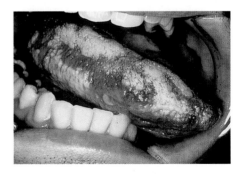

**Candidose (muguet).** Notez l'enduit blanc épais de l'infection à *Candida*. La surface rouge vif correspond aux endroits où l'enduit a été gratté. L'infection peut ne pas donner d'enduit blanchâtre. Elle se voit dans les déficits immunitaires.

**Leucoplasie chevelue.** Ces zones blanchâtres surélevées, ayant un aspect plumeux ou plissé, siègent le plus souvent sur les côtés de la langue. Par différence avec le muguet, on ne peut les détacher. On les voit dans l'infection à VIH/SIDA.

*(suite)*

**TABLEAU 7-25**  **Trouvailles dans et sous la langue (suite)**

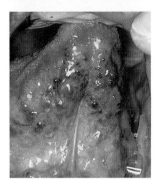

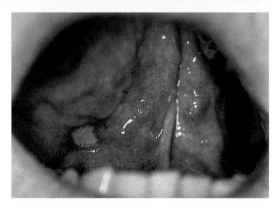

**Varices.** Avec l'âge, des petites tuméfactions rondes pourpres ou bleu noir peuvent apparaître sous la langue. Ce sont des dilatations des veines linguales, sans signification pathologique.

**Ulcération aphteuse (aphte).** Petit ulcère douloureux, arrondi ou ovalaire, blanc ou gris jaunâtre, entouré d'un halo rouge. L'aphte peut être unique ou multiple. Il cicatrise en 7 à 10 jours mais peut récidiver.

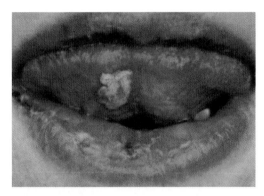

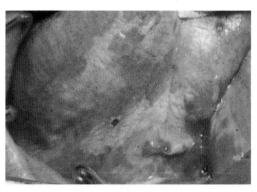

**Plaques muqueuses de la syphilis.** Cette lésion indolore survient au cours de la syphilis secondaire et est très contagieuse. Elle est légèrement surélevée, ovale, et recouverte d'une membrane grisâtre. Les plaques muqueuses peuvent être multiples et siéger ailleurs dans la bouche.

**Leucoplasie.** Avec cette plaque blanchâtre indolore persistante de la muqueuse buccale, la face inférieure de la langue semble avoir été peinte en blanc. Quelle que soit sa taille, une leucoplasie peut être cancéreuse et impose une biopsie.

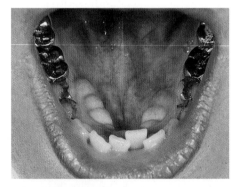

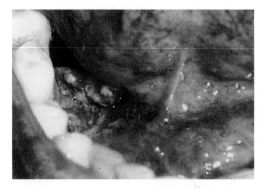

**Tori mandibulaires.** Protubérances osseuses arrondies qui se développent à partir de la face interne de la mandibule. Typiquement, ils sont bilatéraux, asymptomatiques et sans danger.

**Carcinome du plancher de la bouche.** Cette lésion ulcérée se trouve à un endroit où le carcinome est fréquent. En dedans du carcinome, notez la zone rougeâtre de muqueuse, appelée *érythroplasie*, qui doit faire craindre un cancer.

Source des photographies : *Langue plicaturée, candidose, plaques muqueuses, leucoplasie, carcinome* : Robinson HBG, Miller AS. Colby, Kerr, and Robinson's Color Atlas of Oral Pathology. Philadelphia : JB Lippincott, 1990. *Langue lisse* : avec l'aimable autorisation de R. A. Cawson, de Cawson RA. Oral Pathology. 1ʳˢᵗ ed. London, UK : Gower Medical Publishing, 1987. *Langue géographique* : The Wellcome Trust, National Medical Slide Bank, London, UK. *Leucoplasie chevelue* : Ioachim HL. Textbook and Atlas of Disease Associated with Acquired Immune Deficiency Syndrome. London, UK : Gower Medical Publishing, 1989. *Varices* : Neville B *et al.* Color Atlas of Clinical Oral Pathology. Philadelphia : Lea & Febiger, 1991.

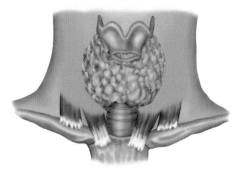

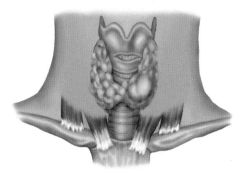

**Hypertrophie diffuse.** Englobe l'isthme et les lobes latéraux ; il n'y a pas de nodules palpables. Causes : maladie de Basedow, thyroïdite de Hashimoto, goitre endémique.

**Nodule isolé.** Ce peut être un kyste, une tumeur bénigne ou un nodule au sein d'un goitre multinodulaire. Il soulève la question du cancer. Les facteurs de risque sont : une irradiation ancienne, la dureté, l'augmentation de volume rapide et l'adhérence aux tissus voisins, une adénopathie cervicale et le sexe masculin.[26]

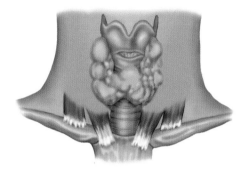

**Goitre multinodulaire.** Une thyroïde augmentée de volume avec deux nodules ou plus évoque plus un trouble métabolique qu'une lésion maligne. Des cas familiaux et une augmentation du volume sont des facteurs de risque de cancer supplémentaires.

|  | Hyperthyroïdie | Hypothyroïdie |
|---|---|---|
| **Symptômes** | Nervosité | Fatigue, léthargie |
|  | Amaigrissement malgré un appétit accru | Prise de poids modérée avec anorexie |
|  | Transpiration excessive et intolérance au chaud | Peau sèche et rugueuse et intolérance au froid |
|  | Palpitations | Gonflement du visage, des mains et des jambes |
|  | Selles fréquentes | Constipation |
|  | Faiblesse musculaire des racines et tremblement | Faiblesse, crampes musculaires, arthralgies, paresthésies, troubles de la mémoire et de l'audition |
| **Signes** | Peau chaude, lisse, moite | Peau sèche, rugueuse, froide, parfois jaunâtre (par hyper-carotinémie), avec un œdème ne prenant pas le godet et une chute des cheveux et des poils |
|  | Dans la maladie de Basedow, signes oculaires tels que fixité du regard, asynergie oculopalpébrale et exophtalmie | Bouffissure péri-orbitaire |
|  | Augmentation de la pression systolique et diminution de la pression diastolique | Diminution de la pression systolique et augmentation de la pression diastolique |
|  | Tachycardie, fibrillation auriculaire | Bradycardie et, à un stade avancé, hypothermie |
|  | Éréthisme cardiaque avec éclat de B1 | Parfois, assourdissement des bruits du cœur |
|  | Tremblement, faiblesse musculaire des racines | Troubles de la mémoire, surdité de type mixte, somno-lence, neuropathie périphérique, syndrome du canal carpien |

# Thorax et poumons

## ANATOMIE ET PHYSIOLOGIE

Revoyez l'*anatomie de la paroi thoracique* et identifiez les structures de l'illustration. Notez que chaque espace intercostal est désigné par le numéro de la côte sus-jacente.

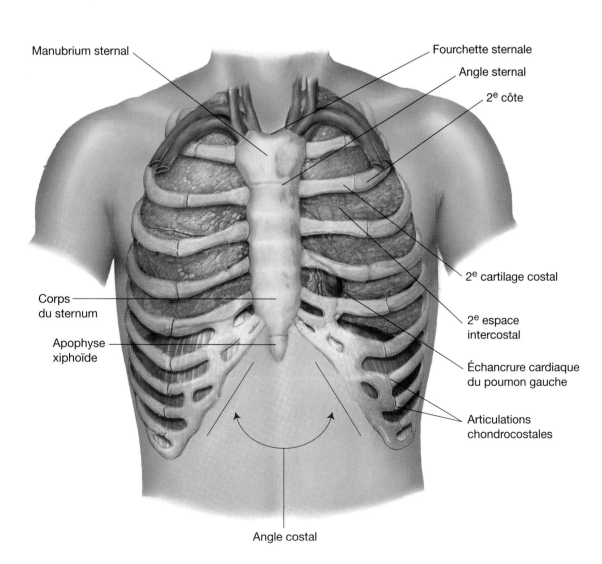

Manubrium sternal

Fourchette sternale

Angle sternal

2e côte

2e cartilage costal

Corps du sternum

2e espace intercostal

Apophyse xiphoïde

Échancrure cardiaque du poumon gauche

Articulations chondrocostales

Angle costal

***Localisation des découvertes sur le thorax.*** Localisez les anomalies du thorax dans deux dimensions : *le long de l'axe vertical* et *sur la circonférence du thorax.*

Pour les localisations *verticales*, vous devez être capable de compter les côtes et les espaces intercostaux. L'*angle sternal* (ou angle de Louis) est le meilleur repère : placez votre doigt dans la concavité de la fourchette sternale, puis descendez-le d'environ 5 cm jusqu'à la crête osseuse horizontale à la jonction du manubrium et du corps du sternum. Déplacez ensuite votre doigt en dehors et trouvez la deuxième côte adjacente avec son cartilage. De là, à l'aide de deux doigts, vous pouvez aller vers le bas en « chevauchant » les espaces intercostaux, un espace après l'autre, suivant une ligne oblique illustrée par les chiffres rouges ci-dessous. N'essayez pas de compter les espaces intercostaux le long du bord inférieur du sternum car les côtes y sont trop rapprochées les unes des autres. Pour découvrir les espaces intercostaux chez les femmes, déplacez le sein latéralement ou palpez un peu plus en dedans que sur l'illustration. Évitez d'appuyer trop fort sur le tissu mammaire, qui est sensible.

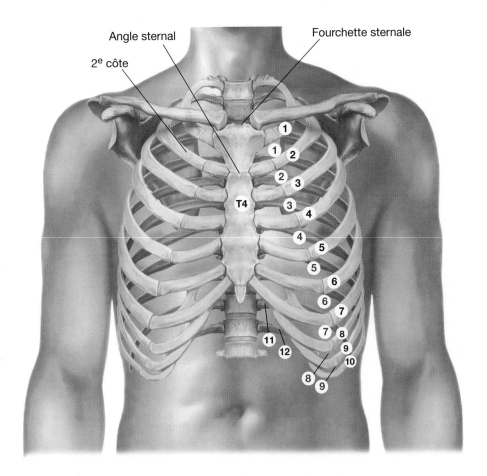

Notez bien les repères suivants : le 2ᵉ espace intercostal, pour l'insertion d'une aiguille en cas de pneumothorax suffocant, le 4ᵉ espace intercostal, pour l'insertion d'un drain pleural, T4, pour la position de l'extrémité d'une sonde trachéale sur la radiographie du thorax.

Notez que les cartilages costaux des sept premières côtes s'articulent avec le sternum. Ceux des 8ᵉ, 9ᵉ et 10ᵉ côtes s'articulent avec le cartilage costal situé juste au-dessus d'eux. Les 11ᵉ et 12ᵉ côtes, dites « côtes flottantes », sont libres à leur extrémité antérieure. L'extrémité antérieure cartilagineuse de la 11ᵉ côte peut être sentie latéralement, celle de la 12ᵉ côte en arrière. Les cartilages costaux ne peuvent être distingués des côtes à la palpation.

En arrière, la 12ᵉ côte vous offre un autre point de départ possible pour compter les côtes et les espaces intercostaux. C'est particulièrement utile pour localiser ce que vous découvrez dans la région postéro-inférieure du thorax, mais aussi dans les cas où l'approche antérieure n'est pas satisfaisante. Avec les doigts d'une main, appuyez vers l'intérieur et le haut sur le bord inférieur de la 12ᵉ côte. Puis « remontez », avec les doigts, les espaces inter-costaux numérotés en rouge, soit verticalement, soit obliquement, en allant vers la face antérieure du thorax.

La pointe de l'omoplate est un autre repère osseux utile. Elle siège habituel-lement au niveau de la 7ᵉ côte ou du 7ᵉ espace intercostal.

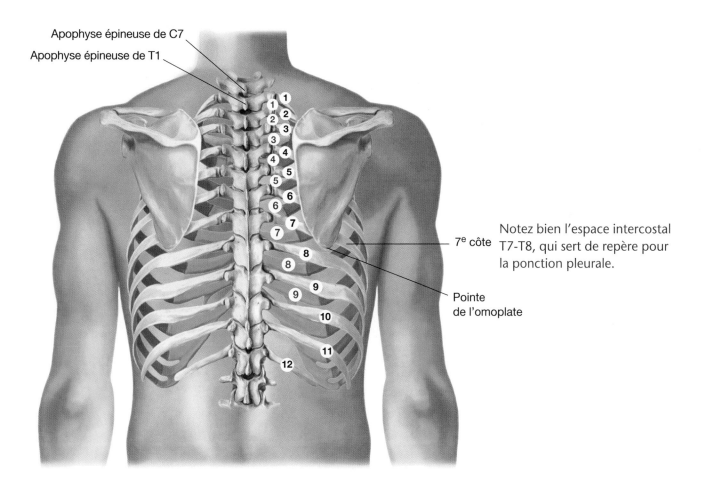

Apophyse épineuse de C7

Apophyse épineuse de T1

7ᵉ côte

Pointe de l'omoplate

Notez bien l'espace intercostal T7-T8, qui sert de repère pour la ponction pleurale.

Les apophyses épineuses des vertèbres sont aussi des repères anatomiques utiles. Quand un sujet fléchit le cou en avant, l'apophyse la plus saillante est d'habitude celle de C7. Quand deux apophyses font une saillie égale, il s'agit de C7 et de T1. Les apophyses sous-jacentes peuvent souvent être palpées et numérotées, en particulier quand le rachis est fléchi.

Pour localiser des trouvailles sur la *circonférence du thorax*, utilisez une série de lignes verticales, montrée dans les trois illustrations suivantes. Les *lignes médiosternale et vertébrale* sont précises, les autres sont approximatives. La *ligne médioclaviculaire* tombe verticalement du milieu de la clavicule. Pour la situer, vous devez identifier les deux extrémités de la clavicule avec précision (voir p. 612).

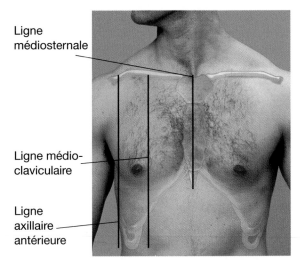

Ligne médiosternale

Ligne médioclaviculaire

Ligne axillaire antérieure

Les *lignes axillaires antérieure et postérieure* tombent verticalement des plis axillaires antérieur et postérieur (correspondant aux masses musculaires qui limitent l'aisselle). La *ligne axillaire moyenne* tombe du sommet de l'aisselle.

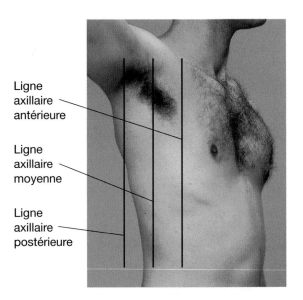

Ligne axillaire antérieure

Ligne axillaire moyenne

Ligne axillaire postérieure

En arrière, la *ligne vertébrale* suit les épineuses vertébrales. Chaque ligne scapulaire tombe de l'angle inférieur de l'omoplate.

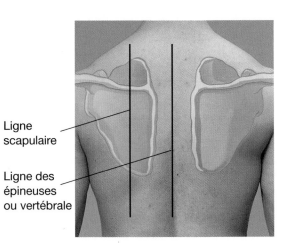

Ligne scapulaire

Ligne des épineuses ou vertébrale

***Poumons, scissures et lobes.*** Projetez les poumons, leurs scissures et leurs lobes sur la paroi thoracique. En avant, le sommet de chaque poumon s'élève de 2 à 4 cm au-dessus du tiers interne de la clavicule. La limite inférieure du poumon coupe la 6ᵉ côte sur la ligne médioclaviculaire et la 8ᵉ côte sur la ligne axillaire moyenne. En arrière, la limite inférieure du poumon siège à peu près au niveau de l'épineuse de T10. À l'inspiration, elle descend plus bas.

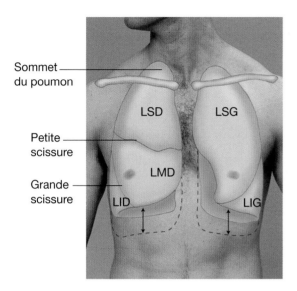
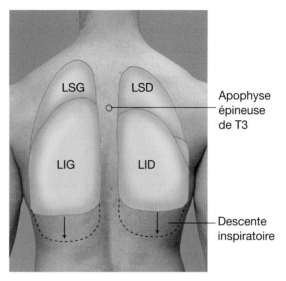

Chaque poumon est divisé à peu près en deux par une *grande scissure (ou scissure oblique)*. Cette scissure peut être représentée par une corde qui tourne obliquement de l'épineuse de T3 à la 6ᵉ côte sur la ligne médioclaviculaire. Le poumon droit est de plus divisé par la *petite scissure (ou scissure horizontale)*. En avant, cette scissure passe près de la 4ᵉ côte et rencontre la grande scissure sur la ligne axillaire moyenne près de la 5ᵉ côte. Le *poumon droit* est donc divisé en trois lobes : *supérieur, moyen et inférieur*. Le *poumon gauche* n'a que *deux lobes* : supérieur et inférieur.

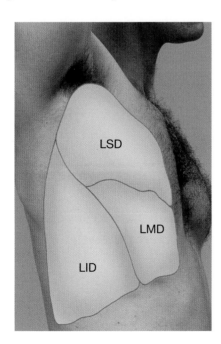
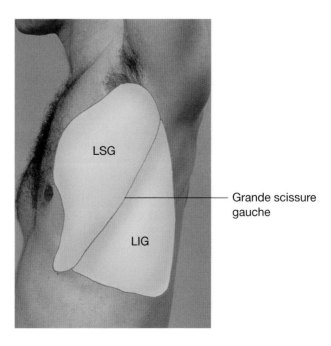

***Projections sur le thorax.*** Apprenez les termes anatomiques utilisés pour localiser les découvertes thoraciques, tels que :

■ sus-claviculaire : au-dessus des clavicules ;

■ sous-claviculaire : au-dessous des clavicules ;

■ interscapulaire : entre les omoplates ;

■ sous-scapulaire : en dessous des omoplates ;

■ bases des poumons : les parties les plus basses ;

■ parties supérieures, moyennes et inférieures des champs pulmonaires.

Vous pouvez ensuite déduire quelle(s) partie(s) du (des) poumon(s) est (sont) intéressée(s) par le processus pathologique. Par exemple, des signes dans le champ pulmonaire supérieur droit proviennent presque sûrement du lobe supérieur droit, alors que des signes dans la partie externe du champ pulmonaire moyen droit peuvent provenir des trois lobes.

***Trachée et grosses bronches.*** Les bruits respiratoires de la trachée et des bronches sont de qualité différente des bruits respiratoires du parenchyme pulmonaire. Assurez-vous que vous connaissez la projection de ces structures. La trachée se divise en bronches souches au niveau de l'angle de Louis en avant, et de l'épineuse de T4 en arrière.

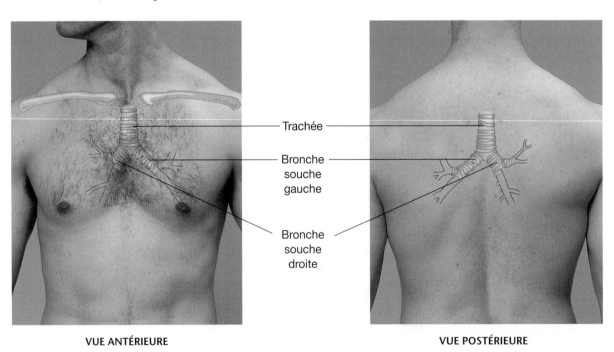

Trachée

Bronche souche gauche

Bronche souche droite

**VUE ANTÉRIEURE**          **VUE POSTÉRIEURE**

***Plèvres.*** Les plèvres sont des séreuses qui tapissent la surface des poumons (*plèvre viscérale*) et la face profonde de la cage thoracique ainsi que la face supérieure du diaphragme (*plèvre pariétale*). Leurs feuillets lisses, lubrifiés par le liquide pleural, permettent aux poumons de se déplacer facilement dans la cage thoracique à l'inspiration et à l'expiration. L'*espace pleural* est l'espace virtuel entre plèvre viscérale et plèvre pariétale.

***Respiration.*** La respiration est un acte en grande partie automatique, contrôlé dans le tronc cérébral et effectué par les muscles respiratoires. Le *diaphragme*, en forme de dôme, est le principal muscle inspiratoire. En se contractant, il s'abaisse et élargit la cage thoracique. Il comprime en même temps le contenu abdominal, poussant la paroi abdominale en dehors. Certains muscles du gril costal et du cou contribuent à élargir le thorax au cours de l'inspiration, notamment les *parasternaux*, qui vont obliquement du sternum aux côtes, et les *scalènes*, qui vont des vertèbres cervicales aux deux premières côtes.

Au cours de l'inspiration, lorsque ces muscles se contractent, le thorax augmente de volume. La pression intrathoracique diminue, ce qui fait descendre de l'air, *via* la trachée et les bronches, jusqu'aux *alvéoles* et gonfle les poumons. L'oxygène diffuse dans le sang des capillaires pulmonaires adjacents, et le gaz carbonique diffuse du sang dans les alvéoles.

Après la fin de l'inspiration, la phase expiratoire commence. La paroi thoracique et les poumons se rétractent, le diaphragme se relâche et s'élève passivement, l'air s'échappe à l'extérieur, et le thorax et l'abdomen reviennent à leur position de repos.

La respiration normale est calme, facile, à peine audible près de la bouche ouverte comme un léger murmure. Quand un sujet en bonne santé est couché sur le dos, les mouvements respiratoires du thorax sont relativement réduits. En revanche, les mouvements abdominaux sont en général faciles à voir. En position assise, les mouvements du thorax deviennent plus visibles.

Au cours de l'effort et de certaines maladies, un travail respiratoire supplémentaire est nécessaire. Les muscles inspiratoires accessoires y participent. Les sternocléidomastoïdiens sont les plus importants d'entre eux, et les scalènes peuvent devenir visibles. Les muscles abdominaux aident à l'expiration.

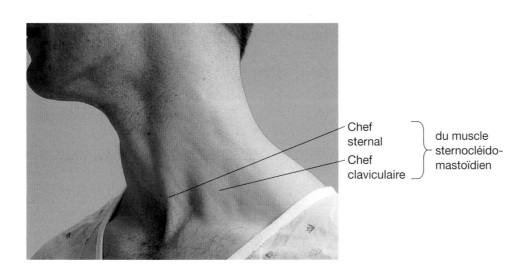

Chef sternal
Chef claviculaire
du muscle sternocléido-mastoïdien

## ANTÉCÉDENTS MÉDICAUX

### Symptômes banals ou inquiétants

- Douleur thoracique.
- Dyspnée.
- Sifflements respiratoires (*wheezing*).
- Toux.
- Crachats sanglants (hémoptysie).

**Douleur thoracique.** *Une douleur ou une gêne dans le thorax* fait craindre une maladie cardiaque mais provient souvent de structures thoraciques ou pulmonaires. Pour évaluer ce symptôme, vous devez rechercher des causes thoraciques et cardiaques. Les principales sources de douleur thoracique sont énumérées ci-dessous. Pour ce symptôme important, vous devez les garder toutes en tête :

- le myocarde ;

- le péricarde ;

- l'aorte ;

- la trachée et les grosses bronches ;

- la plèvre pariétale ;

- la paroi thoracique, incluant l'appareil locomoteur et la peau ;

- l'œsophage ;

- des structures extrathoraciques comme le cou, la vésicule biliaire et l'estomac.

Cette partie consacrée aux *plaintes pulmonaires* comprend des questions générales sur les symptômes thoraciques, dyspnée, sifflements respiratoires, toux et hémoptysie. Pour des questions portant sur la douleur thoracique à l'effort, les palpitations, l'orthopnée, la dyspnée paroxystique nocturne et les œdèmes, voir le chapitre 9 : « Appareil cardiovasculaire ».

Vos premières questions doivent balayer large. « Ressentez-vous une gêne ou des sensations désagréables dans la poitrine ? » Tout en recueillant l'anamnèse complète, demandez au patient de désigner le siège de la douleur dans la poitrine. Notez les gestes du patient pendant qu'il décrit la douleur. Vous devez préciser les sept attributs de ce symptôme (voir p. 65) pour en distinguer les différentes causes.

*Voir tableau 8-1 : « Douleur thoracique », p. 324-325.*

*Angor, infarctus du myocarde.*

*Péricardite.*

*Anévrisme disséquant de l'aorte.*

*Bronchite.*

*Péricardite, pneumonie.*

*Chondrite costale (syndrome de Tietze), zona.*

*Œsophagite par reflux, spasme œsophagien.*

*Arthrose cervicale, colique hépatique, gastrite.*

Un poing serré sur le sternum évoque un *angor* ; un doigt pointé sur une zone sensible de la paroi thoracique évoque une *douleur musculaire ou osseuse* ; une main se déplaçant verticalement de l'épigastre au cou évoque un *pyrosis*.

Le parenchyme pulmonaire lui-même est dépourvu de fibres de la douleur. La douleur des affections pulmonaires telles qu'une pneumonie ou un infarctus pulmonaire provient en général de l'inflammation de la plèvre pariétale adjacente. L'effort musculaire dû à une toux répétitive et prolongée peut être aussi en cause. Le péricarde a également peu de fibres de la douleur ; la douleur d'une péricardite naît de l'inflammation de la plèvre adjacente. (Une douleur thoracique est fréquemment associée à une anxiété, mais le mécanisme en est obscur).

L'*anxiété* est la cause la plus fréquente de douleur thoracique chez les enfants ; la *chondrite costale* est également fréquente.

**Dyspnée et wheezing.** Une *dyspnée*, communément appelée *essoufflement*, est une sensation indolore mais désagréable de respiration qui n'est pas appropriée au niveau d'activité physique.[1] Ce symptôme grave impose une explication et une évaluation complètes parce qu'il est généralement dû à une maladie cardiaque ou pulmonaire.

Voir tableau 8-2 : « Dyspnée », p. 326-327.

Demandez : « Avez-vous des difficultés à respirer ? » Faites préciser si le symptôme survient au repos ou à l'effort et quel degré d'effort le déclenche. En raison des variations liées à l'âge, au poids, à la forme physique, il n'y a pas d'échelle absolue pour quantifier la dyspnée. Efforcez-vous plutôt *de déterminer son importance d'après les activités quotidiennes du patient*. Combien de marches d'escalier ou d'étages peut-il monter sans s'arrêter pour respirer ? Qu'en est-il de travaux comme porter des sacs à provision, laver par terre ou faire le lit ? Est-ce que la dyspnée perturbe le mode de vie et les activités quotidiennes du patient ? En quoi ? Faites préciser soigneusement la chronologie et le contexte de la dyspnée, ses symptômes associés et les facteurs qui la soulagent ou l'aggravent.

Chez la plupart des patients dyspnéiques, la dyspnée est en relation avec le niveau d'activité. Les patients anxieux présentent un tableau différent. Ils peuvent décrire une difficulté à prendre une inspiration assez profonde ou une impression étouffante de ne pas arriver à prendre assez d'air, avec des *paresthésies*, des sensations de fourmillements, de « piqûres d'épingle » autour des lèvres et dans les extrémités.

Les patients anxieux peuvent avoir une dyspnée épisodique au repos et à l'effort et une *hyperventilation* (respiration rapide et superficielle). D'autres fois, ils peuvent soupirer fréquemment.

Les sifflements respiratoires (*wheezing*) sont des bruits respiratoires musicaux qui peuvent être entendus par le patient ou son entourage.

Le *wheezing* évoque une obstruction partielle des voies respiratoires par des sécrétions, du tissu inflammatoire ou un corps étranger.

**Toux.** La *toux* est un symptôme fréquent dont la signification va de peu grave à très grave. Typiquement, c'est une réaction réflexe à des stimuli qui irritent des récepteurs du larynx, de la trachée ou des grosses bronches. Parmi ces stimuli, on trouve le mucus, le pus et le sang ainsi que des agents externes tels que les poussières, les corps étrangers, voire l'air très chaud ou très froid. L'inflammation de la muqueuse respiratoire, la compression des voies respiratoires par une tumeur ou des adénopathies péribronchiques sont d'autres mécanismes. La toux indique typiquement un problème respiratoire mais elle peut être aussi d'origine cardiovasculaire.

Voir tableau 8-3 : « Toux et hémoptysie », p. 328.

La toux peut être un symptôme d'*insuffisance cardiaque gauche*.

Pour les plaintes de toux, une évaluation complète est nécessaire. La durée de la toux est importante : la toux est-elle *aiguë*, de durée inférieure à 3 semaines, *subaiguë*, de durée comprise entre 3 et 8 semaines, ou *chronique*, de durée supérieure à 8 semaines ?[2]

Les infections virales des voies respiratoires supérieures sont la cause la plus fréquente de *toux aiguë*. Pensez à une bronchite aiguë, une pneumonie, une insuffisance ventriculaire gauche, un asthme dans la *toux subaiguë*, et à une rhinorrhée postérieure, un asthme, un reflux gastro-œsophagien, une bronchite chronique et des bronchectasies dans la *toux chronique*.[2-4]

Demandez au patient si sa toux est sèche ou « productive » (c'est-à-dire ramenant des crachats).

Une expectoration *mucoïde* est translucide, blanche ou grise ; une expectoration *purulente* est jaunâtre ou verdâtre.

Demandez-lui de préciser le volume de l'expectoration, sa couleur, son odeur et sa consistance.

Expectoration fétide des *abcès du poumon* à anaérobies. Expectoration tenace de la *mucoviscidose*.

Pour aider le patient à estimer le volume, une question à choix multiples peut être utile : « Quelle quantité pensez-vous cracher en 24 heures : une cuillère à café, une cuillère à soupe, un quart de tasse*, une demi-tasse, une tasse entière… ? » Si c'est possible, demandez-lui de tousser dans un mouchoir en papier ; examinez le crachat et notez ses caractéristiques. Les symptômes associés à la toux vous conduisent souvent jusqu'à sa cause.

Expectoration purulente très abondante dans la *dilatation des bronches* et l'*abcès du poumon*.

Les symptômes utiles au diagnostic sont la fièvre, la douleur thoracique, la dyspnée, l'orthopnée et les sifflements.

**Hémoptysie.** Une *hémoptysie* est une expectoration de sang d'origine pulmonaire, pouvant aller de crachats striés de sang à du sang pur. Chez les patients qui rapportent une hémoptysie, évaluez le volume du sang émis ainsi que les autres attributs de l'expectoration. Centrez vos questions suivantes sur les circonstances de survenue de l'hémoptysie et les symptômes associés.

Voir tableau 8-3 : « Toux et hémoptysie », p. 328. Une hémoptysie est rare chez le nourrisson, l'enfant et l'adolescent ; elle se voit le plus souvent dans la *mucoviscidose*.

Avant de parler d'« hémoptysie », essayez de confirmer l'origine du saignement par l'interrogatoire et l'examen physique. Du sang ou des produits striés de sang peuvent provenir de la bouche, du pharynx ou du tube digestif et sont facilement mal étiquetés. S'ils sont vomis, ils proviennent vraisemblablement du tube digestif. Il peut aussi arriver que du sang provenant du nasopharynx ou du tube digestif soit inhalé et ensuite craché.

Le sang provenant de l'estomac est habituellement plus foncé que celui des voies respiratoires et peut être mélangé à des débris alimentaires.

## PROMOTION DE LA SANTÉ ET CONSEILS

### Sujets importants pour la promotion de la santé et les conseils

- Arrêt de la consommation de tabac.
- Vaccinations.

---

* NdT. Aux États-Unis, une tasse (*cup*) contient 237 mL.

***Arrêt du tabac.*** Malgré la diminution de la consommation de tabac ces dernières années, 23 % des adultes américains continuent à fumer. Les taux de tabagisme les plus élevés se voient chez les jeunes adultes de 18 à 24 ans. Environ 90 % des fumeurs ont commencé à fumer avant 18 ans ; 2 000 adolescents deviennent des fumeurs réguliers chaque jour.[5, 6] Chaque année, le tabagisme rend compte d'un décès sur cinq aux États-Unis. Connaissez bien les risques importants de maladie et de décès des fumeurs.

| Effets du tabagisme sur la santé et la maladie | |
|---|---|
| **Affection** | **Risque par rapport aux non-fumeurs** |
| Maladie coronarienne | Multiplié par 2-3 |
| Accident vasculaire cérébral | Multiplié par 2 |
| Maladie vasculaire périphérique | Multiplié par 10 |
| Mortalité par MPCO | Multiplié par 10 |
| Mortalité par cancer du poumon | Multiplié par 23 chez les hommes |
| | Multiplié par 13 chez les femmes |

Source : Centers for Disease Control and Prevention, DHHS. Smoking and tobacco use. Fact sheet. Health effects of cigarette smoking. Accessible sur : http://www.cdc.gov/tobacco/data_statistics/Factsheets/health_effects.htm. Visité le 16 septembre 2007.

De plus, le tabagisme contribue à de nombreux types de cancer et augmente les risques de stérilité, d'accouchement prématuré, de petit poids de naissance, et de mort subite du nourrisson. Les non-fumeurs exposés à la fumée du tabac ont aussi des risques accrus de cancer du poumon, d'infections des voies respiratoires et des oreilles, d'asthme, et d'incendie domestique.

Le tabagisme est la première cause de mort évitable. Bien que plusieurs moyens, tels que le scanner hélicoïdal, aient été testés, le dépistage du cancer du poumon n'est pas recommandé actuellement.[6] Les cliniciens doivent plutôt faire porter leurs efforts sur la prévention et l'arrêt de la consommation de tabac, notamment chez les adolescents et les femmes enceintes[7] : étant donné que 70 % des fumeurs voient un médecin chaque année et que 70 % déclarent vouloir arrêter, les bénéfices de brèves interventions de conseil sont considérables.[8, 9] Les cliniciens doivent inciter les fumeurs à cesser de fumer à chaque consultation. On a montré que l'augmentation du taux d'arrêt par ces conseils pouvait aller jusqu'à 30 %.[10] Utilisez la méthode des « 5 A » ou le modèle de changement par étapes (indétermination, intention, contemplation, préparation, action, maintien)[11] pour évaluer la volonté d'arrêter.

La nicotine rend aussi dépendant que l'héroïne et que la cocaïne ; arrêter de fumer est très difficile. Apprenez à utiliser des techniques cognitives pour aider vos patients à reconnaître les signes de sevrage tels que l'irritabilité, le manque d'attention, l'anxiété et l'humeur dépressive.[8, 9] Aidez-les à mieux comprendre le *craving*, les déclencheurs du tabagisme, et les stratégies destinées à gérer l'abstinence, à faire face au stress et à prévenir les rechutes. Il est recommandé de combiner les conseils et les médicaments. Trois médica-

PROMOTION DE LA SANTÉ ET CONSEILS

ments ont prouvé qu'ils amélioraient et consolidaient les taux d'arrêt : les traitements de substitution à la nicotine ; le bupropion, un inhibiteur de la recapture de la dopamine et de la noradrénaline et un antagoniste des récepteurs de la nicotine, et plus récemment, la varénicline, un agoniste partiel des récepteurs de la nicotine qui stimule la libération de dopamine, censée soulager le *craving*.[12]

> ### ÉVALUATION DE LA VOLONTÉ D'ARRÊTER DE FUMER : LES 5 A
>
> 1. Posez des questions (*Ask*) sur la consommation de tabac.
> 2. Conseillez (*Advise*) l'arrêt du tabac, avec des messages clairs et personnalisés.
> 3. Appréciez (*Assess*) la volonté d'arrêter.
> 4. Aidez (*Assist*) à arrêter.
> 5. Organisez (*Arrange*) un suivi et un soutien.
>
> Source : U.S. Preventive Services Task Force. Counseling to prevent tobacco use and tobacco-related diseases : recommendation statement. Agency for Healthcare Research and Quality, Rockville, MD. November 2003. Accessible sur : http://www.ahrq.gov/clinic/3rduspstf/tobacccoun/tobcounrs.htm. Visité le 11 septembre 2007.

***Vaccinations (des adultes).*** La *grippe* est responsable de plus de 36 000 décès et 200 000 hospitalisations par an, surtout à la fin de l'automne et en hiver, avec un pic en février.[13] Le *CDC Advisory Committee* sur les vaccinations met à jour chaque année ses recommandations concernant les vaccinations. Deux types de vaccins antigrippaux sont disponibles : le vaccin injectable, un vaccin inactivé contenant des virus tués, et le vaccin nasal, un « spray » contenant des virus vivants atténués, autorisé seulement entre 5 et 49 ans. Comme les virus grippaux changent d'une année sur l'autre, chaque vaccin contient trois souches vaccinales et est modifié chaque année. Les personnes qui désirent réduire le risque de contracter la grippe doivent se faire vacciner, notamment celles qui appartiennent aux groupes suivants :

- adultes atteints d'affections pulmonaires chroniques et de maladies chroniques, adultes immunodéprimés ;

- résidents de maisons de retraite et d'établissements de long séjour ;

- personnel soignant ;

- personnes vivant au foyer ou s'occupant d'enfants de moins de 5 ans et adultes de 50 ans et plus, en particulier ceux qui souffrent d'affections leur conférant un risque élevé de complications de la grippe.

Le pneumocoque (*Streptococcus pneumoniae*) provoque environ 175 000 cas de pneumonie à pneumocoques par an, aux États-Unis ; 25 à 30 % de ces cas s'accompagnent de septicémie.[14] L'incubation est courte, de l'ordre de 1 à 3 jours, et le taux de mortalité de 5 %. Il y a de plus 3 000 à 6 000 cas de méningite à pneumocoques annuellement, surtout chez les enfants. Les deux types de vaccin antipneumococcique, polysaccharidique et conjugué,

306   CHAPITRE 8 ■ THORAX ET POUMONS

sont inactivés. Le CDC recommande le vaccin antipneumococcique dans les groupes suivants :

- tous les adultes de 65 ans et plus ;

- les personnes âgées de 2 à 64 ans souffrant d'une maladie chronique comportant un risque accru d'infection pneumococcique, telle qu'une drépanocytose, une maladie cardiaque ou pulmonaire, un diabète, une cirrhose, ou une brèche méningée ;

- toutes les personnes qui ont ou doivent recevoir un implant cochléaire ;

- les personnes immunodéprimées âgées de plus de 2 ans, y compris celles qui sont infectées par le VIH/SIDA et celles qui reçoivent des corticostéroïdes, une irradiation, ou une chimiothérapie ;

- certains Amérindiens et natifs de l'Alaska.

## TECHNIQUES D'EXAMEN

Il convient d'examiner le thorax postérieur et les poumons sur le patient assis et le thorax antérieur et les poumons sur le patient couché. Procédez dans l'ordre suivant : inspection, palpation, percussion et auscultation. Essayez de vous représenter les lobes sous-jacents, comparez un côté avec l'autre, le patient étant ainsi son propre témoin. Pour les hommes, disposez la blouse du patient de façon à voir leur thorax en entier. Pour les femmes, couvrez la poitrine pendant que vous examinez le dos, et pour l'examen antérieur du thorax, couvrez une moitié de la poitrine pendant que vous examinez l'autre moitié.

- *Sur le patient assis*, examinez le thorax postérieur et les poumons. Les membres supérieurs du patient sont croisés devant sa poitrine, les mains reposant, si possible, sur les épaules opposées. Cette position déplace les omoplates un peu en dehors et dégage les champs pulmonaires. Puis, demandez au patient de s'allonger.

- *Sur le patient couché* sur le dos, examinez le thorax antérieur et les poumons. La position couchée se prête mieux à l'examen des femmes, puisqu'on peut déplacer les seins avec douceur. De plus, on entend mieux d'éventuels sifflements respiratoires (certains préfèrent examiner à la fois les régions thoraciques antérieure et postérieure sur un patient assis, une technique tout aussi satisfaisante).

- *Si le patient ne peut rester assis sans assistance*, essayez d'obtenir de l'aide afin de pouvoir examiner la région postérieure du thorax en position assise. Si c'est impossible, faites tourner le patient sur un côté puis sur l'autre. Percutez le sommet du poumon puis auscultez les deux poumons dans ces deux positions. Comme la ventilation est relativement plus grande dans le poumon déclive, vos chances d'entendre des sifflements ou des crépitations sont plus grandes du côté déclive (voir p. 314).

# → Premier examen de la respiration et du thorax

Même si vous avez déjà relevé la fréquence respiratoire avec les constantes vitales, il est sage d'observer à nouveau *la fréquence, le rythme, l'amplitude et l'aisance de la respiration*. Au repos, un adulte normal respire calmement et régulièrement 14 à 20 fois par minute. Un soupir est normal de temps à autre. Notez si l'expiration est anormalement prolongée.

*Inspectez toujours le patient à la recherche de signes de gêne respiratoire.*

■ *Vérifiez la coloration du patient* à la recherche d'une cyanose. Rappelez-vous certaines constatations faites auparavant, comme la forme des ongles des doigts.

■ *Écoutez la respiration du patient.* Y a-t-il des *sifflements audibles* ? Si oui, à quel temps du cycle respiratoire ?

■ *Inspectez le cou.* À l'inspiration, y a-t-il une contraction des muscles respiratoires accessoires, à savoir les sternocléidomastoïdiens et les scalènes, ou une dépression sus-claviculaire ? La trachée est-elle médiane ?

*Observez également la forme du thorax.* Le diamètre antéropostérieur peut augmenter avec l'âge.

Voir tableau 4-8 : « Anomalies de la fréquence et du rythme respiratoires », p. 137.

La cyanose traduit une hypoxie. Bombement des ongles (voir p. 200) dans les *abcès du poumon*, les *cancers*, les *cardiopathies congénitales.*

Un *stridor* audible, sifflement aigu, est un signe important d'obstruction du larynx ou de la trachée.

La contraction inspiratoire des sternocléidomastoïdiens et des scalènes, au repos, indique une grave gêne respiratoire. Déviation latérale de la trachée dans le *pneumothorax*, la *pleurésie* ou l'*atélectasie.*

Le diamètre antéropostérieur du thorax peut augmenter dans une *maladie pulmonaire chronique obstructive* (MPCO).[15]

# → Examen de la partie postérieure du thorax

## Inspection

D'une position médiane en arrière du patient, notez la *forme du thorax* et *la façon dont il se déplace*, ce qui inclut :

■ des déformations ou une asymétrie ;

■ une rétraction anormale des espaces intercostaux durant l'inspiration. La rétraction est plus visible dans les espaces inférieurs ;

■ une altération des mouvements respiratoires uni ou bilatérale, ou un décalage unilatéral (asynchronisme) des mouvements.

Voir tableau 8-4 : « Déformations du thorax », p. 329.

Rétraction dans l'*asthme sévère*, une *MPCO*, ou une obstruction des voies aériennes supérieures.

Une altération ou un décalage unilatéral des mouvements respiratoires suggère une maladie du poumon ou de la plèvre sous-jacente.

# Palpation

La palpation du thorax est centrée sur les zones douloureuses et les anomalies de la peau sus-jacente, l'amplitude respiratoire et les vibrations vocales.

Sensibilité intercostale d'une inflammation pleurale.

- *Identifiez les zones douloureuses.* Palpez soigneusement toute zone signalée comme douloureuse ou présentant des lésions ou des ecchymoses.

Ecchymoses sur le foyer d'une fracture de côte.

- *Évaluez les anomalies observées*, telles que des masses ou des fistules (structures tubulaires borgnes inflammatoires, s'ouvrant à la peau).

Bien que rares, des fistules sont habituellement l'indice d'une infection pleuropulmonaire sous-jacente (par exemple, *tuberculose, actinomycose*).

- *Testez l'ampliation thoracique.* Placez vos pouces à hauteur des 10es côtes, les doigts saisissant la cage thoracique parallèlement aux côtes. En plaçant vos mains, faites-les glisser en dedans juste assez pour former un pli de peau lâche de chaque côté entre votre pouce et le rachis.

Demandez au patient de faire une grande inspiration. Observez la distance entre vos pouces quand ils s'écartent pendant l'inspiration et appréciez l'amplitude et la symétrie de la cage thoracique qui se dilate et se contracte.

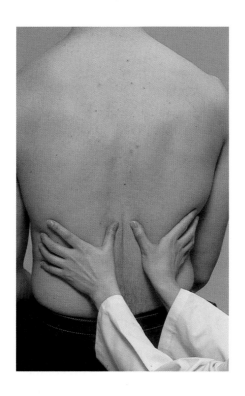

Les causes de diminution ou de retard unilatéral de l'expansion thoracique comprennent la *fibrose chronique* du poumon ou de la plèvre sous-jacents, un *épanchement pleural*, une *pneumonie lobaire*, une douleur pleurale avec contracture douloureuse réflexe, et une obstruction bronchique unilatérale.

- *Percevez les vibrations vocales.* Quand le patient parle, ces vibrations sont transmises par l'arbre trachéobronchique à la paroi thoracique, où elles sont perçues, à la palpation, comme un frémissement. Pour détecter ce frémissement, servez-vous soit du relief distal de votre paume (à la base des doigts), soit du bord ulnaire de votre main, où la sensibilité vibratoire des os de la main est optimale. Demandez au patient de répéter « trente-trois ». Si le frémissement est faible, demandez-lui de parler plus fort ou avec une voix plus grave.

Servez-vous d'une main pour apprendre à percevoir les vibrations vocales. Certains cliniciens trouvent que l'utilisation d'une main est plus précise. L'utilisation simultanée des deux mains pour comparer les deux côtés permet cependant d'aller plus vite et de détecter plus facilement des différences.

Les vibrations vocales sont diminuées ou abolies quand la voix est faible ou quand leur transmission du larynx à la surface du thorax est gênée. Les causes comprennent une paroi thoracique très épaisse, une obstruction bronchique, une MPCO, l'écartement des feuillets de la plèvre par du liquide (*épanchement pleural*), une fibrose (*épaississement pleural*), de l'air (*pneumothorax*) ou une infiltration tumorale.

■ *Palpez et comparez les zones symétriques des poumons* dans l'ordre indiqué sur la photographie. Identifiez et localisez toute zone d'augmentation, de diminution ou d'absence des vibrations vocales. Celles-ci sont typiquement mieux perçues dans la région interscapulaire que dans la partie inférieure des champs pulmonaires, et souvent plus du côté droit que du côté gauche. Elles disparaissent en dessous du diaphragme.

Recherchez une *asymétrie* des vibrations vocales : *diminution* unilatérale en cas d'épanchement pleural unilatéral, de pneumothorax ou de cancer unilatéraux, par diminution de la transmission des sons graves ; *augmentation* unilatérale dans la pneumonie unilatérale, par augmentation de la transmission.[15]

**ZONES DE PERCEPTION
DES VIBRATIONS VOCALES**

Les vibrations vocales sont un outil relativement imprécis, mais elles constituent un moyen d'exploration qui oriente votre attention sur d'éventuelles anomalies. À une étape ultérieure de l'examen, vous examinerez toutes les hypothèses qu'elles soulèvent en écoutant le murmure vésiculaire, les bruits de la voix et ceux de la voix chuchotée. Tous ces éléments tendent à augmenter ou diminuer ensemble.

## Percussion

La percussion est l'une des plus importantes techniques de l'examen physique. La percussion du thorax ébranle la paroi thoracique et les tissus sous-jacents, produisant des sons audibles et des vibrations palpables. La percussion aide à déterminer si les tissus sous-jacents sont remplis d'air, de liquide, ou pleins. Cependant, elle ne pénètre que de 5 à 7 cm dans le thorax et, par conséquent, elle ne peut déceler des lésions profondément situées.

La technique de percussion peut être pratiquée sur n'importe quelle surface. En l'exécutant, écoutez les changements de sonorité sur les différents types de matériaux ou les différentes parties du corps. Les points clés de la technique pour un droitier sont décrits ci-dessous.

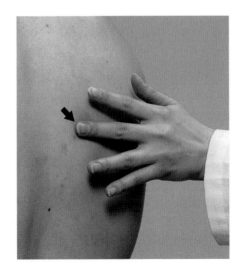

■ Étendez au maximum le médius de la main gauche (*le doigt plessimètre*). Appuyez l'articulation interphalangienne distale fermement sur la surface à percuter. *Évitez de toucher la surface avec d'autres parties de la main, ce qui atténuerait les vibrations.* Notez bien que le pouce et les 2ᵉ, 4ᵉ et 5ᵉ doigts ne touchent pas le thorax.

■ Placez l'avant-bras droit près de la surface, la main relevée. Le médius droit doit être partiellement fléchi, détendu et prêt à frapper.

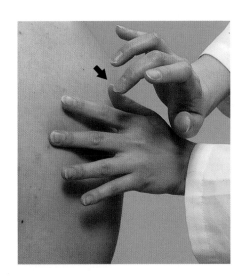

■ *D'un mouvement du poignet rapide et brusque, mais souple*, frappez le doigt plessimètre avec le médius droit (le doigt percuteur). Percutez votre articulation inter-phalangienne distale. Vous essayez ainsi de transmettre les vibrations à travers les os de cette articulation à la paroi thoracique sous-jacente.

■ Pour frapper, utilisez *l'extrémité du doigt percuteur* et non la pulpe. Le doigt percuteur doit être à angle droit par rapport au doigt plessimètre (des ongles courts sont recommandés pour éviter de se blesser).

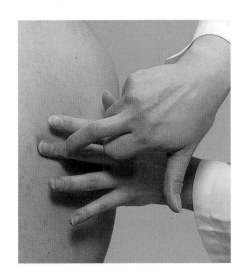

■ Retirez rapidement le doigt percuteur pour éviter d'atténuer les vibrations.

Au total, le mouvement doit s'effectuer au poignet. Il est direct et rapide bien que détendu, et un peu rebondissant.

***Sons de percussion.*** Avec le doigt percuteur, utilisez la percussion la plus légère qui produit un son net. Une paroi thoracique épaisse demande une percussion plus forte qu'une paroi mince. Cependant, si un son *plus fort* est nécessaire, appuyez plus le doigt *plessimètre* (c'est plus efficace pour augmenter la percussion que de frapper plus fort avec le doigt percuteur).

■ *Quand vous percutez la région inférieure de la paroi thoracique postérieure*, tenez-vous un peu de côté plutôt que directement en arrière du patient. Le doigt plessimètre étant plus fermement appuyé sur le thorax et le doigt percuteur plus efficace, le son de la percussion est meilleur.

■ *Quand vous comparez deux zones*, utilisez la même technique de percussion aux deux endroits. Percutez deux fois à chaque endroit. Vous détecterez plus facilement des différences de sonorité en comparant une zone avec une autre qu'en frappant de façon répétée au même endroit.

■ *Apprenez à identifier cinq sons de percussion*. Vous pouvez reproduire quatre d'entre eux sur vous-même. Ces sons diffèrent par leurs caractères fondamentaux : intensité, hauteur et durée. Exercez votre oreille à déceler ces différences en vous concentrant sur un caractère à la fois quand vous percutez dans un endroit puis dans un autre. Revoyez le tableau ci-dessous. Les poumons normaux sont *sonores*.

| **Sons de percussion et leurs caractéristiques** | | | | |
|---|---|---|---|---|
| | **Intensité relative** | **Hauteur relative** | **Durée relative** | **Exemples de localisation** |
| **Matité franche** | Faible | Haute | Courte | Cuisse |
| **Submatité** | Moyenne | Moyenne | Moyenne | Foie |
| **Sonorité** | Forte | Basse | Longue | Poumon normal |
| **Hypersonorité** | Très forte | Très basse | Plus longue | Néant |
| **Tympanisme** | Forte | Haute* | * | Bulle d'air gastrique ou joue gonflée d'air |

\* Se distingue surtout par son timbre musical.

Tandis que le patient garde les bras croisés sur sa poitrine, percutez le thorax en des endroits symétriques depuis les sommets jusqu'aux bases pulmonaires.

■ *Percutez un côté du thorax puis l'autre à chaque niveau*, dans l'ordre indiqué par les numéros ci-dessous. Négligez les omoplates : l'épaisseur des structures musculosquelettiques empêche une percussion valable à cet endroit. Identifiez et localisez toute zone de son anormal à la percussion.

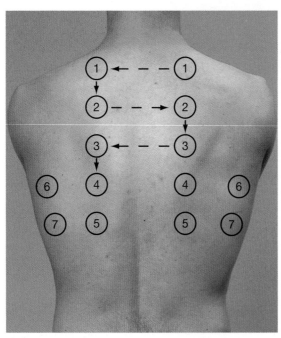

**ZONES DE PERCUSSION ET D'AUSCULTATION EN « ÉCHELLE »**

■ *Identifiez la course diaphragmatique. Déterminez d'abord le niveau de la submatité diaphragmatique* pendant la respiration calme. En plaçant le doigt plessimètre *au-dessus et parallèlement* à la limite supposée de la

**Exemples pathologiques**

Épanchement pleural abondant

Pneumonie lobaire

Bronchite chronique simple

MPCO, pneumothorax

Pneumothorax important

Une *matité* remplace la sonorité normale quand du liquide ou du tissu dense remplace le poumon rempli d'air ou comble la cavité pleurale sous les doigts qui percutent. Les exemples comprennent : une *pneumonie lobaire*, dans laquelle les alvéoles sont remplies de liquide et de cellules sanguines, et la présence dans la plèvre de liquide séreux *(pleurésie)*, de sang *(hémothorax)*, de pus *(empyème)*, de tissu fibreux, ou d'une tumeur.

On peut percevoir une *hypersonorité diffuse* en regard des poumons distendus par une MPCO ou un *asthme*, mais ce n'est pas un signe fiable. Une *hypersonorité unilatérale* suggère un pneumothorax important ou éventuellement une volumineuse bulle d'air pulmonaire.

matité, percutez progressivement vers le bas jusqu'à ce qu'une matité remplace de façon nette la sonorité. Confirmez le niveau de ce changement en percutant près du milieu de l'hémithorax et aussi plus en dehors.

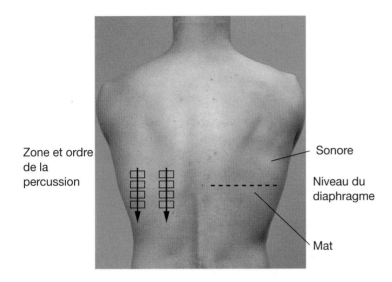

Zone et ordre de la percussion

Sonore

Niveau du diaphragme

Mat

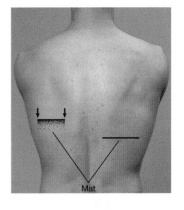

Mat

Un niveau anormalement haut situé suggère un *épanchement pleural* ou un diaphragme surélevé, comme lors d'une *atélectasie* ou d'une *paralysie diaphragmatique*.

Notez qu'avec cette technique, vous identifiez la limite entre le tissu pulmonaire sonore et les structures plus mates en dessous du diaphragme. Vous ne percutez pas le diaphragme lui-même mais vous pouvez déduire sa localisation probable d'après le niveau de la matité.

À présent, *estimez la course diaphragmatique* en déterminant l'écart entre les niveaux de matité en fin d'expiration et en fin d'inspiration : elle est normalement d'environ 5 à 6 cm.

## Auscultation

L'auscultation des poumons est la technique d'examen la plus importante pour évaluer le passage de l'air dans l'arbre trachéobronchique. Avec la percussion, elle aide aussi le clinicien à évaluer l'état des poumons voisins et des cavités pleurales. L'auscultation associe : 1) l'écoute des bruits produits par la respiration, 2) l'écoute de tous les bruits adventices (surajoutés) et 3), si l'on suspecte des anomalies, l'écoute de la voix parlée ou chuchotée telle qu'elle est transmise par la paroi thoracique.

***Bruits respiratoires (bruits pulmonaires).*** Vous apprendrez à reconnaître les types de bruits respiratoires d'après leur intensité, leur hauteur et leur durée relative pendant les phases inspiratoire et expiratoire. Les bruits respiratoires normaux sont :

■ le murmure *vésiculaire*, doux et grave. Il est entendu au cours de l'inspiration, se poursuit pendant l'expiration sans qu'il y ait de pause et diminue aux environs du tiers de l'expiration ;

■ les bruits *bronchovésiculaires*, inspiratoires et expiratoires, de durée à peu près égale, parfois séparés par un intervalle silencieux. Les différences de hauteur ou d'intensité sont souvent plus faciles à détecter pendant l'expiration ;

Des bruits provenant des draps du lit, de blouses en papier ou du thorax lui-même peuvent être perçus à l'auscultation. Des poils du thorax peuvent provoquer des crépitations. Vous pouvez soit appuyer plus fort, soit mouiller les poils. Si le patient a froid ou est tendu, vous pouvez entendre les bruits nés de la contraction musculaire – assourdis, de tonalité basse, à type de roulement ou de grondement. Un changement de position du patient peut éliminer ce bruit. Vous pouvez reproduire ce son en faisant une manœuvre de Valsalva (poussée à glotte fermée), tout en auscultant votre propre thorax.

■ les bruits *bronchiques*, plus intenses et plus aigus, séparés par un bref silence entre inspiration et expiration. Les bruits expiratoires durent plus longtemps que les bruits inspiratoires.

Les caractéristiques de ces trois sortes de bruits respiratoires sont résumées dans le tableau ci-après. On y a fait figurer également les bruits trachéaux, des bruits très intenses et rudes, entendus en auscultant la trachée au niveau du cou.

*Écoutez les bruits respiratoires* avec la membrane d'un stéthoscope après avoir demandé au patient de respirer un peu plus profondément que la normale, la bouche ouverte. En utilisant les zones semblables à celles recommandées pour la percussion et en passant d'un côté à l'autre, comparez les zones symétriques des poumons. Si vous entendez ou soupçonnez des bruits anormaux, auscultez les régions voisines pour pouvoir délimiter l'anomalie. Écoutez au moins une respiration complète en chaque zone. Faites attention à une gêne respiratoire du patient résultant d'une hyperventilation (par exemple, étourdissement, malaise) et laissez le patient se reposer autant qu'il est nécessaire.

Notez l'*intensité* des bruits respiratoires. Les bruits respiratoires sont habituellement plus forts dans la région inférieure et postérieure des poumons et peuvent aussi varier légèrement d'une zone à l'autre. Si les bruits respiratoires semblent faibles, demandez au patient de respirer plus profondément. Vous pourrez ainsi les entendre plus facilement. Si le patient ne respire pas assez profondément, ou s'il a une paroi thoracique épaisse, comme dans une obésité, les bruits respiratoires peuvent rester diminués.

Les bruits respiratoires peuvent diminuer quand le flux aérien diminue (par exemple, au cours d'une pneumopathie obstructive ou d'une faiblesse musculaire), ou quand la transmission du bruit est faible (comme dans un *épanchement pleural*, un *pneumothorax*, ou une *MPCO*).

### Caractéristiques des bruits respiratoires[16]

| | Durée des bruits | Intensité du bruit expiratoire | Hauteur du bruit expiratoire | Localisations auscultatoires normales |
|---|---|---|---|---|
| **Murmure vésiculaire\*** | Les bruits inspiratoires ont une durée plus longue que les expiratoires | Faible | Relativement basse | Sur la majeure partie des deux poumons |
| **Bruits bronchovésiculaires** | Les bruis inspiratoires et expiratoires sont à peu près égaux | Intermédiaire | Intermédiaire | Souvent les 1er et 2e espaces intercostaux en avant et entre les omoplates |
| **Bruits bronchiques** | Les bruits expiratoires durent plus longtemps que les inspiratoires | Forte | Relativement haute | Souvent sur le manubrium lorsqu'ils sont audibles |
| **Bruits trachéaux** | Les bruits inspiratoires et expiratoires sont à peu près égaux | Très forte | Relativement haute | Sur la trachée au cou |

Si des bruits bronchovésiculaires ou bronchiques sont entendus à distance des endroits cités, l'air du poumon peut avoir été remplacé par une condensation ou du liquide. Voir tableau 8-5 : « Bruits respiratoires et vibrations vocales normaux et altérés », p. 330.

\* L'épaisseur des traits indique l'intensité ; plus leur pente est raide, plus leur tonalité est aiguë.

Y a-t-il un *intervalle silencieux* entre le bruit inspiratoire et le bruit expiratoire ?

Un intervalle évoque des bruits respiratoires bronchiques.

Écoutez *la tonalité, l'intensité et la durée des bruits expiratoires et inspiratoires*. Les bruits respiratoires ont-ils une répartition normale sur la paroi thoracique ? Ou est-ce que les bruits bronchovésiculaires ou bronchiques ont un siège inattendu ? Si oui, à quel endroit ?

**Bruits surajoutés (adventices).** Écoutez les bruits adventices, qui se surajoutent aux bruits respiratoires habituels. La détection des bruits surajoutés – *craquements* (râles crépitants et sous-crépitants), *sifflements* (*wheezing*) et *ronchi* (râles ronflants) – est une partie importante de l'examen, qui mène souvent au diagnostic d'affections cardiaques et pulmonaires. Les plus fréquents types de bruits sont décrits ci-après.

Pour une discussion plus approfondie et plus complète, voir tableau 8-6 : « Bruits pulmonaires surajoutés (adventices) : causes et caractéristiques », p. 331.

Si vous entendez des *craquements*, surtout s'ils persistent après la toux, précisez soigneusement leurs caractéristiques auscultatoires[16-19], qui sont des clés de l'affection sous-jacente :

■ leur intensité, leur hauteur et leur durée (ce qui distingue les craquements fins des craquements grossiers) ;

Des râles crépitants fins en fin d'inspiration, à chaque respiration, évoquent un parenchyme pulmonaire anormal.

■ leur nombre (de peu à beaucoup) ;

■ leur temps dans le cycle respiratoire ;

■ leur localisation par rapport à la paroi thoracique ;

■ leur persistance d'une respiration à l'autre ;

■ des modifications après la toux ou un changement de position.

La disparition des crépitants, sifflements et ronchi après la toux ou des changements de position fait penser qu'ils sont dus à des sécrétions épaisses comme dans la *bronchite* ou les *atélectasies*.

Chez certains sujets normaux, on peut entendre des crépitants à la partie antérieure des bases pulmonaires après une expiration forcée. Des crépitants dans les parties déclives des poumons peuvent aussi survenir après un décubitus prolongé.

Si vous entendez des *sifflements* ou des *ronchi*, notez leur temps et leur siège. Se modifient-ils avec la respiration profonde ou la toux ?

Les trouvailles évoquant une *MPCO* comprennent des combinaisons de symptômes et de signes, notamment le *wheezing* signalé par le patient ou constaté par l'examinateur, plus le tabagisme, l'âge et la diminution du murmure vésiculaire. Le diagnostic nécessite des épreuves fonctionnelles respiratoires, telles qu'une spirométrie.[20-25]

## Bruits pulmonaires surajoutés[16]

| Craquements (râles crépitants) | Sifflements et ronchi |
|---|---|
| **Discontinus** | **Continus** |
| Intermittents, non musicaux et brefs | ≥ 250 ms, musicaux, prolongés (mais ils ne persistent pas forcément pendant tout le cycle respiratoire) |
| Comme des points dans le temps | Comme des tirets dans le temps |
| *Craquements fins* (râles crépitants proprement dits) : doux, aigus, très brefs (5 à 10 ms) | *Sifflements* : relativement aigus (≥ 400 Hz), avec un caractère sifflant ou strident |
| • • • • • | ᚭᚭᚭᚭᚭ |
| *Craquements grossiers* (râles souscrépitants) : un peu plus forts, plus graves, brefs (20 à 30 ms) | *Ronchi* : relativement graves (≤ 200 Hz), avec un caractère ronflant |
| • • • • • | ᠕᠕᠕ |

Des râles crépitants peuvent être d'origine pulmonaire (*pneumonie, fibrose, insuffisance cardiaque débutante*) ou bronchique (*bronchite, bronchectasies*).

Des sifflements suggèrent un rétrécissement des voies aériennes, comme dans l'*asthme*, la *MPCO* ou la *bronchite*.

Des ronchi suggèrent la présence de sécrétions dans la trachée et les grosses bronches.

***Bruits vocaux transmis.*** Si vous avez noté des localisations anormales de bruits bronchiques ou bronchovésiculaires, étudiez la transmission des bruits de la voix. Auscultez avec un stéthoscope des zones symétriques de la paroi thoracique et :

Une augmentation de la transmission des vibrations vocales suggère que le poumon normalement rempli d'air a perdu cet air. Voir tableau 8-5 : « Bruits respiratoires et vibrations vocales normaux et altérés », p. 330.

■ Demandez au patient de dire « trente-trois ». Les bruits transmis par la paroi thoracique sont normalement étouffés et indistincts.

On appelle *bronchophonie* des bruits de la voix plus forts et plus nets.

■ Demandez au patient de dire « éé ». Vous devez normalement entendre un « é » assourdi et prolongé.

Quand « éé » est entendu comme « ai », il existe une *égophonie*, comme dans la *pneumonie lobaire*. La sonorité a une qualité nasale.

■ Demandez au patient de chuchoter « trente-trois ». Normalement la voix chuchotée n'est entendue dans le meilleur cas que faiblement et indistinctement.

On appelle *pectoriloquie aphone* des bruits chuchotés plus forts et plus nets.

# ➜ Examen de la partie antérieure du thorax

Quand on l'examine en position couchée, le patient doit être confortablement étendu, les bras en légère abduction. On doit examiner un patient dyspnéique en position assise ou en relevant la tête du lit à un niveau confortable.

Les sujets atteints de *MPCO* sévère préfèrent souvent être assis, penchés en avant, les lèvres pincées durant l'expiration et les membres supérieurs reposant sur les genoux ou une table.

## Inspection

Observez *la morphologie du thorax du patient et le déplacement de la paroi thoracique*. Notez :

■ les déformations ou asymétries ;

Voir tableau 8-4 : « Déformations du thorax », p. 329.

■ une rétraction anormale des espaces intercostaux inférieurs durant l'inspiration ;

*Asthme* sévère, *MPCO* ou obstruction des voies aériennes supérieures.

■ un retard localisé ou une altération des mouvements respiratoires.

Maladie pulmonaire ou pleurale sous-jacente.

## Palpation

La palpation a quatre intérêts :

■ *identifier des zones douloureuses* ;

Des muscles pectoraux ou des cartilages costaux douloureux à la palpation tendent à confirmer, sans la prouver, l'origine musculosquelettique d'une douleur thoracique.

■ *évaluer toute anomalie observée* ;

■ *évaluer en détail l'ampliation thoracique*. Placez les pouces le long de chaque rebord costal, les mains sur les côtés de la cage thoracique. En posant vos mains, glissez-les un peu en dedans pour former des plis de peau entre les pouces et demandez au sujet de respirer profondément. Observez l'écartement des pouces lorsque le thorax se gonfle et sentez l'amplitude et la symétrie des mouvements respiratoires ;

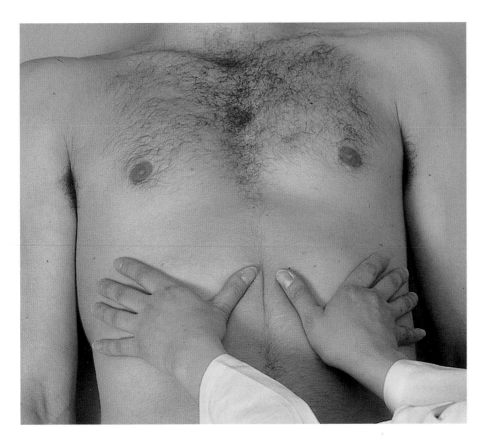

■ *percevoir les vibrations vocales.* Comparez les deux côtés du thorax en utilisant la paume ou le bord ulnaire de votre main. Le frémissement est en général diminué ou absent dans l'aire précordiale. Pour examiner une femme, déplacez doucement les seins, autant que nécessaire.

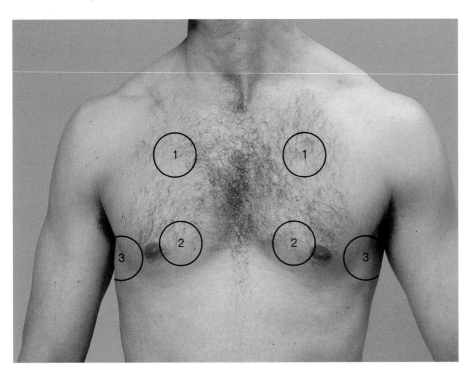

**ZONES DE PERCEPTION DES VIBRATIONS VOCALES**

# Percussion

Percutez la région antérieure et latérale du thorax, en comparant de nouveau les deux côtés. Le cœur donne normalement une zone de matité, à gauche du sternum, du 3ᵉ au 5ᵉ espace intercostal. Percutez le poumon gauche en dehors de cette zone.

Une matité remplace la sonorité normale lorsque du liquide ou du tissu plein remplace le poumon rempli d'air ou comble la cavité pleurale. Le liquide pleural se collecte habituellement dans la partie la plus basse de la cavité pleurale (en arrière dans le décubitus dorsal). Seuls les épanchements très importants peuvent être détectés en avant.

L'hypersonorité d'une *MPCO* peut totalement remplacer la matité cardiaque.

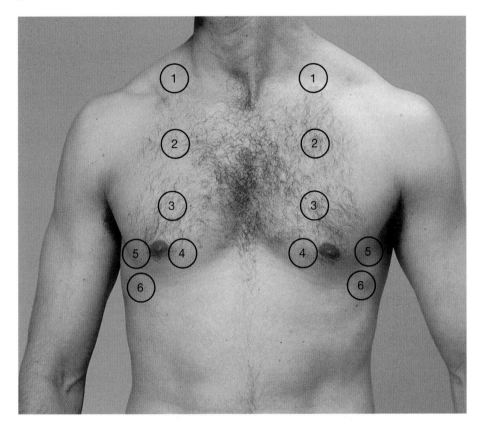

**ZONES DE PERCUSSION ET D'AUSCULTATION**

Chez une femme, pour améliorer la percussion, déplacez doucement le sein avec votre main gauche tout en percutant avec la droite.

La matité de la pneumonie du lobe moyen droit est typiquement située en arrière du sein droit. À moins de déplacer le sein, vous risquez de méconnaître l'anomalie de percussion.

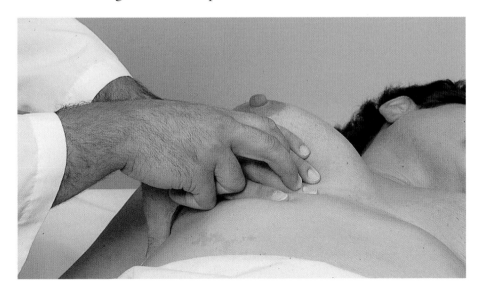

Vous pouvez également demander à la patiente de déplacer son sein elle-même.

Identifiez et localisez toute zone anormale à la percussion.

Avec le doigt plessimètre parallèle à la submatité du bord supérieur supposé du foie, percutez en progressant vers le bas, le long de la ligne médioclaviculaire droite. Identifiez la limite supérieure de la submatité hépatique. Vous utiliserez plus tard, en examinant l'abdomen, la même méthode pour apprécier la taille du foie. Quand vous percutez la partie basse du thorax à gauche, la sonorité du poumon normal fait habituellement place au tympanisme de la poche à air gastrique.

Un poumon atteint de *MPCO* abaisse souvent la limite supérieure de la matité du foie. Il abaisse aussi le niveau de la matité diaphragmatique en arrière.

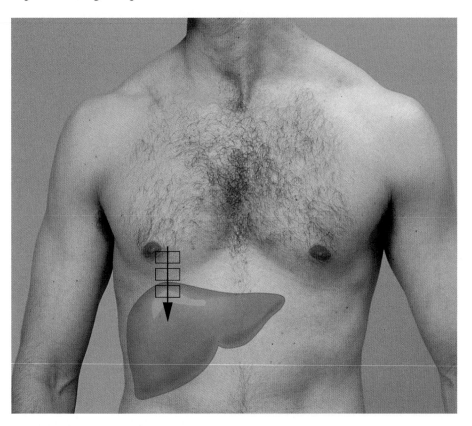

## Auscultation

Auscultez le thorax du sujet en avant et sur les côtés pendant qu'il respire par la bouche, un peu plus profondément que normalement. Comparez des zones symétriques des poumons, en utilisant le schéma proposé pour la percussion et en l'étendant aux zones adjacentes comme indiqué.

*Écoutez les bruits respiratoires* en notant leur intensité, et en identifiant toute variation du murmure vésiculaire normal. Les bruits respiratoires sont habituellement plus forts dans les régions antérosupérieures des champs pulmonaires. Les bruits bronchovésiculaires peuvent être entendus en regard des grosses bronches, en particulier du côté droit.

*Identifiez tous les bruits surajoutés* : leur temps dans le cycle respiratoire, leur siège sur la paroi thoracique. Disparaissent-ils lors d'une respiration profonde ?

Si c'est indiqué, *écoutez les bruits vocaux transmis.*

Voir tableau 8-6 : « Bruits pulmonaires surajoutés (adventices) : causes et caractéristiques », p. 331, et tableau 8-7 : « Signes physiques dans diverses affections thoraciques », p. 332-333.

## → Techniques spéciales

***Évaluation clinique de la fonction pulmonaire.*** Le « test de la marche » est une façon simple mais informative d'évaluer la gêne respiratoire. Chronométrez une marche de 8 pas à une vitesse normale pour le patient. Répétez le test et relevez le meilleur temps. Observez aussi la fréquence, l'effort et le bruit de la respiration du patient.

Les sujets âgés eupnéiques qui mettent 5,6 secondes ou plus ont plus de risques de devenir insuffisants respiratoires avec le temps, que ceux qui mettent 3,1 secondes ou moins. Une intervention précoce peut prévenir l'apparition de l'insuffisance respiratoire.[26]

***Test d'expiration forcée.*** Ce test évalue la phase expiratoire de la respiration, qui est typiquement prolongée dans une maladie pulmonaire obstructive. Demandez au patient de faire une inspiration profonde suivie d'une expiration, bouche ouverte, aussi rapide et complète que possible. Auscultez la trachée avec un stéthoscope et mesurez la durée de l'expiration audible. Effectuez trois relevés cohérents en autorisant si nécessaire un court repos entre les efforts.

Les sujets âgés de plus de 60 ans qui ont un temps d'expiration forcé de 6 à 8 secondes ont deux fois plus de risques d'avoir une MPCO.[27]

***Identification d'une fracture de côte.*** Une sensibilité et une douleur localisée d'une ou plusieurs côtes soulèvent la question d'une fracture. La compression antéropostérieure du thorax peut vous aider à distinguer une fracture d'une lésion des tissus mous. Comprimez le thorax avec une main sur le sternum et l'autre sur le rachis dorsal. Est-ce douloureux ? Et à quel endroit ?

Une augmentation de la douleur locale (à distance de vos doigts) suggère une fracture de côte plutôt qu'une lésion des parties molles.

# CONSIGNER VOS OBSERVATIONS

Notez qu'au début, vous pouvez faire des phrases pour décrire vos découvertes ; plus tard, vous ferez des phrases courtes. Le style ci-dessous emploie des phrases courtes convenant à la plupart des rapports écrits.

## Consigner l'examen physique : thorax et poumons

« Le thorax est symétrique, avec une bonne ampliation. Poumons sonores. Murmure vésiculaire audible ; pas de râles crépitants, de sifflements ni de ronchi. Course du diaphragme de 4 cm de chaque côté. »

**Ou**

« Thorax symétrique avec cyphose modérée et diamètre antéropostérieur augmenté, ampliation diminuée. Poumons hypersonores. Murmure vésiculaire lointain, avec phase expiratoire retardée et sifflements expiratoires diffus. Vibrations vocales diminuées ; pas de bronchophonie, d'égophonie ni de pectoriloquie de la voix chuchotée. Course du diaphragme de 2 cm de chaque côté. »

Évoque une maladie pulmonaire chronique obstructive (MPCO).[20-25]

## Bibliographie

### RÉFÉRENCES

1. American Thoracic Society. Dyspnea—mechanisms, assessment, and management: a consensus statement. Am J Respir Crit Care Med 159(1):321–340, 1999.
2. Irwin RS, Madison JM. The diagnosis and treatment of coug. N Engl J Med 3432(3):1715–1721, 2000.
3. Barker A. Bronchiectasis. N Engl J Med 346(18):1383–139, 2002.
4. Wenzel RP, Fowler AA. Acute bronchitis. N Engl J Med 355(20):2125–2130, 2006.
5. U.S. Preventive Services Task Force. Counseling to prevent tobacco use and tobacco-caused diseases: recommendation statement. Rockville, MD, Agency for Healthcare Research a nd Quality, November 2003. Available at: http://www.ahrq.gov/clinic/3rduspstf/tobacccoun/tobcounrs.htm. Accessed September 11, 2007.
6. U.S. Preventive Services Task Force. Lung cancer screening: recommendation statement. Rockville, MD, Agency for Healthcare Research and Quality, May 2004. Available at: http://www.ahrq.gov/clinic/3rduspstf/lungcancer/lungcanrs.htm. Accessed September 11, 2007.
7. U.S. Public Health Service. Treating tobacco use and dependence—clinician's packet. A how-to guide for implementing the Public Health Service clinical practice guideline. March 2003. Available at: http://www.surgeon-general.gov/tobacco/clinpack.html. Accessed September 16, 2007.
8. Rigotti N. Treatment of tobacco use and dependence. N Engl J Med 346(7):506–512, 2002.
9. Centers for Disease Control and Prevention, DHHS. Fact sheet: smoking and tobacco use. Cessation. Available at: http://www.cdc.gov/tobacco/data_statistics/Factsheets/cessation2.ht. Accessed September 16, 2007.
10. Ranney L, Melvin C, Lux L, et al. Systematic review: smoking cessation intervention strategies for adults and adults in special populations. Ann Intern Med 145(11):845–856, 2006.
11. Norcross JC, Prochaska JO. Using the stages of change. Harvard Mental Health Letter May:5–7, 2002.
12. Varenicline (Chantix) for tobacco dependence. Med Lett Drugs Ther 48(1241–1242):66–68, 2006.
13. Advisory Committee on Immunization Practices (ACIP), Centers for Disease Control and Prevention. Prevention and control of influenza: recommendations of the ACIP. MMWR Morb Mortal Wkly Rep 56(RR-6):1–54, 2007.
14. Centers for Disease Control and Prevention. Vaccines and preventable diseases: pneumococcal vaccination. Available at: http://www.cdc.gov/vaccines/vpd-vac/pneumo/default.htm#recs. Accessed September 16, 2007.
15. McGee S. Evidence-Based Physical Diagnosis, 2nd ed. Philadelphia: Saunders: 314, 2007.
16. Loudon R, Murphy LH. Lungs sounds. Am Rev Respir Dis 130(4):663–673, 1994.
17. Epler GR, Carrrington CB, Gaensler EA. Crackles (rales) in the interstitial pulmonary diseases. Chest 73(3):333–339, 1978.
18. Nath AR, Capel LH. Inspiratory crackles and mechanical events of breathing. Thorax 29(6):695–698, 1974.

19. Nath AR, Capel LH. Lung crackles in bronchiectasis. Thorax 35(9):694–699, 1980.
20. Badgett RG, Tanaka DJ, Hunt DK, et al. Can moderate chronic obstructive pulmonary disease be diagnosed by historical and physical findings alone? Am J Med 94(2):188–196, 1993.
21. Holleman DR, Simel DL. Does the clinical examination predict airflow limitation? JAMA 273(4):63–68, 1995.
22. Straus SE, McAlister FA, Sackett DL, et al. The accuracy of patient history, wheezing, and laryngeal measurements in diagnosing obstructive airway disease. JAMA 283(14):1853–1857, 2000.
23. Pauwels RA, Buist AS, Calverley PM, et al. GOLD Scientific Committee. Global strategy for the diagnosis, management, and prevention of chronic obstructive pulmonary disease: NHLBI/WHO Global Initiative for Chronic Obstructive Lung Disease (GOLD) workshop summary. Am J Respir Crit Care Med 163(5):1256–1276, 2001.
24. Sin DD, McAlister FA, Man WEP, et al. Contemporary management of chronic obstructive pulmonary disease: scientific review. JAMA 290(17):2310–2312, 2003.
25. Sutherland ER, Cherniack RM. Management of chronic obstructive pulmonary disease. N Engl J Med 350(26): 2689–2697, 2004.
26. Gurlanik JM, Ferrucci L, Simonsick EM, et al. Lower extremity function in persons over the age of 70 years as a predictor of subsequent disability. N Engl J Med 332(9): 556–561, 1995.
27. Schapira RM, Schapira MM, Funahashi A, et al. The value of the forced expiratory time in the physical diagnosis of obstructive airway disease. JAMA 270(6):731–736, 1993.
28. Panettieri RA. In the clinic. Asthma. Ann Intern Med 146(11): ITC6-1–ITC6-14, 2007.
29. Metlay JP, Kapoor WN, Fine MJ. Does this patient have community-acquired pneumonia? Diagnosing pneumonia by history and physical examination. JAMA 378(17):1440–1445, 1997.
30. Chunilal SD, Eikelboom JW, Attia J, et al. Does this patient have pulmonary embolism? JAMA 290(21):2849–2858, 2003.
31. American Thoracic Society. Diagnostic standards/classification of TB in adults and children. Am J Respir Crit Care Med 161:1376–1395, 2000.

## AUTRES LECTURES

### Examen des poumons

Bettancourt PE, DelBono EA, Speigelman D, et al. Clinical utility of chest auscultation in common pulmonary disease. Am J Resp Crit Care Med 150:1921, 1994.

Cugell DW. Lung sound nomenclature. Am Rev Respir Dis 136: 1016, 1987.

Koster MEY, Baughmann RP, Loudon RG. Continuous adventitious lung sounds. J Asthma 27:237, 1990.

Kraman SS. Lung sounds for the clinician. Arch Intern Med 146: 1411, 1986.

Lehrer S. Understanding Lung Sounds, 3rd ed. Philadelphia, WB Saunders, 2002.

Lichtenstein D, Goldstein I, Mourgeon E, et al. Comparative diagnostic performances of auscultation, chest radiography, and lung ultrasonography in acute respiratory distress syndrome. Anesthesiology 100(1):9–15, 2004.

### Affections pulmonaires

American Thoracic Society and Centers for Disease Control and Prevention. Diagnostic standards and classification of tuberculosis in adults and children. Am J Respir Crit Care Med 161(4 Pt 1):1376–1395, 2000.

Baum GL, Crapo JD, Celli BR, et al., eds. Baum's Textbook of Pulmonary Diseases, 7th ed. Philadelphia: Lippincott Williams & Wilkins, 2004.

Chung KF, Pavord ID. Prevalence, pathogenesis, and causes of chronic cough. Lancet 371(9621):1364–1374, 2008.

Eder W, Ege MJ, Mutius E. The asthma epidemic. N Engl J Med 355(21):2226–2235, 2006.

Evans SE, Scanlon PD. Current practice in pulmonary function testing. Mayo Clin Proc 78(6):758–763, 2003.

Fiore MC, Jaén CR, Baker TB, et al. Treating Tobacco Use and Dependence: 2008 Update. Rockville, MD: U.S. Department of Health and Human Services, May 2008. Available at: http://www.ahrq.gov/path/tobacco.htm#Clinic. Accessed May 26, 2008.

Global Initiative for Chronic Obstructive Lung Disease (GOLD). Global Strategy for the Diagnosis, Management, and Prevention of Chronic Obstructive Pulmonary Disease. Bethesda, MD: Global Initiative for Chronic Obstructive Lung Disease, World Health Organization, National Heart, Lung and Blood Institute, 2007. Available at: http://www. guidelines.gov/summary/summary.aspx?doc_id=12178&nbr=006275&string= GOLD. Accessed May 26, 2008.

Qaseem A, Snow V, Shekelle P, et al. Diagnosis and management of stable chronic obstructive pulmonary disease: a clinical practice guideline from the American College of Physicians. Ann Intern Med 147(9):633–638, 2007.

Ware LB, Matthay MA. Acute pulmonary edema. N Engl J Med 353(26):2788–2796, 2005.

Weinberger SE, Cockrill BA, Mandel J. Principles of Pulmonary Medicine, 5th ed. Philadelphia: Saunders/Elsevier, 2008.

Williams SG, Schmidt DK, Redd SC, et al. Key clinical activities for quality asthma care: recommendations of the National Asthma Education and Prevention Program. MMWR Recomm Rep 52(RR–6):1–8, 2003.

Witt TJ, Niewoehner D, Macdonald R, et al. Management of stable chronic obstructive pulmonary disease: a systematic review for a clinical practice guideline. Ann Intern Med 147(9):639–653, 2007.

| Problème | Physiopathologie | Localisation | Qualité | Intensité |
|---|---|---|---|---|
| **Cardiovasculaire** *Angine de poitrine* | Ischémie myocardique transitoire, en général secondaire à l'athérosclérose coronarienne | Rétrosternale ou en barre thoracique antérieure, irradiant parfois aux épaules, aux bras, au cou, à la mâchoire inférieure, à la région abdominale supérieure | À type de pression, de constriction, de tension, de pesanteur, parfois de brûlure | Faible à modérée, parfois perçue plus comme une gêne que comme une douleur |
| *Infarctus du myocarde* | Ischémie myocardique prolongée aboutissant à une lésion irréversible (nécrose) | Comme dans l'angor | Comme dans l'angor | Souvent, mais pas toujours intense |
| *Péricardite* | ■ Irritation de la plèvre pariétale contiguë au péricarde | Précordiale, peut irradier à l'épaule et au cou | Aiguë, en coup de poignard | Souvent intense |
| | ■ Mécanisme obscur | Rétrosternale | Constrictive | Intense |
| *Anévrisme disséquant de l'aorte* | Clivage des couches de la paroi aortique permettant une irruption de sang, qui dissèque un chenal | Dans le thorax antérieur, irradiant au cou, au dos et à l'abdomen | Sensation de déchirure, d'arrachement | Très intense |
| **Pulmonaire** *Trachéobronchite* | Inflammation de la trachée et des grosses bronches | À la partie supérieure du sternum ou de chaque côté de celui-ci | Brûlure | Faible à modérée |
| *Douleur pleurale* | Irritation de la plèvre pariétale comme dans une pleurésie, une pneumonie, un infarctus pulmonaire ou un cancer | Paroi thoracique en regard de la lésion | Aiguë, en coup de poignard | Souvent intense |
| **Gastro-intestinal et autre** *Œsophagite par reflux* | Inflammation de la muqueuse œsophagienne par le reflux d'acide gastrique | Rétrosternale, peut irradier dans le dos | Brûlure ; parfois constrictive | Faible à intense |
| *Spasme diffus de l'œsophage* | Dysfonctionnement moteur de l'œsophage | Rétrosternale, peut irradier au dos, au bras et à la mâchoire | Habituellement constrictive | Faible à intense |
| *Douleur thoracique pariétale, chondrite costale* | Variée, souvent obscure | Souvent sous le sein gauche, ou en regard des cartilages costaux ou ailleurs | En coup de poignard, piqûre d'aiguille, ou sourde, pénible | Variable |
| *Anxiété* | Obscure | Précordiale, sous le sein gauche, ou en barre sur la paroi thoracique antérieure | En coup de poignard, piqûre d'aiguille ou sourde, pénible | Variable |

Note : Souvenez-vous qu'une douleur thoracique peut être projetée à partir de structures extrathoraciques telles que le cou *(arthrose)* et l'abdomen *(colique hépatique, cholécystite aiguë)*. Une douleur pleurale peut être due à des affections abdominales telles qu'un *abcès sous-phrénique*.

| Chronologie | Facteurs aggravants | Facteurs d'amélioration | Symptômes associés |
|---|---|---|---|
| En général 1 à 3 min mais jusqu'à 10 min ; accès prolongés jusqu'à 20 min | Effort, spécialement au froid ; repas ; stress émotionnel Peut survenir au repos | Repos, dérivés nitrés | Parfois dyspnée, nausées et sueurs |
| 20 min à plusieurs heures | | | Nausées, vomissements, sueurs, faiblesse musculaire |
| Persistante | Respiration, changement de position, toux, décubitus dorsal, parfois déglutition | Soulagement possible par la position assise | Ceux de la maladie sous-jacente |
| Persistante | | | Ceux de la maladie sous-jacente |
| Début brusque, maximum, précoce, persistance pendant des heures ou plus | Hypertension artérielle | | Syncope ; hémiplégie, paraplégie |
| Variable | Toux | Soulagement possible en s'allongeant sur le côté atteint | Toux |
| Persistante | Inspiration, toux, mouvements du tronc | | Ceux de la maladie sous-jacente |
| Variable | Repas copieux, se pencher en avant, se coucher | Anti-acides, parfois éructations | Parfois régurgitation, dysphagie |
| Variable | Déglutition d'aliments ou de liquides froids ; stress émotionnel | Parfois dérivés nitrés | Dysphagie |
| Durant des heures ou des jours | Mouvements du thorax, du tronc, des bras | | Souvent douleur locale |
| Durant des heures ou des jours | Peut succéder à un effort, à un stress émotionnel | | Essoufflement, palpitations, faiblesse musculaire, anxiété |

| Problème | Physiopathologie | Chronologie |
|---|---|---|
| **Insuffisance cardiaque gauche** (*insuffisance ventriculaire gauche ou rétrécissement mitral*) | Élévation de pression dans le lit capillaire pulmonaire avec transsudation de liquide dans les espaces interstitiels et les alvéoles, diminution de compliance (augmentation de rigidité) des poumons et augmentation du travail ventilatoire | La dyspnée peut s'aggraver lentement ou brutalement comme dans l'œdème aigu du poumon |
| **Bronchite chronique**[*4] | Production excessive de mucus dans les bronches, suivie d'obstruction chronique des voies aériennes | Toux productive chronique suivie de dyspnée d'aggravation lente |
| **Maladie pulmonaire chronique obstructive (MPCO)**[*20-25] | Distension des espaces aériens au-delà des bronchioles terminales avec destruction des septum alvéolaires et obstruction chronique des voies aériennes | Dyspnée d'aggravation lente ; plus tard, toux relativement modérée |
| **Asthme**[28] | Hyperréactivité bronchique avec libération de médiateurs de l'inflammation, hypersécrétion et bronchoconstriction | Épisodes aigus séparés par des périodes asymptomatiques. Les accès nocturnes sont fréquents |
| **Maladies pulmonaires interstitielles diffuses** (*telles que sarcoïdose, cancers étendus, asbestoses, fibrose pulmonaire idiopathique*) | Infiltration anormale et diffuse de cellules, de liquide et de collagène dans les espaces interstitiels. Causes multiples | Dyspnée progressive dont le rythme d'aggravation varie avec la cause |
| **Pneumonie**[29] | Inflammation du parenchyme pulmonaire des bronchioles respiratoires aux alvéoles | Maladie aiguë dont l'évolution varie avec la cause |
| **Pneumothorax spontané** | Fuite d'air dans l'espace pleural par des bulles à la surface de la plèvre viscérale, entraînant un collapsus partiel ou complet du poumon | Dyspnée de début brutal |
| **Embolie pulmonaire aiguë**[30] | Occlusion brutale, en partie ou en totalité, du lit vasculaire pulmonaire par un caillot sanguin provenant habituellement des veines profondes des membres inférieurs ou du bassin | Dyspnée de début brutal |
| **Anxiété avec hyperventilation** | Hyperventilation entraînant une alcalose respiratoire et une chute de la pression partielle du gaz carbonique dans le sang | Par accès, avec récidives fréquentes |

---

*  Une maladie pulmonaire chronique obstructive (MPCO) et une bronchite chronique peuvent coexister.

| Facteurs aggravants | Facteurs d'amélioration | Symptômes associés | Circonstances de survenue |
|---|---|---|---|
| Effort, décubitus dorsal | Repos, position assise, mais la dyspnée peut devenir permanente | Souvent toux, orthopnée, dyspnée paroxystique nocturne ; parfois sifflements | Antécédents de maladie cardiaque et ses facteurs prédisposants |
| Effort, inhalation d'irritants, infections respiratoires | Expectoration ; repos, mais la dyspnée peut devenir permanente | Toux productive chronique, infections respiratoires récidivantes ; un sifflement est possible | Antécédents de tabagisme, pollution atmosphérique, infections respiratoires récidivantes |
| Effort | Repos, mais la dyspnée peut devenir permanente | Toux avec crachats muqueux peu abondants | Antécédents de tabagisme, pollution atmosphérique, parfois antécédents familiaux de déficit en alpha-1-antitrypsine |
| Variables, incluant allergènes, irritants, infections respiratoires, exercice physique et émotions | Suppression des facteurs aggravants | Sifflements, toux, blocage thoracique | Circonstances environnementales, et émotionnelles |
| Effort | Repos, mais la dyspnée peut devenir permanente | Souvent faiblesse musculaire, fatigue. Toux moins fréquente que lors d'autres maladies pulmonaires | Variables. Une exposition à une ou plusieurs substances peut être en cause |
| | | Douleur pleurale, toux, expectoration, fièvre, mais inconstamment | Variables |
| | | Douleur pleurale, toux | Souvent chez un adulte jeune bien portant jusque là |
| | | Souvent aucun. Douleur rétro-sternale constrictive si l'occlusion est massive. Douleur pleurale, toux et hémoptysie peuvent succéder à une embolie pulmonaire si elle aboutit à un infarctus pulmonaire. Symptômes d'anxiété (*cf.* ci-dessous) | Suites de couches ou période postopératoire, repos prolongé au lit, insuffisance cardiaque, maladie pulmonaire chronique et fracture du col du fémur ou des membres inférieurs, thrombophlébite profonde (souvent cliniquement latente) |
| Survient plus souvent au repos qu'après effort ; un événement bouleversant le patient peut ne pas être évident | Respirer dans un sac en papier ou en plastique diminue parfois les symptômes associés | Soupirs, sensation de tête vide, engourdissements ou fourmillements des mains et des pieds, palpitations, douleur thoracique | D'autres manifestations d'anxiété peuvent se voir |

| Problème | Toux et expectoration | Symptômes associés et circonstances de survenue |
|---|---|---|
| **Inflammation aiguë**<br>*Laryngite* | Toux sèche (sans expectoration) ; peut devenir productive, avec des quantités variables de crachats | Une maladie aiguë, en général bénigne avec enrouement. Association fréquente à une rhinopharyngite virale |
| *Trachéobronchite* | Toux sèche, qui peut devenir productive | Une maladie aiguë souvent virale, avec gêne rétrosternale à type de brûlure |
| *Pneumonies à mycoplasmes et à virus*[29] | Toux sèche, devenant souvent productive de crachats muqueux | Une maladie aiguë fébrile, avec souvent malaise, céphalées ; dyspnée possible |
| *Pneumonies bactériennes*[29] | À pneumocoques : crachats muqueux ou purulents ; peuvent être striés de sang, uniformément rosés ou de teinte rouille | Une maladie aiguë avec frissons, fièvre élevée, dyspnée et douleur thoracique. Succède souvent à une infection aiguë des voies respiratoires supérieures |
| | À klebsielles : similaire, ou collante, rouge, ressemblant à de la gelée | Survient typiquement chez des hommes âgés, alcooliques |
| **Inflammation chronique**<br>*Rhinorrhée postérieure* | Toux chronique : crachats muqueux ou muco-purulents | Essais répétés pour s'éclaircir la gorge. Une rhinorrhée postérieure peut être perçue par le patient ou vue dans le pharynx. Associée à une rhinite chronique avec ou sans sinusite |
| *Bronchite chronique*[4] | Toux chronique, crachats muqueux ou purulents pouvant être striés de sang ou même sanglants | Tabagisme souvent ancien avec surinfections récidivantes. Des sifflements et une dyspnée peuvent apparaître |
| *Dilatation des bronches (ou bronchectasies)*[3] | Toux chronique ; expectoration purulente, souvent abondante et fétide, qui peut être striée de sang ou sanglante | Infections bronchopulmonaires récidivantes fréquentes ; coexistence possible d'une sinusite |
| *Tuberculose pulmonaire*[31] | Toux sèche ou crachats muqueux ou purulents ; parfois striés de sang ou sanglants | Initialement, aucun symptôme. Plus tard, anorexie, amaigrissement, asthénie, fièvre et sueurs nocturnes |
| *Abcès du poumon* | Expectoration purulente et fétide ; peut être sanglante | Maladie fébrile. Hygiène dentaire souvent défectueuse et épisode antérieur de troubles de la conscience |
| *Asthme*[28] | Toux avec crachats muqueux épais, particulièrement à la fin d'une crise | Épisodes de sifflements et dyspnée, mais une toux peut survenir isolément. Antécédents fréquents d'allergie |
| *Reflux gastro-œsophagien* | Toux chronique, surtout la nuit et tôt le matin | Sifflements, surtout la nuit (souvent pris pour un asthme), enrouement tôt le matin et essais répétés pour s'éclaircir la gorge. Souvent, antécédents de pyrosis et de régurgitations |
| **Néoplasie**<br>*Cancer du poumon* | Toux sèche à productive, les crachats peuvent être striés de sang ou sanglants | Habituellement, long passé de tabagisme. Nombreuses manifestations associées |
| **Troubles cardiovasculaires**<br>*Insuffisance ventriculaire gauche et rétrécissement mitral* | Souvent sèche, en particulier à l'effort ou la nuit ; peut évoluer vers l'expectoration mousseuse et rosée d'un œdème pulmonaire ou une hémoptysie franche | Dyspnée, orthopnée, dyspnée paroxystique nocturne |
| *Embolie pulmonaire*[30] | Sèche à productive ; peut être foncée, rouge vif ou mêlée de sang | Dyspnée, angoisse, douleur thoracique, fièvre ; facteurs prédisposant aux thromboses veineuses profondes |
| **Particules irritantes, produits chimiques, gaz** | Variable. Il peut y avoir une période de latence entre l'exposition et les symptômes | Exposition aux irritants. Yeux, nez et gorge peuvent être touchés |

---

\* Les caractéristiques de l'hémoptysie sont imprimées en rose.

## Adulte normal

Le thorax d'un adulte normal est plus large que profond, c'est-à-dire que son diamètre transversal est plus grand que son diamètre antéropostérieur.

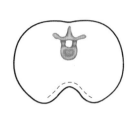
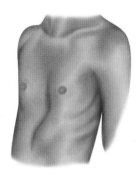

## Thorax en entonnoir *(pectus excavatum)*

Notez la dépression de la partie inférieure du sternum. La compression du cœur et des gros vaisseaux peut expliquer l'existence de souffles.

## Thorax en tonneau

Le diamètre antéropostérieur du thorax est augmenté. Cet aspect est normal chez le nourrisson et accompagne souvent le vieillissement normal et une maladie pulmonaire chronique obstructive.

Dépression des cartilages costaux

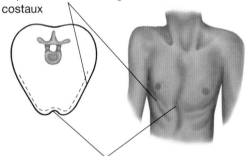

Déplacement antérieur du sternum

## Thorax en bréchet ou en carène *(pectus carinatum)*

Le sternum est déplacé en avant, augmentant le diamètre antéropostérieur. Il existe une dépression des cartilages costaux voisins de la protrusion sternale.

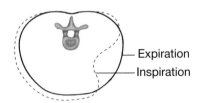

Expiration
Inspiration

Courbure du rachis convexe à droite
(quand le patient se penche en avant)

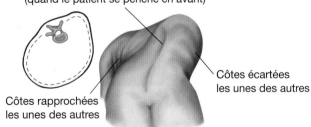

Côtes écartées
les unes des autres

Côtes rapprochées
les unes des autres

## Volet costal traumatique

En cas de fractures multiples des côtes, on peut voir des mouvements paradoxaux du thorax. Lorsque l'abaissement inspiratoire du diaphragme diminue la pression intrathoracique, la zone lésée s'enfonce ; à l'expiration, elle se déplace en dehors.

## Cyphoscoliose dorsale

Le thorax est déformé par des incurvations rachidiennes et des rotations vertébrales anormales. La déformation des poumons sous-jacents peut rendre très difficile l'interprétation des découvertes de l'examen pulmonaire.

L'origine des bruits respiratoires reste floue. D'après les théories dominantes, un flux d'air turbulent dans les voies aériennes centrales produit les bruits respiratoires de la trachée et des bronches. Quand ces bruits traversent les poumons pour gagner la périphérie, le parenchyme pulmonaire élimine leurs composantes aiguës : seules les composantes douces plus graves atteignent la paroi thoracique. C'est le murmure vésiculaire. Normalement, les bruits trachéobronchiques peuvent être entendus sur la trachée et les bronches souches ; le murmure vésiculaire prédomine dans la plus grande partie des poumons.

Quand le parenchyme pulmonaire n'est plus aéré, il transmet bien mieux les sons aigus. Si l'arbre trachéobronchique est ouvert, les bruits bronchiques peuvent remplacer le murmure vésiculaire dans les régions non aérées. Ce changement se voit dans la pneumonie lobaire, où les alvéoles sont remplis de sérosité, de globules rouges et de globules blancs (processus de *condensation*). Autres causes : œdème et hémorragie pulmonaires. La présence de bruits bronchiques va habituellement de pair avec l'augmentation des vibrations vocales et de la transmission des bruits vocaux.
Ces trouvailles sont résumées ci-dessous.

| | **Poumon plein d'air, normal** | **Poumon vidé de son air, comme dans la pneumonie lobaire** |
|---|---|---|
| | 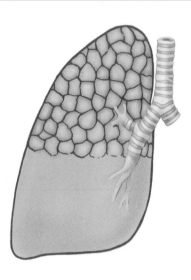 | 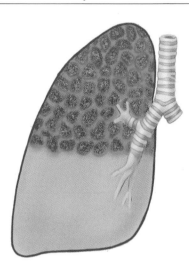 |
| **Bruits respiratoires** | Surtout vésiculaires | Bronchiques ou bronchovésiculaires dans la zone atteinte |
| **Bruits vocaux transmis** | Mots parlés étouffés et indistincts | Mots parlés plus forts et nets *(bronchophonie)* |
| | Le « éé » parlé est entendu comme « é » | Le « éé » parlé est entendu comme « ai » *(égophonie)* |
| | Mots chuchotés faibles et indistincts, s'ils sont audibles | Mots chuchotés plus forts, plus nets *(pectoriloquie aphone)* |
| **Vibrations vocales** | Normales | Augmentées |

## Craquements (râles crépitants)

Les craquements ont deux explications principales. (1) Ils sont le résultat d'une série de microexplosions lorsque les petits conduits aériens, dégonflés au cours de l'expiration, crépitent en s'ouvrant lors de l'inspiration. Ce mécanisme explique probablement les craquements respiratoires tardifs des pneumopathies interstitielles et de l'insuffisance cardiaque. (2) Les craquements proviennent de bulles d'air passant à travers des sécrétions ou des conduits aériens légèrement fermés pendant la respiration. Ce mécanisme explique probablement au moins certains craquements grossiers.

Inspiration     Expiration

Les *craquements inspiratoires tardifs* peuvent débuter dans la première moitié de la phase inspiratoire mais doivent se poursuivre jusqu'à une phase tardive de l'inspiration. Ils sont habituellement fins, profus et se répètent d'une respiration à l'autre. Ils apparaissent d'abord aux bases pulmonaires, remontent en cas d'aggravation et se déplacent vers les régions déclives en cas de changement de position. Les causes comprennent les pneumopathies interstitielles (comme la fibrose) et l'insuffisance cardiaque à son début.

Les *craquements inspiratoires précoces* apparaissent peu après le début de l'inspiration et ne se prolongent pas jusqu'à sa phase tardive. Ils sont souvent – mais pas toujours – rudes, en nombre relativement réduit. Des craquements expiratoires sont parfois associés. Les causes comprennent la bronchite chronique et l'asthme.

*Les craquements du milieu de l'inspiration et expiratoires* sont entendus dans les dilatations des bronches mais ne sont pas spécifiques de ce diagnostic. Des sifflements et des ronchi peuvent être associés.

## Sifflements et ronchi

Des *sifflements* se produisent quand l'air traverse rapidement des bronches rétrécies à proximité de leur point de fermeture. Ils sont souvent audibles à la bouche aussi bien qu'à travers la paroi thoracique. Les causes de sifflements diffus comprennent l'asthme, la bronchite chronique, la MPCO et l'insuffisance cardiaque (asthme cardiaque). Dans l'asthme, les sifflements peuvent n'être audibles qu'à l'expiration, ou au cours des deux phases du cycle respiratoire. Les ronchi évoquent des sécrétions dans les grosses voies aériennes. Dans la bronchite chronique, les sifflements et les ronchi disparaissent souvent lors de la toux.

Au cours d'une maladie pulmonaire obstructive grave, il se peut que le patient n'arrive plus à faire passer assez d'air dans les bronches rétrécies pour produire des sifflements. Le *silence thoracique* qui en résulte est inquiétant dans l'immédiat et ne doit pas être pris pour une amélioration.

Un sifflement localisé persistant évoque une obstruction bronchique partielle comme celle provoquée par une tumeur ou un corps étranger. Il peut être inspiratoire, expiratoire, ou les deux.

## Stridor

Un sifflement entièrement ou principalement inspiratoire est dénommé *stridor*. Il est souvent plus fort dans le cou que sur le thorax. Il indique une obstruction partielle du larynx ou de la trachée et impose une attention immédiate.

## Frottement pleural

Des surfaces pleurales enflammées et épaissies frottent l'une sur l'autre et glissent plus lentement du fait de ce frottement. Leur déplacement produit des crissements, appelés *frottements pleuraux.*

Les frottements pleuraux sont acoustiquement proches des craquements bien qu'ils soient produits par des processus pathologiques différents. Les bruits peuvent être discrets mais sont parfois si nombreux qu'ils se fondent en un bruit apparemment continu. Un frottement est habituellement confiné dans une zone relativement étroite de la paroi thoracique. On l'entend typiquement aux deux phases de la respiration. Quand les surfaces pleurales enflammées sont séparées par du liquide, le frottement disparaît souvent.

## Craquement médiastinal
### *(signe d'Hamman)*

Un *craquement médiastinal* est composé d'une série de craquements précordiaux synchrones des battements cardiaques et non de la respiration. Mieux entendu en décubitus latéral gauche, il est dû à un emphysème médiastinal (pneumomédiastin).

Les encadrés roses de ce tableau suggèrent un cadre de travail pour l'évaluation clinique. Commencez par les trois encadrés situés sous « Percussion » : sonore, mat et hypersonore. Puis passez aux autres encadrés qui mettent l'accent sur certaines différences importantes entre diverses affections. Les modifications décrites varient avec l'étendue et la gravité de l'anomalie. De plus, les anomalies situées profondément dans le thorax donnent en général moins de signes que celles qui sont superficielles et parfois pas du tout. Ce tableau ne doit être utilisé que comme un schéma d'orientation.

| Affection | Percussion | Trachée | Bruits respiratoires | Bruits surajoutés | Vibrations vocales et transmission des bruits de la voix |
|---|---|---|---|---|---|
| **État normal**<br>L'arbre trachéo-bronchique et les alvéoles sont libres, les plèvres fines et accolées, la mobilité de la paroi thoracique normale. | Sonorité | Médiane | Murmure vésiculaire, mais parfois des bruits broncho-vésiculaires et bronchiques au voisinage des grosses bronches et de la trachée respectivement | Aucun, sauf parfois quelques crépitants inspiratoires aux bases pulmonaires | Normales |
| **Bronchite chronique**<br>Inflammation chronique des bronches et présence d'une toux productive. Une obstruction des voies aériennes peut apparaître. | Sonorité | Médiane | Murmure vésiculaire (normal) | Aucun, ou quelques *crépitants* grossiers dispersés en début d'inspiration et parfois à l'expiration ; ou *sifflements* ou *ronchi* | Normales |
| **Insuffisance ventriculaire gauche** (*à son début*)<br>L'augmentation de pression dans les veines pulmonaires provoque une congestion et un œdème interstitiel (autour des alvéoles). La muqueuse bronchique peut être œdématiée. | Sonorité | Médiane | Murmure vésiculaire | *Crépitants inspiratoires tardifs* dans les zones déclives des poumons ; *sifflements* possibles | Normales |
| **Condensation**<br>Les alvéoles sont remplis de liquide ou d'hématies et de leucocytes, comme dans la pneumonie, l'œdème ou l'hémorragie pulmonaire. | **Sub-matité** en regard de la région non aérée | Médiane | *Bruits bronchiques* en regard de la région atteinte | *Crépitants inspiratoires tardifs* en regard de la région atteinte | *Augmentées dans la région atteinte avec* broncho-phonie, égophonie et pectoriloquie aphone |
| **Atélectasie** (*obstruction lobaire*)<br>Quand un bouchon dans une bronche souche (comme du mucus ou un corps étranger) interrompt le flux aérien, le parenchyme pulmonaire atteint se collabe. | **Sub-matité** en regard de la région non aérée | Peut être *déviée vers le côté atteint* | *Absents habituellement* si le bouchon persiste. Il existe des exceptions, par exemple une atélectasie du lobe supérieur droit, où les bruits trachéaux contigus peuvent être transmis | Aucun | *Absentes habituellement* si le bouchon persiste. Elles peuvent exceptionnellement (par exemple dans l'atélectasie du lobe supérieur droit) être augmentées |

| Affection | Percussion | Trachée | Bruits respiratoires | Bruits surajoutées | Vibrations vocales et transmission des bruits de la voix |
|---|---|---|---|---|---|
| **Épanchement pleural**<br>Quand du liquide s'accumule dans la cavité pleurale, il sépare les poumons, remplis d'air, de la paroi thoracique et bloque la transmission des sons. | **Sub-matité à matité** en regard de l'épanche-ment | *Déviée vers le côté opposé* s'il y a beaucoup de liquide | *Diminués ou absents,* mais les bruits respira-toires bronchiques peu-vent être entendus au voisinage de la partie haute d'un épanche-ment abondant | Aucun, excepté *un éventuel frottement pleural* | *Diminuées ou absentes,* mais peuvent être augmentées au voisinage de la partie haute d'un épanchement abondant |
| **Pneumothorax**<br>Quand de l'air fait irruption dans la cavité pleurale, habituellement d'un seul côté, le poumon s'éloigne de la paroi thoracique. L'air pleural bloque la transmission des sons. | **Sonorité exagé-rée** ou tympa-nisme en regard de la cavité pleurale | *Déviée vers le côté opposé* s'il y a beaucoup d'air | *Diminués ou absents* en regard de l'épan-chement gazeux | Aucun, excepté *un éventuel frottement pleural* | *Diminuées ou absentes* en regard de l'épanchement pleural gazeux |
| **Maladie pulmonaire chronique obstructive (MPCO)**<br>C'est une affection lentement progressive au cours de laquelle les espaces aériens distaux sont dilatés et les poumons distendus. Une bronchite chronique est souvent associée. | **Hypersonorité** diffuse | Médiane | *Diminués ou absents* | Aucun, ou les crépi-tants, les sifflements et les ronchi d'une bronchite chronique associée | *Diminuées* |
| **Asthme**<br>Le rétrécissement étendu de l'arbre trachéo-bronchique diminue le flux aérien à un degré variable. Lors des crises, le débit aérien diminue encore plus et les poumons se distendent. | **De sonorité normale** à **hypersonorité** diffuse | Médiane | *Souvent masqués par des sifflements* | *Sifflements et éventuels crépitants* | *Diminuées* |

# Appareil cardiovasculaire

## ANATOMIE ET PHYSIOLOGIE

### ➜ Projections superficielles du cœur et des gros vaisseaux

L'auscultation du cœur a longtemps été un symbole des qualités qu'exige le diagnostic au chevet du patient. Elle est victime de l'évolution de la technologie et du manque de temps, qui diminue les occasions qu'ont les étudiants de la maîtriser par la pratique et la répétition.[1, 2] De nombreux observateurs rapportent le déclin des compétences des cliniciens en matière d'examen physique, un déclin qui est plus documenté pour l'appareil cardiovasculaire que pour toute autre partie de l'examen physique, et ce à tous les niveaux de formation.[3-7] Dans l'étude de ce chapitre, la combinaison de la connaissance de l'anatomie et de la physiologie avec la pratique sur le terrain de l'inspection, de la palpation, de la percussion et surtout de l'auscultation, est cruciale. Un monde passionnant de diagnostics précis s'ouvre à vous.

Pour commencer, apprenez à visualiser les structures du cœur au cours de l'inspection du thorax antérieur. Notez que le *ventricule droit* occupe la plus grande partie de la surface antérieure du cœur. Cette cavité et l'artère pulmonaire forment une structure en forme de coin en arrière et à gauche du sternum (contour noir sur la figure).

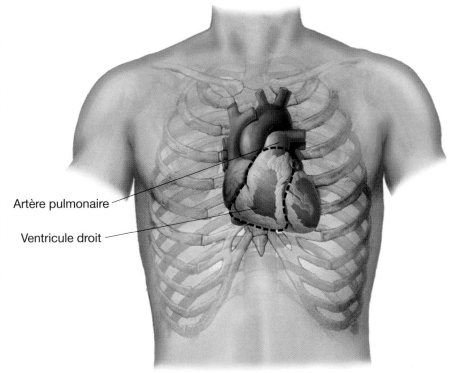

Artère pulmonaire

Ventricule droit

Le bord inférieur du ventricule droit se trouve en dessous de la jonction du sternum et de l'appendice xiphoïde. Le ventricule droit se rétrécit vers le haut et rejoint l'artère pulmonaire au niveau du sternum ou de la « *base du cœur* », un terme clinique qui désigne la partie supérieure du cœur au niveau des 2ᵉˢ espaces intercostaux droit et gauche, près du sternum.

Le *ventricule gauche*, en arrière et à gauche du ventricule droit, forme le bord gauche du cœur (contour noir sur la figure). Son extrémité inférieure effilée est souvent dénommée la « *pointe du cœur* ». Elle est cliniquement importante parce qu'elle produit le choc apexien, correspondant au *point du maximum du choc précordial*, quand on palpe l'aire précordiale. Le choc apexien localise le bord gauche du cœur ; il est normalement trouvé dans le 5ᵉ espace intercostal gauche, à 7-9 cm à gauche de la ligne médiosternale, sur ou juste en dehors de la ligne médioclaviculaire. Cependant, il n'est pas toujours facile à percevoir chez un sujet bien portant qui a un cœur normal.

■ Chez les patients en décubitus dorsal, le *diamètre du choc apexien* mesure environ 1 à 2,5 cm. Un étalement du choc apexien sur plus de 2,5 cm traduit une hypertrophie ou une dilatation du ventricule gauche.

■ De même, un *déplacement du choc apexien* en dehors de la ligne médioclaviculaire ou à plus de 10 cm en dehors de la ligne médiosternale suggère une hypertrophie ou une dilatation du ventricule gauche.

■ Notez que chez certains patients, le maximum du choc précordial ne se trouve pas à la pointe du ventricule gauche. Par exemple, chez des patients qui ont une maladie pulmonaire chronique obstructive, le choc précordial est plus marqué à la xiphoïde ou dans l'épigastre, du fait d'une *hypertrophie du ventricule droit*.

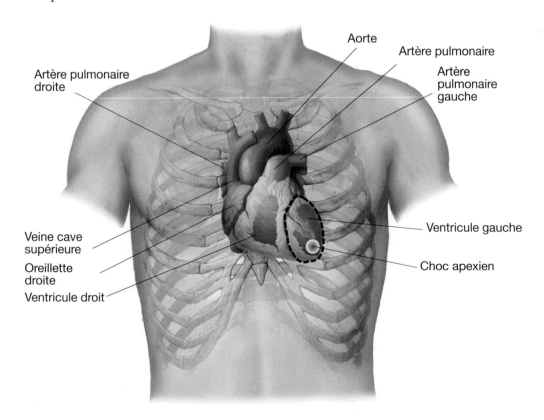

Au-dessus du cœur se trouvent les *gros vaisseaux*. L'*artère pulmonaire*, déjà mentionnée, se divise rapidement en ses branches gauche et droite. L'*aorte* monte du ventricule gauche jusqu'au niveau de l'angle sternal, où elle s'incurve en arrière puis vers le bas. À droite, les *veines caves supérieure et inférieure* ramènent le sang des parties supérieure et inférieure du corps dans l'oreillette droite.

# → Cavités cardiaques, valvules et circulation

La circulation intracardiaque est illustrée dans le schéma ci-dessous, qui représente les cavités cardiaques, les valvules et la direction du sang. En raison de leur situation, les *valvules tricuspide et mitrale* sont souvent appelées *auriculoventriculaires*. Les *valvules aortiques et pulmonaires* sont appelées *semi-lunaires* parce que leurs valves ont une forme en demi-lune. Contrairement à ce qui est montré sur le schéma, toutes les valvules ne sont pas ouvertes en même temps dans le cœur vivant.

Lors de la fermeture des valvules cardiaques, les bruits du cœur sont produits par des vibrations de leurs valves, des structures cardiaques contiguës et du sang. Étudiez les positions et les mouvements des valvules en relation avec les phénomènes de la révolution cardiaque, afin d'améliorer votre précision diagnostique quand vous auscultez le cœur.

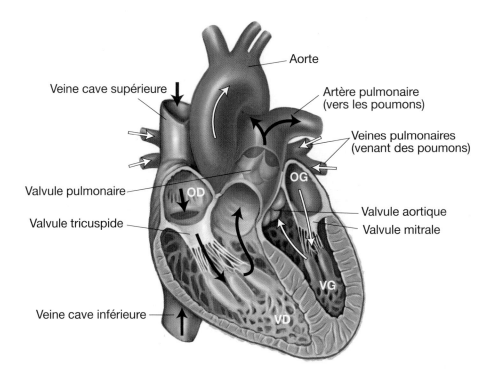

OD = Oreillette droite ⟹ Trajet du sang oxygéné    OG = Oreillette gauche
VD = Ventricule droit ⟶ Trajet du sang désoxygéné   VG = Ventricule gauche

# → Phénomènes de la révolution cardiaque

Le cœur fonctionne comme une pompe qui génère des pressions variables lors de la contraction et de la relaxation de ses cavités. *La systole est la période de la contraction ventriculaire.* Dans le schéma ci-dessous, la pression dans le ventricule gauche s'élève de moins de 5 mmHg à l'état de repos à un maximum normal de 120 mmHg. Après l'éjection de la plus grande partie du sang du ventricule gauche dans l'aorte, cette pression ne monte plus et commence à descendre. *La diastole est la période de la relaxation ventriculaire.* La pression ventriculaire retombe à moins de 5 mmHg et le sang passe de l'oreillette dans le ventricule. En fin de diastole, la pression ventriculaire s'élève légèrement du fait de l'arrivée de sang provenant de la contraction auriculaire.

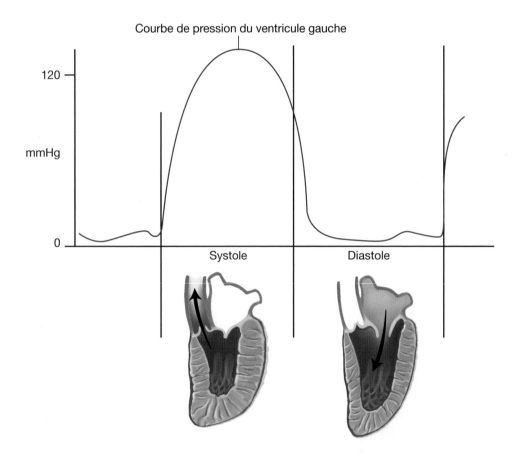

Courbe de pression du ventricule gauche

Notez que pendant la *systole*, la valvule aortique est ouverte, permettant l'éjection du sang du ventricule gauche dans l'aorte. La valvule mitrale est fermée, empêchant le sang de refluer dans l'oreillette gauche. Au contraire, pendant la *diastole*, la valvule aortique est fermée, empêchant le sang de l'aorte de refluer dans le ventricule gauche. La valvule mitrale est ouverte, permettant au sang de passer de l'oreillette gauche dans le ventricule gauche relâché.

La compréhension des interrelations des *gradients de pression* dans ces trois cavités – oreillette gauche, ventricule gauche et aorte – et de la position et du mouvement des valvules est fondamentale pour interpréter les bruits du cœur. Suivez les changements de pression et les bruits au cours d'une révolution cardiaque. Notez que, à l'auscultation, le premier et le deuxième bruit du cœur définissent la durée de la *systole* et de la *diastole*. Une abondante littérature traite des causes exactes des bruits du cœur. Les explications comprennent la fermeture des valvules, la mise en tension des structures en relation, la position des valves et les gradients de pression au moment des systoles auriculaire et ventriculaire, et les effets des colonnes de sang. Les explications données ici sont très simplifiées mais elles conservent une utilité clinique.

Pendant la *diastole*, la pression dans l'oreillette gauche remplie de sang est légèrement supérieure à celle du ventricule gauche relâché, et le sang s'écoule de l'oreillette gauche dans le ventricule gauche à travers la valvule mitrale ouverte. Immédiatement avant le début de la systole ventriculaire, la contraction auriculaire produit une légère élévation de pression dans les deux cavités.

Lors de la *systole*, le ventricule gauche commence à se contracter et la pression ventriculaire dépasse rapidement celle de l'oreillette gauche, fermant ainsi la valvule mitrale. *La fermeture de la valvule mitrale produit le premier bruit du cœur (B1).*

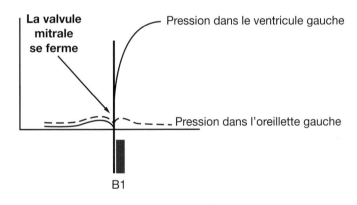

Comme la pression intraventriculaire gauche continue à s'élever, elle dépasse rapidement la pression dans l'aorte et force la valvule aortique à s'ouvrir. Dans certains états pathologiques, l'ouverture de la valvule aortique s'accompagne d'un bruit d'éjection protosystolique (Ej). *Normalement, la pression ventriculaire maximale correspond à la pression artérielle systolique.*

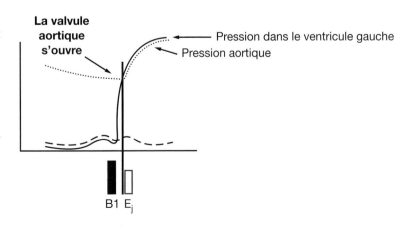

Pendant que le ventricule gauche expulse la plus grande partie de son sang, sa pression commence à diminuer. Lorsque la pression ventriculaire gauche tombe au-dessous de la pression aortique, la valvule aortique se ferme. *Cette fermeture produit le deuxième bruit du cœur (B2)*, et une autre diastole commence.

**La valvule aortique se ferme**

······ Pression aortique

Pression dans le ventricule gauche

- - - Pression dans l'oreilllette gauche

B1  E$_j$      B2

En *diastole*, la pression ventriculaire gauche continue à baisser et tombe au-dessous de celle de l'oreillette gauche. La valvule mitrale s'ouvre. C'est ordinairement un phénomène silencieux, mais qui peut être audible comme un claquement d'ouverture (CO) dans le rétrécissement mitral.

Pression intra-aortique

**La valvule mitrale s'ouvre**

Pression auriculaire gauche

Pression ventriculaire gauche

B1  E$_j$      B2 CO

Ensuite, il y a une période de remplissage ventriculaire rapide, lorsque le sang s'écoule au début de la diastole de l'oreillette gauche dans le ventricule gauche. Chez les enfants et les adultes jeunes, un troisième bruit du cœur, B3, peut provenir de la décélération rapide de la colonne de sang sur la paroi ventriculaire. Chez les sujets plus âgés, un B3, parfois appelé bruit de galop, indique habituellement une modification pathologique de la compliance ventriculaire.

Période de remplissage ventriculaire rapide

B1  E$_j$      B2 CO B3

Finalement, quoique rarement entendu chez les adultes normaux, un quatrième bruit du cœur, B4, indique la contraction auriculaire. Il précède immédiatement le B1 de la contraction cardiaque suivante et reflète aussi une modification pathologique de la compliance ventriculaire.

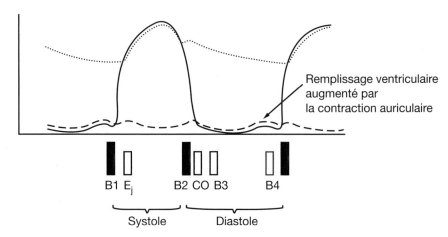

Remplissage ventriculaire augmenté par la contraction auriculaire

B1  E$_j$      B2  CO  B3      B4

Systole          Diastole

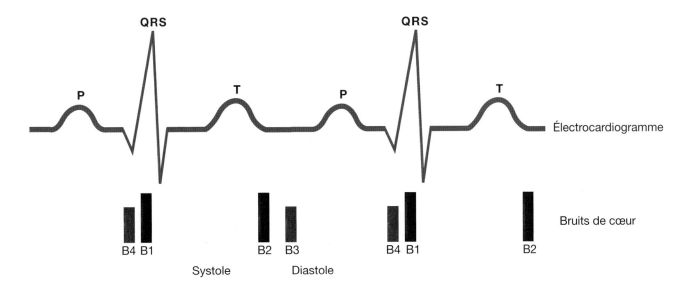

Électrocardiogramme

Bruits de cœur

## → Pompe cardiaque

Les ventricules droit et gauche chassent le sang dans la circulation pulmonaire et systémique, respectivement. Le *débit cardiaque*, volume du sang éjecté par minute de chaque ventricule, est le produit de la *fréquence cardiaque* par le *volume d'éjection*. Le volume d'éjection (volume de sang éjecté à chaque battement cardiaque) dépend à son tour de la précharge, de la contractilité myocardique et de la postcharge.

■ La *précharge* désigne la charge qui étire le muscle cardiaque avant sa contraction. Le volume de sang dans le ventricule droit à la fin de la diastole constitue ainsi la précharge pour le battement suivant. La précharge du ventricule droit est augmentée quand le retour veineux au cœur droit croît. Les causes physiologiques comprennent l'inspiration et l'accroissement de volume sanguin résultant de l'exercice musculaire. L'augmentation du volume du sang dans un ventricule dilaté accroît également la précharge. Les causes de diminution de la précharge ventriculaire droite comprennent l'expiration, la diminution de l'éjection ventriculaire gauche, et l'accumulation de sang dans le lit capillaire ou le système veineux.

■ La *contractilité myocardique* désigne la capacité qu'a le muscle cardiaque de se contracter pour une charge donnée. La contractilité est augmentée par l'action du système nerveux sympathique, et diminuée quand le débit sanguin et la fourniture d'oxygène au myocarde sont altérés.

■ La *postcharge* désigne le degré de la résistance vasculaire à la contraction ventriculaire. Les sources de résistance à la contraction ventriculaire gauche comprennent les parois de l'aorte et des grosses artères, le lit vasculaire périphérique (en premier lieu les petites artères et les artérioles), ainsi que le volume de sang déjà présent dans l'aorte.

Les augmentations pathologiques de précharge et de postcharge, appelées respectivement *surcharge volumique* et *surcharge de pression*, produisent des modifications de la fonction ventriculaire qui peuvent être cliniquement décelables. Il s'agit d'altérations des chocs ventriculaires, détectées par la palpation, et des bruits cardiaques normaux. Il peut aussi apparaître des bruits et des souffles cardiaques anormaux.

# → Pouls et pression artériels

À chaque contraction, le ventricule gauche éjecte un volume de sang dans l'aorte et, de là, dans l'arbre artériel. L'onde de pression qui en découle se déplace vite à travers le *réseau artériel*, où on la perçoit sous forme de pouls artériel. Bien que l'onde de pression se déplace rapidement, plusieurs fois plus vite que le sang lui-même, il y a un décalage entre la contraction ventriculaire et les pouls périphériques qui enlève toute valeur aux pouls des membres pour repérer dans le temps les phénomènes cardiaques.

La *pression du sang* dans le système artériel varie avec la révolution cardiaque, atteignant un maximum systolique et un minimum diastolique dont les valeurs sont mesurées avec un tensiomètre (ou sphygmomanomètre). La différence entre les pressions systolique et diastolique est appelée *pression différentielle*\*.

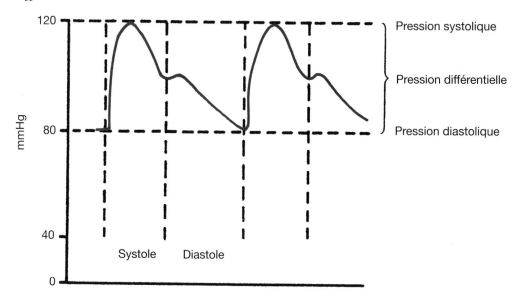

## FACTEURS INFLUANÇANT LA PRESSION ARTÉRIELLE

✔ Le volume d'éjection ventriculaire gauche.

✔ La distensibilité de l'aorte et des grosses artères.

✔ Les résistances vasculaires périphériques, principalement au niveau artériolaire.

✔ Le volume de sang dans le système artériel.

---

\* NdT. En anglais : *pulse pressure*.

Des modifications de n'importe lequel de ces quatre facteurs altèrent la pression systolique et/ou la pression diastolique. Les niveaux de pression artérielle fluctuent beaucoup durant le nycthémère, avec par exemple l'activité physique, l'état émotionnel, la douleur, le bruit, la température ambiante, la prise de café, de tabac, et d'autres drogues, et même suivant les moments de la journée.

# → Pression veineuse jugulaire (PVJ)

Les veines jugulaires fournissent au clinicien d'importantes indications sur les pressions du cœur droit et le fonctionnement cardiaque. La *pression veineuse jugulaire* (PVJ) reflète la pression dans l'oreillette droite, qui est égale à la *pression veineuse centrale* (PVC) et à la pression ventriculaire droite télédiastolique (en fin de diastole). La *veine jugulaire interne droite* donne la meilleure estimation de la PVJ parce qu'elle a un trajet plus direct vers l'oreillette droite. Contrairement à une opinion répandue, une étude récente a réaffirmé l'intérêt de l'inspection de la *veine jugulaire externe droite* pour estimer avec précision la PVC.[10-12]

Les changements de pression dans l'oreillette droite dus au remplissage, à la contraction et à la vidange de cette cavité font fluctuer la PVJ et ses ondes visibles. L'observation minutieuse des modifications de ces fluctuations renseigne aussi sur le volume et le fonctionnement des deux ventricules, l'ouverture des valvules tricuspide et pulmonaire, les pressions dans le péricarde, et certains troubles du rythme cardiaque, tels que les rythmes jonctionnels et les blocs auriculoventriculaires. Par exemple, la PVJ chute en cas d'hémorragie et augmente en cas d'insuffisance cardiaque droite ou gauche, d'hypertension pulmonaire, de sténose tricuspide et de compression péricardique (ou tamponnade).

La veine jugulaire interne se trouve sous le muscle sternocléidomastoïdien du cou, et n'est pas directement visible ; le clinicien doit donc apprendre à identifier *les pulsations de la veine jugulaire interne et de la veine jugulaire externe*, qui sont transmises à la surface du cou, et les distinguer à coup sûr des battements de l'artère carotide.

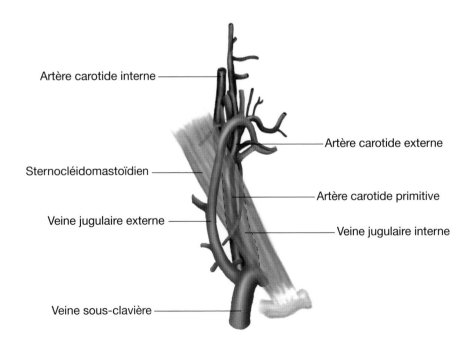

Artère carotide interne

Artère carotide externe

Sternocléidomastoïdien

Artère carotide primitive

Veine jugulaire externe

Veine jugulaire interne

Veine sous-clavière

Pour estimer le niveau de la PVJ, vous devez apprendre à découvrir le *point d'oscillation le plus élevé de la veine jugulaire interne* ou, à défaut, le point au-dessus duquel la veine jugulaire externe semble collabée. La PVJ est en général mesurée par la distance verticale entre ce point et l'*angle sternal*, la crête osseuse à la jonction entre manubrium et corps du sternum, à hauteur de la deuxième côte.

Étudiez attentivement les illustrations ci-dessous. Notez que quelle que soit la position du patient, l'angle sternal reste à environ 5 cm au-dessus de l'oreillette droite. Toutefois, la pression de la veine jugulaire interne de ce patient est assez élevée.

■ Dans la *position A*, la tête du lit est relevée à environ 30°, l'angle habituel, mais la PVJ ne peut être mesurée parce que le ménisque ou niveau d'oscillation est au-dessus de la mâchoire, donc invisible.

■ Dans la *position B*, la tête du lit est relevée à 60°. Le « sommet » de la veine jugulaire interne est à présent facile à voir, ce qui fait qu'on peut mesurer sa distance verticale à l'angle sternal ou à l'oreillette droite.

■ Dans la *position C*, le patient est vertical et les veines sont à peine visibles au-dessus de la clavicule, ce qui rend la mesure impossible.

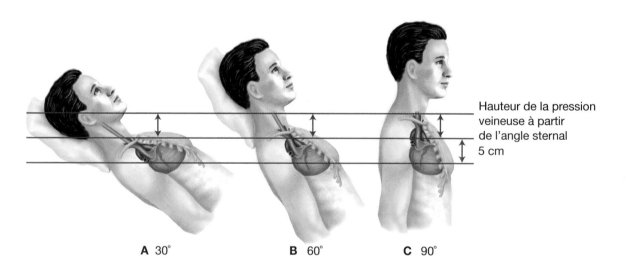

Hauteur de la pression veineuse à partir de l'angle sternal
5 cm

**A** 30°          **B** 60°          **C** 90°

Notez que la pression veineuse mesurée à partir de l'angle sternal est la *même* dans les trois positions mais que votre capacité à *mesurer* la hauteur de la colonne de sang veineux, ou PVJ, dépend du positionnement du patient. Une PVJ supérieure à 4 cm au-dessus de l'angle sternal ou supérieure à 9 cm au-dessus de l'oreillette droite est considérée comme élevée. Les techniques de mesure de la PVJ sont décrites en détail dans les « Techniques d'examen », p. 363-372.

# → Pouls veineux jugulaire

Les oscillations que vous voyez dans les veines jugulaires internes (et souvent les jugulaires externes) reflètent les changements de pression dans l'oreillette droite. Une observation minutieuse révèle que les ondes pulsatiles des veines jugulaires internes (et parfois des veines jugulaires externes) sont composées de deux pics et de deux creux.

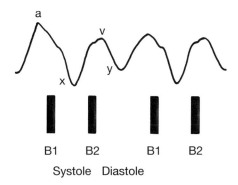

La première élévation, l'*onde a* présystolique, reflète la légère augmentation de pression auriculaire accompagnant la contraction auriculaire. Elle survient juste avant B1 et avant le pouls carotidien. Le creux suivant, le *creux x*, débute avec la relaxation de l'oreillette. Il continue quand le ventricule droit, en se contractant durant la systole, attire vers le bas le plancher de l'oreillette. Pendant la systole ventriculaire, le sang continue de s'écouler des veines caves dans l'oreillette droite. La valvule tricuspide est fermée, la cavité commence à se remplir, et la pression auriculaire commence à s'élever de nouveau, créant la seconde élévation, l'*onde v*. Quand la valvule tricuspide s'ouvre au début de la diastole, le sang s'écoule passivement de l'oreillette droite dans le ventricule droit, et la pression auriculaire droite chute à nouveau, produisant la deuxième dépression ou *creux y*. Pour mémoriser ces quatre oscillations de façon très simple, pensez à la séquence suivante : contraction auriculaire, relaxation auriculaire, remplissage auriculaire et vidange auriculaire (l'onde *a* est la contraction *a*uriculaire et l'onde *v*, le remplissage *v*eineux).

Les deux creux sont les deux événements les plus évidents à l'œil nu de la pulsation jugulaire normale. La plus évidente des deux est la chute soudaine du creux *x*, à la phase tardive de la systole, survenant juste avant le deuxième bruit. Le creux *y* suit le deuxième bruit du cœur à la phase initiale de la diastole.

# → Changements au cours de la vie

Le vieillissement peut modifier le siège du choc apexien, le timbre des bruits du cœur et des souffles, la souplesse des artères et la pression artérielle. Par exemple, le choc apexien est en général facile à percevoir chez les enfants et les jeunes adultes ; avec l'augmentation du diamètre antéropostérieur du thorax, il devient plus difficile à trouver. De même, le dédoublement de B2 peut être plus difficile à entendre chez les sujets âgés parce que sa composante pulmonaire devient moins audible. De plus, presque tout le monde a un souffle cardiaque à un moment ou un autre de son existence. La plupart des souffles ne sont pas liés à des anomalies cardiovasculaires et peuvent être considérés comme des variantes de la normale. Ces souffles fréquents dépendent de l'âge ; une bonne connaissance de leurs caractéristiques vous permettra de séparer le normal du pathologique. Allez p. 818-820, chapitre 18 : « Évaluation des enfants : du nourrisson à l'adolescent », et p. 925-926, chapitre 19 : « Femme enceinte », pour savoir comment reconnaître ces souffles innocents.

Des souffles peuvent également naître des gros vaisseaux. Le *souffle* veineux ou *bruit de diable jugulaire*, qui est très fréquent chez l'enfant, peut s'entendre encore chez l'adulte jeune (voir p. 863). Un deuxième exemple, plus important, est le *souffle systolique* ou *bruit cervical*, qui peut être innocent chez l'enfant mais fait craindre une obstruction artérielle chez l'adulte.

## ANTÉCÉDENTS MÉDICAUX

### Symptômes banals ou inquiétants

- Douleur thoracique.
- Palpitations.
- Essoufflement : dyspnée, orthopnée, dyspnée paroxystique nocturne.
- Gonflement ou œdème.

***Évaluation des symptômes cardiaques : vue d'ensemble et niveaux d'activité de référence.*** Cette partie aborde les symptômes thoraciques d'un point de vue cardiaque, à savoir la douleur thoracique, les palpitations, la dyspnée – de l'orthopnée à la dyspnée aiguë –, et le gonflement superficiel dû à l'œdème. Pour les symptômes thoraciques, prenez l'habitude d'envisager toutes les étiologies cardiaques, pulmonaires et extrathoraciques possibles. Revoyez au chapitre 8, « Thorax et poumons », la partie consacrée aux antécédents médicaux, p. 302-304, le tableau 8-1, « Douleur thoracique », p. 324-325, et le tableau 8-2, « Dyspnée », p. 326-327. Étudiez les diverses causes des *douleurs thoraciques*, des *dyspnées*, de la *toux*, et même des *hémoptysies* ; ces symptômes peuvent être d'origine cardiaque ou pulmonaire.

Quand vous évaluez des symptômes cardiaques, il est d'habitude important de *quantifier* le *niveau d'activité physique du patient*. Par exemple, chez les patients qui ont une douleur thoracique, est-ce que la douleur apparaît en montant un escalier ? À combien d'étages ? Comment se passe une marche de 15 m, le tour du pâté de maisons, une marche plus longue ? Comment se passent les courses ou le travail de maison (par exemple, faire le lit, passer l'aspirateur) ? Par comparaison avec autrefois ? Quand les symptômes sont-ils apparus ou ont-ils changé ? Si le patient est essoufflé, est-ce que l'essoufflement survient au repos, pendant l'effort ou après avoir monté un escalier ? Une dyspnée aiguë est plus grave chez un athlète que chez une personne sédentaire, qui se contente d'aller d'une pièce à l'autre. La quantification du niveau d'activité de référence permet d'établir la gravité et la signification des symptômes du patient en vue des étapes suivantes de la prise en charge.

**Douleur thoracique.** Une *douleur thoracique* est l'un des symptômes les plus graves et les plus importants que vous aurez à évaluer comme clinicien. C'est le deuxième motif de consultation dans un service d'urgences – après les douleurs abdominales. Une douleur thoracique traduit souvent une *maladie coronarienne*, qui affecte actuellement 15 millions de personnes aux États-Unis.[13] Environ 9 millions de ces personnes ont une *angine de poitrine*, et 8 millions ont fait un *infarctus du myocarde*. La maladie coronarienne est la principale cause de décès chez les hommes et les femmes ; elle a été responsable d'une mort sur cinq aux États-Unis, en 2005. La mortalité est plus élevée chez les hommes et les femmes afro-américains que dans les autres groupes ethniques.

Douleur à l'effort, pesanteur ou gêne thoracique, irradiant dans l'épaule, le dos, le cou et le membre supérieur, de l'*angine de poitrine*, retrouvées chez 50 % des patients victimes d'un infarctus du myocarde. Des qualifications de crampe, broyage, piqûres sont également fréquentes ; les irradiations dans les dents ou la mâchoire sont rares.[17, 18] L'incidence annuelle de l'*angor d'effort* est de 1 p. 1 000 chez les personnes âgées de 30 ans ou plus.

En écoutant l'histoire du patient, vous devez toujours avoir en tête des affections graves, telles que l'*angine de poitrine*, l'*infarctus du myocarde* ou même l'*anévrisme disséquant de l'aorte*.[14-16] Apprenez à distinguer les patients qui présentent des maladies cardiovasculaires graves, de ceux qui ont des pathologies d'origine péricardique, trachéobronchique, pleurale, œsophagienne ou pariétale, ou encore extrathoracique (cou, vésicule biliaire, estomac). Le renvoi à domicile de patients qui auraient dû être hospitalisés, suite à une erreur d'interprétation de l'ECG, peut entraîner un taux de mortalité de 25 %.[14, 15]

On parle de plus en plus de *syndrome coronarien aigu* pour désigner l'ensemble des syndromes cliniques dus à une ischémie myocardique, à savoir l'*angor instable*, l'*infarctus du myocarde sans surélévation de ST*, et l'*infarctus du myocarde avec surélévation de ST*.[19, 20]

Vos premières questions doivent balayer large : « Ressentez-vous une douleur ou une gêne dans la poitrine ? » Demandez au patient de désigner le siège de la douleur et de décrire ses sept attributs. Après avoir écouté attentivement la description du patient, passez à des questions plus précises telles que : « La douleur est-elle liée à l'effort ? » et « Quelles sortes d'activités déclenchent la douleur ? » Également : « Quelle est l'intensité de la douleur sur une échelle de 1 à 10 ? »… « Est-ce qu'elle irradie dans le cou, l'épaule ou le membre supérieur ? »… « Y a-t-il d'autres symptômes tels qu'un essoufflement, des sueurs, des palpitations ou des nausées ? »… « Est-ce qu'il arrive qu'elle vous réveille la nuit ? »… « Que faites-vous pour la soulager ? »

Douleur thoracique antérieure, souvent à type de déchirure, irradiant dans le dos et le cou, dans la *dissection aortique aiguë*.[21]

**Palpitations.** Les *palpitations* sont une perception désagréable des battements cardiaques. Les patients rapportent leurs sensations en termes variés, tels que « le cœur fait des bonds, s'accélère, palpite, bat la chamade ou s'arrête ». Les palpitations peuvent résulter d'un rythme cardiaque irrégulier, d'une accélération ou d'un ralentissement du cœur, ou d'une augmentation de la force des contractions cardiaques, mais la façon dont elles sont ressenties dépend également de la réaction du patient à ses propres sensations corporelles. Palpitation ne signifie pas nécessairement maladie cardiaque, et il est fréquent que les arythmies les plus graves, telles que la tachycardie ventriculaire, ne s'accompagnent pas de palpitations.

Voir tableaux 9-1 et 9-2 pour les fréquences et rythmes cardiaques sélectionnés (p. 392-393).

Des symptômes ou signes d'arythmie cardiaque justifient un électrocardiogramme. Seule la *fibrillation auriculaire*, où le rythme est « anarchique », peut être identifiée de façon fiable au chevet du patient.

Vous pouvez poser des questions directes sur les palpitations, mais si le patient ne les comprend pas, tournez-les autrement : « Vous arrive-t-il de percevoir vos battements cardiaques ? À quoi cela ressemble-t-il ? » Demandez au patient de battre le rythme avec une main ou un doigt. Était-il rapide ou lent ? Régulier ou irrégulier ? Pendant combien de temps ? S'il y a eu un accès de battements cardiaques rapides, le début et la fin ont-ils été brusques ou progressifs ? Pour tous ces symptômes, un électrocardiogramme est indiqué.

Indices fournis par l'anamnèse : « sauts » et « clic-clac » transitoires (évoquent des extrasystoles) ; tachycardie régulière, à début et à fin brusques (évoque une tachycardie supraventriculaire paroxystique) ; tachycardie régulière < 120/min, surtout si elle débute et finit progressivement (évoque une tachycardie sinusale).

Il est utile d'apprendre à certains patients à compter leur pouls au cas où ils feraient d'autres accès.

**Dyspnée.** L'*essoufflement* est une inquiétude fréquente des patients ; il peut correspondre à une *dyspnée*, une *orthopnée* ou une *dyspnée paroxystique nocturne*. La *dyspnée* est la sensation désagréable que la respiration n'est pas adaptée à un niveau d'activité physique donné. Cette plainte émane souvent de patients qui ont des problèmes cardiaques ou pulmonaires, comme dit au chapitre 8 : « Thorax et poumons », p. 303.

Dyspnée aiguë dans l'*embolie pulmonaire*, le *pneumothorax spontané*, l'anxiété.

Une *orthopnée* est une dyspnée qui survient quand le patient est couché et s'améliore en position assise. Elle est classiquement quantifiée par le nombre d'oreillers que le patient utilise pour dormir, ou par le fait que le patient doit dormir en position assise. Assurez-vous cependant que le patient utilise des oreillers supplémentaires ou dort en position assise à cause de la dyspnée et non pour d'autres raisons.

Orthopnée dans l'*insuffisance ventriculaire gauche* ou le *rétrécissement mitral*, ainsi que dans la *maladie pulmonaire obstructive*.

Une *dyspnée paroxystique nocturne* (DPN) consiste en un accès de dyspnée et d'orthopnée soudain, réveillant le patient, habituellement une ou deux heures après le coucher. Typiquement, le patient s'assied, se met debout ou va à la fenêtre pour prendre de l'air. Des sifflements respiratoires et une toux peuvent être associés. L'accès se termine habituellement spontanément, mais peut se reproduire à peu près au même moment les nuits suivantes.

DPN dans l'*insuffisance ventriculaire gauche*. Peut être simulée par une *crise d'asthme nocturne*.

**Œdème.** L'*œdème* est l'accumulation de liquide en excès dans l'espace interstitiel du corps. Il peut s'accumuler plusieurs litres de liquide (jusqu'à 10 % du poids du corps) avant qu'un œdème prenant le godet apparaisse.[22] Les causes sont locales ou générales. Concentrez vos questions sur la localisation, la chronologie, les circonstances de survenue et les symptômes associés. « Avez-vous déjà eu un gonflement quelque part ?... Où ?... Ailleurs ? Quand cela arrive-t-il ? Est-ce plus important le matin ou le soir ? Vos chaussures sont-elles devenues trop serrées ? »

Un *œdème déclive* apparaît dans les parties les plus basses du corps : les pieds et les jambes en position assise, ou le sacrum en position couchée. Les causes peuvent être cardiaques *(insuffisance cardiaque congestive)*, nutritionnelles *(hypoalbuminémie)* ou positionnelles.

Continuez avec : « Les bagues sur vos doigts vous serrent-elles ? Vos paupières sont-elles gonflées le matin ? Avez-vous dû desserrer votre ceinture ? » Également : « Est-ce que vos habits sont trop serrés sur le ventre ? » Il est utile de demander aux patients qui font une rétention hydrosodée de se peser et de noter leur poids tous les matins, parce qu'il faut une accumulation de plusieurs litres de liquide avant que les œdèmes apparaissent.

Des œdèmes surviennent dans les maladies hépatiques et rénales : paupières bouffies, bagues serrées dans le *syndrome néphrotique* ; tour de taille augmenté dans l'*ascite* et l'*insuffisance hépatique.*

# PROMOTION DE LA SANTÉ ET CONSEILS

## Sujets importants pour la promotion de la santé et les conseils

- Dépistage de l'hypertension artérielle.
- Dépistage de la maladie coronarienne et de l'accident vasculaire cérébral.
- Dépistage des dyslipidémies.
- Modification du mode de vie et réduction des facteurs de risque.

La maladie cardiovasculaire, qui touche 80 millions d'adultes aux États-Unis, englobe l'hypertension artérielle, la maladie coronarienne, l'insuffisance cardiaque, l'accident vasculaire cérébral et les cardiopathies congénitales. Elle reste la première cause de mortalité chez les hommes et les femmes (environ un tiers de tous les décès aux États-Unis).[13] La *prévention primaire*, chez ceux qui n'ont pas de signes de maladie cardiovasculaire, et la *prévention secondaire*, chez ceux qui ont des troubles cardiovasculaires connus comme une angine de poitrine ou un infarctus du myocarde, restent des grandes priorités de santé publique à l'échelle du cabinet médical, de l'hôpital et de la nation. L'éducation et les conseils guideront vos patients pour maintenir des niveaux optimaux de pression artérielle, cholestérol, poids et exercice physique et pour réduire les facteurs de risque de la maladie cardiovasculaire (MCV) et de l'accident vasculaire cérébral (AVC). En tant que praticien en formation, votre tâche est triple :

- comprendre les grandes données démographiques concernant la maladie cardiovasculaire et l'AVC dans la population ;

- identifier les facteurs de risque liés ;

- établir un partenariat avec les patients pour réduire et maîtriser les facteurs de risque.

L'information présentée ici est destinée à améliorer votre efficacité quand vous recherchez une maladie cardiovasculaire chez vos patients et que vous entreprenez de réduire les facteurs de risque primaires et secondaires.

***Dépistage de l'hypertension artérielle.*** D'après l'USPSTF *(US Preventive Services Task Force)*, l'hypertension artérielle rend compte de « 35 % des infarctus du myocarde et des AVC, 49 % des poussées d'insuffisance cardiaque et 24 % des morts précoces ».[23] L'USPSTF recommande vivement de dépister l'hypertension artérielle chez tous les adultes à partir de 18 ans. Des études en population sur le long terme récentes ont alimenté le changement spectaculaire des stratégies nationales pour prévenir et diminuer l'hypertension artérielle. Le septième rapport du *Joint National Committee on Prevention, Detection, Evaluation and Treatment of High Blood Pressure*, alias le JNC7, le *National High Blood Pressure Education Program* et des chercheurs ont émis plusieurs messages clés (voir encadré ci-après).[24-26] Ces constatations sous-tendent la classification simple et robuste de la pression artérielle proposée par le JNC7, confirmée en 2007 (voir encadré ci-dessous).[27]

---

### JNC7 : POINTS IMPORTANTS POUR ÉVALUER LA PRESSION ARTÉRIELLE [24]

✔ Il y a à présent quatre catégories de pression artérielle. La pression artérielle (PA) **normale** est définie comme < 120/80 mmHg.

✔ Des pressions systoliques de 120 à 139 mmHg et/ou diastoliques de 80 à 89 mmHg constituent une **préhypertension** et justifient des interventions pour modifier le mode de vie.

✔ Le **stade 1 de l'hypertension**, à savoir une PA systolique de 140 à 159 mmHg, et/ou une PA diastolique de 90 à 99 mmHg, justifie l'instauration d'un traitement antihypertenseur.

✔ La PA visée chez les diabétiques et les insuffisants rénaux est < 130/80 mmHg.

✔ L'adoption d'un mode de vie sain par l'ensemble de la population est à présent considérée comme « indispensable ».

---

D'importants messages, utiles aux cliniciens pour conseiller leurs patients, sont résumés ci-dessous.

---

### MESSAGES CLÉS SUR L'HYPERTENSION ARTÉRIELLE

✔ « Les individus qui sont normotendus à 55 ans ont 90 % de risques de développer une hypertension artérielle durant le reste de leur vie. »[24]

✔ « Plus d'un adulte âgé de plus de 60 ans sur deux a une hypertension »[25] et seulement 34 % des hypertendus ont atteint les objectifs de PA.[24]

✔ « La relation entre PA et risque d'accident cardiovasculaire est continue, constante et indépendante des autres facteurs de risque... Pour les individus âgés de 40 à 70 ans, chaque augmentation de 20 mmHg de la PA systolique ou de 10 mmHg de la PA diastolique double le risque de maladie cardiovasculaire, entre 115/75 et 185/115 mmHg. »[24, 28]

✔ Des grandes études en population récentes sur les facteurs de risque cardiovasculaire révèlent deux données frappantes[29] :

*(suite)*

---

1. Seulement 4,8 à 9,9 % des sujets jeunes et d'âge moyen sont à bas risque.

2. Les avantages d'être à bas risque sont énormes : 72 à 85 % de réduction de la mortalité par MCV, et 40 à 58 % de réduction de la mortalité par toute cause, ce qui accroît l'espérance de vie de 5,8 à 9,5 années. Ce gain « est valable pour les Afro-Américains et les blancs, et pour ceux qui ont les niveaux socioéconomiques les plus bas comme les plus élevés ».[29]

✔ L'identification et le traitement des gens ayant des facteurs de risque ne sont pas suffisants. *Une stratégie étendue à l'ensemble de la population est cruciale pour prévenir et réduire l'importance de tous les grands facteurs de risque* afin que les gens adoptent des comportements satisfaisants dès l'enfance et *restent à bas risque toute leur vie.*[29]

Les **facteurs de risque de l'hypertension artérielle** sont l'absence d'exercice, la microalbuminurie ou une filtration glomérulaire estimée < 60 mL/min, des antécédents familiaux de maladie cardiovasculaire précoce (avant 55 ans chez les hommes et avant 65 ans chez les femmes), un apport excessif de sodium par l'alimentation, un apport insuffisant de potassium et une consommation excessive d'alcool.[24]

***Dépistage de la maladie coronarienne et de l'accident vasculaire cérébral.*** Dans sa mise à jour de 2002, l'*American Heart Association* (AHA) fait reposer clairement la mise en œuvre de la réduction des facteurs de risque sur les cliniciens[30] :

■ « Le défi pour les professionnels de santé est d'engager un plus grand nombre de patients, à un stade plus précoce de leur maladie, dans une démarche de réduction globale du risque cardiovasculaire » pour étendre les bénéfices de la prévention primaire.

■ « Le message permanent est que l'adoption d'habitudes de vie saine est la pierre angulaire de la prévention primaire. »

■ « L'impératif est de prévenir le premier accident coronarien ou AVC, le développement d'un anévrisme aortique ou d'une maladie vasculaire périphérique en raison des taux toujours élevés de mortalité et de séquelles des premiers accidents. »

Dans un premier temps, les cliniciens doivent identifier non seulement une PA élevée, mais aussi les autres facteurs de risque bien connus de la maladie coronarienne (MC). Dans ses recommandations pour la prévention primaire de la maladie cardiovasculaire et des AVC, l'AHA recommande[30] :

■ un *dépistage des facteurs de risque* chez l'adulte à partir de 20 ans ;

■ l'*estimation du risque global absolu de MC* chez l'adulte à partir de 40 ans. Le but de l'estimation du risque global est d'aider les patients à maintenir leur risque aussi bas que possible. Notez que le diabète (avec un risque à 10 ans de plus de 20 %) est considéré comme l'équivalent de risque d'une MC installée.

## FACTEURS DE RISQUE ET FRÉQUENCE DU DÉPISTAGE CHEZ LES ADULTES À PARTIR DE 20 ANS

| *Facteurs de risque* | *Fréquence* |
|---|---|
| Antécédents familiaux de maladie coronarienne | Mise à jour régulière |
| Consommation de tabac<br>Régime<br>Consommation d'alcool<br>Exercice physique | À chaque consultation systématique |
| Pression artérielle<br>Indice de masse corporelle<br>Tour de taille<br>Pouls (pour déceler une fibrillation auriculaire) | À chaque consultation systématique (au moins une fois tous les 2 ans) |
| Profil lipoprotéique à jeun<br>Glycémie à jeun | Au moins une fois tous les 5 ans<br>Si facteurs de risque d'hypercholestérolémie ou en cas de diabète, une fois tous les 2 ans |

Source : Pearson TA, Blair SN, Daniels SR *et al.* AHA guidelines for primary prevention of cardiovascular disease and stroke : 2000 update. Circulation 2002 ; 106 : 388-391.

## ESTIMATION DU RISQUE GLOBAL SUR 10 ANS DE MALADIE CORONARIENNE CHEZ LES ADULTES ≥ 40 ANS

Établissez un score de risque multiple de MC fondé sur :

✔ l'âge et le sexe ;

✔ la taille, le poids, et le tour de taille, ou l'IMC ;

✔ la consommation de tabac ;

✔ les antécédents de maladie cardiovasculaire ou de diabète ;

✔ les PA systolique et diastolique ;

✔ la cholestérolémie totale, le LDL et le HDL cholestérol ;

✔ les triglycérides ;

✔ des antécédents familiaux de maladie cardiaque précoce.

Pour calculer le risque global de MC, utilisez les calculateurs de risque qui se trouvent sur les sites Web suivants (ou d'autres équations) :

http://www.americanheart.org/presenter.jhtml?identifier=3003499

http://hin.nhlbi.nih.gov/atpiii/calculator.asp?usertype=prof

Source : Pearson TA, Blair SN, Daniels SR *et al.* AHA guidelines for primary prevention of cardiovascular disease and stroke : 2000 update. Circulation 2002 ; 106 : 388-391.

**Dépistage des dyslipidémies.** En 2001, le *National Heart, Lung and Blood Institute* des NIH (*National Institutes of Health*) a publié le « Troisième rapport du National Cholesterol Education Program (NCEP) Expert Panel », alias l'ATP III.[31] Le rapport complet a été publié en 2002.[32] Ces rapports émettent des recommandations fondées sur les faits pour la prise en charge de l'hypercholestérolémie et des troubles lipidiques liés ; ils indiquent que « des études épidémiologiques ont montré que les taux de cholestérol sont corrélés de façon continue avec le risque de maladie coronarienne, dans une vaste gamme de cholestérolémies », dans de nombreuses populations du globe.[33] Les points importants de l'ATP III sont résumés ci-dessous :

## ATP III : RECOMMANDATIONS IMPORTANTES

✔ Identifiez les LDL comme la première cible d'un traitement hypocholestérolémiant.

✔ Distinguez trois catégories de risque à 10 ans :
  – *le risque élevé (risque à 10 ans > 20 %)* : MC installée ou équivalents de risque de MC ;
  – *le risque modérément élevé (risque à 10 ans de 10 à 20 %)* : facteurs de risque multiples (ou 2+) ;
  – *le bas risque (risque à 10 ans < 10 %)* : 0 ou 1 seul facteur de risque.

✔ Les *facteurs de risque* sont le tabagisme, une PA > 140/90 mmHg ou un traitement antihypertenseur, des HDL < 0,40 g/L, des cas familiaux de MC chez des parents au premier degré âgés de moins de 55 ans s'ils sont de sexe masculin, de moins de 65 ans s'ils sont de sexe féminin, et un âge ≥ 45 ans pour les hommes ou ≥ 55 ans pour les femmes.

  La *MC* comprend les antécédents d'infarctus du myocarde, un angor stable ou instable, des interventions sur les coronaires comme une angioplastie ou un pontage, ou des signes d'ischémie myocardique significative.

  Les *équivalents de risque de la MC* comprennent l'*athérosclérose extra-coronarienne*, telle que la maladie artérielle périphérique, l'anévrisme de l'aorte abdominale, la pathologie de l'artère carotide (accidents ischémiques transitoires ou AVC d'origine carotidienne ou obstruction de l'artère carotide > 50 %), le *diabète*, et les *facteurs de risque 2+ d'un risque à 10 ans de MC > 20 %*.

✔ Les personnes à *risque élevé* sont définies comme « toutes les personnes avec une MC ou des équivalents de risque de MC ». Pour ces personnes, *le taux visé de LDL est ≤ 1 g/L*.

✔ Identifiez les cibles secondaires du traitement, telles que le *syndrome métabolique* et un *taux de triglycérides > 1,50 g/L*, un risque indépendant de MC (voir tableau ci-après).

L'ATP III définit le *syndrome métabolique* comme une « constellation de facteurs de risque lipidiques et non lipidiques d'origine métabolique ».[31, 32] Ce syndrome est étroitement lié à une résistance à l'insuline, qui se voit chez les sujets obèses, sédentaires, ou génétiquement prédisposés. Les critères cliniques du syndrome métabolique sont énumérés dans le tableau ci-dessous. Notez que le tour de taille est plus étroitement corrélé avec les facteurs de risque de syndrome métabolique que l'IMC.

| ATP III : Identificateurs cliniques du syndrome métabolique | |
| --- | --- |
| **Facteur de risque** | **Valeur seuil** |
| Obésité abdominale | Tour de taille |
| Hommes | > 102 cm |
| Femmes | > 88 cm |
| Triglycérides | ≥ 1,50 g/L |
| HDL-cholestérol | |
| Hommes | < 0,40 g/L |
| Femmes | < 0,50 g/L |
| Pression artérielle | ≥ 130/≥ 85 mmHg |
| Glycémie à jeun | ≥ 1,10 g/L |

En juillet 2004, le NCEP a mis à jour ces rapports avec les résultats de cinq grands essais cliniques.[33] Pour les *personnes à risque élevé*, le NCEP recommande maintenant un objectif de LDL < 0,70 g/L et, à *titre optionnel*, un traitement hypolipémiant intensif.[34] Le NCEP s'appuie sur des données montrant que les patients à risque élevé tirent profit d'une baisse supplémentaire des LDL de 30 à 40 % même quand les LDL sont < 1 g/L.

L'USPSTF recommande le dosage systématique des LDL chez les hommes à partir de 35 ans et chez les femmes à partir de 45 ans.[35] Le dépistage doit commencer à 20 ans pour ceux qui ont des facteurs de risque de MC.[36, 37]

Conseillez à vos patients de se faire faire un *profil lipidique de jeûne* pour déterminer les taux de cholestérol total et de LDL cholestérol. Servez-vous des calculateurs de risque page 356 ou consultez l'ATP III pour déterminer la *catégorie de risque à 10 ans de votre patient*. Utilisez les recommandations 2004 ci-après, qui distinguent 4 groupes de risque, pour programmer vos actions concernant le changement de mode de vie et les traitements hypolipémiants.

| Dernières recommandations de l'ATP III : risque à 10 ans et taux de LDL visés | | |
|---|---|---|
| Catégorie de risque à 10 ans | Objectif de LDL | Envisagez un traitement si LDL |
| Risque élevé (> 20 %) | < 1 g/L *Objectif optionnel :* < 0,70 g/L | ≥ 1 g/L (< 1 g/L : discutez un traitement pour obtenir une réduction supplémentaire de 30 à 40 % des LDL) |
| Risque modérément élevé (10-20 %) | < 1,30 g/L *Objectif optionnel :* < 1,0 g/L | ≥ 1,30 g/L (1-1,29 g/L : discutez un traitement pour atteindre un objectif < 1 g/L) |
| Risque modéré (< 10 %) | < 1,30 g/L | ≥ 1,60 g/L |
| Risque faible (0-1 facteur de risque) | < 1,60 g/L | ≥ 1,90 g/L (1,60-1,89 g/L : traitement *optionnel*) |

Source : d'après Grundy SM, Cleeman JI, Merz NB *et al.*, for the Coordinating Committee of the National Cholesterol Education Program. Implications of recent clinical trials for the National Cholesterol Education Adult Treatment Panel III guidelines. Circulation 2004 ; 110 (2) : 227-239.

***Promotion d'un changement du mode de vie et réduction des facteurs de risque.*** Le JNC7, le *National High Blood Pressure Education Program* et l'AHA préconisent une série de modifications du mode de vie et d'interventions bien étudiées et efficaces afin de prévenir l'hypertension artérielle, la maladie cardiovasculaire (MCV) et l'AVC. Les modifications du mode de vie concernant l'hypertension peuvent abaisser la PA systolique de 2 à 20 mmHg.[24] Elles recoupent celles recommandées pour réduire les risques de MCV et d'AVC, comme on le voit ci-dessous.

## MODIFICATIONS DU MODE DE VIE POUR PRÉVENIR OU TRAITER L'HYPERTENSION ARTÉRIELLE

✔ Poids optimal ou IMC entre 18,5 et 24,9 kg/m².

✔ Apport de sel < 6 g de chlorure de sodium ou 2,4 g de sodium par jour.

✔ Exercice aérobie régulier, comme une marche rapide pendant au moins 30 minutes par jour, presque tous les jours de la semaine.

✔ Consommation modérée d'alcool : au maximum 2 verres par jour pour les hommes et 1 verre par jour pour les femmes (2 verres = 30 g d'éthanol, 675 g de bière, 300 g de vin ou 60-90 g de whisky).

✔ Apport de potassium > 3,5 g par jour.

✔ Alimentation riche en fruits, légumes et produits laitiers pauvres en graisses, limitée en graisses et en lipides saturés.

Source : Whelton PK, He J, Appel LJ *et al.* Primary prevention of hypertension. Clinical and Public Health Advisory from the National High Blood Pressure Education Program. JAMA 2002 ; 288 (15) : 1882-1888.

## INTERVENTIONS VISANT À PRÉVENIR LA MALADIE CARDIOVASCULAIRE ET L'ACCIDENT VASCULAIRE CÉRÉBRAL

✔ Arrêt complet du tabac.

✔ Maintien d'une PA optimale (voir tableau des recommandations du JNC7, p. 354).

✔ Alimentation saine (voir les recommandations alimentaires à la page précédente).

✔ Contrôle lipidique (voir tableau p. 357).

✔ Exercice aérobie régulier (voir page précédente).

✔ Poids optimal (voir page précédente).

✔ Prise en charge du diabète pour que la glycémie à jeun soit < 1,10 g/L et l'HbA1C < 7 %.

✔ Réduction d'une fibrillation auriculaire ou, si elle est chronique, traitement anticoagulant.

Source : Pearson TA, Blair SN, Daniels SR *et al.* AHA guidelines for primary prevention of cardiovascular disease and stroke : 2000 update. Circulation 2002 ; 106 : 388-391.

**Alimentation saine.** Commencez par un interrogatoire portant sur le régime (voir p. 108-109), puis visez un faible apport de cholestérol et de lipides totaux, avec notamment moins de graisses saturées et *trans*. Les aliments contenant des graisses mono ou poly-insaturées et les acides gras oméga-3 des huiles de poisson permettent d'abaisser la cholestérolémie. Révisez les sources alimentaires de ces graisses saines et malsaines.[38]

## SOURCES DE GRAISSES SAINES ET MALSAINES

### Graisses saines

✔ *Aliments riches en graisses mono-insaturées :* noix, telles que amandes, pécans et cacahuètes, graines de sésame, avocats, huile de colza (canola), huile d'olives et de cacahuètes, beurre de cacahuètes.

✔ *Aliments riches en graisses poly-insaturées :* blé, carthame, graines de coton, huile de soja, noisettes, graines de tournesol et de potiron, margarine allégée, mayonnaise, assaisonnements de salade.

✔ *Aliments riches en acides gras oméga-3 :* thon albacore, hareng, maquereau, truite arc-en-ciel, saumon, sardines.

### Graisses malsaines

✔ *Aliments riches en cholestérol :* produits laitiers, jaunes d'œuf, foie et abats, viandes et volailles grasses.

✔ *Aliments riches en graisses saturées :* produits laitiers riches en graisse (crème, fromages, glaces, lait entier et crème fraîche, beurre), bacon, chocolat, huile de coco, lard et sauces à base de graisses de viande cuite, viandes très grasses comme le bœuf haché, les hot-dogs et les saucisses.

✔ *Aliments riches en graisses* trans* : casse-croûtes, aliments cuits avec des huiles hydrogénées ou partiellement hydrogénées, margarine (en sticks), *shortening***, frites.

* NdT. Graisses *trans* : graisses dont les acides gras sont insaturés en *trans*.
** NdT. *Shortening* : une graisse végétale utilisée pour cuisiner.

**Conseils concernant le poids et l'exercice physique.** La revue de janvier 2004 sur les avancées en matière de nutrition et de surpoids, dans *Healthy People 2010* (« Pour une bonne santé en 2010 ») rapporte que « des facteurs alimentaires sont associés à 4 des 10 grandes causes de décès : la maladie coronarienne, certains types de cancer, l'accident vasculaire cérébral et le diabète de type 2, ainsi qu'à l'hypertension artérielle et à l'ostéoporose. Dans l'ensemble, les données sur les trois objectifs "Pour une bonne santé en 2010" reflètent une tendance à l'aggravation pour le poids des adultes et des enfants ».[38] Plus de 60 % des Américains sont à présent en surpoids ou obèses, avec un IMC ≥ 25.

Les conseils concernant le poids sont devenus un impératif clinique. Évaluez l'indice de masse corporelle (IMC), comme exposé au chapitre 4, p. 114-116. Discutez les principes d'une alimentation saine – les patients qui ingèrent beaucoup de graisses ont plus de risques d'accumuler des graisses dans leur corps que ceux qui ingèrent beaucoup de protéines et de glucides. Revoyez les habitudes alimentaires du patient et les modèles de poids dans la famille. Fixez des objectifs réalistes, qui aideront le patient à garder de bonnes habitudes alimentaires durant *toute sa vie*.

Un *exercice physique régulier* est l'indicateur de santé numéro un de « Pour une bonne santé en 2010 ». La revue d'avril 2004 sur les avancées en matière d'activité physique et de bonne forme, dans « Pour une bonne santé en 2010 » déclare que « en 2000, le couple alimentation médiocre et manque d'exercice physique était la deuxième grande cause de décès. L'écart entre ce facteur de risque et la consommation de tabac, qui est la première cause, s'est notablement rétréci au cours de la dernière décennie ».[39] Pour réduire le risque de MC, conseillez aux patients d'effectuer un exercice aérobie, c'est-à-dire un exercice qui augmente la consommation d'oxygène des muscles, pendant au moins 30 minutes, presque tous les jours de la semaine. Stimulez leur motivation en soulignant les effets bénéfiques immédiats sur la santé et le bien-être. Une respiration ample, la transpiration par temps froid, un pouls dépassant de 60 % le maximum de la fréquence cardiaque normale ajustée sur l'âge (ou 220 moins l'âge du sujet) sont les marqueurs qui permettent aux patients de reconnaître l'installation d'un métabolisme aérobie. Bien sûr, tenez compte des affections cardiovasculaires, pulmonaires ou musculosquelettiques qui présentent des risques avant de choisir un régime d'activité physique.

## TECHNIQUES D'EXAMEN

À présent, vous êtes prêt à apprendre les techniques classiques de l'examen cardiovasculaire. Une bonne connaissance de l'anatomie et de la physiologie du cœur est fondamentale pour comprendre l'hémodynamique de cette « pompe aspirante et foulante ». Cependant, c'est seulement par la pratique assidue de ces techniques d'examen que vous acquerrez confiance et précision dans vos trouvailles cliniques, qu'elles soient normales ou anormales.[40] Examinez tous les patients minutieusement et méthodiquement. L'examen complet et répété de patients normaux vous servira de référence pour identifier des anomalies cardiaques importantes.

**Pression artérielle et fréquence cardiaque.** Pour commencer l'examen cardiovasculaire, revoyez la pression artérielle (PA) et la fréquence cardiaque (FC) relevées avec les autres constantes vitales, au début de l'examen physique. Si vous avez besoin de refaire ces mesures ou si elles ne sont pas déjà faites, prenez le temps de mesurer la pression artérielle et de compter la fréquence cardiaque en utilisant la technique optimale (voir chapitre 4 : « Début de l'examen physique, examen général, signes vitaux et douleur », en particulier les pages 116-121).[41-45]

En bref, pour la *pression artérielle*, le patient étant au repos depuis plus de 5 minutes dans un environnement calme, choisissez un brassard de taille correcte, placez le bras du patient à hauteur du cœur, soit en le posant sur une table s'il est assis, soit en le soutenant à mi-hauteur de la poitrine s'il est debout. Assurez-vous que la chambre gonflable du brassard est centrée sur l'artère humérale. Gonflez le brassard à environ 30 mmHg au-dessus de la valeur de la pression à laquelle le pouls radial ou le pouls huméral disparaissent. En dégonflant le brassard, attendez d'entendre les bruits d'au moins deux battements cardiaques consécutifs : ils indiquent la pression *systolique*. Puis recherchez le point de disparition des battements cardiaques : il indique la pression *diastolique*. Pour la *fréquence cardiaque*, comptez le pouls radial avec la pulpe de votre index et de votre majeur, ou comptez le choc apexien à l'aide de votre stéthoscope (voir p. 121).

**Objectifs de l'apprentissage de l'examen cardiaque.** À l'issue de votre formation théorique et pratique, vous devez être capable de :

■ décrire l'anatomie de la paroi thoracique et localiser les principaux foyers d'auscultation ;

■ apprécier le pouls veineux jugulaire, le pouls carotidien, et la présence ou l'absence de souffles carotidiens ;

■ identifier et décrire correctement le maximum du choc précordial ;

■ identifier correctement le premier bruit et le deuxième bruit du cœur (B1 et B2), à la base et à la pointe du cœur ;

■ connaître l'effet de l'espace PR sur l'intensité de B1 ;

■ identifier le dédoublement physiologique et paradoxal de B2 ;

■ reconnaître les principaux bruits anormaux *en début de diastole*, à savoir le troisième bruit du cœur (B3), une vibrance péricardique, et le claquement d'ouverture d'une valvule mitrale sténosée ;

■ reconnaître un quatrième bruit du cœur (B4) *en fin de diastole* ;

- diagnostiquer le temps des souffles et identifier correctement les souffles systoliques et diastoliques, ainsi que les frottements péricardiques ;

- diagnostiquer et interpréter un pouls paradoxal ;

- identifier correctement les caractéristiques d'un examen cardiaque normal, à savoir la fréquence et le rythme cardiaques et les bruits du cœur normaux ;

- identifier correctement les souffles cardiaques, en recourant à des manœuvres si besoin est.

# ➜ Pression et pulsations veineuses jugulaires

***Pression veineuse jugulaire (PVJ).*** L'estimation de la PVJ est une technique d'examen importante et souvent utilisée. Au premier abord, elle peut sembler difficile mais avec de la pratique et une supervision vous découvrirez que la PVJ fournit des renseignements précieux sur la volémie et la fonction cardiaque du patient. Comme vous l'avez appris, la PVJ reflète la pression dans l'oreillette droite, ou pression veineuse centrale, et elle est mieux évaluée par les pulsations de la veine jugulaire interne droite. Notez toutefois que les veines jugulaires et leurs pulsations sont difficiles à voir chez l'enfant avant l'âge de 12 ans, ce qui fait qu'elles ne sont pas utilisées pour évaluer l'appareil cardiovasculaire dans cette tranche d'âge.

Pour vous aider à apprendre cette partie de l'examen cardiaque, les étapes de l'évaluation de la PVJ sont détaillées à la page suivante. Pour commencer, réfléchissez un moment à la volémie du patient et envisagez de quelle façon il faut modifier l'inclinaison de la tête du lit ou de la table d'examen.

- En général, le point de départ pour apprécier la PVJ est l'élévation de la tête du lit à 30°. Identifiez la veine jugulaire externe de chaque côté, puis découvrez les pulsations de la veine jugulaire interne transmises de la profondeur aux parties molles du cou. La PVJ est le point d'oscillation le plus élevé (ou ménisque) des pulsations veineuses jugulaires. Ce point est en général évident chez les patients normovolémiques.

- Chez les patients *hypovolémiques*, vous pouvez vous attendre à une *PVJ basse*, ce qui vous amène à *abaisser la tête du lit* en conséquence, parfois jusqu'à 0°, pour mieux voir le point d'oscillation.

- De même, chez les patients surchargés ou *hypervolémiques*, vous pouvez vous attendre à une *PVJ élevée*, ce qui vous amène à *relever la tête du lit* en conséquence.

Un patient hypovolémique devra peut-être s'étendre à plat pour que vous voyiez les veines du cou. En revanche, quand la PVJ est augmentée, une élévation jusqu'à 60 voire 90° peut être nécessaire. Dans toutes ces positions, l'angle sternal reste à environ 5 cm au-dessus de l'oreillette droite, comme illustré p. 348.

## ÉTAPES DE L'ÉVALUATION DE LA PVJ

✔ Installez le patient confortablement. *Relevez sa tête légèrement avec un oreiller*, pour relâcher les muscles sternocléidomastoïdiens.

✔ *Relevez la tête du lit ou de la table d'examen à environ 30°. Tournez un peu la tête du patient à l'opposé du côté que vous examinez.*

✔ Utilisez un *éclairage tangentiel* et examinez les deux côtés du cou. Identifiez la veine jugulaire externe de chaque côté, puis cherchez les pulsations de la veine jugulaire interne.

✔ *Si besoin est, élevez ou abaissez la tête du lit* jusqu'à voir le point d'oscillation (ou ménisque) des pulsations de la veine jugulaire interne dans la moitié inférieure du cou.

✔ Concentrez-vous sur la *veine jugulaire interne droite*. Recherchez des pulsations dans la fourchette sternale, entre les insertions du muscle sternocléidomastoïdien sur le sternum et la clavicule, ou juste en arrière du sternocléidomastoïdien. Le tableau ci-dessous vous aidera à distinguer les pulsations de la veine jugulaire interne des pulsations de l'artère carotide.

✔ *Localisez le point le plus élevé des pulsations de la veine jugulaire interne droite.* Placez une carte à l'horizontale de ce point et une règle graduée à la verticale de l'angle sternal, les deux objets formant un angle droit. Mesurez alors la distance verticale (hauteur) qui sépare l'angle sternal du croisement entre l'objet horizontal et la règle. *Cette distance au-dessus de l'angle sternal ou de l'oreillette droite, mesurée en centimètres, est la PVJ.*

Les points suivants permettent de distinguer les pulsations de la jugulaire interne et celles de la carotide[10] :

| Distinction entre les pulsations de la jugulaire interne et de la carotide | |
| --- | --- |
| **Pulsations de la jugulaire interne** | **Pulsations de la carotide** |
| Rarement palpables | Palpables |
| Faibles, biphasiques, ondulantes, avec habituellement deux sommets et deux creux par battement cardiaque | Pulsations plus vigoureuses avec une seule composante vers l'extérieur |
| Pulsations abolies par une pression légère sur la veine, juste au-dessus de l'extrémité sternale de la clavicule | Pas d'abolition des pulsations par cette pression |
| Le niveau des pulsations change avec la position du patient, diminuant quand le patient est plus vertical | Niveau des pulsations inchangé par la position |
| Le niveau des pulsations décroît habituellement à l'inspiration | Niveau des pulsations non modifié par l'inspiration |

Il est difficile d'obtenir des lignes vraiment verticales et horizontales pour mesurer la PVJ – problème très voisin de celui qui consiste à suspendre verticalement un tableau quand vous êtes tout près de lui. Placez votre règle sur l'angle sternal et ajustez-la suivant ce qui vous paraît être vertical dans la pièce. Placez ensuite une carte (ou un objet rectangulaire) à angle droit avec la règle. Cet objet constitue votre ligne horizontale. Déplacez-la – toujours horizontale – vers le haut ou le bas de telle façon que son bord inférieur repose sur le point le plus élevé des pulsations jugulaires, et lisez la distance verticale sur la règle. Arrondissez votre mesure au centimètre le plus proche.

Une augmentation de pression suggère une *insuffisance cardiaque droite* ou, plus rarement, une *péricardite constrictive*, un *rétrécissement tricuspide* ou une *obstruction de la veine cave supérieure.*[46-51]

Chez les patients ayant une maladie pulmonaire obstructive, la pression veineuse peut être élevée seulement à l'expiration ; les veines se collabent à l'inspiration. Cette constatation n'indique pas une insuffisance cardiaque.

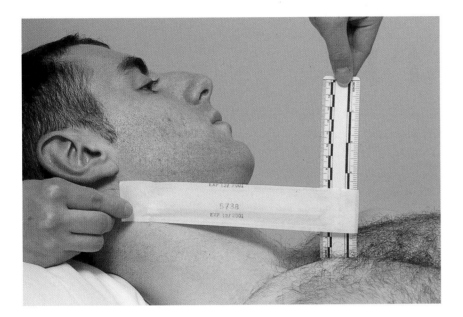

Une pression veineuse mesurée à plus de 3-4 cm au-dessus de l'angle du sternum ou à plus de 8-9 cm au-dessus de l'oreillette droite est considérée comme *supérieure à la normale.*

Une élévation de la PVC a une spécificité de 98 % pour une pression télédiastolique élevée et une fraction d'éjection basse du ventricule gauche ; elle augmente le risque de mort par insuffisance cardiaque.[52, 53]

Si vous n'arrivez pas à voir les pulsations de la veine jugulaire interne, recherchez celles de la veine jugulaire externe, bien qu'elles ne soient pas visibles d'habitude. Et si rien n'est visible, repérez *le point au-dessus duquel les veines jugulaires externes semblent collabées.* Cette observation sera effectuée de chaque côté du cou. On mesurera la distance verticale entre ce point et l'angle sternal.

Une distension unilatérale de la veine jugulaire externe est habituellement due à une coudure ou une obstruction locales.

Le point le plus élevé des pulsations veineuses peut être situé au-dessous de l'angle sternal. Dans ce cas, la pression veineuse n'est pas élevée, il est rarement nécessaire de la mesurer.

***Pulsations veineuses jugulaires.*** *Observez l'amplitude et la chronologie des pulsations veineuses jugulaires.* Pour situer dans le temps ces pulsations, palpez l'artère carotide avec votre pouce droit ou auscultez simultanément le cœur. L'onde *a* est juste avant B1 et la pulsation carotidienne, le creux *x* peut être vu à la fin de la systole, l'onde *v* coïncide presque avec B2, et le creux *y* lui succède au début de la diastole. Notez l'absence des ondes ou leur amplitude excessive.

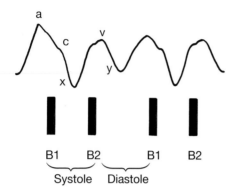

**Pulsations veineuses jugulaires**

| | |
|---|---|
| B1 | B2 |

Systole    Diastole

**Courbes de pression veineuse jugulaire**

a = contraction auriculaire
c = ébranlement carotidien, invisible cliniquement
x = creux dans l'oreillette droite, après *a*
v = remplissage veineux passif des oreillettes à partir des veines caves
y = creux à la phase de repos auriculaire, avant la contraction

Il faut une expérience et une pratique considérables pour maîtriser l'étude des pulsations veineuses jugulaires. Un débutant serait probablement bien avisé de se concentrer d'abord sur la pression veineuse jugulaire.

# → Pouls carotidien

Après avoir mesuré la PVJ, passez à l'évaluation du *pouls carotidien*. Le pouls carotidien donne des renseignements précieux sur la fonction cardiaque et est particulièrement utile pour détecter un rétrécissement ou une insuffisance de la valvule aortique. Prenez le temps d'apprécier la qualité du jet de sang dans la carotide, son amplitude et la présence ou l'absence de *thrills* ou de *souffles carotidiens*.

Pour l'appréciation *de l'amplitude et de la forme*, le patient doit être couché sur le dos avec la tête du lit encore relevée d'environ 30°. Pour percevoir l'artère carotide, commencez d'abord par inspecter le cou à la recherche des pulsations carotidiennes. Celles-ci peuvent être visibles juste en dedans des muscles sternocléidomastoïdiens. Puis placez votre index et votre majeur gauches (ou le pouce gauche) sur l'artère carotide droite au tiers inférieur du cou, appuyez vers l'arrière et palpez les pulsations.

Des *ondes a* proéminentes traduisent une résistance accrue à la contraction auriculaire gauche, comme dans le *rétrécissement tricuspide*, ainsi que dans le bloc AV du premier degré, la tachycardie supraventriculaire, l'*hypertension pulmonaire* et la *sténose pulmonaire*.

Pas d'*ondes a* visibles en fibrillation auriculaire. Grandes *ondes v* dans l'*insuffisance tricuspide*, la *péricardite constrictive*.

Pour les rythmes irréguliers, voir le tableau 9-1 : « Fréquences et rythmes cardiaques sélectionnés », p. 391, et le tableau 9-2 : « Rythmes irréguliers sélectionnés », p. 392.

Une artère carotide sinueuse, coudée, peut donner un bombement pulsatile unilatéral.

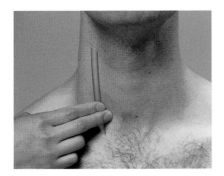 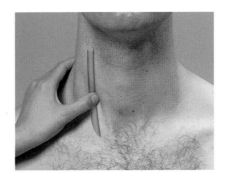

Une diminution des pulsations peut être due à une diminution du volume d'éjection, et à des facteurs artériels locaux tels qu'un rétrécissement ou une occlusion.

Appuyez juste en dedans du bord interne du muscle sternocléidomastoïdien, bien relâché, à peu près au niveau du cartilage cricoïde. Évitez de comprimer le *sinus carotidien* situé au niveau de la partie haute du cartilage thyroïde. Utilisez le pouce ou les doigts droits pour la carotide gauche. N'appuyez pas sur les deux carotides simultanément car vous pourriez diminuer l'apport sanguin au cerveau et provoquer une syncope.

La compression du sinus carotidien peut provoquer une chute réflexe de la fréquence du pouls ou de la pression artérielle.

Augmentez doucement la pression jusqu'à percevoir une pulsation maximale, puis diminuez-la doucement jusqu'à obtenir la meilleure perception possible de l'amplitude et de la forme. Essayez d'évaluer :

Voir tableau 9-3 : « Anomalies des pouls et des ondes de pression artériels », p. 393.

- l'*amplitude du pouls*. Elle est assez bien corrélée avec la pression différentielle ;

Pouls petit, filant ou faible dans le *choc cardiogénique* ; pouls bondissant dans l'*insuffisance aortique* (voir p. 393).

- la *forme de l'onde pulsatile* (c'est-à-dire la vitesse de sa montée, la durée de son sommet, et la vitesse de sa descente). Le mouvement ascensionnel normal est vif. Il est régulier, rapide et succède presque immédiatement à B1. Le sommet est lisse, arrondi et à peu près mésosystolique. La partie descendante est moins abrupte que la partie ascendante ;

Pouls carotidien *retardé* dans le *rétrécissement aortique*.

- toute *variation d'amplitude* d'une contraction à l'autre, ou avec la respiration ;

*Pouls alternant* (voir p. 393), pouls bigéminé (variation d'un battement à l'autre), pouls paradoxal (variation respiratoire).

- la *chronologie de l'expansion de la carotide par rapport à B1 et à B2*. Notez que, normalement, le pouls carotidien suit B1 et précède B2. Cette relation est très utile pour identifier correctement B1 et B2, notamment quand le cœur est rapide et que la durée de la diastole – normalement plus longue que celle de la systole – devient proche de la durée de la systole.

**Frémissements et souffles.** Au cours de la palpation de l'artère carotide, vous pouvez détecter des frémissements vibratoires, ou *thrills*, qui ressemblent à un ronronnement dans la gorge d'un chat. Systématiquement, *a fortiori* s'il y a un thrill, auscultez les deux carotides avec la membrane de votre stéthoscope à la recherche d'un *souffle* d'origine vasculaire.

Notez qu'un souffle provenant de la valvule aortique peut irradier dans le cou et ressembler à un souffle carotidien.

Vous devez aussi rechercher des souffles carotidiens si le patient est d'âge moyen ou avancé, ou si vous suspectez une maladie vasculaire cérébrale. Demandez au patient de retenir un instant sa respiration afin que les bruits respiratoires ne masquent pas le bruit vasculaire, et auscultez avec le pavillon du stéthoscope. Les seuls bruits du cœur ne constituent pas des souffles.

Un examen plus détaillé des pouls artériels est décrit dans le chapitre 12 : « Système vasculaire périphérique ».

La prévalence des souffles carotidiens asymptomatiques augmente avec l'âge, et atteint 8 % chez les sujets de 75 ans et plus, avec un risque d'ischémie myocardique et d'AVC multiplié par trois. Le souffle carotidien ne prédit pas le degré de la sténose sous-jacente, aussi il faut poursuivre les explorations.[54]

***Artère humérale (ou brachiale).*** Les artères carotides reflètent plus précisément les pulsations aortiques mais chez les patients qui ont une obstruction, une plicature ou des thrills des carotides, elles ne sont pas adéquates. Dans ce cas, évaluez le pouls de l'*artère humérale* en employant les techniques décrites ci-dessus pour en déterminer l'amplitude et le contour.

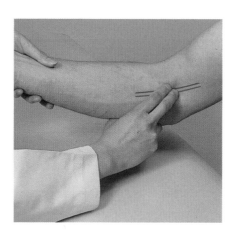

Utilisez l'index et le médius ou le pouce de la main opposée. Mettez votre main autour du coude du patient et recherchez le pouls juste en dedans du tendon du biceps. Le membre supérieur du patient doit être en position de repos, le coude en extension, la main en supination. Il peut être nécessaire de fléchir le coude à un degré variable avec votre main libre, pour obtenir une relaxation musculaire optimale.

# → Cœur

Pour la plus grande partie de l'examen cardiaque, le patient doit être en *décubitus dorsal*, la partie supérieure du corps redressée en relevant la tête du lit ou de la table à environ 30°. Deux autres positions sont également nécessaires : 1) *tourné sur le côté gauche* et 2) *assis et penché en avant*. Ces positions rapprochent la pointe et la chambre de chasse du ventricule gauche de la paroi thoracique, améliorant la détection du choc précordial et de l'insuffisance aortique. *L'examinateur doit se tenir à la droite du patient.*

Le tableau ci-après résume les positions du patient et suggère une séquence pour l'examen.

| Séquence pour l'examen cardiaque | | Trouvailles accentuées |
|---|---|---|
| **Position du patient** | **Examen** | |
| En décubitus dorsal, tête surélevée de 30° | Inspectez et palpez la région précordiale : les 2ᵉ espaces intercostaux droit et gauche, le ventricule droit et le ventricule gauche, y compris le choc apexien (diamètre, siège, amplitude et durée) | |
| En décubitus latéral gauche | Palpez le choc apexien s'il n'a pas été déjà décelé. Auscultez la pointe du cœur, avec le *pavillon* du stéthoscope | Bruits surajoutés graves tels que B3, claquement d'ouverture, roulement diastolique du *rétrécissement mitral.* |
| En décubitus dorsal, tête surélevée de 30° | Auscultez les 2ᵉ espaces intercostaux droit et gauche, le bord gauche du sternum, la pointe du cœur, avec la *membrane* | |
| | Auscultez le bord droit du sternum, avec le *pavillon*, à la recherche de souffles et de bruits tricuspides | |
| Assis, penché en avant, après une expiration complète | Auscultez le long du bord gauche du sternum et à la pointe, avec la *membrane* | Souffle diastolique, allant *decrescendo*, de l'*insuffisance aortique.* |

Au cours de l'examen cardiaque, n'oubliez pas de corréler vos trouvailles à la pression veineuse jugulaire et au pouls carotidien du patient. Il est également important de situer vos trouvailles anatomiquement et chronologiquement dans la révolution cardiaque.

■ Notez la *localisation anatomique* des bruits : espaces intercostaux et distances par rapport aux lignes médiosternales, médioclaviculaires et axillaires. La ligne médiosternale offre le point zéro le plus fiable pour une mesure, mais certains pensent que la ligne médioclaviculaire convient aux différentes tailles et morphologies des patients.

■ Repérez la *chronologie des impulsions ou des bruits* dans la révolution cardiaque. On peut souvent établir la chronologie des bruits par la seule auscultation. Chez la plupart des sujets à rythme cardiaque normal ou lent, il est facile de repérer les deux bruits couplés du cœur en les écoutant avec un stéthoscope. B1 est le premier de ces bruits, B2 est le second, et l'intervalle diastolique relativement long sépare un couple du suivant.

Au cours de l'examen cardiaque, n'oubliez pas de corréler vos trouvailles à

L'intensité relative de ces bruits peut également être utile. *B1 est en général plus fort que B2 à la pointe, et B2 est en général plus fort que B1 à la base.*

Même des cliniciens chevronnés sont parfois incertains de la chronologie de ce qu'ils entendent, en particulier lors de l'auscultation de bruits supplémentaires ou de souffles. Aller de « proche en proche » peut alors vous aider. Revenez à l'endroit du thorax – le plus souvent à la base – où l'on reconnaît facilement B1 et B2. Gardez clairement leur rythme en tête. Puis déplacez votre stéthoscope de proche en proche vers le bas jusqu'à ce que vous entendiez le nouveau bruit.

L'auscultation seule peut cependant être trompeuse. Les intensités de B1 et de B2, par exemple, peuvent être anormales. Bien plus, aux fréquences cardiaques élevées, la diastole se raccourcit, et à une fréquence de 120, la durée de la systole et celle de la diastole ne peuvent être distinguées. *Servez-vous de la palpation du pouls carotidien ou du choc apexien pour déterminer si le bruit ou le souffle est systolique ou diastolique.* Comme le pouls carotidien et le choc apexien surviennent pendant la systole, juste après B1, les bruits et les souffles concomitants sont systoliques ; les bruits et les souffles survenant après eux sont diastoliques.

Par exemple, B1 est diminué dans un *bloc auriculoventriculaire du premier degré*, et B2 est diminué dans un *rétrécissement aortique*.

## Inspection et palpation

***Vue d'ensemble.*** L'*inspection* soigneuse de la paroi thoracique antérieure peut révéler le siège du *choc apexien ou du maximum du choc précordial*, ou moins fréquemment, les mouvements ventriculaires contemporains d'un B3 ou d'un B4 gauches. Une lumière tangentielle est préférable pour faire ces observations. Utilisez la *palpation* pour confirmer les caractéristiques du choc apexien.

La palpation est également intéressante pour détecter des frémissements (ou thrills), et préciser la chronologie de B1 et B2 et les mouvements ventriculaires contemporains de B3 ou B4.

■ Commencez par une palpation générale de la paroi thoracique. Recherchez d'abord des *soulèvements* et des *frémissements* avec la *pulpe des doigts*. Tenez les doigts à plat ou en biais sur la surface du corps. Le choc apexien peut soulever vos doigts.

■ Recherchez ensuite des *frémissements*, en rapport avec des souffles sous-jacents, en appuyant fermement le *talon de la main* sur le thorax du patient. Si par la suite l'auscultation révèle un souffle intense, revenez en arrière et recherchez à nouveau un frémissement.

Des frémissements accompagnent le plus souvent les souffles intenses, rudes ou à type de roulement tels que ceux du *rétrécissement aortique*, de la *persistance du canal artériel*, de la *communication interventriculaire* et du *rétrécissement mitral*. On les palpe plus aisément dans les positions du patient qui accentuent le souffle.

■ À présent, appuyez fermement pour palper B1 et B2, légèrement pour palper B3 et B4. Pour *B1 et B2*, placez votre main droite sur la paroi thoracique et l'index et le médius gauches sur l'artère carotide droite dans le tiers inférieur du cou. Identifiez B1, qui survient juste avant le pouls carotidien. Puis identifiez B2, qui survient juste après le pouls carotidien. Cela peut demander un peu d'expérience. Au début, le pouls carotidien peut sembler trop rapide. Si vous vous entraînez sur tous les patients, vous constaterez que vous pourrez identifier B1 et B2 par la palpation aussi bien que par l'auscultation.

Il peut arriver qu'un patient ait une *dextrocardie*, c'est-à-dire un cœur situé du côté droit. On trouvera alors le choc apexien à droite. Si vous ne pouvez déceler le choc apexien, recherchez à la percussion la matité du cœur et du foie et la sonorité de l'estomac. Dans le *situs inversus*, ces trois organes se trouvent du côté opposé à la normale. Un cœur situé à droite (dextrocardie), avec un foie et un estomac en situation normale, est habituellement associé à une cardiopathie congénitale.

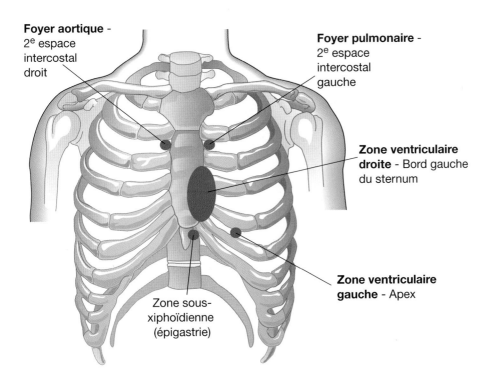

**Foyer aortique** - 2ᵉ espace intercostal droit

**Foyer pulmonaire** - 2ᵉ espace intercostal gauche

**Zone ventriculaire droite** - Bord gauche du sternum

**Zone ventriculaire gauche** - Apex

Zone sous-xiphoïdienne (épigastrie)

■ Appréciez le *ventricule droit* en palpant la zone ventriculaire droite au niveau de la partie inférieure du bord gauche du sternum et dans la région sous-xiphoïdienne, l'artère pulmonaire dans le 2ᵉ espace intercostal gauche et la zone aortique dans le 2ᵉ espace intercostal droit.

Le schéma ci-dessus convient à la plupart des patients qui ont une anatomie normale du cœur et des gros vaisseaux.

### Zone ventriculaire gauche : choc apexien et maximum du choc précordial.

Le choc de la pointe du cœur ou choc apexien est une impulsion brève et précoce du ventricule gauche, quand il avance durant sa contraction jusqu'à toucher la paroi thoracique. Notez que dans la plupart des examens, le choc apexien coïncide avec le maximum du choc précordial, mais que certains états pathologiques peuvent donner une impulsion plus forte que le choc de la pointe, comme un ventricule droit augmenté de volume, une artère pulmonaire dilatée ou une aorte anévrismale.

Si vous n'arrivez pas à identifier le choc apexien en décubitus dorsal, demandez au patient de se tourner un peu sur le côté gauche – c'est le *décubitus latéral gauche* – et palpez à nouveau avec la face palmaire de plusieurs doigts. Si vous ne pouvez le découvrir, demandez au patient de faire une expiration complète, puis de retenir sa respiration durant quelques secondes. Quand vous examinez une femme, il peut être utile de déplacer le sein gauche vers le haut ou en dehors autant que nécessaire ; vous pouvez aussi lui demander de le faire à votre place.

Le choc apexien n'est palpable que chez 25 à 40 % des adultes normaux en décubitus dorsal et chez 50 % des adultes normaux en décubitus latéral gauche, surtout s'ils sont minces.[55]

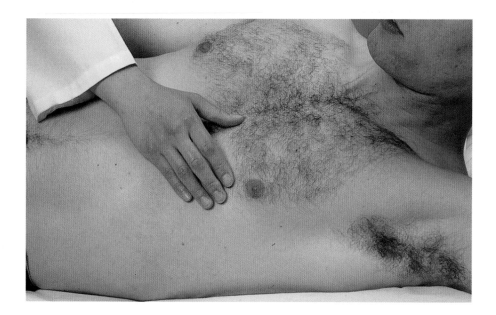

Une fois le choc apexien trouvé, affinez vos constatations avec la pulpe des doigts puis avec un seul doigt.

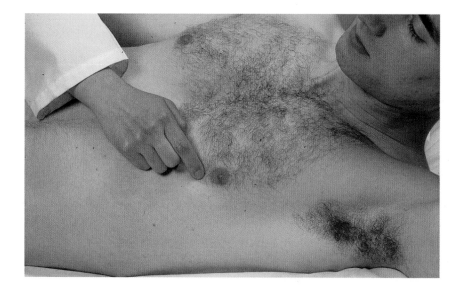

Avec l'expérience, vous apprendrez à percevoir le choc apexien chez un grand nombre de patients, mais une obésité, une paroi thoracique très musclée, ou une augmentation du diamètre antéropostérieur du thorax peuvent le rendre indétectable. Certains battements apexiens sont cachés sous la cage thoracique, quelle que soit la position.

À présent, précisez la localisation, le diamètre, l'amplitude et la durée du choc apexien. Vous pouvez demander au patient de faire une expiration forcée et de s'arrêter brièvement de respirer pour contrôler vos constatations.

Voir tableau 9-4 : « Variations et anomalies des chocs ventriculaires », p. 394.

■ *Localisation.* Essayez d'apprécier la localisation sur le patient en *décubitus dorsal* parce que le décubitus latéral gauche déplace le choc apexien vers la gauche. Situez deux points : les espaces intercostaux, en général le 5ᵉ, parfois le 4ᵉ, ce qui donne la localisation verticale ; et la distance en centimètres de la *ligne médiosternale*, ce qui donne la localisation horizontale. Certains auteurs conseillent de mesurer à partir de la *ligne médioclaviculaire* gauche, parce que le choc apexien tombe à peu près sur cette ligne. Les cliniciens qui procèdent ainsi doivent utiliser une règle pour repérer le point situé à mi-distance des articulations sternoclaviculaire et acromioclaviculaire ; sinon, les mesures à partir de cette ligne sont moins reproductibles parce que les estimations du milieu de la clavicule varient avec les cliniciens.

Le choc de la pointe du cœur peut être déplacé en haut et à gauche par une grossesse ou un hémidiaphragme gauche surélevé.

Déplacement en dehors dû à une augmentation de volume du cœur dans l'*insuffisance cardiaque*, la *cardiomyopathie*, l'*ischémie myocardique*. Déplacement dans les déformations du thorax et la déviation du médiastin.

Un déplacement externe au-delà de la ligne médioclaviculaire multiplie la probabilité d'une augmentation de volume du cœur par 3-4, et celle d'une diminution de la fraction d'éjection du ventricule gauche par 10.[55]

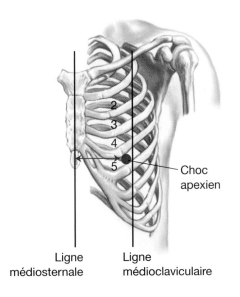

Choc apexien

Ligne médiosternale

Ligne médioclaviculaire

■ *Diamètre.* Notez le diamètre du choc de la pointe. Chez le patient en décubitus dorsal, il mesure en général moins de 2,5 cm et n'occupe qu'un seul espace intercostal. Il peut être plus étendu en décubitus latéral gauche.

En décubitus latéral gauche, un maximum du choc précordial *étalé*, avec un diamètre de plus de 3 cm, indique une augmentation de volume du ventricule gauche.[56]

■ *Amplitude.* Estimez l'amplitude du choc. Elle est en général faible et perçue comme un *léger coup*. On peut sentir un choc d'amplitude accrue (choc hyperkinétique) chez certains sujets jeunes, en particulier lors d'émotions ou d'efforts. Sa durée reste cependant normale.

Une amplitude accrue peut aussi traduire une *hyperthyroïdie*, une *anémie sévère*, une surcharge en pression *(rétrécissement aortique)* ou volumique *(insuffisance mitrale)* du ventricule gauche.

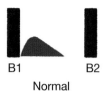

Normal

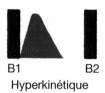

Hyperkinétique

■ *Durée.* La durée est la caractéristique du choc apexien la plus utile pour reconnaître une hypertrophie du ventricule gauche. Pour évaluer la durée, écoutez les bruits cardiaques tout en palpant le choc de pointe, ou observez les déplacements de votre stéthoscope lorsque vous auscultez à la pointe. Estimez la part de la systole occupée par le choc de pointe. Le choc normal peut se prolonger durant les deux premiers tiers de la systole mais ne se poursuit pas jusqu'au deuxième bruit du cœur.

Un choc apexien *prolongé* et ample, de siège normal, suggère une hypertrophie ventriculaire gauche par surcharge de pression (comme dans l'*hypertension artérielle*). Si un tel choc est déplacé en dehors, pensez à une surcharge volumique.

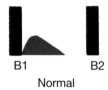

Normal

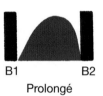

Prolongé

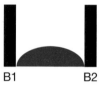

Un choc prolongé mais peu ample (hypokinétique) peut être dû à une *cardiomyopathie dilatée*.

**B3 et B4.** À l'inspection et à la palpation, vous pouvez aussi détecter des mouvements ventriculaires contemporains d'un troisième bruit et d'un quatrième bruit du cœur pathologiques (ou bruits de galop). Pour les chocs ventriculaires gauches, cherchez doucement avec un doigt le choc apexien. Le patient doit être en partie étendu sur le côté gauche, expirer puis arrêter brièvement de respirer. En traçant à l'encre un X sur la pointe, vous pourrez visualiser ces mouvements.

Un choc bref et mésodiastolique indique un B3 ; un choc juste avant le choc apexien systolique proprement dit indique un B4.

*Zone ventriculaire droite : bord gauche du sternum, au niveau des 3ᵉ, 4ᵉ et 5ᵉ espaces intercostaux.* Le patient doit reposer en décubitus dorsal, à 30°. Placez le bout de vos doigts repliés dans les 3ᵉ, 4ᵉ et 5ᵉ espaces intercostaux et essayez de sentir le choc systolique du ventricule droit. À nouveau, demandez au patient d'expirer et d'arrêter brièvement de respirer pour améliorer l'examen.

Si le choc est palpable, précisez sa localisation, son amplitude et sa durée. Un petit choc systolique bref, d'amplitude faible ou discrètement augmentée, est parfois perçu chez les sujets maigres ou au thorax mince, notamment quand le volume d'éjection est augmenté comme dans l'anxiété.

Une augmentation marquée de l'amplitude, sans modification nette de la durée, se voit en cas de surcharge volumique chronique du ventricule droit comme dans une *communication interauriculaire*.

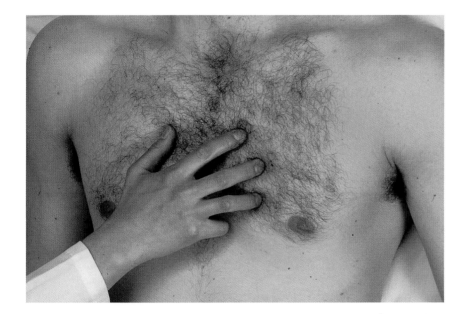

Un choc d'amplitude et de durée accrues se voit en cas de surcharge de pression du ventricule droit comme dans une *sténose pulmonaire* ou une *hypertension pulmonaire.*

On peut parfois percevoir les mouvements diastoliques d'un *B3 et d'un B4 droits.* Cherchez à les percevoir dans les 4ᵉ et 5ᵉ espaces intercostaux gauches. Situez-les dans le temps par l'auscultation ou la palpation des carotides.

Chez les patients ayant un diamètre antéropostérieur augmenté, la palpation du *ventricule droit* dans l'*épigastre* ou *zone sous-xiphoïdienne* est aussi intéressante. Avec la main aplatie, appuyez l'index juste sous le rebord costal en visant l'épaule gauche et essayez de percevoir les battements du ventricule droit.

Dans la maladie pulmonaire obstructive, les poumons distendus peuvent empêcher la palpation d'un ventricule droit hypertrophié le long du bord gauche du sternum. Le choc ventriculaire est cependant facilement perçu dans la partie haute de l'épigastre, là où les bruits du cœur sont aussi souvent mieux entendus.

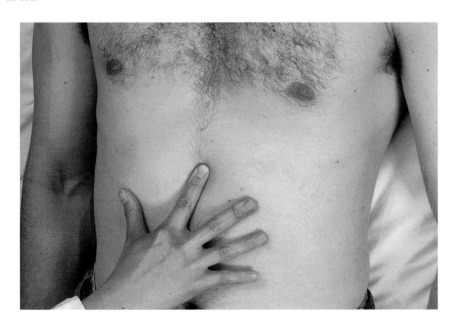

Il est utile de demander au patient d'inspirer puis de bloquer sa respiration. La position inspiratoire maintient votre main à distance des pulsations de l'aorte abdominale qui, sinon, pourraient vous induire en erreur. Les mouvements diastoliques de B3 et de B4, s'ils existent, peuvent aussi être perçus ici.

***Foyer pulmonaire : 2ᵉ espace intercostal gauche.*** Cet espace recouvre l'*artère pulmonaire*. Pendant une expiration bloquée du patient, recherchez une impulsion par l'inspection et la palpation et des bruits du cœur par la palpation. Chez les sujets minces ou à thorax étroit, la pulsation de l'artère pulmonaire peut parfois être perçue ici, surtout après un effort ou une période d'agitation.

Une pulsation ample à cet endroit se voit souvent lors d'une dilatation ou d'un accroissement du flux de l'artère pulmonaire. Un B2 palpable suggère une élévation de pression dans l'artère pulmonaire *(hypertension pulmonaire)*.

***Foyer aortique : 2ᵉ espace intercostal droit.*** Cet espace recouvre la voie d'éjection aortique. Cherchez-y des battements et des bruits du cœur palpables.

Un B2 palpable suggère une *hypertension* systémique. Une pulsation à cet endroit suggère une dilatation ou un anévrisme de l'aorte.

## Percussion

La palpation a remplacé la percussion dans l'estimation de la taille du cœur. Cependant, quand vous n'arrivez pas à percevoir le choc apexien, la percussion peut être utile, quoique plus ou moins fiable. La matité cardiaque occupe souvent alors une zone étendue. En commençant bien à gauche sur le thorax, percutez depuis les zones sonores jusqu'à la matité cardiaque dans les 3ᵉ, 4ᵉ, 5ᵉ et parfois 6ᵉ espaces intercostaux.

Un cœur défaillant très dilaté peut donner un choc de la pointe hypokinétique et très déplacé à gauche. Un épanchement péricardique abondant peut rendre le choc apexien indétectable.

## Auscultation

***Vue d'ensemble.*** L'auscultation des bruits du cœur et des souffles est une compétence importante et gratifiante de l'examen physique, qui conduit directement à plusieurs diagnostics cliniques. Dans cette partie, vous apprendrez les techniques pour identifier B1 et B2, les autres bruits de la systole et de la diastole, et les souffles systoliques et diastoliques. Revoyez les foyers d'auscultation sur la page suivante, mais sachez que 1) de nombreux enseignants déconseillent l'utilisation de termes tels que « foyer aortique » parce que des souffles peuvent être plus forts ailleurs, et 2) ces foyers ne conviennent pas aux patients qui ont une augmentation de volume du cœur, des anomalies des gros vaisseaux, ou une dextrocardie. Il vaut mieux parler de « base du cœur », de « pointe du cœur » ou de « bord gauche du sternum » pour rapporter vos constatations.

***Déplacez votre stéthoscope de proche en proche.*** Dans une pièce silencieuse, écoutez le cœur avec votre stéthoscope, en partant de la base ou de la pointe du cœur. Les deux procédés sont satisfaisants.

- Certains experts conseillent *de partir de la pointe du cœur et de progresser vers la base* : déplacez le stéthoscope du maximum du choc précordial vers le bord gauche du sternum en dedans, faites-le remonter jusqu'au deuxième espace intercostal, puis croiser le sternum pour aller dans le deuxième espace intercostal droit.

- Vous pouvez également *partir de la base et déplacer votre stéthoscope vers la pointe* : le stéthoscope étant posé sur le 2ᵉ espace intercostal droit, près du sternum, déplacez-le le long du bord gauche du sternum, du 2ᵉ au 5ᵉ espace intercostal, puis vers la pointe du cœur.

***Situez B1 et B2 dans le cycle cardiaque.*** Quel que soit le sens dans lequel vous déplacez votre stéthoscope, laissez votre index et votre majeur gauches sur l'artère carotide droite, au tiers inférieur du cou, afin d'identifier correctement B1 – juste avant le pouls carotidien – et B2 – après lui. Appréciez l'intensité relative de B1 et de B2 tandis que vous déplacez le stéthoscope dans les zones d'auscultation.

◼ À la base, vous noterez que B2 est plus fort que B1 et peut se dédoubler avec la respiration. À la pointe, B1 est habituellement plus fort que B2, à moins que l'espace PR ne soit allongé.

◼ En notant soigneusement les intensités de B1 et B2, vous confirmerez ces deux bruits, et vous identifierez donc correctement la *systole*, l'intervalle entre B1 et B2, et la *diastole*, l'intervalle entre B2 et B1.

Comme vous vous en apercevrez en entendant d'autres bruits et des souffles, l'identification de la systole et de la diastole est le préalable indispensable pour situer correctement ces trouvailles dans le cycle cardiaque.

Les bruits et les souffles cardiaques provenant des quatre valvules ont un siège très variable, comme le montre le schéma ci-dessous. Parlez en termes de localisation anatomique plutôt que de « foyer » pour préciser où vous entendez le mieux les souffles et les bruits.

**2ᵉ espace intercostal –**
Foyer aortique

**2ᵉ espace intercostal gauche –**
Foyer pulmonaire

**Apex –**
Foyer mitral

**Bord inférieur gauche du sternum –**
Foyer tricuspidien

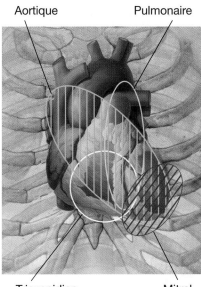

Aortique          Pulmonaire

Tricuspidien          Mitral

(D'après Leatham A : Introduction to the Examination of the Cardiovascular System, 2nd ed. Oxford, Oxford University Press, 1979)

***Connaissez votre stéthoscope !*** Il est important de comprendre les usages de la membrane et du pavillon.

◼ La *membrane.* La membrane est meilleure pour percevoir les bruits relativement aigus comme B1 et B2, les souffles d'insuffisance aortique et mitrale, et les frottements péricardiques. *Auscultez toute l'aire précordiale* avec la membrane, en l'appuyant fermement sur la poitrine.

■ *Le pavillon (ou cloche).* Le pavillon est plus sensible pour les sons graves comme B3 et B4 et le souffle du rétrécissement mitral. Appuyez-le légèrement, avec juste assez de pression pour que son pourtour ne laisse pas passer l'air. *Utilisez le pavillon à la pointe et plus en dedans, le long de la partie inférieure du bord du sternum.* Laisser reposer le talon de votre main comme point d'appui sur la poitrine vous permet de ne pas trop appuyer.

Le fait d'appuyer fermement le pavillon sur la poitrine tend la peau sous-jacente et fait fonctionner le pavillon plus à la façon d'une membrane. Cette manœuvre peut faire disparaître des sons graves tels que B3 et B4 et, de ce fait, peut servir à les identifier. En revanche, des sons aigus tels qu'un clic mésosystolique, un bruit éjectionnel, ou un claquement d'ouverture persistent ou augmentent d'intensité.

Auscultez toute l'aire précordiale sur le patient en décubitus dorsal. Pour les nouveaux patients et ceux qui ont besoin d'un examen cardiaque complet, utilisez deux autres positions importantes pour entendre un rétrécissement mitral ou une insuffisance aortique.

***Utilisez des manœuvres importantes.*** Demandez au patient de *se tourner en partie sur son côté gauche*, ce qui amène le ventricule gauche contre la paroi thoracique. Placez le pavillon de votre stéthoscope légèrement sur le choc de la pointe.

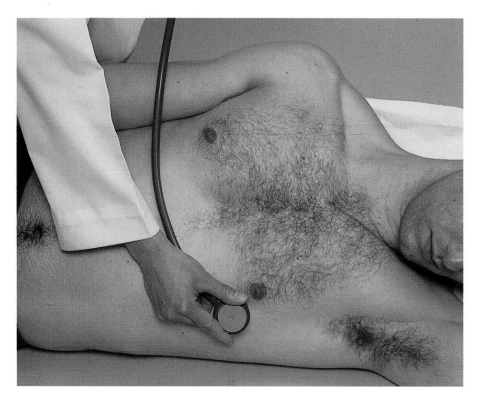

Cette position accentue ou rend audible un B3 ou un B4 d'origine gauche et des souffles mitraux, en particulier dans le *rétrécissement mitral.* Sinon, vous risquez de passer à côté de ces trouvailles importantes.

Demandez au patient de *s'asseoir, de se pencher en avant, de faire une expiration complète puis de bloquer sa respiration en expiration*. Appuyez la membrane de votre stéthoscope sur la poitrine, en auscultant le long du bord gauche du sternum et à la pointe, et en vous arrêtant périodiquement pour permettre au patient de respirer.

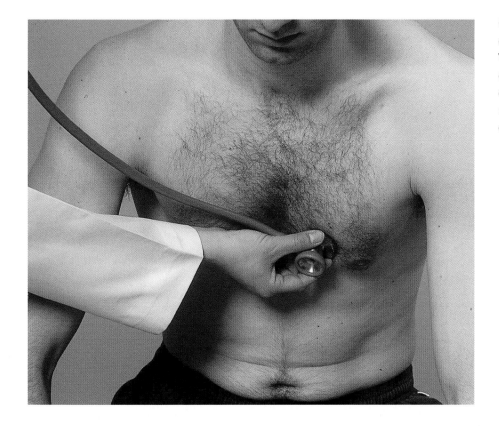

Cette position accentue ou fait entendre les souffles aortiques. Vous pouvez facilement passer à côté du souffle diastolique doux d'une *insuffisance aortique* si vous n'auscultez pas le patient dans cette position.

***Auscultez les bruits du cœur.*** Tout au long de votre examen, prenez votre temps à chaque foyer d'auscultation, concentrez-vous sur chaque événement du cycle cardiaque cité ci-dessous et sur les bruits que vous pouvez entendre dans la systole et dans la diastole.

***Identifiez correctement les souffles.*** Identifier correctement les souffles cardiaques est un problème diagnostique passionnant. Une approche méthodique et logique, une connaissance étendue de l'anatomie et de la physiologie cardiaques et, *par-dessus tout, l'étude et la pratique assidues des techniques d'examen et des tableaux de ce chapitre vous conduiront au succès.* Chaque fois que c'est possible, comparez vos constatations à celles d'un clinicien expérimenté pour améliorer votre acuité clinique. Revoyez les astuces pour identifier les souffles cardiaques, résumées dans le tableau ci-après, puis étudiez soigneusement les parties suivantes pour plus de détails.

| Bruits d'auscultation | |
|---|---|
| **Bruits du cœur** | **Guide d'auscultation** |
| **B1** | Notez son intensité et tout dédoublement. Un dédoublement normal est souvent entendu le long du bord gauche du sternum. |
| **B2** | Notez son intensité. |
| **Dédoublement de B2** | Entendez un dédoublement de ce bruit dans les 2<sup>e</sup> et 3<sup>e</sup> espaces intercostaux gauches. Demandez au patient de respirer calmement, puis un peu plus profondément que normalement. Est-ce que B2 se dédouble en ses deux composantes, comme il le fait normalement ? Si ce n'est pas le cas, demandez au patient (1) de respirer un peu plus profondément, ou (2) de s'asseoir. Auscultez à nouveau. Une paroi thoracique épaisse peut rendre inaudible la composante pulmonaire de B2. |
| | *Espacement.* Quel est l'espacement des deux composantes ? Il est normalement assez bref. |
| | *Chronologie.* À quel moment du cycle respiratoire entendez-vous le dédoublement ? Il est normalement entendu en fin d'inspiration. |
| | Disparaît-il comme il se doit pendant l'expiration ? Sinon, auscultez à nouveau le patient en position assise. |
| | *Intensité de A2 et P2.* Comparez l'intensité des composantes A2 et P2. A2 est d'habitude plus fort. |
| **Bruits surajoutés dans la systole** | Tels que des bruits d'éjection ou des clics systoliques. |
| | Notez la localisation, la chronologie, l'intensité et le timbre de ces bruits, ainsi que l'effet de la respiration sur eux. |
| **Bruits surajoutés dans la diastole** | Tels que B3, B4, ou un claquement d'ouverture. |
| | Notez la localisation, la chronologie, l'intensité et la tonalité de ces bruits, ainsi que l'effet de la respiration sur eux (B3 et B4 sont des trouvailles normales chez un athlète). |
| **Souffles systoliques et diastoliques** | Les souffles ont une durée plus longue que les bruits du cœur. |

Voir tableau 9-5 : « Variations du premier bruit du cœur (B1) », p. 395. Notez que B1 est plus fort quand le rythme cardiaque est plus rapide (et l'intervalle PR plus court).

Voir tableau 9-6 : « Variations du deuxième bruit du cœur (B2) », p. 396.

Si A2 ou P2 est absent du fait d'une affection de la valvule correspondante, B2 reste unique.

Un dédoublement expiratoire suggère une anomalie (voir p. 396).

Un dédoublement persistant est dû à une fermeture retardée de la valvule pulmonaire ou à une ouverture prématurée de la valvule aortique.

Un P2 fort suggère une hypertension pulmonaire.

Le clic systolique d'une valvule mitrale prolabée est le plus fréquent de ces bruits. Voir tableau 9-7 : « Bruits cardiaques surajoutés dans la systole », p. 397.

Voir tableau 9-8 : « Bruits cardiaques surajoutés dans la diastole », p. 398.

Voir tableau 9-9 : « Souffles pansystoliques (holosystoliques) », p. 399, tableau 9-10 : « Souffles mésosystoliques », p. 400-401, et tableau 9-11 : « Souffles diastoliques », p. 402.

- *Temps.* Décidez d'abord si le souffle que vous entendez est *systolique*, survenant entre B1 et B2, ou *diastolique*, survenant entre B2 et B1. La palpation du pouls carotidien pendant l'auscultation peut vous aider à déterminer le temps. *Les souffles qui sont concomitants du pouls carotidien sont systoliques.*

Les souffles diastoliques traduisent habituellement une valvulopathie. Les souffles systoliques peuvent traduire une valvulopathie mais ils surviennent souvent alors que les valvules cardiaques sont normales.

Les souffles systoliques sont en général *mésosystoliques* ou *pansystoliques*, mais ils peuvent aussi être télésystoliques (en fin de systole).

> **ASTUCES POUR IDENTIFIER LES SOUFFLES CARDIAQUES**
>
> ✔ Situez le souffle dans le cycle cardiaque : est-il systolique ou diastolique ?
>
> ✔ Précisez le siège du maximum d'intensité sur l'aire précordiale : à la base, le long du bord gauche du sternum, ou à la pointe du cœur ?
>
> ✔ Utilisez les manœuvres nécessaires : demandez au patient de se pencher en avant et d'expirer ou de se mettre en décubitus latéral gauche.
>
> ✔ Précisez la forme du souffle : par exemple, est-il *crescendo-decrescendo*, holosystolique ?
>
> ✔ Cotez l'intensité du souffle de 1 à 6.
>
> ✔ Notez des caractéristiques associées, telles que le timbre de B1 et de B2, l'existence de bruits surajoutés tels que B3, B4, un claquement d'ouverture, ou celle d'autres souffles.
>
> ✔ Auscultez dans une pièce silencieuse !

Un *souffle mésosystolique* commence après B1 et s'arrête avant B2. On peut noter de brefs trous auscultatoires entre le souffle et les bruits du cœur. Cherchez soigneusement à l'auscultation un trou avant B2. Il est plus facile à entendre et, s'il est présent, il confirme habituellement le caractère mésosystolique et non holosystolique du souffle.

Les souffles mésosystoliques sont typiquement produits par le passage du sang à travers des valves sigmoïdes (aortiques ou pulmonaires). Voir tableau 9-10 : « Souffles mésosystoliques », p. 400-401.

Un *souffle pansystolique (ou holosystolique)* commence avec B1 et s'arrête à B2, sans trou auscultatoire entre le souffle et les bruits cardiaques.

Les souffles pansystoliques (holosystoliques) surviennent souvent lors d'un flux de régurgitation (rétrograde) à travers les valvules auriculoventriculaires. Voir tableau 9-9 : « Souffles pansystoliques (holosystoliques) », p. 399.

Un *souffle télésystolique* commence habituellement au milieu ou à la phase tardive de la systole et persiste jusqu'à B2.

C'est le souffle du prolapsus valvulaire mitral qui est souvent, mais pas toujours, précédé d'un clic systolique (voir p. 399).

Les souffles diastoliques peuvent être *protodiastoliques, mésodiastoliques* ou *télédiastoliques.*

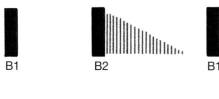

Un *souffle protodiastolique* débute aussitôt après B2, sans trou auscultatoire décelable, et s'éteint ensuite complètement avant le B1 suivant.

Les souffles protodiastoliques accompagnent typiquement un flux de régurgitation à travers des valvules sigmoïdes incompétentes.

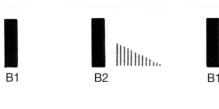

Un *souffle mésodiastolique* débute peu de temps après B2. Il peut s'éteindre progressivement, comme sur l'illustration, ou fusionner avec un souffle télédiastolique.

Les souffles mésodiastoliques et présystoliques traduisent un flux turbulent traversant les valvules auriculoventriculaires. Voir tableau 9-11 : « Souffles diastoliques », p. 402.

Un *souffle télédiastolique (présystolique)* débute tardivement dans la diastole et se poursuit typiquement jusqu'à B1.

On peut parfois entendre un souffle, comme celui dû à la persistance du canal artériel, qui débute dans la systole et continue sans pause au-delà de B2, mais pas nécessairement durant toute la diastole. On l'appelle donc un *souffle continu.* Certains autres bruits cardiovasculaires, tels que des frottements péricardiques ou des bruits veineux, ont des *composantes à la fois systoliques et diastoliques.* Observez et décrivez de tels bruits suivant les caractéristiques utilisées pour les souffles systoliques et diastoliques.

Voir tableau 9-12 : « Bruits cardiovasculaires systolodiastoliques », p. 403.

■ *Forme.* La forme ou la configuration d'un souffle est déterminée par l'évolution de son intensité dans le temps.

Un *souffle crescendo* va en se renforçant.

Le souffle présystolique d'un *rétrécissement mitral* en rythme sinusal normal.

Un *souffle decrescendo* va en s'atténuant.

Le souffle protodiastolique d'une *insuffisance aortique.*

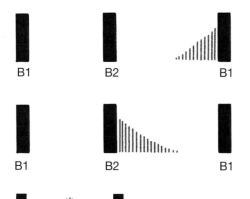

Un *souffle crescendo-decrescendo* commence par augmenter d'intensité puis diminue.

Le souffle mésosystolique d'un *rétrécissement aortique* et les *souffles de débit anorganiques.*

  Un *souffle en plateau* garde une intensité constante.

B1          B2          B1

Le souffle pansystolique d'une *insuffisance mitrale*.

■ *Siège du maximum d'intensité.* Il correspond à l'endroit où le souffle a son origine. Trouvez cette localisation en explorant la zone où vous pouvez entendre le souffle, et décrivez l'endroit où vous l'entendez le mieux par rapport aux espaces intercostaux, au sternum, à la pointe, et aux lignes médiosternale, médioclaviculaire, ou à l'une des lignes axillaires.

Par exemple, un souffle mieux entendu au 2ᵉ espace intercostal droit provient souvent de la valvule aortique ou du voisinage de celle-ci.

■ *Irradiation ou propagation à partir du point d'intensité maximale.* Elle est déterminée non seulement par le lieu d'origine du souffle mais aussi par son intensité et la direction du flux sanguin. Explorez la zone autour d'un souffle et précisez les autres endroits où vous pouvez l'entendre.

Un souffle intense de *rétrécissement aortique* irradie souvent dans le cou (dans la direction du flux artériel), surtout du côté droit.

■ *Intensité.* On l'apprécie habituellement sur une échelle allant de 1 à 6 et on l'exprime par une fraction. Le numérateur indique l'intensité du souffle à l'endroit où il est le plus intense et le dénominateur indique l'échelle que vous utilisez. L'intensité dépend de l'épaisseur de la paroi thoracique et de l'interposition éventuelle d'une serviette en papier.

Un degré identique de turbulence donnera un souffle plus intense chez un sujet maigre que chez un sujet très musclé ou obèse. Des poumons emphysémateux peuvent diminuer l'intensité des souffles.

Apprenez à coter l'intensité des souffles sur l'échelle de 1 à 6 ci-après. Notez que les grades 4 à 6 s'accompagnent nécessairement d'un frémissement (ou thrill) à la palpation.

## Gradation des souffles

| Grade | Description |
| --- | --- |
| Grade 1 | Très faible, entendu seulement lorsqu'on se concentre ; peut ne pas être entendu dans toutes les positions |
| Grade 2 | Discret, mais entendu dès qu'on applique le stéthoscope sur la poitrine |
| Grade 3 | Modérément fort |
| Grade 4 | Fort, avec thrill palpable |
| Grade 5 | Très fort, avec thrill. Peut être entendu lorsque le stéthoscope n'est que partiellement appliqué sur la poitrine |
| Grade 6 | Très fort, avec thrill. Peut être entendu avec le stéthoscope non appliqué sur la poitrine |

■ *Hauteur.* On la classe en aiguë, moyenne (médium) ou grave.

■ *Timbre.* On le décrit par des termes tels que soufflant, rude, roulant ou musical.

Voici un exemple de description complète d'un souffle : « Souffle diastolique, 2/6, *decrescendo*, moyen, maximal au 4ᵉ espace intercostal gauche, irradiant à la pointe » *(insuffisance aortique).*

Les autres caractéristiques des souffles, ainsi que des bruits cardiaques, comprennent leurs variations avec la respiration, la position du patient ou d'autres manœuvres particulières.

Les souffles naissant dans la partie droite du cœur tendent à se modifier davantage avec la respiration que les souffles naissant à gauche.

# → Synthèse de l'évaluation cardiovasculaire

Un bon examen cardiovasculaire demande plus qu'une simple observation. Vous devez penser aux significations possibles de vos observations individuelles, les intégrer dans un schéma logique, et corréler vos trouvailles cardiaques avec la pression artérielle du patient, ses pouls artériels, ses pulsations veineuses, la pression veineuse jugulaire, le reste de son examen physique et son interrogatoire.

L'évaluation des souffles systoliques courants illustre ce point. En examinant, par exemple, un adolescent dépourvu de symptômes, vous pouvez entendre un souffle mésosystolique de grade 2/6, localisé aux 2$^e$ et 3$^e$ espaces intercostaux gauches. Comme cela suggère un souffle pulmonaire, vous devez évaluer la taille du ventricule droit en palpant soigneusement la région parasternale gauche. Étant donné qu'une sténose pulmonaire et une communication interauriculaire peuvent parfois être la cause de tels souffles, recherchez soigneusement à l'auscultation un dédoublement de B2, et essayez d'entendre des bruits éjectionnels. Écoutez le souffle sur le patient assis. Cherchez des signes d'anémie, d'hyperthyroïdie ou de grossesse, qui peuvent produire un tel souffle en augmentant le débit à travers la valvule pulmonaire. Si votre examen est entièrement normal, votre patient a probablement un *souffle « innocent » ou fonctionnel*, dépourvu de signification pathologique.

Chez un sujet de 60 ans, qui a une angine de poitrine, vous pouvez entendre dans le 2$^e$ espace intercostal droit un souffle mésosystolique, 3/6, *crescendo-decrescendo*, rude, irradiant dans le cou. Ce souffle évoque un *rétrécissement aortique* mais il peut aussi s'agir d'une *sclérose aortique* (sans sténose), d'une dilatation de l'aorte ou d'un débit accru à travers une valvule normale. Recherchez un retard du pouls carotidien et l'intensité de A2 évoquant un *rétrécissement aortique*, une modification du choc apexien indiquant une *hypertrophie ventriculaire gauche*, un souffle d'*insuffisance aortique* en auscultant le patient penché en avant et en expiration.

Rassemblez tous ces renseignements pour faire une hypothèse sur l'origine du souffle.

Les *souffles cardiaques fonctionnels* sont des souffles brefs, proto ou mésosystoliques, qui diminuent d'intensité avec les manœuvres réduisant le volume ventriculaire gauche, telles que la position debout, la position assise et la manœuvre de Valsalva.

# → Techniques spéciales

***Manœuvres pour identifier les souffles systoliques.*** Dans ce chapitre, vous avez déjà appris à améliorer votre auscultation du cœur en installant le patient dans diverses positions. Deux techniques supplémentaires vous aideront à distinguer les souffles du prolapsus de la valvule mitrale et de la cardiomyopathie hypertrophique de celui d'une sténose aortique.

(1) **Debout et accroupi.** Quand une personne se tient debout, le retour veineux au cœur diminue, de même que les résistances vasculaires périphériques. La pression artérielle, le volume d'éjection et le volume du sang dans le ventricule gauche baissent tous les trois. L'accroupissement produit les modifications inverses. Ces changements aident (1) à identifier un prolapsus de la valvule mitrale, et (2) à distinguer une cardiomyopathie hypertrophique d'un rétrécissement aortique.

Attachez la robe de chambre du patient de façon qu'elle ne gêne pas votre examen et préparez-vous à une auscultation rapide. Expliquez au patient comment s'accroupir à côté de la table d'examen et comment maintenir cette position en gardant l'équilibre. Écoutez le cœur lorsque le patient est accroupi puis de nouveau en position debout.

## Manœuvres pour identifier les souffles systoliques

| Manœuvre | Effet cardiovasculaire | Effets sur les bruits et souffles systoliques | | |
| --- | --- | --- | --- | --- |
| | | Prolapsus de la valvule mitrale | Cardiomyopathie hypertrophique | Sténose aortique |
| Position debout<br><br>Phase de poussée du Valsalva | **Diminution du volume du ventricule gauche** par ↓ du retour veineux au cœur | ↑ prolapsus de la valvule mitrale | ↑ obstacle à l'éjection | ↓ du volume sanguin éjecté dans l'aorte |
| | **Diminution du tonus vasculaire :** ↓ de la pression artérielle | *Clic avancé dans la systole et souffle prolongé* | ↑ intensité du souffle | ↓ intensité du souffle |
| Accroupissement<br><br>Relâchement du Valsalva | **Augmentation du volume du ventricule gauche** par ↑ du retour veineux au cœur | ↓ prolapsus de la valvule mitrale | ↓ obstacle à l'éjection | ↑ du volume sanguin éjecté dans l'aorte |
| | **Augmentation du tonus vasculaire :**<br><br>↑ de la pression artérielle<br><br>↑ des résistances vasculaires périphériques | *Clic retardé et souffle raccourci* | ↓ intensité du souffle | ↑ intensité du souffle |

(2) **Manœuvre de Valsalva.** Quand un sujet fait un effort de poussée à glotte fermée, le retour veineux au cœur droit diminue et, quelques secondes après, le volume ventriculaire gauche ainsi que la pression artérielle diminuent. La cessation de l'effort a des effets inverses. Ces changements vous aident à distinguer un prolapsus de la valvule mitrale et une cardiomyopathie hypertrophique d'un rétrécissement aortique.

Le patient doit être couché sur le dos. Demandez-lui de « pousser » ou placez une main au milieu de son abdomen et demandez-lui de la repousser. En réglant la pression exercée par votre main, vous pouvez amener l'effort du patient au niveau désiré. Votre autre main vous sert à placer le stéthoscope sur la poitrine du patient.

***Pouls alternant (pulsus alternans).*** Dans le *pouls alternant*, le rythme du pouls reste régulier mais sa *force* est variable, à cause de l'alternance de contractions ventriculaires fortes et faibles. Le pouls alternant indique presque toujours une insuffisance ventriculaire gauche sévère. Il est en général mieux perçu en exerçant une légère pression sur les artères radiales ou fémorales.[58] Utilisez un brassard à tension pour confirmer votre découverte. Après avoir élevé la pression du brassard, abaissez-la lentement jusqu'au niveau systolique : les premiers bruits de Korotkoff sont les battements forts. Pendant la baisse, vous entendrez les sons plus doux des battements alternatifs faibles.

***Pouls paradoxal.*** Si vous avez noté que l'amplitude du pouls varie avec la respiration, ou si vous suspectez une tamponnade péricardique (par exemple, en raison d'une pression veineuse jugulaire trop élevée, d'un pouls petit et rapide et d'une dyspnée), servez-vous d'un brassard à tension pour rechercher un *pouls paradoxal*. Il consiste en une chute inspiratoire de la pression systolique plus importante que normalement. Alors que le patient respire calmement, diminuez lentement la pression du brassard jusqu'au niveau systolique. Notez le niveau de pression auquel on peut entendre les premiers bruits. Puis diminuez très lentement la pression jusqu'à ce que les bruits soient entendus durant tout le cycle respiratoire. Notez à nouveau le niveau de pression. Normalement, la différence entre ces deux niveaux ne dépasse pas 3 ou 4 mmHg.

Le souffle d'une cardiomyopathie hypertrophique est le seul souffle systolique qui augmente d'intensité au cours de la manœuvre de Valsalva (en poussant).[57]

Des bruits de Korotkoff alternativement forts et faibles, ou un doublement soudain de la fréquence cardiaque apparente quand la pression du brassard diminue indiquent un pouls alternant (voir p. 393).

La position verticale peut accentuer l'alternance.

Le niveau identifié par les premiers bruits de Korotkoff audibles à l'auscultation est la pression systolique maximale au cours du cycle respiratoire. Le niveau identifié par l'audition de bruits sur toute la durée du cycle est la pression systolique minimale. Une différence de plus de 10 mmHg indique un pouls paradoxal et suggère une *tamponnade péricardique*, éventuellement une *péricardite constrictive* mais, plus habituellement, une *obstruction des voies aériennes* (voir p. 393).

## CONSIGNER VOS OBSERVATIONS

Notez qu'au début vous pouvez faire des phrases pour décrire vos constatations. Plus tard, vous utiliserez des phrases courtes. Le style ci-dessous emploie des phrases convenant à la plupart des rapports écrits.

### Consigner l'examen physique : examen cardiovasculaire

« La pression veineuse jugulaire (PVJ) est à 3 cm au-dessus de l'angle du sternum avec la tête du lit relevée à 30°. Les pouls carotidiens sont vifs, il n'y a pas de souffle. Le choc précordial est perçu dans le 5e espace intercostal gauche à 7 cm en dehors de la ligne médiosternale. B1 et B2 bien frappés. À la base, B2 est plus fort que B1 et normalement dédoublé, avec A2 > P2. À la pointe, B1 est plus fort que B2 et constant. Pas de souffles ni de bruits surajoutés. »

**Ou**

« La PVJ est à 5 cm au-dessus de l'angle du sternum avec la tête du lit relevée à 50°. Les pouls carotidiens sont vifs ; on entend un souffle sur la carotide gauche. Le choc précordial est diffus, de 3 cm de diamètre, palpé dans les 5e et 6e espaces intercostaux, sur la ligne axillaire antérieure. B1 et B2 sont doux. B3 entendu à la pointe du cœur. Souffle holosystolique 2/6 aigu, rude, mieux entendu à la pointe du cœur, irradiant vers l'aisselle. »

*Évoque une insuffisance cardiaque congestive avec possiblement une occlusion de la carotide gauche et une insuffisance mitrale.*[59-61]

## Bibliographie

### RÉFÉRENCES

1. Markel H. The stethoscope and the art of listening. N Engl J Med 354(6):551–552, 2006.
2. Simel DS. Time, now, to recover the fun in the physical examination rather than abandon it. Arch Intern Med 166(6): 603–604, 2006.
3. Mangione S. Cardiac auscultatory skills of physicians-in-training: a comparison of three English-speaking countries. Am J Med 110(3):210–216, 2001.
4. Mangione S. Cardiac auscultatory skills of internal medicine and family practice trainees: a comparison of diagnostic proficiency. JAMA 278(9):717–722, 1997.
5. Mangione S. The teaching and practice of cardiac auscultation during internal medicine and cardiology training. Ann Intern Med 119(1):47–54, 1993.
6. Marcus G, Vessey J, Jordan MV, et al. Relationship between accurate auscultation of a clinically useful third heart sound and level of experience. Arch Intern Med 166(6):617–622, 2006.
7. Vukanovic-Criley JM, Criley S, Warde CM, et al. Competency in cardiac examination skills in medical students, trainees, physicians, and faculty: a multicenter study. Arch Intern Med 166(6):610–616, 2006.
8. O'Rourke RA, Braunwald E. Physical examination of the cardiovascular system. In: Kasper DL, Braunwald E, Hauser S,

et al., eds. Harrison's Principles of Internal Medicine, 16th ed. New York: McGraw-Hill, 2005:1307.
9. Hunt SA, Abraham WT, Chin MH, et al. ACC/AHA 2005 guideline update for the diagnosis and management of chronic heart failure in the adult—summary article. Circulation 112(12): 154–235, 2005.
10. Cook DJ, Simel DL. Does this patient have abnormal central venous pressure? JAMA 275(8):630–654, 1996.
11. Vinayak AG, Levitt J, Gehlbach B, et al. Usefulness of the external jugular vein examination in detecting abnormal central venous pressure in critically ill patients. Arch Intern Med 166(19):2132–2137, 2006.
12. Davison R, Cannon R. Estimation of central venous pressure by examination of jugular veins. Am Heart J 87(3): 279–282, 1974.
13. American Heart Association–American Stroke Association. Heart Disease and Stroke Statistics, 2007. Available at: http://www.americanheart.org/downloadable/heart/1166 712318459HS_StatsInsideText.pdf; Cardiovascular Disease Statistics. Available at: http://www.americanheart.org/ presenter.jhtml?identifier=4478; National Center for Health Statistics, Fast Stats A to Z. Available at: http://www.cdc. gov/nchs/fastats/heart.htm. Accessed December 2, 2007.

14. Lee TH, Goldman L. Evaluation of the patient with acute chest pain. N Engl J Med 342(16):1187–1195, 2000.

15. Goldman L, Kirtane AJ. Triage of patient with acute chest syndrome and possible cardiac ischemia: the elusive search for diagnostic perfection. Ann Intern Med 139(12):987–995, 2003.

16. Snow V, Barry P, Fihn SD, et al. Evaluation of primary care patients with chronic stable angina: guidelines from the American College of Physicians. Ann Intern Med 141(1):57–64, 2004.

17. Hofgren C, Karlson BW, Gaston-Johansson F, et al. Word descriptors in suspected acute myocardial infarction: a comparison between patients with and without confirmed myocardial infarction. Heart Lung 23(5):397–403, 1994.

18. Abrams J. Chronic stable angina. N Engl J Med 352(24): 2524–2533, 2005.

19. Gibbons RJ, Abrams J, Chatterjee K, et al. ACC/AHA 2002 ACC/AHA 2002 guideline update for the management of patients with chronic stable angina—summary article. Circulation 107(1):149–158, 2003.

20. Fraker TD, Fihn SD, Gibbons RJ, et al. 2007 Chronic angina focused update of the ACC/AHA 2002 guideline update for the management of patients with chronic stable angina. Circulation. Published on-line November 12, 2007, at http://content.onlinejacc.org/cgi/content/citation/j.jacc. 2007.08.002v1. Accessed November 25, 2007.

21. Klompas M. Does this patient have an acute thoracic aortic dissection? JAMA 287(17):2262–2272, 2002.

22. Cho S, Atwood JE. Peripheral edema. Am J Med 113(7): 580–586, 2002.

23. U.S. Preventive Services Task Force. Screening for high blood pressure: recommendations and rationale. Rockville, MD, Agency for Healthcare Research and Quality, July 2003. Available at: http://www.ahrq.gov/clinic/3rduspstf/hibloodrr. htm. Accessed November 25, 2007.

24. Chobanion AV, Bakris GL, Black HR, et al. The Seventh Report of the Joint National Committee on Preventions, Detection, Evaluation, and Treatment of High Blood Pressure—The JNC 7 Report. JAMA 289(19):2560–2572, 2003. Available at: www.nhlbi.nih.gov/guidelines/hypertension/ jncintro.htm. Accessed December 2, 2007.

25. Whelton PK, He J, Appel LJ, et al. Primary prevention of hypertension. Clinical and Public Health Advisory from the National High Blood Pressure Education Program. JAMA 288(15):1882–1888, 2002.

26. U.S. Preventive Services Task Force. Screening for high blood pressure: U.S. Preventive Services Task Force reaffirmation recommendation statement. Ann Intern Med 147(11): 783–786, 2007; See also: Woolff T, Miller T. Evidence for the reaffirmation of the U.S. Preventive Services Task Force recommendation on screening for high blood pressure. Ann Intern Med 147(11):787–791, 2007.

27. Vidt DG, Borazanian RA. Treat high blood pressure sooner: tougher, simpler JNC 7 guidelines. Cleve Clin J Med 70(8): 721–728, 2003.

28. Vasan RS, Larson MG, Leip EP, et al. Impact of high-normal blood pressure on the risk of cardiovascular disease. N Engl J Med 345(18):1291–1297, 2001.

29. Stamler J, Stamler R, Neaton JD, et al. Low risk-factor profile and long-term cardiovascular and noncardiovascular mortality and life expectancy—findings for 5 large cohorts of young adult and middle-aged men and women. JAMA 282(21):2012–2018, 1999.

30. Pearson TA, Blair SN, Daniels SR, et al. AHA guidelines for primary prevention of cardiovascular disease and stroke: 2002 update. Circulation 106(3):388–391, 2002.

31. Third Report of the National Cholesterol Education Program (NCEP) Expert Panel. Detection, evaluation, and treatment of high blood cholesterol in adults: executive summary. National Cholesterol Education Program, National Heart, Lung, and Blood Institute, National Institutes of Health. NIH Publication No. 01-3670. May 2001. Available at: www.nhlbi.nih.gov/ guidelines/cholesterol/index.htm. Accessed November 26, 2007.

32. National Cholesterol Education Panel. Third report of the National Cholesterol Education Program (NCEP) Expert Panel on detection, evaluation, and treatment of high blood cholesterol in adults (Adult Treatment Panel III) final report. Circulation 106(25):3143–3421, 2002.

33. Grundy SM, Cleeman JI, Merz NB, et al, for the Coordinating Committee of the National Cholesterol Education Program. Implications of recent clinical trials for the National Cholesterol Education Program Adult Treatment Panel III guidelines. Circulation 110(2):227–239, 2004.

34. Heart Protection Study Collaborative Group. MRC/BHF Heart Protection Study of cholesterol lowering with simvastatin in 20,356 high risk individuals: a randomized placebo-controlled trial. Lancet 360(9326):7–22, 2002.

35. U.S. Preventive Services Task Force. Screening for lipid disorders: recommendations and rationale. Am J Prev Med 20(3S):73–76, 2001. Agency for Healthcare Research and Quality, Rockville MD. Available at: http://www.ahrq.gov/ clinic/ajpmsuppl/lipidrr.htm. Accessed November 16, 2007.

36. Pignone MP, Phillips CJ, Atkins D, et al. Summary of the evidence. Screening and treating adults for lipid disorders. Agency for Healthcare Research and Quality, Rockville, MD. Available at: http://www.ahrq.gov/clinic/ajpmsuppl/ pignone1.htm. Accessed December 2, 2007.

37. Walsh JME, Pignone M. Drug treatment of hyperlipidemia in women. JAMA 291(18):2243–2252, 2004; American Diabetes Association. Toolkit No. 7. Protect your heart: choose fats wisely. March 2004. Available at: http://www.diabetes.org/ type-1-diabetes/well-being/Choose-Fats.jsp. Accessed November 27, 2007.

38. Healthy People 2010. Progress review: nutrition and overweight. U.S. Department of Health and Human Services—Public Health Service. January 21, 2004. Available at: http://www.healthypeople.gov/data/2010prog/focus19/ default.htm. Accessed November 27, 2007.

39. Healthy People 2010. Progress review: physical activity and fitness. U.S. Department of Health and Human Services—Public Health Service. April 14, 2004. Available at: http:// www.healthypeople.gov/data/2010prog/focus22/. Accessed November 27, 2007.

40. Barrett MJ, Kuzma MA, Seto TC, et al. The power of repetition in mastering cardiac auscultation. Am J Med 119(1): 73–75, 2006.

41. Beevers G, Lip GY, O'Brien E. ABC of hypertension: blood pressure measurement. Part I. Sphygmomanometry: factors common in all techniques. BMJ 322(7292):981–985, 2001.

42. Beevers G, Lip GY, O'Brien E. ABC of hypertension: blood pressure measurement. Part II Conventional sphygmomano-

metry: technique of auscultatory blood pressure measurement. BMJ 322(7293):1043–1047, 2001.

43. McAlister FA, Straus SE. Evidence-based treatment of hypertension. Measurement of blood pressure: an evidence based review. BMJ 322(7292):908–911, 2001.

44. Tholl U, Forstner K, Anlauf M. Measuring blood pressure: pitfalls and recommendations. Nephrol Dial Transplant 19(4):766–770, 2004.

45. Edmonds ZV, Mower WR, Lovato LM, et al. The reliability of vital sign measurements. Ann Emerg Med 39(3): 233–237, 2002.

46. Lange RA, Hillis LD. Acute pericarditis. N Engl J Med 351(21):2195–2202, 2004.

47. Spodick D. Acute pericarditis: current concepts and practice. JAMA 289(9):1150–1153, 2003.

48. Khot UN. Prognostic importance of physical examination of heart failure in non-ST elevation acute coronary syndromes: the enduring value of Killip classification. JAMA 290(16):2174–2181, 2003.

49. Jessup M, Brozena S. Medical progress: heart failure. N Engl J Med 348(20):2007–2017, 2003.

50. Aurigemma GP, Gasach WH. Diastolic heart failure. N Engl J Med 351(11):1097–1104, 2004.

51. Badgett RG, Lucey CR, Muirow CD. Can the clinical examination diagnose left-sided heart failure in adults? JAMA 277(21):1712–1719, 1997.

52. McGee S. Inspection of the neck veins. In: Evidence-Based Physical Diagnosis, 2nd ed. St. Louis, Saunders, 2007:378.

53. Drazner MH, Rame E, Stevenson LW, et al. Prognostic importance of elevated jugular venous pressure and a third heart sound in patients with heart failure. N Engl J Med 345(8):574–581, 2001.

54. Sauve JS, Laupacis A, Feagan B, et al. Does this patient have a clinically important carotid bruit? JAMA 270(23): 2843–2845, 1993.

55. McGee S. Palpation of the heart. In: Evidence-Based Physical Diagnosis, 2nd ed. St. Louis, Saunders, 2007:400–404.

56. Dans AL, Bossone EF, Guyatt GH, et al. Evaluation of the reproducibility and accuracy of apex beat measurement in the detection of echocardiographic left ventricular dilation. Can J Cardiol 11(6):493–407, 1995.

57. Lembo NJ, Dell'Italia LJ, Crawford MH, et al. Bedside diagnosis of systolic murmurs. N Engl J Med 318(24):1572–1578, 1988.

58. Cha K, Falk RH. Images in clinical medicine: pulsus alternans. N Engl J Med 334(13):834, 1996.

59. Halder AW, Larson MG, Franklin SS, et al. Systolic blood pressure, diastolic blood pressure, and pulse pressure as predictors of risk for congestive heart failure in the Framingham Heart Study. Ann Intern Med 138(1):10–16, 2003.

60. Thomas JT, Kelly RF, Thomas SJ, et al. Utility of history, physical examination, electrocardiogram, and chest radiograph for differentiating normal from decreased systolic function in patients with heart failure. Am J Med 112(6):437–445, 2002.

61. Fonarow GC, Adams KF, Abraham WT, et al. Risk stratification for in-hospital mortality in acutely decompensated heart failure: classification and regression tree analysis. JAMA 293(5):572–580, 2005.

62. Kono T, Rosman H, Alam M, et al. Hemodynamic correlates of the third heart sound during the evolution of chronic heart failure. J Am Coll Cardiol 21(2):419–423, 1993.

63. Homma S, Bhattacharjee D, Gopal A, et al. Relationship of auscultatory fourth heart sound to the quantitated left atrial filling fraction. Clin Cardiol 14(8):671–674, 1991.

64. Pierard LA, Lancellotti P. The role of ischemic mitral regurgitation in the pathogenesis of acute pulmonary edema. N Engl J Med 351(16):1627–1634, 2004.

65. Otto CM. Evaluation and management of chronic mitral regurgitation. N Engl J Med 345(10):740–746, 2001.

66. Etchells E, Bell C, Robb K. Does this patient have an abnormal systolic murmur? JAMA 277(7):564–571, 1997.

67. Etchells E, Glenns, Shadowitz S, et al. A bedside clinical prediction rule for detecting moderate or severe aortic stenosis. J Gen Intern Med 13(10):699–704, 1998.

68. Carabello BA. Aortic stenosis. N Engl J Med 356(9): 677–682, 2001.

69. Enriquez-Serano M, Tajik AJ. Aortic regurgitation. N Engl J Med 351(15):1539–1546, 2004.

## AUTRES LECTURES

Beckman JA, Creager MA, Libby P. Diabetes and atherosclerosis: epidemiology, pathophysiology, and management. JAMA 287(19):2570–2581, 2002.

Bossone E, Rampoldi, Nienaber CA, et al. Usefulness of pulse deficit to predict in-hospital complications and mortality in patients with acute type A aortic dissection. Am J Cardiol 89(7):851–855, 2002.

Capuzzi DM, Freeman JS. C-reactive protein and cardiovascular risk in the metabolic syndrome and type 2 diabetes: controversy and challenge. Clin Diabetes 25(1):16–22, 2007.

Carnici PG, Crea F. Coronary microvascular dysfunction. N Engl J Med 356(8):830–840, 2007.

Cohn JN, Hoke L, Whitwam W, et al. Screening for early detection of cardiovascular disease in asymptomatic individuals. Am Heart J 146(4):679–685, 2003.

Criley JM. The Physiological Origins of Heart Sounds and Murmurs: The Unique Interactive Guide to Cardiac Diagnosis. English/Spanish (CD-ROM). Palo Alto, CA: Blaufuss Multimedia, 1997.

Devereux RB, Wachtell K, Gerdts E, et al. Prognostic significance of left ventricular mass change during treatment of hypertension. JAMA 292(19):2350–2356, 2004.

Fuster V, Alexander RW, O'Rourke RA, et al. Hurst's The Heart, 11th ed. New York: McGraw-Hill, Medical Publishing Division, 2004.

Hansson GK. Inflammation, atherosclerosis, and coronary artery disease. N Engl J Med 352(16):1685–1695, 2005.

Klein LW. Atherosclerosis regression, vascular remodeling, and plaque stabilization. J Am Coll Cardiol 49:271–273, 2007.

Kuperstein R, Feinberg MS, Eldar M, et al. Physical determinants of systolic murmur intensity in aortic stenosis. Am J Cardiol 95(6):774–776, 2005.

Libby P, ed. Braunwald's Heart Disease: A Textbook of Cardiovascular Medicine, 8th ed. Philadelphia: Elsevier–Saunders, 2008.

Maron BJ, Thompson PD, Ackerman MJ, et al. Recommendations and considerations related to preparticipation screening for cardiovascular abnormalities in competitive athletes: 2007 update. A scientific statement from the American Heart Association Council on Nutrition, Physical Activity, and Metabolism, endorsed by the American College of Cardiology Foundation. Circulation 115(12):1643–1655, 2007.

National Cholesterol Education Program. Risk Assessment Tool for Estimating 10-year Risk of Developing Hard CHD (Myocardial Infarction and Coronary Death). Available at: http://hp2010.nhlbihin.net/atpiii/calculator.asp?usertype= prof. Accessed May 30, 2008.

Neubauer S. The failing heart: an engine out of fuel. N Engl J Med 356(11):1140–1151, 2007.

Perloff JK. Physical Examination of the Heart and Circulation, 3rd ed. Philadelphia: Saunders, 2000.

Pryor DB, Shaw L, McCants CB. Value of the history and physical in identifying patients at increased risk for coronary artery disease. Ann Intern Med 118(2):81–90, 1993.

Sebastian TP, Kostis JB, Cassazza L, et al. Heart rate and blood pressure response in adult men and women during exercise and sexual activity. Am J Cardiol 100(12):1795–1801, 2007.

Selvanayagam J, De Pasquale C, Arnolda L. Usefulness of clinical assessment of the carotid pulse in the diagnosis of aortic stenosis. Am J Cardiol 93(4):493–495, 2004.

Sharma UC, Barenbrug P, Pokharel S, et al. Systematic review of the outcome of aortic valve replacement in patients with aortic stenosis. Ann Thorac Surg 78(1):90–95, 2004.

Sinisalo J, Rapola J, Rossinen J, et al. Simplifying the estimation of jugular venous pressure. Am J Cardiol 100(12):1779–1781, 2007.

Sipahi I, Tuzcu EM, Schoenhagen P, et al. Effects of normal, pre-hypertensive, and hypertensive blood pressure levels on progression of coronary atherosclerosis. J Am Coll Cardiol 48(4):833–838, 2006.

## TABLEAU 9-1    Fréquences et rythmes cardiaques sélectionnés

Les rythmes cardiaques peuvent être classés en *réguliers* et *irréguliers*. Quand les rythmes sont irréguliers ou les fréquences rapides ou lentes, il faut faire un ECG pour identifier l'origine des contractions (nœud sinusal, nœud AV, oreillette ou ventricule) et le type de conduction. Notez qu'en cas de bloc AV (auriculoventriculaire), les arythmies peuvent avoir un rythme ventriculaire rapide, normal ou lent. Certains auteurs fixent la limite supérieure de la normale à 90 battements/minute.

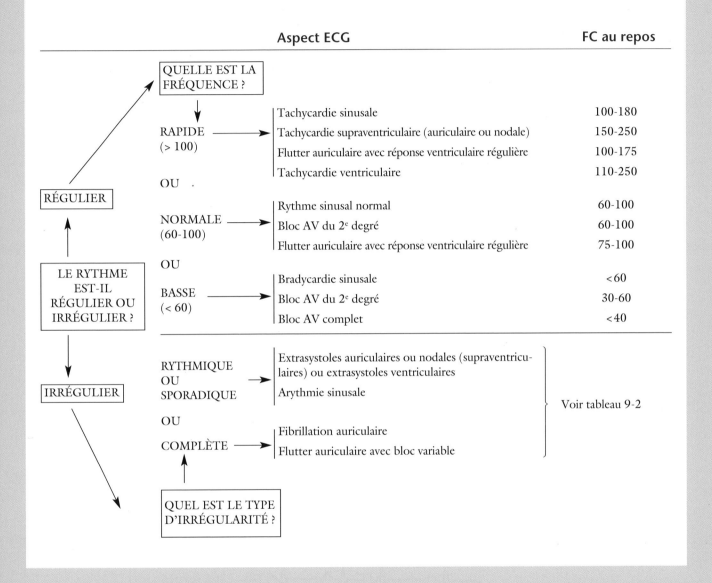

| | Aspect ECG | FC au repos |
|---|---|---|
| **QUELLE EST LA FRÉQUENCE ?** | | |
| **RAPIDE** (> 100) | Tachycardie sinusale | 100-180 |
| | Tachycardie supraventriculaire (auriculaire ou nodale) | 150-250 |
| | Flutter auriculaire avec réponse ventriculaire régulière | 100-175 |
| | Tachycardie ventriculaire | 110-250 |
| OU | | |
| **NORMALE** (60-100) | Rythme sinusal normal | 60-100 |
| | Bloc AV du 2$^e$ degré | 60-100 |
| | Flutter auriculaire avec réponse ventriculaire régulière | 75-100 |
| OU | | |
| **BASSE** (< 60) | Bradycardie sinusale | <60 |
| | Bloc AV du 2$^e$ degré | 30-60 |
| | Bloc AV complet | <40 |

**RÉGULIER**

**LE RYTHME EST-IL RÉGULIER OU IRRÉGULIER ?**

**IRRÉGULIER**

| | | |
|---|---|---|
| **RYTHMIQUE OU SPORADIQUE** | Extrasystoles auriculaires ou nodales (supraventriculaires) ou extrasystoles ventriculaires | |
| | Arythmie sinusale | Voir tableau 9-2 |
| OU | | |
| **COMPLÈTE** | Fibrillation auriculaire | |
| | Flutter auriculaire avec bloc variable | |

**QUEL EST LE TYPE D'IRRÉGULARITÉ ?**

TABLEAU 9-2     Rythmes irréguliers sélectionnés

| Type de rythmes | Ondes ECG et bruits du cœur | |
| --- | --- | --- |
| **Extrasystoles auriculaires ou nodales** *(supra-ventriculaires)* | Onde P aberrante     QRS et T normaux<br>QRS<br>P   T<br><br>B1   B2      Extrasystole     Repos compensateur | **Rythme.** Une contraction d'origine auriculaire ou nodale survient plus tôt que la contraction normale attendue. Un repos compensateur suit et le rythme reprend.<br><br>**Bruits du cœur.** B1 peut avoir une intensité différente du B1 des contractions normales, et B2 peut être diminué. |
| **Extrasystoles ventriculaires** | Absence d'onde P     QRS et T aberrants<br><br>B1   B2     Extrasystole avec bruits dédoublés     Repos compensateur | **Rythme.** Une contraction ventriculaire survient plus tôt que la contraction normale attendue. Un repos compensateur suit et le rythme reprend.<br><br>**Bruits du cœur.** B1 peut avoir une intensité différente du B1 des contractions normales et B2 peut être diminué. Les deux bruits sont vraisemblablement dédoublés. |
| **Arythmie sinusale** | B1 B2   B1 B2 B1 B2   B1 B2    B1 B2<br><br>INSPIRATION     EXPIRATION | **Rythme.** Le cœur varie cycliquement ; habituellement, il s'accélère à l'inspiration et ralentit à l'expiration.<br><br>**Bruits du cœur.** Normaux, quoique B1 puisse varier avec la fréquence cardiaque. |
| **Fibrillation auriculaire et flutter auriculaire avec bloc AV variable** | Absences d'ondes P     Ondes de fibrillation<br><br>B1 B2    B1 B2 B1 B2    B1 B2 | **Rythme.** Le rythme ventriculaire est tout à fait irrégulier, mais il peut sembler régulier pendant de brèves périodes.<br><br>**Bruits du cœur.** B1 varie en intensité. |

**TABLEAU 9-3**   Anomalies des pouls et des ondes de pression artériels

**Normal**

La pression différentielle est d'environ 30-40 mmHg. Le tracé du pouls est lisse et arrondi (l'encoche sur la pente descendante de l'onde pulsatile n'est pas perceptible à la palpation).

**Pouls petit, faible**

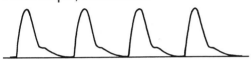

La pression différentielle est diminuée et le pouls paraît petit et faible. L'expansion du pouls peut sembler ralentie et son maximum prolongé. Les causes comprennent : (1) une diminution du volume d'éjection, comme dans l'insuffisance cardiaque, l'hypovolémie, un rétrécissement aortique sévère, et (2) des résistances périphériques accrues, comme dans l'exposition au froid et une insuffisance cardiaque congestive sévère.

**Pouls ample, bondissant**

La pression différentielle est augmentée et le pouls paraît ample et bondissant. La montée et la descente du pouls peuvent être rapides, son maximum bref. Les causes comprennent : (1) une augmentation du volume d'éjection, une diminution des résistances périphériques, ou les deux, comme dans la fièvre, l'anémie, l'hyperthyroïdie, l'insuffisance aortique, les fistules artérioveineuses et la persistance du canal artériel ; (2) une augmentation du volume d'éjection due à des rythmes cardiaques lents, comme une bradycardie ou un bloc AV complet ; et (3) une diminution de la compliance (rigidité augmentée) des parois aortiques, comme dans le vieillissement ou l'athérosclérose.

**Pouls dicrote**

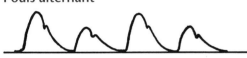

Un pouls dicrote est un pouls artériel augmenté, ayant un double pic systolique. Les causes comprennent l'insuffisance aortique pure, le rétrécissement aortique associé à une insuffisance et, bien que la palpation de ce pouls y soit moins habituelle, une cardiomyopathie hypertrophique.

**Pouls alternant**

L'amplitude du pouls varie d'un battement à l'autre alors même que le rythme de base est régulier (et doit l'être pour que vous puissiez faire ce diagnostic). Si la différence entre les battements forts et faibles est trop petite, on ne peut le détecter qu'à l'aide d'un sphygmomanomètre. Le pouls alternant est l'indice d'une insuffisance ventriculaire gauche et s'accompagne habituellement d'un B3 gauche (bruit de galop gauche).

**Pouls bigéminé**

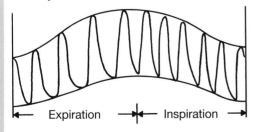

Extrasystoles

C'est un trouble du rythme qui peut être confondu avec un pouls alternant. Un pouls bigéminé résulte de l'alternance d'un battement normal et d'une extrasystole. Le volume d'éjection systolique de l'extrasystole est diminué par rapport à celui du battement normal, et l'amplitude du pouls varie parallèlement.

**Pouls paradoxal**

Expiration ⟷ Inspiration

Un pouls paradoxal se traduit par une diminution palpable de l'amplitude du pouls lors d'une inspiration calme. Si le signe est discret, il est nécessaire d'utiliser un brassard à tension. La pression systolique diminue de plus de 10 mmHg au cours de l'inspiration. Le pouls paradoxal peut se voir au cours d'une tamponnade péricardique, d'une péricardite constrictive (moins fréquemment) et d'une maladie pulmonaire obstructive.

Dans un cœur sain, le choc du ventricule gauche correspond habituellement *au maximum du choc précordial* (MCP). Ce choc bref est produit par le contact de la pointe du ventricule sur la paroi thoracique pendant la contraction (normalement, le *choc du ventricule droit* n'est palpable que chez le nourrisson, et ses caractéristiques sont imprécises). Apprenez les caractéristiques classiques du MCP du ventricule gauche :

■ *localisation :* dans le 4e ou 5e espace intercostal, à 7-10 cm en dehors de la ligne médiosternale, en fonction du diamètre du thorax ;
■ *diamètre :* ≤ 2 cm ;
■ *amplitude :* petit coup vif ;
■ *durée :* ≤ 2/3 de la systole.

L'examen attentif du choc ventriculaire donne d'importants renseignements sur l'hémodynamique. La qualité du choc ventriculaire se modifie quand les ventricules gauche et droit s'adaptent à des états de haut débit (anxiété, hyperthyroïdie, anémie sévère) ou à des états plus pathologiques de surcharge chronique en pression ou en volume. Notez ci-dessous les caractères distinctifs de trois types de chocs ventriculaires : *hyperkinétique*, par augmentation transitoire du volume d'éjection, qui n'indique pas nécessairement une maladie cardiaque, *prolongé*, de l'hypertrophie ventriculaire par surcharge chronique en pression, c'est-à-dire *augmentation de la postcharge* (voir p. 374), et *étalé*, de la dilatation ventriculaire par surcharge chronique en volume, c'est-à-dire *augmentation de la précharge*.

| | Choc du ventricule gauche | | | Choc du ventricule droit | | |
|---|---|---|---|---|---|---|
| | *Hyperkinétique* | *Surcharge en pression* | *Surcharge volumique* | *Hyperkinétique* | *Surcharge en pression* | *Surcharge volumique* |
| **Exemples de causes** | Anxiété, hyperthyroïdie, anémie sévère | Rétrécissement aortique, hypertension artérielle | Insuffisance aortique ou mitrale | Anxiété, hyperthyroïdie, anémie sévère | Sténose pulmonaire, hypertension pulmonaire | Communication interauriculaire |
| *Localisation* | Normale | Normale | Déplacée vers la gauche, et parfois vers le bas | 3e, 4e ou 5e espace intercostal gauche | 3e, 4e ou 5e espace intercostal gauche, également sous-xiphoïdienne | Bord gauche du sternum, s'étendant vers le bas au bord gauche du cœur, également sous-xiphoïdienne |
| *Diamètre* | ~ 2 cm, bien que l'augmentation de l'amplitude puisse le faire paraître plus large | >2 cm | > 2 cm | Inutile | Inutile | Inutile |
| *Amplitude* | Augmentée | Augmentée | *Étalée* | Légèrement augmentée | Augmentée | De légèrement à fortement augmentée |
| *Durée* | <2/3 systole | *Prolongée* (jusqu'à B2) | Souvent légèrement prolongée | Normale | Prolongée | De normale à légèrement prolongée |

| | | |
|---|---|---|
| **Variations normales** | 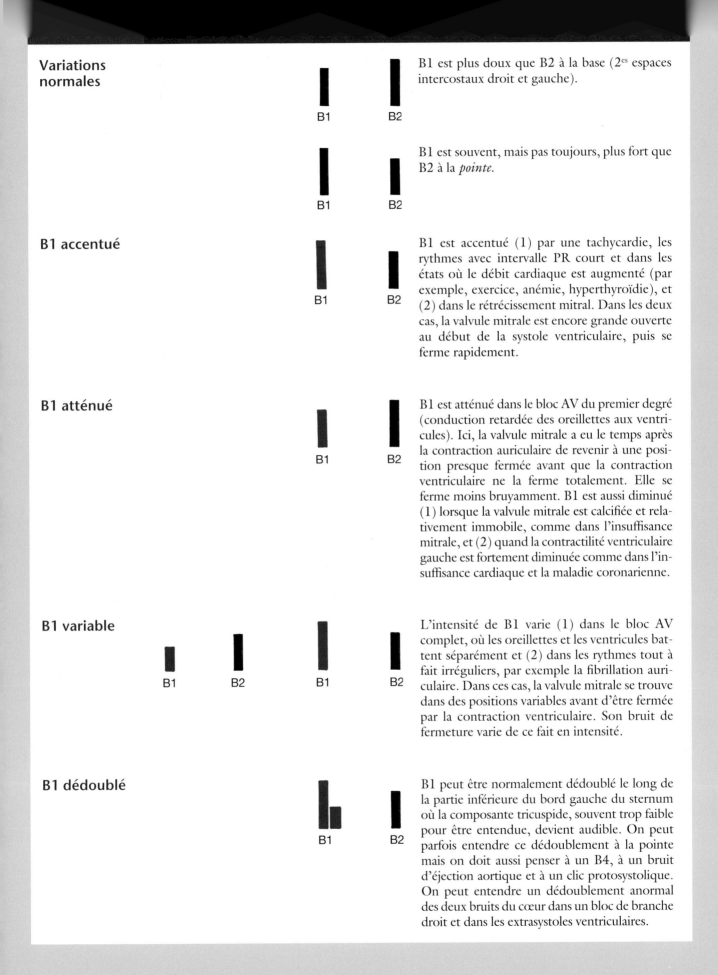B1   B2 | B1 est plus doux que B2 à la base (2$^{es}$ espaces intercostaux droit et gauche). |

B1   B2

B1 est souvent, mais pas toujours, plus fort que B2 à la *pointe*.

**B1 accentué**

B1   B2

B1 est accentué (1) par une tachycardie, les rythmes avec intervalle PR court et dans les états où le débit cardiaque est augmenté (par exemple, exercice, anémie, hyperthyroïdie), et (2) dans le rétrécissement mitral. Dans les deux cas, la valvule mitrale est encore grande ouverte au début de la systole ventriculaire, puis se ferme rapidement.

**B1 atténué**

B1   B2

B1 est atténué dans le bloc AV du premier degré (conduction retardée des oreillettes aux ventricules). Ici, la valvule mitrale a eu le temps après la contraction auriculaire de revenir à une position presque fermée avant que la contraction ventriculaire ne la ferme totalement. Elle se ferme moins bruyamment. B1 est aussi diminué (1) lorsque la valvule mitrale est calcifiée et relativement immobile, comme dans l'insuffisance mitrale, et (2) quand la contractilité ventriculaire gauche est fortement diminuée comme dans l'insuffisance cardiaque et la maladie coronarienne.

**B1 variable**

B1   B2   B1   B2

L'intensité de B1 varie (1) dans le bloc AV complet, où les oreillettes et les ventricules battent séparément et (2) dans les rythmes tout à fait irréguliers, par exemple la fibrillation auriculaire. Dans ces cas, la valvule mitrale se trouve dans des positions variables avant d'être fermée par la contraction ventriculaire. Son bruit de fermeture varie de ce fait en intensité.

**B1 dédoublé**

B1   B2

B1 peut être normalement dédoublé le long de la partie inférieure du bord gauche du sternum où la composante tricuspide, souvent trop faible pour être entendue, devient audible. On peut parfois entendre ce dédoublement à la pointe mais on doit aussi penser à un B4, à un bruit d'éjection aortique et à un clic protosystolique. On peut entendre un dédoublement anormal des deux bruits du cœur dans un bloc de branche droit et dans les extrasystoles ventriculaires.

**TABLEAU 9-6**  **Variations du deuxième bruit du cœur (B2)**

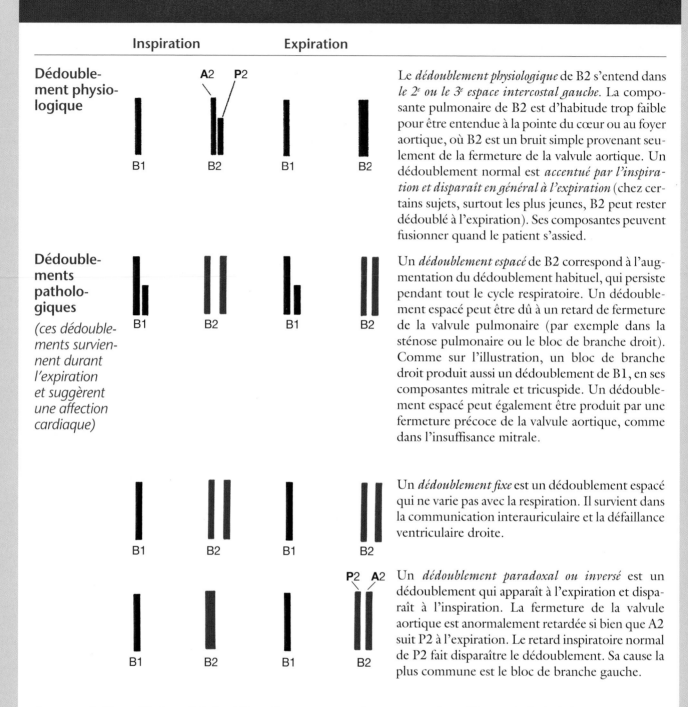

**Inspiration**  **Expiration**

**Dédoublement physiologique**

Le *dédoublement physiologique* de B2 s'entend dans le 2ᵉ ou le 3ᵉ espace intercostal gauche. La composante pulmonaire de B2 est d'habitude trop faible pour être entendue à la pointe du cœur ou au foyer aortique, où B2 est un bruit simple provenant seulement de la fermeture de la valvule aortique. Un dédoublement normal est *accentué par l'inspiration et disparaît en général à l'expiration* (chez certains sujets, surtout les plus jeunes, B2 peut rester dédoublé à l'expiration). Ses composantes peuvent fusionner quand le patient s'assied.

**Dédoublements pathologiques**

*(ces dédoublements surviennent durant l'expiration et suggèrent une affection cardiaque)*

Un *dédoublement espacé* de B2 correspond à l'augmentation du dédoublement habituel, qui persiste pendant tout le cycle respiratoire. Un dédoublement espacé peut être dû à un retard de fermeture de la valvule pulmonaire (par exemple dans la sténose pulmonaire ou le bloc de branche droit). Comme sur l'illustration, un bloc de branche droit produit aussi un dédoublement de B1, en ses composantes mitrale et tricuspide. Un dédoublement espacé peut également être produit par une fermeture précoce de la valvule aortique, comme dans l'insuffisance mitrale.

Un *dédoublement fixe* est un dédoublement espacé qui ne varie pas avec la respiration. Il survient dans la communication interauriculaire et la défaillance ventriculaire droite.

Un *dédoublement paradoxal ou inversé* est un dédoublement qui apparaît à l'expiration et disparaît à l'inspiration. La fermeture de la valvule aortique est anormalement retardée si bien que A2 suit P2 à l'expiration. Le retard inspiratoire normal de P2 fait disparaître le dédoublement. Sa cause la plus commune est le bloc de branche gauche.

**Augmentation d'intensité de A2 au 2ᵉ espace intercostal droit** (où seul A2 est d'habitude entendu). Se voit dans l'hypertension artérielle en raison de la surcharge de pression. Se voit aussi lorsque l'anneau aortique est dilaté, probablement parce que la valvule aortique est alors plus proche de la paroi thoracique.

**Augmentation d'intensité de P2.** Quand P2 est d'intensité égale ou supérieure à A2, suspectez une hypertension pulmonaire. Les autres causes comprennent la dilatation de l'artère pulmonaire et la communication interauriculaire. Quand un dédoublement de B2 est entendu sur une large surface, y compris à la pointe et à la base droite, P2 est accentué.

**Diminution d'intensité ou disparition de A2 au 2ᵉ espace intercostal droit.** Se voit dans un rétrécissement aortique calcifié en raison de l'immobilité de la valvule. Si A2 est inaudible, on n'entend pas de dédoublement.

**Diminution ou absence de P2.** Elle est le plus souvent due à l'augmentation du diamètre antéropostérieur du thorax liée au vieillissement. Elle peut également résulter d'une sténose pulmonaire. Si P2 est inaudible, on n'entend pas de dédoublement.

TABLEAU 9-7    Bruits cardiaques surajoutés dans la systole

Il y a deux sortes de bruits surajoutés dans la systole : (1) les bruits d'éjection protosystoliques, et (2) les clics, en général méso et télésystoliques.

## Bruits d'éjection protosystoliques

B1 E$_j$    B2

Les *bruits d'éjection protosystoliques* surviennent peu après B1, coïncidant avec l'ouverture des valvules aortiques et pulmonaires. Ils sont relativement aigus, ont un timbre claquant, et sont mieux entendus avec la membrane du stéthoscope. Un bruit d'éjection est l'indice d'une affection cardiovasculaire.

Un *bruit d'éjection aortique* s'entend à la fois à la base et à la pointe du cœur, où il peut être plus intense ; habituellement, il ne varie pas avec la respiration. Un bruit d'éjection aortique peut accompagner une dilatation de l'aorte ou une maladie valvulaire aortique, comme un rétrécissement congénital ou une bicuspidie.

Un *bruit d'éjection pulmonaire* s'entend mieux dans les 2$^e$ et 3$^e$ espaces intercostaux gauches. Lorsque B1, habituellement relativement doux dans cette zone, semble fort, il peut s'agir en réalité d'un bruit d'éjection pulmonaire. Son intensité *diminue souvent à l'inspiration*. Les causes comprennent la dilatation de l'artère pulmonaire, l'hypertension pulmonaire et la sténose pulmonaire.

## Clics systoliques

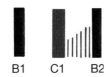

B1    C1    B2

Les *clics systoliques* sont habituellement dus à un *prolapsus de la valvule mitrale* – ballonnement systolique anormal d'une partie de la valvule mitrale dans l'oreillette gauche. Les clics sont habituellement méso ou télésystoliques. Le prolapsus valvulaire mitral est une affection cardiaque fréquente qui touche environ 5 % des adultes jeunes, autant les hommes que les femmes.

Habituellement, le clic est unique, mais vous pouvez en entendre plusieurs. Il siège *à la pointe du cœur ou en dedans d'elle*, mais aussi *le long de la partie inférieure du bord gauche du sternum*. Il est aigu, donc écoutez-le avec la membrane. Il est souvent suivi par un souffle télésystolique d'insuffisance mitrale – un reflux de sang du ventricule gauche à l'oreillette gauche. Habituellement, ce souffle va *crescendo* jusqu'à B2. Les signes d'auscultation sont très variables. La plupart des patients n'ont qu'un clic, certains n'ont qu'un souffle et d'autres les deux. Les clics systoliques peuvent aussi être d'origine extracardiaque ou médiastinale.

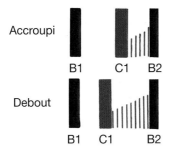

Accroupi

B1    C1    B2

Debout

B1    C1    B2

Les signes varient d'un instant à l'autre et changent souvent avec la position du corps. Plusieurs positions sont conseillées pour reconnaître le syndrome : en décubitus dorsal, assis, accroupi ou debout. *L'accroupissement retarde le clic et le souffle, la position debout le rapproche de B1.*

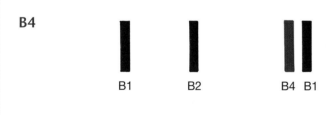

## Claquement d'ouverture

**B1**     **B2 CO**     **B1**

Le *claquement d'ouverture* est un bruit survenant tout au début de la diastole, produit par l'ouverture d'une *valvule mitrale sténosée*. Il est mieux entendu juste en dedans de la pointe du cœur et à la partie inférieure du bord gauche du sternum. Lorsqu'il est intense, il irradie à la pointe et au foyer pulmonaire, où on peut le prendre pour la composante pulmonaire d'un B2 dédoublé. Sa tonalité aiguë et son timbre claquant permettent de le différencier d'un B2. On l'entend mieux avec la *membrane* du stéthoscope.

## B3

**B1**     **B2 B3**     **B1**

Un troisième bruit *physiologique* est fréquemment entendu chez l'enfant et l'adulte jeune jusqu'à environ 35-40 ans. Il est fréquent dans le dernier trimestre de la grossesse. Survenant tôt dans la diastole pendant le remplissage ventriculaire rapide, il est plus tardif qu'un claquement d'ouverture, sourd, grave et entendu au maximum à la pointe du cœur en décubitus latéral gauche. Le *pavillon* du stéthoscope doit être utilisé avec une pression très légère.

Un B3 *pathologique* ou *bruit de galop ventriculaire* ressemble tout à fait au B3 physiologique. Un B3 chez un sujet de plus de 40 ans (ou peut-être un peu plus s'il s'agit d'une femme) est presque sûrement pathologique.[62] Les causes comprennent une diminution de la contractilité myocardique, une défaillance cardiaque et une surcharge volumique ventriculaire, comme dans l'insuffisance mitrale ou tricuspide. Un B3 d'*origine gauche* est typiquement entendu à la pointe, en décubitus latéral gauche. Un B3 d'*origine droite* est habituellement entendu à la partie inférieure du bord gauche du sternum ou sous l'appendice xiphoïde, sur le patient en décubitus dorsal. Il se renforce à l'inspiration. Le rythme à trois temps rappelle le *galop* d'un cheval (« tagada »), surtout s'il est rapide ; d'où son nom.

## B4

**B1**     **B2**     **B4 B1**

Un B4 (*bruit auriculaire* ou *bruit de galop auriculaire*) survient juste avant B1. Il est sourd, grave et s'entend mieux avec le pavillon du stéthoscope. Il s'entend parfois chez des sujets normaux, notamment des athlètes de haut niveau et des personnes âgées. Il est plus souvent dû à une augmentation des résistances au remplissage ventriculaire suivant la contraction auriculaire. Cette augmentation des résistances est liée à une diminution de compliance (augmentation de rigidité) du myocarde ventriculaire.[63]

Les causes d'un B4 d'origine gauche comprennent la cardiopathie hypertensive, la maladie coronarienne, le rétrécissement aortique et la cardiomyopathie. Un B4 d'*origine gauche* est mieux entendu à la pointe en décubitus latéral gauche. Le B4 d'*origine droite*, moins fréquent, est entendu à la partie inférieure du bord gauche du sternum ou sous l'appendice xiphoïde. Il se renforce souvent à l'inspiration. Les causes d'un B4 d'origine droite comprennent l'hypertension artérielle pulmonaire et la sténose pulmonaire.

Un B4 peut aussi être associé à une conduction retardée entre les oreillettes et les ventricules. Ce retard sépare de B1, plus fort, le bruit auriculaire normalement faible et le rend audible. Un B4 n'est jamais entendu en l'absence de contraction auriculaire, par exemple dans la fibrillation auriculaire.

Il peut arriver qu'un patient ait à la fois un B3 et un B4, produisant un *rythme à quatre temps*, formé de quatre bruits cardiaques. Aux fréquences cardiaques élevées, le B3 et le B4 peuvent fusionner en un bruit cardiaque supplémentaire intense, appelé *galop de sommation*.

TABLEAU 9-9    Souffles pansystoliques (holosystoliques)

Les souffles pansystoliques (holosystoliques) sont pathologiques. On les entend quand le sang s'écoule d'une cavité à haute pression vers une cavité à pression plus basse en passant à travers une valvule ou une autre structure qui devrait être fermée. Le souffle débute immédiatement avec B1, et se poursuit jusqu'à B2.

| | Insuffisance mitrale[64, 65] | Insuffisance tricuspide | Communication interventriculaire |
|---|---|---|---|
| | 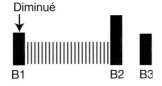 |  |  |
| **Souffle cardiaque** | *Localisation.* À la pointe | *Localisation.* Partie inférieure du bord gauche du sternum | *Localisation.* 3ᵉ, 4ᵉ et 5ᵉ espaces intercostaux gauches |
| | *Irradiation.* Vers l'aisselle gauche, moins souvent vers le bord gauche du sternum | *Irradiation.* À droite du sternum vers la région xiphoïdienne, et parfois vers la ligne médioclaviculaire gauche, mais pas dans l'aisselle | *Irradiation.* Souvent étendue |
| | *Intensité.* De faible à forte ; si elle est forte, frémissement apexien associé. | *Intensité.* Variable | *Intensité.* Souvent très intense, avec un frémissement |
| | *Hauteur.* Moyenne à aiguë | *Hauteur.* Moyenne | *Hauteur.* Aiguë |
| | *Timbre.* Rude | *Timbre.* Soufflant | *Timbre.* Souvent rude |
| | *Facilitation.* Contrairement au souffle d'insuffisance tricuspide, il ne se renforce pas à l'inspiration | *Facilitation.* Contrairement au souffle d'insuffisance mitrale, il peut se renforcer un peu à l'inspiration | |
| **Signes associés** | B1 normal (75 %), fort (12 %) ou faible (12 %) | Le choc du ventricule droit est plus ample et parfois prolongé | B2 peut être masqué par un souffle intense |
| | Un B3 à la pointe reflète la surcharge volumique du ventricule gauche | Un B3 peut s'entendre le long du bord gauche du sternum. La pression veineuse jugulaire est souvent élevée, avec de grandes ondes *v* sur les veines jugulaires | Les signes varient avec la sévérité de la communication et les lésions associées |
| | Le choc de la pointe est ample, déplacé en dehors et parfois prolongé | | |
| **Mécanisme** | Lorsque *la valvule mitrale ne se ferme pas complètement en systole*, du sang reflue du ventricule gauche dans l'oreillette gauche, provoquant un souffle. Cette fuite crée une surcharge volumique du ventricule gauche, suivie de dilatation. Diverses anomalies structurales sont à l'origine de ce trouble, et il en résulte des signes variables. | Lorsque *la valvule tricuspide ne se ferme pas complètement en systole*, du sang reflue du ventricule droit dans l'oreillette droite, provoquant un souffle. La cause la plus fréquente est la défaillance du ventricule droit, avec dilatation, pro- voquant un agrandissement de l'orifice tricuspide. La cause première est d'habitude une hypertension pulmonaire ou une insuffisance ventriculaire gauche. | Une communication interventriculaire est une malformation congénitale dans laquelle *le sang passe à travers un trou, du ventricule gauche, à haute pression, au ventricule droit, à basse pression*. La communication peut s'accompagner d'autres anomalies mais on a décrit ici une lésion non compliquée. |

Les souffles mésosystoliques d'éjection sont le type le plus fréquent de souffles. Ils peuvent être 1) *innocents*, sans anomalie physiologique ou anatomique décelable, 2) *physiologiques*, dus à des changements physiologiques du métabolisme de l'organisme, 3) *pathologiques* (organiques), dus à des anomalies anatomiques du cœur ou des gros vaisseaux.[57, 66] Ils atteignent un maximum au milieu de la systole et en général cessent avant B2. Leur forme *crescendo-decrescendo* (en losange) n'est pas toujours perceptible mais le silence auscultatoire entre le souffle et B2 permet de les distinguer des souffles holosystoliques.

|  | **Souffles innocents** | **Souffles physiologiques** |
|---|---|---|
|  |  B1　　　B2 |  B1　　　B2 |
| **Souffle cardiaque** | *Localisation.* Du 2e au 4e espace intercostal gauche, entre le bord gauche du sternum et la pointe du cœur<br><br>*Irradiation.* Peu<br><br>*Intensité.* Grades 1 à 2, parfois 3<br><br>*Hauteur.* Moyenne<br><br>*Timbre.* Variable<br><br>*Facilitation.* Diminue ou disparaît habituellement en position assise | Semblables aux souffles innocents |
| **Signes associés** | Aucun : dédoublement normal, pas de bruit d'éjection, pas de souffles diastoliques, et pas de signes d'hypertrophie ventriculaire à la palpation. Un patient peut parfois avoir à la fois un souffle innocent et un souffle d'un autre type | Possibles signes de la cause probable |
| **Mécanisme** | Les souffles innocents sont dus à des turbulences du flux sanguin lors de l'éjection du ventricule gauche, et parfois du ventricule droit. Les souffles innocents, très fréquents chez les enfants et les adultes jeunes, peuvent également s'entendre chez les personnes âgées. Il n'y a pas de maladie cardiaque sous-jacente | Turbulence par augmentation temporaire du débit dans des circonstances favorisantes, telles que l'anémie, la grossesse, la fièvre et l'hyperthyroïdie |

## Souffles pathologiques

| *Rétrécissement aortique*[67, 68] | *Cardiomyopathie hypertrophique* | *Sténose pulmonaire* |
|---|---|---|

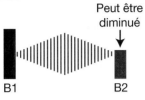

Peut être diminué

B1          B2

B1          B1

B1 E_j          A2 P2

*Localisation.* 2ᵉ espace intercostal droit

*Irradiation.* Souvent aux carotides et en bas, le long du bord gauche du sternum, voire à la pointe

*Intensité.* Parfois faible mais souvent forte, avec un frémissement (thrill)

*Hauteur.* Moyenne, *crescendo-decrescendo*, pouvant être plus haut à la pointe

*Timbre.* Souvent rude, pouvant être plus musical à la pointe

*Facilitation.* Mieux entendu sur le patient assis et penché en avant

*Localisation.* 3ᵉ et 4ᵉ espaces intercostaux gauches

*Irradiation.* Vers le bas, le long du bord gauche du sternum jusqu'à la pointe ; éventuellement à la base, mais pas au cou

*Intensité.* Variable

*Hauteur.* Moyenne

*Timbre.* Rude

*Facilitation.* Diminue en position accroupie, augmente lors d'efforts de poussée à glotte fermée et en position debout

*Localisation.* 2ᵉ et 3ᵉ espaces intercostaux gauches

*Irradiation.* S'il est intense, vers l'épaule gauche et le cou

*Intensité.* Doux à intense ; s'il est intense, il s'accompagne d'un frémissement (thrill)

*Hauteur.* Moyenne, *crescendo-decrescendo*

*Timbre.* Souvent rude

A2 diminue quand le rétrécissement aortique s'aggrave. A2 peut être retardé et fusionné avec P2 → B2 unique à l'expiration ou dédoublement paradoxal de B2. Le pouls carotidien peut être *retardé*, avec une ascension lente et une petite amplitude. Le ventricule gauche hypertrophié peut donner un choc apexien *prolongé* et un B4, par diminution de la compliance

Un rétrécissement significatif de la valvule aortique gêne le passage du sang à travers la valvule, ce qui provoque un flux turbulent, et il augmente la postcharge du ventricule gauche. Les causes sont congénitales, rhumatismales et dégénératives, et les signes peuvent varier selon la cause. D'autres affections sont à l'origine d'un souffle semblable à celui d'un rétrécissement aortique sans qu'il y ait d'obstacle à l'éjection : une *sclérose aortique*, qui rigidifie les valvules aortiques au cours de la vieillesse, une *valvule aortique bicuspide*, affection congénitale qu'on peut méconnaître jusqu'à l'âge adulte, une *dilatation aortique*, comme celle due à l'artériosclérose, à la syphilis et à la maladie de Marfan, un *flux anormalement accru au travers de la valvule aortique durant la systole*, comme dans l'insuffisance aortique

Un B3 peut être présent. Un B4 existe souvent à la pointe (contrairement à l'insuffisance mitrale). Le choc apexien peut être *prolongé* et avoir deux composantes palpatoires. Le pouls carotidien s'élève *rapidement*, contrairement au pouls du rétrécissement aortique

L'hypertrophie ventriculaire massive est associée à une éjection de sang inhabituellement rapide par le ventricule gauche pendant la systole. Il peut exister une obstruction de la chambre de chasse. La déformation de la valvule mitrale peut entraîner une insuffisance mitrale

En cas de sténose sévère, dédoublement espacé de B2 et diminution voire disparition de P2. Un bruit d'éjection pulmonaire précoce est fréquent. On peut entendre un B4 d'origine droite. Choc du ventricule droit souvent étalé et *prolongé*

Une sténose de la valvule pulmonaire gêne le passage du sang à travers la valvule, et augmente la postcharge du ventricule droit. Elle est congénitale et le plus souvent découverte dans l'enfance. Dans la *communication interauriculaire*, le souffle systolique est dû à une augmentation pathologique du flux à travers la valvule pulmonaire et il peut simuler celui d'une sténose pulmonaire

Les souffles diastoliques sont presque toujours le signe d'une maladie cardiaque. Ils sont de deux types fondamentaux. Les *souffles diastoliques à décroissance précoce* traduisent un reflux à travers des valves sigmoïdes insuffisantes, le plus souvent aortiques. Les *roulements diastoliques à la phase moyenne ou tardive de la diastole* suggèrent un rétrécissement d'une valvule auriculoventriculaire, en général de la mitrale.

| | Insuffisance aortique[69] | Rétrécissement mitral |
|---|---|---|
| |  B2　　　　　B1 | 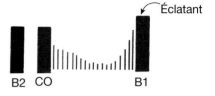 Éclatant<br>B2　CO　　　　　B1 |
| **Souffle cardiaque** | *Localisation.* Du 2e au 4e espace intercostal gauche<br><br>*Irradiation.* S'il est intense, vers la pointe, parfois vers le bord droit du sternum<br><br>*Intensité.* Grades 1 à 3<br><br>*Hauteur.* Aiguë. *Utilisez la membrane*<br><br>*Timbre.* Soufflant *decrescendo* ; peut être confondu avec des bruits respiratoires<br><br>*Facilitation.* Le souffle est mieux entendu sur le *patient assis, penché en avant,* retenant sa respiration après une expiration | *Localisation.* Habituellement limité à la pointe<br><br>*Irradiation.* Peu ou pas du tout<br><br>*Intensité.* Grades 1 à 4<br><br>*Hauteur.* Roulement grave *decrescendo.* *Utilisez le pavillon*<br><br>*Facilitation.* Placer le pavillon du stéthoscope exactement sur le choc de pointe, tourner le patient en *décubitus latéral gauche* et un exercice musculaire modéré facilitent l'audition du souffle. Il est mieux entendu en expiration |
| **Signes associés** | Il peut exister un bruit d'éjection<br><br>Un éventuel B3 ou B4 évoquerait une insuffisance sévère<br><br>Les modifications progressives du choc de la pointe comprennent une augmentation de l'amplitude, un déplacement en dehors et vers le bas, un étalement et une durée augmentée<br><br>La différentielle augmente et *les pouls artériels sont souvent amples et bondissants.* Un souffle mésosystolique ou un roulement de Flint évoquent une insuffisance importante | B1 est accentué et peut être palpable à la pointe<br><br>Un claquement d'ouverture (CO) succède souvent à B2 et débute le souffle<br><br>S'il apparaît une hypertension pulmonaire, P2 est renforcé et le choc ventriculaire droit devient palpable<br><br>Une insuffisance mitrale et une maladie valvulaire aortique peuvent être associées au rétrécissement mitral |
| **Mécanisme** | Les valves de la valvule aortique ne peuvent se fermer complètement à la diastole, et du sang reflue de l'aorte dans le ventricule gauche. Il en résulte une surcharge volumique du ventricule gauche. Deux autres souffles peuvent être associés : (1) un souffle mésosystolique provenant de l'accroissement du flux antérograde à travers la valve aortique et (2) un souffle diastolique mitral à type de roulement (ou *roulement de Flint*). Ce dernier est attribué à l'impaction diastolique du flux de régurgitation sur la valve antérieure de la valvule mitrale | Quand les valves de la valvule mitrale s'épaississent, deviennent rigides et déformées à la suite d'un rhumatisme articulaire aigu, *elles ne peuvent s'ouvrir suffisamment en diastole.* Le souffle qui en résulte a deux composantes : (1) mésodiastolique (à la phase rapide du remplissage ventriculaire), et (2) présystolique (durant la contraction auriculaire). Cette dernière disparaît en cas de fibrillation auriculaire, ne laissant qu'un roulement mésodiastolique |

Certains bruits cardiovasculaires s'étendent au-delà de la systole ou de la diastole. En voici trois exemples, décrits ci-dessous : (1) un *souffle veineux continu* ou *bruit de diable*, bruit bénin produit par la turbulence du sang dans les veines jugulaires (fréquent chez l'enfant) ; (2) un *frottement péricardique*, produit par l'inflammation du sac péricardique, et (3) la *persistance du canal artériel*, anomalie congénitale dans laquelle un canal ouvert persiste entre l'aorte et l'artère pulmonaire. Les *souffles continus* débutent dans la systole et s'étendent au-delà de B2 dans tout ou partie de la diastole, comme dans la *persistance du canal artériel*.

|  | **Bruit de diable** | **Frottement péricardique** | **Persistance du canal artériel** |
|---|---|---|---|
|  | 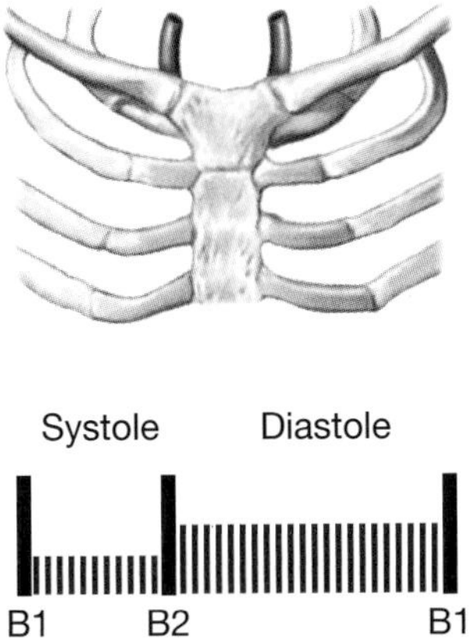 Systole — Diastole / B1 B2 B1 | 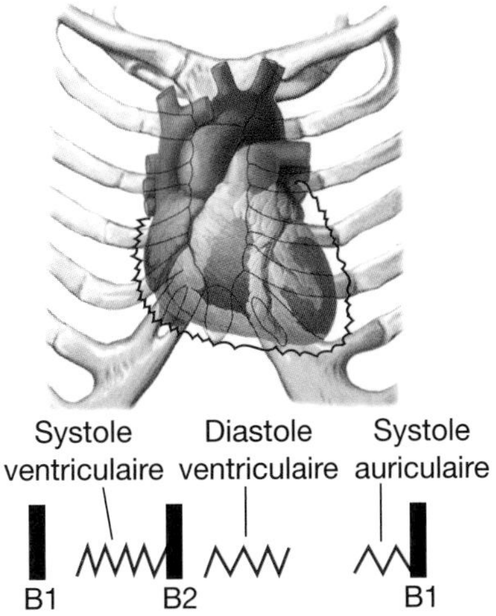 Systole ventriculaire — Diastole ventriculaire — Systole auriculaire / B1 B2 B1 | 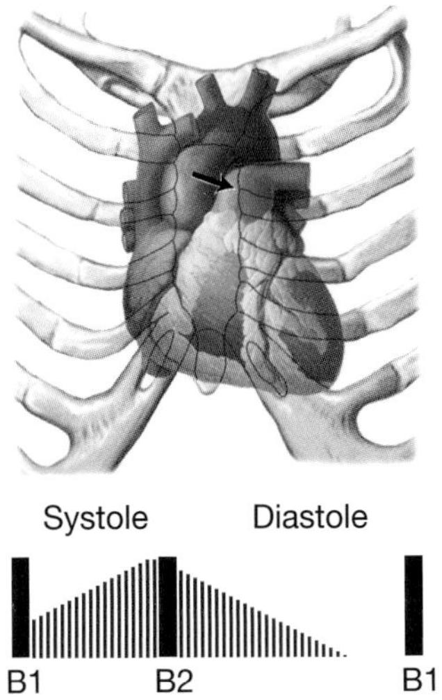 Systole — Diastole / B1 B2 B1 |
| **Temps** | Souffle continu, sans intervalle silencieux. Plus fort en diastole | Peut avoir trois composantes brèves, chacune associée à un frottement du cœur sur le péricarde : (1) systole auriculaire, (2) systole ventriculaire et (3) diastole ventriculaire. Habituellement les deux premières composantes sont présentes ; les trois rendent le diagnostic facile ; une seule (habituellement la composante systolique) prête à confusion avec un souffle | Souffle continu à la fois dans la systole et la diastole, souvent avec un intervalle silencieux à la fin de la diastole. Est plus intense à la fin de la systole, masque B2 et disparaît en diastole |
| **Localisation** | Au-dessus du 1/3 interne des clavicules, surtout à droite | Variable mais habituellement mieux entendu dans le 3ᵉ espace à gauche du sternum | 2ᵉ espace intercostal gauche |
| **Irradiation** | 1ᵉʳ et 2ᵉ espaces intercostaux | Peu | Vers la clavicule gauche |
| **Intensité** | Faible à modéré. Peut être supprimé par pression sur les veines jugulaires | Variable. Peut augmenter lorsque le sujet se penche en avant, expire et retient sa respiration (par différence avec le frottement pleural) | Habituellement fort, parfois associé à un frémissement |
| **Timbre** | Ronflant | Grattement, raclement | Rude, comme une machine |
| **Hauteur** | Grave (mieux entendu avec le *pavillon* du stéthoscope) | Aigu (mieux entendu avec la *membrane* du stéthoscope) | Moyen |

# Seins et aisselles

## ANATOMIE ET PHYSIOLOGIE

### → Sein de la femme

Le sein de la femme repose sur la paroi antérieure du thorax ; il s'étend de la clavicule et de la 2e côte à la 6e côte, et du sternum à la ligne axillaire moyenne. Sa surface est généralement plutôt rectangulaire que ronde.

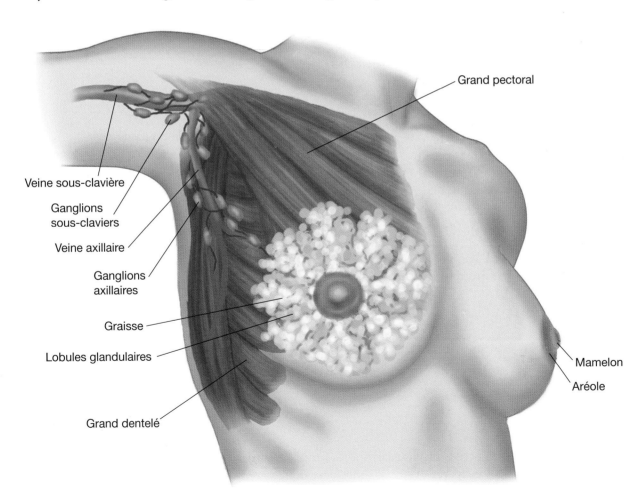

Grand pectoral

Veine sous-clavière

Ganglions sous-claviers

Veine axillaire

Ganglions axillaires

Graisse

Lobules glandulaires

Grand dentelé

Mamelon

Aréole

Le sein recouvre le grand pectoral (pectoralis major) et, à son bord inférieur, le grand dentelé (serratus anterior).

À des fins de description clinique, le sein est souvent divisé en quadrants par une ligne horizontale et une ligne verticale se croisant sur le mamelon. Un prolongement axillaire de la glande s'étend vers le pli axillaire antérieur. On peut aussi localiser des trouvailles sur le sein comme sur le cadran d'une montre (par exemple : « à 3 heures ») et par la distance au mamelon, en centimètres.

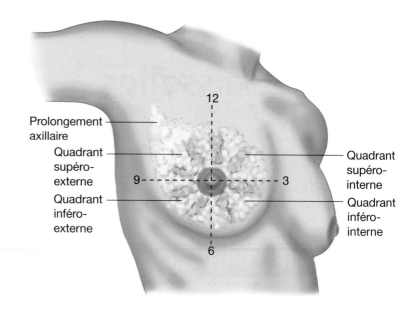

Les seins sont faits de tissus hormonosensibles et se modifient avec le cycle menstruel et l'âge. Le *tissu glandulaire*, c'est-à-dire les glandes sécrétoires tubuloacineuses et les canaux excréteurs, forment 15 à 20 *lobes* cloisonnés, rayonnant autour du mamelon. Chaque lobe contient plusieurs *lobules* plus petits. Chaque lobule est drainé par un canal galactophore et un sinus dilaté qui s'ouvre à la surface du mamelon. Le soutien est assuré par du *tissu conjonctif fibreux*, qui forme des bandes fibreuses, ou ligaments suspenseurs, reliant la peau au fascia sous-mammaire. Le *tissu adipeux* entoure le sein et prédomine en surface et en périphérie. Les proportions de ces constituants varient avec l'âge, l'état nutritionnel, la grossesse, une hormonothérapie et d'autres facteurs.

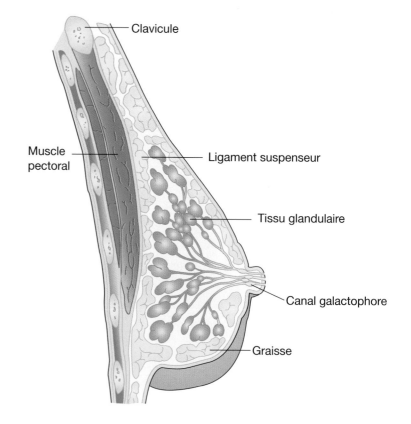

La surface de l'aréole présente de petites élevures arrondies formées par des glandes sébacées, des glandes sudoripares et des glandes accessoires aréolaires. Il y a souvent quelques poils au niveau de l'aréole.

Le mamelon et l'aréole sont tous deux riches en fibres musculaires lisses qui se contractent pour exprimer le lait des canaux excréteurs quand une mère allaite son enfant. L'innervation sensitive dense, notamment au niveau du mamelon, déclenche la « descente » du lait suivant la stimulation neurohormonale produite par la succion de l'enfant. La stimulation tactile de cette zone provoque l'érection du mamelon, tandis que l'aréole se fronce. Ces réflexes normaux du muscle lisse ne doivent pas être pris pour des signes de maladie mammaire.

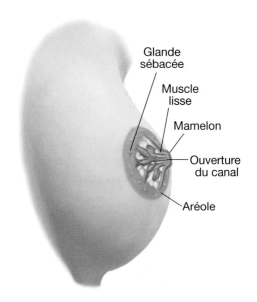

Glande sébacée

Muscle lisse

Mamelon

Ouverture du canal

Aréole

Le sein adulte peut être homogène, mais il est plus souvent granuleux ou nodulaire. Cette texture inhomogène est normale *(nodularité physiologique)*. Elle est souvent bilatérale et intéresse la totalité ou seulement certaines parties des seins. La nodularité peut augmenter avant les règles, période où les seins sont souvent augmentés de volume et sensibles, voire douloureux. Pour les modifications des seins pendant l'adolescence et la grossesse, voir p. 883-884 et p. 926.

Parfois une ou plusieurs glandes surnuméraires siègent sur la « ligne du lait », illustrée à droite. Habituellement, il n'y a qu'un petit mamelon et une petite aréole, qui peuvent être confondus avec un grain de beauté. Il peut y avoir du tissu glandulaire sous-jacent. Un mamelon surnuméraire n'a pas de signification pathologique.

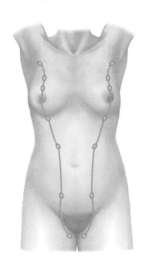

## → Sein de l'homme

Le sein de l'homme est composé principalement d'un petit mamelon et d'une aréole qui recouvrent un mince disque de tissu glandulaire non développé, formé surtout de canaux. Compte tenu de l'absence de stimulation œstroprogestative, la ramification des canaux et le développement des lobules sont minimes.[1] Il est difficile de distinguer le tissu mammaire des muscles de la paroi thoracique. On a décrit des boutons de tissu mammaire ferme d'un diamètre supérieur ou égal à 2 cm chez environ un tiers des hommes adultes.

## → Lymphatiques

Les lymphatiques d'une grande partie du sein se drainent dans l'aisselle. Les *ganglions centroaxillaires* sont les ganglions lymphatiques le plus souvent palpables. Ils sont situés le long de la paroi thoracique, habituellement haut dans l'aisselle et à mi-distance des plis axillaires antérieur et postérieur. C'est vers eux que se drainent les canaux de trois autres groupes de ganglions lymphatiques :

■ le *groupe pectoral (antérieur)*, situé le long du bord inférieur du grand pectoral, à l'intérieur du pli axillaire. Ces ganglions drainent la paroi thoracique antérieure et la plus grande partie des seins ;

■ le *groupe sous-scapulaire (postérieur)*, situé le long du bord externe de l'omoplate ; on le palpe en profondeur, dans le pli axillaire postérieur. Ces ganglions drainent la paroi thoracique postérieure et une partie du bras ;

■ le *groupe latéral (externe)*, situé le long de la partie supérieure de l'humérus. Ces ganglions drainent la majeure partie du bras.

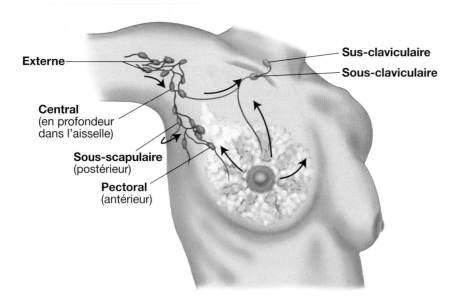

**LES FLÈCHES INDIQUENT LA DIRECTION DE LA CIRCULATION LYMPHATIQUE**

Des ganglions axillaires centraux, la lymphe se dirige vers les *ganglions sous-claviculaires* et *sus-claviculaires*.

Les lymphatiques du sein ne se drainent pas tous vers l'aisselle. Les cellules malignes d'un cancer du sein peuvent se propager directement aux ganglions sous-claviculaires ou à des canaux profonds, à l'intérieur du thorax.

## ANTÉCÉDENTS MÉDICAUX

### Symptômes banals ou inquiétants

■ Grosseur ou masse mammaire.
■ Douleur ou gêne mammaire.
■ Écoulement par le mamelon.

Les questions sur les seins des femmes peuvent être incluses dans l'interrogatoire ou repoussées à l'examen physique. Demandez : « Examinez-vous vos seins ? », « Combien de fois ? ». Chez une femme réglée, précisez à quel moment du cycle elle examine ses seins : le meilleur moment pour l'auto-examen se situe 5 à 7 jours après le début des règles, quand la stimulation œstrogénique est la plus faible. Recherchez une *douleur*, une *gêne*, ou des *grosseurs* dans les seins. Environ 50 % des femmes ont des grosseurs palpables dans les seins (nodularité). Une augmentation de volume et une sensibilité prémenstruelles sont banales.[2] Si la patiente signale une grosseur ou une masse, précisez sa localisation, sa date d'apparition, tout changement de taille et les variations au cours du cycle menstruel. Recherchez une modification du contour des seins, un capiton, un œdème ou un plissement de la peau recouvrant les seins.

Des grosseurs peuvent être physiologiques ou pathologiques, des kystes et des adénofibromes au cancer du sein. Voir tableau 10-1 : « Masses du sein fréquentes », p. 431, et tableau 10-2 : « Signes d'inspection du cancer du sein », p. 432.

Recherchez également un *écoulement par les mamelons*, et précisez quand il se produit. L'écoulement n'apparaît-il qu'après expression du mamelon ou est-il spontané ? Des sécrétions physiologiques se voient au cours de la grossesse, de l'allaitement, de la stimulation de la paroi thoracique, du sommeil et du stress. Si l'écoulement est spontané, quels sont sa couleur, sa consistance et son volume ? Est-il laiteux, brunâtre ou verdâtre, ou sanglant ? Demandez s'il est uni ou bilatéral.

Une *galactorrhée*, ou écoulement laiteux, est anormale si elle survient plus de 6 mois après un accouchement ou l'arrêt de l'allaitement.

## PROMOTION DE LA SANTÉ ET CONSEILS

### Sujets importants pour la promotion de la santé et les conseils

- Masses palpables dans les seins.
- Évaluation du risque de cancer du sein.
- Dépistage du cancer du sein.

## Vue d'ensemble

Les femmes peuvent ressentir beaucoup de changements dans leurs seins, depuis le gonflement et la nodularité cycliques jusqu'à une grosseur ou une masse distincte. L'examen des seins fournit au clinicien une excellente occasion d'aborder des sujets importants en matière de santé de la femme : la conduite à tenir devant une grosseur ou une masse du sein, les facteurs de risque du cancer du sein et les mesures de dépistage telles que l'auto-examen des seins (AES), l'examen clinique des seins (ECS) par un clinicien expérimenté et la mammographie. Les femmes quêtent souvent des informations sur ces sujets en consultation.

***Masses du sein palpables et symptômes mammaires.*** Un cancer du sein est découvert chez jusqu'à 4 % des femmes qui ont des symptômes mammaires, environ 5 % des femmes qui signalent un écoulement mammaire, et jusqu'à 11 % des femmes qui se plaignent d'une grosseur ou d'une masse du sein.[1, 2] Les masses du sein ont des causes très variées, depuis les adénofibromes et les kystes des femmes jeunes, jusqu'aux abcès (ou mastites) et au cancer primitif du sein. Lors de l'évaluation initiale, l'âge de la femme et les caractéristiques physiques de la masse sont des éléments d'orientation importants, comme le montre le tableau ci-dessous sur les « Masses du sein palpables », mais le diagnostic définitif reste à poser, en recourant à des examens complémentaires.

***Risque de cancer du sein.*** Les femmes sont de plus en plus désireuses d'obtenir des informations sur le cancer du sein. Les cliniciens doivent prendre connaissance de la littérature détaillant l'épidémiologie et les facteurs de risque du cancer du sein, qui servent de base aux recommandations pour le dépistage. Les faits et les chiffres clés sont présentés ici, mais des lectures supplémentaires affermiront les conseils que vous donnerez à vos patientes.

## Masses du sein palpables

| Âge | Lésion fréquente | Caractéristiques |
|---|---|---|
| 15-25 ans | Adénofibrome | En général petit, rond, mobile, insensible |
| 25-50 ans | Kystes | En général, mous à fermes, arrondis, mobiles ; souvent sensibles |
| | Mastose sclérokystique | Nodulaire, cordiforme |
| | Cancer | Irrégulier, en étoile, ferme, mal délimité |
| Plus de 50 ans | Cancer, jusqu'à preuve du contraire | Comme ci-dessus |
| Grossesse/Lactation | Adénomes des femmes allaitantes, kystes, mastite et cancer | Comme ci-dessus |

Source : Adapté de Schultz MZ, Ward BA, Reiss M. Breast diseases. *In* : Noble J, Greene HL, Levinson W *et al.* (eds). Primary Care Medicine. 2nd ed. St. Louis : Mosby, 1996. Voir aussi Venet L, Strax P, Venet W *et al.* Adequacies and inadequacies of breast examinations by physicians in mass screenings. Cancer 1971 ; 28 (6) : 1546-1551.

***Faits et chiffres sur le cancer du sein.*** Le cancer du sein est le plus fréquent des cancers de la femme à l'échelle mondiale ; il représente plus de 10 % de tous les cancers de la femme. Aux États-Unis, une femme née à présent a un risque de 12 % (1 pour 8) de développer un cancer du sein durant sa vie.[3] La probabilité de cancer dans les dix prochaines années augmente avec les décennies.[4]

| Probabilités de développer un cancer du sein invasif en fonction de l'âge* | | |
|---|---|---|
| Si l'âge est actuellement de : | La probabilité de développer un cancer dans les 10 années qui viennent est de : | Soit un risque de 1 pour : |
| 20 ans | 0,05 % | 1 837 |
| 30 ans | 0,43 % | 234 |
| 40 ans | 1,43 % | 70 |
| 50 ans | 2,51 % | 40 |
| 60 ans | 3,51 % | 28 |
| 70 ans | 3,88 % | 26 |
| **Risque sur la durée d'une vie** | 12,28 % | 8 |

\* Parmi les femmes qui n'ont pas de cancer au début de la décennie. D'après les cas diagnostiqués en 2002-2004. Les pourcentages et les risques ont été arrondis.

Source : American Cancer Society. Breast Cancer Facts and Figures 2007-2008, p. 11. Accessible sur : http://www.cancer.org/downloads/STT/BCFF-Final.pdf. Visité le 20 octobre 2007.

Le cancer du sein est la deuxième grande cause de décès par cancer chez les femmes, avec les taux de mortalité les plus élevés avant 35 ans et après 75 ans. Plusieurs tendances sont à noter[3] :

■ *un déclin des nouveaux cas de cancer du sein invasif.* Le nombre de nouveaux cas de cancer du sein invasif diminue depuis 2000, ce qui résulte de deux grands facteurs : un recul du dépistage par mammographie, qui fait que le cancer du sein est sous-diagnostiqué ou diagnostiqué plus tardivement (ce n'est donc pas une vraie diminution d'incidence), et une diminution de l'utilisation du traitement hormonal substitutif (THS)[5] ;

■ *des cancers du sein plus précoces et plus évolués chez les femmes afro-américaines.* Les femmes afro-américaines ont une incidence plus élevée de cancer du sein avant 40 ans, une plus grande probabilité de présenter de plus grosses tumeurs au diagnostic, et une plus grande probabilité de mourir d'un cancer du sein à tout âge. La disparité de mortalité entre femmes blanches et afro-américaines s'est accusée depuis 1980. En 2004, la mortalité du cancer du sein des femmes afro-américaines était supérieure de 36 % à celle des femmes blanches. Une analyse de la survie par stades, ajustée sur le statut des œstrogénorécepteurs, montre que les afro-américaines ont moins de stades précoces dans chaque tranche d'âge, sauf au-dessus de 65 ans, ce qui suggère que Medicare\* peut égaliser l'accès aux soins.

---

\* NdT. Assurance sociale pour les personnes âgées de plus de 65 ans (aux États-Unis).

Les cliniciens doivent proposer des informations appropriées et des mammographies de dépistage plus tôt aux femmes afro-américaines. Les coûts générés par une couverture plus précoce des soins et du dépistage doivent être pris en compte par les assurances.[6] Proposer des mammographies à partir de 40 ans ne permet de détecter que 83,6 % des cancers du sein chez les femmes afro-américaines *versus* 93,3 % chez les femmes blanches.[7]

***Facteurs de risque du cancer du sein.*** Des facteurs de risque, *modifiables* et *non modifiables*, de cancer du sein sont identifiés ; ils sont énumérés dans le tableau de la page 413. Certains ne sont pas faciles à changer : l'âge, les antécédents familiaux, l'âge à la première grossesse, la ménopause précoce, et la densité des seins.[3] D'autres peuvent être modifiés, mais leurs risques relatifs sont parmi les plus faibles : l'obésité postménopausique, le THS, la consommation d'alcool, et l'inactivité physique. Il est à noter que l'allaitement diminue le risque, surtout s'il est prolongé. L'utilisation de la « pilule contraceptive » augmente légèrement le risque ; la combinaison d'un œstrogène et de la progestérone dans un THS est un facteur de risque plus important. Le tableau de la page suivante, tiré du rapport « *Breast Cancer Facts and Figures 2007-2008* » de l'ACS *(American Cancer Society)* récapitule les risques relatifs actuels des différents facteurs.[3] Nous encourageons les lecteurs à parcourir les excellentes discussions sur les facteurs de risque individuels contenues dans ce rapport.

***Évaluation du risque de cancer du sein chez une patiente.*** Après un interrogatoire détaillé et l'examen minutieux des seins, les cliniciens doivent évaluer le risque de cancer du sein en regardant la probabilité par décennie (voir p. 411) et/ou en utilisant un outil électronique, le *Breast Cancer Risk Assessment Tool*, souvent appelé modèle de Gail[8, 9] (voir http://brca.nci. nih./gov/brc/start/htm).

Cet outil intègre les facteurs de risque suivants : l'âge, les cancers du sein chez les parents au premier degré, les biopsies mammaires antérieures et l'existence d'une hyperplasie (voir p. 414), l'âge à la ménopause, et l'âge au premier accouchement. Il suppose un dépistage annuel et pas d'antécédent personnel de cancer du sein. Pour les femmes qui ont des antécédents familiaux de cancer du sein chez des parents au second degré du côté maternel ou paternel, on peut utiliser le modèle de Claus.[10] Ni le modèle de Gail ni celui de Claus n'incluent des facteurs de risque tels que la densité des seins, le taux plasmatique d'œstradiol libre, la densité osseuse, la prise de poids postménopausique, ou le rapport taille/hanches. Le modèle de Gail prédit avec précision le nombre de cas attendus dans une population donnée, mais il est moins précis pour prédire le risque individuel de cancer du sein (voir http://astor.jhmi.edu/brcapro).[11, 12]

# Facteurs de risque sélectionnés qui influent sur les indications du dépistage

***Mutations de BRCA1 et BRCA2.*** Il est important d'évaluer le risque de cancer du sein chez la femme dès l'âge de 20 ans. Quel que soit leur âge, il faut demander aux femmes si elles ont des antécédents familiaux de cancer du sein et/ou de l'ovaire, du côté maternel ou paternel. Environ 5 à 10 % des femmes sont porteuses de mutations des gènes BRCA1 ou BRCA2, transmises sur le mode autosomique dominant. Les femmes qui ont de telles mutations ont un risque de développer un cancer du sein avant 70 ans estimé à 65 % pour BRCA1 et à 45 % pour BRCA2.[3] Pour identifier les femmes à qui on doit proposer des tests génétiques, deux stratégies sont préconisées ; elles sont détaillées dans l'encadré ci-dessous.[13]

| Facteurs qui augmentent le risque relatif de cancer du sein chez la femme | |
| --- | --- |
| **Risque relatif** | **Facteur de risque** |
| **> 4,0** | Sexe féminin |
| | Âge (≥ 65 *versus* < 65 ans, mais le risque augmente avec l'âge jusqu'à 80 ans) |
| | Des mutations génétiques héréditaires concernant le cancer du sein (BRCA1 et/ou BRCA2) |
| | ≥ 2 parents au premier degré ayant fait précocement un cancer du sein |
| | Un antécédent personnel de cancer du sein |
| | Des seins denses |
| | Une hyperplasie atypique sur une biopsie mammaire |
| **2,1-4,0** | Un parent au premier degré ayant fait un cancer du sein |
| | Une irradiation thoracique à forte dose |
| | Une densité osseuse élevée (après la ménopause) |
| **1,1-2,0** Facteurs hormonaux | Âge > 30 ans à la 1re grossesse (à terme) |
| | Premières règles précoces (avant 12 ans) |
| | Ménopause tardive (après 55 ans) |
| | Aucune grossesse menée à terme |
| | Aucun enfant allaité |
| | Contraception orale récente |
| | THS récent et prolongé |
| | Obésité postménopausique |
| Autres facteurs | Antécédent personnel de cancer de l'endomètre, de l'ovaire ou du côlon |
| | Consommation d'alcool |
| | Grande taille |
| | Niveau socioéconomique élevé |
| | Ascendance juive |

Adapté avec autorisation de Hulka *et al.*, 2001.

Source : American Cancer Society. Breast Cancer Facts and Figures 2007-2008, p. 10. Accessible sur : http://www.cancer.org/downloads/STT/BCFF-Final.pdf. Visité le 20 octobre 2007.

## CRITÈRES D'IDENTIFICATION DES FEMMES À RISQUE DE MUTATION DE BRCA1 OU BRCA2

✔ Trouver un risque de mutation BRCA1/BRCA2 ≥ 10 %, en utilisant le calculateur du site http://astor.jhmi.edu/brcapro.

✔ Trouver l'un des facteurs de risque suivants :
- un parent au premier degré avec une mutation connue de BRCA1/BRCA2 ;
- ≥ 2 parents avec un diagnostic de cancer du sein avant l'âge de 50 ans, dont ≥ 1 est un parent au premier degré ;
- ≥ 3 parents avec un diagnostic de cancer du sein, dont ≥ 1 est atteint avant 50 ans ;
- ≥ 2 parents avec un diagnostic de cancer de l'ovaire ;
- ≥ 1 parent avec un diagnostic de cancer du sein et ≥ 1 parent avec un diagnostic de cancer de l'ovaire.

Source : Fletcher SW, Elmore JG. Mammographic screening for breast cancer. N Engl J Med 2003 ; 348 (14) : 1672-1680.

*Pathologies bénignes du sein.* Les mammographies entraînent un nombre accru de biopsies mammaires, et les cliniciens doivent à présent connaître les liens qui existent entre les affections bénignes du sein et le risque de cancer du sein ultérieur.[1, 14] Dans les 10 ans suivant le début d'un dépistage annuel, 20 % des femmes ont subi une biopsie mammaire.[15] On pense que les lésions du sein évoluent de façon à peu près linéaire de l'hyperplasie canalaire vers l'hyperplasie atypique puis vers le carcinome canalaire *in situ* (CCIS) et le cancer invasif. Ces pathologies sont à présent classées d'après le degré de prolifération cellulaire sur la biopsie et le degré de risque de cancer du sein. Les femmes qui présentent des atypies ont plus de probabilités d'avoir des antécédents familiaux chargés de cancer du sein (environ 28 % *versus* 20 %). Le risque augmente quand l'atypie est diagnostiquée à un jeune âge. Des études récentes montrent que le risque n'est pas augmenté chez les femmes qui ont des lésions non prolifératives et pas d'antécédents familiaux de cancer du sein.

## Risque de cancer du sein et histologie des lésions mammaires bénignes[1, 14]

| | |
|---|---|
| *Risque non augmenté*<br>RR* ≈ 1,3 | *Pas de prolifération* : kystes et ectasie galactophorique, hyperplasie légère, adénofibrome simple, mastite, granulome, mastopathie diabétique |
| *Risque un peu augmenté*<br>RR* = 1,5-2,0 | *Prolifération sans atypie* : hyperplasie canalaire commune, adénofibrome complexe, papillome |
| *Risque modérément augmenté*<br>RR* > 2,0 à ≈ 4,2 | *Prolifération avec atypie* : hyperplasie canalaire atypique et hyperplasie lobulaire atypique |

* RR : risque relatif.

**Densité des seins.** On a dit que la densité mammographique des seins était « le facteur de risque le moins apprécié et le moins utilisé » dans les études sur le cancer du sein.[16] C'est un facteur de risque indépendant et robuste, après ajustement sur les autres facteurs de risque ; il a l'intérêt « de concerner le tissu à partir duquel naît le cancer ».[17] Les seins qui ont une composante fibroglandulaire plus importante et une hyperplasie canalaire accrue apparaissent radiologiquement plus denses (radio-opaques). On suppose que la prolifération de l'épithélium et la fibrose du stroma sont secondaires à des facteurs de croissance induits par les hormones sexuelles en circulation.

Une analyse des études quantifiant la densité du sein a trouvé que les femmes qui avaient une densité intéressant plus de 60-75 % de la glande avaient un risque de cancer du sein multiplié par 4 à 6 par rapport aux femmes n'ayant pas des seins denses.[16] La densité des seins rend compte de plus de 30 % du risque de cancer du sein, et elle est en grande partie héréditaire.[18] On ne sait pas si la densité du sein est associée au risque accru de cancer du sein des femmes qui ont des taux sanguins élevés d'œstrogènes, d'œstradiol libre et de testostérone, laquelle est métabolisée en œstrone et en œstradiol.[1, 19]

La densité du sein affecte la sensibilité et la spécificité des mammographies, qui tombent de 88 % et 96 % chez les femmes qui ont des seins « clairs » (riches en tissu graisseux) à 62 % et 89 % chez celles qui ont des seins très denses.[16] La sensibilité et la spécificité étant plus basses chez les femmes jeunes qui prennent un THS, il est conseillé d'inclure dans les comptes rendus de mammographie des précisions sur la densité des seins susceptibles d'influencer une décision de THS.

# Recommandations sur le dépistage et la chimioprévention du cancer du sein

**Dépistage individualisé et de BRCA1/BRCA2.** Les discussions sur les facteurs de risque du cancer du sein peuvent débuter à n'importe quel âge. Quel que soit l'âge, précisez le risque général de cancer du sein et celui de transmission des mutations de BRCA1/BRCA2, en utilisant les techniques exposées plus haut. Recherchez aussi des antécédents familiaux de cancer de l'ovaire.

## Mammographie

**Femmes de 40 à 50 ans.** La pratique de la *mammographie* chez des femmes asymptomatiques de 40-50 ans a été controversée en raison d'une sensibilité et d'une spécificité plus faibles, peut-être du fait de la densité des seins, d'un risque accru de faux positifs et de biopsies inutiles, de difficultés à apprécier individuellement les bénéfices/risques, et de variations dans les valeurs et les préférences individuelles. La plupart des groupements professionnels, y compris l'ACS *(American Cancer Society)* et l'USPHSTF *(US Preventive Health Services Task Force)*, préconisent une mammographie tous les 1 à 2 ans chez les femmes de 40-50 ans. Les données actuelles suggèrent une réduction de 15 % de la mortalité par cancer du sein après 14 ans de suivi, quoique l'intervalle de confiance soit large.[20] Une revue récente faite par l'ACP *(American College of Physicians)* étaye une discussion personnalisée des bénéfices/risques entre 40 et 50 ans. Une *prise de décision partagée* est particulièrement importante dans cette tranche d'âge, étant donné un gain variable, qui peut aller de 0,4 % chez les femmes sans facteurs de risque à 6 % chez celles qui présentent plusieurs facteurs de risque.[13, 20]

**Femmes de 50 ans et plus.** La mammographie de dépistage réduit de 15 % à 35 % la mortalité par cancer du sein chez les femmes de 50 à 70 ans.[3] Tous les groupements professionnels recommandent une mammographie de dépistage par an dans cette tranche d'âge. La mammographie détecte 80 % à 90 % des cancers du sein chez les femmes asymptomatiques, et elle a une spécificité de 90 %. Le dépistage doit être continué chez les femmes de plus de 70 ans, en tenant compte de leur espérance de vie et de leur état de santé (voir chapitre 20 : « Sujet âgé », p. 953-967). Informez les femmes que des trouvailles douteuses peuvent motiver une reconvocation pour un examen de contrôle et que des trouvailles anormales peuvent imposer une biopsie.[21] La mammographie numérisée promet d'avoir une plus grande précision, notamment chez les femmes jeunes et chez celles qui ont des seins denses.[22]

*Examen clinique des seins (ECS).* L'ACS recommande d'effectuer un *examen clinique* des seins tous les 3 ans chez les femmes de 20 à 40 ans, et annuellement après 40 ans. D'autres groupements professionnels trouvent que le bénéfice de cet examen n'est pas suffisamment prouvé pour le recommander de façon définitive.[3] La sensibilité est de 54 % et la spécificité de 94 %, mais elles sont opérateurs-dépendantes.[2] On n'a pas montré de façon claire que l'ECS diminuait la mortalité et devait être effectué en association avec la mammographie.

*Auto-examen des seins (AES).* L'ACS ne recommande plus de faire un AES par mois. L'AES n'améliore pas la détection du cancer du sein, mais il sensibilise la patiente. Les cliniciens doivent expliquer aux femmes intéressées la technique de l'AES. Les femmes peuvent apprendre à faire un AES mensuel, 5 à 7 jours après le début des règles, dès l'âge de 20 ans (voir « Instructions à la patiente pour l'AES », p. 428).

*Imagerie par résonance magnétique (IRM).* Des études récentes ont exploré l'utilisation de l'IRM pour surveiller les femmes à risque élevé de cancer du sein, les femmes jeunes, les femmes avec des seins denses, et pour examiner le sein controlatéral des femmes ayant un cancer du sein récemment découvert. Dans ces groupes, l'IRM mammaire a facilité la détection de cancers du sein multicentriques ou controlatéraux avant une prise en charge par des stratégies conservatrices ou selon des protocoles thérapeutiques.[23-25] Cependant, son coût est élevé, et sa spécificité de 70 à 90 %, ce qui signifie plus de faux positifs, de reconvocations et de biopsies.[3, 13, 21]

L'expertise en matière de lecture des IRM et des biopsies guidées par l'IRM n'est pas très répandue. Enfin, l'IRM n'a pas été évaluée dans le dépistage de masse. Actuellement, l'ACS recommande l'IRM mammaire chez les femmes ayant un risque élevé sur la durée d'une vie, ou de 20 % ou plus.[3] Les femmes qui ont un risque modérément élevé sur la durée d'une vie, ou de 15 à 20 % sont incitées à discuter des avantages et des inconvénients de l'IRM avec leurs médecins. Les critères pour classer le risque sont indiqués ci-dessous.

| Critères de classification du risque de cancer du sein et d'indication de l'IRM mammaire | |
| --- | --- |
| **Risque élevé, ou de 20-25 %** | **Risque modéré, ou de 15-20 %** |
| ▪ Mutation BRCA1/BRCA2 connue<br>▪ Femme non testée, mais ayant un parent au premier degré (y compris le père ou un frère) porteur d'une mutation BRCA1/BRCA2 connue<br>▪ Risque de 20-25 % sur la durée d'une vie, d'après les outils d'évaluation<br>▪ Antécédent d'irradiation thoracique entre 10 et 30 ans<br>▪ Femme ayant un syndrome génétique à risque élevé, ou un parent au premier degré avec un tel syndrome | ▪ Antécédent de cancer du sein, de carcinome canalaire ou lobulaire *in situ*, ou d'hyperplasie canalaire ou lobulaire atypique<br>▪ Seins très denses ou inégalement denses, sur les mammographies |

Source : American Cancer Society. Breast Cancer Facts and Figures 2007-2008, pp. 13-14. Accessible sur : http://www.cancer.org/downloads/STT/BCFF-Final.pdf. Visité le 20 octobre 2007.

**Chimioprévention.** Depuis 2002, l'USPSTF (*US Preventive Service Task Force*) recommande de parler de la chimioprévention par les modulateurs des récepteurs aux œstrogènes aux femmes à risque élevé de cancer du sein et à bas risque d'effets indésirables, mais elle déconseille leur utilisation systématique en prévention primaire chez les femmes à bas risque ou à risque moyen. D'après l'USPSTF, il est prouvé que ces modulateurs diminuent l'incidence des cancers du sein œstrogénodépendants[*,3,26-28]. Les cliniciens sont incités à lire les articles sur les bénéfices/ risques de ces produits chez les femmes à risque élevé de cancer du sein dans les 5 ans. L'USPTF constate que le bilan des bénéfices/risques est positif chez les femmes de 40-50 ans à risque élevé, sans prédisposition aux accidents thromboemboliques, et chez les femmes de 50-60 ans hystérectomisées. Les études importantes utilisent dans le modèle de Gail la valeur seuil de 1,66 pour le risque élevé ; cependant, le modèle de Gail révisé appliqué à la prévention des cancers invasifs et non invasifs ne distingue pas les risques des cancers œstrogénodépendants et non œstrogénodépendants.[29, 30] La mastectomie bilatérale est également conseillée chez les femmes à très haut risque génétique.

---

* NdT. C'est-à-dire les cancers du sein qui possèdent des récepteurs aux œstrogènes.

# Conseiller les femmes à propos du cancer du sein

***Difficultés de communication sur les bénéfices/risques.*** Les options de dépistage et de prévention du cancer du sein devenant plus complexes, les cliniciens doivent réfléchir à la façon de rendre les données statistiques compréhensibles pour les patientes. Parler en termes de gain est l'une des nombreuses façons de présenter les données qui peuvent compromettre un consentement éclairé. D'après Elmore, plutôt que de dire que le modèle estime le risque de diagnostic de cancer du sein à 1,1 % dans les 5 ans, il est plus simple d'expliquer que seulement 11 femmes sur 1 000 auront un tel diagnostic.[15] Par ailleurs, il vaut mieux parler de risque absolu que de risque relatif aux patientes. Il est plus clair d'utiliser le risque absolu que de déclarer que 379 femmes sur 6 061 avec une mastopathie non proliférative développent un cancer par comparaison avec un nombre attendu de 298, ce qui fait un risque relatif de 1,27 : « sur 100 femmes avec une mastopathie non proliférative, suivies pendant 15 ans, 6 vont faire un cancer du sein, contre 5 dans la population générale. »

***Sites Web pour s'informer sur le cancer du sein.*** Encouragez les femmes à se renseigner sur le cancer du sein en consultant des ressources fiables, afin de faciliter des choix éclairés lors des prises de décision partagées.[21]

---

## SITES WEB SUR LE CANCER DU SEIN

✔ Calcul du risque individuel de cancer du sein et de décès chez la femme :

http://bcra.nci.nih.gov/bcr/start.htm (modèle de Gail)

http://astor.som.jhmi.edu/brcapro (modèle de Gail, modèle de Claus, et un modèle prédisant la probabilité du portage des mutations de *BRCA1* ou *BRCA2*)

http://yourcancerrisk.harvard.edu/

✔ Enseignement de l'auto-examen des seins :

http://www.komen.org/bse

http://www.breastselfexam.ca

✔ Recommandations américaines pour le dépistage du cancer du sein :

http://www.guidelines.gov

✔ Essais cliniques randomisés sur les nouvelles modalités de dépistage du cancer du sein :

http://www.clinicaltrials.gov

http://www.acrin.org/current_protocols.html

Source : Elmore JG, Armstrong K, Lehman CD *et al.* Screening for breast cancer. JAMA 2005 ; 293 (10) : 1245-1256 ; p. 1252.

---

## TECHNIQUES D'EXAMEN

# ➡ Seins de la femme

L'examen clinique des seins est une composante importante des soins de santé de la femme : il améliore le dépistage des cancers du sein que la mammographie peut manquer et il procure l'occasion de montrer des techniques d'auto-examen à la patiente. Cependant, la recherche clinique a démontré que la technique et l'expérience de l'examinateur affectaient la valeur de l'examen clinique des seins. Il est conseillé d'adopter une approche plus standardisée, notamment pour la palpation, et d'utiliser un schéma d'exploration systématique et complet, en faisant varier la pression de la palpation et en tournant avec la pulpe des doigts.[2] Ces techniques sont détaillées dans les pages suivantes. L'inspection est toujours recommandée mais, dans le cancer du sein, elle est mal évaluée.

Les facteurs de risque de cancer du sein comprennent un antécédent de cancer du sein, une mère ou une sœur atteinte, une hyperplasie atypique à la biopsie, un âge avancé, des premières règles précoces, une ménopause tardive, des grossesses tardives ou l'absence de grossesse, et une irradiation sur le thorax. Voir le tableau : « Facteurs qui augmentent le risque relatif de cancer du sein chez la femme », p. 413.

Avant de commencer l'examen des seins, prenez conscience de l'appréhension que peuvent ressentir les femmes et les jeunes filles. Rassurez la patiente et soyez courtois et doux envers elle. Dites-lui que vous allez examiner ses seins. C'est le bon moment pour lui demander si elle a remarqué des « grosseurs » ou d'autres problèmes et si elle fait un auto-examen mensuel de ses seins. Si elle n'a pas l'habitude de le faire, enseignez-lui la bonne technique et faites-lui refaire les manœuvres après vous, en rectifiant si besoin est.

Voir « Instructions pour l'auto-examen des seins », p. 428.

Une inspection correcte nécessite de découvrir tout le thorax mais vous pouvez éventuellement recouvrir l'un des seins pendant que vous palpez l'autre. Comme les seins ont tendance à gonfler et à devenir plus nodulaires avant les règles, du fait de l'augmentation de la stimulation œstrogénique, le meilleur moment pour les examiner se situe 5 à 7 jours *après* le début des règles. Des nodules apparaissant en période prémenstruelle doivent être réévalués à ce moment-là.

## Inspection

Inspectez les seins et les mamelons sur la patiente assise, dénudée jusqu'à la ceinture. Un examen complet comprend une inspection soigneuse de la peau, de la symétrie, des contours et de la rétraction des seins, dans quatre positions : membres supérieurs le long du corps, sur la tête, appuyés sur les hanches et penchée en avant. Quand vous examinez une adolescente, évaluez son développement mammaire selon les stades de maturation sexuelle de Tanner, décrits page 884.

***Membres supérieurs le long du corps.*** Recherchez les signes cliniques ci-après.

■ L'*aspect de la peau*, à savoir :
  – sa couleur ;

  – un épaississement de la peau ou une saillie inhabituelle des pores, qui peut accompagner une obstruction lymphatique.

■ Les *dimensions* et la *symétrie des seins*. Une certaine différence de taille des seins, y compris des aréoles, est fréquente et habituellement normale, comme on le voit sur la photographie ci-dessous.

■ Le *contour des seins*. Faites attention à des modifications telles que des bosses, des rétractions ou des aplatissements. Comparez les deux côtés.

Rougeur dans une infection locale ou un cancer inflammatoire.

Un épaississement et des pores saillants suggèrent un cancer du sein.

Un aplatissement de la convexité normale du sein suggère un cancer. Voir tableau 10-2 : « Signes d'inspection du cancer du sein », p. 432.

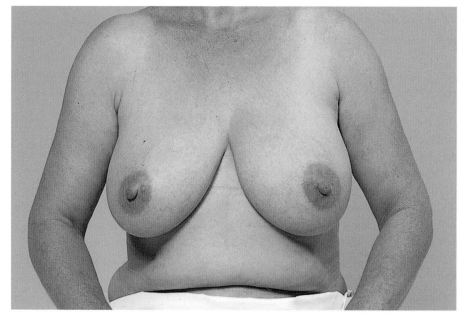

**BRAS LE LONG DU CORPS**

■ Les *caractéristiques des mamelons*, à savoir leur *dimension* et leur *forme*, la *direction* dans laquelle ils pointent, tout *érythème* ou *ulcération*, un éventuel *écoulement*.

Une asymétrie des directions dans lesquelles pointent les mamelons suggère un cancer sous-jacent. Rash ou ulcération dans la maladie de Paget du sein[31] (voir p. 432).

Il arrive qu'un mamelon soit *inversé* – enfoncé par rapport à l'aréole. Il peut être enveloppé par les plis de la peau aréolaire comme sur l'illustration. Une inversion ancienne est habituellement une variante de la normale et n'a pas de conséquences cliniques, sauf une éventuelle difficulté à allaiter un nourrisson.

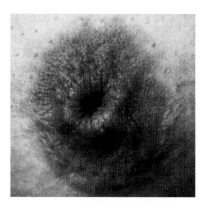

Un aplatissement récent ou fixé, ou une dépression du mamelon suggèrent une rétraction du mamelon. Un mamelon rétracté peut aussi être élargi ou épaissi, ce qui suggère un cancer sousjacent.

**Membres supérieurs relevés au-dessus de la tête ; mains appuyées sur les hanches ; penchée en avant.** Pour faire ressortir un capiton cutané ou une rétraction qui risquent autrement de passer inaperçus, demandez à la patiente de relever les bras au-dessus de la tête, puis d'appuyer les mains sur ses hanches pour contracter les pectoraux. Examinez soigneusement le contour des seins dans chaque position. Si les seins sont volumineux ou pendulaires, il peut être utile de demander à la patiente de se mettre debout et de se pencher en avant, en prenant appui sur le dossier d'une chaise ou les mains de l'examinateur.

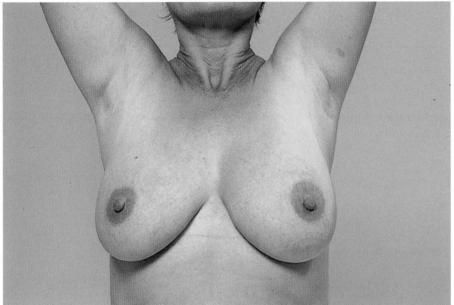

BRAS RELEVÉS SUR LA TÊTE

Une fossette ou une rétraction des seins dans ces positions suggèrent un cancer sous-jacent. Quand un cancer ou les travées fibreuses qui lui sont associées adhèrent à la fois à la peau et à l'aponévrose qui recouvre les muscles pectoraux, la contraction des pectoraux peut attirer la peau vers l'intérieur, provoquant un « capiton cutané ».

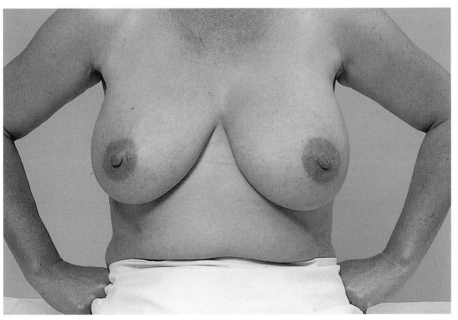

MAINS APPUYÉES SUR LES HANCHES

Ces signes peuvent parfois être associés à des lésions bénignes telles qu'une nécrose graisseuse post-traumatique ou une ectasie galactophorique, mais on doit toujours les évaluer minutieusement.

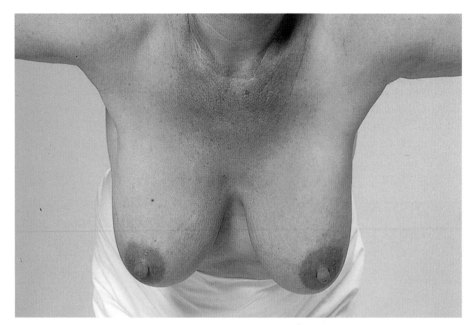

**BUSTE PENCHÉ EN AVANT**

Cette position peut révéler une asymétrie des seins ou des mamelons qui, sans cela, resterait invisible. Une rétraction du mamelon et de l'aréole suggère un cancer sous-jacent. Voir tableau 10-2 : « Signes d'inspection du cancer du sein », p. 432.

## Palpation

*Seins.* La palpation est effectuée dans les meilleures conditions quand la glande mammaire est étalée. La patiente doit être en décubitus dorsal. Prévoyez de palper une zone rectangulaire, allant de la clavicule au sillon sous-mammaire et de la ligne médiosternale à la ligne axillaire postérieure, ainsi que l'aisselle pour le prolongement axillaire du sein.

Un examen complet prend 3 minutes par sein. Utilisez la *pulpe* des 2$^e$, 3$^e$ et 4$^e$ doigts légèrement fléchis. Il est important d'être *systématique*. Si un schéma circulaire ou sectoriel peut être utilisé, *le schéma des bandes verticales* est actuellement la technique la plus validée pour détecter des masses thoraciques. Palpez par *petits cercles concentriques* à chaque endroit, en exerçant si possible une pression légère, moyenne puis forte. Vous aurez besoin d'appuyer plus fort pour atteindre le tissu profond d'un sein volumineux. Votre examen doit « ratisser » toute la poitrine, y compris la périphérie, le prolongement axillaire et l'aisselle.

En appuyant trop fort sur le sein, vous pouvez prendre une côte pour une masse mammaire dure.

■ Pour examiner la *partie externe du sein*, demandez à la patiente de se tourner sur la hanche opposée, en mettant sa main sur le front mais en gardant les épaules appuyées sur le lit ou la table d'examen. Cela aplatit le tissu mammaire externe. Commencez la palpation dans l'aisselle, descendez le long d'une ligne droite jusqu'au sillon sous-mammaire, puis déplacez les doigts un peu en dedans et palpez une bande verticale en remontant vers la clavicule. Palpez des bandes verticales qui se recoupent, de proche en proche, jusqu'à atteindre le mamelon ; repositionnez alors la patiente pour aplatir la partie interne du sein.

Des nodules situés dans le prolongement axillaire sont parfois pris pour des adénopathies axillaires.

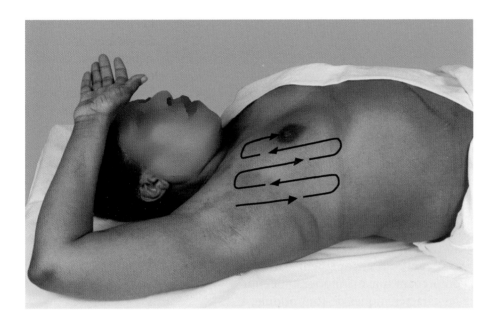

■ Pour examiner la *partie interne du sein*, demandez à la patiente de s'allonger avec les épaules à plat sur le lit ou la table d'examen, en portant la main à son cou et en remontant son coude jusqu'au niveau de son épaule. Palpez selon une ligne verticale, du mamelon au sillon sous-mammaire, puis de là à la clavicule, et continuez par bandes verticales, qui se recoupent, jusqu'au milieu du sternum.

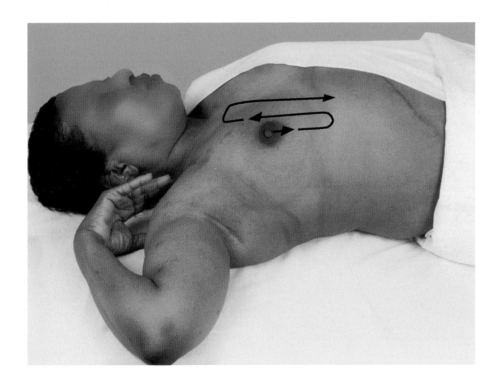

Vérifiez soigneusement :

■ la *consistance* des tissus. La consistance normale est très variable, dépendant en partie des proportions relatives de graisse, molle, et de tissu glandulaire, plus ferme. Il peut exister une nodularité physiologique, qui augmente en période prémenstruelle. On peut percevoir un bourrelet transversal et ferme de tissu comprimé le long du bord inférieur des seins, surtout lorsque ceux-ci sont volumineux. Cette crête inframammaire est normale, pas tumorale ;

■ leur *sensibilité*, comme en période prémenstruelle ;

■ des *nodules*. Recherchez toute grosseur ou toute masse plus grosse ou qualitativement différente du reste du tissu mammaire. On parle parfois de masse dominante ; sa persistance suggère un changement pathologique, qui peut nécessiter un bilan comprenant une mammographie, une aspiration ou une biopsie. Décrivez les caractéristiques de tout nodule, à savoir :
  - son *siège*, par la méthode des quadrants ou de la montre, et sa distance du mamelon en centimètres ;
  - sa *taille*, en centimètres ;
  - sa *forme* : ronde ou discoïde, régulière ou irrégulière ;
  - sa *consistance* : molle, ferme ou dure ;
  - sa *délimitation* : bien circonscrit ou non ;
  - sa *sensibilité* ;

  - sa *mobilité*, par rapport à la peau, à l'aponévrose pectorale et à la paroi thoracique. Mobilisez doucement le sein au voisinage de la masse et recherchez la formation d'une fossette (signe du capiton).

Des cordons douloureux suggèrent une *ectasie des canaux galactophores*, affection bénigne mais souvent douloureuse, où les canaux sont dilatés avec inflammation des tissus voisins. Des masses peuvent être associées.

Voir tableau 10-1 : « Masses du sein fréquentes », p. 431.

Des nodules durs, irréguliers, mal délimités, fixés à la peau ou aux tissus sous-jacents sont très évocateurs de cancer du sein.

Kystes, zones inflammatoires ; certains cancers peuvent être sensibles à la palpation.

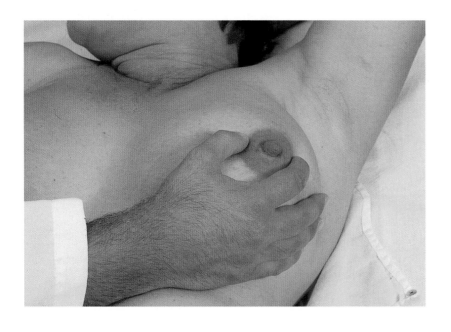

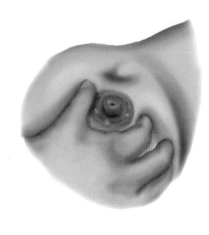

Puis, essayez de mobiliser la masse elle-même lorsque la patiente a le bras relâché, puis lorsqu'elle appuie ses mains contre ses hanches.

Une masse mobile qui devient fixe quand le bras est relâché est une masse qui adhère aux côtes et aux muscles intercostaux ; si elle devient fixe quand la main est appuyée sur la hanche, c'est qu'elle adhère à l'aponévrose pectorale.

***Mamelons.*** Palpez chaque mamelon, en notant son élasticité.

Un épaississement et une perte d'élasticité du mamelon suggèrent un cancer sous-jacent.

# → Seins de l'homme

L'examen de la poitrine masculine peut être bref mais il est important. *Inspectez le mamelon et l'aréole* à la recherche de nodules, gonflements ou ulcérations. *Palpez l'aréole et le tissu mammaire* à la recherche de nodules. Si le sein semble augmenté de volume, faites la distinction entre l'hypertrophie graisseuse molle de l'obésité et le disque ferme de l'hypertrophie glandulaire, appelée *gynécomastie*.

Une *gynécomastie* est attribuée à un déséquilibre entre œstrogènes et androgènes, parfois d'origine médicamenteuse. Un nodule dur, irrégulier, excentré ou ulcéré n'est pas une gynécomastie et suggère un cancer du sein.

Le cancer du sein de l'homme ne représente que 1 % des cas de cancer du sein ; son pic de fréquence est à 71 ans.[3, 32] Ses facteurs de risque sont les mutations de BRCA2, l'obésité, les antécédents familiaux de cancer du sein (chez des hommes ou des femmes), les pathologies testiculaires, et l'exposition professionnelle aux températures élevées et aux gaz d'échappement.

# → Aisselles

Les aisselles peuvent être examinées sur le patient couché sur le dos, mais la position assise est préférable.

## Inspection

*Inspectez la peau de chaque aisselle* et notez :

▪ une éruption ;

Éruptions des déodorants ou autres.

■ une infection ;

■ une pigmentation anormale.

Infection des glandes sudoripares *(hidrosadénite suppurée)*.

Une peau axillaire très pigmentée et veloutée évoque un *acanthosis nigricans*, dont une forme est associée à une tumeur maligne interne.

## Palpation

Pour l'examen de l'aisselle gauche, demandez au sujet de laisser pendre le bras gauche. De la main gauche, soutenez-lui le poignet ou la main gauche. Du bout des doigts réunis de la main droite, remontez aussi loin que possible dans le creux de l'aisselle. Avertissez le patient que cela peut être désagréable. Vos doigts doivent être placés juste en arrière des muscles pectoraux, en direction du milieu de la clavicule. Appuyez-les ensuite sur la paroi thoracique et faites-les glisser vers le bas, en essayant de percevoir contre cette paroi les ganglions centraux. Des ganglions axillaires, ce sont les ganglions centraux qui sont le plus souvent palpables. La présence d'un ou deux ganglions, petits (< 1 cm), mous et indolores est fréquente.

Adénopathie axillaire due à une infection du membre supérieur, à une vaccination récente ou à des tests cutanés sur le membre supérieur, ou faisant partie d'une adénopathie généralisée. Vérifiez les ganglions épitrochléens et les autres groupes de ganglions.

Des ganglions volumineux (≥1 cm), fermes ou durs, adhérant entre eux ou fixés à la peau ou aux tissus sous-jacents suggèrent un processus malin.

Utilisez la main gauche pour examiner l'aisselle droite.

Si les ganglions centraux paraissent augmentés de volume, durs ou douloureux, ou s'il existe une lésion suspecte dans l'aire de drainage des ganglions axillaires, il faut palper les autres aires ganglionnaires de l'aisselle :

■ *ganglions pectoraux* : prenez le pli axillaire antérieur entre le pouce et les doigts et palpez avec ceux-ci en dedans du bord du muscle pectoral ;

■ *ganglions externes* : palpez en partant du haut de l'aisselle le long de la partie supérieure de l'humérus ;

■ *ganglions sous-scapulaires* : tenez-vous derrière le patient avec vos doigts en dedans du muscle du pli axillaire postérieur.

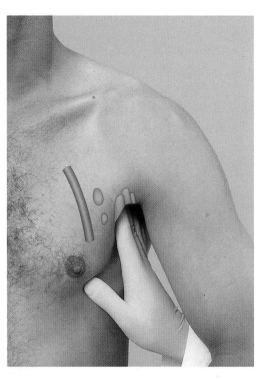

Palpez également les ganglions sous-claviculaires et réexaminez les ganglions sus-claviculaires.

## TECHNIQUES SPÉCIALES

*Évaluation d'un écoulement spontané par le mamelon.* S'il y a une notion d'écoulement spontané par le mamelon, essayez de préciser son origine en appuyant sur l'aréole avec l'index déplacé de façon radiaire autour du mamelon. Surveillez l'apparition d'un écoulement par l'un des orifices des canaux à la surface du mamelon. Notez la couleur, la consistance et le volume d'un éventuel écoulement et l'endroit exact où il apparaît.

Un écoulement laiteux sans relation avec une grossesse ou un allaitement est appelé *galactorrhée non puerpérale.* Ses principales causes comprennent l'*hypothyroïdie*, un *adénome hypophysaire* à prolactine, les médicaments antidopaminergiques (de nombreux psychotropes et les phénothiazines).

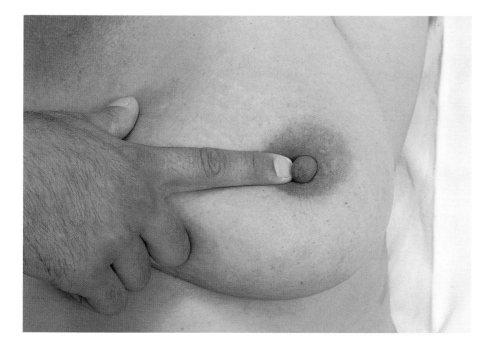

Papillome

Un écoulement spontané unilatéral et sanglant, provenant d'un ou deux canaux impose une évaluation plus poussée à la recherche d'un *papillome*, représenté ci-dessus, d'un carcinome canalaire *in situ*, ou d'une maladie de Paget du sein. Un écoulement limpide, séreux, vert, noir, non sanglant, provient de plusieurs canaux et ne justifie en général que de rassurer la patiente.[1]

*Examen d'une patiente qui a subi une mastectomie ou une augmentation mammaire.* La femme qui a subi une mastectomie justifie un examen particulièrement attentif. Inspectez soigneusement la cicatrice de mastectomie et l'aisselle à la recherche de masses ou de nodules inhabituels. Notez toute modification de couleur, tout signe d'inflammation. Un lymphœdème peut exister dans l'aisselle et le bras du fait d'un mauvais drainage lymphatique après la chirurgie. Palpez avec douceur le long de la cicatrice ; les tissus peuvent être anormalement sensibles. Décrivez un mouvement circulaire avec deux ou trois doigts. Faites particulièrement attention au quadrant supéro-externe et à l'aisselle. Notez toute augmentation de volume des ganglions lymphatiques, tout signe d'inflammation ou d'infection.

Des masses, une nodularité et un changement de couleur ou une inflammation, notamment sur la cicatrice de l'incision, évoquent une récidive du cancer.

Il est particulièrement important de palper soigneusement le tissu mammaire et les lignes d'incision chez les femmes qui ont eu une augmentation ou une reconstruction mammaire.

## INSTRUCTIONS POUR L'AUTO-EXAMEN DES SEINS (AES)

### Couchée sur le dos

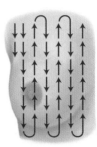

1. Couchez-vous en mettant un oreiller sous l'épaule droite. Mettez votre membre supérieur droit derrière la tête.

2. Avec la pulpe des trois doigts médians de la main gauche, recherchez des « grosseurs » dans le sein droit (on appelle pulpe du doigt l'extrémité du doigt).

3. Appuyez suffisamment pour bien sentir le sein. Un rebord ferme le long de la courbe inférieure du sein est normal. Si vous n'êtes pas sûre de la pression à exercer, parlez-en à votre médecin et essayez de faire comme lui.

4. Appuyez fermement sur le sein de haut en bas et de proche en proche, selon un schéma « en bandes ». Vous pouvez aussi adopter un schéma circulaire ou sectoriel, mais utilisez chaque fois le même schéma. Vérifiez toute la poitrine et rappelez-vous ce que vous avez senti le mois précédent.

5. Examinez ensuite votre sein gauche de la même façon, avec la pulpe des doigts de la main droite.

6. Si vous découvrez une masse, une grosseur ou des changements de la peau, consultez immédiatement votre médecin.

### Debout

1. Répétez l'examen des deux seins en position debout, avec un membre supérieur placé derrière votre tête. En position debout, le contrôle des parties supérieure et externe des seins, vers le creux de l'aisselle, est plus facile. C'est là qu'on découvre environ la moitié des cancers du sein. Vous pouvez pratiquer cette partie de l'AES sous la douche. Vos mains savonneuses vous permettront de vérifier plus facilement vos seins en glissant sur la peau mouillée.

2. Pour plus de sûreté, vous pouvez vouloir contrôler vos seins en vous tenant debout face à un miroir aussitôt après votre AES mensuel. Regardez si l'aspect de vos seins a changé : par exemple, y a-t-il une fossette, des modifications du mamelon, une rougeur, un gonflement ?

3. Si vous découvrez une masse, une grosseur ou des changements de la peau, consultez immédiatement votre médecin.

D'après l'American Cancer Society. Accessible sur : www.cancer.org. Visité le 24 octobre 2007.

***Instructions pour l'auto-examen des seins.*** La consultation au cabinet ou à l'hôpital est un moment important pour apprendre à la patiente comment effectuer un auto-examen des seins (AES). Une grande proportion des masses mammaires est découverte par des femmes examinant leurs propres seins. Bien qu'on n'ait pas démontré que l'AES diminuât la mortalité du cancer du sein, un AES mensuel ne coûte pas cher et peut promouvoir une vigilance sanitaire et des soins personnels plus actifs. Pour une détection précoce du cancer du sein, l'AES est beaucoup plus utile quand il est couplé à un examen mammaire régulier par un praticien expérimenté et à une mammographie. Le meilleur moment pour l'AES se situe juste après les règles, quand la stimulation hormonale du tissu mammaire est faible.

## CONSIGNER VOS OBSERVATIONS

Notez qu'au début, vous pouvez faire des phrases pour décrire vos constatations. Plus tard, vous utiliserez des phrases courtes. Le style ci-dessous emploie des phrases courtes convenant à la plupart des rapports écrits.

### Consigner l'examen physique : seins et aisselles

« Seins symétriques, sans masses. Pas d'écoulement par les mamelons. » (L'adénopathie axillaire est en général notée après le cou, avec les ganglions lymphatiques, voir p. 257.)

**Ou**

« Seins pendulaires avec remaniements fibrokystiques diffus. Une masse ferme de 1 × 1 cm, mobile, insensible, avec aspect de peau d'orange au-dessus, dans le quadrant supéro-externe du sein droit, à 11 heures et à 2 cm du mamelon. »

Suggère la possibilité d'un cancer du sein.

## Bibliographie

### RÉFÉRENCES

1. Santen RJ, Mansel R. Benign breast disorders. N Engl J Med 353(3):275–285, 2005.
2. Barton MB, Harris R, Fletcher SW. Does this patient have breast cancer? The screening clinical breast examination: should it be done? How? JAMA 282(13):1270–1280, 1999.
3. American Cancer Society. Breast Cancer Facts and Figures 2007–2008. Available at: http://www.cancer.org/downloads/STT/BCFF-Final.pdf. Accessed October 20, 2007.
4. U.S. Preventive Services Task Force. Screening for Breast Cancer: Recommendations and Rationale. February 2002. Rockville, MD, Agency for Healthcare Research and Quality. Available at: http://www.ahrq.gov/clinic/3rduspstf/breastcancer/brcanrr.htm. Accessed October 20, 2007.
5. Ravdin PM, Cronin KA, Howlader N, et al. The decrease in breast-cancer incidence in 2003 in the United States. N Engl J Med 356(16):1670–1674, 2007.
6. Chu KC, Lamar CA, Freeman HP. Racial disparities in breast carcinoma survival rates: separating factors that affect diagnosis from factors that affect treatment. Cancer 97(11):2859–2863, 2003.
7. del Carmen MG, Hughes KS, Halpern E, et al. Racial differences in mammographic breast density. Cancer 98(3):590–596, 2003.
8. Gail MH, Brinton LA, Byar DP, et al. Projecting individualized probabilities of developing breast cancer for white females who are being examined annually. J Natl Cancer Inst 81(24):1879–1886, 1989.

9. Gail MH, Benichou J. Validations studies on a model for breast cancer risk (editorial). J Natl Cancer Inst 86:73–87, 1996.

10. Claus EB, Risch N, Thompson WD. Autosomal dominant inheritance of early-onset breast cancer: implications for risk prediction. Cancer 73(3):643–651, 1994.

11. National Cancer Institute. Genetics of breast and ovarian cancer: models for prediction of breast cancer risk. Available at: http://www.cancer.gov/cancertopics/pdq/genetics/breast-and-ovarian. Accessed October 21, 2007.

12. Armstrong K, Moye E, Sankey W, et al. Screening mammography in women 40 to 49 years of age: a systematic review for the American College of Physicians. Ann Intern Med 146(7):516–526, 2007.

13. Fletcher SW, Elmore JG. Mammographic screening for breast cancer. N Engl J Med 348(14):1672–1680, 2003.

14. Hartmann LC, Sellers TA, Frost MH, et al. Benign breast disease and the risk of breast cancer. N Engl J Med 353(3): 229–237, 2005.

15. Elmore JG, Gigerenzer G. Benign breast disease: the risks of communicating risk (editorial). N Engl J Med 353(3): 297–298, 2005.

16. Carney PA, Migloiretti DL, Yankaskas, et al. Individual and combined effects of age, breast density, and hormone replacement therapy use on the accuracy of screening mammography. Ann Intern Med 138(3):168–175, 2003.

17. Boyd NF, Lockwood GA, Byng JW, et al. Mammographic densities and breast cancer risk. Cancer Epidemiol Biomarkers Prevent 7(12):1133–1144, 1998.

18. Vachon CM, Sellers TA, Carlson EE, et al. Strong evidence of a genetic determinant for mammographic density, a major risk factor for breast cancer. Cancer Res 67(17):8412–8418, 2007.

19. Yager JD, Davidson. Estrogen carcinogenesis in breast cancer. N Engl J Med 354(3):270–282, 2006.

20. Qaseem A, Snow V, Sherif K, et al. Screening mammography in women 40 to 49 years of age: a clinical practice guideline from the American College of Physicians. Ann Intern Med 146(7):511–515, 2007.

21. Elmore JG, Armstrong K, Lehman CD, et al. Screening for breast cancer. JAMA 293(10):1245–1256, 2005.

22. Pisano ED, Gatsonis C, Hendrick E, et al. Diagnostic performance of digital versus film mammography for breast-cancer screening. N Engl J Med 353(17):1773–1783, 2005.

23. Kreige M, Brekelmans CTM, Boetes C, et al. Efficacy of MRI and mammography for breast-cancer screening in women with a familial or genetic predisposition. N Engl J Med 351(5):427–437, 2004.

24. Lehman CD, Gatsonis C, Kuhl CK, et al. MRI evaluation of the contralateral breast in women with recently diagnosed breast cancer. N Engl J Med 356(13):1295–1303, 2007.

25. Smith RA. The evolving role of MRI in the detection and evaluation of breast cancer. N Engl J Med 356(13):1362–1363, 2007.

26. U.S. Preventive Services Task Force. Chemoprevention of breast cancer: summary of the evidence. Rockville, MD, Agency for Healthcare Research and Quality. Available

at: http://www.ahrq.gov/clinic/3rduspstf/breastchemo/brstchemosum1.htm. Accessed October 22, 2007.

27. U.S. Preventive Services Task Force. Chemoprevention of breast cancer: recommendations and rationale. Rockville, MD, Agency for Healthcare Research and Quality, July 2002. Available at: http://www.ahrq.gov/clinic/3rduspstf/breastchemo/breastchemorr.htm. Accessed October 22, 2007.

28. Vogel VG, Constantino JP, Wickerham DL, et al. Effects of tamoxifen vs raloxifene on the risk of developing invasive breast cancer and other disease outcomes. The NSABP study of tamoxifen and raloxifene (STAR) P-2 trial. JAMA 295(23): 2727–2741, 2006.

29. Gail MH, Costantino JP. Validating and improving models for projecting the absolute risk of breast cancer. J Natl Cancer Inst 93(5)334–335, 2001.

30. Gail MH, Costantino JH, Bryant J, et al. Weighing the risks and benefits of tamoxifen treatment for preventing breast cancer. J Natl Cancer Inst 91(21):1829–1846, 1999.

31. Chen CY, Sun LM, Anderson BO. Paget disease of the breast: changing patterns of incidence, clinical presentation, and treatment in the U.S. Cancer 197(7):1448–1458, 2006.

32. Fentiman IS. Male breast cancer. Lancet 367(9510): 595–604, 2006.

## AUTRES LECTURES

American Geriatrics Society Clinical Practice Committee. Position Statement: breast cancer screening in older women. Available at: http://www.americangeriatrics.org/products/positionpapers/brstcncr.shtml. Accessed May 26, 2008.

Bland KI, Beenken SW, Copeland EM. The Breast. In: Brunicardi FC, Andersen DK, Billiar TM, et al., eds. Schwartz's Principles of Surgery, 8th ed. New York: McGraw-Hill Medical, 2005.

Chlebowski RT, Hentrix SL, Langer RD, et al. Influence of estrogen plus progestin on breast cancer and mammography in healthy postmenopausal women: The Women's Health Initiative randomized trial. JAMA 289(24):3243–3253, 2003.

Giordano SH, Cohen DS, Buzdar AU. Breast carcinoma in men: a population-based study. Cancer 101(1):51–57, 2004.

Harris JR, Morrow M, Bonadonna G. Cancer of the breast. In: DeVita VT, Lawrence TS, Rosenberg SA. DeVita, Hellman, and Rosenberg's Cancer: Principles & Practice of Oncology, 8th ed. Philadelphia: Lippincott Williams & Wilkins, 2008.

Jones BA, Patterson EA, Calvocoressi L. Mammography screening in African American women: evaluating the research. Cancer 97(Suppl.1):258–272, 2003.

Kudva YC, Reynolds CA, O'Brien T, et al. Mastopathy and diabetes. Curr Diab Rep 3(1):56–59, 2003.

Mandalblatt J, Saha S, Teusch S, et al. The cost-effectiveness of screening mammography beyond age 65 years: a systematic review for the U.S. Preventive Services Task Force. Ann Intern Med 139(10):835–842, 2003.

Robson M, Offit K. Clinical practice: management of an inherited predisposition to breast cancer. N Engl J Med 357(2): 154–162, 2007.

Les trois types de masses du sein les plus fréquentes sont l'*adénofibrome* (une tumeur bénigne), les *kystes* et le *cancer du sein*. Les caractéristiques cliniques de ces masses sont énumérées ci-dessous. Toute masse du sein doit être soigneusement évaluée ; elle justifie habituellement des examens complémentaires : échographie, aspiration, mammographie et/ou biopsie. Les masses représentées ci-dessous sont volumineuses à des fins d'illustration. Idéalement, un cancer du sein doit être identifié précocement, lorsque la masse est encore petite. Les *remaniements fibrokystiques*, non illustrés ici, sont fréquemment palpables sous forme d'indurations nodulaires ou cordiformes chez des femmes de 25 à 50 ans. Ils peuvent être sensibles ou douloureux. Bénins, ils ne sont pas considérés comme un facteur de risque du cancer du sein.

| | Adénofibrome | Kystes | Cancer |
|---|---|---|---|
| **Âge habituel** | 15-25 ans, habituellement à la puberté et chez l'adulte jeune, mais jusqu'à 55 ans | 30-50 ans, régressant après la ménopause, sauf en cas d'œstrogénothérapie | 30-90 ans, plus fréquent au-delà de 50 ans |
| **Nombre** | Généralement unique, parfois multiple | Uniques ou multiples | Généralement unique, mais peut coexister avec d'autres lésions nodulaires |
| **Forme** | Ronde, discoïde ou lobulaire | Ronde | Irrégulière ou étoilée |
| **Consistance** | Parfois molle, habituellement ferme | De molle à ferme, généralement élastique | Ferme ou dure |
| **Limites** | Bien délimité | Bien délimités | Mal délimité par rapport aux tissus avoisinants |
| **Mobilité** | Très mobile | Mobiles | Peut adhérer à la peau ou aux tissus sous-jacents |
| **Sensibilité** | Habituellement insensible | Souvent sensibles | Habituellement insensible |
| **Rétraction** | Absente | Absente | Possible |

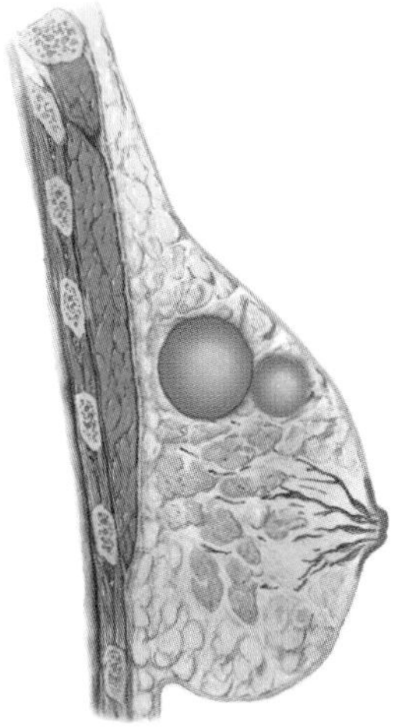

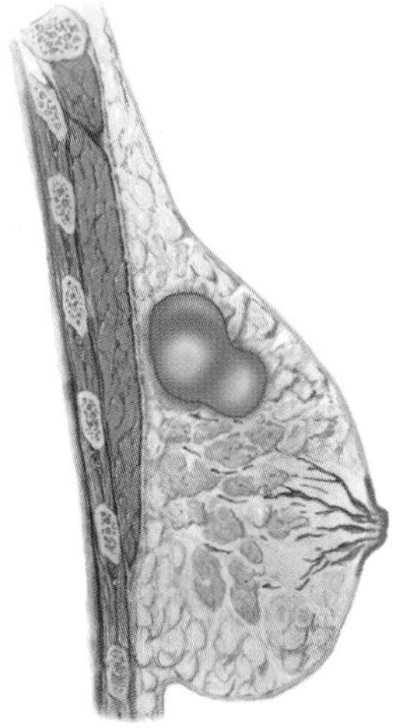

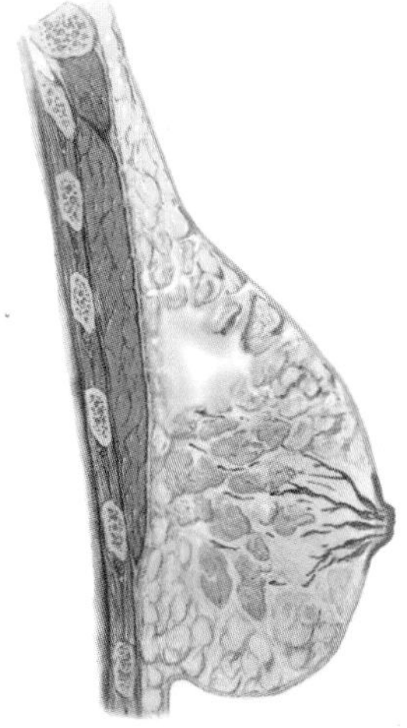

TABLEAU 10-2    **Signes d'inspection du cancer du sein**

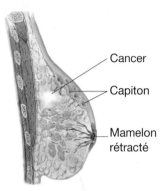

### Signes de rétraction

En progressant, le cancer du sein provoque une fibrose (tissu cicatriciel). Le raccourcissement du tissu fibreux produit un *capiton*, des *modifications de contour*, et *une rétraction ou une déviation du mamelon*. Les autres causes de signes de rétraction sont la nécrose graisseuse et l'ectasie galactophorique.

### Anomalies des contours

Cherchez toute modification du contour des seins, et comparez les deux côtés. Des positions spéciales peuvent aussi être utiles. On a représenté ici un aplatissement marqué du quadrant inféro-externe du sein gauche.

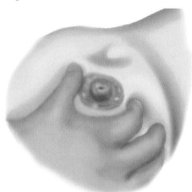

### Capiton cutané

Recherchez ce signe sur la patiente le bras au repos, dans les positions spéciales décrites plus haut, et en déplaçant ou en comprimant le sein, comme dans l'illustration ci-dessus.

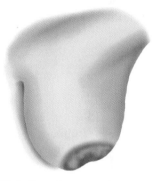

### Rétraction et déviation du mamelon

Un mamelon rétracté est aplati ou attiré vers l'intérieur, comme montré ci-dessus. Il peut aussi être élargi et épaissi à la palpation. Quand l'atteinte est asymétrique en partant du centre, le mamelon peut être dévié (c'est-à-dire pointer dans une autre direction que son homologue normal, typiquement en direction du cancer sous-jacent).

### Œdème de la peau

L'œdème de la peau est provoqué par une obstruction lymphatique. Il apparaît sous forme d'un épaississement de la peau avec agrandissement des pores *(signe de la peau d'orange)*. Il est souvent remarqué d'abord dans la partie inférieure du sein ou de l'aréole.

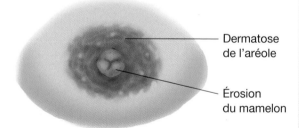

### Maladie de Paget du mamelon

Cette forme rare de cancer du sein se présente en général au début comme une lésion squameuse, eczématiforme, qui peut suinter, former des croûtes ou s'éroder. Il peut exister une masse mammaire. Toute dermatose persistante du mamelon et de l'aréole doit faire suspecter une maladie de Paget. Peut être associée à un cancer invasif du sein ou à un carcinome canalaire *in situ*.[31]

# Abdomen

## ANATOMIE ET PHYSIOLOGIE

Visualisez et palpez les repères de la paroi abdominale et du bassin illustrés ci-dessous. Les muscles grands droits de l'abdomen deviennent plus saillants quand le patient, couché sur le dos, soulève la tête et les épaules.

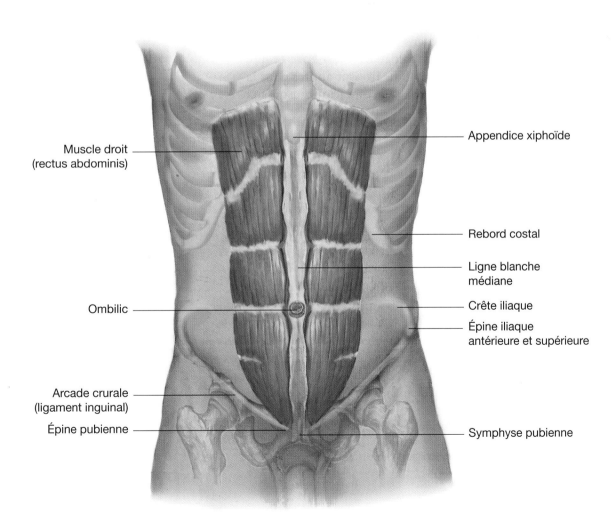

Muscle droit (rectus abdominis)

Appendice xiphoïde

Rebord costal

Ligne blanche médiane

Ombilic

Crête iliaque

Épine iliaque antérieure et supérieure

Arcade crurale (ligament inguinal)

Épine pubienne

Symphyse pubienne

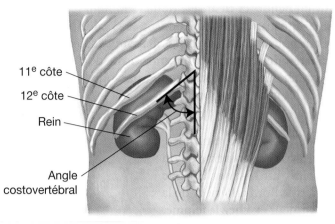

11ᵉ côte

12ᵉ côte

Rein

Angle costovertébral

**VUE POSTÉRIEURE**

# ANTÉCÉDENTS MÉDICAUX

## Symptômes banals ou inquiétants

**Troubles digestifs**
- Douleurs abdominales, aiguës ou chroniques.
- Indigestion, nausées et vomissements, hématémèse, anorexie, et satiété précoce.
- Dysphagie et/ou odynophagie.
- Modifications du fonctionnement intestinal.
- Constipation ou diarrhée.
- Ictère (« jaunisse »).

**Troubles urinaires et rénaux**
- Douleur sus-pubienne.
- Dysurie, mictions impérieuses, pollakiurie.
- Jet urinaire hésitant ou diminué chez les hommes.
- Polyurie et nycturie.
- Incontinence urinaire.
- Hématurie.
- Douleur rénale ou du flanc.
- Colique néphrétique.

Les *plaintes digestives* figurent en bon rang parmi les motifs de consultation en ville et aux urgences. Vous rencontrerez une grande variété de symptômes digestifs hauts : douleurs abdominales, pyrosis, nausées et vomissements, difficulté (dysphagie) ou douleur à la déglutition (odynophagie), vomissements de sang (hématémèse), perte de l'appétit (anorexie), et jaunisse (ictère). Les seules douleurs abdominales rendent compte de plus de 13 millions de consultations dans un cabinet de ville en 2004[1] et de 7 millions de passages dans un service d'urgences en 2003.[2] Les troubles digestifs bas sont également fréquents : diarrhée, constipation, modifications du fonctionnement intestinal et sang dans les selles, qui peut être rouge vif ou foncé, comme du goudron.

De nombreux symptômes proviennent aussi de l'*appareil urogénital* : difficulté à uriner (dysurie), mictions impérieuses et fréquentes (pollakiurie), jet urinaire hésitant ou diminué chez les hommes, mictions nocturnes, incontinence urinaire, urines sanglantes (hématurie), douleurs du flanc et colique néphrétique, dues à des calculs ou à une infection.

### *Mécanismes et schémas des douleurs abdominales.*

Avant d'étudier les symptômes digestifs et urinaires, passons en revue les mécanismes et les schémas des douleurs abdominales ; familiarisez-vous avec les trois grandes catégories de douleurs abdominales :

Voir tableau 11.1 : « Douleurs abdominales », p. 476-477.

■ La *douleur viscérale* survient quand des organes abdominaux creux comme l'intestin ou les voies biliaires se contractent avec une force inhabituelle, ou sont distendus ou étirés. Des organes pleins comme le foie peuvent aussi devenir douloureux quand leurs capsules sont étirées. Une douleur viscérale peut être difficile à localiser. Elle est typiquement perçue près de la ligne médiane à des niveaux variables suivant l'organe intéressé, comme le montre l'illustration ci-dessous.

La douleur viscérale est de qualité variable : ce peut être un tiraillement, une brûlure, une crampe ou une douleur sourde. Lorsqu'elle devient intense, elle peut être associée à des sueurs, une pâleur, des nausées, des vomissements, une agitation.

Douleur viscérale dans le quadrant supérieur droit due à la distension de la capsule hépatique par le gros foie d'une *hépatite alcoolique.*

Douleur viscérale péri-ombilicale traduisant une *appendicite aiguë* débutante, par distension de l'appendice enflammé. Elle se transforme progressivement en douleur pariétale du quadrant inférieur droit du fait de l'inflammation du péritoine pariétal contigu.

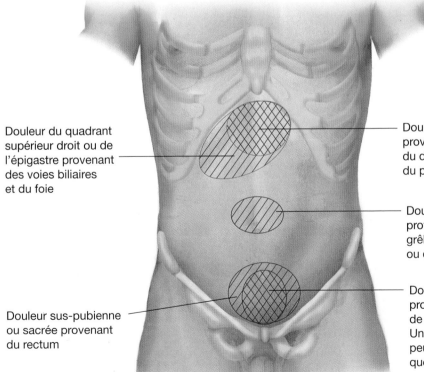

Douleur du quadrant supérieur droit ou de l'épigastre provenant des voies biliaires et du foie

Douleur épigastrique provenant de l'estomac, du duodénum ou du pancréas

Douleur périombilicale provenant de l'intestin grêle, de l'appendice ou du côlon droit

Douleur sus-pubienne ou sacrée provenant du rectum

Douleur hypogastrique provenant du côlon, de la vessie ou de l'utérus. Une douleur colique peut être plus diffuse que sur l'illustration

**TYPES DE DOULEURS VISCÉRALES**

■ La *douleur pariétale* provient d'une inflammation du péritoine pariétal. C'est une douleur permanente, pénible, habituellement plus intense qu'une douleur viscérale et localisée plus précisément au-dessus de l'organe atteint. Elle est typiquement aggravée par le mouvement, la toux. Les patients souffrant de ce type de douleur préfèrent d'habitude être étendus, au calme.

■ La *douleur projetée* (ou référée) est ressentie à distance, dans un site innervé à peu près au même niveau de la moelle épinière que l'organe atteint. Une douleur projetée apparaît souvent quand la douleur initiale augmente d'intensité ; elle semble irradier ou se déplacer à partir de sa localisation initiale. Elle peut être ressentie superficiellement ou profondément, mais est habituellement bien localisée.

Une douleur d'origine duodénale ou pancréatique peut être projetée dans le dos ; une douleur des voies biliaires, à l'épaule droite ou à la face postérieure droite du thorax.

Une douleur peut inversement être projetée dans l'abdomen à partir du thorax, du rachis, ou du pelvis, ce qui complique l'évaluation des douleurs abdominales.

La douleur d'une *pleurésie* ou d'un *infarctus aigu du myocarde* peut être projetée dans la région épigastrique.

# → Tube digestif

***Douleurs abdominales hautes et pyrosis.*** La prévalence des douleurs abdominales hautes récidivantes est d'environ 25 % aux États-Unis et dans d'autres pays occidentaux.[3] Ces dernières années, des conférences de consensus émanant de sociétés savantes ont clarifié la définition et la classification de nombreux symptômes abdominaux, avec en particulier les critères de Rome III pour les troubles gastro-intestinaux fonctionnels.[4] Bien connaître la terminologie vous aidera à déterminer l'affection du patient.

Des études suggèrent que des neuropeptides tels que le 5-hydroxytryptophane et la substance P sont les médiateurs des troubles liés que sont la douleur, le dysfonctionnement intestinal, et le stress.[4]

**Douleurs abdominales hautes et aiguës.** Les causes de douleurs abdominales sont variables, de bénignes à graves, mettant en jeu le pronostic vital. Aussi prenez le temps d'interroger soigneusement le patient.

■ Précisez d'abord la *chronologie de la douleur.* Est-elle *aiguë* ou *chronique* (récidivante) ? Une douleur aiguë a plusieurs schémas possibles. Son début est-il brusque ou progressif ? Quand commence-t-elle ? Quelle est sa durée ? Comment évolue-t-elle sur 24 heures ? Sur des semaines et des mois ? Avez-vous à faire avec une maladie aiguë, chronique ou récidivante ?

Dans les services d'urgence, 40 à 45 % des patients se plaignent de douleurs non spécifiques, mais 15 à 30 % ont besoin d'une intervention chirurgicale, le plus souvent pour une appendicite, une occlusion intestinale, ou une cholécystite.[5]

■ Demandez au patient de *décrire la douleur abdominale avec ses propres mots.* Précisez d'importants détails : « Où la douleur commence-t-elle ? », « Est-ce qu'elle irradie ou se déplace ? », « À quoi ressemble la douleur ? » Si le patient a du mal à la décrire, essayez une question à choix multiples, comme : « Est-ce qu'elle est sourde, brûle, tiraille… ? »

Une douleur à type de colique, qui « plie le patient en deux », évoque un *calcul rénal.* Une douleur épigastrique se voit dans la *pancréatite calculeuse.*[6]

■ Puis demandez au patient de *montrer du doigt le siège de la douleur*. Les patients ne sont pas toujours clairs quand ils essayent de dire à quel endroit la douleur est la plus intense. Le quadrant où siège la douleur a un intérêt localisateur : ce sont souvent les organes sous-jacents qui sont en cause. Si des vêtements sont interposés, reposez la question au cours de l'examen physique.

Douleurs épigastriques dans la *gastrite* et le *RGO*. Une douleur du quadrant supérieur droit ou abdominale haute indique une *cholécystite*.[7]

■ Demandez au patient de coter *l'intensité de la douleur* sur une échelle de 1 à 10. Notez que l'intensité de la douleur ne vous aide pas toujours à identifier sa cause. La sensibilité aux douleurs abdominales est très variable et tend à diminuer chez les sujets âgés, ce qui peut masquer des syndromes abdominaux aigus. Le seuil de la douleur et l'adaptation du patient à la douleur au cours des activités de la vie quotidienne affectent aussi la cotation de l'intensité.

■ En recherchant *des facteurs qui aggravent ou soulagent la douleur*, accordez une attention particulière à une relation avec les repas, l'alcool, des médicaments (y compris l'aspirine et les AINS, et les médicaments sans prescription), le stress, des positions, ou l'utilisation d'antiacides. Demandez aussi si la gêne n'est pas liée à l'effort et soulagée par le repos.

Notez que l'angor dû à une maladie coronarienne de la paroi inférieure du cœur peut se présenter comme une « indigestion », déclenchée par l'effort et soulagée par le repos. Voir tableau 8-1 : « Douleur thoracique », p. 324.

**Douleurs abdominales hautes et chroniques.** Parmi les symptômes chroniques, la *dyspepsie* est définie comme une gêne ou une douleur centrée sur la partie haute de l'abdomen.[8] La *gêne* est une sensation subjective négative, non douloureuse. Elle englobe des symptômes aussi variés que le ballonnement, les éructations, les nausées, l'impression de plénitude abdominale et le pyrosis.

■ Notez que le ballonnement, les éructations et les nausées peuvent survenir isolément et dans d'autres affections. Quand ils surviennent isolément, ils ne remplissent pas les critères de la dyspepsie.

Un ballonnement peut survenir au cours d'une *maladie inflammatoire de l'intestin*, des éructations au cours de l'*aérophagie* (déglutition d'air).

■ Nombre de patients qui se plaignent d'une gêne ou de douleurs abdominales hautes ont une *dyspepsie fonctionnelle (non ulcéreuse)*, définie par la persistance pendant plus de 3 mois d'une gêne abdominale haute ou de nausées non attribuables à des anomalies structurelles et notamment à un ulcère gastroduodénal. Les symptômes sont en général récidivants et typiquement présents pendant plus de 6 mois.[3]

L'étiologie est multifactorielle : retard de la vidange gastrique (20 à 40 %), gastrite due à *H. pylori* (20 à 60 %), maladie ulcéreuse (jusqu'à 15 % en présence de *H. pylori*), et facteurs psychosociaux.[3]

Nombre de patients avec une gêne ou des douleurs abdominales hautes chroniques se plaignent avant tout de *pyrosis*, de *remontées acides* ou de *régurgitations*. Si les patients rapportent ces symptômes plus d'une fois par semaine, ils ont vraisemblablement un *reflux gastro-œsophagien* (RGO) jusqu'à preuve du contraire.[8, 9]

Ces symptômes et des lésions de la muqueuse visibles à l'endoscopie constituent les critères du RGO. Les facteurs de risque comprennent la réduction du flux salivaire, qui complète la clairance acide par l'effet neutralisant des bicarbonates, le retard de la vidange gastrique, certains médicaments, et une hernie hiatale.

■ Le *pyrosis* est une sensation de brûlure rétrosternale ascendante qui survient au moins une fois par semaine.[3] Il est typiquement aggravé par des aliments tels que l'alcool, le chocolat, les citrons, le café, les oignons, et la menthe ; ou des gestes tels que se pencher, faire de l'exercice, soulever et se coucher.

Notez que l'angor dû à une maladie coronarienne de la paroi inférieure du cœur, au contact du diaphragme, peut se présenter comme un pyrosis. Voir tableau 8-1 : « Douleur thoracique », p. 324.

■ Des patients souffrant d'un RGO présentent des *symptômes respiratoires atypiques*, tels que de la toux, des sifflements et une pneumonie d'inhalation. D'autres se plaignent de *symptômes pharyngés*, tels qu'un enrouement ou un mal de gorge chronique.[10]

■ Certains patients peuvent avoir des signes d'alarme, tels qu'une difficulté à déglutir (dysphagie), une douleur à la déglutition (odynophagie), des vomissements à répétition, une hémorragie digestive, une perte de poids, une anémie, ou des facteurs de risque du cancer gastrique.

Les patients ayant un RGO non compliqué qui ne répondent pas à un traitement empirique, les patients âgés de plus de 55 ans, et ceux qui ont des signes d'alarme justifient une endoscopie pour déceler une œsophagite, une sténose peptique, ou un œsophage de Barrett (dans cette condition, l'épithélium malpighien de l'œsophage distal est remplacé par un épithélium métaplasique cylindrique de type intestinal, qui multiplie par 30 le risque de cancer de l'œsophage).[9, 11, 12] Environ 50 % des patients avec un RGO n'ont pas de lésions œsophagiennes à l'endoscopie.[13]

***Douleurs abdominales basses (aiguës ou chroniques).*** Les douleurs abdominales basses peuvent être aiguës ou chroniques. Demandez au patient d'indiquer le siège de la douleur et de préciser toutes ses caractéristiques ; ses réponses combinées aux trouvailles de l'examen physique vous aideront à identifier les causes possibles. Certaines douleurs aiguës, notamment sus-pubiennes ou irradiant à partir du flanc, proviennent de l'appareil urogénital (voir p. 448).

**Douleur abdominale basse aiguë.** Des patients peuvent se plaindre d'une *douleur aiguë* localisée dans le *quadrant inférieur droit*. Précisez si elle est vive et continue ou intermittente et à type de colique, les faisant « se plier en deux ».

Une douleur du quadrant inférieur droit ou une douleur qui migre à partir de la région péri-ombilicale, associée à une contracture de la paroi abdominale antérieure à la palpation, évoque en premier lieu une *appendicite*. Chez les femmes, les autres causes comprennent la *pelvipéritonite*, la *rupture d'un follicule ovarien*, et la *grossesse extra-utérine*.[14]

Une douleur à type de colique irradiant au quadrant inférieur droit ou gauche peut être due à un calcul rénal.

Si les patients rapportent une douleur aiguë localisée dans le *quadrant inférieur droit* ou *diffuse à tout l'abdomen*, recherchez des symptômes associés tels que de la fièvre ou une perte d'appétit.

Une douleur du quadrant inférieur gauche avec une masse palpable peut traduire une *diverticulite*. Une douleur abdominale diffuse avec un abdomen silencieux, ferme, non dépressible ou douloureux à la décompression indique une *occlusion du grêle ou du côlon* (voir p. 476).

**Douleur abdominale basse chronique.** S'il existe une *douleur chronique* dans les quadrants inférieurs de l'abdomen, recherchez des modifications du fonctionnement intestinal et une alternance de diarrhée et de constipation.

Des modifications du fonctionnement intestinal et une masse indiquent un *cancer du côlon*. Des douleurs intermittentes pendant 12 semaines au cours des 12 mois précédents, soulagées par la défécation ou accompagnées par des modifications de la fréquence des selles ou de leur consistance (diarrhée, « eau », ou billes), sans anomalies biochimiques ou structurales, traduisent un *syndrome de l'intestin irritable*.[15]

***Symptômes digestifs associés à des douleurs abdominales.*** Les patients éprouvent souvent d'autres symptômes en même temps que des douleurs abdominales. « Comment va l'appétit ? » est une bonne question pour débuter ; elle peut vous conduire à d'autres troubles importants, tels que l'*indigestion*, les *nausées*, les *vomissements* et l'*anorexie*. « Indigestion » est un terme vague désignant des troubles associés à l'ingestion d'aliments. Elle peut recouvrir des choses différentes. Incitez le patient à être plus précis.

L'anorexie, les nausées et les vomissements se voient dans beaucoup de pathologies du tube digestif ; également dans la grossesse, l'*acidocétose diabétique*, l'*insuffisance surrénale*, l'*hypercalcémie*, l'*insuffisance rénale chronique*, les maladies hépatiques, les états émotionnels, les effets indésirables de médicaments et d'autres conditions. Des vomissements provoqués, sans nausées, signent une *anorexie mentale* ou une *boulimie*.

■ Les *nausées*, appelées vulgairement « haut-le-cœur », peuvent aboutir à des vomissements. Les nausées sont des contractions involontaires de l'estomac, du diaphragme et de l'œsophage qui précèdent et aboutissent à des *vomissements*, expulsion violente du contenu gastrique par la bouche.

Il faut distinguer les vomissements des *régurgitations*, qui sont l'extériorisation d'une partie du contenu gastrique sans nausées ni vomissements.

Des régurgitations surviennent dans le *RGO*, la *sténose œsophagienne* et le *cancer de l'œsophage*.

Renseignez-vous sur le matériel vomi ou régurgité et inspectez-le si possible. Quelle est sa couleur ? Son odeur ? Son abondance ? Vous pouvez avoir à aider le patient à propos du volume : une cuillère à café ? Deux cuillères à café ? Une tasse ?

Demandez spécifiquement si le vomissement contient du sang, et appréciez son volume. Le suc gastrique est clair ou mucoïde. De petites quantités de bile jaunâtre ou verdâtre sont fréquentes et sans signification particulière. Des vomissements brunâtres ou noirâtres contenant de petites particules semblables à du café moulu évoquent du sang altéré par l'acidité gastrique. Les vomissements brunâtres et de sang rouge sont appelés *hématémèse*.

Y a-t-il une déshydratation ou des troubles hydroélectrolytiques dus à des vomissements répétés, une spoliation sanguine importante ? Est-ce que les symptômes du patient suggèrent des complications liées à des vomissements, telles qu'une fausse route (inhalation), qui se voit chez les sujets affaiblis, comateux ou très âgés ?

■ L'*anorexie* est une perte ou un manque d'appétit. Découvrez si elle découle de l'intolérance à certains aliments ou d'une réticence à manger par crainte d'avoir mal. Recherchez des nausées ou des vomissements associés.

Les patients peuvent ressentir une *plénitude abdominale* désagréable après des repas peu abondants, ou une *satiété précoce*, l'incapacité de manger un repas complet. Une évaluation diététique et une reconvocation peuvent être justifiées (voir chapitre 4 : « Examen général, signes vitaux, et douleur », p. 108-109).

Vomissements et douleurs dans l'*occlusion du grêle*. Odeur fécale des vomissements dans l'*occlusion du grêle* et la *fistule gastrocolique*.

Une hématémèse peut être due à des *varices œsophagiennes ou gastriques*, une *gastrite*, un *ulcère gastrique* ou *duodénal*.

Des symptômes d'hémorragie tels que des étourdissements, des lipothymies ou une syncope dépendent de la rapidité et du volume du saignement ; ils sont rares tant que la spoliation sanguine ne dépasse pas 500 mL.

Pensez à la *gastroparésie diabétique*, aux médicaments anticholinergiques, à l'*obstruction antropylorique*, au *cancer gastrique*, à la satiété précoce de l'*hépatite*.

### Autres symptômes digestifs

**Dysphagie et/ou odynophagie.** Plus rarement, les patients peuvent rapporter une difficulté à déglutir, ou *dysphagie*, parce que les aliments solides ou liquides ont du mal à progresser de la bouche dans l'estomac. Les aliments semblent « ne pas vouloir descendre », se bloquer, ce qui suggère un trouble de la motilité ou une anomalie structurelle. La sensation de boule dans la gorge ou la région rétrosternale, non liée à la déglutition, n'est pas une dysphagie vraie.

Pour les types de dysphagie, voir tableau 11-2 : « Dysphagie », p. 478.

Les signes d'une *dysphagie buccopharyngée* sont la sialorrhée, les régurgitations par le nez, et la toux par fausse route au cours de troubles neuromusculaires affectant la motricité ; des gargouillis et des régurgitations d'aliments non digérés se voient dans des anomalies structurelles comme le *diverticule de Zenker*.

Demandez au patient de montrer l'endroit ou la dysphagie se produit.

Le doigt pointé sur le sternum en dessous de la fourchette indique une *dysphagie œsophagienne.*

Précisez les types d'aliments qui provoquent les troubles : aliments solides, ou solides et liquides ? Établissez la chronologie. Quand la dysphagie a-t-elle commencé ? Est-elle intermittente ou permanente ? Est-elle évolutive ? Si oui, en combien de temps ? Quels sont les symptômes et les affections médicales associés ?

Si les aliments solides sont seuls concernés, pensez à des anomalies structurelles de l'œsophage comme une sténose œsophagienne, un diaphragme ou un anneau de Schatzki, un cancer. Si les liquides et les solides sont concernés, un trouble de la motricité est plus probable.

Y a-t-il une *odynophagie,* c'est-à-dire une douleur à la déglutition ?

Pensez à des ulcérations œsophagiennes par irradiation, ingestion de caustiques ou infection à *Candida, cytomégalovirus, Herpes simplex* ou *VIH.* C'est aussi un effet indésirable de l'aspirine et des AINS.

**Modifications du fonctionnement intestinal.** Vous devrez souvent apprécier le *fonctionnement intestinal.* Commencez par des questions ouvertes : « Parlez-moi de vos selles », « Quelle est la fréquence de vos selles ? », « Avez-vous des difficultés pour aller à la selle ? », « Avez-vous remarqué des changements ? » La gamme de la normale est large, mais on peut admettre un minimum de deux selles par semaine.

Certains patients se plaignent d'émettre trop de gaz *(flatulence).* La normale est d'environ 600 mL par jour.

Pensez à une aérophagie, une production de gaz par des légumes ou d'autres aliments, au *déficit en lactase intestinale* et au *syndrome de l'intestin irritable.*

**Diarrhée et constipation.** Les patients se font des idées variables de la diarrhée et de la constipation. La *diarrhée* est définie par des selles trop hydriques ou trop volumineuses (> 200 g par 24 heures). Cependant, les patients se fixent en général sur l'aspect des selles (non formées, liquides) et leur fréquence (augmentée).

Voir tableau 11-3 : « Constipation », p. 479, et tableau 11-4 : « Diarrhée », p. 480-481.

Précisez la durée de la diarrhée. Une *diarrhée aiguë* dure 2 semaines ou moins. Une *diarrhée chronique* dure 4 semaines ou plus.

Une diarrhée aiguë est habituellement due à une infection[16] ; une diarrhée chronique est en principe d'origine non infectieuse, comme dans la *maladie de Crohn* ou la *colite ulcéreuse.*

Demandez les caractéristiques de la diarrhée : volume, fréquence et consistance des selles.

Les selles contiennent-elles du mucus, du pus ou du sang ? Y a-t-il un ténesme, un besoin impérieux de déféquer, avec des douleurs, des crampes, l'envie involontaire de pousser ?

La diarrhée survient-elle la nuit ?

Les selles sont-elles grasses ou huileuses ? Mousseuses ? Malodorantes ? Flottent-elles à la surface à cause d'un excès de gaz ?

D'autres renseignements sont importants pour identifier les causes possibles. Précisez les traitements en cours (notamment les antibiotiques), sans oublier les médecines alternatives, un voyage récent, le régime alimentaire, le fonctionnement intestinal habituel, et les facteurs de risque de dépression immunitaire.

La *constipation* est un autre symptôme fréquent. Les définitions récentes stipulent qu'elle doit être présente pendant au moins 12 semaines au cours des 6 mois écoulés et comporter au moins un des deux critères suivants : moins de 3 exonérations par semaine, 25 % ou plus de défécations avec efforts de poussée ou sensation d'évacuation incomplète, selles dures ou grumeleuses, ou aide manuelle.[17]

Précisez la fréquence des selles, l'émission douloureuse de selles dures, les efforts de poussée, la sensation d'évacuation incomplète ou de pesanteur rectale.

Vérifiez que le patient regarde bien l'aspect de ses selles et peut ainsi décrire leur couleur et leur volume.

Quels remèdes a-t-il essayé ? Est-ce que des traitements ou un stress jouent un rôle ? Existe-t-il des troubles systémiques ?

Des selles abondantes, fréquentes et liquides proviennent en général du grêle ; des selles peu abondantes, avec un ténesme rectal, ou de la diarrhée avec du mucus, du pus ou du sang, se voient dans les affections inflammatoires du rectum.

Une diarrhée nocturne évoque une cause organique.

Des selles huileuses, parfois mousseuses et flottantes signent une *stéatorrhée* (selles graisseuses) par malabsorption intestinale, au cours de la *maladie cœliaque*, de l'*insuffisance pancréatique*, et des *pullulations microbiennes dans le grêle*.

La diarrhée est fréquente au cours d'un traitement par les pénicillines ou les macrolides, les antiacides contenant du magnésium, la metformine, et les « herbes » (médecines alternatives).

Selle « crayon » dans une lésion obstructive « en trognon de pomme » du sigmoïde.

Pensez aux médicaments suivants : anticholinergiques, anticalciques, sels de fer et opiacés. La constipation est aussi un symptôme du *diabète*, de l'*hypothyroïdie*, de l'*hypercalcémie*, de la *sclérose en plaques*, de la *maladie de Parkinson* et de la *sclérodermie généralisée*.

Parfois, il y a un arrêt de l'émission des matières et des gaz, ou *occlusion intestinale*.

Renseignez-vous sur la couleur des selles. Y a-t-il un *melaena*, c'est-à-dire des selles « goudron », ou des *rectorragies*, c'est-à-dire des selles qui sont rouge vif à brunâtres ? Précisez l'abondance et la fréquence du saignement.

Le sang est-il mélangé aux selles ou à leur surface ? S'agit-il de traces sur le papier toilette ou d'un saignement plus abondant ?

Constipation opiniâtre de l'*occlusion intestinale*.

Voir le tableau 11-5 : « Selles noires et sanglantes », p. 482.

Une hémorragie gastroduodénale peut entraîner l'émission d'un méléna à partir de 100 mL, de *sang rouge par l'anus* (rectorragie) à partir de 1 000 mL. Les rectorragies sont habituellement dues à un *saignement intestinal*.

Sang sur les selles et sur le papier toilette dans les *hémorroïdes*.

**Jaunisse.** Chez certains patients, vous serez frappés par une jaunisse ou ictère, une coloration jaunâtre de la peau et des sclérotiques due à une élévation du taux de bilirubine, pigment biliaire provenant principalement de la dégradation de l'hémoglobine. Normalement, les cellules du foie, les hépatocytes, conjuguent cette bilirubine à d'autres substances, ce qui la rend soluble dans l'eau, puis ils l'excrètent dans la bile. La bile traverse le canal biliaire commun (cholédoque), formé par la réunion du canal hépatique et du canal cystique. Plus en aval, le cholédoque et le canal pancréatique (canal de Wirsung) s'abouchent dans le duodénum au niveau de l'ampoule de Vater. Les mécanismes d'une jaunisse comprennent :

- une production accrue de bilirubine ;

- une diminution de la captation de la bilirubine par les cellules hépatiques ;

- une diminution de la capacité de conjugaison de la bilirubine par le foie ;

- une diminution de l'excrétion de la bilirubine dans la bile, entraînant un reflux de bilirubine sous forme *conjuguée* dans le sang.

Bilirubine en grande partie non conjuguée pour les trois premiers mécanismes, comme dans l'*anémie hémolytique* (augmentation de la production) et la *maladie de Gilbert*.

Altération de l'excrétion de bilirubine conjuguée dans l'*hépatite virale*, la *cirrhose*, la *cirrhose biliaire primitive*, et la cholestase induite par des médicaments (contraceptifs oraux, méthyltestostérone, chlorpromazine).

Ses causes peuvent être intra ou extrahépatiques. La *jaunisse intrahépatique* peut être *hépatocellulaire*, par lésion des hépatocytes, ou *cholestatique*, par perturbation de l'excrétion due à des lésions des hépatocytes ou des voies biliaires intrahépatiques. La *jaunisse extrahépatique* est due à une obstruction des voies biliaires extrahépatiques, en général le canal cystique ou le cholédoque.

Obstruction du canal cholédoque par des calculs ou un *cancer du pancréas*.

Quand vous interrogez un patient ictérique, accordez une attention particulière aux symptômes associés et aux circonstances de survenue de la maladie. Quelle était la *couleur de l'urine* quand le patient est tombé malade ? Quand son taux augmente dans le sang, la bilirubine conjuguée peut être excrétée dans les urines, qu'elle colore en jaune brun, plus ou moins foncé (couleur thé ou acajou). La bilirubine non conjuguée n'est pas hydrosoluble et n'est donc pas excrétée dans l'urine.

Précisez aussi la *couleur des selles*. Lorsque l'excrétion de bile dans l'intestin est complètement bloquée, les selles deviennent grises, pâles (ou *acholiques*, dépourvues de bile).

Existe-t-il une démangeaison cutanée sans autre explication évidente ? Y a-t-il des douleurs associées ? Quelle allure ont-elles ? Y a-t-il eu des épisodes douloureux dans le passé ?

Recherchez des facteurs de risque de maladies hépatiques, tels que :

■ *hépatites :* voyages et repas dans les régions où l'hygiène est médiocre, ingestion d'eau ou d'aliments souillés (hépatite A) ; exposition, par piqûre ou contact muqueux, à des produits humains infectants, comme le sang, le sérum, le sperme et la salive, en particulier contact sexuel avec un partenaire infecté ou partage d'aiguilles pour l'injection de drogue (hépatite B), injection IV de drogues illégales ou transfusion sanguine (hépatite C) ;

■ *hépatite et cirrhose alcooliques* (interrogez soigneusement le patient sur sa consommation d'alcool) ;

■ *lésions toxiques du foie* dues à des médicaments, solvants industriels ou polluants ;

■ *maladie de la vésicule biliaire* ou *intervention chirurgicale* pouvant entraîner une obstruction des voies biliaires extrahépatiques ;

■ *maladies héréditaires* (voir les antécédents familiaux).

Des urines foncées, colorées par la bilirubine, indiquent une altération de l'excrétion de la bilirubine dans le tube digestif.

Selles acholiques, transitoirement dans l'*hépatite virale*, durablement dans un ictère obstructif.

Un prurit indique un ictère cholestatique ou obstructif ; une douleur peut traduire une distension de la capsule hépatique, une *colique hépatique*, un *cancer du pancréas*.

# → Voies urinaires

Voici des questions générales concernant les antécédents urinaires : « Avez-vous des difficultés à uriner ? », « À quelle fréquence le faites-vous ? », « Vous levez-vous la nuit pour uriner ? Combien de fois ? », « Quel volume urinez-vous en une fois ? », « Ressentez-vous une douleur ou une brûlure en urinant ? », « Avez-vous parfois du mal à aller aux toilettes à temps ? », « Vous arrive-t-il d'avoir des pertes d'urine ?… ou de vous mouiller involontairement ? » Est-ce que le patient se rend compte que sa vessie est pleine et qu'elle se vide ?

Voir tableau 11-6 : « Pollakiurie, nycturie et polyurie », p. 483.

Une miction involontaire ou inconsciente suggère des troubles neurosensoriels ou cognitifs.

Demandez aux femmes si une toux brusque, un éternuement, ou un rire entraînent une perte d'urine (incontinence d'effort). Environ la moitié des femmes jeunes rapportent cette expérience, avant même d'avoir un enfant. Une perte d'urine occasionnelle n'est pas forcément significative. Demandez aux hommes âgés : « Avez-vous des difficultés à commencer à uriner ? », « Devez-vous vous rapprocher de la cuvette des WC en urinant ? », « Est-ce que la force ou la taille du jet urinaire ont changé, ou devez-vous pousser pour uriner ? », « Le jet faiblit-il ou s'interrompt-il au milieu de la miction ? », « Y a-t-il un écoulement goutte à goutte pour finir ? »

*Incontinence d'effort* par diminution de la pression intra-urétrale (voir p. 484-485).

Ces problèmes sont fréquents chez les hommes qui ont une obstruction partielle de l'urètre prostatique par un *adénome de la prostate*, et se voient aussi dans la *sténose urétrale*.

### Douleur sus-pubienne.
Des troubles urinaires peuvent entraîner des douleurs abdominales ou lombaires. Des troubles vésicaux peuvent entraîner une *douleur sus-pubienne*. En cas d'*infection vésicale*, la douleur du bas abdomen est typiquement sourde et pesante. En cas de distension vésicale aiguë, la douleur est souvent atroce, alors que la distension vésicale chronique est en général indolore.

Douleur par distension brutale dans la rétention aiguë d'urines.

### Dysurie, miction impérieuse et pollakiurie.
L'infection ou l'inflammation de la vessie ou de l'urètre donnent souvent plusieurs symptômes. Il y a fréquemment une *douleur à la miction*, généralement ressentie comme une brûlure. Certains cliniciens l'appellent *dysurie* tandis que d'autres réservent le terme de dysurie à la difficulté à uriner. Les femmes peuvent signaler une gêne à l'intérieur de l'urètre, parfois décrite comme une pesanteur ou une brûlure externe lors de l'écoulement de l'urine sur les grandes lèvres irritées ou enflammées. Les hommes ont typiquement une sensation de brûlure au niveau du gland. En revanche, une *douleur prostatique* est ressentie dans le périnée et parfois dans le rectum.

Miction douloureuse dans la *cystite* et l'*urétrite*.

En cas de dysurie, pensez aux calculs, corps étrangers et tumeurs de la vessie ; pensez aussi à la *prostatite aiguë*. Chez les femmes, brûlure interne dans l'*urétrite*, brûlure externe dans la *vulvovaginite*.

D'autres symptômes sont fréquents. Une *miction impérieuse* est une envie anormalement intense et pressante d'uriner. Elle peut aboutir à une perte involontaire d'urine (*incontinence*). Il peut y avoir des mictions anormalement fréquentes (*pollakiurie*). Recherchez des symptômes associés tels que de la fièvre et des frissons, une hématurie ou une douleur de l'abdomen, des flancs ou des lombes (voir l'illustration de la page 449). Les hommes qui ont une obstruction partielle de l'urètre signalent souvent un *retard* au début de la miction, des *efforts pour uriner*, une *diminution du diamètre et de la force du jet urinaire* ou un *écoulement goutte à goutte d'urine* à la fin de la miction.

Une miction impérieuse évoque une infection ou une irritation de la vessie. Chez l'homme, une douleur mictionnelle sans mictions fréquentes et impérieuses évoque une *urétrite*.

Voir tableau 15-3 : « Anomalies de la prostate », p. 592.

### Polyurie ou nycturie.
Trois autres termes décrivent d'importantes perturbations de la diurèse. La *polyurie* désigne une augmentation significative du volume urinaire des 24 heures, *grosso modo* supérieure à 3 litres. Il faut la distinguer de la *pollakiurie* (mictions fréquentes), qui peut consister en des mictions abondantes, en cas de polyurie, ou des petites mictions, en cas d'infection. La *nycturie* renvoie à la fréquence des mictions la nuit ; elle est parfois définie par le réveil du patient pour uriner plus d'une fois la nuit ; les volumes d'urines peuvent être grands ou petits. Recherchez des changements des habitudes nocturnes et précisez le nombre de déplacements aux toilettes.

Une polyurie est une excrétion rénale anormalement importante. Une pollakiurie sans polyurie (nocturne ou diurne) évoque soit une atteinte de la vessie, soit une gêne à l'évacuation, au niveau ou en dessous du col vésical.

**Incontinence urinaire.** Près de 30 % des sujets âgés sont atteints d'*incontinence urinaire*, une perte involontaire d'urine qui retentit sur la vie sociale et l'hygiène. Si le patient se plaint d'incontinence, demandez à quel moment de la journée et combien de fois elle se produit. Le patient perd-il de petites quantités d'urine quand la pression intra-abdominale augmente parce qu'il tousse, éternue, rit ou soulève quelque chose ? Ou n'arrive-t-il pas à se retenir quand il a une envie pressante d'uriner et perd-il beaucoup d'urine ? A-t-il une sensation de vessie pleine, des pertes fréquentes, ou des petites mictions et une difficulté à vider sa vessie ?

Comme décrit plus haut, le contrôle vésical implique des mécanismes nerveux complexes (voir p. 435). Diverses lésions nerveuses centrales ou périphériques peuvent affecter la miction. Est-ce que le patient se rend compte que sa vessie est pleine ? Qu'elle se vide ? Il y a quatre grandes catégories d'incontinences urinaires, mais un patient peut avoir des causes intriquées.

De plus, l'état fonctionnel du patient peut grandement retentir sur les comportements mictionnels même si les voies urinaires sont intactes. Est-ce que le patient est mobile ? Conscient ? Capable de réagir à temps et d'atteindre les toilettes ? Est-ce que sa conscience et sa miction sont affectées par des médicaments ?

**Hématurie.** La présence de sang dans les urines, ou *hématurie*, est un important motif d'inquiétude. Quand elle est visible à l'œil nu, on la nomme *hématurie macroscopique*. L'urine peut être franchement sanglante. Quand le sang n'est détecté que par un examen microscopique, on parle d'*hématurie microscopique*. De petites quantités de sang peuvent donner à l'urine une teinte rosée à brunâtre. Chez les femmes, faites bien la différence entre les règles et une hématurie. Si l'urine est rougeâtre, demandez s'il n'y a pas eu d'ingestion de betteraves ou de médicaments qui peuvent parfois colorer l'urine. Faites un test avec une bandelette et un examen microscopique avant de parler d'*hématurie*.

**Douleur rénale ou du flanc, colique néphrétique.** Les troubles urinaires peuvent aussi entraîner une *douleur rénale*, souvent dite *douleur du flanc*, au niveau ou au-dessous du rebord costal près de l'angle costovertébral. Elle peut irradier en avant vers l'ombilic. Une douleur rénale est une douleur viscérale habituellement provoquée par une brusque distension de la capsule du rein, et elle est typiquement sourde, pénible, continue. Tout à fait différente est la *douleur urétérale* (colique néphrétique). Elle est habituellement intense, à type de colique ; elle naît dans l'angle costovertébral et irradie autour du tronc vers le quadrant inférieur de l'abdomen, voire la partie supérieure de la cuisse et le testicule ou une lèvre. La douleur urétérale provient d'une distension aiguë de l'uretère avec distension associée du bassinet. Recherchez une fièvre et des frissons, une hématurie associés.

---

Voir tableau 11-7 : « Incontinence urinaire », p. 484-485.

L'*incontinence d'effort* lors d'une augmentation de la pression intra-abdominale évoque une diminution de la contractilité du sphincter urétral ou un mauvais soutien du col vésical ; la *miction impérieuse*, c'est-à-dire l'incapacité de se retenir d'uriner, suggère une hyperactivité du détrusor ; l'*incontinence par regorgement*, où la vessie ne peut être vidée que lorsque la pression vésicale dépasse la pression urétrale, indique une obstruction anatomique par une hypertrophie prostatique ou une sténose urétrale ou des anomalies neurologiques.

*Incontinence fonctionnelle* par troubles cognitifs, problèmes musculosquelettiques, immobilité.

Douleur rénale, fièvre et frissons dans une *pyélonéphrite aiguë*.

Une colique néphrétique est due à l'obstruction brusque d'un uretère par des calculs urinaires ou des caillots de sang.

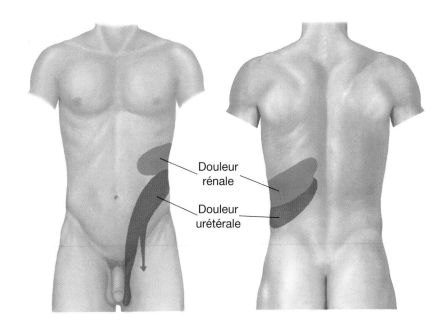

Douleur rénale

Douleur urétérale

# PROMOTION DE LA SANTÉ ET CONSEILS

**Sujets importants pour la promotion de la santé et les conseils**

- Dépistage de l'alcoolisme.
- Facteurs de risque des hépatites A, B et C.
- Dépistage du cancer du côlon.

*Dépistage de l'alcoolisme.* Les cliniciens vigilants soupçonnent souvent une consommation excessive d'alcool devant des modèles sociaux ou des problèmes comportementaux révélés par l'interrogatoire. Le patient peut rapporter des épisodes de pancréatite, des antécédents d'alcoolisme, ou une arrestation pour conduite en état d'ivresse. L'examen de l'abdomen peut trouver une hépatosplénomégalie, une ascite, ou même une circulation collatérale avec reperméabilisation de la veine ombilicale, donnant l'aspect en « tête de méduse » (des veines montant vers le thorax).

L'abus d'alcool ou dépendance est en augmentation ; il concerne 8,5 % des habitants des États-Unis, soit 17,6 millions de personnes.[18] Sa prévalence est d'environ 13,5 % sur la durée d'une vie, et aux urgences et en traumatologie, sa prévalence atteint 30-40 % et 50 %, respectivement.[19, 20] Les addictions sont de plus en plus considérées comme des troubles du comportement chroniques (récidivants), avec des modifications des neurotransmetteurs cérébraux induites par la substance, entraînant tolérance, dépendance physique, sensibilisation, « craving » et rechutes (voir p. 149). L'addiction à l'alcool donne de nombreuses complications ; elle est fortement corrélée aux accidents mortels de la circulation, au suicide et à d'autres troubles

Les autres signes classiques sont les angiomes stellaires, l'érythrose palmaire et les œdèmes superficiels.

Voir chapitre 5 : « Comportement et état mental », p. 148-149.

mentaux, à l'éclatement de la famille, à la violence, à l'hypertension artérielle, et aux cancers de l'œsophage, de l'estomac et du foie.

Étant donné que les comportements à risque peuvent être difficiles à identifier précocement, la connaissance des critères de base du dépistage de l'alcoolisme est cruciale. L'*US Preventive Services Task Force* (USPSTF) recommande un dépistage ou des actions de conseil comportementales chez tous les adultes dans le cadre des soins primaires, y compris chez les femmes enceintes.[21] Si vos patients consomment des boissons alcoolisées, choisissez un des trois outils de dépistage validés : le questionnaire CAGE, l'AUDIT *(Alcohol Use Disorders Identification Test)* ou la question de dépistage des jours de grande consommation : « L'année passée, combien de fois avez-vous pris 4 boissons alcoolisées *(drinks)* ou plus par jour (pour une femme), ou 5 ou plus par jour (pour un homme). Les seuils d'une consommation à risque sont :

Voir le questionnaire CAGE au chapitre 3 : « Entrevue et antécédents », p. 85.

■ pour les femmes : ≥ 3 boissons alcoolisées par occasion et ≥ 7 boissons alcoolisées par semaine ;

■ pour les hommes : ≥ 4 boissons alcoolisées par occasion et ≥ 14 boissons alcoolisées par semaine.

Adaptez vos recommandations à la gravité du problème, des interventions brèves à la cure de désintoxication et à la rééducation à long terme (voir chapitre 5 : « Comportement et état mental », p. 148).

*Facteurs de risque des hépatites A, B et C.* La protection des adultes contre les hépatites repose sur l'adhésion aux recommandations de vaccination contre l'hépatite A et l'hépatite B : la vaccination est la méthode la plus efficace pour empêcher l'infection et la transmission des virus. L'éducation des patients sur la dissémination des virus et les bénéfices de la vaccination dans les groupes à risque est également importante.

Hépatite A. La transmission de l'hépatite A est féco-orale : les virus excrétés dans les selles par des personnes manipulant de la nourriture contaminent l'eau et les aliments, qui infectent ensuite les sujets en contact étroit à la maison ou dans un cadre familial élargi. Les enfants infectés sont souvent asymptomatiques et jouent un rôle clé dans la propagation de l'infection. En 2006, les CDC *(Center for Disease Control and Prevention)* recommandaient la vaccination contre l'hépatite A chez les enfants et les personnes à risque accru d'infection, tels que les voyageurs en zone d'endémie, les hommes homosexuels, les consommateurs de drogues illégales et par voie IV, les patients souffrant de maladies hépatiques chroniques. Pour la protection et la prophylaxie immédiates des membres de la famille et des voyageurs, des gammaglobulines sériques peuvent être administrées dans les deux semaines suivant une exposition à l'hépatite A. Un lavage des mains, à l'eau et au savon, est à conseiller avant d'utiliser la salle de bains, de changer des couches, de cuisiner ou de manger.

**Hépatite B.** L'hépatite B représente une menace plus grave pour la santé des patients. Environ 95 % des infections du sujet jeune sont autolimitées, avec disparition du virus du sang et développement d'une immunité.[24] Une infection chronique affecte 5 % des sujets de plus de 5 ans, et environ 15 % de ceux qui sont infectés après l'enfance meurent prématurément de cirrhose ou de cancer du foie. La majorité (environ 70 %) est asymptomatique jusqu'à un stade avancé de la maladie hépatique. Les CDC ont identifié trois catégories de risques :

- *contact sexuel :* partenaires sexuels de personnes déjà infectées, personnes ayant eu plus d'un partenaire sexuel dans les 6 mois précédents, personnes consultant pour des maladies sexuellement transmises (MST), hommes homosexuels ;

- *exposition percutanée ou muqueuse au sang :* consommateurs de drogues IV, proches de personnes antigène HBS-positives, résidents et employés des établissements pour personnes handicapées, professionnels de santé, patients dialysés ;

- *autres :* voyageurs en zone d'endémie, patients ayant une maladie hépatique chronique ou une infection à VIH, personnes recherchant une protection contre l'hépatite B.

En 2006, les CDC ont émis de nouvelles recommandations pour étendre la vaccination contre l'hépatite B.[24] Les groupes suivants sont à vacciner :

- tous les adultes vus dans un contexte impliquant un risque élevé : consultations de MST, programmes de dépistage et de traitement du VIH, programmes de traitement des toxicomanes par voie IV, prisons, programmes pour hommes homosexuels, services d'hémodialyse, programmes pour insuffisances rénales terminales, établissements pour personnes handicapées ;

- en soins primaires et en soins spécialisés, les adultes faisant partie de groupes à risque ou demandant à être vaccinés contre l'hépatite A (même s'ils n'ont pas de facteurs de risque connus) ;

- les adultes professionnellement exposés au sang ou à d'autres liquides corporels potentiellement infectants.

L'USPSTF recommande de faire un dépistage à toutes les femmes enceintes à l'occasion de leur première consultation prénatale.[22]

**Hépatite C.** L'hépatite C est transmise par des expositions percutanées répétées au sang ; elle touche environ 2 % des adultes aux États-Unis. Cependant, sa prévalence atteint 50 à 90 % dans les groupes à risque élevé.[22] Les premiers facteurs de risque sont l'injection IV de drogues et la transfusion de facteurs de coagulation avant 1987. Les autres facteurs de risque comprennent l'hémodialyse, les partenaires sexuels utilisant des drogues IV, la transfusion de sang et la transplantation d'organes avant 1992, les maladies hépatiques non diagnostiquées, être né d'une mère infectée, une exposition professionnelle, et des partenaires sexuels multiples ou un partenaire sexuel infecté. La transmission sexuelle est rare. Une infection chronique survient chez 55 à 85 % des sujets infectés ; une maladie hépatique chez 70 % de ceux qui ont une infection chronique.[25] Il n'existe pas de vaccin pour la prévention ; il est donc important de faire une sérologie aux sujets à risque et d'orienter ceux qui sont infectés vers un service spécialisé, ainsi que de mettre en garde contre les risques, y compris le tatouage.

***Dépistage du cancer colorectal.*** Le cancer colorectal est, par ordre de fréquence, le troisième cancer de l'homme comme de la femme, et il rend compte de presque 10 % de tous les décès par cancer aux États-Unis.[26] Plus de 90 % des cas surviennent après l'âge de 50 ans, par transformation maligne de polypes adénomateux. Sa mortalité diminue, par suite des progrès de son dépistage précoce et de son traitement. Des données récentes ont conduit des groupes de travail communs à plusieurs sociétés savantes (y compris l'ACS en 2003 et en 2006) à réviser les recommandations pour son dépistage, en mettant l'accent sur la stratification du risque, l'utilisation de la coloscopie, et la prise en charge après polypectomie.[27, 28]

■ *Évaluation du risque.* Les cliniciens doivent évaluer le risque du patient à partir de l'âge de 20 ans en posant les questions ci-dessous. Les patients âgés de 50 ans ou plus qui répondent « non » à ces trois questions ont un risque « moyen » ; s'ils ont moins de 50 ans, un dépistage n'est pas indiqué. Une réponse positive justifie de faire un dépistage, car le risque de cancer colorectal est « accru » ou « élevé », et d'adresser le patient pour une prise en charge plus complexe[27, 28] :
  – le patient a-t-il eu un cancer colorectal ou des polypes adénomateux ?
  – le patient a-t-il une maladie inflammatoire de l'intestin, qui augmente le risque de cancer colorectal ?
  – un membre de la famille a-t-il eu un cancer colorectal ou des polypes adénomateux ? Si oui, combien et à quel âge, et était-ce un parent au premier degré (père ou mère, frère ou sœur, enfant) ?

■ *Dépistage chez les personnes à risque moyen.* Étant donné qu'aucune d'entre elles n'a fait la preuve de sa supériorité, on doit proposer aux sujets à risque moyen l'une des cinq options suivantes à partir de 50 ans :
  – une recherche de sang occulte dans les selles (RSOS), une fois par an, sur 6 prélèvements non réhydratés. Les prélèvements uniques ont une sensibilité d'environ 5 %, *versus* 24 % avec 6 prélèvements ; un test unique en consultation n'est donc pas suffisant.[29, 30] Un suivi agressif par coloscopie est conseillé si un test est positif ;
  – une rectosigmoïdoscopie, avec un fibroscope, tous les 5 ans ;
  – une RSOS annuelle + une rectosigmoïdoscopie tous les 5 ans ;
  – une coloscopie tous les 10 ans ;
  – un lavement colique en double contraste tous les 5 ans.

■ *Dépistage chez les personnes à risque accru.* La coloscopie aux intervalles préconisés ci-dessous est indiquée pour les facteurs de risque suivants :
  – adénome unique et petit (< 1 cm) : 3 à 6 ans après la polypectomie initiale ;
  – adénome unique et volumineux (> 1 cm), adénomes multiples, adénome avec dysplasie de haut grade ou transformation villeuse : dans les 3 ans suivant la polypectomie initiale ;
  – antécédent d'exérèse d'un cancer colorectal : dans l'année suivant la résection ;
  – un parent au premier degré de moins de 60 ans ou plus de 2 parents au premier degré ayant eu un cancer colorectal ou des polypes adénomateux : à 40 ans ou 10 ans avant le cas le plus jeune (mais sans dépasser 40 ans). Environ 15 % des patients atteints d'un cancer colorectal ont une maladie familiale.[31]

■ *Dépistage chez les personnes à risque élevé.* Les facteurs de risque élevé comprennent des cas familiaux de polypose adénomateuse familiale (trouvés dans environ 1 % des cancers colorectaux) ou de cancer du côlon non polypeux héréditaire (dans environ 3 à 4 %), un antécédent de maladie inflammatoire de l'intestin, une colite ulcéreuse ou une maladie de Crohn. Ces sujets doivent être adressés à des centres spécialisés pour des tests génétiques et une surveillance étroite.[28, 31, 32]

**Autres facteurs de risque de cancer colorectal.** Quelques études montrent que le risque est accru en cas de diabète (d'environ 30 %), d'alcoolisme, d'obésité, de tabagisme, ou de régime riche en graisses. Des données suggèrent que plusieurs facteurs peuvent avoir un effet protecteur : un régime riche en fruits et légumes, un régime riche en fibres, une activité physique régulière, l'utilisation d'aspirine ou d'anti-inflammatoires non stéroïdiens (AINS). Cependant, les bénéfices des régimes riches en fibres ou en fruits et légumes (pauvres en graisses) restent controversés.[33, 34] L'USPSTF *déconseille* l'utilisation systématique de l'aspirine et des AINS pour prévenir le cancer du côlon lorsque le risque est moyen, en raison du faible niveau de preuve de la réduction de la mortalité et du fort niveau de preuve de l'augmentation de l'incidence des hémorragies digestives et des atteintes rénales avec ces produits.[35]

# TECHNIQUES D'EXAMEN

Pour faire un bon examen abdominal, vous avez besoin d'un bon éclairage, que le patient soit détendu et que son abdomen soit exposé de l'appendice xiphoïde à la symphyse pubienne. Les régions inguinales doivent être visibles. Les organes génitaux doivent rester recouverts. Les muscles abdominaux doivent être relâchés pour faciliter tous les temps de l'examen, surtout la palpation.

## Astuces pour améliorer l'examen de l'abdomen

- Vérifiez que le patient a la vessie vide.
- Installez le patient confortablement en décubitus dorsal, avec un oreiller sous la tête et peut-être un autre sous les genoux. Glissez votre main sous ses lombes pour vérifier qu'il est détendu et repose bien à plat sur la table d'examen.
- Demandez au patient de garder les membres supérieurs le long du corps ou de les croiser sur la poitrine. S'ils sont placés au-dessus de la tête, la paroi abdominale est tendue, ce qui rend la palpation difficile. Remontez la blouse jusqu'aux mamelons et abaissez le drap jusqu'à la symphyse pubienne.
- Avant de commencer la palpation, demandez au patient de désigner les zones éventuellement douloureuses et examinez ces zones en dernier.
- Réchauffez vos mains et le stéthoscope. Pour réchauffer vos mains, frottez-les l'une contre l'autre ou passez-les sous l'eau chaude. Vous pouvez aussi palper à travers la blouse du patient pour absorber la chaleur de son corps avant de lui découvrir l'abdomen.
- Abordez le patient calmement et évitez les mouvements brusques et intempestifs. *Observez le visage du patient à la recherche de signes de douleur ou d'inconfort.* Évitez d'avoir des ongles longs.
- Détournez l'attention du patient, si besoin est, en conversant avec lui ou en le questionnant. S'il est anxieux ou chatouilleux, commencez la palpation en mettant sa main sous la vôtre. Au bout de quelques instants, vous glisserez votre main dessous pour palper directement.

Un dos voûté projette l'abdomen en avant et met en tension les muscles abdominaux.

Visualisez chaque organe de la région que vous examinez. Placez-vous à la droite du patient et procédez dans l'ordre à l'inspection, l'auscultation, la percussion et la palpation. Évaluez le foie, la rate, les reins et l'aorte.

# → Abdomen

## Inspection

En partant de votre position habituelle à droite du lit, inspectez l'abdomen. Tout en regardant les contours de l'abdomen, décelez le péristaltisme. Vous avez intérêt à vous asseoir ou à vous pencher pour voir l'abdomen à jour frisant.

Inspectez la surface, les contours et les mouvements de l'abdomen, à savoir :

- *la peau*. Notez :
  - les *cicatrices* : décrivez et dessinez leur siège ;
  - les *vergetures* : d'anciennes vergetures argentées, marques d'étirement cutané, sont normales ;
  - les *veines dilatées* : un discret réseau veineux est normal ;

  - les *éruptions* et les *lésions* ;

Vergetures pourpres du *syndrome de Cushing*.

Dilatation veineuse d'une *cirrhose du foie* ou d'une *obstruction de la veine cave inférieure*.

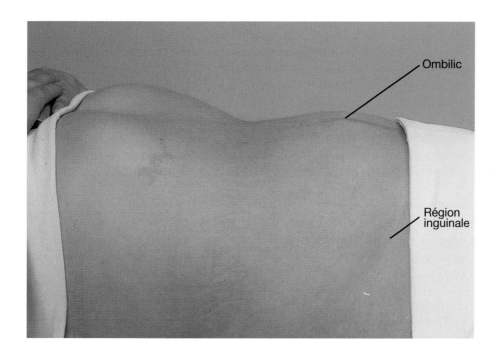

Ombilic

Région
inguinale

■ *l'ombilic.* Observez son contour, son siège et toute inflammation ou bombement évoquant une hernie ;

Voir tableau 11-8 : « Voussures localisées de la paroi abdominale », p. 486.

■ *le contour de l'abdomen :*
  – est-il plat, arrondi, protubérant, ou « scaphoïde » (très concave ou creux) ?

Voir tableau 11-9 : « Abdomens proéminents », p. 487.

  – est-ce que les flancs bombent, ou bien y a-t-il des voussures localisées ? Inspectez aussi les régions inguinales et crurales ;

Flancs bombés d'une *ascite.* Renflement sus-pubien d'une vessie distendue ou d'un utérus gravide ; hernies.

  – l'abdomen est-il symétrique ?

Asymétrie due à un organe hypertrophié ou une tumeur.

  – y a-t-il des organes ou des masses visibles ? Recherchez un gros foie ou une grosse rate, débordant le rebord costal ;

Masse abdominale basse d'une tumeur ovarienne ou utérine.

■ *le péristaltisme.* Observez pendant plusieurs minutes si vous suspectez une occlusion intestinale. Il peut être visible normalement chez les individus très maigres ;

Augmentation du péristaltisme dans l'*occlusion intestinale.*

■ *les pulsations.* Les pulsations normales de l'aorte sont souvent visibles dans l'épigastre.

Pulsations plus amples dans un *anévrisme aortique* ou par *augmentation de la pression différentielle.*

## Auscultation

L'auscultation fournit des renseignements importants sur la motilité intestinale. *Auscultez l'abdomen avant de le percuter et de le palper car ces techniques peuvent modifier la fréquence des bruits abdominaux.* Pratiquez l'auscultation jusqu'à devenir tout à fait familier avec les variations normales des bruits intestinaux et pouvoir détecter des changements évocateurs d'inflammation ou d'occlusion. L'auscultation peut aussi révéler des bruits vasculaires ressemblant aux souffles cardiaques, au-dessus de l'aorte ou d'autres artères abdominales.

Voir tableau 11-10 : « Bruits abdominaux », p. 488. Les souffles suggèrent une maladie vasculaire occlusive.

Posez doucement la membrane de votre stéthoscope sur l'abdomen. Écoutez les bruits intestinaux et notez leur fréquence et leurs caractéristiques. Les bruits normaux sont des cliquetis et des gargouillis, dont on a estimé la fréquence de 5 à 34 par minute. Vous pouvez parfois entendre des *borborygmes* – gargouillis intenses et prolongés d'un péristaltisme exagéré –, que l'on appelle familièrement « grognements d'estomac ». Étant donné que les bruits intestinaux sont largement transmis dans l'abdomen, il suffit généralement d'ausculter en un endroit limité, tel que le quadrant inférieur droit.

Les bruits intestinaux peuvent être modifiés dans les diarrhées, *l'occlusion intestinale*, *l'iléus paralytique* et la *péritonite*.

***Souffles et frottements abdominaux.*** Si le patient est hypertendu, auscultez l'épigastre et chacun des quadrants supérieurs à la recherche de *souffles*. Plus tard au cours de l'examen, alors que le patient est assis, auscultez également les angles costovertébraux. On peut entendre des souffles systoliques dans l'épigastre de sujets normaux.

Un souffle dans une de ces zones, ayant des composantes systolique et diastolique, évoque une *sténose de l'artère rénale* comme cause de l'hypertension.

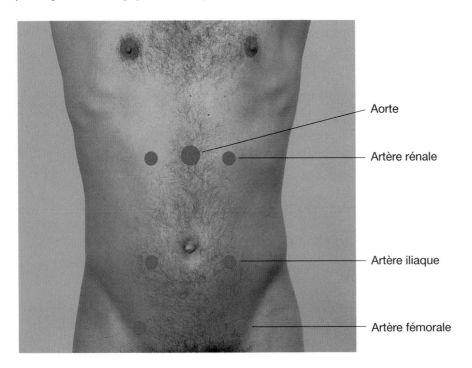

- Aorte
- Artère rénale
- Artère iliaque
- Artère fémorale

Cherchez à l'auscultation des souffles sur l'aorte, les artères iliaques et les artères fémorales. Des souffles systoliques sont assez fréquents, mais ils ne traduisent pas forcément une artériopathie oblitérante.

Un souffle systolodiastolique évoque le flux sanguin turbulent d'une *occlusion artérielle partielle* ou d'une *insuffisance artérielle*.

Les foyers d'auscultation de ces vaisseaux sont illustrés à la page précédente.

Auscultez au-dessus du foie et de la rate, à la recherche de *frottements*.

*Frottements* dans une tumeur du foie, une périhépatite gonococcique, un infarctus splénique.

## Percussion

La percussion vous permet d'évaluer la quantité et la répartition des gaz dans l'abdomen et, éventuellement, d'identifier des masses solides ou liquides. Son utilisation pour estimer la taille du foie et celle de la rate est décrite plus loin dans ce chapitre.

Percutez légèrement les différents quadrants de l'abdomen pour apprécier la répartition du *tympanisme* et de la *matité*. Le tympanisme prédomine en général, du fait des gaz digestifs, mais le liquide intestinal et les matières peuvent aussi produire un son plus mat.

Un abdomen proéminent et entièrement tympanique évoque une *occlusion intestinale*. Voir tableau 11-9 : « Abdomens proéminents », p. 487.

■ Notez les zones de matité qui pourraient signaler une masse sous-jacente ou un organe hypertrophié. Cette observation guidera la palpation.

Utérus gravide, tumeur ovarienne, vessie distendue, hépatomégalie, splénomégalie.

■ Sur les côtés d'un abdomen proéminent, notez aussi où se fait le passage du tympanisme abdominal à la matité des structures solides postérieures.

Une matité des deux flancs fait rechercher une ascite (voir p. 469-470).

Percutez brièvement la partie antérieure et basse du thorax, entre les poumons au-dessus et les rebords costaux au-dessous. En général, vous trouverez à droite la matité du foie et, à gauche, le tympanisme correspondant à la poche à air gastrique et à l'angle splénique du côlon.

Dans le *situs inversus* (rare), les organes sont inversés : la poche à air gastrique est à droite et la matité hépatique à gauche.

## Palpation

***Palpation légère.*** La palpation légère est particulièrement utile pour identifier une sensibilité abdominale, une résistance musculaire et des organes ou des masses superficiels. Elle sert aussi à rassurer et à détendre le patient.

En gardant la main et l'avant-bras dans un plan horizontal et les doigts joints, à plat sur l'abdomen, palpez celui-ci d'un mouvement léger, doux et plongeant. Quand la main se déplace, soulevez-la juste au-dessus de la peau. Palpez les différents quadrants d'un mouvement régulier.

Identifiez les organes superficiels, les masses, les zones douloureuses ou de résistance accrue. En cas de résistance, précisez s'il s'agit d'une résistance volontaire ou d'une contracture involontaire. Pour cela :

Une contracture involontaire persiste malgré ces manœuvres. Elle indique une *inflammation péritonéale*.

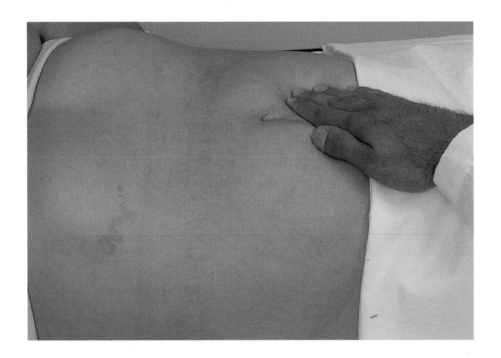

- essayez de détendre le patient par différentes manœuvres (voir p. 454) ;

- recherchez le relâchement des muscles grands droits qui accompagne normalement l'expiration ;

- demandez au patient de respirer par la bouche, mâchoire tombante.

Ces manœuvres font en général diminuer une contracture volontaire.

***Palpation profonde.*** Elle est en général nécessaire pour délimiter les masses abdominales. En utilisant à nouveau la face palmaire des doigts, palpez les quatre quadrants. Identifiez une masse éventuelle et notez sa localisation, ses dimensions, sa forme, sa consistance, sa sensibilité, sa pulsatilité, et sa mobilité avec la respiration ou sous la main qui palpe. Comparez vos constatations avec les trouvailles de la percussion.

On peut classer les masses abdominales en : physiologiques (utérus gravide), inflammatoires (*diverticulite* colique), vasculaires (anévrisme de l'aorte abdominale), néoplasiques (cancer du côlon) ou par obstruction (vessie distendue, anse intestinale dilatée).

***Recherche d'une irritation péritonéale.*** Une douleur abdominale spontanée et provoquée, surtout quand elle est associée à une contracture, suggère une inflammation du péritoine pariétal. Il faut la localiser aussi exactement que possible. D'abord, avant même la palpation, *demandez au patient de tousser* et précisez où la toux provoque une douleur, puis *palpez doucement avec un doigt* pour délimiter la zone douloureuse. La douleur provoquée par la percussion légère a la même valeur localisatrice. Ces manœuvres douces peuvent être suffisantes pour déterminer une zone d'inflammation péritonéale.

Une douleur abdominale provoquée par la toux ou la percussion légère suggère une inflammation péritonéale. Voir tableau 11-11 : « Abdomens douloureux », p. 489-490.

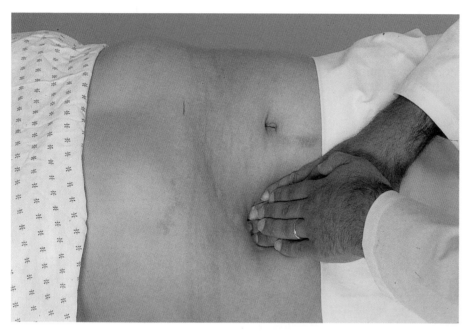

**PALPATION PROFONDE À DEUX MAINS**

Sinon, recherchez une *douleur à la décompression brusque*. Enfoncez les doigts fermement et lentement, puis retirez-les rapidement. Observez et interrogez le patient. Demandez-lui de dire ce qui le fait le plus souffrir, la pression ou la décompression, et de montrer précisément l'endroit douloureux. La douleur déclenchée ou augmentée par le retrait rapide constitue la *douleur à la décompression brusque*. Elle est due à la mobilisation du péritoine enflammé.

La douleur à la décompression suggère une inflammation du péritoine. Si la douleur est ressentie en un point différent de celui où vous essayez de la mettre en évidence, ce point est peut-être bien la véritable origine du problème.

# → Foie

Comme la plus grande partie du foie est recouverte par la cage thoracique, son examen est difficile. On peut cependant estimer la taille et la forme du foie par la percussion et, possiblement, la palpation. La main qui palpe permet aussi d'apprécier sa surface, sa consistance et sa sensibilité.

## Percussion

Mesurez la hauteur de la matité hépatique sur la ligne médioclaviculaire droite. Repérez soigneusement la ligne médioclaviculaire (un repère flou donne une mesure imprécise) et utilisez une percussion légère à modérée (une percussion plus forte sous-estime les dimensions du foie).[36] En partant de dessous l'ombilic (d'une zone de tympanisme, et non de matité), percutez en remontant vers le foie. Identifiez le *bord inférieur de la matité hépatique* sur la ligne médioclaviculaire.

Puis identifiez le *bord supérieur de la matité hépatique* sur la ligne médio-claviculaire. En partant de la ligne des mamelons, percutez en descendant de la sonorité du poumon vers la matité du foie. Si besoin est, déplacez avec douceur le sein d'une femme, pour être sûr de commencer en zone sonore. La progression de la percussion est montrée ci-dessous.

La zone de matité hépatique est *augmentée* quand le foie est hypertrophié.

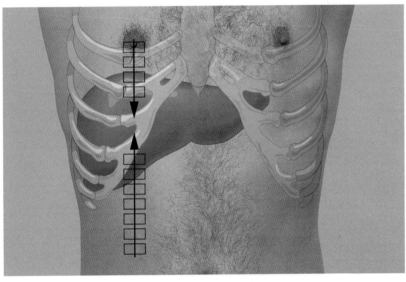

**PERCUSSION DE LA HAUTEUR DU FOIE**

La hauteur de la matité hépatique est *diminuée* quand le foie est petit ou quand il y a de l'air sous le diaphragme, à la suite de la *perforation d'un viscère creux*. Sa diminution, lors d'examens successifs, peut traduire une amélioration au cours d'une hépatite ou d'une *insuffisance cardiaque congestive*, plus rarement une évolution *fulminante* au cours d'une *hépatite*.

La matité hépatique peut être déplacée vers le bas par le diaphragme abaissé d'une *maladie pulmonaire chronique obstructive*. Sa hauteur reste cependant normale.

À présent, mesurez la distance entre les deux points, en centimètres : c'est la hauteur de la matité hépatique. Les hauteurs hépatiques normales, indiquées ci-dessous, sont en général plus grandes chez les hommes que chez les femmes, et chez les sujets grands que chez les petits. Si le foie semble augmenté de volume, délimitez son bord inférieur en percutant les autres zones.

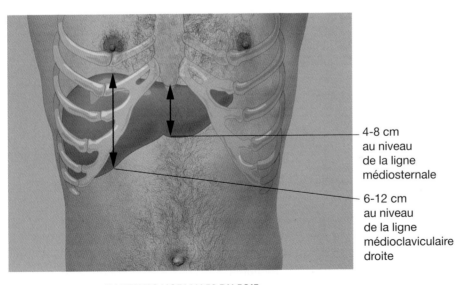

4-8 cm
au niveau
de la ligne
médiosternale

6-12 cm
au niveau
de la ligne
médioclaviculaire
droite

**HAUTEURS NORMALES DU FOIE**

La matité d'un épanchement pleural ou d'une condensation pulmonaire droits peut faire *surestimer* la taille du foie si elle est contiguë à la matité hépatique.

Les gaz du côlon peuvent produire un tympanisme du quadrant supérieur droit, masquer la matité hépatique et faire *sousestimer* la taille du foie.

La mesure de la hauteur hépatique par la percussion est plus précise quand le foie est augmenté de volume, avec un bord inférieur palpable.[37]

Seulement la moitié des foies qui ont un bord inférieur en dessous du rebord costal sont palpables, mais quand ce bord est perçu la probabilité d'une hépatomégalie double.[36]

## Palpation

Placez votre main gauche sous le patient, parallèlement aux 11e et 12e côtes droites, qu'elle soutient. Rappelez au patient de se laisser aller sur votre main, si c'est nécessaire. La pression de votre main gauche vers l'avant facilitera la palpation du foie par votre autre main.

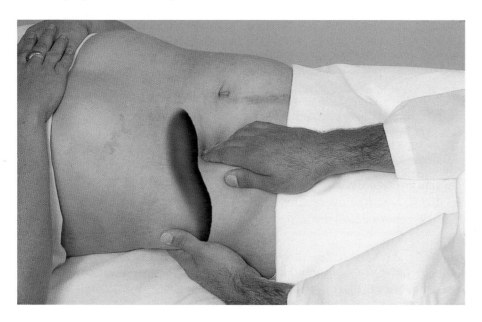

Placez votre main droite sur le côté droit de l'abdomen, en dehors du grand droit, l'extrémité des doigts bien au-dessous de la limite inférieure de la matité hépatique. Certains examinateurs préfèrent diriger leurs doigts vers le haut (vers la tête du patient), d'autres préfèrent les poser plus obliquement, comme illustré ci-après. Dans tous les cas, appuyez doucement vers l'intérieur et vers le haut.

Demandez au patient de faire une grande inspiration. Essayez de sentir le foie alors qu'il descend à la rencontre du bout de vos doigts. Si vous le sentez, relâchez un peu la pression de la main qui palpe afin de permettre au foie de glisser sous la pulpe de vos doigts : vous pouvez percevoir sa face antérieure. Notez une sensibilité éventuelle. S'il est palpable, le foie normal a un bord inférieur mou, net et régulier, et une surface lisse. Il peut être légèrement sensible.

Une consistance ferme ou dure, un bord mousse ou arrondi, un contour irrégulier suggèrent une anomalie du foie.

À l'inspiration, le foie est palpable à environ 3 cm en dessous du rebord costal droit sur la ligne médioclaviculaire. Certains sujets respirent avec leur thorax plutôt qu'avec leur diaphragme. Il peut être utile de les faire « respirer avec l'abdomen », amenant ainsi le foie, la rate et les reins dans une position où ils peuvent être palpés à l'inspiration.

Une vésicule biliaire distendue, obstruée, peut former une masse ovale sous le bord du foie, indissociable de lui. Elle est mate à la percussion.

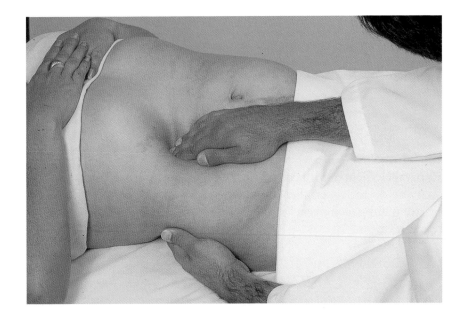

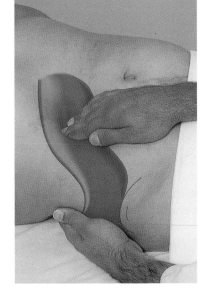

Pour percevoir le foie, il peut être nécessaire de modifier la pression que vous exercez en fonction de l'épaisseur et de la résistance de la paroi abdominale. Si vous n'arrivez pas à le sentir, rapprochez la main qui palpe du rebord costal et recommencez.

Essayez de suivre le bord hépatique en dehors et en dedans, mais la palpation est très difficile à travers les muscles droits. Décrivez ou dessinez le bord du foie et mesurez la distance qui le sépare du rebord costal droit, sur la ligne médioclaviculaire.

On peut aussi pratiquer la « technique du crochet », surtout quand le patient est obèse. Tenez-vous à droite du thorax du patient. Placez les deux mains côte à côte à droite de l'abdomen, au-dessous de la zone de matité hépatique. Enfoncez les doigts sous le rebord costal, et demandez au sujet de prendre une profonde inspiration. Le bord du foie montré ici est palpé avec la pulpe des doigts des deux mains.

Le bord inférieur d'un gros foie peut être méconnu si on commence à palper trop haut dans l'abdomen.

Voir tableau 11-12 : « Hypertrophie apparente et réelle du foie », p. 491.

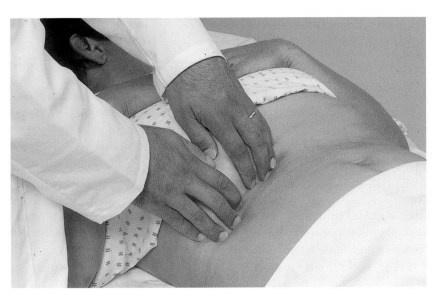

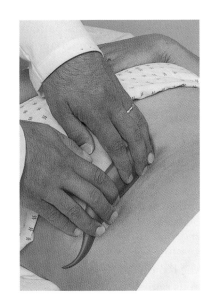

***Recherche de la sensibilité d'un foie non palpable.*** Placez la main gauche à plat sur la partie inférieure droite de la cage thoracique, puis percutez cette main avec la face cubitale du poing droit. Demandez au patient de comparer cette sensation à celle que produit la même manœuvre de l'autre côté.

Une douleur provoquée dans l'aire hépatique suggère une inflammation, comme dans l'*hépatite*, ou une congestion, comme dans l'*insuffisance cardiaque*.

# → Rate

Quand une rate grossit, elle se développe en avant, en bas et en dedans, sa matité d'organe plein remplaçant souvent le tympanisme de l'estomac et du côlon. Elle devient alors palpable en dessous du rebord costal. La percussion ne permet pas d'affirmer une splénomégalie mais elle peut la faire suspecter. La palpation peut confirmer une splénomégalie, mais elle passe souvent à côté des grosses rates qui ne descendent pas en dessous du rebord costal.

## Percussion

Deux techniques sont utiles pour déceler une *splénomégalie*, c'est-à-dire une grosse rate.

- *Percutez la partie inférieure et gauche de la paroi thoracique antérieure* entre la sonorité des poumons au-dessus et le rebord costal en bas *(espace de Traube)*. En percutant dans le sens indiqué par les flèches ci-dessous, notez l'étendue du tympanisme vers l'extérieur. La percussion n'a qu'une précision modérée pour déceler une splénomégalie (sensibilité : 60-80 %, spécificité : 72-94 %).[38]

S'il existe une matité à la percussion, une palpation soigneuse détecte la présence ou l'absence d'une splénomégalie dans plus de 80 % des cas.[38]

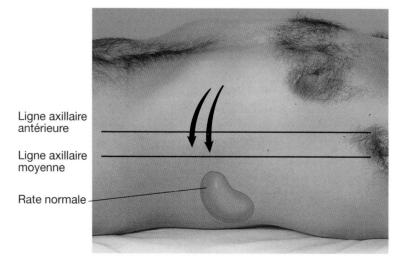

Ligne axillaire antérieure

Ligne axillaire moyenne

Rate normale

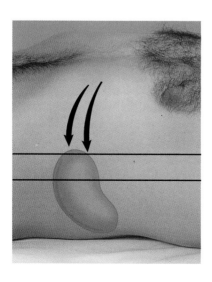

Si le tympanisme est prédominant, notamment en dehors, une splénomégalie n'est pas vraisemblable. La matité d'une rate normale est habituellement « noyée » dans celle des autres structures postérieures.

La présence de liquides ou de solides dans l'estomac ou le côlon peut aussi donner une matité dans l'espace de Traube.

■ *Recherchez le signe de la percussion splénique.* Percutez le dernier espace intercostal sur la ligne axillaire antérieure gauche, comme montré ci-dessous. Cette zone est en général tympanique. Puis demandez au patient de faire une profonde inspiration et percutez à nouveau. Si la taille de la rate est normale, le tympanisme persiste en général.

Le remplacement du tympanisme par une matité à l'inspiration évoque une augmentation de volume de la rate. On dit que *le signe de la percussion splénique est positif.*

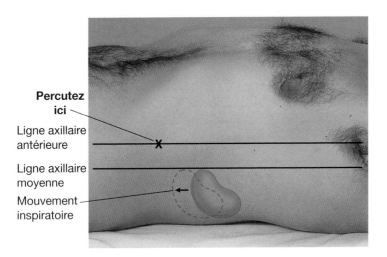

**Percutez ici**

Ligne axillaire antérieure

Ligne axillaire moyenne

Mouvement inspiratoire

SIGNE DE LA PERCUSSION SPLÉNIQUE NÉGATIF

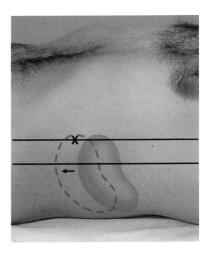

SIGNE DE LA PERCUSSION SPLÉNIQUE POSITIF

Si l'un ou les deux tests sont positifs, accordez une attention supplémentaire à la palpation de la rate.

Le signe de la percussion splénique peut aussi être positif quand la taille de la rate est normale.

## Palpation

Passez la main gauche dessus et autour du patient pour soulever et pousser vers l'avant la base thoracique gauche et les parties molles voisines. La main droite, sous le rebord costal gauche, appuie en direction de la rate. La palpation doit débuter assez bas pour se placer au-dessous d'une rate hypertrophiée. De plus, si votre main est trop proche du rebord costal, elle n'a pas assez de mobilité pour pénétrer sous le rebord costal. Demandez au patient d'inspirer profondément. Essayez de percevoir le pôle inférieur de la rate quand il descend à la rencontre du bout de vos doigts. Notez une douleur provoquée, appréciez le contour splénique et mesurez la distance entre la pointe de la rate et le rebord costal. Chez environ 5 % des adultes normaux, la pointe de la rate est palpable, parce que le diaphragme est plat et abaissé, comme dans la maladie pulmonaire chronique obstructive, ou descend beaucoup à l'inspiration profonde.

Une grosse rate peut être méconnue si l'examinateur part de trop haut pour sentir le pôle inférieur.

Une splénomégalie est huit fois plus probable quand la rate est palpable.[36] Ses causes comprennent l'hypertension portale, les hémopathies malignes, l'infection à VIH, et l'infarctus ou l'hématome splénique.

Le pôle inférieur de la rate ci-dessous est palpable profondément sous le rebord costal gauche.

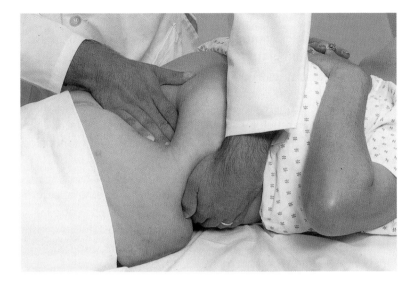

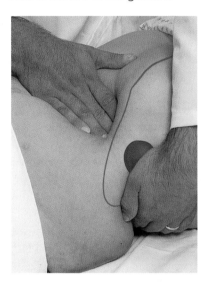

Répétez la manœuvre sur le patient couché sur le côté droit, membres inférieurs légèrement fléchis aux hanches et aux genoux. Dans cette position, la gravité peut déplacer la rate en avant et vers la droite, où elle devient palpable.

La grosse rate ci-dessous est palpable à 2 cm en dessous du rebord costal gauche, à l'inspiration profonde.

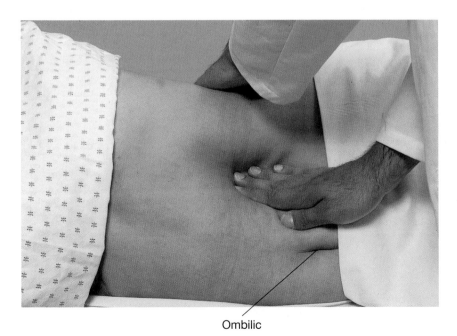

Ombilic

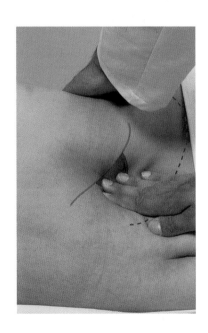

**PALPATION DE LA RATE – PATIENT COUCHÉ SUR LE CÔTÉ DROIT**

# ➜ Reins

## Palpation

Bien que les reins ne soient pas habituellement palpables, vous devez apprendre et appliquer ces techniques d'examen. Détecter un rein augmenté de volume peut s'avérer très important.

***Palpation du rein gauche.*** Mettez-vous à la gauche du patient. Placez votre main droite derrière le patient juste en dessous et parallèlement à la 12ᵉ côte, avec le bout des doigts atteignant l'angle costovertébral. Soulevez pour essayer de déplacer le rein en avant. Placez votre main gauche avec douceur dans le quadrant supérieur gauche, le long du bord externe du muscle droit. Demandez au patient de faire une grande inspiration. Au maximum de l'inspiration, enfoncez fermement la main gauche dans le quadrant supérieur gauche, juste au-dessous du rebord costal, et essayez de « coincer » le rein entre vos deux mains. Demandez au patient d'expirer puis d'arrêter brièvement de respirer. Relâchez doucement la pression exercée par votre main gauche, en cherchant à percevoir le rein qui regagne sa position expiratoire. Si le rein est palpable, décrivez ses dimensions, ses contours et sa sensibilité éventuelle.

Vous pouvez aussi essayer de sentir le rein gauche par une méthode ressemblant à celle utilisée pour la rate. Passez la main gauche dessus et autour du patient pour soulever sa région lombaire gauche et enfoncez la main droite dans le quadrant supérieur gauche. Demandez au patient de respirer profondément et recherchez une masse. Un rein gauche normal est rarement palpable.

***Palpation du rein droit.*** Pour « coincer » le rein droit, repassez à droite du patient. Utilisez votre main gauche pour soulever le dos et votre main droite pour palper en profondeur dans le quadrant supérieur droit. Procédez comme précédemment.

Une masse du flanc gauche peut correspondre à une volumineuse *splénomégalie* ou à un gros rein gauche. Les arguments en faveur d'une *splénomégalie* sont une incisure du bord interne, un bord dépassant la ligne médiane, une matité à la percussion, la possibilité d'enfoncer les doigts le long des bords interne et externe de la masse, mais *pas* entre la masse et le rebord costal. Ces constatations doivent être confirmées par un bilan plus poussé.

Les arguments plutôt en faveur d'un *gros rein* sont la persistance du tympanisme normal du quadrant supérieur gauche et la possibilité d'enfoncer les doigts entre la masse et le rebord costal mais pas le long de ses bords interne et inférieur.

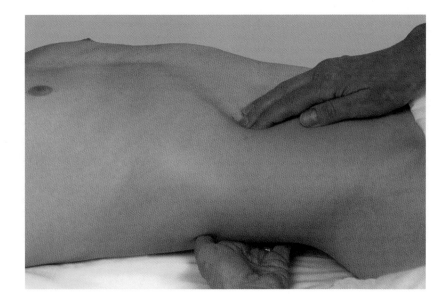

Un rein droit normal peut être palpable, notamment chez les femmes minces bien détendues. Il est parfois légèrement sensible. En général, le patient se rend compte de sa « capture » et de sa « libération ». Parfois, le rein droit est plus antérieur que d'habitude ; il doit alors être distingué du foie. Le bord inférieur du foie, s'il est palpable, est plus tranchant et plus étendu en dedans et en dehors. On n'arrive pas à le « coincer ». Le pôle inférieur du rein est arrondi.

Les causes de gros reins comprennent les hydronéphroses, les kystes et les tumeurs. Une augmentation de volume bilatérale évoque une *polykystose rénale.*

***Évaluation d'une sensibilité rénale.*** Vous pouvez noter une sensibilité en examinant l'abdomen mais aussi la rechercher dans les deux angles costovertébraux. La pression du bout de vos doigts peut être suffisante pour la mettre en évidence ; sinon, utilisez la percussion avec le poing. Posez la paume d'une main sur l'angle costovertébral et tapez dessus avec le bord ulnaire du poignet. La force doit être suffisante pour provoquer un choc sensible mais pas douloureux, ou un bruit mat chez une personne normale.

Une douleur à la pression ou à la percussion avec le poignet évoque une *pyélonéphrite* mais peut aussi avoir une cause musculosquelettique.

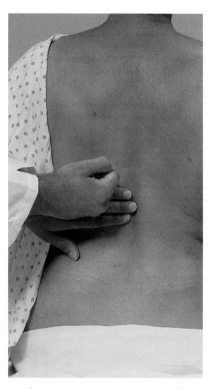

**ÉVALUATION DE LA SENSIBILITÉ DE L'ANGLE COSTOVERTÉBRAL**

Pour éviter au patient tout effort inutile, cette manœuvre fera partie de l'examen du dos (voir p. 21).

# → Vessie

Normalement on ne peut pas examiner la vessie à moins qu'elle ne remonte au-dessus de la symphyse pubienne. À la palpation, le dôme d'une vessie distendue est lisse et arrondi. Recherchez une sensibilité. Percutez pour vérifier la matité et pour déterminer à quelle hauteur la vessie remonte au-dessus de la symphyse pubienne.

Distension vésicale due à une obstruction urétrale par *rétrécissement urétral* ou *adénome prostatique* ; également due à des médicaments ou à des troubles neurologiques tels que la *sclérose en plaques,* un *accident vasculaire cérébral.*

Sensibilité sus-pubienne dans la *cystite.*

## → Aorte

Appuyez fermement sur la partie supérieure de l'abdomen, légèrement à gauche de la ligne médiane, et repérez les pulsations aortiques. Chez les personnes de plus de 50 ans, appréciez la largeur de l'aorte en appuyant profondément sur la partie supérieure de l'abdomen avec les mains placées de chaque côté de l'aorte, comme illustré ci-dessous. Dans cette tranche d'âge, l'aorte normale a un diamètre inférieur à 3 cm (2,5 cm en moyenne). Cette mesure n'inclut pas l'épaisseur de la paroi abdominale. La perception des pulsations aortiques est plus ou moins facile en fonction de l'épaisseur de la paroi abdominale et du diamètre antéropostérieur de l'abdomen.

Les facteurs de risque d'un anévrisme aortique abdominal (AAA) sont un âge ≥ 65 ans, le tabagisme, le sexe masculin, un antécédent de cure d'un AAA chez un parent au premier degré.[39, 40]

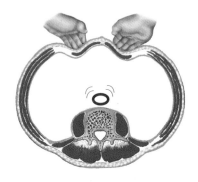
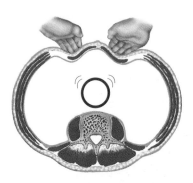

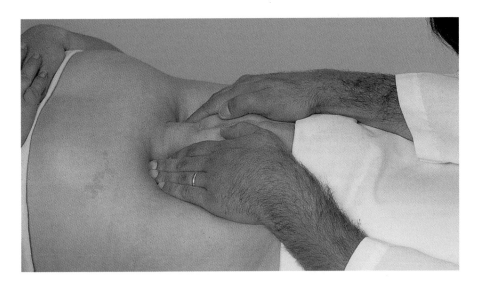

Une masse abdominale péri-ombilicale ou haute, pulsatile et expansive, d'une largeur ≥ 3 cm, suggère un AAA ; la sensibilité de la palpation augmente avec la taille de l'AAA : elle est de 29 % de 3 à 3,9 cm, de 50 % de 4 à 4,9 cm, et de 76 % à partir de 5 cm.[41]

Le dépistage par la palpation suivie d'une échographie diminue la mortalité surtout chez les hommes fumeurs de plus de 65 ans. Une douleur peut indiquer une rupture. La rupture est 15 fois plus probable dans les AAA > 4 cm que dans les anévrismes plus petits.[41]

## → Techniques spéciales

**Techniques pour rechercher :**

- une ascite ;
- une appendicite ;
- une cholécystite aiguë ;
- une hernie ventrale ;
- une masse dans la paroi abdominale.

# Pour rechercher une éventuelle ascite

Un abdomen protubérant avec bombement des flancs suggère la possibilité d'une ascite. Comme le liquide d'ascite suit la pesanteur, alors que les anses intestinales pleines d'air flottent à son sommet, la percussion retrouve une matité dans les parties déclives de l'abdomen. Cherchez cette disposition en percutant vers l'extérieur dans plusieurs directions à partir de la zone centrale de tympanisme. Dessinez la limite entre le tympanisme et la matité.

Ascite par augmentation de la pression hydrostatique dans la cirrhose, l'insuffisance cardiaque congestive (avec œdèmes), la péricardite constrictive, l'obstruction de la veine cave inférieure ou des veines hépatiques ; par diminution de la pression oncotique dans le syndrome néphrotique et la malnutrition. Se voit aussi dans le cancer de l'ovaire.

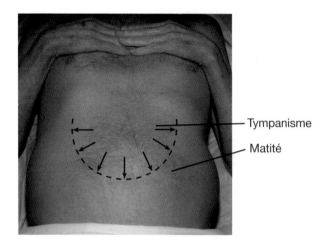

Deux manœuvres supplémentaires aident à confirmer la présence d'une ascite, bien que les deux signes puissent être trompeurs.

■ *Recherchez une matité déclive*. Après avoir dessiné les limites entre tympanisme et matité, demandez au patient de se tourner sur le côté. Percutez et marquez à nouveau les limites. Chez un sujet dépourvu d'ascite, les limites entre tympanisme et matité restent d'habitude assez fixes.

Dans une ascite, la matité se déplace vers le côté le plus déclive, alors que le tympanisme se déplace vers le haut.

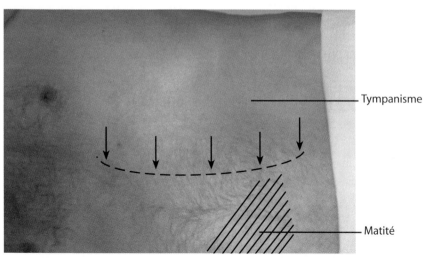

**PATIENT COUCHÉ SUR LE CÔTÉ DROIT**

■ *Recherchez un signe du flot.* Demandez au patient ou à un aide d'appuyer fortement le bord de ses mains sur la ligne médiane de l'abdomen. Cette pression bloque la transmission d'une onde à travers la graisse. En percutant fortement un flanc avec le bout de vos doigts, cherchez à percevoir sur le flanc opposé une impulsion transmise à travers le liquide. Ce signe est malheureusement souvent négatif jusqu'à ce que l'ascite soit abondante, et il est parfois positif chez des sujets n'ayant pas d'ascite.

Une impulsion facilement palpable évoque une ascite. Une onde liquidienne positive, un déplacement de la matité et des œdèmes périphériques rendent le diagnostic d'ascite grandement vraisemblable (rapports de vraisemblance : 3,0-6,0).[42]

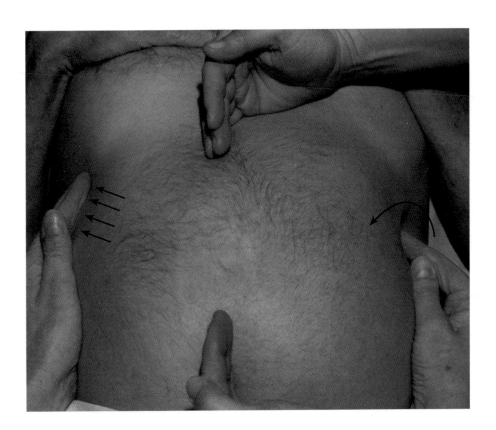

**Pour identifier un organe ou une masse au sein d'une ascite.**
Essayez de faire « *ballotter* » l'organe ou la masse, ici un gros foie. Étendez et raidissez les doigts joints d'une main, placez-les sur l'abdomen et imprimez un coup brusque en direction de l'organe supposé. Ce mouvement rapide déplace souvent du liquide, si bien que la pulpe de vos doigts peut toucher brièvement la surface de l'organe, à travers la paroi abdominale.

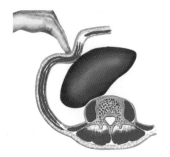

# Pour rechercher une éventuelle appendicite

■ Demandez au patient à quel endroit la douleur est apparue et où elle se trouve maintenant. Demandez-lui de tousser. Cela déclenche-t-il une douleur ? Où ?

Classiquement, la douleur d'une *appendicite* commence près de l'ombilic, puis se déplace dans le quadrant inférieur droit, où elle est augmentée par la toux. Ce schéma est moins fréquent chez les sujets âgés que chez les sujets jeunes.[14]

■ Recherchez soigneusement un point douloureux à la palpation.

Une douleur siégeant en un point quelconque du quadrant inférieur droit ou même dans le flanc droit peut indiquer une *appendicite*.

■ Recherchez une contracture musculaire pariétale.

Une défense volontaire initiale peut être remplacée par une contracture musculaire involontaire.

■ *Faites un toucher rectal, ainsi qu'un toucher vaginal chez une femme.* Ces touchers servent non pas à distinguer un appendice infecté d'un appendice normal, mais à identifier un appendice infecté en position ectopique, dans la cavité pelvienne. Ils peuvent aussi suggérer d'autres causes de douleurs abdominales.

Une douleur latérorectale droite peut aussi être due à une inflammation d'une annexe ou d'une vésicule séminale.

D'autres techniques sont parfois utiles :

■ recherchez le point douloureux à la décompression brusque (cette épreuve peut être épargnée au patient si les autres sont positives) ;

Une douleur à la décompression indique une inflammation péritonéale, en cas d'*appendicite*.

■ cherchez un *signe de Rovsing* et la douleur à la décompression correspondante. Appuyez en profondeur et de façon uniforme sur le quadrant inférieur *gauche*, puis retirez vos doigts d'un seul coup ;

Une douleur dans le quadrant inférieur *droit*, alors que l'on exerce une pression du côté *gauche*, suggère une *appendicite* (signe de Rovsing positif). Il en va de même de la douleur du quadrant inférieur droit à la *décompression brusque*.

■ cherchez un *psoïtis*. Placez votre main juste au-dessus du genou droit du patient et demandez-lui d'élever la cuisse malgré l'opposition de votre main. Vous pouvez aussi lui demander de se tourner sur le côté gauche : étendez alors son membre inférieur droit sur le bassin. La flexion de la hanche contracte le psoas, l'extension l'étire ;

Une augmentation de la douleur abdominale par l'une ou l'autre manœuvre indique une *irritation du psoas* par un appendice enflammé.

■ recherchez le *signe de l'obturateur*. Fléchissez la cuisse droite du patient au niveau de la hanche, genou plié, et effectuez une rotation interne du membre inférieur au niveau de la hanche. Cette manœuvre étire le muscle obturateur interne (la rotation interne de la hanche est illustrée p. 650) ;

Une douleur hypogastrique droite constitue *un signe de l'obturateur positif*, et indique une irritation du muscle obturateur par un appendice enflammé.

■ cherchez une *hyperesthésie cutanée*. En une série de points sur la partie inférieure de la paroi abdominale, formez doucement un pli cutané entre le pouce et l'index, sans pincer la peau. Normalement, cette manœuvre ne doit pas être douloureuse.

Au cours de cette manœuvre, une douleur dans tout ou une partie du quadrant inférieur droit peut accompagner une *appendicite*.

## Pour rechercher une éventuelle cholécystite

Quand une cholécystite aiguë est évoquée par une douleur spontanée et provoquée du quadrant supérieur droit, recherchez le *signe de Murphy*. Enfoncez le pouce gauche ou les doigts de la main droite « en crochet », sous le rebord costal, juste en dehors de l'insertion du muscle grand droit. Si le foie est augmenté de volume, enfoncez le pouce ou les doigts, en crochet, sous le bord du foie, en un point situé plus bas. Demandez au patient de respirer profondément, regardez-le pendant qu'il respire et notez l'intensité de la douleur.

Une exacerbation de la douleur bloquant l'inspiration constitue un *signe de Murphy positif* au cours d'une *cholécystite aiguë*. Une douleur hépatique peut aussi être augmentée par cette manœuvre, mais est en général moins bien localisée.

## Pour rechercher une hernie ventrale

Les hernies ventrales sont les hernies de la paroi abdominale antérieure, à l'exclusion des hernies inguinales et crurales. Si vous soupçonnez une hernie ombilicale ou une éventration, sans la voir, demandez au patient de soulever la tête et les épaules au-dessus de la table d'examen.

Cette manœuvre fera en général apparaître la hernie (voir p. 533).

Les hernies inguinales et crurales sont envisagées au chapitre 13 : « Organes génitaux de l'homme et hernies ». Elles peuvent être à l'origine de problèmes abdominaux importants et ne doivent pas être méconnues.

Une hernie crurale étranglée méconnue peut être la cause d'une occlusion intestinale ou d'une péritonite.

## Masse dans la paroi abdominale

***Pour différencier une masse intra-abdominale d'une masse pariétale.*** Une masse peut se trouver dans la paroi abdominale antérieure et non dans la cavité intra-abdominale. Demandez au patient de soulever la tête et les épaules ou de pousser comme s'il déféquait, donc de contracter sa sangle abdominale, et recherchez à nouveau la masse.

Une masse dans la paroi abdominale demeure palpable, alors qu'une masse intra-abdominale est masquée par la contraction musculaire.

# CONSIGNER VOS OBSERVATIONS

Notez qu'au début, vous pouvez faire des phrases pour décrire vos constatations. Plus tard, vous utiliserez des phrases courtes. Le style ci-dessous emploie des phrases convenant à la plupart des rapports écrits.

### Consigner l'examen physique : l'abdomen

« L'abdomen est proéminent avec des bruits intestinaux actifs. Il est mou et indolore ; pas de masse ni d'hépatosplénomégalie. Le foie a une hauteur de 7 cm sur la ligne médioclaviculaire droite ; son bord inférieur est lisse, palpable à 1 cm en dessous du rebord costal droit. La rate et les reins ne sont pas perçus. Pas de douleur dans les angles costovertébraux. »

**Ou**

« L'abdomen est plat. Pas de bruits intestinaux audibles. Il est ferme, dur comme du bois, sensible, avec une défense et une douleur à la décompression dans le quadrant inférieur droit. Matité hépatique de 7 cm sur la ligne médioclaviculaire ; bord inférieur non perçu. Rate et reins non perçus. Pas de douleur dans les angles costovertébraux. »

*Évoque une péritonite d'origine appendiculaire* (voir p. 471).

## Bibliographie

### RÉFÉRENCES

1. Hing E, Cherry DK, Woodwell DA. National ambulatory medical care survey: 2004 summary. Advance Data from Vital and Health Statistics 374. June 23, 2006. Centers for Disease Control and Prevention. Available at: http://www.cdc.gov/nchs/data/ad/ad374.pdf. Accessed September 23, 2007.
2. McCaig LF, Burt CW. National hospital ambulatory medical care survey: 2003 emergency department summary. Advance Data from Vital and Health Statistics 358. May 26, 2005. Centers for Disease Control and Prevention. Available at: http://www.cdc.gov/nchs/data/ad/ad358.pdf. Accessed September 23, 2007.
3. Talley NJ, Vakil NB, Moayyedi P, et al. American Gastroenterological Association technical review on the evaluation of dyspepsia. Gastroenterology 129(5):1756–1780, 2005.
4. Drossman DA. The functional gastrointestinal disorders and the Rome III process. Gastroenterology 130(5):1377–1390, 2007.
5. Ranji SR, Goldman LE, Simel DL, et al. Do opiates affect the clinical evaluation of patients with acute abdominal pain? JAMA 296(14):1764–1774, 2006.
6. Whitcomb DC. Acute pancreatitis. N Engl J Med 354(20): 2142–2150, 2006.
7. Trowbridge RL, Rutkowshi NK, Shojania KG. Does this patient have acute cholecystitis? JAMA 289(1):80–86, 2003.
8. Talley NJ, Vakil N. Practice guidelines: guidelines for management of dyspepsia. Am J Gastroenterol 100(10): 2324–2337, 2005.
9. DeVault KR, Castell DO. Updated guidelines for the diagnosis and treatment of gastroesophageal reflux disease. Am J Gastroenterol 100(1):190–200, 2005.
10. Vaezi MF, Hicks DM, Abelson TI, et al. Laryngeal signs and symptoms and gastroesophageal reflux disease (GERD): a critical assessment of cause and effect association. Gastroenterol Hepatol 1(5):333–344, 2003.
11. Talley NJ. American Gastroenterological Association medical position statement: evaluation of dyspepsia. Gastroenterology 129(5):1753–1755, 2005.
12. Shaheen N, Ransohoff DF. Gastroesophageal reflux, Barrett esophagus, and esophageal cancer. Scientific review. JAMA 287(15):1972–1981, 2002.
13. Moayyedi P, Talley NJ, Fennerty MB, et al. Can the clinical history distinguish between organic and functional dyspepsia? JAMA 295(13):1566–1576, 2006.
14. Paulson EK, Kalady MF, Pappas TN. Suspected appendicitis. N Engl J Med 348(3):236–242, 2003.
15. Horwitz BJ, Fisher RS. The irritable bowel syndrome. N Engl J Med 344(24):1846–1850, 2001.
16. Theilman NM, Guerrant RL. Acute infectious diarrhea. N Engl J Med 350(1):38–46, 2004.
17. Longstreth GF, Thompson WG, Chey WD, et al. Functional bowel disorders. Gastroenterology 130(5): 1480–1491, 2006. Available at: http://www.romecriteria.org/pdfs/p1480FBDs.pdf. Accessed October 5, 2007.

18. Grant BF, Dawson DA, Stinson FS, et al. The 12-month prevalence and trends in DSM-IV alcohol abuse and dependence: United States, 1991–1992 and 2001–2002. Drug and Alcohol Dependence 74(3):223–234, 2004.

19. Regier DA, Farmer ME, Rae DS, et al. Comorbidity of mental disorders with alcohol and other drug abuse: results from the Epidemiologic Catchment Study. JAMA 264(19): 2511–2518, 1990.

20. Saitz R. Unhealthy alcohol use. N Engl J Med 352(6): 596–607, 2005.

21. U.S. Preventive Services Task Force. Screening and Behavioral Counseling Interventions in Primary Care to Reduce Alcohol Misuse: Recommendation Statement. Rockville, MD, Agency for Healthcare Research and Quality, April 2004. Updated in Guide to Clinical Preventive Services, 2006. Available at: http://www.ahrq.gov/clinic/pocketgd/gcps2c.htm#Alcohol. Accessed September 6, 2007.

22. U.S. Preventive Services Task Force. Screening for hepatitis B infection; Screening for hepatitis C in adults. Guide to Clinical Preventive Services, 2006. Available at: http://www.ahrq.gov/clinic/pocketgd/gcps2b.htm#HepB. Accessed October 14, 2007.

23. Fiore AF, Wasley A, Bell BP. Recommendations of the Advisory Committee on Immunization Practices: prevention of hepatitis A through active or passive immunization. MMWR Morb Mortal Wkly Rep 55(RR07):1–23, 2006. Available at: http://www.cdc.gov/mmwr/preview/mmwrhtml/rr5507al.htm. Accessed October 14, 2007.

24. Mast E, Weinbaum CM, Fiore AE, et al. Recommendations of the Advisory Committee on Immunization Practices. Part II: Immunization of adults. A comprehensive immunization strategy to eliminate transmission of hepatitis B virus infection in the United States. MMWR Morb Mortal Wkly Rep 55(RR16):1–25, 2006. Available at: http://www.cdc.gov/mmwr/preview/mmwrhtml/rr5516a1.htm?s_cid=rr5516a1_e. Accessed October 14, 2007.

25. Centers for Disease Control and Prevention. National Center for HIV/AIDS, Viral Hepatitis, STD, and TB Prevention. Hepatitis C Fact Sheet. May 24, 2005. Available at: http://www.cdc.gov/ncidod/diseases/hepatitis/c/fact.htm. Accessed October 14, 2007.

26. American Cancer Society. Cancer Facts and Figures 2007. Atlanta, National Home Office. Available at: http://www.cancer.org/downloads/STT/CAFF2007PWSecured.pdf. Accessed October 14, 2007.

27. Winawer S, Fletcher R, Rex D, et al. Gastrointestinal Consortium Panel. Colorectal cancer screening and surveillance: clinical guidelines and rationale. Update based on new evidence. Gastroenterology 124(2):544–560, 2003.

28. Winawer S, Zauber A, Fletcher RH, et al. Guidelines for colonoscopy surveillance after polypectomy: a consensus update by the US Multi-Society Task Force on Colorectal Cancer and the American Cancer Society. Gastroenterology 130(6):1872–1885, 2006.

29. Collins JF, Leiberman DA, Dirbom TE, et al. Accuracy of screening for fecal occult blood on a single stool sample obtained by digital rectal examination: a comparison with recommended sampling practice. Ann Intern Med 142(2): 81–85, 2005.

30. Boolchand V, Olds G, Singh J, et al. Colorectal screening after polypectomy: a national survey study of primary care physicians. Ann Intern Med 145(9):654–659, 2006.

31. American Cancer Society. What are the risk factors for colorectal cancer? Available at: http://www.cancer.org/docroot/CRI/content/CRI_2_4_2X_What_are_the_risk_factors_for_colon_and_rectum_cancer.asp?sitearea=CRI&viewmode=print&. Accessed October 14, 2007.

32. American Cancer Society. Can colorectal polyps and cancer be found early? Available at: http://www.cancer.org/docroot/CRI/content/CRI_2_4_3X_Can_colon_and_rectum_cancer_be_found_early.asp. Accessed October 14, 2007.

33. Schatzkin A, Lanza E, Corle D, et al. Lack of effect of a low-fat, high-fiber diet on the recurrence of colorectal adenomas. N Engl J Med 342(16):1149–1155, 2000.

34. Alberts DS, Martinez ME, Roe DJ, et al. Lack of effect of a high-fiber cereal supplement on the recurrence of colorectal adenomas. N Engl J Med 342(16):1156–1162, 2000.

35. U.S. Preventive Services Task Force. Routine aspirin or non-steroidal anti-inflammatory drugs for the primary prevention of colorectal cancer: U.S. Preventive Services Task Force Recommendation Statement. Ann Intern Med 146(5):361–364, 2007.

36. McGee S. Chapter 47, Palpation and percussion of the abdomen; Chapter 48, Abdominal pain and tenderness. In Evidence-Based Physical Diagnosis. St. Louis, Saunders, 2007, pp. 553–555, 572–582.

37. Naylor CD. Physical examination of the liver. JAMA 271(23):1857–1859, 1994.

38. Grover SA, Barkun AN, Sackett DL. Does this patient have splenomegaly? JAMA 270(18):2218–2221, 1993.

39. U.S. Preventive Services Task Force. Screening for abdominal aortic aneurysm: recommendation statement. Ann Intern Med 142(3):198–202, 2005.

40. Birkmeyer JD, Upchurch GR. Evidence-based screening and management of abdominal aortic aneurysm (editorial). Ann Intern Med 146(10): 749–750, 2007.

41. Lederle FA, Simel DL. Does this patient have abdominal aortic aneurysm? JAMA 281(1):77–82, 1999.

42. Williams JW, Simel DL. Does this patient have ascites? How to divine fluid in the abdomen. JAMA 267(19):2645–2648, 1992.

## AUTRES LECTURES

### Examen de l'abdomen

Fink HA, Lederle FA, Rptj CS. The accuracy of physical examination to detect abdominal aortic aneurysm. Arch Intern Med 160(6):833–836, 2000.

Kim LG, Scott AP, Ashton HA, et al. A sustained mortality benefit from screening for abdominal aortic aneurysm. Ann Intern Med 146(10): 696–706, 2007.

McGee SR. Percussion and physical diagnosis: separating myth from science. Dis Mon 41(10):641–688, 1995.

Silen W, Cope Z. Cope's Early Diagnosis of the Acute Abdomen, 21st ed. Oxford, UK, and New York, Oxford University Press, 2005.

# BIBLIOGRAPHIE

Sleisenger MH, Feldman M, Griedman LS, et al (eds). Sleisenger and Fortran's Gastrointestinal and Liver Disease: Pathophysiology, Diagnosis, Management, 8th ed. Philadelphia, WB Saunders, 2006.

Turnbull JM. Is listening for abdominal bruits useful in the evaluation of hypertension? JAMA 274(16):1299–1301, 1995.

Yamamoto W, Kono H, Maekawa H, et al. The relationship between abdominal pain regions and specific diseases: an epidemiologic approach to clinical practice. J Epidemiol 7(1):27–32, 1997.

## Examen du foie

Meidl EJ, Ende J. Evaluation of liver size by physical examination. J Gen Intern Med 8(11):635–637, 1993.

Zoli M, Magliotti D, Drimaldi M, et al. Physical examination of the liver: is it still worth it? Am J Gastroenterol 90(9):1428–1432, 1995.

## Examen de la rate

Barkun ANB, Camus M, Green L, et al. The bedside assessment of splenic enlargement. Am J Med 91(5):512–518, 1991.

Barkun AN, Camus M, Meagher T, et al. Splenic enlargement and Traube's space: how useful is percussion? Am J Med 87(5):562–566, 1989.

Tamayo SG, Rickman LS, Matthews WC, et al. Examiner dependence on physical diagnostic tests of splenomegaly: a prospective study with multiple observers. J Gen Intern Med 8(2):69–75, 1993.

## Affections digestives

American Gastroenterological Association. American Gastroenterological Association Medical Position Statement: guidelines on constipation. Gastroenterology 119(6):1761–1778, 2000.

Bak E, Raman G, Chung M, et al. Effectiveness of management strategies for renal artery stenosis: a systematic review. Ann Intern Med 145(12):901–912, 2006.

Craig AS, Schaffner W. Prevention of hepatitis A with the hepatitis A vaccine. N Engl J Med 350(5):476–480, 2004.

Lembo A, Camilleri M. Chronic constipation. N Engl J Med 349(14):1360–1368, 2003.

Mertz HR. Irritable bowel syndrome. N Engl J Med 349(22):2136–2146, 2003.

Ouslander JG. Management of the overactive bladder. N Engl J Med 350(8):786–799, 2004.

Shaheen N, Ransohoff DF. Gastroesophageal reflux, Barrett esophagus, and esophageal cancer: clinical applications. JAMA 287(15):1982–1986, 2002.

Thielman NM, Guerrant RL. Acute infectious diarrhea. N Engl J Med 350(1):38–47, 2004.

| Problème | Physiopathologie | Localisation | Qualité |
|----------|------------------|--------------|---------|
| Ulcère peptique et dyspepsie[3,4] | Un ulcère peptique désigne un ulcère démontrable, en général duodénal ou gastrique. Une dyspepsie donne des symptômes similaires, mais il n'y a pas d'ulcère. Une infection à *Helicobacter pylori* est souvent présente | Épigastrique, peut irradier dans le dos | Variable : à type de tiraillement, de brûlure, térébrante, sourde, à type de pesanteur ou donnant une sensation de faim |
| Cancer de l'estomac | Adénocarcinome dans 90-95 % des cas | Au niveau du « cardia », de la jonction œsogastrique, mais aussi dans la partie distale de l'estomac | Variable |
| Pancréatite aiguë[6] | Inflammation aiguë du pancréas | Épigastrique, peut irradier dans le dos ou d'autres parties de l'abdomen ; peut être mal localisée | Habituellement permanente |
| Pancréatite chronique | Fibrose du pancréas secondaire à une inflammation récidivante | Épigastrique, irradiant dans le dos | Permanente, profonde |
| Cancer du pancréas | Adénocarcinome dans 95 % des cas | Épigastrique ou dans l'un des quadrants supérieurs, irradiant souvent dans le dos | Permanente, profonde |
| Colique hépatique | Obstruction aiguë du canal cystique ou du canal cholédoque par un calcul biliaire | Épigastrique ou dans le quadrant supérieur droit ; peut irradier à l'omoplate ou à l'épaule droites | Permanente, pénible, *pas à type de colique* |
| Cholécystite aiguë[7] | Inflammation de la vésicule biliaire habituellement provoquée par une obstruction permanente du canal cystique par un calcul biliaire | Quadrant supérieur droit ou abdominale supérieure ; peut irradier à la région de l'omoplate droite | Permanente, pénible |
| Diverticulite aiguë | Inflammation aiguë d'un diverticule colique, évagination muqueuse en forme de sac à travers la paroi musculaire colique | Quadrant inférieur gauche | Peut être à type de colique au début mais devient permanente |
| Appendicite aiguë[14] | Inflammation aiguë de l'appendice avec distension et obstruction | ■ *Douleur péri-ombilicale* mal localisée<br><br>■ Suivie habituellement par une *douleur du quadrant inférieur droit* | ■ Faible mais croissante, parfois à type de crampe<br><br>■ Permanente et plus sévère |
| Occlusion intestinale aiguë | Occlusion de la lumière intestinale le plus souvent par (1) des adhérences, des hernies (intestin grêle), (2) un cancer ou une diverticulite (côlon) | ■ *Intestin grêle* : péri-ombilicale ou abdominale supérieure<br><br>■ *Côlon* : abdominale inférieure ou diffuse | ■ À type de colique<br><br>■ À type de colique |
| Ischémie mésentérique | Interruption de l'irrigation sanguine de l'intestin et du mésentère, par thrombose ou embolie (occlusion artérielle aiguë), ou diminution par hypoperfusion | Peut être péri-ombilicale au début, puis diffuse | À type de colique au début, puis permanente |

| Chronologie | Facteurs d'aggravation | Facteurs d'amélioration | Symptômes associés et circonstances de survenue |
|---|---|---|---|
| Intermittente. Un ulcère duodénal est plus souvent qu'un ulcère gastrique ou une dyspepsie à l'origine d'une douleur qui (1) réveille le patient la nuit et (2) survient durant quelques semaines puis disparaît pendant des mois et récidive | Variable | L'alimentation et les antiacides peuvent soulager, mais pas nécessairement et moins souvent dans l'ulcère gastrique | Nausées, vomissements, éructations, ballonnement, pyrosis (plus fréquent dans l'ulcère duodénal). Amaigrissement (plus fréquent dans l'ulcère gastrique). Une dyspepsie est plus fréquente chez les sujets jeunes (20-29 ans), un ulcère gastrique chez les plus âgés (> 50 ans) et un ulcère duodénal chez ceux de 30 à 60 ans |
| L'histoire de la douleur est typiquement plus brève que dans l'ulcère peptique. La douleur persiste et s'aggrave progressivement | Souvent l'alimentation | *Non* soulagée par l'alimentation ou les antiacides | Anorexies, nausées, satiété précoce, perte de poids et parfois saignement. Le plus souvent entre 50 et 70 ans |
| Début aigu, douleur persistante | Décubitus dorsal | Attitude penchée en avant, tronc fléchi | Nausées, vomissements, distension abdominale, fièvre. Antécédents fréquents d'accès antérieurs, d'alcoolisme ou de lithiase biliaire |
| Évolution chronique et récidivante | Alcool, repas copieux ou gras | Éventuellement attitude penchée en avant, tronc fléchi ; souvent rebelle | Des symptômes d'atteinte de la fonction pancréatique peuvent apparaître : diarrhée avec selles graisseuses (stéatorrhée) et diabète sucré |
| Douleur persistante, maladie progressant sans rémission | | Éventuellement attitude penchée en avant, tronc fléchi ; souvent rebelle | Anorexie, nausées, vomissements, amaigrissement et ictère. Dépression |
| Début progressif sur quelques minutes ; dure une à plusieurs heures et disparaît progressivement. Souvent récidivante | | | Anorexie, nausées, vomissements, agitation |
| Début progressif, évolution plus longue que dans la colique hépatique | Secousses, respiration profonde | | Anorexie, nausées, vomissements et fièvre |
| Début souvent progressif | | | Fièvre, constipation. Il peut y avoir une brève diarrhée au début |
| ■ Durée d'environ 4 à 6 heures | | | Anorexie, nausées, voire vomissements, qui typiquement suivent l'installation de la douleur ; fébricule |
| ■ Dépendant de l'intervention | ■ Mouvements ou toux | ■ Si elle disparaît transitoirement, suspecter une perforation de l'appendice | |
| ■ Survient par paroxysmes ; peut diminuer parallèlement à l'atteinte de la motricité intestinale | | | ■ Vomissements de bile et de mucus (lors d'une occlusion haute) ou de débris fécaux fétides (lors d'une occlusion basse). L'occlusion se constitue |
| ■ Paroxystique, mais typiquement moins marquée | | | ■ Vomissements tardifs, voire absents. L'occlusion survient précocement. Symptômes antérieurs de l'affection sous-jacente |
| Début en général brusque, puis persistance | | | Vomissements, diarrhée (parfois sanglante), constipation, choc |

| Étiopathogénie | Chronologie | Facteurs d'aggravation | Facteurs d'amélioration | Symptômes et affections associés |
|---|---|---|---|---|
| **Dysphagie haute**, *due à des troubles moteurs atteignant les muscles du pharynx* | Début aigu ou progressif et évolution variable dépendant de l'affection sous-jacente | Tentatives de déclenchement du processus de déglutition | | Inhalation d'aliments dans les poumons ou régurgitation nasale lors des essais de déglutition. Signes neurologiques d'AVC, paralysie bulbaire ou autres troubles neuromusculaires |
| **Dysphagie œsophagienne** *Rétrécissement mécanique* | | | | |
| ■ Anneaux et diaphragmes de la muqueuse | Intermittente | Aliments solides | Régurgitation du bol alimentaire | Habituellement aucun |
| ■ Rétrécissement œsophagien | Intermittente, peut s'aggraver lentement | Aliments solides | Régurgitation du bol alimentaire | Antécédents anciens de pyrosis et de régurgitation |
| ■ Cancer œsophagien | Peut être intermittente au début ; s'aggrave au fil des mois | Aliments solides puis, avec l'aggravation, liquides | Régurgitation du bol alimentaire | Douleur thoracique et dorsale et amaigrissement tard dans l'évolution de la maladie |
| **Troubles de la motricité** | | | | |
| ■ Spasmes diffus de l'œsophage | Intermittente | Solides ou liquides | Manœuvres décrites ci-dessous ; parfois les dérivés nitrés | Douleur thoracique simulant un angor ou un infarctus du myocarde et durant plusieurs minutes à des heures ; possiblement pyrosis |
| ■ Sclérodermie | Intermittente, peut s'aggraver lentement | Solides ou liquides | Déglutitions répétées ; mouvements tels que raidir le dos, relever les bras ou une manœuvre de Valsalva (effort de poussée à glotte fermée) | Pyrosis. Autres manifestations de la sclérodermie |
| ■ Achalasie | Intermittente, peut s'aggraver | Solides ou liquides | | Régurgitations, souvent la nuit en décubitus dorsal, avec toux nocturne ; douleur thoracique provoquée par l'ingestion de nourriture |

| Problème | Physiopathologie | Circonstances de survenue et symptômes associés |
|---|---|---|
| **Activités et habitudes de la vie** | | |
| *Moment ou circonstances inadéquats à la défécatin* | Se retenir d'aller à la selle inhibe le réflexe de défécation | Vie trépidante, environnement étranger, repos au lit |
| *Notions erronées sur le transit intestinal* | Attente de selles « régulières » ou plus fréquentes que le rythme propre à chaque individu | Croyances, traitements et publicités promouvant l'usage des laxatifs |
| *Régime pauvre en fibres* | Volume des selles réduit | D'autres facteurs tels qu'un état de faiblesse ou des médicaments constipants peuvent jouer un rôle |
| **Syndrome de l'intestin irritable**[15] | Modifications de la fréquence ou de la forme des selles, sans anomalie chimique ou structurelle | Selles petites et dures, contenant souvent du mucus ; périodes de diarrhée ; douleurs abdominales intermittentes pendant 12 semaines ou plus dans les 12 mois écoulés, soulagées par la défécation ; le stress peut aggraver les troubles |
| **Obstruction mécanique** *Cancer du rectum ou du côlon sigmoïde* | Rétrécissement progressif de la lumière intestinale | Modification de la défécation ; souvent diarrhée, douleurs abdominales et saignement. Dans le cancer du rectum, ténesme et selles en forme de crayon |
| *Fécalome* | Masse fécale volumineuse, dure, immobile, le plus souvent de siège rectal | Plénitude rectale, douleurs abdominales et diarrhée accompagnent le fécalome. Fréquent chez les dénutris, les alités et souvent les personnes âgées |
| *Autres lésions obstructives (telles que diverticulite, volvulus, invagination ou hernie)* | Rétrécissement ou obstruction complète de l'intestin | Douleurs abdominales à type de colique, distension abdominale et, dans l'invagination, selles souvent « gelée de groseilles » (sang rouge et mucus) |
| **Lésions anales douloureuses** | Une douleur peut provoquer un spasme du sphincter externe et une inhibition volontaire du réflexe de défécation | Fissures anales, hémorroïdes douloureuses, abcès périrectaux |
| **Médicaments** | Mécanismes variés | Opiacés, anticholinergiques, antiacides contenant du calcium et de l'aluminium, et beaucoup d'autres |
| **Dépression** | Trouble de l'humeur. Voir tableau 5-2 : « Troubles de l'humeur » | Fatigue, anhédonie, troubles du sommeil, perte de poids |
| **Troubles neurologiques** | Interférence avec l'innervation autonome de l'intestin | Lésions médullaires, sclérose en plaques, maladie de Hirschsprung et autres affections |
| **Troubles métaboliques** | Interférence avec la motricité intestinale | Grossesse, hypothyroïdie, hypercalcémie |

| Problème | Physiopathologie | Caractéristiques des selles |
|---|---|---|
| **Diarrhée aiguë**[16] *Diarrhée infectieuse sécrétoire* | Infection par des virus, des toxines bactériennes (staphylocoques dorés, *Clostridium perfringens*, certains *Escherichia coli*, *Vibrio cholerae*), *Cryptosporidium*, *Giardia lamblia* | Aqueuses, sans sang, pus ou mucus |
| *Diarrhée infectieuse inflammatoire* | Colonisation ou invasion de la muqueuse intestinale (*Salmonella* non *typhi*, *Shigella*, *Yersinia*, *Campylobacter*, certains *E. coli*, *Entamoeba histolytica*) | De sans consistance à aqueuses, souvent avec du sang, du pus ou du mucus |
| **Diarrhée induite par des médicaments** | Action de nombreux médicaments tels que les antiacides contenant du magnésium, des antibiotiques, des agents anticancéreux et des laxatifs | De sans consistance à aqueuses |
| **Diarrhée chronique** *Syndrome diarrhéique* ■ Syndrome de l'intestin irritable[15] | Modifications de la fréquence et de la forme des selles sans anomalie chimique ou structurelle | Sans consistance, pouvant contenir du mucus mais non du sang. Selles petites et dures avec constipation |
| ■ Cancer du côlon sigmoïde | Obstruction partielle par une néoplasie maligne | Peuvent être striées de sang |
| *Maladie inflammatoire de l'intestin* ■ Rectocolite hémorragique (colite ulcéreuse) | Inflammation de la muqueuse et de la sous-muqueuse du rectum et du côlon, avec des ulcérations ; typiquement, part du rectum et remonte sur le côlon | De molles à aqueuses, contenant souvent du sang |
| ■ Maladie de Crohn du grêle (iléite régionale) ou du côlon (colite granulomateuse) | Inflammation chronique discontinue de la paroi colique ; typiquement, atteint l'iléon terminal et/ou le côlon proximal | Petites, molles, sans consistance ou aqueuses, habituellement dépourvues de sang macroscopiquement visible (iléite) ou avec saignement moindre que dans la colite ulcéreuse (colite) |
| *Diarrhée abondante* ■ Syndrome de malabsorption | Défaut d'absorption des graisses et des vitamines liposolubles, avec stéatorrhée (excrétion excessive de graisses) dans l'insuffisance pancréatique, le déficit en sels biliaires, la pullulation bactérienne | Typiquement volumineuses, molles, jaune clair à grises, en bouillie, graisseuses ou huileuses et parfois mousseuses ; particulièrement nauséabondes ; flottant en général dans la cuvette des WC |
| ■ Diarrhée osmotique   Intolérance au lactose | Déficit en lactase intestinale | Diarrhée aqueuse de grande abondance |
|   Abus de laxatifs osmotiques | Pratiques laxatives souvent inavouées | Diarrhée aqueuse de grande abondance |
| ■ Diarrhée sécrétoire due à une infection bactérienne, un adénome villeux sécrétant, une malabsorption des graisses et des sels biliaires, une affection à composante hormonale (gastrine dans le syndrome de Zellinger-Ellison, peptide vasointestinal) | Variable | Diarrhée aqueuse de grande abondance |

| Chronologie | Symptômes associés | Circonstances de survenue, personnes à risque |
|---|---|---|
| Durée de quelques jours, parfois plus. Un déficit en lactase peut entraîner une évolution prolongée | Nausées, vomissements, douleur péri-ombilicale à type de colique. Température normale ou peu élevée | Souvent un voyage, une origine alimentaire banale, ou une épidémie |
| Maladie aiguë de durée variable | Douleurs abdominales basses à type de colique et souvent épreintes, ténesme ; fièvre | Voyage, eau ou aliments contaminés. Hommes et femmes pratiquant la sodomie |
| Aiguë, à rechutes, ou chronique | Nausées possibles ; douleur habituellement modérée ou absente | Médicaments sur prescription ou sans ordonnance |
| Maximum souvent matinal. La diarrhée réveille rarement le patient la nuit | Douleurs abdominales basses à type de colique, distension abdominale, flatulence, nausées et constipation | Adultes jeunes et d'âge moyen, en particulier les femmes |
| Variable | Modification de la défécation, douleur abdominale basse à type de colique, constipation | Adultes d'âge moyen et mûr, en particulier au-delà de 55 ans |
| Début allant d'insidieux à aigu. Typiquement à rechutes ; peut persister. La diarrhée peut réveiller le patient la nuit | Douleurs à type de colique, abdominales basses ou diffuses ; anorexie, faiblesse musculaire, fièvre dans les formes sévères. Autres signes : épisclérite, uvéite, arthrite, érythème noueux | Souvent des sujets jeunes. Risque accru de cancer du côlon |
| Début insidieux, chronique ou à rechutes. La diarrhée peut réveiller le patient la nuit | Douleurs à type de colique, péri-ombilicales, du quadrant inférieur droit (iléite) ou diffuses (colite) ; anorexie, fébricule et/ou amaigrissement. Abcès et fistules péri-anaux ou péri-rectaux. Peut provoquer une occlusion du grêle ou du côlon | Sujets souvent jeunes, particulièrement des adolescents, mais également d'âge moyen. Plus fréquente chez les sujets d'ascendance juive. Risque accru de cancer du côlon |
| Début de la maladie typiquement insidieux | Anorexie, amaigrissement, fatigue, distension abdominale, douleurs abdominales basses, souvent à type de colique. Symptômes de carence nutritionnelle comme une hémorragie (vitamine K), des douleurs et des fractures osseuses (vitamine D), une glossite (vitamine B) et des œdèmes (protéines) | Variables, dépendant de la cause |
| Suit l'ingestion de lait ou de produits laitiers ; est calmée par le jeûne | Douleurs abdominales à type de colique, distension abdominale, flatulence | Chez plus de 50 % des Afro-Américains, Asiatiques, Amérindiens et Hispaniques ; chez 5-20 % des caucasiens |
| Variable | Souvent aucun | Sujets atteints d'anorexie mentale ou de boulimie |
| Variable | Amaigrissement, déshydratation, nausées, vomissements, et douleurs abdominales à type de colique | Variables, dépendant de la cause |

TABLEAU 11-5     Selles noires et sanglantes

| Problème | Causes sélectionnées | Symptômes associés et circonstances de survenue |
|---|---|---|
| **Melaena**<br>Émission de selles noires (collantes et luisantes). La recherche de sang dans les selles est positive. Un melaena signifie la perte d'au moins 60 mL de sang dans le tube digestif (moins chez les enfants et les nourrissons), provenant habituellement de l'œsophage, de l'estomac et du duodénum. Plus rarement, si le transit est ralenti, le sang peut provenir du jéjunum, de l'iléon ou du côlon ascendant. Chez un nouveau-né, un melaena peut résulter d'une déglutition de sang durant l'accouchement | Ulcère peptique | Antécédent fréquent, mais non constant, de douleur gastrique |
| | Gastrite ou ulcère de stress | Ingestion récente d'alcool, d'aspirine ou d'autres médicaments anti-inflammatoires, trauma corporel récent, brûlures étendues, chirurgie ou hypertension intracrânienne |
| | Varices œsophagiennes ou gastriques | Cirrhose du foie ou autre cause d'hypertension portale |
| | | Antécédents de pyrosis |
| | Œsophagite par reflux Syndrome de Mallory-Weiss, une déchirure de la muqueuse œsophagienne due aux nausées et aux vomissements | Nausées, vomissements, souvent ingestion récente d'alcool |
| **Selles noires non collantes**<br>Peuvent résulter d'autres causes ; le résultat de la recherche de sang occulte est alors habituellement négatif (l'ingestion de fer ou d'autres substances peut cependant positiver le test en l'absence de sang). Ces selles n'ont pas de signification pathologique | Ingestion de fer, de sels de bismuth, de réglisse, ou même de gâteaux au chocolat du commerce | |
| **Sang rouge dans les selles**<br>Le sang rouge provient habituellement du côlon, du rectum ou de l'anus, beaucoup plus rarement du jéjunum ou de l'iléon. Une hémorragie gastro-intestinale haute peut aussi donner des selles rouges. Le volume de sang perdu est alors habituellement élevé (plus d'un litre). Un transit intestinal rapide ne laisse pas assez de temps au sang pour noircir | Cancer du côlon | Fréquente modification du transit |
| | Polypes bénins du côlon | Souvent aucun autre symptôme |
| | Diverticules du côlon | Souvent aucun autre symptôme |
| | Affections inflammatoires du côlon et du rectum : | |
| | ▪ rectocolite hémorragique, maladie de Crohn<br>▪ diarrhée infectieuse | Voir tableau 11-4 : « Diarrhée » |
| | ▪ proctite (causes diverses) due à la sodomie | Voir tableau 11-4 : « Diarrhée » Épreintes, ténesme |
| | Colite ischémique | Douleurs abdominales basses, parfois fièvre et choc chez les personnes âgées. Abdomen typiquement souple à la palpation |
| | Hémorroïdes | Sang sur le papier toilette, à la surface des selles, ou coulant goutte à goutte dans la cuvette des WC |
| | Fissure anale | Sang sur le papier toilette ou à la surface des selles, douleur anale |
| **Selles rougeâtres mais non sanglantes** | Ingestion de betteraves | Urines rosées précédant habituellement l'émission de selles rougeâtres |

TABLEAU 11-6    Pollakiurie, nycturie et polyurie

| Problème | Mécanismes | Causes sélectionnées | Symptômes associés |
|---|---|---|---|
| **Pollakiurie** | Diminution de la capacité vésicale : | | |
| | ■ sensibilité vésicale à l'étirement accrue du fait d'une inflammation | *Infection*, calculs, tumeur ou corps étranger de la vessie | Brûlures mictionnelles, miction impérieuse, parfois hématurie macroscopique |
| | ■ diminution d'élasticité de la paroi vésicale | Infiltration par du tissu cicatriciel ou une tumeur | Des symptômes d'une inflammation associée (voir plus haut) sont habituels |
| | ■ diminution de l'inhibition corticale des contractions vésicales | Atteinte du motoneurone supérieur au cours d'un AVC | Miction impérieuse ; symptômes neurologiques tels que faiblesse musculaire et paralysie |
| | Défaut de vidange vésicale avec résidu urinaire vésical : | | |
| | ■ obstruction mécanique partielle du col vésical ou de l'urètre proximal | Le plus souvent hypertrophie bénigne de la prostate ; également rétrécissement de l'urètre et autres lésions obstructives de la vessie ou de la prostate | Symptômes obstructifs antérieurs : difficultés à démarrer le jet urinaire, nécessité de pousser pour vider la vessie, diminution de force et de volume du jet, et émission d'urines goutte à goutte pendant ou à la fin de la miction |
| | ■ perte de l'innervation périphérique de la vessie | Maladies neurologiques atteignant les nerfs ou les racines sacrés : par exemple, neuropathie diabétique | Faiblesse musculaire et déficits sensitifs |
| **Nycturie** *De grande abondance* | La plupart des types de polyurie (voir p. 447) | | |
| | Diminution du pouvoir de concentration du rein avec perte de la réduction normale du flux urinaire nocturne | Insuffisance rénale chronique due à de nombreuses maladies | Éventuellement d'autres symptômes d'insuffisance rénale |
| | Absorption excessive de liquides avant le coucher | Habitudes, concernant en particulier l'alcool et le café | |
| | États de rétention de liquides et œdèmes. Accumulation d'œdèmes déclives durant le jour, excrétés ensuite durant le décubitus nocturne | Insuffisance cardiaque congestive, syndrome néphrotique, cirrhose du foie avec ascite, insuffisance veineuse chronique | Œdèmes et autres symptômes de la maladie sous-jacente. La diurèse peut diminuer durant le jour pendant que les liquides s'accumulent à nouveau dans le corps. Voir tableau 12-5 : « Causes périphériques d'œdème » |
| *De faible abondance* | Pollakiurie sans polyurie Miction lors de lever nocturne sans réel besoin, ou « pseudo-pollakiurie » | Insomnie | Variables |
| **Polyurie** | Déficit en hormone antidiurétique (diabète insipide) | Pathologie de la posthypophyse et de l'hypothalamus | Soif et polydipsie souvent sévère et permanente ; nycturie |
| | Insensibilité rénale à l'hormone antidiurétique (diabète insipide néphrogénique) | De nombreuses maladies rénales, incluant la néphropathie de l'hypercalcémie et de l'hypokaliémie ; toxicité médicamenteuse, par exemple du lithium | Soif et polydipsie souvent sévère et permanente ; nycturie |
| | Diurèse osmotique : | | |
| | ■ électrolytes, tels que des sels de sodium | Perfusions salines abondantes, diurétiques puissants, certaines néphropathies | Variables |
| | ■ non électrolytes, comme le glucose | Diabète sucré déséquilibré | Soif, polydipsie et nycturie |
| | Absorption excessive d'eau | Polydipsie primaire | La polydipsie tend à être épisodique La soif peut manquer La nycturie manque souvent |

TABLEAU 11-7     Incontinence urinaire*

| Problème | Mécanismes |
|---|---|
| **Incontinence d'effort**<br>Le sphincter urétral est affaibli si bien que des élévations transitoires de pression intra-abdominale augmentent la pression vésicale à des niveaux dépassant la résistance urétrale | Chez les femmes, le plus souvent une faiblesse musculaire du plancher pelvien avec soutien musculaire inadéquat de la vessie et de l'urètre proximal, et une modification de l'angle entre la vessie et l'urètre. Les causes possibles incluent l'accouchement et la chirurgie. Des conditions locales affectant le sphincter urétral interne, telles qu'une atrophie postméno-pausique de la muqueuse et une infection urétrale, peuvent également jouer un rôle<br><br>Chez les hommes, l'incontinence d'effort peut faire suite à la chirurgie prostatique |
| **Mictions impérieuses**<br>Les contractions du détrusor sont plus fortes que la normale et dépassent la résistance urétrale normale. Typiquement, la vessie est petite | ■ Diminution de l'inhibition corticale des contractions du détrusor comme lors d'AVC, de tumeurs cérébrales, de démences et de lésions de la moelle épinière au-dessus du niveau sacré<br><br>■ Hyperexcitabilité des voies sensitives due, par exemple, à des infections vésicales, à des tumeurs ou à un fécalome<br><br>■ Déconditionnement des réflexes de miction dû, par exemple, à des mictions volontaires fréquentes alors que la vessie est peu remplie |
| **Incontinence par regorgement**<br>Les contractions du détrusor sont insuffisantes pour sur-monter la résistance urétrale. La vessie est typiquement de grand volume même après un effort de miction | ■ Obstruction de l'urètre prostatique comme lors de l'hypertrophie bénigne ou du cancer de la prostate<br><br>■ Faiblesse du muscle détrusor associée à une maladie du motoneurone inférieur au niveau sacré<br><br>■ Diminution de la sensibilité vésicale interrompant l'arc réflexe comme dans la neuropathie diabétique |
| **Incontinence fonctionnelle**<br>Incapacité fonctionnelle à aller aux toilettes du fait d'un mauvais état de santé ou des conditions environnementales | Problème de mobilité résultant d'une faiblesse mus-culaire, d'un rhumatisme, d'une baisse de vision ou d'autres troubles. Des facteurs dus à l'environnement tels qu'un cadre étranger, l'éloignement des toilettes, les barrières de lit ou les contentions physiques |
| **Incontinence secondaire à des médicaments**<br>Des médicaments peuvent contribuer à tous les types d'incontinence de la liste ci-dessus | Sédatifs, tranquillisants, anticholinergiques, inhibi-teurs du sympathique et diurétiques puissants |

*Certains patients peuvent avoir plusieurs sortes d'incontinence.

| Symptômes | Signes physiques |
|---|---|
| Perte transitoire de faibles quantités d'urine lors de la toux, du rire, d'un éternuement chez une personne en position debout. Une envie d'uriner n'est pas associée à une incontinence d'effort pure | On ne peut déceler la vessie à la palpation abdominale<br><br>On peut démontrer une incontinence d'effort, en particulier si le patient est examiné avant la miction et en position debout<br><br>Une vaginite atrophique peut être manifeste |
| Incontinence précédée d'une envie impérieuse d'uriner. Le volume tend à être petit<br><br>Impériosité<br><br>Pollakiurie et nycturie de volume moyen ou petit<br><br>En cas d'inflammation aiguë, douleur à la miction<br><br>Possibilité de « pseudo-incontinence d'effort » : miction 10 à 20 secondes après des stimulations comme un changement de position, la montée ou la descente d'escalier et éventuellement la toux, le rire ou un éternuement | On ne peut déceler la vessie à la palpation abdominale<br><br>Quand l'inhibition corticale est diminuée, des signes de maladie du motoneurone supérieur ou des troubles mentaux existent souvent, mais pas obligatoirement<br><br>En cas d'hyperexcitabilité des voies sensitives, il peut exister des signes de lésions pelviennes locales ou un fécalome |
| Un écoulement d'urine continu ou des mictions goutte à goutte<br><br>Diminution de la force du jet urinaire<br><br>Il peut exister des symptômes anciens d'obstruction urinaire partielle ou actuels de maladie neurologique périphérique | On découvre souvent à la palpation abdominale une vessie augmentée de volume et sensible. Les autres signes possibles incluent une augmentation de volume de la prostate, des signes de maladie du motoneurone inférieur, une diminution de sensibilité y compris de la sensibilité du périnée, et une diminution ou une abolition des réflexes |
| Incontinence en se rendant aux toilettes ou seulement au petit matin | On ne peut déceler la vessie à l'examen physique. Pensez aux facteurs liés à l'état physique ou à l'environnement comme causes probables |
| Variables. Une étude minutieuse des antécédents et du dossier est importante | Variables |

Les voussures localisées de la paroi abdominale comprennent les *hernies de la paroi abdominale antérieure* (par un défect pariétal) et les tumeurs sous-cutanées (comme les *lipomes*). Les hernies ventrales les plus fréquentes sont ombilicales, postopératoires et épigastriques. On y range parfois le diastasis des grands droits. En général, hernies et diastasis des droits deviennent plus nets quand le patient, couché sur le dos, soulève la tête et les épaules au-dessus du plan du lit.

**NOURRISSON**

## Hernie ombilicale

Une protrusion par un anneau ombilical défaillant est plus fréquente chez le nourrisson que chez l'adulte. Chez le nourrisson, mais pas chez l'adulte, elle guérit en général spontanément, avant l'âge de 1 à 2 ans.

## Diastasis des grands droits

Séparation des deux muscles grands droits, par laquelle le contenu abdominal fait saillie pour réaliser un bourrelet médian, quand le patient soulève la tête et les épaules. La multiparité, l'obésité et les maladies pulmonaires chroniques y prédisposent. Il n'a pas de conséquences cliniques.

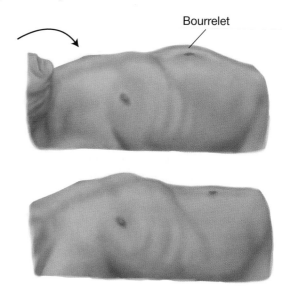

Bourrelet

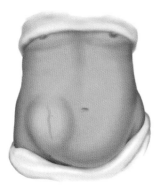

## Éventration (ou hernie) postopératoire

C'est une protrusion par une cicatrice de laparotomie. À la palpation, notez la largeur et la longueur du défect pariétal. Un petit défect, traversé par une hernie volumineuse, a un risque de complications plus élevé qu'un grand défect.

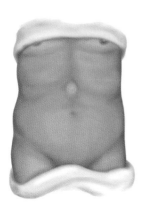

## Hernie épigastrique

Petite saillie sur la ligne médiane, par un défect de la ligne blanche, en un point situé entre l'appendice xiphoïde et l'ombilic. Cherchez-la sur un patient ayant soulevé la tête et les épaules au-dessus du plan du lit (ou debout), en parcourant la ligne blanche avec la pulpe des doigts.

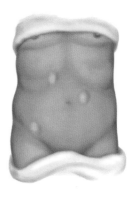

## Lipome

Tumeurs graisseuses fréquentes et bénignes, localisées dans les tissus sous-cutanés, en n'importe quel point du corps, y compris la paroi abdominale. Petits ou gros, ils sont généralement mous et souvent lobulés. Quand vous appuyez sur le sommet d'un lipome avec un doigt, typiquement, la tumeur fuit sous le doigt.

## TABLEAU 11-9     Abdomens proéminents

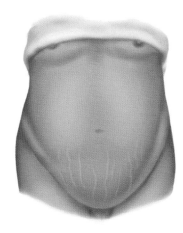

### Adiposité

La graisse est la cause la plus fréquente d'abdomen proéminent. Elle épaissit la paroi abdominale, le mésentère et l'épiploon. L'ombilic peut sembler enfoui. Un tablier de graisse peut descendre en dessous des arcades crurales. Soulevez-le pour rechercher une inflammation des plis cutanés, voire une hernie cachée.

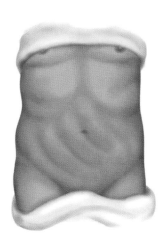

### Météorisme (gaz)

La distension gazeuse peut être localisée ou généralisée. Elle donne un tympanisme à la percussion. La production accrue de gaz, due à certains aliments, peut entraîner une légère distension. Plus graves sont l'occlusion intestinale et l'iléus paralytique. Notez le siège de la distension. Celle-ci est plus marquée dans l'obstruction du côlon que dans celle du grêle.

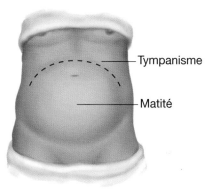

### Tumeur

Une volumineuse tumeur pleine, montant du pelvis, est mate à la percussion. L'intestin plein de gaz est repoussé vers la périphérie de l'abdomen. Parmi les causes, citons les tumeurs ovariennes et les fibromes utérins. Quelquefois, une vessie très distendue peut être prise pour une tumeur.

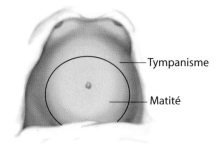

### Grossesse

La grossesse est une cause classique de « tumeur » pelvienne. Recherchez les bruits du cœur fœtal à l'auscultation (voir p. 927-928).

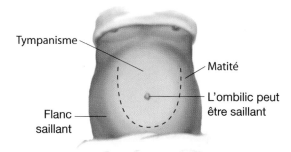

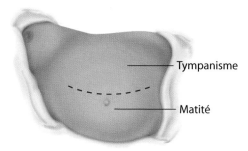

### Liquide d'ascite[42]

Le liquide d'ascite se rassemble dans les points les plus bas de l'abdomen, faisant saillir les flancs, qui sont mats à la percussion. L'ombilic peut faire saillie. Tournez le patient sur le côté pour vérifier le déplacement du niveau liquide (et de la matité) (voir p. 469-470 pour l'évaluation des ascites).

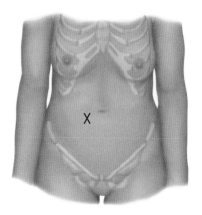

## Bruits de l'intestin

Les bruits intestinaux peuvent être :
- *augmentés* (diarrhée ou *début d'occlusion intestinale*) ;
- *diminués*, puis abolis (*iléus paralytique et péritonite*). Avant de conclure à l'absence de bruits, asseyez-vous et auscultez l'endroit marqué d'une croix pendant deux minutes ou plus.

*Des bruits métalliques aigus* indiquent la présence d'air et de liquide sous pression dans un intestin dilaté. *Un chapelet de bruits aigus*, coïncidant avec une douleur abdominale à type de colique, est un signe d'occlusion intestinale.

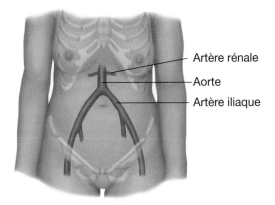

Artère rénale
Aorte
Artère iliaque

## Souffles

Un *souffle hépatique* suggère un carcinome du foie ou une hépatite alcoolique. Des *souffles artériels* aux deux temps suggèrent une occlusion partielle de l'aorte ou des gros troncs artériels. Une occlusion partielle d'une artère rénale est une cause d'hypertension artérielle.

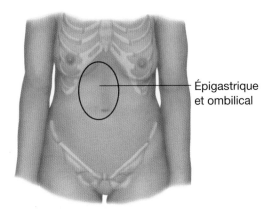

Épigastrique et ombilical

## Bruit de diable

Le bruit de diable est rare. C'est un bruit doux et bourdonnant ayant des composantes à la fois systolique et diastolique. Il indique une augmentation de la circulation collatérale entre le système porte et le système veineux général, comme dans la cirrhose du foie.

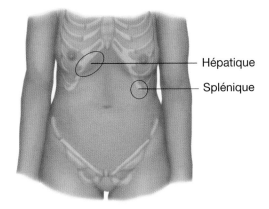

Hépatique
Splénique

## Frottements

Les bruits de frottement sont rares. Ils sont râpeux, et varient avec la respiration. Ils indiquent une inflammation de la surface péritonéale d'un organe, par exemple en cas de tumeur du foie, de périhépatite à *Chlamydia* ou à gonocoques, de biopsie hépatique récente ou d'infarctus splénique. Vous devez suspecter un cancer du foie lorsqu'un souffle systolique accompagne un frottement hépatique.

### Douleur pariétale

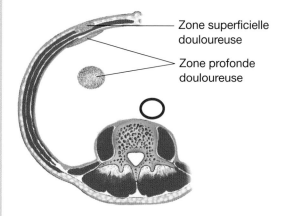

Zone superficielle douloureuse

Zone profonde douloureuse

La douleur peut provenir de la paroi abdominale. Quand le patient soulève la tête et les épaules, cette douleur persiste, alors que la douleur due à une lésion profonde (protégée par les muscles contractés) diminue.

### Sensibilité viscérale

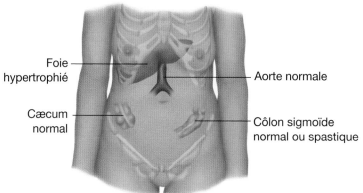

Foie hypertrophié

Aorte normale

Cæcum normal

Côlon sigmoïde normal ou spastique

Ces structures peuvent être sensibles à la palpation profonde. La douleur est généralement sourde et il n'y a ni rigidité musculaire, ni douleur de décompression. Une explication rassurante est très utile au patient.

## Douleur consécutive à des maladies thoraciques ou pelviennes

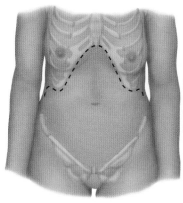

Unilatérale ou bilatérale, supérieure ou inférieure

### Pleurésie aiguë

Douleur et sensibilité abdominales peuvent être secondaires à une inflammation aiguë de la plèvre. Unilatérales, elles peuvent simuler une cholécystite aiguë ou une appendicite aiguë. La douleur à la décompression et la contracture sont inhabituelles, et il existe généralement des signes thoraciques.

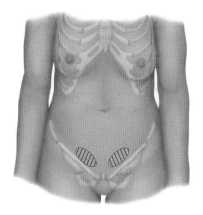

### Salpingite aiguë

Fréquemment bilatérale, la douleur de la salpingite aiguë (inflammation des trompes de Fallope) est maximale juste au-dessus des arcades crurales. Contracture et douleur à la décompression peuvent exister. À l'examen pelvien, la mobilisation de l'utérus est douloureuse.

*(suite)*

## Douleur de l'inflammation péritonéale

La douleur associée à l'inflammation du péritoine est généralement plus intense que la douleur viscérale. La contracture musculaire et la douleur de décompression sont souvent présentes, mais pas obligatoires. Une péritonite généralisée donne une douleur exquise dans tout l'abdomen, en même temps qu'une contracture musculaire (ventre de bois). La présence de ces signes à la palpation, en particulier le ventre de bois, multiplie par deux la probabilité de péritonite.[36] Les causes d'inflammation localisée du péritoine comprennent :

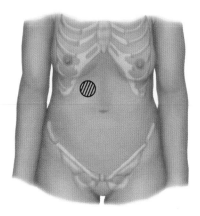

### Cholécystite aiguë[7]

Les signes sont au maximum dans le quadrant supérieur droit. Recherchez un signe de Murphy (voir p. 472).

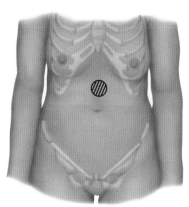

### Pancréatite aiguë[6]

Dans la pancréatite aiguë, on trouve en général des douleurs épigastriques et à la décompression, mais la paroi abdominale peut rester souple.

Juste au-dessous de milieu d'une ligne qui relie l'ombilic à l'épine iliaque antérosupérieure

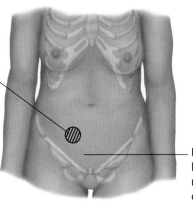

Douleur latéro-rectale droite

### Appendicite aiguë[14]

Les signes typiques de l'appendicite aiguë se retrouvent dans le quadrant inférieur droit, mais ils peuvent manquer au tout début. La zone typiquement douloureuse est illustrée. Explorez le quadrant inférieur droit en totalité et le flanc droit.

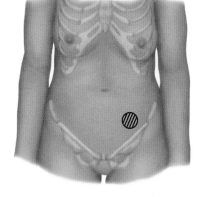

### Diverticulite aiguë

La diverticulite aiguë intéresse le plus souvent le sigmoïde et ressemble à une « appendicite à gauche ».

Un foie palpable n'est pas forcément augmenté de volume (hépatomégalie) : c'est plus souvent un foie qui a changé de consistance, est devenu anormalement ferme ou dur, comme dans la cirrhose. Les estimations cliniques du volume du foie doivent être fondées sur la percussion et la palpation, même si ces techniques sont imparfaites.[36]

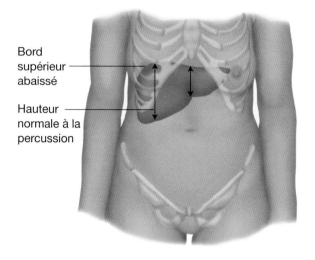

Bord supérieur abaissé

Hauteur normale à la percussion

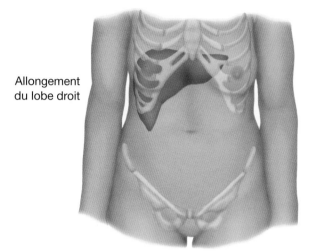

Allongement du lobe droit

## Abaissement du foie par un diaphragme bas situé

Cette constatation est courante quand le diaphragme est bas situé (par exemple, dans la MPCO). Le bord inférieur du foie peut être palpé facilement, bien au-dessous du rebord costal. Mais la percussion révèle que le bord supérieur est également abaissé et que la hauteur totale demeure normale.

## Variations normales de la forme du foie

Chez certains individus, particulièrement les grands maigres, le foie a tendance à être étiré et le lobe droit est facilement palpable puisqu'il descend vers la crête iliaque (*lobe de Riedel*). Il s'agit d'une modification de forme, et non de volume ou de taille. Un examinateur ne peut qu'estimer les bords supérieur et inférieur d'un organe tridimensionnel et de forme variable. Des erreurs sont inévitables.

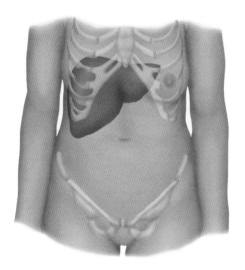

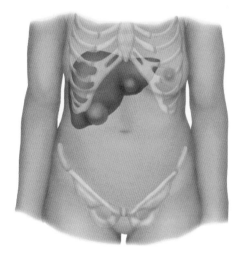

## Gros foie lisse

La cirrhose peut donner un gros foie avec un bord inférieur ferme et *indolore*. Dans cette affection, le foie n'est pas toujours augmenté de volume et beaucoup d'autres maladies peuvent donner un tel foie. Un gros foie avec un bord lisse et *douloureux* évoque une inflammation, comme dans l'hépatite, ou une congestion veineuse, comme dans l'insuffisance cardiaque droite.

## Gros foie irrégulier

Un foie hypertrophié ferme ou dur, ayant un bord ou une surface irréguliers, suggère un processus malin. Il peut y avoir un seul ou plusieurs nodules. Le foie peut être ou non douloureux.

# Système vasculaire périphérique

## ANATOMIE ET PHYSIOLOGIE

Une évaluation soigneuse du système vasculaire périphérique est essentielle pour détecter une *maladie artérielle périphérique*, présente chez environ 30 % des adultes mais silencieuse chez à peu près la moitié de ceux qu'elle touche.[1] Les accidents thromboemboliques sont également fréquents dans le *système veineux périphérique*. Leur fréquence est estimée à 1 % chez les adultes de plus de 60 ans, et leur détection précoce est cruciale pour minimiser le risque d'embolie pulmonaire fatale.[2]

Ce chapitre présente l'anatomie et la physiologie des artères, des veines et des lymphatiques des membres, et met à jour l'interrogatoire, la promotion de la santé et les conseils, et les techniques d'examen, conformément aux *Recommandations pour la pratique 2005 de l'American College of Cardiology (ACC) et de l'American Heart Association (AHA) sur la prise en charge des patients atteints de maladie artérielle périphérique.*[3]

### → Artères

La paroi des artères est composée de trois tuniques : l'*intima*, la *média* et l'*adventice*.

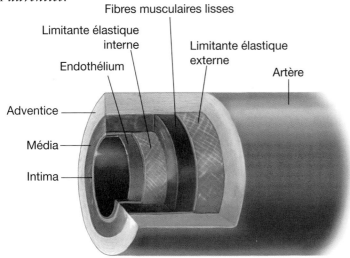

Fibres musculaires lisses
Limitante élastique interne
Endothélium
Limitante élastique externe
Artère
Adventice
Média
Intima

Une altération des cellules de l'endothélium vasculaire provoque la formation d'un thrombus, d'un athérome, et les lésions vasculaires de l'hypertension artérielle.[4]

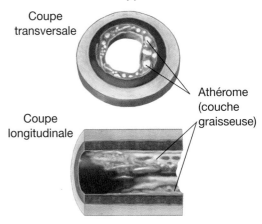

Coupe transversale
Coupe longitudinale
Athérome (couche graisseuse)

L'*intima* entoure la lumière de tous les vaisseaux sanguins. C'est une couche unique et continue de cellules endothéliales ayant des propriétés métaboliques remarquables.[4] L'endothélium intact synthétise des régulateurs de la thrombose comme la prostacycline, l'activateur du plasminogène, et des molécules héparine-*like* ; il produit aussi des molécules prothrombotiques telles que le facteur von Willebrand et l'inhibiteur de l'activateur du plasminogène. Il module le flux sanguin et la vasomotricité en synthétisant des vasoconstricteurs comme l'endothéline et l'enzyme de conversion de l'angiotensine, et des vasodilatateurs tels que le monoxyde d'azote et la prostacycline. L'endothélium vasculaire régule aussi les réactions immunes et inflammatoires en élaborant des interleukines, des molécules d'adhésion et des antigènes d'histocompatibilité.

La *média* est composée de fibres musculaires lisses qui se relâchent ou se contractent pour s'adapter à la pression artérielle et au débit sanguin. Elle est limitée en dedans et en dehors par des membranes de fibres élastiques *(élastine)*, appelées les *limitantes élastiques interne et externe*. Des petites artérioles, les *vasa vasorum*, perfusent la média. La tunique externe de l'artère est l'*adventice*, tissu conjonctif contenant des fibres nerveuses et les *vasa vasorum*.

Les pouls artériels sont palpables là où les artères sont superficielles. Aux membres supérieurs, on peut percevoir les pulsations de :

■ l'*artère brachiale* (ou humérale), au pli du coude, juste en dedans du tendon du biceps ;

■ l'*artère radiale*, au bord externe de la face antérieure (ou de flexion) du poignet ;

■ l'*artère ulnaire* (ou cubitale), au bord interne de la face antérieure, mais les tissus sus-jacents peuvent masquer le pouls ulnaire.

Les artères radiale et ulnaire sont anastomosées par deux arcades vasculaires, qui protègent doublement la circulation vers la main et les doigts d'une occlusion artérielle éventuelle.

L'*athérome* débute dans l'intima par l'apparition de cellules spumeuses (remplies de lipides), puis de stries lipidiques. Il aboutit à la formation d'une *plaque d'athérome*, qui rétrécit la lumière artérielle, diminue le flux sanguin et affaiblit la média adjacente. La plaque d'athérome a un centre lipidique et une périphérie fibreuse faite de fibres musculaires lisses et d'une matrice riche en collagène. Sa rupture peut précéder une thrombose.[4, 5]

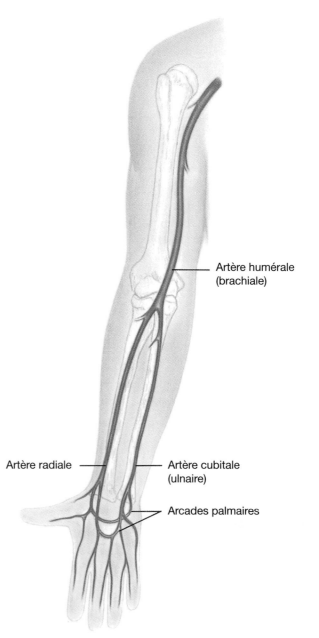

Artère humérale (brachiale)

Artère radiale

Artère cubitale (ulnaire)

Arcades palmaires

Les artères doivent réagir aux variations du débit cardiaque dues à la systole et à la diastole du cœur. Leur structure et leur calibre varient en fonction de leur éloignement du cœur. L'aorte et ses grosses branches (carotide commune, artères iliaques) sont de *grosses artères élastiques*, ainsi que l'artère pulmonaire. Elles donnent des *artères moyennes, musculaires*, comme les artères coronaires et rénales. L'élasticité et la contractilité de la média des grosses et des moyennes artères font progresser le sang artériel. Les artères de taille moyenne se divisent en *petites artères* (de moins de 2 mm de diamètre) et en *artérioles* encore plus petites (de 20 à 100 micromètres de diamètre). La résistance au flux sanguin se produit surtout dans les artérioles. Rappelez-vous que la résistance est inversement proportionnelle à la puissance quatre du diamètre du vaisseau (loi de Laplace).[4] Des artérioles le sang passe dans l'immense réseau des *capillaires*, dont le diamètre est voisin de celui des hématies (7 à 8 microns). Les capillaires sont bordés par des cellules endothéliales, mais ils n'ont pas de média, ce qui facilite la diffusion rapide de l'oxygène et du gaz carbonique.

Aux membres inférieurs, trouvez les pulsations de :

■ l'*artère fémorale*, juste sous l'arcade crurale, à mi-chemin entre l'épine iliaque antérosupérieure et la symphyse pubienne ;

■ l'*artère poplitée*, prolongement de l'artère fémorale, qui passe en arrière du fémur et est palpable sous le genou. L'artère poplitée se divise en deux branches qui irriguent la jambe et le pied, à savoir :

– l'*artère dorsale du pied* (ou pédieuse), dont les pulsations sont palpables sur le dos du pied, juste en dehors du tendon de l'extenseur du gros orteil ;

– l'*artère tibiale postérieure*, en arrière de la malléole interne de la cheville. Une arcade anastomotique entre ces deux artères protège l'irrigation du pied.

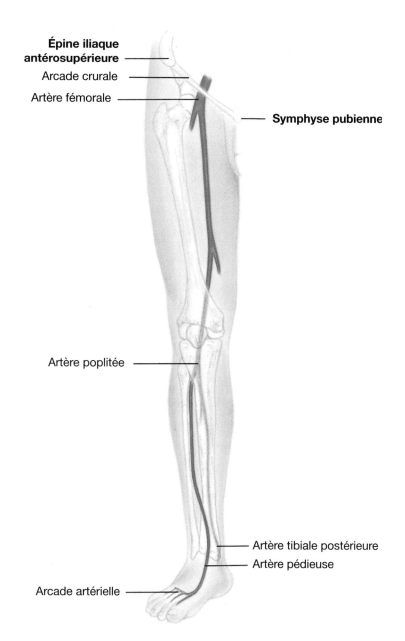

Épine iliaque antérosupérieure
Arcade crurale
Artère fémorale
Symphyse pubienne
Artère poplitée
Artère tibiale postérieure
Artère pédieuse
Arcade artérielle

# → Veines

À la différence des artères, les veines ont des parois fines et elles sont très distensibles, avec une capacité pouvant atteindre deux tiers du sang circulant. L'*intima veineuse* est faite d'un endothélium non thrombogène. Des valvules font saillie dans la lumière et orientent le sang dans le sens du retour vers le cœur. La *média* contient des anneaux circulaires de fibres élastiques et musculaires qui modifient le calibre des veines en réponse à des changements minimes de la pression veineuse.[4, 6]

Les veines des membres supérieurs, de la partie supérieure du tronc, et de la tête et du cou se jettent dans la *veine cave supérieure* qui se déverse dans l'oreillette droite. Les veines des membres inférieurs et de la partie inférieure du tronc se jettent dans la *veine cave inférieure*. Comme leur paroi est plus faible, les veines des membres inférieurs peuvent se dilater irrégulièrement ou être comprimées, érodées et envahies par des tumeurs. Elles méritent une attention particulière.

**Système veineux (superficiel et profond) des membres inférieurs.** Les *veines profondes* assurent environ 90 % du retour veineux des membres inférieurs. Elles sont bien soutenues par les tissus environnants.

Au contraire, les *veines superficielles* sont situées sous la peau et sont assez mal soutenues. Elles comprennent :

- la *veine saphène interne* (ou grande saphène), qui naît sur le dos du pied, passe juste devant la malléole interne et remonte ensuite sur la face interne de la jambe pour rejoindre la veine fémorale du système veineux profond, sous l'arcade crurale ;

- la *veine saphène externe* (ou petite saphène), qui se forme sur le côté du pied et monte le long de la partie postérieure de la jambe pour rejoindre le système profond dans le creux poplité.

Des veines anastomotiques relient superficiellement les deux saphènes qui sont facilement visibles quand elles sont dilatées. De plus, des *veines communicantes* (ou *perforantes*) relient le réseau saphène au réseau veineux profond.

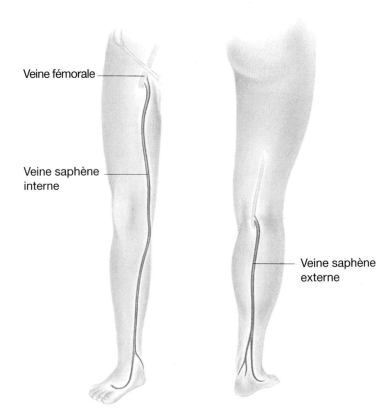

Veine fémorale

Veine saphène interne

Veine saphène externe

Quand elles sont compétentes (c'est-à-dire continentes), les valvules unidirectionnelles des veines profondes, superficielles et communicantes propulsent le sang vers le cœur, empêchant sa stase et son reflux. La contraction des muscles du mollet au cours de la marche agit aussi comme une pompe veineuse, exprimant le sang vers le haut, dans le sens inverse de la gravité.

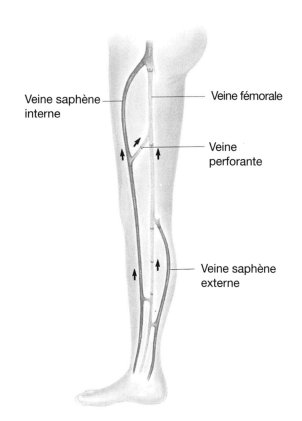

Veine saphène interne

Veine fémorale

Veine perforante

Veine saphène externe

# → Système lymphatique et ganglions

Le système lymphatique est un réseau vasculaire étendu qui draine la lymphe des tissus vers la circulation veineuse. Le système commence à la périphérie par des capillaires lymphatiques borgnes et continue par de fins vaisseaux puis des canaux collecteurs, qui se déversent dans les grandes veines à la base du cou. La lymphe qui circule dans ces vaisseaux est filtrée par des ganglions lymphatiques interposés sur son trajet.

Les ganglions lymphatiques sont des structures rondes, ovales ou réniformes, de grosseur variable selon leur localisation. Certains ganglions, comme les ganglions préauriculaires, sont typiquement très petits, voire imperceptibles. En revanche, les ganglions inguinaux sont assez gros, de 1 cm de diamètre, voire 2 cm chez l'adulte.

Outre ses fonctions vasculaires, le système lymphatique joue un rôle important dans l'immunité. Les cellules des ganglions lymphatiques englobent les débris cellulaires et les bactéries et produisent des anticorps.

Seuls les ganglions superficiels sont accessibles à l'examen physique. Il s'agit des ganglions cervicaux (p. 250), axillaires (p. 407) et de ceux des membres.

Rappelez-vous que les ganglions axillaires drainent presque tout le membre supérieur. Toutefois, les lymphatiques du côté ulnaire de l'avant-bras et de la main, de l'auriculaire, de l'annulaire et de la partie adjacente du médius se déversent d'abord dans les *ganglions épitrochléens.* Ceux-ci sont situés à la face interne du bras, à environ 3 cm au-dessus du coude. Les lymphatiques du reste du membre supérieur se déversent principalement dans les ganglions axillaires. Quelques-uns vont directement aux ganglions sous-claviculaires.

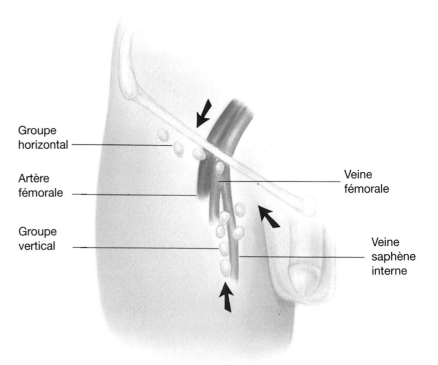

Les lymphatiques du membre inférieur suivent les veines et comprennent un système superficiel et un système profond. Seuls les ganglions superficiels sont palpables. Les *ganglions inguinaux superficiels* comprennent deux groupes. Le *groupe horizontal* forme une chaîne, à la partie haute de la cuisse antérieure, sous l'arcade crurale. Il draine les parties superficielles du bas abdomen et de la fesse, les organes génitaux (mais pas les testicules), le canal anal, le périnée et la partie basse du vagin.

Le *groupe vertical* se trouve près de la partie supérieure de la veine saphène interne et draine la région correspondante du membre inférieur. En revanche, les lymphatiques du territoire drainé par la saphène externe (le talon et la partie externe du pied) rejoignent le système profond au niveau du creux poplité. Par conséquent, les lésions de cette région ne donnent habituellement pas de ganglions inguinaux palpables.

# → Lit capillaire et échanges liquidiens

Le sang passe des artères aux veines par le lit capillaire. C'est là que diffusent les liquides à travers la membrane capillaire, maintenant un équilibre dynamique entre les secteurs vasculaire et interstitiel. La pression sanguine (ou *pression hydrostatique*) dans le lit capillaire, en particulier près de la terminaison des artérioles, expulse à ce niveau les liquides vers le secteur interstitiel. Ce mouvement est facilité par la faible attraction osmotique exercée par les protéines dans les tissus *(pression oncotique interstitielle)* alors que la pression hydrostatique des tissus s'y oppose.

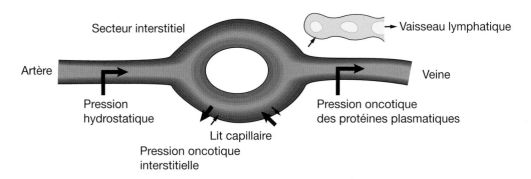

Quand le sang progresse vers les veines à travers le lit capillaire, sa pression hydrostatique diminue et une autre force devient prédominante, la *pression oncotique des protéines plasmatiques*, qui attire les liquides dans le lit vasculaire. Le flux liquidien, qui allait vers l'extérieur sur le versant artériolaire du lit capillaire, s'inverse sur le versant veineux. Les capillaires lymphatiques, également importants dans cet équilibre, retirent de l'espace interstitiel le liquide en excès, y compris les protéines.

Un dysfonctionnement lymphatique ou des perturbations des forces hydrostatiques ou osmotiques peuvent rompre cet équilibre. Le résultat clinique le plus habituel consiste en une expansion des liquides interstitiels, connue sous le nom d'œdème (voir tableau 12-5 : « Causes périphériques d'œdème », p. 521).

## ANTÉCÉDENTS MÉDICAUX

### Symptômes banals ou inquiétants

- Douleurs des membres.
- Claudication intermittente.
- Membres inférieurs froids, engourdis, pâles ; dépilation.
- Gonflement des membres inférieurs, des mollets, ou des pieds.
- Changement de coloration des doigts ou des orteils par temps froid.
- Gonflement avec rougeur et douleur.

Comme définie par les récentes recommandations de l'ACC et de l'AHA, la *maladie artérielle périphérique* (MAP) désigne la pathologie sténosante, oblitérante et anévrismale de l'aorte, de ses branches à destination viscérale – à l'exclusion notable des artères coronaires –, et des artères des membres inférieurs.[3] Notez bien que des douleurs des membres peuvent provenir de la peau, du système vasculaire périphérique, de l'appareil locomoteur ou du système nerveux. De plus, une douleur viscérale peut être projetée dans les membres, comme la douleur de l'infarctus du myocarde, qui irradie dans le membre supérieur gauche.

Voir tableau 12-1 : « Troubles vasculaires périphériques douloureux et leurs simulations », p. 516-517.

Recherchez une *claudication intermittente*, c'est-à-dire des douleurs ou des crampes des membres inférieurs survenant à l'effort et soulagées par le repos en moins d'une dizaine de minutes.

L'*athérosclérose* peut entraîner une ischémie des membres inférieurs symptomatique à l'effort ; à distinguer de la *sténose du canal rachidien*, qui entraîne une douleur des membres inférieurs à l'effort, pouvant diminuer quand le patient se penche en avant (étirant ainsi la moelle épinière dans le canal rachidien rétréci) et moins facilement soulagée par le repos.

Recherchez aussi une *fraîcheur*, un *engourdissement* et une *pâleur* des membres inférieurs ou des pieds, ou une *dépilation* de la face antérieure des tibias.

Dépilation sur la face antérieure des tibias, quand la perfusion artérielle diminue. Des ulcères « secs » ou bruns à noirs peuvent s'ensuivre.

Étant donné que la plupart des patients atteints de MAP se plaignent de symptômes minimes, il y a intérêt à poser des questions portant sur les symptômes qui suivent, surtout chez les patients de plus de 50 ans et ceux qui ont des facteurs de risque, tabagisme mais aussi diabète, hypertension artérielle, hypercholestérolémie, et maladie coronarienne (voir p. 356).[3] La présence de symptômes (voir *infra*) ou de facteurs de risque justifie un examen soigneux et la mesure de l'indice cheville-bras (voir p. 501 et p. 518).

Seulement 10 % des patients présentent la triade classique : douleur du membre inférieur à l'effort, soulagée par le repos.[1] La faiblesse de ce taux peut s'expliquer par une diminution de la marche, qui empêche la MAP de se manifester.[7]

■ Fatigue, gêne, engourdissement, ou douleur des membres inférieurs qui limite la marche et l'exercice physique ? Précisez leur siège. Demandez aussi s'il n'existe pas des troubles de l'érection.

La localisation des symptômes suggère le niveau de l'ischémie artérielle :

■ fesses et bassin : aorto-iliaque ;

■ troubles de l'érection : iliaque et honteuse interne ;

■ cuisse : fémorale commune ou aorto-iliaque ;

■ partie haute du mollet : fémorale superficielle ;

■ partie basse du mollet : poplitée ;

■ pied : tibiale ou péronière.

■ Plaies des membres inférieurs ou des pieds qui cicatrisent mal ou pas du tout ?

■ Douleur au repos dans un membre inférieur ou un pied, qui se modifie en position debout ou couchée ?

■ Douleur abdominale après les repas, associée à une « peur de s'alimenter » et à un amaigrissement ?

Une douleur abdominale, la peur de s'alimenter et un amaigrissement suggèrent une ischémie intestinale (artères cœliaque, mésentérique supérieure et mésentérique inférieure).

■ Un anévrisme de l'aorte abdominale chez un parent au premier degré ?

La prévalence des anévrismes de l'aorte abdominale est de 15 à 28 % chez les parents au premier degré.[3]

# PROMOTION DE LA SANTÉ ET CONSEILS

## Sujets importants pour la promotion de la santé et les conseils

■ Dépistage d'une maladie artérielle périphérique (MAP) ; indice cheville-bras (ICB).
■ Dépistage d'une artériopathie rénale.
■ Dépistage d'un anévrisme de l'aorte abdominale.

***Dépistage d'une maladie artérielle périphérique : l'indice cheville-bras.*** La MAP est une des manifestations de l'athérosclérose ; elle touche 12 à 29 % de la population vivant en collectivité.[1, 8] Sa prévalence augmente avec l'âge et l'existence de facteurs de risque cardiovasculaire. Par tranches d'âge, elle augmente de 2,5 % chez les patients de moins de 60 ans, à 8 % chez ceux de 60 à 69 ans, et à 19 % chez ceux de 70 ans et plus.[9] La MAP et la maladie cardiovasculaire coexistent chez 16 % des patients.[1] Malgré sa grande fréquence, la MAP est sous-diagnostiquée en médecine de ville.[1, 3, 10] Bien que l'USPSTF *(US Preventive Services Task Force)* ne préconise pas son dépistage, l'ACC et l'AHA recommandent un dépistage individuel des sujets à risque énumérés ci-dessous.[3]

## FACTEURS DE RISQUE D'UNE MAP DES MEMBRES INFÉRIEURS

✔ Âge < 50 ans si diabète ou facteurs de risque d'athérosclérose (tabagisme, dyslipidémie, hypertension artérielle), ou hyperhomocystinémie.
✔ Âge compris entre 50 et 69 ans et antécédents de tabagisme ou de diabète.
✔ Âge ≥ 70 ans.

*(suite)*

✔ Symptômes à l'effort ou douleur ischémique au repos au niveau des membres inférieurs.

✔ Anomalie des pouls des membres inférieurs.

✔ Pathologie artérioscléreuse connue des artères coronaires, carotides ou rénales.

Source : Hirsch AT, Haskal ZJ, Hertzer NR *et al.* ACC/AHA 2005 guidelines for the management of patients with peripheral arterial disease.

Apprenez à évaluer une MAP en utilisant l'indice cheville-bras (ICB). L'ICB est fiable, reproductible et facile à pratiquer en consultation ; il a une sensibilité de 90 % et une spécificité de 95 %.[10] Les médecins et le personnel paramédical peuvent aisément mesurer la pression systolique au bras et à la cheville, avec un appareil Doppler, et entrer les valeurs dans des calculateurs accessibles sur des sites Web sélectionnés (voir le site de l'*American College of Physicians* : http://cpsc.acpoline.org/enhancements/232abiCalc.html).

Voir tableau 12-2 : « Utilisation de l'indice cheville-bras », p. 518.

On dispose d'un grand nombre d'interventions pour réduire l'apparition et la progression de la MAP, à savoir des soins de pieds méticuleux et des chaussures bien adaptées, l'arrêt du tabac, le traitement des hyperlipidémies, le contrôle et le traitement d'un diabète et d'une hypertension artérielle, l'utilisation d'agents antiagrégants, un exercice physique bien dosé et, si besoin est, une revascularisation chirurgicale.[11] Les patients avec un ICB très bas ont un risque annuel de décès de 20-25 %.[1]

***Dépistage d'une artériopathie rénale.*** L'athérosclérose de l'artère rénale affecte 7 % des adultes âgés de plus de 65 ans ; elle atteint 20 à 55 % des patients ayant une MAP, et 30 % de ceux ayant une maladie coronarienne documentée.[3, 12] L'ACA et l'AHA recommandent des explorations pour rechercher une artériopathie rénale, en commençant par l'échographie, chez les patients qui présentent l'une des conditions suivantes : hypertension artérielle avant 30 ans, hypertension sévère (voir p. 120) après 55 ans, hypertension rapidement évolutive, rebelle ou maligne, nouvelle détérioration de la fonction rénale, ou détérioration après un traitement par un inhibiteur de l'enzyme de conversion ou un agent bloquant le récepteur de l'angiotensine, des petits reins inexpliqués, ou un œdème aigu du poumon inexpliqué, surtout dans un contexte de détérioration de la fonction rénale.[3] Les symptômes découlent de ces conditions plutôt que directement des lésions artérioscléreuses des artères rénales.

***Dépistage d'un anévrisme de l'aorte abdominale.*** Le bénéfice d'une détection précoce d'un anévrisme de l'aorte abdominale (AAA), la 14e cause de décès aux États-Unis, est à présent établi.[13] On parle d'AAA lorsque le diamètre de l'aorte sous-rénale dépasse 3 cm. Les taux de rupture et de mortalité augmentent brusquement quand le diamètre des AAA dépasse 5,5 cm. Le calibre excessif de l'aorte est le meilleur facteur prédictif de la rupture. Les facteurs de risque supplémentaires sont le tabagisme, un âge supérieur à 65 ans, des antécédents familiaux, une maladie coronarienne, une

MAP, une hypertension artérielle et une hypercholestérolémie. Vu que l'affection est le plus souvent silencieuse mais que son dépistage réduit de 40 % sa mortalité, l'USPSTF recommande un dépistage par une échographie unique chez les hommes de 65 à 75 ans « qui ont touché au tabac » (fumé plus de 100 cigarettes sur la durée d'une vie).[14] Comme la prévalence de l'AAA est faible, il n'y a pas de données probantes sur le bénéfice du dépistage chez les hommes et les femmes qui n'ont jamais fumé. L'échographie a une sensibilité de 95 % et une spécificité de presque 100 % pour le diagnostic d'AAA chez les individus asymptomatiques.

# TECHNIQUES D'EXAMEN

## Points importants de l'examen

**Membres supérieurs**
- Dimensions, symétrie, couleur de la peau.
- Pouls radial, pouls huméral.
- Ganglions épitrochléens.

**Membres inférieurs**
- Dimensions, symétrie, couleur de la peau.
- Pouls fémoral et ganglions inguinaux.
- Pouls poplité, pédieux et tibial postérieur.
- Œdèmes périphériques.

L'ACC et l'AHA incitent les cliniciens à redoubler d'attention quand ils examinent le système vasculaire périphérique.[3] Rappelez-vous que la maladie artérielle périphérique est souvent asymptomatique et sous-diagnostiquée, ce qui entraîne une morbimortalité importante. En apprenant et en pratiquant les techniques de l'examen vasculaire, respectez les recommandations 2005 sur l'examen des artères périphériques. Revoyez les techniques d'évaluation de la pression artérielle, des carotides, de l'aorte, et des artères rénales et fémorales aux pages indiquées ci-dessous.

## Résumé : points importants de l'examen des artères périphériques

- Mesurez la pression artérielle aux deux bras (voir chapitre 4, p. 118-120).
- Palpez et auscultez les carotides (pouls, souffle) (voir chapitre 9, p. 366).
- Recherchez des souffles à l'auscultation de l'aorte, des artères rénales et des fémorales ; palpez et mesurez le plus grand diamètre de l'aorte (voir chapitre 11, p. 468).
- Palpez les artères brachiales, radiales, ulnaires, fémorales, poplitées, pédieuses et tibiales postérieures.
- Inspectez les chevilles et les pieds (couleur, température, intégrité de la peau) ; notez d'éventuelles ulcérations ; recherchez une dépilation, des troubles trophiques cutanés, une hypertrophie des ongles.

Source : Hirsch AT, Haskal ZJ, Hertzer NR *et al.* ACC/AHA 2005 guidelines for the management of patients with peripheral arterial disease.

Différence de pression artérielle dans la *coarctation de l'aorte* et l'*anévrisme disséquant de l'aorte*.

# → Membres supérieurs

*Inspectez les deux membres supérieurs,* de l'extrémité des doigts aux épaules. Notez :

■ leurs dimensions, leur symétrie et tout gonflement ;

Un lymphœdème du membre supérieur peut être secondaire à un curage ganglionnaire axillaire et à une radiothérapie.

■ la distribution des veines ;

Des veines saillantes sur un membre supérieur œdématié suggèrent une obstruction veineuse.

■ la couleur de la peau et des lits unguéaux ainsi que la texture de la peau.

Avec la pulpe des doigts, *palpez le pouls radial* à la partie externe de la face antérieure (de flexion) du poignet. La flexion partielle du poignet du patient peut faciliter la perception de ce pouls. Comparez les pouls des deux membres supérieurs.

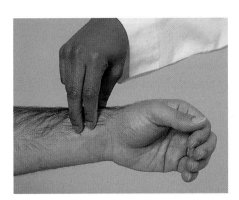

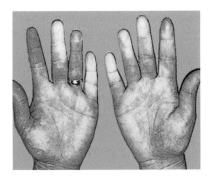

*Source : Marks R. Skin disease in old age. Philadelphia : JB Lippincott, 1987.*

Dans la *maladie de Raynaud*, les pouls du poignet sont typiquement normaux, mais un spasme des artères plus distales provoque des épisodes de blancheur bien délimitée des doigts (voir tableau 12-1 : « Troubles vasculaires périphériques douloureux et leurs simulations », p. 516-517).

Il y a plusieurs systèmes de cotation de l'amplitude des pouls artériels. L'un d'entre eux utilise une échelle de 0 à 3, comme ci-dessous.[3] Vérifiez quelle échelle est utilisée dans votre hôpital.

Si une artère est très dilatée, elle est *anévrismale.*

| Cotation des pouls recommandée[3] | |
|---|---|
| 3+ | Bondissant |
| 2+ | Vif (normal) |
| 1+ | Diminué, plus faible que la normale |
| 0 | Absent, impossible à palper |

Pouls carotidiens, radiaux et fémoraux bondissants dans l'*insuffisance aortique* ; diminués asymétriquement dans l'*occlusion artérielle* par athérosclérose ou embolie.

Si vous suspectez une insuffisance artérielle, palpez le *pouls brachial* (ou huméral). Fléchissez légèrement le coude du patient et palpez l'artère juste en dedans du tendon du biceps, au pli du coude. Vous pouvez aussi sentir l'artère brachiale haut dans le bras, dans la gouttière entre le biceps et le triceps.

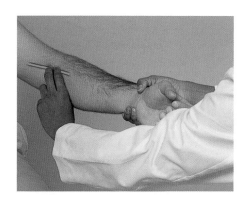

Cherchez un ou des *ganglions épitrochléens*. Le coude du sujet étant plié à 90° degrés environ et l'avant-bras soutenu par l'une de vos mains, palpez à bout de doigts le sillon situé entre le biceps et le triceps, 3 cm environ au-dessus de l'épitrochlée. S'il y a un ganglion, notez sa taille, sa consistance et sa sensibilité.

Une adénopathie épitrochléenne peut être secondaire à une lésion dans son territoire de drainage ou faire partie d'une adénopathie généralisée.

Les ganglions épitrochléens ne sont pas palpables chez la plupart des gens normaux.

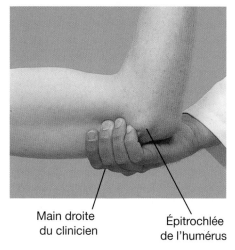

Main droite du clinicien       Épitrochlée de l'humérus

**FACE INTERNE DU BRAS GAUCHE**

# → Membres inférieurs

Le patient doit être couché, les organes génitaux couverts mais les membres inférieurs complètement exposés. Un bon examen est impossible à travers des bas ou des chaussettes !

Inspectez les deux membres inférieurs, depuis l'aine et les fesses jusqu'aux pieds. Notez :

- leurs dimensions, leur symétrie et tout gonflement ;

Voir tableau 12-3 : « Insuffisance chronique des artères et des veines », p. 519.

- la distribution des veines et toute dilatation veineuse ;

- une pigmentation, des éruptions, des cicatrices et des ulcérations éventuelles ;

Voir tableau 12-4 : « Ulcères fréquents des pieds et des chevilles », p. 520.

- la couleur et la texture de la peau, la couleur des lits unguéaux et la répartition des poils sur les jambes, les pieds et les orteils.

Palpez les *ganglions ingui-naux superficiels*, le groupe horizontal ainsi que le groupe vertical. Notez leur taille, leur consistance et leur sensibilité. Des ganglions insensibles, distincts, ayant jusqu'à 1, voire 2 cm de diamètre, sont souvent palpables chez les gens normaux.

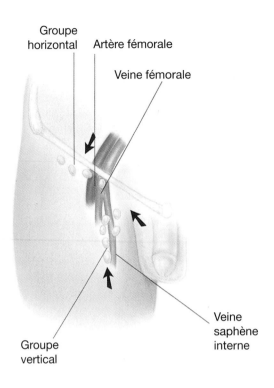

Groupe horizontal   Artère fémorale

Veine fémorale

Veine saphène interne

Groupe vertical

Le terme d'*adénopathie* désigne une augmentation de volume des ganglions, qu'ils soient sensibles ou non. Faites la différence entre adénopathie localisée et généralisée, en trouvant respectivement (1) soit une lésion responsable dans le territoire de drainage, (2) soit une adénopathie dans au moins deux aires ganglionnaires non contiguës.

*Palpez les pouls*, afin d'évaluer la circulation artérielle.

- *Pouls fémoral.* Appuyez profondément au-dessous de l'arcade crurale, à mi-chemin entre l'épine iliaque antérosupérieure et la symphyse pubienne. Comme dans une palpation abdominale profonde, l'utilisation des deux mains, posées l'une sur l'autre, peut faciliter cet examen, surtout chez les sujets obèses.

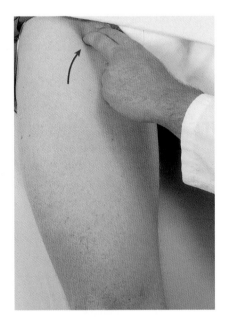

Un pouls artériel diminué ou absent indique une occlusion partielle ou complète en amont ; par exemple, en cas d'occlusion aortique ou iliaque, tous les pouls d'aval sont touchés. L'occlusion artérielle chronique due à l'athérosclérose provoque une *claudication intermittente* (p. 516), des changements posturaux de coloration (p. 512) et des troubles trophiques cutanés (p. 512-513).

Un pouls fémoral exagéré et élargi évoque un *anévrisme de l'artère fémorale*, dilatation pathologique de cette artère.

- *Pouls poplité.* Le genou du sujet doit être un peu fléchi, la jambe détendue. Placez les extrémités des doigts des deux mains de telle sorte qu'elles se touchent en arrière du genou, juste sur la ligne médiane, et appuyez profondément dans le creux poplité. Le pouls poplité est souvent plus difficile à trouver que les autres. Il est plus profond et plus diffus.

Un pouls poplité exagéré et élargi évoque un anévrisme de l'artère poplitée. Les anévrismes poplités et fémoraux sont rares. Dus en général à l'athérosclérose, ils touchent surtout les hommes de plus de 50 ans.

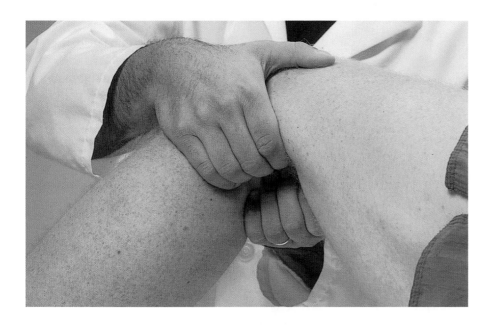

- Si vous n'arrivez pas à sentir le pouls poplité de cette façon, cherchez-le sur le patient en décubitus ventral. Fléchissez le genou du patient à environ 90°, faites reposer le membre inférieur sur votre épaule ou votre bras, et enfoncez vos deux pouces profondément dans le creux poplité.

Le plus souvent, l'*athérosclérose oblitérante* interrompt la circulation artérielle dans la cuisse. Le pouls fémoral est alors normal, le pouls poplité diminué ou absent.

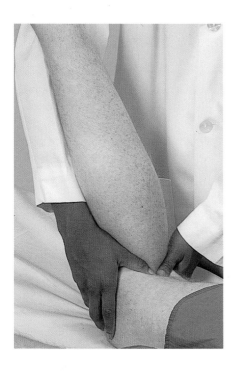
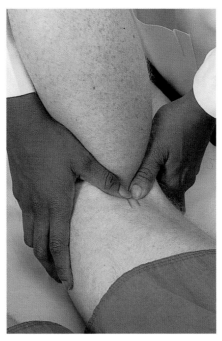

- *Pouls pédieux.* Palpez le dos du pied (pas la cheville) juste en dehors du tendon de l'extenseur du gros orteil. Si vous n'arrivez pas à percevoir ce pouls, explorez le dos du pied plus en dehors.

L'artère pédieuse peut être congénitalement absente ou naître plus haut, à la cheville. Recherchez un pouls plus en dehors.

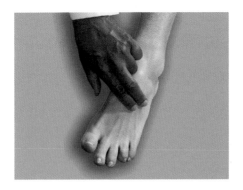

Des pouls pédieux absents ou diminués (dans un environnement chaud), avec des pouls fémoraux et poplités normaux, suggèrent une maladie occlusive de l'artère poplitée basse ou de ses branches, souvent due à un *diabète sucré.*

■ *Pouls tibial postérieur.* Pliez les doigts en arrière et légèrement au-dessous de la malléole interne de la cheville (ce pouls peut être difficile à percevoir sur une cheville œdémateuse ou adipeuse).

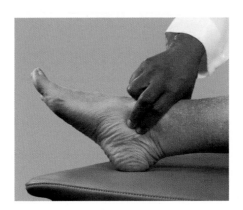

Une *occlusion artérielle brusque,* par embolie ou thrombose, provoque une douleur et un engourdissement ou des fourmillements. En aval de l'occlusion, le membre devient froid, pâle et sans pouls. Un traitement d'urgence est nécessaire. Si la circulation collatérale est satisfaisante, il peut n'y avoir qu'un engourdissement et un refroidissement du membre.

## ASTUCES POUR LES POULS DIFFICILES À PERCEVOIR

1. Positionnez confortablement votre corps et votre main ; une position inconfortable diminue la sensibilité tactile.

2. Placez votre main au bon endroit (elle doit y demeurer) et faites varier la pression des doigts pour trouver une pulsation faible. En cas d'échec, explorez sans hâte la zone.

3. Ne confondez pas le pouls du patient avec celui de la pulpe de vos doigts. Si vous avez un doute, comptez votre fréquence cardiaque et comparez-la à celle du patient. Les fréquences sont ordinairement différentes. Votre pouls carotidien se prête bien à cette comparaison.

*Appréciez la température des pieds et des jambes* avec le dos de vos doigts. Comparez les deux côtés. Une fraîcheur bilatérale est le plus souvent due à un environnement froid ou à l'anxiété.

Une fraîcheur, surtout quand elle est unilatérale ou associée à d'autres signes, suggère une insuffisance artérielle due à une circulation artérielle inadéquate.

*Recherchez un œdème.* Comparez les deux pieds et les deux jambes, en notant leur volume relatif et le relief des veines, tendons et os.

L'œdème donne un gonflement qui peut masquer les veines, les tendons et les reliefs osseux.

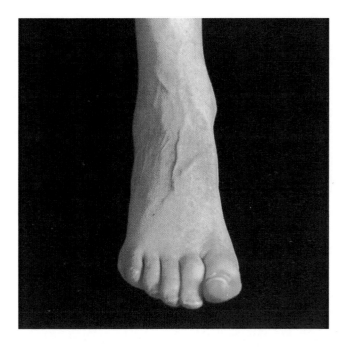

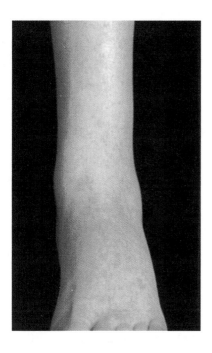

*Recherchez un signe du godet.* Appuyez fermement le pouce pendant plus de 5 secondes (1) sur le dos des deux pieds, (2) derrière les deux malléoles internes, et (3) sur les tibias. Recherchez le *signe du godet*, une dépression provoquée par la pression du pouce. Normalement, il n'y en a pas. L'importance de l'œdème est cotée de 1 à 4, de léger à très marqué.

Voir tableau 12-5 : « Causes péri-phériques d'œdème », p. 521.

Ci-dessous est montré un signe du godet 3+.

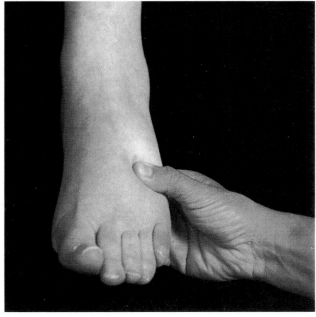

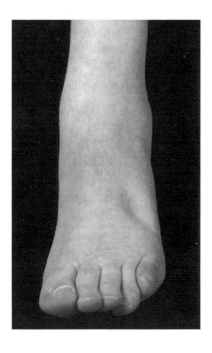

Si vous soupçonnez un œdème, *mesurez les membres inférieurs* pour le confirmer et suivre son évolution. Avec un ruban métrique, mesurez (1) l'avant-pied, (2) la plus petite circonférence au-dessus de la cheville, (3) la plus grande circonférence du mollet, et (4) la mi-cuisse, une distance mesurée au-dessus de la rotule avec le genou en extension. Comparez un côté avec l'autre. Une différence supérieure à 1 cm juste au-dessus de la cheville, ou à 2 cm au mollet, est inhabituelle chez les gens normaux et suggère un œdème.

En cas d'œdème, recherchez les causes possibles dans le système vasculaire périphérique. Il peut s'agir (1) d'une thrombose veineuse profonde récente, (2) d'une insuffisance veineuse chronique due à une thrombose veineuse profonde ancienne ou à une incontinence des valvules veineuses, ou (3) d'un lymphœdème. Notez l'extension de l'œdème. Jusqu'où remonte-t-il sur le membre inférieur ?

Est-ce que l'enflure est uni ou bilatérale ? Est-ce que les veines sont anormalement saillantes ?

Essayez de trouver une douleur veineuse, qui peut accompagner une thrombose veineuse profonde. Recherchez une douleur de la veine fémorale, en palpant l'aine juste en dedans du pouls fémoral. Puis, le genou du patient étant fléchi et son membre décontracté, palpez le mollet. Avec la pulpe des doigts, comprimez doucement les muscles du mollet contre le tibia, et recherchez une douleur ou des cordons indurés. Cependant, une thrombose veineuse profonde peut être latente. Son diagnostic dépend souvent d'autres sortes de tests.

Notez la *couleur de la peau* :

■ y a-t-il une zone de rougeur ? Si c'est le cas, appréciez sa température et cherchez à sentir le cordon induré d'une veine thrombosée dans cette zone. Le mollet est le plus souvent intéressé ;

■ y a-t-il des zones brunâtres près des chevilles ?

■ Notez les ulcérations cutanées éventuelles. Où siègent-elles ?

■ Appréciez l'épaisseur de la peau.

Demandez au patient de se tenir debout et *inspectez le réseau saphène à la recherche de varices*. La station debout permet le remplissage sanguin de toutes les varices et les rend visibles. On peut facilement passer à côté si le patient est allongé sur le dos. Cherchez les varices à la palpation, et notez tout signe de thrombophlébite.

Des conditions comme une amyotrophie modifient aussi les circonférences des membres inférieurs.

Dans une *thrombose veineuse profonde*, l'étendue de l'œdème suggère la localisation de l'occlusion : veine poplitée quand la jambe et la cheville sont enflées, veines iliofémorales quand tout le membre inférieur est enflé.

La distension veineuse évoque une cause veineuse d'œdème.

Un membre inférieur douloureux, pâle, enflé, avec une sensibilité de la veine fémorale à l'aine évoque une *thrombose iliofémorale*. Seulement la moitié des patients ayant une *thrombose surale* ont une douleur provoquée et des cordons veineux dans le mollet. La douleur du mollet n'est pas spécifique ; elle peut exister sans thrombose.

Une enflure localisée, avec rougeur et chaleur, et un cordon sous-cutané évoquent une *thrombophlébite superficielle*.

Une coloration brunâtre, des ulcères juste au-dessus de la cheville évoquent une *insuffisance veineuse chronique*.

Une peau épaissie (infiltrée) se voit dans le lymphœdème et l'insuffisance veineuse évoluée.

Les *veines variqueuses* sont dilatées et tortueuses. Leurs parois peuvent paraître un peu épaissies. De nombreuses varices sont visibles sur le membre inférieur de la page 513.

# → Techniques spéciales

***Évaluation de l'irrigation artérielle de la main.*** Si vous soupçonnez une insuffisance artérielle du membre supérieur ou de la main, essayez de palper le *pouls ulnaire* (ou cubital), en plus des pouls brachial et radial. Cherchez-le profondément, à la partie interne de la face de flexion du poignet. La flexion partielle du poignet du patient peut vous aider, mais le pouls ulnaire n'est pas toujours palpable.

Une maladie artérielle occlusive est beaucoup plus rare aux membres supérieurs qu'aux membres inférieurs. Les pouls du poignet sont diminués ou abolis dans une embolie ou la *thrombo-angéite oblitérante (maladie de Leo Buerger)*.

Le *test d'Allen* fournit des renseignements supplémentaires. Il est aussi utile pour vérifier la perméabilité de l'artère ulnaire avant de ponctionner l'artère radiale pour prélever du sang. Le patient doit poser les mains sur les genoux, paumes vers le haut.

Demandez-lui de serrer fort le poing d'une main ; puis comprimez fermement les artères radiale et ulnaire entre vos pouces et vos doigts.

Demandez-lui alors d'ouvrir la main, dans une position relâchée, un peu fléchie. La paume est pâle.

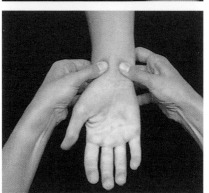

L'extension complète de la main peut entraîner une pâleur et un faux positif.

Levez la compression de l'artère ulnaire. Si cette artère est perméable, la paume rougit en 3 à 5 secondes.

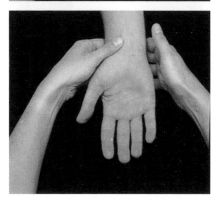

Une pâleur persistante signe une occlusion de l'artère ulnaire ou de ses branches.

La perméabilité de l'artère radiale peut être testée avec la même technique, en levant la compression de l'artère radiale tout en maintenant celle de la cubitale.

***Modifications posturales de la coloration dans l'insuffisance artérielle chronique.*** Si des douleurs ou une diminution des pouls suggèrent une insuffisance artérielle, recherchez des changements de couleur posturaux. Élevez les deux membres inférieurs à 60°, comme montré à droite, jusqu'à ce qu'une pâleur maximale des pieds apparaisse – habituellement en moins d'une minute. Chez les sujets à peau claire, les pieds gardent une coloration normale, comme le pied droit ci-contre, ou palissent légèrement.

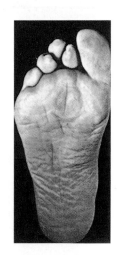

Une pâleur marquée à l'élévation évoque une *insuffisance artérielle.*

Puis demandez au patient de s'asseoir, les jambes pendantes. Notez comparativement aux deux pieds le temps nécessaire pour que :

■ la peau rosisse (normalement, 10 secondes ou moins) ;

■ les veines des pieds et des chevilles se remplissent (normalement, 15 secondes environ).

Ce pied droit a une couleur normale et ses veines se sont remplies. Ces réponses normales suggèrent une circulation adéquate.

Le pied ci-dessus est encore pâle, les veines commencent seulement à se remplir, signant une insuffisance artérielle.

* Source des photographies des pieds : Kappert A, Winsor T. Diagnosis of peripheral vascular disease. Philadelphia : FA Davis, 1972.

Notez si une rougeur inhabituelle (pourpre) remplace la pâleur du pied qui pend. Elle peut mettre plus d'une minute à apparaître.

Des réponses normales, avec des pouls artériels diminués, font penser qu'une bonne circulation collatérale s'est développée pour contourner une occlusion artérielle.

Ces modifications de couleur peuvent être difficiles à voir chez les sujets à peau foncée. Regardez la plante des pieds pour les changements de couleur et utilisez un éclairage tangentiel pour la visualisation des veines.

***Cartographie des varices.*** Vous pouvez faire un schéma du trajet et des connexions des veines variqueuses en transmettant des ondes de pression aux veines remplies de sang. Sur le patient debout, placez les doigts sur une veine et palpez avec douceur et, avec l'autre main posée en dessous, comprimez brusquement la veine. Cherchez à percevoir une onde de pression transmise aux doigts de votre main supérieure. La perception d'une onde de pression signifie que les deux parties de la veine communiquent.

Une onde peut aussi être transmise vers le bas, mais pas aussi facilement.

Cherchez à percevoir une onde de pression

Comprimez brusquement

Une rougeur persistante en position déclive évoque une insuffisance artérielle (voir p. 520). Quand les veines sont incontinentes, la rougeur déclive et le temps du retour de la couleur et du remplissage veineux ne sont pas des tests fiables d'insuffisance artérielle.

***Évaluation de la compétence des valvules veineuses.*** Le *test de remplissage rétrograde (Trendelenburg)* permet d'évaluer la continence valvulaire des veines communicantes et du réseau saphène. Commencez sur le patient en décubitus dorsal. Élevez à angle droit un de ses membres inférieurs afin de le vider de son sang veineux.

Puis, comprimez manuellement la veine saphène interne à la partie haute de la cuisse, en appuyant suffisamment pour occlure cette veine, mais pas les vaisseaux plus profonds. Demandez au patient de se mettre debout. Pendant que vous maintenez l'occlusion veineuse, observez le remplissage veineux du membre inférieur. Normalement, la veine saphène se remplit en partant du bas, en 35 secondes environ, au fur et à mesure que les artères déversent leur sang dans le système veineux à travers le lit capillaire.

Après 20 secondes de station debout, levez la compression et recherchez un remplissage veineux supplémentaire brusque. Normalement, il n'y en a pas : les valvules continentes de la veine saphène s'opposent au reflux. Le remplissage veineux lent se poursuit.

Un remplissage rapide des veines superficielles tandis que la saphène est occluse est l'indice d'une incompétence valvulaire des veines communicantes. Le sang s'écoule rapidement, dans une direction rétrograde, du réseau profond au réseau saphène.

Un remplissage supplémentaire brusque des veines superficielles, après levée de la compression, traduit une incompétence des valvules de la saphène.

Quand les deux temps de ce test sont normaux, on dit que la réponse est négative-négative. Il peut y avoir des réponses négative-positive et positive-négative.

Quand les deux temps sont anormaux, le test est positif-positif.

# CONSIGNER VOS OBSERVATIONS

Notez qu'au début vous pouvez faire des phrases pour décrire vos constatations. Plus tard, vous utiliserez des phrases courtes. Le style ci-dessous emploie des phrases convenant à la plupart des rapports écrits. Rappelez-vous que la description des ganglions se trouve au chapitre 7 : « Tête et cou » (voir p. 257), et l'évaluation du pouls carotidien au chapitre 9 : « Appareil cardiovasculaire » (voir p. 387).

## Consigner l'examen physique : système vasculaire périphérique

« Les membres sont chauds, non œdématiés. Pas de varices ni de stase veineuse. Les mollets sont souples et indolores ; pas de souffle fémoral ni abdominal. Les pouls huméraux, radiaux, fémoraux, poplités, pédieux et tibiaux postérieurs sont 2+ et symétriques. »

**Ou**

« Membres inférieurs pâles à partir du milieu des mollets, avec dépilation notable. Rougeur quand les membres sont déclives mais pas d'œdèmes ni d'ulcérations. Souffles fémoraux bilatéraux ; pas de souffles abdominaux audibles. Pouls huméraux et radiaux 2+ ; pouls fémoraux, poplités, pédieux et tibiaux postérieurs 1+. » On peut aussi noter les pouls de la façon suivante :

|  | Radial | Brachial (huméral) | Fémoral | Poplité | Pédieux | Tibial postérieur |
|---|---|---|---|---|---|---|
| Droit | 2+ | 2+ | 1+ | 1+ | 1+ | 1+ |
| Gauche | 2+ | 2+ | 1+ | 1+ | 1+ | 1+ |

Évoque une *maladie artérielle périphérique artérioscléreuse.*

## Bibliographie

### RÉFÉRENCES

1. Hirsch AT, Criqui MH, Treat-Jacobsen D, et al. Peripheral arterial disease detection, awareness, and treatment in primary care. JAMA 286(11):1317–1324, 2001.
2. Bates SM, Ginsberg JS. Treatment of deep-vein thrombosis. N Engl J Med 351(3):268–277, 2004.
3. Hirsch AT, Haskal ZJ, Hertzer NR, et al. ACC/AHA 2005 guidelines for the management of patients with peripheral arterial disease (lower extremity, renal, mesenteric, and abdominal aortic): a collaborative report from the American Association for Vascular Surgery/Society for Vascular Surgery, Society for Cardiovascular Angiography and Interventions, Society for Vascular Medicine and Biology, Society of Interven-tional Radiology, and the ACC/AHA Task Force on Practice Guidelines (Writing Committee to Develop Guidelines for the Management of Patients With Peripheral Arterial Disease). Available at: http://circ.ahajournals.org/cgi/reprint/113/11/e463. Accessed June 24, 2007.
4. Schoen FJ. Blood vessels. In Kumar VK, Fausto N, & Abbas AK (eds). Robbins and Cotran Pathologic Basis of Disease, 7th ed. Philadelphia, Elsevier, 2005.
5. Hansson GK. Inflammation, atherosclerosis, and coronary artery disease. N Engl J Med 352(16):1685–1689, 2005.
6. Lam EY, Giswold ME, Moneta GL. Venous and lymphatic disease. In Brunicardi C, Anderson DA, Billiar TR, et al. (eds). Schwartz's Principles of Surgery, 8th ed. New York, McGraw Hill, 2005.
7. McDermott MM, Liu K, Greenland P, et al. Functional decline in peripheral arterial disease—associations with the ankle brachial index and leg symptoms. JAMA 292(4):453–461, 2004.
8. Newman AB. Peripheral arterial disease: insights from population studies of older adults. J Am Ger Soc 48(9):1157–1162, 2000.
9. Kanel WB. The demographics of claudication and the aging of the American population. Vasc Med 1:60–64, 1986.
10. Laine C, Goldman D, Wilson JF. In the clinic: peripheral arterial disease. Ann Intern Med 146(5):ITC 3–1, 2007.
11. McDermott MM, Liu K, Ferrucci, et al. Physical performance in peripheral arterial disease: a slower rate of decline in patients who walk more. Ann Intern Med 144(1):10–20, 2006.
12. Balk E, Raman G, Chung M, et al. Effectiveness of management strategies for renal artery stenosis: a systematic review. Ann Intern Med 145(12):901–912, 2006.
13. Kim LG, Scott AP, Ashton HA, et al. A sustained mortality benefit from screening for abdominal aortic aneurysm. Ann Intern Med 146(10):699–706, 2007.
14. U.S. Preventive Services Task Force. Screening for abdominal aortic aneurysm: recommendation statement. Ann Intern Med 142(3):198–202, 2005.
15. Falagas ME, Paschalis IV. Narrative review: diseases that masquerade as infectious cellulitis. Ann Intern Med 142(1):47–55, 2005.
16. De Araujo T, Valencia I, Federman D, et al. Managing the patient with venous ulcers. Ann Intern Med 138(4):326–334, 2003.

### AUTRES LECTURES

Anand SS, Wells PS, Hunt D, et al. Does this patient have a deep vein thrombosis? JAMA 279(14):1094–1099, 1998.

Boulton AJM, Kirsner RS, Vileikyte L. Neuropathic diabetic foot ulcers. N Engl J Med 51(1):48–55, 2004.

Colman RW, Marder VJ, Clowes AW, et al., eds. Hemostasis and Thrombosis: Basic Principles and Clinical Practice, 4th ed. Philadelphia: Lippincott Williams & Wilkins, 2005.

Creager MA, Loscalzo J, Dzau VJ, eds. Vascular Medicine: A Companion to Braunwald's Heart Disease. Philadelphia: WB Saunders, 2006.

Douketis JD. Use of a clinical prediction score in patients with suspected deep venous thrombosis: two steps forward, one step back? Ann Intern Med 143(2):140–141, 2005.

Klein LW. Atherosclerosis regression, vascular remodeling, and plaque stabilization. J Am Coll Cardiol 49(2):271–273, 2007.

Qaseem A, Snow V, Barry P, et al. Current diagnosis of venous thromboembolism in primary care: a clinical practice guideline from the American Academy of Family Physicians and the American College of Physicians. Ann Intern Med 146(6):454–458, 2007.

Tiwari A, Cheng KS, Button M, et al. Differential diagnosis, investigation, and current treatment of lower limb lymphedema. Arch Surg 138(2):152–161, 2003.

Wigley FM. Raynaud's phenomenon. N Engl J Med 347(13):1001–1008, 2002.

| Problème | Physiopathologie | Localisation de la douleur |
|---|---|---|
| **Troubles artériels**<br>*Athérosclérose*<br>*(artérite oblitérante)* | | |
| ■ Claudication intermittente | Ischémie musculaire épisodique provoquée par l'exercice et due à l'athérosclérose des artères de gros et de moyen calibre | Habituellement le mollet mais elle peut aussi être ressenti dans la fesse, la hanche, la cuisse ou le pied, en fonction du niveau de l'obstruction |
| ■ Douleur de repos | Ischémie même au repos | Douleur distale dans les orteils ou l'avant-pied |
| *Occlusion artérielle aiguë* | Embolie ou thrombose pouvant se surajouter à l'athérosclérose oblitérante | Douleur distale intéressant habituellement le pied et la jambe |
| *Maladie et phénomène de Raynaud* | *Maladie de Raynaud :* épisodes de spasme des petites artères et des artérioles ; pas d'occlusion vasculaire.<br>*Phénomène de Raynaud :* syndrome secondaire à des affections telles que collagénose, occlusion artérielle, traumatisme, médicaments | Parties distales d'un ou plusieurs doigts. La douleur n'est habituellement pas marquée à moins qu'apparaissent des ulcérations au bout des doigts. Un engourdissement et des fourmillements sont habituels |
| **Troubles veineux**<br>*Thrombophlébite superficielle* | Formation de caillot et inflammation aiguë d'une veine superficielle | Douleur dans une zone localisée sur le trajet d'une veine superficielle, le plus souvent du réseau saphène |
| *Thrombose veineuse profonde* | Formation de caillot dans une veine profonde | Douleur à type de tension, d'élancement, le plus souvent dans le mollet ; mais elle peut manquer |
| *Insuffisance veineuse chronique (profonde)* | Engorgement veineux chronique secondaire à une occlusion veineuse ou à l'incompétence des valvules veineuses | Douleur diffuse des jambes |
| **Thromboangéite oblitérante (maladie de Buerger)** | Occlusions par inflammation ou thrombose des petites artères ainsi que des veines, survenant chez des fumeurs | ■ Claudication intermittente, en particulier de la voûte plantaire<br>■ Douleur de repos dans les doigts ou les orteils |
| **Syndrome de loge** | Augmentation de pression due à un traumatisme ou une hémorragie dans l'une des quatre grandes loges de la jambe. Les loges sont délimitées par des aponévroses inextensibles | Douleur à type de tension, d'élancement dans le mollet, le plus souvent dans la loge tibiale antérieure, avec parfois une peau rouge foncé par-dessus |
| **Lymphangite aiguë** | Infection bactérienne aiguë (en général streptococcique) s'étendant dans les canaux lymphatiques à partir d'une porte d'entrée telle qu'une zone lésée ou un ulcère | Un bras ou une jambe |
| **Simulations\***<br>*Cellulite aiguë* | Infection bactérienne aiguë de la peau et des tissus sous-cutanés | Bras, jambes ou ailleurs |
| *Érythème noueux* | Lésions sous-cutanées surélevées et sensibles, bilatérales, qui se voient dans la grossesse et des états systémiques tels que la sarcoïdose, la tuberculose, les infections streptococciques et les maladies inflammatoires de l'intestin | Surface antérieure des deux jambes |

\* Confondus d'abord avec une thrombophlébite superficielle aiguë.

| Chronologie | Facteurs d'aggravation | Facteurs d'amélioration | Manifestations associées |
|---|---|---|---|
| Plutôt brève ; la douleur contraint habituellement le patient à se reposer | Exercice physique, comme la marche | Le repos fait cesser la douleur en 1 à 3 min | Fatigue localisée, engourdissement, diminution des pouls, souvent signes d'insuffisance artérielle (voir p. 520) |
| Douleur persistante, s'aggravant souvent la nuit | Élévation des pieds, comme dans un lit | Position assise, jambes pendantes | Engourdissement, fourmillements, troubles trophiques, modifications de la coloration de l'insuffisance artérielle (voir p. 520) |
| Début brusque ; symptômes associés pouvant survenir en l'absence de douleur | | | Refroidissement, engourdissement, faiblesse musculaire, abolition des pouls distaux |
| Relativement brève (minutes) mais récidivante | Exposition au froid, chocs émotionnels | Environnement chaud | Modification de couleur de l'extrémité des doigts : pâleur intense (indispensable au diagnostic) suivie de cyanose puis de rougeur |
| Épisode aigu durant plusieurs jours | | | Rougeur locale, œdème, douleur, cordon veineux palpable, possibilité de fièvre |
| Souvent difficile à préciser en raison du manque de symptômes | Marche | L'élévation accélère le soulagement | Possibilité d'œdème du pied et du mollet, douleur localisée du mollet. Antécédent de TVP |
| Douleur chronique, augmentant au cours de la journée | Station debout prolongée | Élévation des jambes | Œdème chronique, pigmentation, ulcération possible (voir p. 520) |
| ■ Assez brève mais récidivante<br>■ Chronique, persistante, peut s'aggraver la nuit | ■ Exercice physique | ■ Repos<br>■ L'arrêt définitif de la consommation de tabac est utile dans toutes les sortes de douleur (mais rarement obtenu) | Refroidissement distal, transpiration, engourdissement et cyanose. Ulcération et gangrène de l'extrémité des doigts ou des orteils ; thrombophlébite migratrice |
| Plusieurs heures si elle est *aiguë* (la décompression est nécessaire pour éviter la nécrose). À l'effort, si elle est *chronique* | *Forme aiguë :* stéroïdes anabolisants, complications chirurgicales, écrasement. *Forme chronique :* survenue à l'effort | *Forme aiguë :* incision chirurgicale de décompression *Forme chronique :* éviter les efforts ; surélévation et glace | Fourmillements, sensations de brûlures dans le mollet ; les muscles peuvent sembler tendus, pleins, engourdis. Paralysie si la compression n'est pas levée |
| Épisode aigu durant plusieurs jours | | | Traînée(s) rouge(s) sur la peau avec douleur, adénopathies sensibles et fièvre |
| Épisode aigu durant plusieurs jours | | | Zone localisée d'œdème, rougeur et douleur avec adénopathies sensibles et fièvre. Pas de cordon palpable |
| Douleur associée à des lésions évoluant sur plusieurs semaines | | | Plusieurs poussées de lésions ; souvent malaise, arthralgies et fièvre |

## Instructions pour mesurer l'indice cheville-bras (ICB)

1. Le patient doit être au repos dans une pièce tiède depuis au moins 10 minutes.

2. Placez des brassards à tension sur les deux bras et les deux chevilles comme sur les schémas ; puis appliquez du gel pour échographie sur les artères brachiales, pédieuses (P) et tibiales postérieures (TP).

3. Mesurez la pression systolique aux bras :
   - localisez le pouls brachial avec un appareil Doppler ;
   - gonflez le brassard à tension à 20 mmHg au-dessus du dernier battement artériel audible ;
   - dégonflez le brassard lentement et notez la valeur de la pression à laquelle le pouls redevient audible ;
   - faites deux mesures à chaque bras et prenez leur moyenne comme valeur de la pression systolique de l'artère brachiale de ce bras.

4. Mesurez la pression systolique aux chevilles :
   - localisez le pouls pédieux avec un appareil Doppler ;
   - gonflez le brassard à tension à 20 mmHg au-dessus du dernier battement artériel audible ;
   - dégonflez le brassard lentement et notez la valeur de la pression à laquelle le pouls redevient audible ;
   - faites deux mesures à chaque cheville et prenez leur moyenne comme valeur de la pression systolique de l'artère pédieuse de cette cheville ;
   - répétez les étapes ci-dessus pour les artères tibiales postérieures.

5. Calculez l'ICB

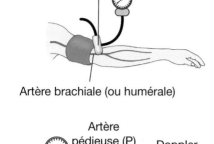

Doppler

Artère brachiale (ou humérale)

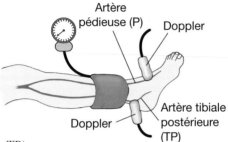

Artère pédieuse (P)

Doppler

Doppler

Artère tibiale postérieure (TP)

$$\text{ICB droit} = \frac{\text{plus grande moyenne de la pression systolique à la cheville droite (P ou TP)}}{\text{plus grande moyenne de la pression systolique au bras (droit ou gauche)}}$$

$$\text{ICB gauche} = \frac{\text{plus grande moyenne de la pression systolique à la cheville gauche (P ou TP)}}{\text{plus grande moyenne de la pression systolique au bras (droit ou gauche)}}$$

| *Site* | *1re lecture* | *2e lecture* | *Moyenne* | *Site* | *1re lecture* | *2e lecture* | *Moyenne* |
|--------|-----------|-----------|---------|--------|-----------|-----------|---------|
| **Brachiale gauche** | | | | **Brachiale droite** | | | |
| **Pédieuse gauche** | | | | **Pédieuse droite** | | | |
| **Tibiale postérieure gauche** | | | | **Tibiale postérieure droite** | | | |

## Calculateur de l'indice cheville-bras

**ICB = Pression systolique à la cheville/Pression systolique au bras**

*Entrez les valeurs de la pression systolique à :*

la cheville [ ] *mmHg*

l'artère brachiale [ ] *mmHg*

Indice cheville-bras [ ]

## Interprétation de l'indice cheville-bras

> 0,90 (de 0,90 à 1,30) : flux sanguin normal dans les membres inférieurs

< 0,89 à > 0,60 : maladie artérielle périphérique légère

< 0,59 à > 0,40 : maladie artérielle périphérique modérée

< 0,39 : maladie artérielle périphérique sévère

Sources : *Ankle-brachial calculator* : American College of physicians. Accessible sur : http//cpsc.acponline.org/enhancements/232abiCalc.html. Visité le 3 juillet 2007. Laine C, Goldman D, Wilson JF. In the clinic : peripheral arterial disease. Ann Int Med 2007 ; 146 (5) : ITC3-1.

| Insuffisance artérielle chronique *(évoluée)* | Insuffisance veineuse chronique *(évoluée)* |
|---|---|

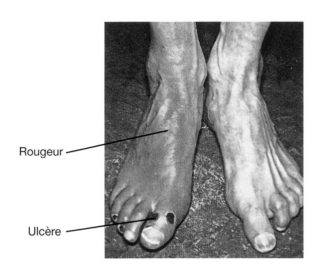

Rougeur

Ulcère

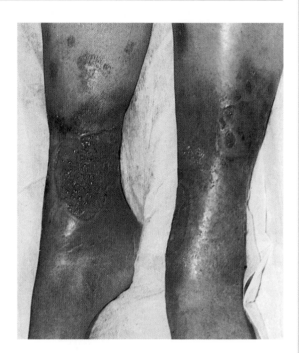

| | Insuffisance artérielle chronique *(évoluée)* | Insuffisance veineuse chronique *(évoluée)* |
|---|---|---|
| **Douleur** | Claudication intermittente puis douleur au repos | Douleur fréquente[16] |
| **Mécanisme** | Ischémie tissulaire | Hyperpression veineuse |
| **Pouls** | Diminués ou absents | Normaux, mais peuvent être difficiles à percevoir à travers l'œdème |
| **Coloration** | Pâle, surtout en élévation ; rouge sombre en déclivité | Normale ou cyanosée en déclivité. Des pétéchies puis une pigmentation brunâtre apparaissent avec la chronicité |
| **Température** | Froide | Normale |
| **Œdème** | Absent ou modéré ; peut apparaître quand le patient essaie de soulager la douleur au repos en abaissant le membre inférieur | Présent, souvent marqué |
| **Modifications de la peau** | Troubles trophiques : peau mince, luisante, atrophique ; dépilation sur le pied et les orteils ; ongles épaissis et striés | Souvent une pigmentation brune autour de la cheville, une dermatite de stase, et parfois un épaississement de la peau et un rétrécissement cicatriciel de la jambe |
| **Ulcère** | Si présent, atteint les orteils ou les endroits traumatisés des pieds | Si présent, siège sur les côtés des chevilles, surtout en dedans |
| **Gangrène** | Peut se produire | Ne se produit pas |

Sources des photographies : *Insuffisance artérielle* – Kappert A, Winsor T. Diagnosis of peripheral vascular diseases. Philadelphia : FA Davis, 1972.
*Insuffisance veineuse* – Marks R. Skin Disease in old age. Philadelphia : JB Lippincott, 1987.

## Insuffisance veineuse chronique

Siège plus souvent sur la malléole interne que sur la malléole externe. L'ulcère contient un peu de tissu de granulation douloureux et de la fibrine ; la nécrose ou la mise à nu des tendons est rare. Les bords sont irréguliers, plans ou légèrement en pente. La douleur retentit sur la qualité de vie de 75 % des patients. Les signes associés comprennent l'œdème, une pigmentation rougeâtre et un purpura, des varicosités, l'eczématisation de la dermite de stase (rougeur, desquamation, prurit), et quelquefois une cyanose du pied en déclivité. La gangrène est rare.[16]

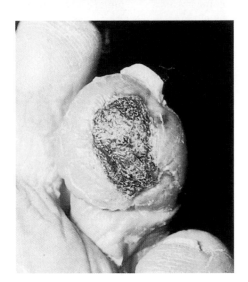

## Insuffisance artérielle

Atteint les orteils, les pieds, les zones exposées aux traumatismes (par exemple, la crête tibiale). La peau environnante n'est ni indurée ni hyperpigmentée, mais elle peut être atrophique. La douleur est souvent intense, sauf si elle est masquée par une neuropathie. Une gangrène peut être présente, avec des pouls diminués, des troubles trophiques, une pâleur du pied en élévation, une rougeur en déclivité.

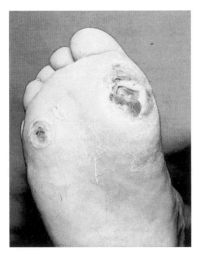

## Ulcère neurogène

Apparaît aux points de pression des zones de sensibilité diminuée ; se voit dans la neuropathie diabétique, des affections neurologiques et la maladie de Hansen. La peau environnante est indurée. Il n'y a pas de douleur (l'ulcère peut donc être méconnu). La gangrène est absente dans l'ulcère neurogène non compliqué. Les signes associés comprennent une sensibilité diminuée et des réflexes achilléens absents.

---

Source des photographies : Marks R. Skin disease in old age. Philadelphia : JB Lippincott, 1987.

Environ un tiers de l'eau corporelle totale est extracellulaire, c'est-à-dire en dehors des cellules. Environ 25 % de l'eau extracellulaire est plasmatique, le reste est interstitiel. À l'extrémité artériolaire des capillaires, la *pression hydrostatique* des vaisseaux sanguins et la *pression oncotique* des espaces interstitiels font passer l'eau dans les tissus ; à l'extrémité veineuse des capillaires et dans les lymphatiques, la pression hydrostatique de l'interstitium et la pression oncotique des protéines plasmatiques font repasser l'eau dans le compartiment vasculaire. Plusieurs états cliniques rompent cet équilibre et entraînent des *œdèmes*, c'est-à-dire une manifestation cliniquement patente de l'accumulation de liquide interstitiel. Le *syndrome de fuite capillaire*, où les protéines passent dans l'espace interstitiel (brûlures, œdème angioneurotique, morsures de serpent, et réactions allergiques) n'est pas décrit ici.

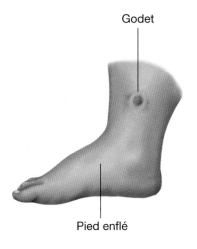

Godet

Pied enflé

## Œdème prenant le godet

L'œdème est mou, bilatéral, et prend le godet sur la face antérieure du tibia et le pied. Il n'y a pas d'épaississement, d'ulcération ou de pigmentation de la peau. Cet œdème se voit dans plusieurs situations : quand les jambes sont déclives, en position assise ou debout prolongée, ce qui augmente la pression hydrostatique dans les veines et les capillaires ; dans l'insuffisance cardiaque gauche, qui entraîne une diminution du débit cardiaque ; dans le syndrome néphrotique, la cirrhose ou la malnutrition, qui abaissent l'albuminémie et diminuent la pression oncotique intravasculaire ; et dans la toxicomanie.

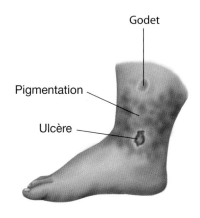

Godet

Pigmentation

Ulcère

Stade évolué

## Insuffisance veineuse chronique

L'œdème est mou et prend le godet ; il est parfois bilatéral. Recherchez une infiltration et un épaississement de la peau, surtout près de la cheville. Ulcération, pigmentation brunâtre et œdème des pieds sont fréquents. Causes : obstruction chronique ou incompétence valvulaire des veines profondes.

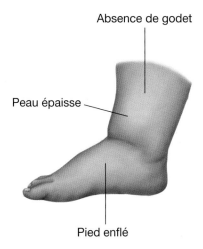

Absence de godet

Peau épaisse

Pied enflé

## Lymphœdème

L'œdème est mou au début, puis il devient dur et ne prend pas le godet. La peau est notablement épaissie ; les ulcérations sont rares ; il n'y a pas de pigmentation. L'œdème intéresse les pieds et les orteils, est souvent bilatéral. Il apparaît quand les petits vaisseaux lymphatiques sont obstrués par une tumeur, une fibrose ou une inflammation, et après un curage axillaire ou une irradiation.

# Organes génitaux de l'homme et hernies

## CHAPITRE 13

## ANATOMIE ET PHYSIOLOGIE

Revoyez l'anatomie des organes génitaux de l'homme.

Le *corps du pénis* est formé de trois colonnes de tissu vasculaire érectile : le *corps spongieux*, qui contient l'urètre, et les deux *corps caverneux*. Le corps spongieux forme le bulbe du pénis et se termine par le gland, de forme conique, avec sa base élargie appelée couronne. Chez les hommes non circoncis, le gland est recouvert par un repli de peau lâche, en forme de

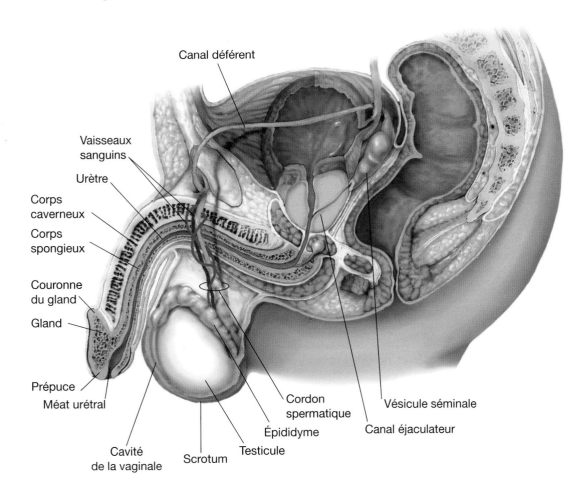

Canal déférent

Vaisseaux sanguins

Urètre

Corps caverneux

Corps spongieux

Couronne du gland

Gland

Prépuce

Méat urétral

Cavité de la vaginale

Scrotum

Testicule

Épididyme

Cordon spermatique

Canal éjaculateur

Vésicule séminale

capuchon, appelé *prépuce*, où le *smegma*, une sécrétion glandulaire, peut s'accumuler. L'urètre est situé en position ventrale dans le corps du pénis : c'est à cet endroit que peuvent parfois être perçues des anomalies urétrales. L'urètre s'ouvre dans le *méat urétral*, en forme de fente verticale et en position légèrement ventrale à l'extrémité du gland.

Les *testicules* sont des formations ovoïdes, un peu caoutchouteuses, d'environ 4,5 cm de long (extrêmes : 3,5 à 5,5 cm). Le gauche est habituellement situé un peu plus bas que le droit. Les testicules produisent les spermatozoïdes et de la testostérone. La testostérone stimule la croissance pubertaire des organes génitaux masculins, de la prostate et des vésicules séminales. Elle stimule aussi l'apparition des caractères sexuels secondaires masculins, la barbe, la pilosité corporelle, le développement musculosquelettique et du larynx, avec la voix grave.

Plusieurs structures entourent les testicules ou sont appendues à eux. Le *scrotum* est une poche de peau lâche et plissée, divisée en deux compartiments renfermant chacun un testicule. La *vaginale* est une séreuse qui enveloppe les testicules, sauf en arrière. Sur la face postéro-externe de chaque testicule se trouve l'*épididyme*, plus mou, en forme de virgule, qui contient les canaux spermatiques pelotonnés, qui servent de réservoir pour le stockage, la maturation et le transfert du sperme du testicule au *canal déférent*.

Durant l'éjaculation, le *canal déférent*, uns structure cordiforme, transporte le sperme de l'épididyme à l'urètre selon un trajet à peu près circulaire. Il passe des bourses dans le pelvis *via* l'orifice inguinal superficiel, contourne l'uretère et se dirige vers la prostate, derrière la vessie. Là il fusionne avec la *vésicule séminale* pour former le *canal éjaculateur*, qui traverse la prostate et s'abouche dans l'urètre. Les sécrétions provenant des *canaux déférents*, des vésicules séminales et de la prostate entrent dans la composition du sperme. Dans le scrotum, le canal déférent est en relation étroite avec des vaisseaux sanguins, des nerfs et des fibres musculaires, avec lesquels il forme le *cordon spermatique*.

La fonction sexuelle masculine dépend de niveaux de testostérone normaux, d'un débit sanguin artériel adéquat dans l'artère épigastrique inférieure et ses branches crémastérienne et pubienne, et d'une innervation intacte par les voies alpha-adrénergique et cholinergique. L'érection, par engorgement veineux des corps caverneux, est provoquée par deux types de stimuli. Des signaux visuels, auditifs ou érotiques déclenchent des influx descendant du cerveau supérieur vers les myélomères T11 à L2. Une stimulation tactile lance des influx sensitifs des organes génitaux vers les arcs réflexes $S_2$ à $S_4$ et les voies parasympathiques, *via* les nerfs honteux. Les deux types de stimuli augmentent les niveaux de monoxyde d'azote et de GMP cyclique, ce qui provoque une vasodilatation localisée.

**Lymphatiques.** Les lymphatiques de la surface du scrotum et du pénis se drainent dans les ganglions inguinaux. *Si vous découvrez une lésion superficielle inflammatoire ou maligne* de ces structures, *recherchez avec soin des ganglions inguinaux* douloureux ou augmentés de volume. Les lymphatiques du testicule se drainent dans l'abdomen où l'on ne peut cliniquement déceler d'adénopathies (voir p. 498 pour une étude plus approfondie des ganglions inguinaux).

***Anatomie de l'aine.*** Les hernies étant assez fréquentes, il est important de comprendre l'anatomie de l'aine (ou région inguinale). Les repères sont l'épine iliaque antérosupérieure, l'épine du pubis, et l'arcade crurale (ou ligament inguinal), qui les réunit. Trouvez-les sur vous-même ou sur un collègue.

Le *canal inguinal*, situé au-dessus de l'arcade crurale et parallèle à celle-ci, forme un tunnel où passe le canal déférent quand il traverse les muscles abdominaux. L'ouverture externe du tunnel – l'*orifice inguinal superficiel* – forme une fente triangulaire, palpable juste au-dessus et en dehors de l'épine du pubis. L'ouverture interne du canal – ou *orifice inguinal profond* – est située environ 1 cm au-dessus du milieu de l'arcade crurale. Ni le canal ni l'orifice interne ne sont palpables à travers la paroi abdominale. Quand les anses intestinales se forcent un passage à travers les zones de faiblesse du canal inguinal, elles forment des *hernies inguinales*, comme le montrent les illustrations de la page 540.

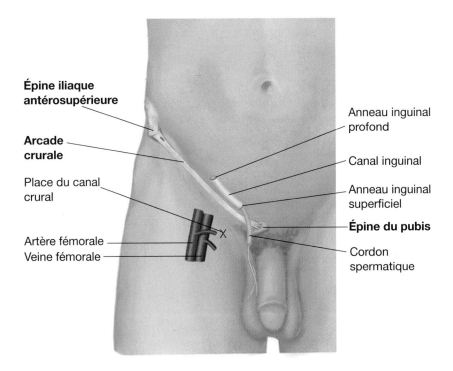

Le *canal crural* (ou *canal fémoral*) est un autre siège possible de hernie. Il est situé en dessous de l'arcade crurale. Vous ne pouvez pas le voir, mais vous pouvez le repérer en plaçant votre index droit, de bas en haut, sur l'artère fémorale droite. Votre médius repose alors sur la veine fémorale et votre annulaire sur le canal crural. C'est là que s'extériorisent les hernies crurales.

# ANTÉCÉDENTS MÉDICAUX

## Symptômes banals ou inquiétants

- Préférences et réactions sexuelles.
- Écoulement et lésions du pénis.
- Douleur, gonflement ou lésions du scrotum.

***Préférences et réactions sexuelles.*** En parlant d'identité et de fonction sexuelles avec vos patients, vous abordez des sujets sensibles mais vitaux. Pour les mettre à l'aise, utilisez les astuces ci-dessous.

### ASTUCES POUR OBTENIR LES ANTÉCÉDENTS SEXUELS

- ✔ Expliquez pourquoi vous notez les antécédents sexuels.
- ✔ Dites que vous vous rendez bien compte que ce sont des renseignements très personnels, et incitez le patient à se montrer ouvert et direct.
- ✔ Dites aussi que vous recueillez ces antécédents chez tous vos patients.
- ✔ Confirmez que cette conversation est confidentielle.

Par exemple, vous pouvez commencer par une déclaration générale :

> *« Pour bien vous soigner, j'ai aussi besoin d'évaluer votre état de santé sexuel et de voir si vous ne présentez pas un risque de maladie sexuellement transmissible. Je sais que c'est un sujet délicat. Tout ce que vous me direz restera bien sûr confidentiel et entre nous. »*

Continuez avec des questions neutres sur les préférences sexuelles : « Quels partenaires sexuels avez-vous ? », ou « Parlez-moi de vos préférences sexuelles. Préférez-vous les hommes, les femmes, ou les hommes et les femmes ? » Environ un dixième des patients sont attirés par des partenaires du même sexe, des deux sexes ou transsexuels.[1] Ces patients éprouvent souvent une grande anxiété au cours des consultations, en rapport avec la crainte d'être rejetés par le clinicien, des troubles mentaux coexistants, ou des informations parcellaires sur les problèmes complexes de l'hormonothérapie et des mutilations chirurgicales dans les états transsexuels.[1]

Continuez avec des questions sur la fonction sexuelle : « Qu'en est-il de votre fonction sexuelle ? », « Comment cela se passe-t-il avec votre partenaire actuel ? », « Êtes-vous satisfait par votre relation et par votre vie sexuelle ? », « Qu'en est-il de vos capacités sexuelles ? » Si le patient exprime des inquiétudes relationnelles ou sexuelles, explorez leurs dimensions psychologiques et physiologiques. Demandez ce que signifie la relation dans la vie du patient. Demandez aussi s'il n'y a pas eu de modifications dans le désir ou la fréquence des rapports sexuels. D'après le patient, quelle en est la cause ? Qu'a-t-il essayé de faire et qu'attend-il ?

Des questions directes vous aideront à évaluer chaque phase de la réaction sexuelle. Pour évaluer la *libido* (le désir), demandez : « Êtes-vous toujours intéressé par le sexe ? » Pour la *phase d'excitation*, demandez : « Pouvez-vous obtenir une érection et la maintenir ? » Précisez la chronologie, la sévérité, les circonstances des problèmes, et les autres facteurs qui peuvent y contribuer. Est-ce que des changements dans la relation avec le partenaire ou dans les circonstances de la vie coïncident avec le début du problème ? Y a-t-il des circonstances où l'érection est normale ? Au réveil, au petit matin ou durant la nuit ? Avec d'autres partenaires ? Par masturbation ?

Le manque de désir peut être d'origine psychique (dépression), endocrinienne ou médicamenteuse.

Un dysfonctionnement érectile peut être psychogène, notamment s'il persiste une érection matinale, ou dû à un taux bas de testostérone, une diminution du débit sanguin dans le territoire de l'artère hypogastrique, une altération de l'innervation.

D'autres questions portent sur la phase d'*éjaculation* et d'*orgasme*. Pour l'éjaculation précoce (rapide et incontrôlée), demandez : « Combien de temps dure le rapport ? Arrivez-vous à l'orgasme trop vite ? Sentez-vous que vous n'arrivez pas à le contrôler ? Pensez-vous que votre partenaire aimerait que le rapport dure plus longtemps ? » Pour l'éjaculation réduite ou inexistante : « Vous arrive-t-il de ne pas pouvoir avoir un orgasme malgré une érection correcte ? » Essayez de déterminer si cela intéresse la sensation de plaisir de l'orgasme, l'éjaculation de sperme ou les deux. Précisez la fréquence et les circonstances du trouble, les traitements médicamenteux, les interventions chirurgicales et les troubles neurologiques.

L'éjaculation précoce est fréquente, notamment chez les hommes jeunes. Une éjaculation réduite ou absente est moins fréquente et affecte habituellement les hommes mûrs ou âgés. Elle peut être due à des traitements, une intervention chirurgicale, des déficits neurologiques ou à un manque d'androgènes. L'absence d'orgasme avec éjaculation est habituellement psychogène.

**Écoulement et lésions du pénis.** Pour évaluer la possibilité d'une infection génitale par une maladie sexuellement transmise (MST), demandez s'il existe un *écoulement par le pénis*, tombant goutte à goutte ou tachant le slip. Dans l'affirmative, précisez son importance, sa couleur et sa consistance et les symptômes associés (fièvre, frissons, éruption, etc.).

Un écoulement par la verge peut se voir dans une urétrite gonococcique (habituellement jaunâtre) ou non gonococcique (possiblement clair ou blanchâtre).

**Douleur, gonflement ou lésions du scrotum.** Renseignez-vous sur *des ulcérations ou des excroissances sur la verge, une douleur ou un gonflement des bourses.* Demandez s'il y a eu des symptômes génitaux antérieurs ou des antécédents d'infections génitales telles que l'herpès, la gonococcie ou la syphilis. Un patient qui a plusieurs partenaires, est homosexuel, consomme des drogues illégales ou a des antécédents de MST est à risque élevé de MST.

Voir tableau 13-1 : « Anomalies du pénis et du scrotum », p. 536 ; tableau 13-2 : « Maladies sexuellement transmises des organes génitaux de l'homme », p. 537 ; tableau 13-3 : « Anomalies du testicule », p. 538. En plus des MST, de nombreuses dermatoses touchent les organes génitaux externes ; par ailleurs, certaines MST ont des symptômes ou des signes minimes.

Étant donné que les MST peuvent toucher d'autres parties du corps, des questions supplémentaires sont souvent indiquées. Une explication préalable peut être utile : « Les maladies sexuellement transmises peuvent concerner tout orifice du corps par lequel vous avez des rapports. Il est important pour vous de me dire quels orifices vous utilisez. » Et plus directement, si besoin est : « Avez-vous des rapports sexuels par la bouche ? Par l'anus ? » Si les

Les infections à transmission buccopénienne comprennent la gonococcie, les chlamydioses, la syphilis et l'herpès. Une rectite symptomatique ou non peut faire suite à un rapport anal.

réponses à ces questions sont affirmatives, posez des questions sur des symptômes tels que mal de gorge, diarrhée, saignement rectal, prurit ou douleur anale.

Pour les nombreux patients qui n'ont ni symptômes ni facteurs de risque connus, il est sage de poser une importante question de dépistage : « Vous inquiétez-vous à propos du SIDA ? », et de continuer par les questions plus générales proposées pages 82-83.

# PROMOTION DE LA SANTÉ ET CONSEILS

## Sujets importants pour la promotion de la santé et les conseils

- Prévention des MST et de l'infection à VIH.
- Auto-examen des testicules.

***Prévention des MST et de l'infection à VIH.*** Les arguments en faveur d'un enseignement intensif, de la détection précoce par l'interrogatoire et l'examen physique, et du traitement des maladies des maladies sexuellement transmises (MST) et de l'infection à VIH sont convaincants. La charge croissante des MST pèse sur toutes les tranches de la population, mais spécialement sur les adolescents et les sujets jeunes. L'*Institute of Medicine* a établi que les taux américains des MST étaient les plus élevés des pays industrialisés.[2] En 2005, les CDC *(Centers for Disease Control and Prevention)* ont estimé à 19 millions le nombre annuel de nouvelles MST, avec la moitié des cas survenant entre 15 et 24 ans.[3] Sur 1,3 million de nouveaux cas rapportés en 2005, environ 72 % étaient des infections à *Chlamydia*, 25 % des gonococcies et 3 % des syphilis. Les CDC remarquent que ces chiffres ne représentent « qu'une petite partie de la véritable charge nationale des MST », de nombreux cas n'étant pas déclarés, et les infections virales à papillomavirus ou à *Herpes virus* ne remplissant pas les conditions d'une déclaration obligatoire. En outre, plus d'un million d'Américains sont actuellement infectés par le VIH, et il y a environ 40 000 nouvelles infections chaque année. On estime que 25 % des personnes infectées vivant aux États-Unis ne savent pas qu'elles sont contaminées.[4] L'hépatite B et les ulcérations génitales, comme le chancre mou, se transmettent aussi par contact sexuel. La présence d'une MST doit toujours faire rechercher une co-infection par le VIH.

Les cliniciens doivent être capables d'obtenir les antécédents sexuels et de poser des questions sur les pratiques sexuelles sans détour mais avec tact. Les informations importantes comprennent l'orientation sexuelle du patient, le nombre de partenaires au cours du mois écoulé, et les antécédents de MST (voir aussi p. 82-83). Des précisions sur la consommation d'alcool et de drogues, notamment injectables, sont également importantes. Les conseils doivent être interactifs et combiner des messages de prévention générale à des actions éducatives spécifiques visant à réduire le risque du patient (voir aussi chapitre 14, p. 552-553). Les mesures importantes comprennent la limitation du nombre de partenaires, l'utilisation de préservatifs, et un suivi médical régulier pour le traitement des MST et de l'infection à VIH. Les hommes doivent consulter rapidement pour des lésions génitales ou un écoulement pénien.

En 2006, les CDC ont émis de nouvelles recommandations conseillant un dépistage généralisé du VIH chez les personnes de 13 à 64 ans, indépendamment des facteurs de risque. L'USPSTF *(US Preventive Services Task Force)* a fait la revue des nouvelles données sur le dépistage en 2007 et continue à prôner un dépistage ciblé sur les personnes à risque accru et les femmes enceintes.[5] Elle recommande un dépistage et un conseil pour les groupes suivants : hommes ayant des partenaires sexuels masculins ; hommes et femmes ayant des rapports sexuels non protégés avec des partenaires multiples ; consommateurs anciens ou actuels de drogues injectables ; travailleurs du sexe ; ex-partenaires ou partenaires sexuels de personnes infectées par une MST ou le VIH, utilisatrices de drogues injectables, ou bisexuelles ; patients transfusés entre 1978 et 1985 ; et personnes demandant à être testées parce qu'elles peuvent ne pas vouloir dévoiler des comportements à risque.

***Auto-examen des testicules.*** De plus, incitez les hommes, surtout ceux qui ont entre 15 et 35 ans, à faire un *auto-examen mensuel des testicules* et à consulter un médecin pour les découvertes suivantes : grosseur non douloureuse, gonflement ou augmentation de volume d'un testicule, douleur ou gêne dans un testicule ou le scrotum, impression de lourdeur ou collection liquidienne d'apparition brusque dans les bourses, ou douleur sourde dans le bas abdomen ou l'aine (voir p. 534 pour les instructions aux patients).[6]

## TECHNIQUES D'EXAMEN

Beaucoup d'étudiants sont gênés d'avoir à examiner les organes génitaux d'un homme : « Comment va réagir le patient ? Est-ce qu'il aura une érection ? Est-ce qu'il me laissera l'examiner ? » Il peut être rassurant pour le patient de se faire expliquer les différentes étapes de l'examen ; il saura ainsi ce qui l'attend. Requérez la présence d'un assistant. Un patient peut avoir à cette occasion une érection. Dans ce cas, expliquez-lui qu'il s'agit d'une réaction normale et terminez votre examen en restant imperturbable. Si un homme refuse d'être examiné, vous devez respecter son désir.

Un bon examen des organes génitaux peut se faire sur un patient debout ou allongé. Pour vérifier l'existence de hernies ou de varicocèles, il faut que le patient soit debout et que vous soyez confortablement assis sur une chaise ou un tabouret. Une blouse doit recouvrir la poitrine et l'abdomen du patient. *Mettez des gants* pour l'examen. Exposez bien les organes génitaux externes et les régions inguinales. Pour les patients les plus jeunes, revoyez les stades de maturation sexuelle, p. 885-886.

# → Pénis

## Inspection

Inspectez le pénis, à savoir :

■ la *peau* ;

■ le *prépuce*, s'il est présent. On le rétracte ou on demande au patient de le rétracter. Cet examen est essentiel à la détection de nombreux chancres et carcinomes. Un matériel blanchâtre et caséeux, que l'on appelle smegma, peut normalement s'accumuler sous le prépuce ;

■ le *gland*. Recherchez un ulcère, des nodules, des cicatrices ou des signes d'inflammation.

Examinez la peau entourant la base du pénis à la recherche d'excoriations ou d'une inflammation. Recherchez des lentes ou des poux (morpions) à la base des poils pubiens.

Notez la situation du *méat urétral*.

Comprimez avec douceur le gland entre l'index et le pouce. Cette manœuvre ouvre le méat urétral et permet de voir un écoulement. Normalement, il n'y en a pas.

Si le patient vous a parlé d'un écoulement mais que vous n'en voyez aucun, demandez-lui d'exprimer ou de « traire » le corps du pénis de sa racine vers le gland. Vous pouvez également le faire vous-même. Cette manœuvre peut produire un écoulement par le méat urétral. Pour le prélever en vue d'examen, ayez à proximité une lame de verre et des milieux de culture.

## Palpation

Palpez toute anomalie du pénis, en notant une douleur ou une induration. Palpez le corps de la verge entre le pouce et les deux premiers doigts, et notez toute induration. On peut omettre la palpation du corps de la verge chez un jeune patient ne présentant pas de symptômes.

---

Voir tableau 13-1 : « Anomalies du pénis et du scrotum », p. 536.

Un *phimosis* est un prépuce serré que l'on ne peut rétracter sur le gland. Un *paraphimosis* est un prépuce serré qui, une fois rétracté, ne peut être rabattu. Il en résulte un œdème.

*Balanite* (inflammation du gland) ; *balanoposthite* (inflammation du gland et du prépuce).

Les excoriations pubiennes ou génitales évoquent la possibilité de poux (morpions) ou parfois de gale.

L'*hypospadias* est la situation congénitale du méat urétral sur la face inférieure du pénis (voir p. 536).

Écoulement abondant et jaune d'une *urétrite gonococcique* ; écoulement peu abondant blanchâtre ou limpide d'une *urétrite non gonococcique*. Un diagnostic certain nécessite une coloration de Gram et une culture.

Une induration de la face inférieure (ventrale) de la verge évoque un *rétrécissement urétral* ou un *carcinome*.

Si vous avez rétracté le prépuce, remettez-le en place avant d'examiner le scrotum.

# ➜ Scrotum et son contenu

## Inspection

Inspectez le scrotum, à savoir :

Voir tableau 13-1 : « Anomalies du pénis et du scrotum », p. 536.

■ la *peau*. Soulevez le scrotum pour voir sa face postérieure ;

Éruption, kystes épidermoïdes, rarement cancer cutané.

■ les *contours du scrotum*. Notez un gonflement, des tuméfactions, ou des veines.

Un scrotum mal développé, de l'un ou des deux côtés, évoque une *cryptorchidie* (un testicule non descendu). Une grosse bourse peut être due à une *hernie inguinale indirecte*, une *hydrocèle* ou un *œdème scrotal*.

Le scrotum peut être soulevé par des papules blanches ou jaunes ou des nodules, correspondant à des follicules occlus, remplis de débris de kératine provenant de l'épithélium folliculaire desquamé. Ces *kystes épidermoïdes* sont fréquents, souvent multiples et bénins.

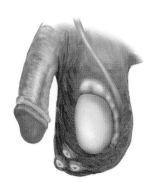

**KYSTES ÉPIDERMOÏDES**

## Palpation

*Palpez les deux testicules et les deux épididymes* entre le pouce et les deux premiers doigts. Localisez l'épididyme à la face postérosupérieure du testicule. Il est nodulaire et cordiforme et ne doit pas être pris pour une grosseur anormale.

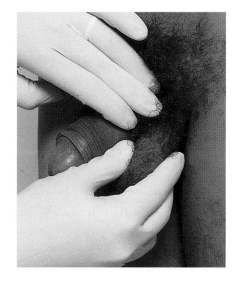

Voir tableau 13.3 : « Anomalies du testicule », p. 538, et tableau 13.4 : « Anomalies de l'épididyme et du cordon spermatique », p. 539.

Un gonflement douloureux du scrotum, spontanément et à la palpation, se voit dans l'*épididymite aiguë*, l'*orchite aiguë*, la *torsion du testicule* et la *hernie inguinale étranglée*.

Notez leur taille, leur forme, leur consistance et leur sensibilité ; recherchez des nodules. Normalement, la pression des testicules déclenche une douleur viscérale profonde.

Tout nodule indolore du testicule doit faire évoquer la possibilité d'un *cancer du testicule*, un cancer potentiellement curable dont le pic de fréquence se situe entre 15 et 35 ans.

*Palpez chaque cordon spermatique*, avec son canal déférent, entre le pouce et les autres doigts, de l'épididyme à l'anneau inguinal superficiel.

Notez tout nodule ou gonflement.

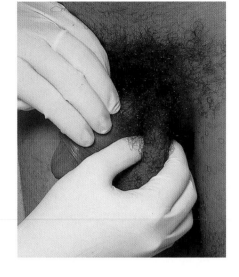

De nombreuses veines sinueuses dans cette région, habituellement à gauche, palpables et visibles, signent une *varicocèle* (p. 539).

Le canal déférent, s'il est chroniquement infecté, peut devenir épais ou moniliforme. Une structure kystique dans le cordon évoque une hydrocèle enkystée de celui-ci (ou *kyste du cordon*).

Tout gonflement du scrotum, autre que testiculaire, doit faire l'objet d'une transillumination. Après avoir fait l'obscurité dans la pièce, éclairez la masse avec une puissante lampe-torche appliquée derrière le scrotum. Recherchez une lueur rouge, témoignant de la transmission de la lumière.

Les tuméfactions renfermant du liquide séreux, telles qu'une hydrocèle, sont transilluminables (elles donnent une lueur rouge). Celles qui contiennent du sang ou sont pleines, comme un testicule normal, une tumeur, et la plupart des hernies, ne le sont pas.

# → Hernies

## Inspection

Confortablement assis devant le patient debout, en présence d'un assistant, *inspectez les régions inguinales et crurales* à la recherche de voussures. Tandis que vous observez, demandez au patient de « pousser » comme s'il déféquait (manœuvre de Valsalva) pour augmenter la pression intra-abdominale, ce qui facilite la détection des hernies.

Un bombement qui apparaît en poussant suggère une *hernie*.

## Palpation

*Recherchez une hernie inguinale par la palpation*, en utilisant l'une des techniques ci-dessous. Restez devant le patient, qui est toujours debout.

Voir tableau 13-5 : « Trajet et diagnostic des hernies de l'aine », p. 540.

■ Pour examiner les hernies inguinales droites, enfoncez le bout de votre index droit près du bord inférieur du scrotum, puis faites-le remonter le long du canal inguinal, en invaginant la peau du scrotum.

■ Suivez le cordon spermatique jusqu'à l'arcade crurale pour trouver l'orifice triangulaire de l'*anneau inguinal superficiel*, juste au-dessus et en dehors de l'épine du pubis. Palpez cet anneau et son plancher. Demandez au patient de pousser. Recherchez une voussure ou une masse venant au contact de la face latérale ou de la pulpe de l'index, au-dessus de l'arcade crurale, près de l'épine du pubis.

Un bombement près de l'anneau inguinal superficiel suggère une *hernie inguinale directe*. Un bombement près de l'anneau inguinal profond suggère une *hernie inguinale indirecte*. La distinction entre les deux types de hernie n'est pas facile mais elle est importante du point de vue chirurgical.[7]

■ L'anneau inguinal superficiel peut être suffisamment large pour vous permettre de palper avec douceur le canal inguinal, obliquement, en direction de l'*anneau inguinal profond*. Demandez au patient de pousser. Recherchez une masse qui descend dans le canal inguinal et vient buter sur votre doigt.

■ Pour examiner les hernies inguinales gauches, procédez de la même façon avec l'index gauche.

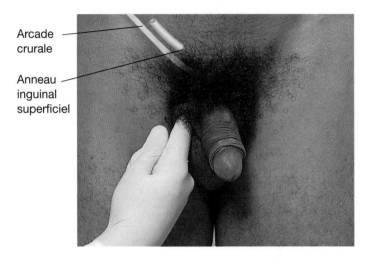

Arcade crurale

Anneau inguinal superficiel

*Recherchez une hernie crurale par la palpation* en plaçant vos doigts sur la face antérieure de la cuisse, au niveau du canal crural. Redemandez au patient de pousser ou de tousser. Notez tout gonflement ou sensibilité.

### *Évaluation d'une éventuelle hernie inguinoscrotale.* Si vous découvrez une volumineuse masse scrotale, et que vous pensez qu'il s'agit d'une hernie, demandez au patient de s'étendre. La masse peut réintégrer d'elle-même l'abdomen. Il s'agit alors d'une hernie. Si ce n'est pas le cas :

■ pouvez-vous placer vos doigts au-dessus de la masse dans le scrotum ?

    Si cela est possible, suspectez une *hydrocèle*.

■ auscultez la masse avec un stéthoscope pour entendre des bruits intestinaux.

    On peut entendre les bruits intestinaux en regard d'une hernie mais non d'une hydrocèle.

Si ce que vous découvrez évoque une hernie, essayez de la réduire doucement (dans la cavité abdominale) par une pression soutenue des doigts. Ne tentez pas cette manœuvre si la masse est douloureuse ou si le patient se plaint de nausées et de vomissements.

L'histoire de la maladie peut être intéressante en pareil cas. Le patient peut vous raconter ce que devient sa tuméfaction quand il s'étend et vous montrer comment il la réduit lui-même. Pensez à le lui demander.

Une hernie est « irréductible » lorsqu'on n'arrive pas à réintégrer son contenu dans la cavité abdominale. Une hernie est « étranglée » lorsque l'irrigation sanguine de son contenu est compromise. Suspectez un étranglement s'il existe une douleur, des nausées et vomissements et envisagez une intervention chirurgicale. Voir tableau 13.5 : « Trajet et diagnostic des hernies de l'aine », p. 540.

# → Techniques spéciales

## Auto-examen des testicules

Le cancer du testicule a une incidence faible, de l'ordre de 4 pour 100 000 hommes, mais c'est le cancer le plus fréquent chez l'homme jeune, entre 15 et 35 ans. Bien que l'auto-examen testiculaire (AET) n'ait pas été formellement approuvé pour le dépistage du carcinome testiculaire, vous pouvez apprendre à votre patient à s'examiner les testicules. Dépisté précocement le cancer du testicule a un excellent pronostic. Les facteurs de risque comprennent la cryptorchidie, qui comporte un risque élevé de carcinome testiculaire sur le testicule non descendu, un antécédent de cancer sur l'autre testicule, une orchite ourlienne, une hernie inguinale et une hydrocèle dans l'enfance.

**INSTRUCTIONS AU PATIENT
POUR L'AUTO-EXAMEN DES TESTICULES**

Cet examen doit être fait de préférence après un bain ou une douche tiède. La chaleur relâche le scrotum et facilite la découverte d'éventuelles anomalies.

✔ Tenez-vous devant un miroir et recherchez un gonflement de la peau du scrotum.

✔ Examinez chaque testicule à deux mains. Courbez les index et les majeurs sous les testicules et placez les pouces au-dessus.

✔ Faites rouler doucement le testicule entre le pouce et les autres doigts. Un testicule peut être plus gros que l'autre... C'est normal, mais inquiétez-vous d'une grosseur ou d'une zone douloureuse.

✔ Localisez l'épididyme. C'est une structure molle, tubulée, à l'arrière du testicule, qui recueille et transporte le sperme, pas une grosseur anormale.

✔ Si vous découvrez une grosseur, n'attendez pas. Consultez votre médecin. La grosseur peut n'être qu'une infection, mais si c'est un cancer, il grossira s'il n'est pas traité.

Source : Medline Plus. US National Library of Medicine and National Institute of Health. Medical Encyclopedia - Testicular self-examination. Accessible sur : www.nlm.nih.gov/medlineplus/ency/article/003909.htm. Visité le 8 juin 2007.

# CONSIGNER VOS OBSERVATIONS

Notez qu'au début vous pouvez faire des phrases pour décrire vos constatations. Plus tard, vous utiliserez des phrases courtes. Le style ci-dessous emploie des phrases convenant à la plupart des rapports écrits.

## Consigner l'examen physique : organes génitaux de l'homme et hernies

« Homme circoncis. Pas d'écoulement ni de lésions de la verge. Pas de gonflement ni de décoloration des bourses. Testicules en place, lisses, sans masse. Épididymes insensibles. Pas de hernies inguinales ni crurales. »

**Ou**

« Homme non circoncis, prépuce facile à décalotter. Pas d'écoulement ni de lésions de la verge. Pas de gonflement ni de décoloration des bourses. Testicules en place ; testicule droit lisse ; nodule ferme de 1 × 1 cm dans le testicule gauche. Il est fixe et indolore. Épididymes insensibles. Pas de hernies inguinales ni crurales. »

Suspicion de *carcinome testiculaire*, le cancer le plus fréquent de l'homme entre 15 et 35 ans.

## Bibliographie

### RÉFÉRENCES

1. Lgbthealthchannel. Available at: http://www.lgbthealthchannel.com/transgender/ht.shtml. Accessed June 6, 2007.
2. Institute of Medicine. Committee on Prevention and Control of Sexually Transmitted Diseases. The Hidden Epidemic: Confronting Sexually Transmitted Diseases. Washington, DC, National Academy Press, 1997:1–432.
3. CDC Trends in Reportable Sexually Transmitted Diseases in the United States 2005. National Surveillance Data for Chlamydia, Gonorrhea, and Syphilis. December 2006. Available at: http://www.cdc.gov/std/stats/05pdf/trends-2005.pdf Accessed June 6, 2007.
4. U.S. Preventive Services Task Force. Screening for Genital Herpes Simplex. Available at: http://www.ahrq.gov/clinic/uspstf/uspsherp.htm. Accessed June 7, 2007.
5. U.S. Preventive Services Task Force. Screening for HIV Recommendation Statement. Release date July 2005; amended April 2007. Available at: http://www.ahrq.gov/clinic/uspstf05/hiv/hivrs.htm. Accessed June 7, 2007.
6. National Cancer Institute. Cancer Facts. Available at: http://cis.nih.gov/fact/6_34.htm. Accessed October 31, 2004.
7. Fitzgibbons RJ, Filipi CJ, Quinn TH. Inguinal hernias (Chapter 36). In Brunicardi FC, Andersen DK, Billiar TR, et al (eds). Schwartz's Principles of Surgery, 8th ed. New York, McGraw-Hill, 2005.

### AUTRES LECTURES

Campbell MF, Wein AJ, Kavoussi LR (eds). Campbell-Walsh Urology, 9th ed. Philadelphia: Saunders-Elsevier, 2007.

DeBusk RF. Sexual activity in patients with angina. JAMA 290(23):3129–3132, 2003.

Delancey JOL, Ashton-Miller JA. Pathophysiology of adult urinary incontinence. Gastroenterology 126(Suppl 1):S23–S32, 2004.

Fitzgibbons RJ, Dilipi CJ, Quinn TH. Inguinal hernias. In: Brunicardi FC, Andersen DK, Billiar TR, et al., eds. Schwartz's Principles of Surgery, 8th ed. New York: McGraw-Hill, 2005.

Gillenwater JY. Adult and Pediatric Urology, 4th ed. Philadelphia, Lippincott Williams & Wilkins, 2002.

Handsfield HH. Color Atlas and Synopsis of Sexually Transmitted Diseases, 2nd ed. New York, McGraw-Hill, 2001.

Institute of Medicine, Committee on Prevention and Control of Sexually Transmitted Diseases. The Hidden Epidemic: Confronting Sexually Transmitted Diseases. Washington, DC: National Academy Press, 1997:1–432.

Malangoni MA, Rosen MJ. Hernias. In: Townsend CM, Beauchamp D, Evers M, et al. Sabiston Textbook of Surgery: The Biological Basis of Modern Surgical Practice, 18th ed. Philadelphia: Elsevier/Saunders, 2008.

National Guideline Clearinghouse. Clinical Prevention Guidance: Sexually Transmitted Diseases Treatment Guidelines 2006. Available at: http://www.guideline.gov/summary/summary.aspx?doc_id=9672&nbr=005181&string=STDs. Accessed June 7, 2007.

Tanagho EA, McAninch JW (eds). Smith's General Urology, 16th ed. New York, Lange Medical Books, McGraw-Hill, 2004.

U.S. Preventive Services Task Force. Screening for genital herpes simplex. March 2005. Available at: http://www.ahrq.gov/clinic/uspstf/uspsherp.htm. Accessed June 7, 2007.

### Hypospadias

Déplacement congénital du méat urétral vers la face inférieure du pénis. Un sillon s'étend du méat à l'endroit où il devrait normalement être, à l'extrémité du gland.

### Œdème du scrotum

La peau du scrotum est tendue par un œdème prenant le godet ; se voit dans l'insuffisance cardiaque congestive et le syndrome néphrotique.

### Maladie de La Peyronie

Plaques dures, indolores, palpables directement sous la peau, généralement sur le dos de la verge. Le malade se plaint d'incurvation et de douleur à l'érection.

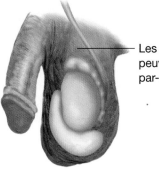

Les doigts peuvent passer par-dessus

### Hydrocèle

Accumulation de liquide dans la vaginale. Elle est indolore et pas sous tension, transilluminable. Les doigts de l'examinateur peuvent pénétrer dans le scrotum au-dessus de la masse.

### Carcinome du pénis

Nodule ou ulcère induré, en général indolore. Il atteint presque exclusivement les hommes non circoncis, mais peut être masqué par le prépuce. Toute ulcération persistante du pénis est suspecte.

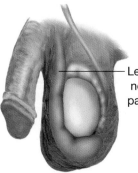

Les doigts ne peuvent pas passer par-dessus

### Hernie inguinoscrotale

En général, *hernie inguinale indirecte*, qui est descendue dans le scrotum *via* l'anneau inguinal superficiel. Les doigts de l'examinateur ne peuvent pas pénétrer dans le scrotum au-dessus de la masse.

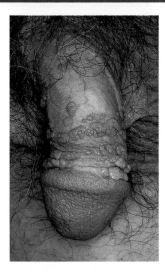

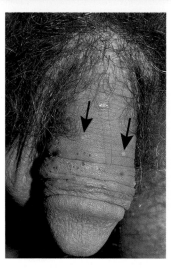

### Condylomes acuminés (végétations vénériennes)

- *Aspect :* papules ou plaques, uniques ou multiples, de forme variable, arrondies, acuminées (pointues), ou étroites et allongées. Peuvent être surélevées, planes ou verruqueuses (comme un chou-fleur).
- *Germe responsable :* les papillomavirus humains, surtout les sous-types 6 et 11 ; les sous-types cancérigènes sont rares : environ 5 à 10 % de tous les condylomes anogénitaux. *Incubation :* des semaines à plusieurs mois ; le contaminateur peut ne pas avoir de lésions visibles.
- Peuvent siéger sur le pénis, le scrotum, l'aine, les cuisses, l'anus ; en général asymptomatiques, mais parfois prurigineux et douloureux.
- Peuvent disparaître sans traitement.

### Herpès génital

- *Aspect :* vésicules, petites (1-3 mm), éparses ou groupées (« en bouquet ») sur le gland ou le corps de la verge. Font place à des érosions quand elles se rompent.
- *Germe responsable : Herpes simplex virus*, en général de type 2 (90 %), qui est un virus à ADN double-brin. *Incubation :* 2 à 7 jours.
- La primo-infection peut être latente ; les récidives sont en général moins douloureuses et plus brèves.
- Signes associés : fièvre, malaise, céphalées, arthralgies ; douleur locale et œdème, adénopathie.
- À différencier du zona génital (sujets âgés et distribution métamérique), d'une candidose.

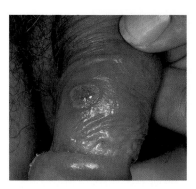

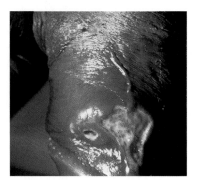

### Chancre syphilitique (syphilis primaire)

- *Aspect :* petite papule rouge qui se transforme en chancre, érosion indolore pouvant atteindre 2 cm de diamètre. Le fond du chancre est propre, rouge, lisse et brillant ; ses bords sont surélevés et indurés. Il cicatrise en 3 à 8 semaines.
- *Germe responsable : Treponema pallidum*, un spirochète. *Incubation :* de 9 à 90 jours. Une adénopathie inguinale peut apparaître dans les 7 jours ; les ganglions sont élastiques, indolores, mobiles.
- 20 à 30 % des patients présentent une syphilis secondaire alors que le chancre est encore présent (rechercher une co-infection par le VIH).
- À différencier d'un herpès génital, d'un chancre mou, d'un granulome inguinal dû à *Klebsiella granulomatis* (rare aux États-Unis, de diagnostic difficile : 4 variantes).

### Chancre mou

- *Aspect :* papule rouge ou pustule, au début ; puis ulcération profonde, aux bords déchiquetés, non indurés ; contient un exsudat nécrotique et a un fond friable.
- *Germe responsable : Haemophilus ducreyi*, bacille anaérobie. *Incubation :* 3 à 7 jours.
- Adénopathie douloureuse ; bubons suppurés dans 25 % des cas.
- À différencier d'une syphilis primaire, d'un herpès génital, d'une lymphogranulomatose vénérienne (ou maladie de Nicolas-Favre, due à *Chlamydia trachomatis*) et d'un granulome vénérien (ou donovanose, due à *Klebsiella granulomatis*), tous deux rares aux États-Unis.

TABLEAU 13-3     **Anomalies du testicule**

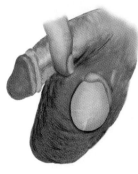

### Cryptorchidie

Le testicule est atrophié ; il peut se trouver dans le canal inguinal ou la cavité abdominale, ce qui fait que la bourse est vide. Ci-dessus, on ne palpe ni testicule ni épididymes gauches. Une cryptorchidie augmente notablement le risque de cancer du testicule.

### Petit testicule

Chez l'adulte, le grand diamètre du testicule est ≤ 3,5 cm. Petits testicules fermes dans le *syndrome de Klinefelter*, en général ≤ 2 cm. Petits testicules mous suggérant une atrophie dans la cirrhose, la dystrophie myotonique, l'imprégnation œstrogénique et l'hypopituitarisme ; également après une orchite.

### Orchite aiguë

Un testicule atteint d'inflammation aiguë est douloureux spontanément et à la palpation, et augmenté de volume. Il peut être difficile à distinguer de l'épididyme. Le scrotum peut devenir rouge. Se voit dans les oreillons et d'autres infections virales ; en général, unilatérale.

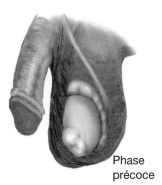

Phase
précoce

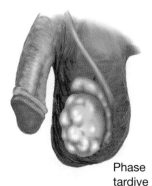

Phase
tardive

### Tumeur du testicule

Se présente habituellement comme un nodule indolore. Tout nodule intra-testiculaire est suspect de malignité et doit être exploré.

Quand un cancer testiculaire grossit et s'étend, il peut sembler remplacer l'organe tout entier. Le testicule semble plus lourd que normalement.

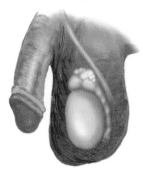

### Spermatocèle ou kyste de l'épididyme

Une masse kystique indolore et mobile, juste au-dessus du testicule, évoque une spermatocèle ou un kyste de l'épididyme. Les deux sont transilluminables. La première contient du sperme, le deuxième non, mais on ne peut les différencier cliniquement.

### Varicocèle

Ce sont des varices des veines du cordon spermatique, générale-ment du côté gauche. Elles donnent l'impression d'un « sac de vers » mou au toucher, séparé du testicule et qui s'affaisse lente-ment lorsqu'on soulève le scrotum, le sujet étant couché sur le dos. Association possible à une stérilité.

### Épididymite aiguë

Un épididyme atteint d'inflammation aiguë est douloureux et tuméfié, et il peut être difficile à distinguer du testicule. Le scrotum peut devenir rouge et le canal déférent peut également être enflammé. L'épididymite se voit surtout chez l'adulte. La coexistence d'une infection des voies urinaires ou d'une prostatite étaye le diagnostic.

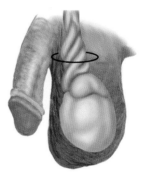

### Torsion du cordon spermatique

La torsion ou l'enroulement du testicule sur son cordon sperma-tique donne une douleur aiguë, spontanée et provoquée, et un testicule augmenté de volume et ascensionné. Le scrotum est rouge et œdématié. Il n'y a pas d'infection urinaire associée. La torsion, fréquente à l'adolescence, est une urgence chirurgicale en raison de l'ischémie qu'elle provoque.

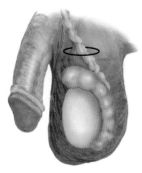

### Épididymite tuberculeuse

L'inflammation tuberculeuse chronique produit une hypertrophie ferme et parfois douloureuse de l'épididyme, avec épaississement moniliforme du canal déférent.

**TABLEAU 13-5** **Trajet et diagnostic des hernies de l'aine**

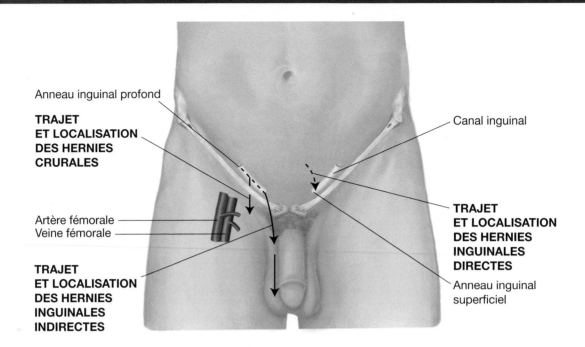

Anneau inguinal profond

**TRAJET ET LOCALISATION DES HERNIES CRURALES**

Artère fémorale

Veine fémorale

**TRAJET ET LOCALISATION DES HERNIES INGUINALES INDIRECTES**

Canal inguinal

**TRAJET ET LOCALISATION DES HERNIES INGUINALES DIRECTES**

Anneau inguinal superficiel

| | **Hernies inguinales** | | |
|---|---|---|---|
| | *Indirecte* | *Directe* | **Hernie crurale** |
| | 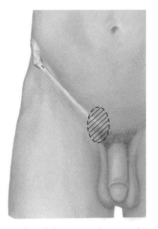 | 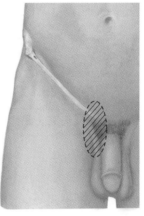 | 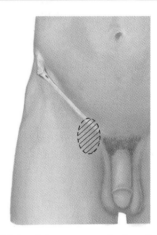 |
| **Fréquence, âge et sexe** | La plus fréquente, à tout âge, dans les deux sexes. Souvent chez l'enfant, parfois chez l'adulte | Moins fréquente. Généralement chez des hommes de plus de 40 ans ; rare chez la femme | Moins fréquente que les hernies inguinales, mais plus fréquente chez la femme que chez l'homme |
| **Point de départ** | Au-dessus et vers le milieu de l'arcade crurale (anneau inguinal profond) | Au-dessus de l'arcade crurale, près de l'épine du pubis (près de l'anneau inguinal superficiel) | Au-dessous de l'arcade crurale, plus en dehors que les hernies inguinales. Parfois difficile à différencier d'une adénopathie |
| **Trajet** (doigt de l'examinateur introduit dans le canal inguinal tandis que le patient pousse) | Descend souvent dans le scrotum<br><br>La hernie descend dans le canal inguinal et vient buter sur le doigt | Descend rarement dans le scrotum<br><br>La hernie bombe antérieurement et repousse le doigt vers l'avant | Ne descend jamais dans le scrotum<br><br>Le canal inguinal est vide |

# Organes génitaux de la femme

## ANATOMIE ET PHYSIOLOGIE

Revoyez l'anatomie des organes génitaux externes féminins (la *vulve*) incluant : le *mont de Vénus*, coussinet adipeux couvert de poils recouvrant la symphyse pubienne, les *grandes lèvres*, replis de tissu adipeux, les *petites lèvres*, replis rouge rosé plus minces qui forment en avant le *capuchon*, et le *clitoris*. Le *vestibule* est une fosse ovalaire entre les petites lèvres. Dans sa portion postérieure se trouve l'ouverture du vagin ou *introïtus* qui, chez la vierge, peut être masquée par l'*hymen*. Le *périnée*, en clinique, désigne les tissus qui séparent l'ouverture du vagin de l'anus.

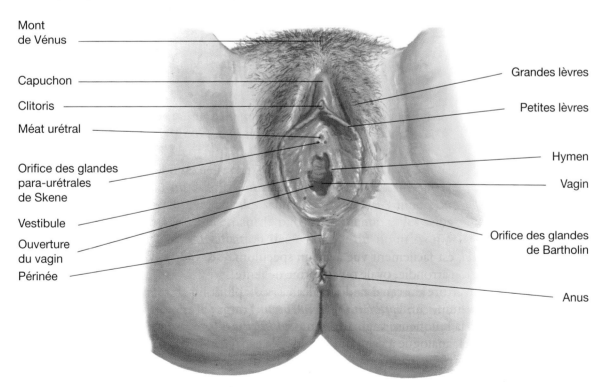

Mont de Vénus

Capuchon

Clitoris

Méat urétral

Orifice des glandes para-urétrales de Skene

Vestibule

Ouverture du vagin

Périnée

Grandes lèvres

Petites lèvres

Hymen

Vagin

Orifice des glandes de Bartholin

Anus

Le *méat urétral* s'ouvre dans le vestibule entre le clitoris et le vagin. Juste en arrière de l'orifice, et de chaque côté de lui, se trouvent les orifices des *glandes para-urétrales* de Skene.

**Lymphatiques.** Les lymphatiques de la vulve et de la partie inférieure du vagin se drainent dans les ganglions inguinaux, ceux des organes génitaux internes, y compris la partie supérieure du vagin, se drainent dans les ganglions lymphatiques pelviens et abdominaux, qui ne sont pas palpables.

## ANTÉCÉDENTS MÉDICAUX

### Inquiétudes fréquentes

- Premières règles, menstruation, ménopause, saignements post-ménopausiques.
- Grossesse.
- Symptômes vulvovaginaux.
- Préférences et réactions sexuelles.

**Premières règles, menstruations, ménopause.** Apprenez à caractériser les règles en utilisant les termes ci-dessous.

---

### L'HISTOIRE DES RÈGLES : DÉFINITIONS UTILES

- ✔ *Ménarche :* âge des premières règles.
- ✔ *Ménopause :* cessation des règles pendant 12 mois consécutifs, survenant en général entre 48 et 55 ans.
- ✔ *Saignement post-ménopausique :* saignement survenant 6 mois ou plus après l'arrêt des règles.
- ✔ *Aménorrhée :* absence de règles.
- ✔ *Dysménorrhée :* douleurs lors des règles, à type de pesanteur, endolorissement ou coliques dans la partie basse de l'abdomen ou pelvis.
- ✔ *Syndrome prémenstruel (SPM) :* un ensemble de troubles émotionnels, comportementaux et physiques qui surviennent dans les 5 jours précédant les règles, au cours de 3 cycles consécutifs.
- ✔ *Saignement utérin anormal (ménométrorragies) :* saignement entre les règles, et aussi règles trop fréquentes, trop abondantes ou trop prolongées, ou saignement post-ménopausique.

---

Les questions au sujet des *premières règles*, des *menstruations* et de la *ménopause* vous donnent souvent l'occasion d'explorer les inquiétudes de la patiente et son attitude envers son corps. Si vous vous adressez à une adolescente, par exemple, les premières questions peuvent être : « Quand avez-vous entendu parler des règles pour la première fois ? Qu'avez-vous ressenti quand elles sont apparues ? Bien des jeunes filles s'inquiètent d'une irrégularité ou d'un retard de règles. Êtes-vous préoccupée par un tel problème ? » Vous pouvez expliquer qu'aux États-Unis, les premières règles apparaissent entre 9 et 16 ans et qu'elles ne deviennent à peu près régulières qu'après un an ou plus. L'âge des premières règles est variable ; il dépend de l'hérédité, du statut socioéconomique et de la nutrition. L'intervalle entre deux menstruations va de 24 à 32 jours, le saignement dure de 3 à 7 jours.

Pour l'histoire des règles, demandez à la patiente quel âge elle avait au moment des premières règles (ou *ménarche*). Quelle est la date du premier jour de ses dernières règles, et si possible celle de ses règles précédentes ? Quelle est la fréquence des règles ? (La fréquence des règles est mesurée par l'intervalle séparant le 1er jour de deux menstruations successives.) Sont-elles régulières ou pas ? Combien de jours durent-elles ? Quelle est leur abondance et quelle est leur couleur ? (L'abondance des règles est appréciée sur le nombre de tampons ou de serviettes utilisés.) Étant donné que les femmes ont une hygiène intime variable, demandez à la patiente si elle imprègne d'habitude une serviette ou un tampon, ne les tache que légèrement, etc. En utilise-t-elle un ou plusieurs à la fois ? A-t-elle des saignements entre les règles ? Un saignement après un rapport ?

Demandez à une femme d'âge mûr si elle a encore des règles. Si elle n'en a plus, « Depuis quand ? Est-ce que la ménopause a été marquée par d'autres symptômes ? Y a-t-il eu des saignements depuis ? ».

Jusqu'à 50 % des femmes se plaignent de *dysménorrhée*, c'est-à-dire de douleurs accompagnant les règles. Demandez à la patiente si elle ressent une gêne ou une douleur avant ou pendant les règles ? Si oui, à quoi ressemble la douleur, quelle en est la durée et gêne-t-elle les activités courantes ? Y a-t-il d'autres symptômes associés ? Une dysménorrhée peut être *primaire*, sans cause organique, ou *secondaire*, avec une cause organique.

Le *syndrome prémenstruel (SPM)* comprend des troubles émotionnels et comportementaux, tels qu'une dépression, des crises d'angoisse, une irritabilité, une anxiété, une désorientation, des accès de larmes, une baisse de l'attention et un retrait social.[1] Recherchez un ballonnement, une prise de poids, des œdèmes des mains et des pieds, des douleurs diffuses. Les critères du diagnostic sont la présence de ces signes et symptômes dans les 5 jours précédant les règles pendant au moins 3 cycles consécutifs, leur disparition dans les 4 jours suivant l'installation des règles, et leur interférence avec les activités de la vie quotidienne.

L'*aménorrhée* désigne l'absence de règles. Si la patiente n'a jamais été réglée, on parle d'*aménorrhée primaire* ; si ses règles se sont interrompues, d'*aménorrhée secondaire*. La grossesse, l'allaitement et la ménopause sont des causes physiologiques d'aménorrhée secondaire.

Les dates des dernières règles peuvent attirer votre attention sur une éventuelle grossesse ou des irrégularités menstruelles.

À la différence des règles normales, de couleur rouge foncé, les saignements abondants ont tendance à être rouge vif et peuvent contenir des « caillots » (qui ne sont pas de vrais caillots fibrineux).

Une *dysménorrhée primaire* est due à une production accrue de prostaglandines au cours de la phase lutéale du cycle menstruel (quand les taux d'œstrogènes et de progestérone baissent).

Les causes de *dysménorrhée secondaire* comprennent l'endométriose, l'adénomyose (une endométriose dans les couches musculaires de l'utérus), les infections génitales hautes et les polypes de l'endomètre.

Les autres causes d'*aménorrhée secondaire* sont un poids corporel bas, quelle qu'en soit la cause (malnutrition, anorexie mentale, etc.), le stress, les maladies chroniques et des dysfonctionnements hypothalamo-hypophyso-ovariens.

Recherchez un saignement anormal. Le terme de *saignement utérin anormal* englobe :

- la *polyménorrhée* : des règles très rapprochées (intervalle inférieur à 21 jours) ;

- la *spanioménorrhée* : des règles très espacées ;

- les *ménorragies* : des règles trop abondantes ;

- les *métrorragies* : des saignements entre les règles ;

- le saignement post-coïtal.

La *ménopause* survient habituellement entre 48 et 55 ans, après une période de fluctuation de la sécrétion antéhypophysaire de FSH *(Follicle Stimulating Hormone)* et de LH *(Luteinizing Hormone)*, et du fonctionnement ovarien.[2] Si la patiente commence à avoir des cycles irréguliers *(préménopause)*, recherchez des signes tels que les « bouffées de chaleur », avec rougeur, chaleur et sueurs du visage, et des troubles du sommeil. Après la ménopause, il peut y avoir une sécheresse vaginale et une *dyspareunie* (un rapport sexuel douloureux), une perte de cheveux et un léger hirsutisme, du fait de l'augmentation du rapport androgènes/œstrogènes. Des troubles urinaires peuvent aussi survenir en l'absence d'infection, à cause de l'atrophie de l'urètre et du trigone vésical.

Demandez : « Comment ressentez-vous l'absence de règles ? Est-ce que cela a retenti de quelque façon sur votre vie ? » Recherchez un saignement post-ménopausique.

**Grossesse.** Les questions concernant la grossesse comprennent : « Avez-vous été enceinte ? Combien de fois ? Combien d'enfants vivants avez-vous ? Avez-vous fait des fausses couches ou des avortements ? Combien de fois ? » Recherchez des problèmes pendant la grossesse, et précisez le terme et les circonstances d'un avortement éventuel, si celui-ci a été spontané ou provoqué. Comment la femme a-t-elle vécu ces événements ? Les obstétriciens consignent les antécédents obstétricaux en utilisant le système « gravida-para », avec les abréviations suivantes :

---

### LA NOTATION GRAVIDA-PARA

✔ G = *gravida*, ou nombre total de grossesses ;

✔ P = *para*, ou issue des grossesses. Après la lettre P, vous verrez souvent les lettres F (pour *full-term*, c'est-à-dire à terme), P (pour prématuré), A (pour avortement) et L (pour *living child*, c'est-à-dire enfant vivant).

---

Renseignez-vous sur les méthodes contraceptives utilisées par la patiente et son partenaire. La patiente est-elle satisfaite de la méthode choisie ? Y a-t-il des questions sur les méthodes disponibles ?

Les causes varient avec l'âge. Elles comprennent la grossesse, les infections cervicovaginales, le cancer, les polypes du col et de l'endomètre, l'hyperplasie de l'endomètre, les fibromes, les troubles de la coagulation, la pilule contraceptive et le THS. Un *saignement post-coïtal* évoque des polypes ou un cancer du col ou, chez les femmes âgées, une vaginite atrophique.

Les femmes peuvent poser des questions sur les traitements alternatifs ou à base de plantes censés soulager les symptômes de la ménopause. La plupart n'ont pas été bien étudiés ou sont inefficaces. L'œstrogénothérapie substitutive soulage les symptômes mais augmente le risque de thrombose. Certains antidépresseurs et alphabloquants pourraient être utiles.[3]

*Saignement post-ménopausique* dans le cancer de l'endomètre, le THS et les polypes cervicaux.

Si une aménorrhée suggère une *grossesse en évolution*, renseignez-vous sur les relations sexuelles et les *symptômes de début* : sensibilité, picotements, augmentation de volume des seins, pollakiurie, nausées et vomissements, fatigabilité, et perception des mouvements actifs du bébé (en général perçus à partir de 20 semaines). Tenez compte des sentiments de la patiente en discutant de ces sujets et explorez-les si cela semble indiqué (voir aussi chapitre 19 : « Femme enceinte »).

Une aménorrhée suivie d'un saignement important évoque une *menace de fausse couche* ou un *saignement utérin fonctionnel* dû à l'absence d'ovulation.

**Symptômes vulvovaginaux.** Les symptômes vulvovaginaux les plus fréquents sont les *pertes vaginales* et le *prurit* local. Suivez l'approche habituelle. Si la patiente signale des pertes, posez des questions sur leur volume, leur couleur, leur consistance et leur odeur. Cherchez également s'il existe des *ulcérations* ou des *grosseurs* dans la région vulvaire. Sont-elles douloureuses ou non ? Comme en ce domaine la compréhension des termes anatomiques par les patientes est variable, n'hésitez pas à utiliser d'autres formulations : « Avez-vous une démangeaison (ou un autre symptôme) dans la région de votre vagin ? Entre vos jambes ? Là où vous urinez ? »

Voir le tableau 14-1 : « Lésions de la vulve », p. 569, et le tableau 14-6 : « Pertes vaginales », p. 573.

**Préférences et réactions sexuelles.** Revoyez les astuces pour obtenir les antécédents sexuels, p. 526. Employez des questions neutres, sans connotation morale ; posez des questions sur les préférences sexuelles de la patiente et sur son statut relationnel. Les patientes qui sont attirées par des partenaires du même sexe ou transsexuels peuvent éprouver de l'anxiété ou de la peur au cours de la consultation. Des manières rassurantes les aideront à exprimer leurs inquiétudes au sujet de leur santé et de leur activité sexuelles.

Commencez par des questions générales telles que : « Vous intéressez-vous au sexe ? » ou « Avez-vous des problèmes d'ordre sexuel ? » Vous pouvez aussi demander : « Êtes-vous satisfaite de votre vie sexuelle actuellement ? Y a-t-il eu des changements ces dernières années ? Êtes-vous satisfaite de vos capacités sexuelles ? Pensez-vous que votre partenaire est satisfait ? Pensez-vous qu'il est satisfait de la fréquence de vos rapports sexuels ? »

Si la patiente a des inquiétudes sur son activité sexuelle, demandez-lui de vous en parler. Des questions directes vous aident à apprécier chaque phase de la réaction sexuelle – désir, excitation et orgasme : « Êtes-vous toujours intéressée par le sexe ? » renseigne sur la phase de désir ; pour la phase orgasmique : « Arrivez-vous à atteindre l'orgasme (ou « à venir ») », « Est-il important pour vous d'atteindre l'orgasme ? » ; et pour l'excitation : « Arrivez-vous à l'excitation sexuelle ? La lubrification de votre vagin se fait-elle facilement ? Reste-t-il trop sec ? »

Les troubles sexuels sont classés d'après la phase de la réaction sexuelle. Une femme peut manquer de désir, ne pas parvenir à être excitée et à obtenir une lubrification correcte du vagin, ou, malgré une excitation correcte, n'obtenir que rarement ou jamais un orgasme. Les causes comprennent le manque d'œstrogènes, les maladies somatiques et psychiatriques.

Recherchez aussi une *dyspareunie*. S'il y en a une, essayez de localiser le symptôme. Est-il près de l'entrée, survenant au début du rapport, ou est-il ressenti plus loin, à l'intérieur, quand le partenaire pénètre plus profondément ? Un *vaginisme* désigne un spasme involontaire des muscles entourant l'orifice vaginal qui rend douloureuse ou impossible la pénétration durant le rapport sexuel.

Une douleur superficielle évoque une inflammation locale, une vaginite atrophique ou une lubrification insuffisante ; une douleur plus profonde peut être due à des troubles pelviens ou à la compression d'un ovaire normal. La cause du *vaginisme* peut être physique ou psychique.

De plus, pour établir la nature d'un trouble sexuel, posez des questions sur son début, son importance (permanent ou occasionnel), ses circonstances de survenue et les facteurs qui l'améliorent ou l'aggravent éventuellement. Quelle est la cause du trouble d'après la patiente ? Qu'a-t-elle essayé de faire et qu'espère-t-elle ? Les circonstances dans lesquelles survient un trouble sexuel constituent un problème important mais complexe, faisant intervenir l'état de santé de la patiente, les médicaments et toxiques, y compris l'alcool, la connaissance qu'elle et son partenaire ont des pratiques et des techniques sexuelles, ses attitudes, ses valeurs et ses peurs, la relation et la communication entre elle et son partenaire, et l'endroit où a lieu l'activité sexuelle.

Plus banalement, un problème sexuel est lié à un ou plusieurs facteurs circonstanciels ou psychosociaux.

***Maladies sexuellement transmises.*** Des symptômes locaux ou des découvertes d'examen clinique peuvent soulever la possibilité de *maladies sexuellement transmises* (MST). Après avoir étudié les attributs habituels des symptômes, identifiez la préférence sexuelle de la patiente (hommes, femmes ou les deux). Renseignez-vous sur ses contacts sexuels et établissez le nombre de ses partenaires le mois précédent. Demandez à la patiente si elle a des inquiétudes au sujet du SIDA, si elle désire une sérologie du VIH ou si elle a ou a eu des partenaires à risque. Questionnez-la aussi sur des relations orales ou anales et, si c'est indiqué, sur des symptômes concernant la bouche, la gorge, l'anus et le rectum. Recherchez des antécédents de maladie vénérienne : « Avez-vous eu de l'herpès ? Des problèmes tels qu'une gonococcie ? La syphilis ? Des infections pelviennes ? » Continuez avec les questions plus générales proposées pages 82-83.

## PROMOTION DE LA SANTÉ ET CONSEILS

### Sujets importants pour la promotion de la santé et les conseils

- Dépistage du cancer du col : frottis cervicaux et infection à papillomavirus humains.
- Options du planning familial.
- Maladies sexuellement transmises (MST) et infection à VIH.
- Changements de la ménopause.

### Dépistage du cancer du col : frottis cervicaux et infection à papillomavirus humains (ou HPV : Human Papillomavirus).

Le dépistage par les frottis cervicaux (ou *frottis de Papanicolaou*) a contribué à la diminution significative de l'incidence et de la mortalité du cancer du col utérin. L'USPSTF *(US Preventive Services Task Force)* note que : « L'objectif du dépistage cytologique est de prélever la zone de transformation, la zone où a lieu la transformation physiologique de l'épithélium cylindrique endocervical en épithélium pavimenteux (ou malpighien) exocervical, et où prennent naissance la dysplasie et le cancer. »[4] Il y a deux grands types de cancer du col primitif. Approximativement 80 à 90 % sont des carcinomes malpighiens ou épithéliomas, et 10 à 20 % des adénocarcinomes (à partir des cellules glandulaires).

Les *facteurs de risque de cancer du col* sont viraux et comportementaux. Le plus important facteur de risque est l'*infection par les souches de papillomavirus humain (HPV)*, à risque élevé. Aux États-Unis, les infections génitales à HPV sont les plus fréquentes des MST.[5] Plus de 50 % des personnes sexuellement actives en contractent une au cours de leur vie. La plupart des infections génitales à HPV sont transitoires et deviennent négatives pour l'ADN du HPV en 1 à 2 ans (la clairance peut être due à l'apparition progressive d'anticorps). On pense que la persistance du HPV induit des lésions précancéreuses et cancéreuses et que les HPV sont en cause dans presque tous les cancers du col.[6] Les souches HPV 16 et 18 sont responsables d'environ 70 % des cancers cliniques et les souches HPV 6 et 11 de 90 % des végétations vénériennes.

Les *autres facteurs de risque* de cancer du col comprennent une activité sexuelle précoce, de multiples partenaires sexuels, des antécédents de MST, l'absence de dépistage par des frottis cervicaux, l'âge, l'état nutritionnel, le tabagisme, le statut immunitaire, et des polymorphismes génétiques influant sur la pénétration de l'ADN des HPV dans les cellules du col utérin.[4]

**Recommandations pour les frottis cervicaux de dépistage.** L'ACOG *(American College of Obstetricians and Gynecologists)*, l'ACS *(American Cancer Society)* et l'USPSTF ont récemment émis de nouvelles recommandations sur la fréquence du dépistage dans différentes tranches d'âge.[4, 7, 8] Ces recommandations reflètent des progrès dans la compréhension de la progression des lésions cervicales d'un bas grade à un haut grade et dans la réalisation des frottis cervicaux. Le cancer intraépithélial du col évolue lentement et il est aisément détecté sur les frottis. De nouvelles technologies, comme la cytologie en phase liquide, le *rescreening* par ordinateur, et le dépistage reposant sur un algorithme peuvent améliorer la détection des cellules cervicales anormales, bien que l'USPSTF ait conclu en 2003 que les preuves de la supériorité de ces nouvelles techniques sur les frottis conventionnels étaient encore insuffisantes.[4, 9]

Les recommandations de l'ACOG sont résumées ci-dessous.[7] Elles concordent étroitement avec celles de l'ACS et de l'USPSTF. Il est utile et instructif de consulter les recommandations de ces trois groupes.

| Recommandations de l'ACOG pour le dépistage du cancer du col[7] | |
| --- | --- |
| **Premier dépistage** | À faire environ 3 ans après les premiers rapports sexuels, et en tout cas à 21 ans au plus tard. |
| **Jusqu'à l'âge de 30 ans** | Un dépistage par an avec la cytologie classique, ou tous les 2 ans avec la cytologie en phase liquide. |
| **À partir de l'âge de 30 ans** | ▪ Dépistage tous les 2-3 ans si trois frottis cervicaux annuels consécutifs sont négatifs, ou si la cytologie cervicale et le test de HPV à risque élevé sont négatifs.<br><br>▪ Dépistage plus fréquent chez les patientes ayant un frottis cervical positif ou un test de HPV à risque élevé positif, une infection à VIH, une dépression immunitaire, une exposition au DES *in utero*, un antécédent de cancer du col. |
| **Femmes hystérectomisées** | Arrêt du dépistage systématique, à moins que le col ait été conservé, ou que la patiente ait eu une dysplasie ou une néoplasie du col. Un dépistage annuel est recommandé chez les femmes qui ont de tels antécédents jusqu'à ce que trois frottis vaginaux consécutifs soient négatifs (des études montrent que 68 % des femmes hystérectomisées pour une affection bénigne ont encore subi un frottis dans les 3 années précédentes)[10]. |
| **Femmes âgées** | L'ACOG recommande de fonder la continuation du dépistage sur l'évaluation clinique de la santé individuelle et la possibilité de surveiller la patiente. L'USPSTF a trouvé que le dépistage était peu utile *après 65 ans* mais recommande de le continuer chez les femmes âgées qui n'ont pas eu de dépistage antérieur ou qui ne connaissent pas les résultats des anciens dépistages. L'ACS recommande d'arrêter le dépistage après 70 ans si trois frottis consécutifs sont négatifs ou si les résultats des frottis ont été négatifs au cours des dix années précédentes ; elle préconise de continuer les tests chez les femmes bien portantes si elles ont eu un cancer du col, une exposition au DES *in utero*, une infection à VIH ou un déficit immunitaire. |

Prenez le temps de comprendre comment les résultats des frottis cervicaux sont rédigés. Actuellement, les classifications et les recommandations de prise en charge sont fondées sur le système Bethesda du *National Cancer Institute*, révisé en 2001.[11, 12] Les principales catégories sont indiquées dans l'encadré ci-après. La prise en charge dépend du risque de cancer du col et fait souvent appel à la répétition des cytologies, à la colposcopie, et à la recherche de l'ADN des papillomavirus humains (HPV).

Les frottis cervicaux classiques ont une sensibilité de 30 à 87 % et une spécificité de 86 à 100 % pour détecter un cancer du col. Pour la cytologie en phase liquide, les valeurs sont de 61-95 % et de 72-82 %, respectivement.[5]

## CLASSIFICATION DE LA CYTOLOGIE DES FROTTIS CERVICAUX : LE SYSTÈME BETHESDA (2001)

✔ *Absence de lésions intra-épithéliales et de malignité.* Il n'y a pas de cellules néoplasiques mais on peut trouver des micro-organismes tels que des *Trichomonas*, *Candida* ou *Actinomyces* dans cette catégorie, une flore de vaginose, ou les changements cellulaires caractéristiques de l'infection à *Herpes simplex virus.*

✔ *Anomalies des cellules épithéliales.* Elles comprennent les lésions précancéreuses et cancéreuses :
  – *anomalies des cellules malpighiennes :* à savoir *atypies des cellules malpighiennes* (ACS), qui peuvent être de signification indéterminée (ACS-US) ; *lésions malpighiennes intraépithéliales de bas grade* (LSIL), incluant la dysplasie légère ; *lésions malpighiennes intra-épithéliales de haut grade* (HSIL), incluant la dysplasie modérée et sévère avec des éléments faisant suspecter un processus invasif ; et *carcinome malpighien invasif ;*
  – *anomalies des cellules glandulaires :* à savoir *atypies des cellules endocervicales* ou *atypies des cellules endométriales* spécifiées ou non spécifiées (NOS) ; *atypies des cellules endocervicales* ou *atypies des cellules glandulaires,* en faveur d'une néoplasie ; *adénocarcinome endocervical in situ,* et *adénocarcinome invasif ;*
  – *autres néoplasies malignes,* telles que les sarcomes et les lymphomes, tous deux exceptionnels.

**Vaccin HPV.** En 2007, les CDC *(Centers for Diseases Control and Prevention)* ont recommandé la *vaccination contre les HPV* des filles et des femmes de 11 à 26 ans, afin de réduire le risque de cancer du col.[13] Des études ont montré que le vaccin, qui vise les génotypes 6, 11, 16 et 18 du HPV, a une efficacité voisine de 100 % pour prévenir les néoplasies intraépithéliales de grades 2 et 3 et les adénocarcinomes *in situ* liés au HPV-16 et au HPV-18 chez les femmes qui n'ont jamais été contaminées par ces types de HPV.[6] Le vaccin réduit aussi le risque de maladies anogénitales telles que les condylomes acuminés, les néoplasies intra-épithéliales et les cancers invasifs anogénitaux.[14] Il est moins efficace chez les femmes déjà contaminées par l'un des quatre types de HPV. Ce n'est pas un traitement curatif des infections cervicales, des végétations vénériennes, des lésions précancéreuses et des cancers.[15]

La vaccination précoce, avant les premiers rapports sexuels, semble la plus bénéfique. À 13 ans, 8 % des adolescentes ont déjà eu des rapports sexuels, à 15 ans* 33 %, et à 18 ans** 66 %.[16] La prévalence du HPV est de 40 % chez les filles de 14 à 19 ans.[17] Le dépistage par les frottis cervicaux et les examens gynécologiques doit continuer après la vaccination pour détecter des changements provenant d'une infection nouvelle ou persistante due à d'autres types de HPV cancérigènes. La durée de la protection conférée par le vaccin HPV est actuellement indéterminée.

---

\* NdT : l'âge du niveau scolaire n° 9 aux États-Unis.
\*\* NdT : l'âge de la fin de la *high school* aux États-Unis.

***Note sur le cancer de l'ovaire.*** Bien que le cancer de l'ovaire soit relativement rare, les femmes posent souvent des questions sur son dépistage. Il n'y a pas actuellement de tests de dépistage, quoique la protéomique et la cinétique du CA-125* puissent s'avérer utiles dans le futur.[18] Le plus grand facteur de risque est un antécédent familial de cancer du sein ou de l'ovaire et des mutations des gènes BRCA1 et BRCA2 chez un parent. Les taux de CA-125 ne sont ni sensibles ni spécifiques. Ils sont élevés chez plus de 80 % des femmes qui ont un cancer de l'ovaire et aident à prédire une rechute après chimiothérapie, mais ils sont aussi élevés dans d'autres affections et cancers, à savoir la grossesse, l'endométriose, les fibromyomes utérins, les infections génitales hautes (salpingites, etc.), les kystes bénins, et les cancers du pancréas, du sein, du poumon, de l'estomac et du côlon.

Les femmes à risque génétique élevé ont le choix entre la salpingo-ovariectomie bilatérale, ou un dépistage par des examens gynécologiques, des dosages de CA-125 ou des échographies par voie endovaginale à répétition. Aucune des méthodes de dépistage n'est évaluée.

***MST et infection à VIH.*** Les taux américains de MST sont les plus élevés du monde industrialisé.[19] L'infection à *Chlamydia trachomatis* est la plus fréquente des MST rapportées aux États-Unis et la plus fréquente des MST de la femme.[20] Chez les femmes, les taux d'infection sont au plus haut entre 15 et 19 ans, et aussitôt après, entre 20 et 24 ans. Les femmes afro-américaines, amérindiennes et natives d'Alaska sont les plus touchées. La plupart des cas ne sont pas diagnostiqués. En l'absence de traitement, 40 % des femmes feront une infection génitale haute et 20 % deviendront stériles. La *gonococcie* est superposable à l'infection à *Chlamydia* pour la détection, les groupes les plus touchés et les conséquences de l'insuffisance de diagnostic et de traitement. La *syphilis* est plus rare ; les femmes afro-américaines et hispaniques ont le risque le plus élevé. L'USPSTF recommande fortement :

- la recherche systématique de *Chlamydia* dans le col utérin chez toutes les femmes sexuellement actives et les femmes enceintes de moins de 24 ans, et chez les femmes asymptomatiques de plus de 24 ans faisant partie de groupes à risque accru[21] ;

- un dépistage simultané de l'infection à *Chlamydia* lors des frottis cervicaux ;

- un dépistage systématique de la *cervicite à gonocoques* chez toutes les femmes sexuellement actives à risque accru, y compris les femmes enceintes[22] ;

- un dépistage systématique de la *syphilis* chez les femmes à risque accru et chez les femmes enceintes.[23]

Aux États-Unis, les taux d'*infections par le VIH et de SIDA* sont en augmentation rapide chez les femmes, qui représentent actuellement 30 % des personnes infectées. La contamination des femmes est principalement hétérosexuelle. Parmi les femmes infectées, on compte 60 % d'Afro-Américaines,

---

* NdT : ou *Cancer Antigen* 125, un marqueur tumoral.

20 % de Latino-Américaines, et 20 % de caucasiennes. La probabilité d'une transmission hétérosexuelle est augmentée en cas de partenaire infecté par le VIH-1 ayant une charge virale élevée, d'ectopie du col, de rapports sexuels durant les règles, de partenaire mâle non circoncis. Les candidoses vulvo-vaginales à répétition, les MST associées, les frottis cervicaux anormaux (rencontrés chez jusqu'à 40 % des femmes séropositives) et les infections à HPV sont autant de clignotants justifiant une sérologie du VIH. En 2006, les CDC ont publié de nouvelles recommandations préconisant un dépistage généralisé du VIH chez toutes les personnes de 13 à 64 ans, quels que soient les facteurs de risque. L'USPSTF continue à recommander un dépistage orienté vers les personnes à risque élevé.[25]

Comme pour les hommes, les cliniciens doivent apprécier les facteurs de risque de MST et d'infection à VIH en interrogeant soigneusement les patients sur leurs antécédents sexuels et en les renseignant sur la propagation de la maladie et les façons de réduire les pratiques à risque. Les clés d'un conseil efficace sont le respect, la compassion, une attitude neutre, et l'utilisation de questions à réponse ouverte faciles à comprendre, telles que : « Avez-vous de nouveaux partenaires sexuels ? » et « Avez-vous pratiqué la sodomie, c'est-à-dire l'introduction du pénis dans l'anus/le sexe anal ? ».[26] Les CDC recommandent un conseil interactif, adapté aux risques et au cas de l'interlocuteur. Une formation au conseil de prévention améliore l'efficacité. Vous pouvez commencer par les sites Web conseillés par les CDC, tels que http://effectiveinterventions.org et http://depts.washington.edu/nnptc/.

Voir chapitre 3 : « Entrevue et antécédents », p. 82-83, pour obtenir les antécédents sexuels, et chapitre 13 : « Organes génitaux de l'homme et hernies », p. 526-529, pour les facteurs de risque de l'infection à VIH.

***Options du planning familial.*** Il est important d'informer les femmes, notamment les adolescentes, sur le moment de l'ovulation au cours du cycle menstruel et les façons de planifier ou d'éviter les grossesses. Des enquêtes indiquent qu'aux États-Unis, plus de la moitié des grossesses ne sont pas désirées et que les grossesses non désirées représentent la majeure partie des 800 000 grossesses annuelles d'adolescentes.[27] Les cliniciens doivent bien connaître les nombreuses méthodes de contraception et leur efficacité. Il peut s'agir de méthodes « naturelles » (abstinence périodique, retrait, allaitement), mécaniques (préservatifs masculins, diaphragme, préservatif féminin), pharmacologiques (spermicide, « pilule anticonceptionnelle », implant sous-cutané de lévonorgestrel, injection ou patch d'œstrogène/progestérone, anneau vaginal), ou chirurgicales (ligature des trompes). Prenez le temps de comprendre les préoccupations et les préférences de la patiente ou du couple et respectez ces préférences chaque fois que c'est possible. L'utilisation continue de la méthode qui plaît est supérieure à une méthode plus efficace mais abandonnée. Pour les adolescentes, un cadre confidentiel facilite la discussion sur des sujets qui peuvent sembler intimes et délicats à aborder.

***Changements de la ménopause.*** Familiarisez-vous avec les changements psychologiques et physiologiques de la ménopause – sautes d'humeur, changement de l'image de soi, troubles vasomoteurs (« bouffées de chaleur »), ostéoporose, élévation du cholestérol total et du LDL-cholestérol et atrophie vaginale, responsable de sécheresse vaginale, de dysurie et parfois de dyspareunie.

Le clinicien doit bien connaître *les bénéfices et les risques du traitement hormonal substitutif (THS)*, souvent à l'origine de questions au cours des consultations. Depuis 1998, trois grands essais contrôlés et randomisés, avec les événements pathologiques comme critères de jugement, ont montré que le THS augmentait les risques d'accident vasculaire cérébral et d'embolie pulmonaire, sans diminution ou avec un risque accru d'accidents coronariens.[28-31] Dans deux des essais, le risque de cancer du sein était augmenté de 25 %.[28, 29, 31] Une autre étude a montré un risque accru de démence chez des femmes ménopausées plus âgées.[32] Ces risques découlent surtout des effets des œstrogènes. Malgré la diminution des risques de fracture du col du fémur et de cancer du côlon, les recommandations médicales actuelles contre-indiquent le THS pour prévenir des maladies, et conseillent l'utilisation de doses minimes pendant le temps le plus court possible pour traiter les symptômes de la ménopause.[33-35]

## TECHNIQUES D'EXAMEN

### Points importants de l'examen

**Examen externe**
- Mont de Vénus
- Grandes et petites lèvres
- Méat urétral, clitoris
- Orifice vaginal (introïtus)
- Périnée

**Examen interne**
- Vagin, parois vaginales
- Col utérin
- Utérus, ovaires
- Muscles pelviens
- Cloison rectovaginale

***Abord de l'examen gynécologique.*** Beaucoup d'étudiants sont anxieux ou gênés quand ils commencent à faire des examens gynécologiques. De leur côté, les patientes ont leurs propres craintes. Certaines femmes ont déjà eu, lors d'examens précédents, des expériences douloureuses, embarrassantes ou même humiliantes, alors que d'autres subissent leur premier examen. Des patientes ont peur des découvertes possibles du clinicien, et de leur retentissement. Demander à une patiente l'autorisation d'effectuer un examen gynécologique est une marque de politesse et de respect. Si un frottis cervical doit être prélevé selon la technique classique, programmez l'examen en dehors des règles, afin que le sang ne perturbe pas son interprétation.

Une patiente qui n'a jamais subi d'examen gynécologique peut ignorer ce qui l'attend. Utiliser une maquette, lui montrer le matériel, la laisser manipuler le spéculum, et lui expliquer chaque étape à l'avance peuvent l'aider à connaître son corps et à se sentir plus à l'aise. Une technique douce et minutieuse est particulièrement importante pour minimiser la gêne ou la douleur d'un premier examen gynécologique.

Dans la cytologie en phase liquide, les cellules sanguines peuvent être éliminées par filtration.[36]

Les réactions de la femme à l'examen gynécologique peuvent donner de précieuses indications sur ses sentiments au sujet de l'examen et de sa sexualité. Si la patiente recule, met les cuisses en adduction, ou réagit négativement à l'examen, vous pouvez faire un commentaire du genre : « J'ai remarqué que vous aviez un peu de mal à vous détendre. Est-ce juste parce que vous êtes ici ou est-ce que l'examen vous perturbe ?… Y a-t-il quelque chose qui ne va pas ? » Les comportements opposants peuvent être une clé pour comprendre les inquiétudes de la patiente. Une réaction hostile peut traduire un abus sexuel ancien et doit être explorée.

Chez l'adolescente, les indications d'un examen gynécologique sont les troubles des règles, tels que l'aménorrhée, les ménorragies ou la dysménorrhée, des douleurs abdominales inexpliquées, les pertes vaginales, la prescription de contraceptifs, des examens cytobactériologiques pour une jeune fille ayant une activité sexuelle, et la demande personnelle d'un examen.

Voir chapitre 18 : « Évaluation des enfants : du nourrisson à l'adolescent », p. 867-871.

---

## ASTUCES POUR RÉUSSIR UN EXAMEN GYNÉCOLOGIQUE

### La patiente

✔ Évitez les rapports sexuels, les douches vaginales et les ovules dans les 24 à 48 heures précédant l'examen.

✔ Videz votre vessie avant l'examen.

✔ Couchez-vous sur le dos, la tête et les épaules légèrement surélevées, les bras le long du corps ou croisés sur la poitrine (pour faciliter le contact oculaire et décontracter les muscles abdominaux).

### L'examinateur

✔ Demandez l'autorisation ; trouvez une assistante.

✔ Expliquez à l'avance chaque étape de l'examen.

✔ Recouvrez la patiente du milieu de l'abdomen aux genoux avec un drap ; creusez le drap entre les genoux pour voir la patiente.

✔ Évitez les mouvements brusques ou intempestifs.

✔ Choisissez un spéculum d'une taille convenable.

✔ Réchauffez le spéculum en le passant sous l'eau tiède du robinet.

✔ Vérifiez que la patiente est à l'aise pendant l'examen en regardant son visage.

✔ Utilisez une technique parfaite mais douce, surtout quand vous introduisez le spéculum (voir ci-dessous).

---

Aidez la patiente à se détendre : c'est indispensable à un bon examen. L'adoption des astuces ci-dessus contribuera au confort de la patiente. Portez toujours des gants, pendant l'examen et pendant la manipulation du matériel et des prélèvements. Préparez tout à l'avance, afin que le matériel et les milieux de cultures nécessaires soient à portée de main.

Notez bien que les examinateurs hommes doivent se faire accompagner par des assistantes femmes. Les examinatrices femmes doivent aussi être assistées si la patiente est physiquement ou émotionnellement perturbée et pour faciliter l'examen.

**Victimes de viol.** Quel que soit l'âge, le *viol* nécessite une évaluation particulière, comportant une consultation gynécologique et une documentation. Dans de nombreux services d'urgence, une trousse spéciale pour le viol est disponible ; elle doit être utilisée pour des raisons médicolégales. Les prélèvements doivent être soigneusement étiquetés, avec le nom, la date et l'heure. Des renseignements supplémentaires peuvent être nécessaires à une future enquête.

**Choix du matériel.** Il convient de disposer d'un bon éclairage, d'un spéculum vaginal de taille convenable, d'un lubrifiant hydrosoluble et du nécessaire pour les prélèvements bactériologiques, les frottis cervicaux et les autres tests diagnostiques (potasse, sérum physiologique). Revoyez les fournitures et les techniques de votre service avant de faire des prélèvements.

Les spéculums sont faits de métal ou de plastique et sont de deux grands types, dénommés Pedersen et Graves. Tous les deux existent en trois tailles : petite, moyenne et grande. Le spéculum moyen de Pedersen est habituellement le plus commode pour l'examen des femmes sexuellement actives. Le spéculum de Pedersen à lames étroites est préférable pour les patientes qui ont un orifice vaginal relativement étroit, comme les vierges et les femmes âgées. Les spéculums de Graves conviennent mieux aux femmes multipares ayant un prolapsus vaginal.

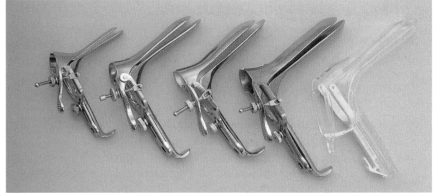

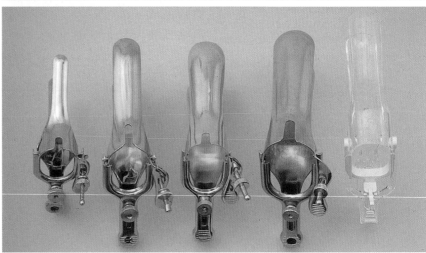

Spéculums, de gauche à droite : Pedersen en métal petit, Pedersen en métal moyen, Graves en métal moyen, Graves en métal grand et Pedersen en plastique grand modèle

Avant d'utiliser un spéculum, familiarisez-vous avec le maniement de ses lames : ouverture, fermeture, verrouillage en position ouverte et déverrouillage. Dans ce chapitre, les indications sont données pour un spéculum en métal, mais vous pouvez facilement les transposer à un spéculum en plastique en manipulant celui-ci avant utilisation.

Les spéculums en plastique s'ouvrent et se ferment avec un « clic » sonore et peuvent pincer au verrouillage ou au déverrouillage. Avertissez la patiente afin d'éviter qu'elle ne soit surprise.

***Installation de la patiente.*** Disposez le drap d'examen sur la patiente, puis aidez-la à s'installer en position gynécologique. Placez un talon puis l'autre dans les étriers. Elle peut être plus à l'aise en souliers que pieds nus. Demandez-lui ensuite de glisser vers l'extrémité de la table d'examen jusqu'à ce que ses fesses dépassent légèrement le bord. Ses cuisses doivent être en flexion, en abduction et en rotation externe. Sa tête doit être soutenue par un oreiller.

## → Examen externe

***Évaluez la maturation sexuelle d'une patiente adolescente.*** Vous pouvez apprécier la pilosité pubienne durant l'examen de l'abdomen ou du pelvis. Notez ses caractères et sa distribution et classez-la selon les stades de Tanner décrits pages 887-888.

Le *retard pubertaire* est souvent familial ou lié à une maladie chronique. Il peut aussi être dû à des anomalies de l'hypothalamus, de l'antéhypophyse ou des ovaires.

***Examinez les organes génitaux externes.*** Asseyez-vous confortablement et avertissez la patiente que vous allez toucher sa région génitale. Inspectez le mont de Vénus, les lèvres et le périnée. Écartez les grandes lèvres pour inspecter :

■ les petites lèvres ;

■ le clitoris ;

■ le méat urétral ;

■ l'ouverture du vagin (ou introïtus).

Des excoriations ou des petites maculopapules rouges et prurigineuses suggèrent une *pédiculose pubienne* (poux du pubis ou « morpions »). Cherchez des poux et des lentes à la racine des poils pubiens.

Clitoris hypertrophié dans les états de virilisation.

*Caroncule de l'urètre, prolapsus de la muqueuse urétrale* (p. 570).

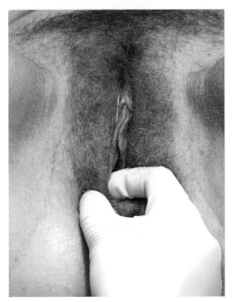

**PALPATION DES GLANDES DE BARTHOLIN**

Notez toute inflammation, ulcération, écoulement ou nodule. S'il y a une lésion, palpez-la.

Si les lèvres sont gonflées ou l'ont été dans le passé, vérifiez les glandes de Bartholin. Introduisez l'index dans le vagin, près de l'extrémité postérieure de son ouverture. Placez le pouce en dehors de la partie postérieure de la grande lèvre. Palpez successivement de chaque côté, entre pouce et index, à la recherche d'un gonflement ou d'une douleur. Notez tout écoulement par l'orifice de la glande et cultivez-le le cas échéant.

*Herpes simplex, maladie de Behcet, chancre syphilitique, kyste épidermoïde.* Voir tableau 14-1 : « Lésions de la vulve », p. 569.

Une *glande de Bartholin* peut être infectée de façon aiguë ou chronique et devenir tuméfiée. Voir tableau 14-2 : « Bombements et gonflements de la vulve, du vagin et de l'urètre », p. 570.

# → Examen interne

***Évaluez le soutien des parois vaginales.*** Les lèvres étant écartées par votre médius et votre index, demandez à la patiente de pousser et notez tout bombement des parois vaginales.

Bombement dû à une *cystocèle* ou une *rectocèle*. Voir tableau 14-2 : « Bombements et gonflements de la vulve, du vagin et de l'urètre », p. 570.

***Introduisez le spéculum.*** Choisissez un spéculum de taille et de forme appropriées, et lubrifiez-le avec de l'eau tiède (les autres lubrifiants interfèrent avec les examens cytologiques et les cultures bactériennes et virales). Vous pouvez agrandir l'orifice vaginal en exerçant une pression vers le bas, au niveau de la fourchette, avec un doigt préalablement humidifié avec de l'eau. Vérifiez la localisation du col pour donner une bonne inclinaison. L'élargissement de l'orifice facilite beaucoup l'introduction du spéculum et améliore le confort de la patiente. Avec l'autre main (habituellement la gauche), introduisez le spéculum fermé au-delà de vos doigts, en l'orientant un peu vers le bas. On veillera à ne pas tirer les poils pubiens, ni à pincer les lèvres avec le spéculum. L'écartement des grandes lèvres avec l'autre main permet d'éviter cela.

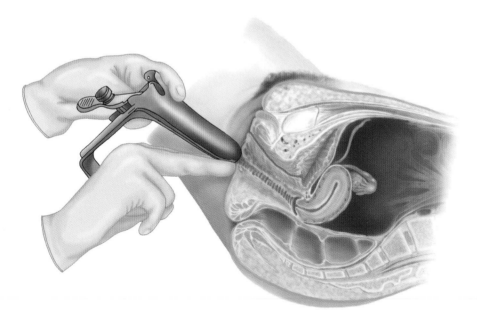

---

## EN CAS D'ORIFICE VAGINAL ÉTROIT

Les orifices vaginaux des femmes vierges admettent rarement plus d'un doigt. Modifiez votre technique de façon à n'utiliser que votre index. Un petit spéculum de Pedersen peut rendre l'inspection possible. Lorsque l'orifice vaginal est trop petit, on peut pratiquer un examen bimanuel satisfaisant en plaçant un doigt dans le rectum plutôt que dans le vagin, mais avertissez d'abord la patiente !

Les mêmes techniques peuvent être utilisées pour les femmes âgées chez lesquelles l'orifice du vagin est rétréci.

Il peut arriver qu'un *hymen non perforé* retarde les premières règles. Éliminez cette éventualité lorsque, chez une jeune fille, les règles sont anormalement retardées par rapport au développement des seins et de la pilosité pubienne.

Il y a deux techniques pour éviter d'appuyer sur l'urètre sensible : (1) pendant l'introduction du spéculum, tenir obliquement celui-ci (ce qui est montré ci-dessous à gauche), puis (2) faire glisser le spéculum à l'intérieur sur la paroi postérieure du vagin, en exerçant une pression vers le bas pour maintenir l'orifice vaginal bien ouvert.

**ANGLE D'INTRODUCTION**          **ANGLE SPÉCULUM EN PLACE**

Lorsque le spéculum a pénétré dans le vagin, retirez les doigts de l'ouverture du vagin. Vous pouvez préférer passer le spéculum dans la main droite pour augmenter sa maniabilité et faciliter les prélèvements. Tournez les lames en position horizontale en maintenant la pression sur la paroi postérieure, et enfoncez le spéculum en totalité. Faites attention de ne pas ouvrir les lames du spéculum trop tôt.

***Inspectez le col.*** Ouvrez les lames soigneusement. Tournez et ajustez le spéculum jusqu'à ce qu'il entoure le col et l'expose en totalité. Orientez la lumière pour bien éclairer le col. Quand l'utérus est rétroversé, le col est plus antérieur que sur l'illustration. Si vous avez du mal à le trouver, retirez un peu le spéculum et replacez-le en lui donnant une inclinaison différente. Si des sécrétions gênent la vue, retirez-les délicatement, avec un gros tampon de coton.

Voir la rétroversion de l'utérus, p. 574.

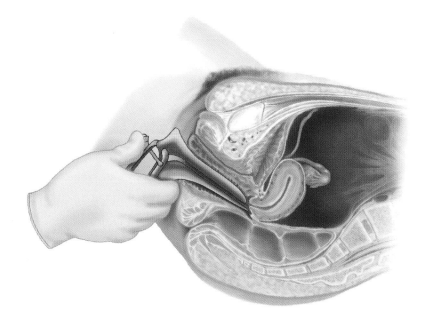

Notez la couleur du col, sa position, les caractéristiques de sa surface et toute anomalie : ulcérations, nodules, masses, saignement ou écoulement. Inspectez l'orifice du col à la recherche d'un écoulement.

Voir tableau 14-3 : « Modifications de la surface du col », p. 571, tableau 14-4 : « Formes de l'orifice cervical », p. 572, et tableau 14-5 : « Anomalies du col », p. 572.

Maintenez les lames du spéculum ouvertes en serrant la vis avec le pouce.

Un écoulement jaunâtre sur le tampon intracervical suggère une cervicite mucopurulente, souvent due à *Chlamydia trachomatis*, à *Neisseria gonorrhoeae* ou à *Herpes simplex* (voir p. 569). Lésions verruqueuses, surélevées, friables dans la *condylomatose* ou le *cancer du col*.

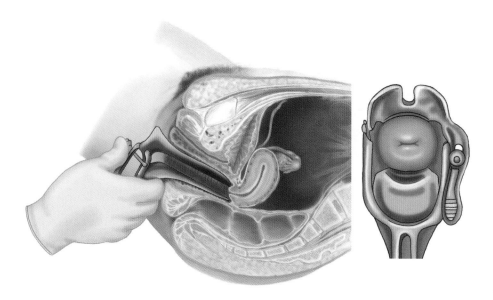

***Faites des frottis cervicaux (frottis de Papanicolaou).*** Faites un prélèvement de l'endocol, un autre de l'exocol ou un prélèvement mixte en utilisant la brosse cervicale. Pour que les résultats soient fiables, la patiente ne doit pas être en période menstruelle. Elle ne doit pas avoir eu de rapport sexuel, ni fait de douche vaginale ou utilisé de spermicides ou d'ovules dans les 48 heures qui précèdent l'examen. En plus des frottis, chez les femmes sexuellement actives de moins de 25 ans et chez les femmes asymptomatiques mais à risque élevé d'infection, prévoyez de faire systématiquement une culture du col pour *Chlamydia trachomatis*.[21]

L'infection à *Chlamydia* peut donner une urétrite, une cervicite, une infection génitale haute, une grossesse extra-utérine, une stérilité et des douleurs pelviennes chroniques. Les facteurs de risque sont l'âge < 25 ans, les partenaires multiples et des antécédents de MST.

## FROTTIS CERVICAL : TECHNIQUES DE PRÉLÈVEMENT

### Raclage cervical et brossage endocervical

*Raclage cervical.* Placez l'extrémité bifide de la spatule d'Ayre dans l'orifice cervical. Appuyez, raclez en tournant sur 360 degrés, en vous assurant d'inclure la zone de transformation et la jonction pavimento-cylindrique. Étalez le prélèvement sur une lame de verre. Placez la lame dans un endroit sûr mais accessible. Notez qu'en commençant par le raclage, vous limitez le risque de masquer des cellules avec du sang (ce qui se produit parfois avec le brossage endocervical).

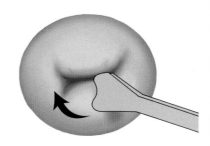

*Brossage endocervical.* Placez la cytobrosse dans l'orifice cervical. Faites-la tourner entre votre pouce et votre index, dans un sens puis dans l'autre. Retirez la brosse, prenez la lame que vous avez posée à côté. Faites un étalement sur la lame avec la brosse, en « peignant » avec douceur, pour éviter de détruire des cellules. Trempez immédiatement la lame dans une solution d'éther-alcool ou fixez-la rapidement avec un fixateur spécial.

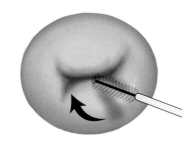

Notez que, chez la femme enceinte, il est conseillé d'utiliser un coton-tige humecté de sérum physiologique au lieu d'une cytobrosse.

### Balayage cervical

De nombreux cliniciens utilisent une brosse en plastique, munie d'une espèce de balai pour échantillonner sur un seul prélèvement l'endocol et l'exocol. Tournez l'extrémité de la brosse dans l'orifice cervical, dans le sens des aiguilles d'une montre, puis appliquez chaque côté de la brosse sur une lame de verre. Placez rapidement la lame dans une solution ou un aérosol contenant un fixateur, comme décrit ci-dessus.

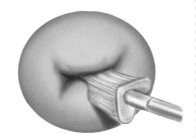

Vous pouvez aussi mettre directement le prélèvement dans un milieu de transport afin que les lames soient préparées au laboratoire (cytologie en phase liquide) (voir p. 573).

***Inspectez le vagin.*** Retirez lentement le spéculum tout en observant le vagin. Lorsque le spéculum descend en dessous du col, dévissez l'écrou et gardez le spéculum ouvert avec le pouce. Refermez les lames lorsque le spéculum sort de l'ouverture du vagin, pour éviter d'étirer ou de pincer la muqueuse. Pendant le retrait, inspectez la muqueuse vaginale, en notant sa couleur et une inflammation éventuelle, des pertes, des ulcérations ou des masses.

Voir tableau 14-6, « Pertes vaginales », p. 573.

Vaginites et pertes vaginales dus à des *Candida, Trichomonas vaginalis* ou une vaginose bactérienne. Le diagnostic repose sur des examens de laboratoire parce que les caractères de l'écoulement sont peu sensibles et peu spécifiques.[37-39] Le cancer du vagin est rare ; une exposition au DES *in utero* et une infection à HPV sont des facteurs de risque.

***Faites un toucher vaginal.*** Lubrifiez l'index et le médius d'une de vos mains gantées et, *en vous tenant debout*, introduisez-les dans le vagin, en exerçant à nouveau une pression sur sa paroi postérieure. Votre pouce doit être en abduction, vos deux derniers doigts repliés dans la paume. Appuyer sur le périnée avec les doigts fléchis vous permet de placer correctement les doigts qui palpent, au prix d'une gêne minime, voire nulle. Recherchez des nodules ou des points douloureux de la paroi vaginale, y compris dans la région de l'urètre et de la vessie en avant.

Des selles dans le rectum peuvent simuler une masse rectovaginale mais, à la différence d'une tumeur maligne, elles peuvent être habituellement modelées par la pression des doigts. L'examen rectovaginal confirme la distinction.

*Palpez le col.* Notez sa position, sa forme, sa consistance, sa régularité, sa mobilité, et sa sensibilité. Normalement, on peut mobiliser un peu le col sans douleur. Palpez les culs-de-sacs vaginaux autour du col.

Une douleur à la mobilisation du col, avec douleur annexielle, évoque une *infection génitale haute.*

*Palpez l'utérus.* Placez l'autre main sur l'abdomen, à mi-distance de l'ombilic et de la symphyse pubienne. Tandis que votre main vaginale élève le col et l'utérus, votre main abdominale appuie vers le bas. On essaye ainsi de saisir l'utérus entre les deux mains. Notez ses dimensions, sa forme, sa consistance et sa mobilité, et recherchez une douleur et des masses.

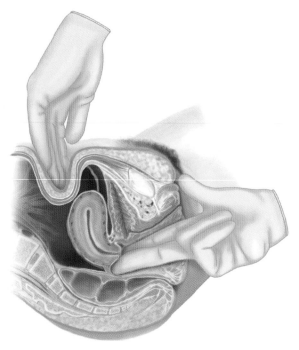

Voir tableau 14-7 : « Positions de l'utérus », p. 574 et tableau 14-8 : « Anomalies de l'utérus », p. 575.

L'augmentation de volume de l'utérus peut résulter d'une grossesse ou de tumeurs bénignes (fibromyomes) ou malignes.

À présent, glissez les doigts intravaginaux dans le cul-de-sac antérieur et palpez le corps utérin entre vos deux mains. Dans cette position, la main vaginale peut sentir la face antérieure de l'utérus, et la main abdominale une partie de la face postérieure.

Des nodules à la surface de l'utérus suggèrent des *fibromyomes* (voir p. 575).

Si vous n'arrivez pas à sentir l'utérus par ces deux manœuvres, il est possible qu'il soit déplacé en arrière (rétroposition). Dans ce cas, glissez les doigts intravaginaux dans le cul-de-sac postérieur pour sentir l'utérus buter sur leurs extrémités. Une paroi épaisse ou mal relâchée peut aussi vous empêcher de sentir l'utérus même s'il est antérieur.

Voir *rétroversion* et *rétroflexion de l'utérus* (p. 574).

*Palpez les ovaires.* Placez la main abdominale sur le quadrant inférieur droit et la main vaginale dans le cul-de-sac latéral droit. Appuyez avec la main abdominale en bas et en dedans, pour amener les annexes à la rencontre de la main vaginale. Essayez d'identifier l'ovaire droit ou des masses annexielles voisines. En déplaçant légèrement vos mains, faites glisser les annexes entre vos doigts, si c'est possible, et notez leurs dimensions, leur forme, leur consistance, leur mobilité et leur sensibilité. Faites de même du côté gauche.

Trois à cinq ans après la ménopause, les ovaires atrophiés ne sont en général plus palpables. S'ils le sont chez une femme ménopausée, pensez à un *kyste* ou à un *cancer de l'ovaire*. Les principaux symptômes du cancer de l'ovaire sont des douleurs pelviennes, un ballonnement, une augmentation du volume de l'abdomen et des troubles urinaires.[40]

Les ovaires normaux sont un peu sensibles. Ils sont habituellement palpables chez les femmes minces et décontractées, mais difficiles ou impossibles à percevoir chez celles qui sont obèses ou contractées.

Les masses annexielles peuvent aussi correspondre à un *abcès tubo-ovarien*, à une *salpingite* (inflammation des trompes de Fallope due à une infection génitale haute) ou à une grossesse extra-utérine. Différenciez ces masses des fibromyomes utérins. Voir tableau 14-9 : « Masses annexielles », p. 576.

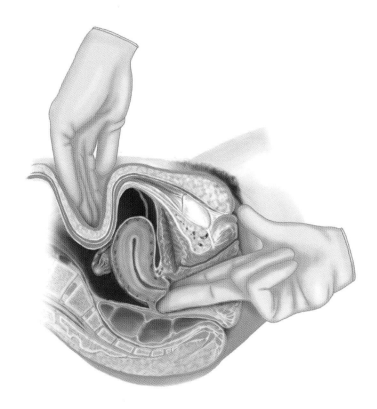

***Appréciez la force des muscles pelviens.*** Retirez un peu les doigts en dessous du col et écartez-les pour toucher les parois vaginales. Demandez à la patiente de contracter ses muscles autour d'eux aussi fortement et longtemps que possible. Une contraction qui comprime étroitement les doigts, les déplace en haut et en dedans, et dure trois secondes et plus, est une contraction de force correcte.

Une altération de la force peut être due à l'âge, aux accouchements par voie basse ou à des déficits neurologiques. Une faiblesse peut être associée à une incontinence urinaire à l'effort.

***Faites l'examen rectovaginal.*** L'examen rectovaginal a trois buts : palper un utérus rétroversé, les ligaments utérosacrés, le cul-de-sac de Douglas et les annexes ; dépister un cancer du côlon chez les femmes de 50 ans ou plus ; et faire le bilan d'une pathologie pelvienne.[36, 41]

Une fois le toucher vaginal terminé, retirez les doigts, changez de gant et lubrifiez-le à nouveau si nécessaire (voir la note sur l'usage des lubrifiants, ci-après). Puis, réintroduisez lentement l'index dans le vagin et le médius dans le rectum. Demandez à la patiente de pousser pendant cette manœuvre, afin de relâcher son sphincter anal. Prévenez-la que cet examen peut lui donner la sensation d'une envie de déféquer mais que cela ne se produira pas. Appuyez sur les parois antérieures et latérales avec les doigts qui examinent, et vers le bas avec la main posée sur l'abdomen.

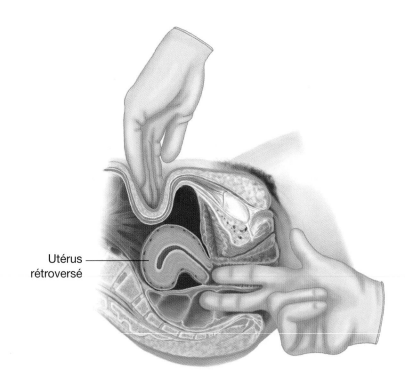

Utérus rétroversé

Vérifiez l'ampoule rectale, à la recherche de masses (voir chapitre 15). Si une recherche de sang occulte est prévue, vous devez changer de gants pour éviter de contaminer les selles avec du sang provenant du frottis cervical. Après l'examen, essuyez les organes génitaux externes et l'anus, ou donnez une serviette en papier à la patiente pour qu'elle le fasse elle-même.

Voir chapitre 15 : « Anus, rectum et prostate », p. 585.

> **NOTE SUR L'UTILISATION DES LUBRIFIANTS**
>
> Si on utilise un grand tube de lubrifiant pour l'examen gynécologique ou rectal, on peut le contaminer par inadvertance, en le touchant avec le doigtier après avoir touché la patiente. Pour éviter cela, faites couler du lubrifiant sur le doigtier, sans que celui-ci ne touche le tube. Si le tube est contaminé accidentellement, il doit être jeté. Des petits tubes à usage unique suppriment ce problème.

# → Hernies

Les hernies de l'aine sont plus rares chez la femme que chez l'homme. Les techniques d'examen sont les mêmes que chez l'homme (voir p. 532-533). Comme lui, la femme doit être examinée en position debout, mais pour percevoir une hernie inguinale indirecte, il faut palper dans les grandes lèvres et plus haut, juste en dehors des épines pubiennes.

La hernie inguinale indirecte est la plus fréquente des hernies de l'aine chez la femme, juste devant la hernie crurale.

# → Techniques spéciales

Si vous suspectez une urétrite ou une inflammation des glandes de Skene, insérez l'index dans le vagin et trayez l'urètre de l'intérieur vers l'extérieur, avec douceur. Notez tout écoulement par le méat urétral ou à son voisinage. Dans ce cas, faites un prélèvement bactériologique.

Une urétrite peut être due à une infection à *Chlamydia trachomatis* ou à *Neisseria gonorrhoeae*.

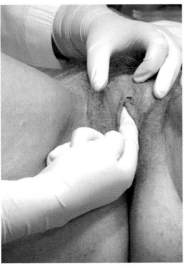

**TRAITE DE L'URÈTRE**

# CONSIGNER VOS OBSERVATIONS

Notez qu'au début vous pouvez faire des phrases pour décrire vos observations. Plus tard, vous utiliserez des phrases courtes. Le style ci-dessous emploie des phrases convenant à la plupart des rapports écrits.

### Consigner l'examen gynécologique : organes génitaux de la femme

« Pas d'adénopathie inguinale. Pas d'érythème ni de lésions ni de masses au niveau des organes génitaux externes (OGE). Muqueuse vaginale rose. Col de multipare, rose, sans écoulement. Utérus antérieur, médian, lisse, pas augmenté de volume. Pas de douleur des annexes. Frottis faits. Cloison rectovaginale intacte. Ampoule rectale sans masses. Selles marron. Hémoccult négatif. »

**Ou**

« Micropolyadénopathie inguinale bilatérale. OGE sans érythème ni lésions. Muqueuse vaginale et col recouverts par un écoulement blanchâtre homogène, ayant une légère odeur de poisson. Après écouvillonnage du col, pas d'écoulement visible dans l'orifice cervical. Utérus médian ; pas de masses annexielles. Ampoule rectale sans masses. Selles brunâtres. Hémoccult négatif. »

Évoque une vaginose bactérienne.

## Bibliographie

### RÉFÉRENCES

1. American College of Obstetricians and Gynecologists. Premenstrual syndrome. Available at: http://www.acog.org/publications/patient_education/bp057.cfm. Accessed November 2, 2007.
2. van Noord PA, Dubas, Dorland M, et al. Age at natural menopause in a population-based screening cohort: the role of menarche, fecundity, and lifestyle factors. Fertil Steril 68(1):95–102, 1997.
3. NIH State-of-the Science Panel. National Institutes of Health State-of-the-Science Conference Statement: management of menopause-related symptoms. Ann Intern Med 142(12, Part 1):1003–1013, 2002.
4. U.S. Preventive Services Task Force. Screening for cervical cancer: recommendations and rationale. January 2003. Available at: http://www.ahrq.gov/clinic/3rduspstf/cervcan/cervcanrr.htm. Accessed November 2, 2007.
5. Centers for Disease Control and Prevention. HPV, common infection, common reality. In Human Papillomavirus: HPV Information for Clinicians. November 2006. Available at: http://www.cdc.gov/std/hpv/common-infection/Bro-br.pdf. Accessed November 1, 2007.
6. Future II Study Group. Quadrivalent vaccine against human papillomavirus to prevent high-grade cervical infections. New Engl J Med 356(19):1915–1927, 2007.
7. American College of Obstetricians and Gynecologists (ACOG). Clinical management guidelines for obstetrician-gynecologists: cervical cytology screening. ACOG Practice Bulletin No. 45. Obstet Gynecol 102(2):417–427, 2003. Available at: http://www.ipog.com.br/acog_boletim_31.07.03.pdf. See also: ACOG: Revised cervical cancer screening guidelines require reeducation of women and physicians. News release, May 4, 2004. Available at http://www.acog.org/from_home/publications/press_releases/nr05-04-04-1.cfm; Cervical Cancer Screening Guidelines. Available at: http://www.cdc.gov/std/hpv/ScreeningTables.pdf. Accessed November 2, 2007.
8. American Cancer Society. American Cancer Society Guidelines for Early Detection of Cancer–Cervical Cancer. Available at: http://www.cancer.org/docroot/PED/content/PED_2_3X_ACS_Cancer_Detection_Guidelines_36.asp. See also: Cervical Cancer Screening Guidelines. Available at: http:// www.cdc.gov/std/hpv/ScreeningTables.pdf. Accessed November 2, 2007.
9. Marshall AR. The detection of precancerous cervical lesions can be significantly increased. Arch Pathol Lab Med 147(2): 143–145, 2003.
10. Sirovich BE, Welch HG. Cervical cancer screening among women without a cervix. JAMA 291(24):2990–2993, 2004.

11. Solomon D, Davey D, Kurman R, et al. The 2001 Bethesda system: terminology for reporting results of cervical cytology. JAMA 287(16):2114–2119, 2002.

12. Wright TC, Cox JT, Massad JS. 2001 consensus guidelines for the management of women with cervical cytologic abnormalities. JAMA 287(16):2120–2129, 2002.

13. Markowitz LE, Dunne EF, Saraiya M, et al. Quadrivalent human papillomavirus vaccine: recommendations of the Advisory Committee on Immunization Practices (ACIP). MMWR 56(RR-2):1–24, March 12, 2007.

14. Garland SM, Hernandez-Avila M, Wheller CM, et al. Quadrivalent vaccine against human papillomavirus to prevent anogenital diseases. N Engl J Med 356(19):1928–1943, 2007.

15. Hildsheim A, Herrero R, Wacholder S, et al. Effect of human papillomavirus 16/18 L1 viruslike particle vaccine among young women with preexisting infection: a randomized trial. JAMA 298(7):743–752, 2007.

16. Steinbrook R. The potential of human papillomavirus vaccines: perspective. N Engl J Med 354(11):1109–1112, 2007.

17. Dunne EF, Unger ER, Sternberg M, et al. Prevalence of HPV infection among females in the United States. JAMA 297(8): 810–813, 2007.

18. Cannistra SA. Cancer of the ovary. N Engl J Med 351(24): 2519–2529, 2004.

19. Workowski KA, Levine WC, Wasserheit JN. U.S. Centers for Disease Control and Prevention Guidelines for the treatment of sexually transmitted diseases: an opportunity to unify clinical and public health practice. Ann Intern Med 137(4): 255–262, 2002.

20. Centers for Disease Control and Prevention. Trends in reportable sexually transmitted diseases in the United States, 2005: national surveillance data for chlamydia, gonorrhea, and syphilis. Available at: http://www.cdc.gov/std/stats/trends2005.htm. Accessed October 31, 2007.

21. U.S. Preventive Services Task Force. Screening for Chlamydial infection. June 2007. Available at: http://www.ahrq.gov/clinic/uspstf/uspschlm.htm. Accessed November 10, 2007.

22. U.S. Preventive Services Task Force. Screening for syphilis infection. July 2004. Available at: http://www.ahrq.gov/clinic/uspstf/uspssyph.htm. Accessed November 10, 2007.

23. U.S. Preventive Services Task Force. Screening for gonorrhea. May 2005. Available at: http://www.ahrq.gov/clinic/uspstf/uspsgono.htm. Accessed November 10, 2007.

24. Levine AM. Evaluation and management of HIV-infected women. Ann Intern Med 136(3):228–242, 2002.

25. U.S. Preventive Services Task Force. Screening for human immunodeficiency virus infection. July 2005, with amendment April 2007. Available at: http://www.ahrq.gov/clinic/uspstf/uspshivi.htm. Accessed November 10, 2007.

26. Workowski KA, Berman SM. Centers for Disease Control and Prevention. Clinical prevention guidance. Sexually transmitted diseases treatment guidelines 2006. MMWR 55(RR-11):2–5, Aug 4 2006.

27. Mosher WD, Martinez GM, Chandra A, et al. Use of contraception and use of family planning services in the United States: 1982–2002. Advance Data from Vital and Health Statistics, No. 350, December 10, 2004, p. 1, Table 9, p. 21. Available at: http://origin.cdc.gov/nchs/data/ad/ad350.pdf. Accessed November 1, 2007.

28. Hulley S, Grady D, Bush T, et al., for the Heart and Estrogen/Progestin Replacement Study Research Group. Randomized trial of estrogen plus progestin for secondary prevention of coronary heart disease in postmenopausal women. JAMA 280(7):605–613, 1998.

29. Writing Group for the Women's Health Initiative Investigators. Risks and benefits of estrogen plus progestin in healthy postmenopausal women. JAMA 288(3):321–333, 2002.

30. Women's Health Initiative Steering Committee. Effects of conjugated equine estrogen in postmenopausal women with hysterectomy. JAMA 291(14):1701–1712, 2004.

31. Hulley SB, Grady D. The WHI estrogen-alone trial—do things look any better? (Editorial). JAMA 291(14):1769–1770, 2004.

32. Shumaker SA, Legault C, Rapp SH, et al. Estrogen plus progestin and the incidence of dementia and mild cognitive impairment in postmenopausal women. JAMA 289(20):2651–2662, 2003.

33. American College of Obstetricians and Gynecologists. ACOG issues state-of-the-art guide to hormone therapy. News release, September 30, 2004. Available at http://www.acog.org/from_home/publications/press_releases/nr09-30-04-2.cfm. Accessed November 11, 2007.

34. American College of Obstetricians and Gynecologists (ACOG) Task Force on Hormone Therapy. Executive summary, supplemental issue: hormone therapy. Obstet Gynecol 104(4):104(suppl)1S–4S, 2004.

35. Mosca L, Collins P, Herrington DM, et al. Hormone replacement therapy and cardiovascular disease. A statement for healthcare professionals from the American Heart Association. Circulation 104(4):499–503, 2001.

36. Edelman A, Anderson J, Lai S, et al. Pelvic examination. N Engl J Med 356(26):e26–28, 2007.

37. Anderson MR, Klink K, Cohrssen A. Evaluation of vaginal complaints. JAMA 291(11):1368–1379, 2004.

38. Eckhert LO. Acute vulvovaginitis. N Engl J Med 355(12): 1244–1252, 2006.

39. Bickley LS. Acute vaginitis. In Diagnostic Strategies for the Common Medical Problems. Black ER, Panzer RJ, Bordley DR, et al. (eds). Philadelphia: American College of Physicians, 1999.

40. Goff BA, Mandel LS, Melancon CH, et al. Frequency of symptoms of ovarian cancer in women presenting to primary care clinics. JAMA 291(22):2705–2712, 2004.

41. Padilla LA, Radosevich DM, Milad MP. Accuracy of the pelvic examination in detecting adnexal masses. Obstet Gynecol 96(4):593–598, 2000.

42. Kimberlin DW, Rouse DJ. Genital herpes. N Engl J Med 350(19):1970–1977, 2004.

43. Erhmann DA. Polycystic ovary syndrome. N Engl J Med 352(12):1223–1236, 2005.

## AUTRES LECTURES

Alvarez-Blasco F, Botella-Carretero JI, San Millan JL, et al. Prevalence and characteristics of the polycystic ovary syndrome in overweight and obese women. Arch Intern Med 166:2081–2086, 2006.

Anderson MR, Klink K, Cohrsson A. Evaluation of vaginal complaints. JAMA 291(11):368–379, 2004.

Bent S, Nallamothu BK, Simel DL, et al. Does this woman have an acute uncomplicated urinary tract infection? JAMA 287(20):2701–2710, 2002.

Berek J, Novak E, eds. Berek & Novak's Gynecology, 14th ed. Philadelphia: Lippincott Williams & Wilkins, 2007.

Collaborative Group on Epidemiological Studies of Ovarian Cancer, Beral V, Doll R, et al. Ovarian cancer and oral contraceptives: collaborative reanalysis of data from 45 epidemiological studies including 23,257 women with ovarian cancer and 87,303 controls. Lancet 371(9609):303–314, 2008.

Datta SD, Sternberg M, Johnson RE, et al. Gonorrhea and chlamydia in the United States among persons 14 to 39 years of age, 1999 to 2002. Ann Intern Med 147(2):89–96, 2007.

Ellis H. Anatomy of the uterus. Anesth Intensive Care Med 6(1): 74–75, 2005.

Future II Study Group. Quadrivalent vaccine against human papillomavirus to prevent high-grade cervical lesions. N Engl J Med 356(19):1915–1927, 2007.

Gibbs RS, Danforth DN, eds. Danforth's Obstetrics and Gynecology, 10th ed. Philadelphia: Lippincott Williams & Wilkins, 2008.

Gupta R, Warren T, Wald A. Genital herpes. Lancet 370(9605): 2127–2137, 2007.

Hammer SM. Clinical practice: management of newly diagnosed HIV infection. N Engl J Med 353(16):1702–1710, 2005.

Holroyd-Leduc JM, Tannenbaum C, Thorpe KE, et al. What type of urinary incontinence does this woman have? JAMA 299(12): 1446–1456, 2008.

Hwang LY, Shafer MA, Pollack LM, et al. Sexual behaviors after universal screening of sexually transmitted infections in healthy young women. Obstet Gynecol 109(1):105–113, 2007.

Katz VL, ed. Comprehensive Gynecology, 5th ed. Philadelphia: Mosby–Elsevier, 2007.

Mayrand MH, Duarte-Franco E, Rodriques I, et al. Human papillomavirus DNA versus Papanicolaou screening tests for cervical cancer. N Engl J Med 357(16):1579–1588, 2007.

Nelson HD. Menopause. Lancet 371(9614):760–770, 2008.

Nyirjesy P, Peyton C, Weitz MV, et al. Causes of chronic vaginitis: analysis of a prospective database of affected women. Obstet Gynecol 108(5):1185–1191, 2006.

Parmigiani G, Chen S, Iversen ES Jr, et al. Validity of models for predicting BRCA1 and BRCA2 mutations. Ann Intern Med 147(7):441–450, 2007.

Peipert JF. Genital chlamydial infections. N Engl J Med 349(25): 2424–2430, 2003.

Reif S, Whetten K, Thielman N. Association of race and gender with use of antiretroviral therapy among HIV-infected individuals in the Southeastern United States. South Med J 100(8): 775–781, 2007.

Simon V, Ho DD, Abdool Karim Q. HIV/AIDS epidemiology, pathogenesis, prevention, and treatment. Lancet 368(9534): 489–504, 2006.

Sirovich BE, Welch HG. Cervical cancer screening among women without a cervix. JAMA 291(24):2990–2993, 2004.

Wooster R, Weber BL. Breast and ovarian cancer. N Engl J Med 348(23):2339–2347, 2003.

Xu F, Sternberg MR, Kottiri BJ, et al. Trends in herpes simplex virus type 1 and type 2 seroprevalence in the United States. JAMA 296(8):964–973, 2006.

**TABLEAU 14-1**    Lésions de la vulve

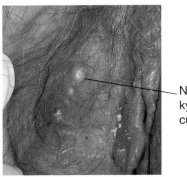

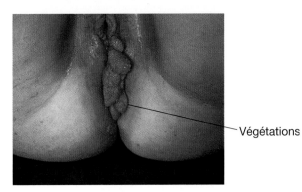

### Kyste épidermoïde

Un petit nodule arrondi et ferme dans les grandes lèvres évoque un kyste épidermoïde. Il a une couleur jaunâtre. Recherchez le point noir qui marque l'orifice obstrué de la glande.

### Condylome acuminé (végétation vénérienne)

Des lésions verruqueuses des lèvres et du vestibule évoquent des condylomes acuminés. Elles sont dues à une infection à *papillomavirus humain*.

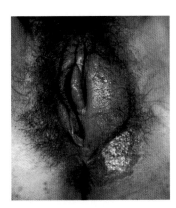

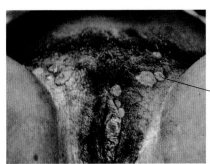

### Chancre syphilitique

Une ulcération ferme et indolore évoque le chancre de la syphilis primaire. La plupart des chancres de la femme sont internes et passent inaperçus.

### Syphilis secondaire (condylome plan)

Des papules à peine surélevées, planes, arrondies ou ovalaires, recouvertes d'un exsudat grisâtre sont une des manifestations de la syphilis secondaire et sont contagieuses.

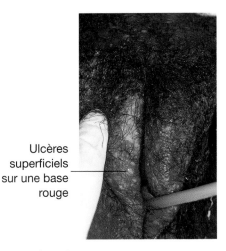

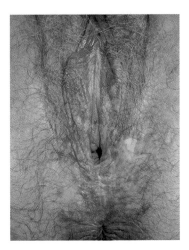

### Herpès génital[42]

Des petites érosions douloureuses reposant sur une base rougeâtre évoquent une infection herpétique. La primo-infection peut être étendue, comme sur l'illustration. Les récidives sont en général limitées à une petite zone précise.

### Carcinome de la vulve

Le carcinome de la vulve se présente comme une lésion rouge, surélevée ou ulcérée, chez une femme âgée.

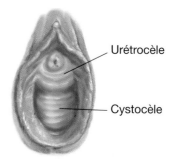

### Cystocèle

C'est une voussure des deux tiers supérieurs de la paroi antérieure du vagin et de la vessie qui la surmonte, due à une faiblesse des tissus de soutien.

### Urétrocystocèle

Quand la totalité de la paroi antérieure du vagin est intéressée, avec la vessie et l'urètre, on parle d'urétrocystocèle. Il existe parfois un sillon entre l'urétrocèle et la cystocèle, mais ce n'est pas constant.

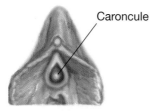

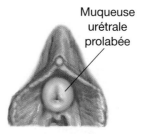

### Caroncule urétrale

C'est une petite tumeur bénigne, rouge, visible à la partie postérieure du méat urétral. Elle survient surtout chez la femme ménopausée et est habituellement asymptomatique. Il peut arriver qu'un carcinome de l'urètre soit pris pour une caroncule. Aussi, il faut rechercher un épaississement, des nodules, une douleur provoquée de l'urètre, en le palpant à travers le vagin, et une adénopathie inguinale.

### Prolapsus de la muqueuse urétrale

La muqueuse urétrale prolabée forme un anneau rouge, enflé, autour du méat urétral. Ce prolapsus survient en général avant l'apparition des règles ou après la ménopause. Il faut identifier le méat urétral au centre de la tuméfaction pour faire le diagnostic.

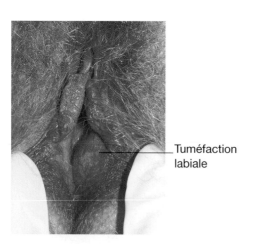

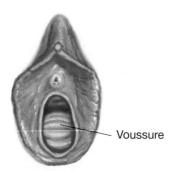

### Bartholinite

L'infection des glandes de Bartholin peut être due à un traumatisme ou à des germes comme le gonocoque, des anaérobies *(Bacteroides, peptostreptococcus)* et *Chlamydia trachomatis*. À l'état aigu, il se forme un abcès très douloureux, chaud, tendu. Recherchez un écoulement purulent par le canal, ou un érythème autour de son orifice. À l'état chronique, on perçoit un kyste indolore, plus ou moins volumineux.

### Rectocèle

C'est une hernie du rectum dans la paroi postérieure du vagin, due à une faiblesse ou à un défaut des aponévroses pelviennes.

Deux sortes d'épithéliums peuvent tapisser le col : 1) un *épithélium pavimenteux* (malpighien), rose brillant, ressemblant à l'épithélium vaginal et 2) un *épithélium cylindrique*, rouge foncé, pelucheux, en continuité avec celui de l'endocol. Ces deux épithéliums se rencontrent à la *jonction pavimentocylindrique*. Si cette jonction siège au niveau ou à l'intérieur de l'orifice cervical, seul l'épithélium pavimenteux est visible. Un anneau d'épithélium cylindrique est souvent visible, plus ou moins loin, autour de l'orifice, ce qui est le résultat d'un processus normal qui se déroule chez le fœtus et lors de la puberté et de la première grossesse.*

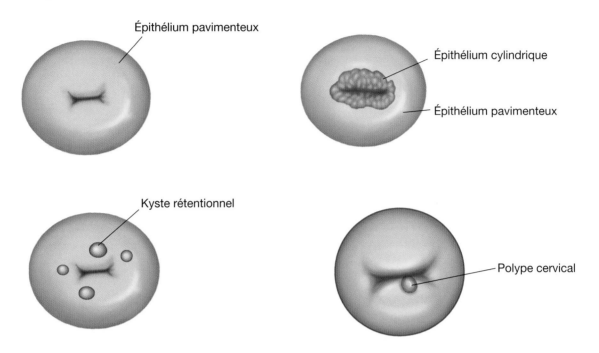

À l'adolescence, quand la stimulation œstrogénique augmente, tout ou partie de cet épithélium cylindrique peut se transformer en épithélium pavimenteux, par un processus appelé métaplasie. Cette modification peut bloquer les sécrétions de l'épithélium cylindrique et créer des *kystes rétentionnels (kystes ou œufs de Naboth)*. Ceux-ci se présentent comme un ou plusieurs nodules translucides à la surface du col. Ils ne sont pas pathologiques.

Un polype cervical naît habituellement du canal endocervical ; il devient visible quand il s'extériorise par l'orifice cervical. Quand on ne voit que son extrémité, on ne peut le différencier cliniquement d'un polype naissant de l'endomètre. Les polypes sont bénins mais peuvent saigner.

---

* Terminologie en évolution. Autres appellations de l'épithélium cylindrique visible sur l'exocol : *ectropion, ectopie, éversion*.

Normale

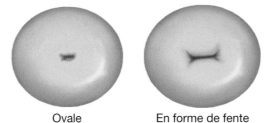

Ovale          En forme de fente

Types de déchirures dues à l'accouchement

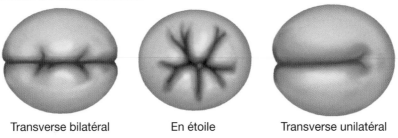

Transverse bilatéral          En étoile          Transverse unilatéral

**TABLEAU 14-5          Anomalies du col**

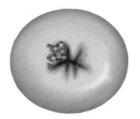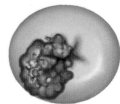

### Cervicite mucopurulente

Une cervicite mucopurulente donne un écoulement cervical purulent, jaunâtre, qui est en général dû à *Chlamydia trachomatis*, *Neisseria gonorrhoeae* ou à l'herpès. Ces infections sont transmises sexuellement et peuvent être asymptomatiques.

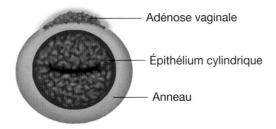

Adénose vaginale

Épithélium cylindrique

Anneau

### Carcinome du col

Il commence dans une zone de métaplasie. Au tout début, il ne peut être distingué d'un col normal. À un stade tardif, il peut réaliser une tumeur en « chou-fleur », irrégulière et étendue. L'activité sexuelle précoce, fréquente, avec de multiples partenaires, le tabagisme et l'infection à papillomavirus humain augmentent le risque de cancer du col.

### Exposition fœtale au diéthylstilbestrol (DES)

Les filles de mères ayant pris du diéthylstilbestrol pendant leur grossesse ont beaucoup plus de risques de présenter les anomalies suivantes : (1) extension de l'épithélium cylindrique à presque tout ou à tout le col, (2) adénose vaginale, c'est-à-dire extension de cet épithélium aux parois vaginales, et (3) anneau de tissu, de forme variable, entre le col et le vagin. Le carcinome de la partie supérieure du vagin est beaucoup plus rare.

TABLEAU 14-6    **Pertes vaginales**

L'écoulement vaginal d'une vaginite est à distinguer des sécrétions physiologiques. Ces dernières sont limpides ou blanches, et contiennent des amas de cellules épithéliales ; elles ne sont pas malodorantes. Il est aussi important de distinguer les écoulements vaginaux des écoulements cervicaux. Utilisez un gros tampon de coton pour essuyer le col. S'il n'y a pas d'écoulement par l'orifice, suspectez une origine vaginale et envisagez les causes ci-dessous. Rappelez-vous que le diagnostic de cervicite ou de vaginite suppose des prélèvements appropriés et leur analyse au laboratoire.[37, 38]

| | **Vaginite à Trichomonas** | **Vaginite à Candida** | **Vaginose bactérienne** |
|---|---|---|---|
| | | | |
| **Cause** | *Trichomonas vaginalis*, un protozoaire. Souvent, mais pas toujours, sexuellement transmis | *Candida albicans*, une levure (hôte normal du vagin). Nombreux facteurs favorisants, y compris l'antibiothérapie | Pullulation de bactéries anaérobies ; peut être transmise sexuellement |
| **Écoulement** | Vert jaunâtre ou gris, parfois mousseux, souvent abondant et accumulé dans le fornix ; peut être malodorant | Blanc et cailleboté ; typiquement épais, mais parfois fluide ; pas aussi abondant que dans les trichomonases, non malodorant | Gris ou blanc, fluide, homogène, nauséabond ; tapisse les parois vaginales. En général peu abondant, voire minime |
| **Autres symptômes** | Prurit, en général pas aussi intense que dans les candidoses ; brûlures à la miction (dues à l'inflammation cutanée ou, parfois, à une urétrite) ; dyspareunie | Prurit, douleurs vaginales, brûlures à la miction (dues à l'inflammation cutanée) et dyspareunie | Odeur de poisson, désagréable |
| **Vulve et muqueuse vaginale** | Le vestibule et les petites lèvres peuvent devenir rouges. La muqueuse vaginale peut présenter une rougeur diffuse, avec de petites granulations rouges ou des pétéchies dans le cul-de-sac postérieur. Dans les cas légers, la muqueuse semble normale | La vulve et même la peau environnante sont souvent inflammatoires et, parfois, plus ou moins œdématiées. La muqueuse vaginale devient souvent rouge, avec des plaques blanches adhérentes. La muqueuse peut saigner quand on essaie de détacher ces plaques. Dans les cas légers, la muqueuse semble normale | En général normales |
| **Examens de laboratoire** | Examinez une lame montée avec du sérum physiologique, à la recherche de *Trichomonas* | Recherchez les filaments mycéliens de *Candida* sur une préparation traitée par la potasse (KOH) | Recherchez des bâtonnets adhérant aux cellules épithéliales sur une lame montée avec du sérum physiologique. Sentez l'odeur de poisson après traitement par KOH. pH vaginal > 4,5 |

Rétroversion et rétroflexion sont habituellement des variantes de la normale.

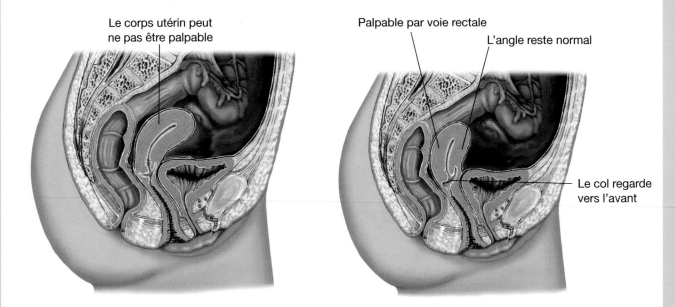

Le corps utérin peut ne pas être palpable

Palpable par voie rectale

L'angle reste normal

Le col regarde vers l'avant

### Rétroversion de l'utérus

Dans la rétroversion, l'utérus entier, c'est-à-dire le corps et le col, a basculé vers l'arrière. C'est une variante fréquente, qui survient chez environ 1 femme sur 5. À l'examen gynécologique, le col regarde en avant et le corps utérin ne peut être perçu par la main abdominale. Dans la *rétroversion modérée*, montrée à gauche, le corps peut être inaccessible aux deux mains. Dans la *rétroversion marquée*, montrée à droite, le corps peut être perçu postérieurement, *via* le cul-de-sac postérieur ou le rectum. Habituellement, un utérus rétroversé est mobile et asymptomatique. De temps à autre, il est immobile, fixé dans cette position par une affection, comme l'endométriose ou une infection génitale haute.

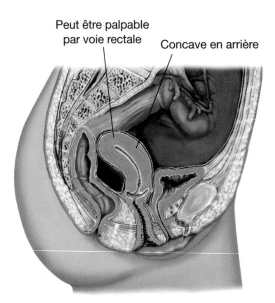

Peut être palpable par voie rectale

Concave en arrière

### Rétroflexion de l'utérus

Dans la rétroflexion, seul le corps utérin a basculé en arrière, formant un angle avec le col, qui est resté dans sa position habituelle. Le corps utérin est souvent palpable *via* le cul-de-sac postérieur ou le rectum.

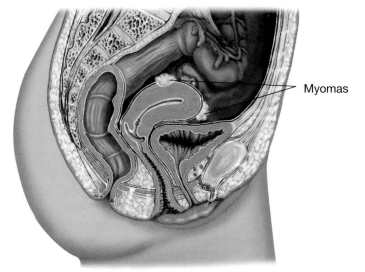

Myomas

### Fibromes utérins (myomes, fibromyomes)

Les fibromes de l'utérus sont des tumeurs bénignes très courantes, uniques ou multiples, dont la grosseur, très variable, atteint parfois des proportions énormes. Ils se présentent sous forme de nodules fermes, irréguliers, en continuité avec la surface utérine. Un fibrome qui fait saillie latéralement peut parfois être confondu avec une tumeur ovarienne ; un nodule qui fait saillie postérieurement peut être confondu avec le corps d'un utérus rétrofléchi. Les fibromes sous-muqueux qui font saillie dans la cavité endométriale ne sont pas palpables, bien que l'hypertrophie de l'utérus puisse les faire suspecter.

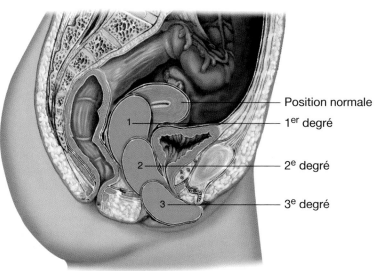

Position normale

1ᵉʳ degré

2ᵉ degré

3ᵉ degré

### Prolapsus utérin

Le prolapsus utérin résulte d'un affaiblissement des structures de soutien du plancher pelvien. Il est souvent associé à une cystocèle ou à une rectocèle. Progressivement, l'utérus « se rétroverse » et descend dans le vagin, vers l'extérieur :

- au *premier degré*, le col est encore dans le vagin ;
- au *second degré*, il se trouve dans l'ouverture du vagin ;
- au *troisième degré* (procidence de l'utérus), le col et le vagin se trouvent à l'extérieur de l'ouverture du vagin.

Les masses annexielles sont dues à des pathologies des trompes de Fallope et des ovaires. Trois exemples – souvent difficiles à différencier – sont décrits ici. En outre, une masse annexielle peut être simulée par une maladie inflammatoire du côlon (comme une diverticulite), un carcinome du côlon ou un fibrome pédiculé de l'utérus.

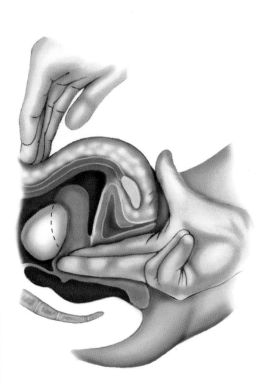

### Kystes et cancer de l'ovaire

Les kystes et tumeurs de l'ovaire peuvent former des masses annexielles uni ou bilatérales, qui peuvent déborder du pelvis par la suite. Les kystes sont généralement lisses et compressibles ; les tumeurs sont plutôt pleines et souvent nodulaires. Les kystes non compliqués sont d'habitude indolores.

Des masses kystiques, petites (diamètre $\leq 6$ cm) et mobiles, chez une femme jeune, sont habituellement bénignes et disparaissent souvent après les règles. Le diagnostic de *syndrome des ovaires polykystiques* repose sur l'élimination de plusieurs affections endocriniennes et l'existence de deux des trois critères suivants : règles absentes ou irrégulières, hyperandrogénie (hirsutisme, acné, alopécie, taux élevé de testostérone), et ovaires polykystiques à l'échographie. L'obésité et l'absence de lactation en dehors de la grossesse ou de l'accouchement sont d'autres éléments prédictifs.[43]

Le *cancer de l'ovaire* est relativement rare et il est en général découvert tardivement.[18] Ses symptômes comprennent des douleurs pelviennes, un météorisme, une augmentation du volume de l'abdomen, et des troubles urinaires[40] ; souvent, il existe une masse ovarienne palpable. Actuellement, il n'y a pas de test de dépistage fiable. Des antécédents familiaux de cancer du sein ou de l'ovaire sont un important facteur de risque, mais ils ne sont trouvés que dans 5 % des cas.

### Grossesse tubaire rompue

Une grossesse tubaire rompue saigne dans la cavité péritonéale, provoquant une douleur abdominale intense. Défense et douleur à la décompression sont parfois associées. Une masse annexielle unilatérale peut être palpable, mais la douleur à la palpation empêche souvent de la déceler. Lipothymies, syncope, nausées, vomissements, tachycardie et état de choc reflètent l'abondance de l'hémorragie. On peut avoir la notion d'une aménorrhée ou d'autres signes de grossesse.

### Infections génitales hautes*

Les infections génitales hautes sont le plus souvent des maladies sexuellement transmises touchant les trompes de Fallope (salpingite) ou les trompes et les ovaires (salpingo-ovarite). Elles sont dues à *Neisseria gonorrhoeae*, à *Chlamydia trachomatis* ou à d'autres germes. La *salpingite aiguë* s'accompagne de tuméfactions bilatérales, très douloureuses des annexes. La douleur et la contracture musculaire en interdisent la délimitation. La mobilisation du col est douloureuse. En l'absence de traitement, les complications sont l'*abcès tubo-ovarien* et la stérilité.

L'infection des trompes et des ovaires peut aussi succéder à un accouchement ou à une opération gynécologique.

---

\* NdT : en anglais, *pelvic inflammatory disease*.

# Anus, rectum et prostate

## ANATOMIE ET PHYSIOLOGIE

Le tube digestif se termine par un court segment, le *canal anal*. Bien que sa limite externe soit mal définie, la peau du canal anal se distingue en général de la peau péri-anale avoisinante parce qu'elle est dépourvue de poils et humide. Le canal anal est normalement maintenu fermé par l'action du *sphincter anal externe* volontaire et du *sphincter anal interne* involontaire, ce dernier constituant un prolongement de la musculeuse de la paroi rectale.

La direction du canal anal selon une ligne qui joint l'anus à l'ombilic doit être soigneusement notée. À la différence du rectum situé au-dessus, le canal est abondamment pourvu de nerfs somatiques sensitifs, de sorte qu'un doigt ou un instrument mal dirigés provoquent une douleur.

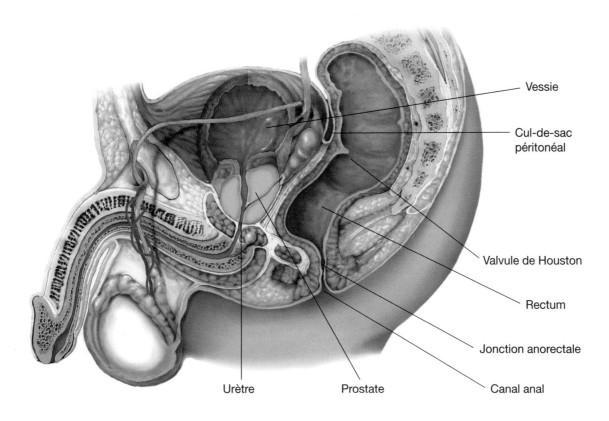

Vessie

Cul-de-sac péritonéal

Valvule de Houston

Rectum

Jonction anorectale

Urètre     Prostate     Canal anal

La limite entre le canal anal et le rectum situé au-dessus est marquée par une ligne dentelée qui correspond au passage de la peau à la muqueuse. Cette jonction anorectale (souvent appelée *ligne pectinée* ou *dentée*) marque aussi la frontière entre les zones d'innervation somatique et viscérale. Elle est bien visible à la rectoscopie mais n'est pas palpable.

Au-dessus de la jonction anorectale, le rectum forme une ampoule dirigée postérieurement dans la concavité du coccyx et du sacrum. Chez l'homme, les trois lobes de la *prostate* entourent l'urètre. La glande prostatique est petite pendant l'enfance, mais de la puberté à 20 ans, sa taille est multipliée par 5 environ. Le volume de la prostate peut encore augmenter quand la glande devient hypertrophique (voir p. 589). Les deux lobes latéraux reposent sur la paroi antérieure du rectum où ils sont palpables comme une structure arrondie, en forme de cœur, d'environ 2,5 cm de long. Ils sont séparés par un sillon médian peu profond, également palpable. Le troisième lobe, ou *lobe médian*, est situé en avant de l'urètre et ne peut être examiné. Les *vésicules séminales*, en forme d'oreilles de lapin, au-dessus de la prostate, ne sont pas palpables normalement.

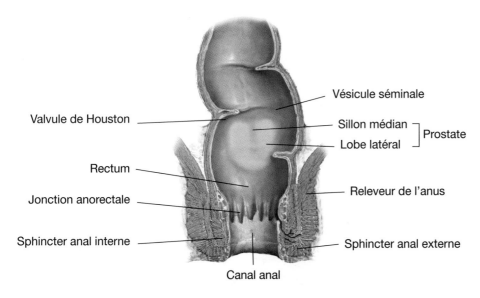

**COUPE FRONTALE DE L'ANUS ET DU RECTUM.**
**VUE DE L'ARRIÈRE, MONTRANT LA PAROI ANTÉRIEURE**

Chez la femme, le *col de l'utérus* peut habituellement être palpé à travers la paroi antérieure du rectum.

La paroi rectale présente 3 replis internes ou valvules *(valvules de Houston)*, dont la plus basse est parfois palpable, généralement du côté gauche du patient. La majeure partie du rectum accessible au toucher n'est pas recouverte de péritoine, excepté la paroi antérieure que vous pouvez atteindre à bout de doigts. Vos doigts peuvent donc déclencher une douleur en cas d'inflammation péritonéale ou percevoir des nodules en cas de métastases péritonéales.

## ANTÉCÉDENTS MÉDICAUX

### Symptômes banals ou inquiétants

- Modifications du fonctionnement intestinal.
- Sang dans les selles.
- Douleur à la défécation, rectorragie ou sensibilité rectale.
- Condylomes et fissures anales.
- Jet d'urine faible.
- Brûlures à la miction.

De nombreuses questions concernant les symptômes liés à la zone ano-rectale et à la prostate ont déjà été abordées dans d'autres chapitres. Par exemple, vous devrez demander s'il y a eu des changements dans le fonctionnement intestinal ou le volume et le calibre des selles. Y a-t-il de la diarrhée, de la constipation ? Vous devrez préciser la couleur des selles. Retournez aux pages 443-445 et revoyez les antécédents médicaux concernant ces symptômes ainsi que les questions portant sur le *sang dans les selles*, allant des selles noires, évoquant un *melaena*, à l'émission de *selles sanglantes* et aux *rectorragies*. Également, y a-t-il du mucus dans les selles ?

Voir tableau 11-3 : « Constipation », p. 479, et tableau 11-5 : « Selles noires et sanglantes », p. 482.

Des modifications intestinales, notamment des selles « crayon », peuvent être des signes d'alarme de *cancer du côlon*. Du sang dans les selles peut provenir de polypes ou d'un cancer, également d'une hémorragie gastro-duodénale ou d'hémorroïdes ; du mucus peut se voir dans l'*adénome villeux*.

Recherchez des antécédents personnels ou familiaux de polypes du côlon ou de cancer colorectal. Y a-t-il des antécédents de maladie inflammatoire de l'intestin ?

Des réponses positives à ces questions indiquent un risque accru de cancer colorectal et la nécessité d'explorations plus poussées et d'une surveillance (voir les recommandations pour le dépistage, chapitre 11, p. 452-453).

Y a-t-il des douleurs à la défécation ? Des démangeaisons ? Une vive sensibilité dans le rectum ou l'anus ? Y a-t-il un écoulement mucopurulent ou un saignement ? Des ulcérations ? Le patient a-t-il des rapports par l'anus ?

*Rectite* (ou *proctite*) en cas de douleur anorectale, prurit, ténesme ; écoulement ou saignement dans une infection ou un *abcès du rectum*. Les causes comprennent la gonococcie, la chlamydiose, le lymphome vénérien, un rapport anal passif, les érosions de l'*herpès*, le chancre de la *syphilis primaire* (voir tableau 13-2, p. 537). Démangeaisons chez les enfants qui ont des oxyures.

Y a-t-il des antécédents de condylomes anaux, de fissures anales ?

Végétations génitales dues
aux *papillomavirus humain* ;
*condylomes plans* de la syphilis
secondaire. Fissures anales dans
la *rectite*, la *maladie de Crohn*.

Chez l'homme, revoyez la miction (voir p. 446-448). Est-ce que le patient a du mal à commencer à uriner ou à se retenir d'uriner ? Est-ce que son jet urinaire est faible ? Urine-t-il souvent, notamment la nuit ? A-t-il des douleurs ou des brûlures en urinant ? Du sang dans les urines ou le sperme ou une douleur en éjaculant ? A-t-il souvent des douleurs ou une contracture dans les lombes, les hanches ou la partie supérieure des cuisses ?

Ces symptômes évoquent une obstruction urétrale comme dans l'*hypertrophie bénigne* (ou adénome) et le *cancer de la prostate*, notamment chez les hommes de plus de 70 ans. Le score de l'AUA permet d'apprécier la sévérité des symptômes de l'hypertrophie de la prostate et la nécessité d'un avis urologique.[1] Voir tableau 15-1 : « Score des symptômes de l'hypertrophie bénigne de la prostate de l'AUA », p. 589.

Chez les hommes également, y a-t-il une impression de gêne ou de lourdeur dans la zone prostatique, à la base du pénis ? Un malaise, de la fièvre, des frissons associés ?

Suggère la possibilité d'une *prostatite*.

# PROMOTION DE LA SANTÉ ET CONSEILS

### Sujets importants pour la promotion de la santé et les conseils

- Dépistage du cancer de la prostate.
- Dépistage des polypes et du cancer colorectal.
- Conseils sur les maladies sexuellement transmises.

***Dépistage du cancer de la prostate.*** Le cancer de la prostate est le principal cancer diagnostiqué chez les hommes américains et la troisième grande cause de décès chez les hommes, après le cancer du poumon et le cancer du côlon.[2] Quoique les chances de diagnostic atteignent environ 17 % sur la durée d'une vie, le risque biologique et la mortalité sont seulement d'environ 3 %. Dans à peu près 60 % des cas, les cellules cancéreuses sont confinées à la prostate au moment du diagnostic, et elles ne débordent que lentement la capsule prostatique.[3] L'âge, l'origine ethnique et les antécédents familiaux sont les principaux facteurs de risque.

- ***Âge***. À partir de 50 ans, le risque de cancer de la prostate augmente rapidement avec les années. La probabilité de diagnostic passe de 2,6 % entre 40 et 59 ans à 7 % entre 60 et 69 ans et à 13 % au-delà de 70 ans.[2]

- **Ethnie.** Pour des raisons inconnues, les incidences sont significativement plus élevées chez les hommes afro-américains que chez les hommes caucasiens : 243 cas pour 100 000 *versus* 156 pour 100 000, même après ajustement sur l'accès aux soins.[2] Le cancer de la prostate est découvert plus tôt et à un stade plus avancé chez les Afro-américains.

- **Antécédents familiaux.** Environ 15 % des hommes diagnostiqués avec un cancer de la prostate ont un parent au premier degré également atteint.[4] D'après une étude scandinave de jumeaux, 42 % des cas sont d'origine héréditaire.[5] Certains allèles à transmission autosomique dominante sont incriminés dans le cancer de la prostate à début précoce, et plusieurs allèles à transmission liée au chromosome X sont en cours d'étude dans des familles où le cancer de la prostate débute tardivement.[6]

- **Régime alimentaire.** Une association entre l'ingestion de graisses, notamment insaturées et d'origine animale, et le risque de cancer de la prostate est suggérée par une série d'études, mais le lien n'est pas établi.[4, 6] Le sélénium, les vitamines E et D, le lycopène et les isoflavones pourraient aussi avoir une influence.[7]

La meilleure approche du *dépistage* du cancer de la prostate reste controversée. En 2002, l'USPSTF *(US Preventive Services Task Force)* n'avait pas pris position pour ou contre le dépistage systématique par le *dosage de l'antigène prostatique spécifique (PSA)* et/ou le *toucher rectal (TR)*, parce qu'il n'était pas prouvé que le diagnostic précoce améliorait le pronostic.[8] L'ACS *(American Cancer Society)* et l'AUA *(American Urological Association)* recommandent l'utilisation combinée du TR et du dosage du PSA à partir de 50 ans, et même de 40 ans chez les hommes afro-américains et ceux qui ont des antécédents familiaux, ce qui est devenu la pratique courante.[2, 9] Globalement, le taux de détection est de 2,5 à 3,2 % par le seul TR, de 4,6 % par le seul dosage du PSA, et de 4,5 à 6 % par les deux techniques combinées, avec ou sans échographie transurétrale en plus.[10] Le TR détecte les tumeurs des faces latérales et postérieure de la prostate, mais il passe à côté de 25 à 35 % des cancers situés dans d'autres zones de la prostate. Quoique sa sensibilité et sa spécificité soient faibles (estimées à 59 % et 94 %, respectivement)[11], des nodules, une induration ou une asymétrie marquée doivent être explorés. Le taux de PSA est peu modifié par le TR ; les deux examens peuvent donc être pratiqués au cours de la même consultation. Dans des dépistages en population utilisant une valeur seuil de 4 ng/mL pour le PSA, le taux de positivité du TR est de 7 à 11 %, et celui du PSA de 7 à 9 %. Comme on pouvait s'y attendre, les taux de positivité des deux examens augmentent avec l'âge.[12]

L'interprétation des taux de PSA pose des problèmes cliniques. Depuis l'apparition du dosage du PSA, la plupart des hommes chez lesquels on découvre un cancer de la prostate n'ont ni symptômes ni tumeur palpable. De nouvelles données conduisent à remettre en question la valeur de 4 ng/mL comme « limite de la normale ». À cette valeur seuil de la biopsie, environ un tiers des tumeurs ont atteint ou dépassé les limites de la glande (faux négatifs du PSA). Dans le « *Prostate Cancer Prevention Trial* », un essai de prévention du cancer de la prostate bien conduit, 15 % des hommes avec un PSA < 4 ng/mL avaient un cancer prouvé par la biopsie. On voyait des cancers à tous les taux

■ *Inspectez les régions sacrococcygienne et péri-anale*, à la recherche de grosseurs, ulcérations, inflammations, éruptions ou excoriations. La peau périanale de l'adulte est normalement plus pigmentée et un peu plus épaisse que celle des fesses. Palpez toute zone anormale et notez les grosseurs ou les points douloureux.

Les lésions anales et péri-anales comprennent les hémorroïdes, les condylomes, l'herpès, le chancre syphilitique et les carcinomes. Une déchirure linéaire évoque une *fissure anale* provoquée par des selles dures et volumineuses, une maladie inflammatoire de l'intestin, ou une MST. Pensez à un *prurit anal* si la peau péri-anale est gonflée, épaissie, fissurée, avec des excoriations.

■ *Examinez l'anus et le rectum.* Lubrifiez votre index ganté, expliquez au patient ce que vous allez faire, et dites-lui que l'examen pourra lui donner l'envie d'aller à la selle mais que cela ne se produira pas. Demandez-lui de pousser et inspectez l'anus en notant toute lésion éventuelle.

Une masse rouge, douloureuse, remplie de pus, de la fièvre et des frissons sont les signes d'un *abcès anal*. Les abcès allant de l'anus ou du rectum à la surface de la peau peuvent former une *fistule anorectale* pour se drainer. Par la fistule peut suinter du sang, du pus ou du mucus mélangé à des matières fécales.

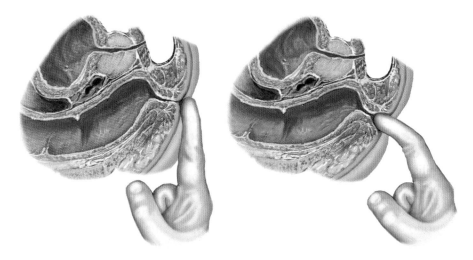

Pendant que le sujet pousse, placez la pulpe de l'index ganté et lubrifié sur l'anus.

Au fur et à mesure que le sphincter se relâche, introduisez doucement l'extrémité du doigt dans le canal anal en direction de l'ombilic. Si vous sentez le sphincter se contracter, arrêtez-vous et rassurez le patient. Lorsque le sphincter se relâche, poursuivez l'examen.

Il peut arriver qu'une douleur intense interdise la pénétration et l'examen interne. N'essayez pas de forcer. Placez plutôt les doigts de chaque côté de l'anus ; ouvrez doucement l'orifice et demandez au patient de pousser. Recherchez une lésion, telle qu'une fissure anale, qui pourrait expliquer la douleur.

*Si vous pouvez faire l'examen sans douleur excessive, notez :*

■ le tonus du sphincter anal. Normalement, les muscles du sphincter enserrent étroitement le doigt ;

■ une douleur éventuelle ;

■ une induration ;

■ des irrégularités ou des nodules.

Introduisez le doigt le plus loin possible dans le rectum. Tournez la main dans le sens des aiguilles d'une montre pour palper le plus de surface rectale possible sur le côté droit du patient puis, en sens inverse, pour palper la surface rectale en arrière et sur le côté gauche du patient.

Le sphincter est resserré par l'anxiété, l'inflammation ou un processus cicatriciel ; il est relâché dans certaines maladies neurologiques.

Une induration peut être due à une inflammation, une cicatrice ou un cancer.

Notez les nodules, irrégularités ou indurations éventuels. Pour rendre accessible une lésion possible, retirez le doigt de la surface rectale, demandez au patient de pousser et palpez à nouveau.

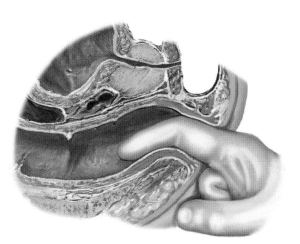

La bordure irrégulière d'un cancer rectal est montrée ci-dessous.

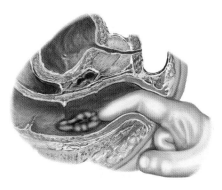

Puis, tournez encore plus la main dans le sens inverse des aiguilles d'une montre, pour que votre doigt puisse examiner *la face postérieure de la prostate.* En vous tournant, un peu à distance du patient, vous percevrez plus facilement cette zone. Avertissez le patient que l'examen de la prostate peut donner l'envie d'uriner.

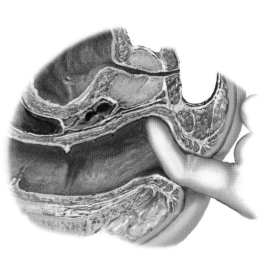

Passez le doigt soigneusement sur la prostate, identifiez ses lobes latéraux et le sillon médian qui les sépare. Notez la grosseur, la forme et la consistance de la glande ainsi que tout nodule ou toute douleur à la palpation. La prostate normale est élastique et insensible.

Voir tableau 15-3 : « Anomalies de la prostate », p. 592.

Si possible, *avancez le doigt au-dessus de la prostate* jusqu'à la région des vésicules séminales et de la cavité péritonéale, et notez la présence de nodules et de douleur.

Retirez doucement votre doigt, essuyez l'anus du patient ou donnez-lui une serviette en papier pour qu'il le fasse lui-même. Notez la couleur des matières fécales recueillies sur votre gant et faites une recherche de sang dessus.

« Placard » rectal dû à des métastases péritonéales (voir p. 591), sensibilité due à une inflammation péritonéale.

Une seule recherche de sang occulte dans les selles n'est pas suffisante pour le dépistage du cancer du côlon (voir p. 582).[21]

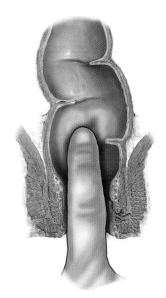

**PALPATION DE LA PROSTATE**
**VUE DE DESSOUS**

# → Femme

L'examen du rectum suit généralement celui des organes génitaux, pendant que la patiente est en position gynécologique. Cette position vous permet de pratiquer le toucher vaginal et de délimiter une masse pelvienne ou annexielle éventuelle. Elle convient aussi pour vérifier l'intégrité de la cloison rectovaginale et peut vous aider à palper un cancer haut situé dans le rectum.

Si vous n'avez que le rectum à examiner, le décubitus latéral est satisfaisant et offre une bien meilleure vue sur les zones périnéale et sacrococcygienne. Utilisez les mêmes techniques que celles des hommes. Notez que le col est facilement palpé à travers la paroi antérieure. Parfois un utérus rétroversé est aussi palpable. Ces structures ou un tampon vaginal ne doivent pas être pris pour une tumeur.

# CONSIGNER VOS OBSERVATIONS

Notez qu'au début, vous pouvez faire des phrases pour décrire vos constatations. Plus tard, vous utiliserez des phrases courtes. Le style ci-dessous emploie des phrases convenant à la plupart des rapports écrits.

---

**Consigner l'examen physique : anus, rectum et prostate**

« Pas de lésions ni de fissures périrectales. Tonus du sphincter externe normal. Ampoule rectale sans masses. Prostate lisse, indolore, avec sillon médian palpable (ou, chez une femme, col utérin indolore). Selles brunes et Hémoccult négatif. »

**Ou**

« Région périrectale inflammatoire ; pas d'ulcérations, de condylomes ni d'écoulement. Impossible d'examiner le sphincter externe, l'ampoule rectale et la prostate à cause d'une contracture du sphincter externe et d'une inflammation et d'une douleur intense du canal anal. »

*Fait craindre une* rectite *d'origine infectieuse.*

**Ou**

« Pas de lésions ni de fissures périrectales. Tonus du sphincter externe normal. Ampoule rectale sans masses. Nodule dur de 1 × 1 cm dans le lobe gauche de la prostate ; lobe droit lisse ; sillon médian effacé. Selles brunes et Hémoccult négatif. »

*Fait craindre un* cancer de la prostate.

---

## Bibliographie

### RÉFÉRENCES

1. Barry MJ, Fowler FJ, O'Leary M, et al. The American Urological Association symptom index for benign prostatic hyperplasia. J Urol 148(5):1549–1557, 1992.
2. American Cancer Society. Cancer facts and figures 2007. Available at: http://www.cancer.org/downloads/STT/CAFF2007 PWSecured.pdf. Accessed July 5, 2007.
3. National Cancer Institute. Prostate cancer screening. Summary of evidence. Available at: http://www.cancer.gov/cancertopics/pdq/screening/prostate/healthprofessional. Accessed June 6, 2007.
4. National Cancer Institute. Prostate cancer: Prevention. Risk factors for prostate cancer development. Available at: http://www.cancer.gov/cancertopics/pdq/prevention/prostate/HealthProfessional/page3. Accessed June 6, 2007.
5. Lichtenstein P, Holm NV, Verkasalo PK, et al. Environmental and heritable factors in the causation of cancer—analyses of cohorts of twins from Sweden, Denmark, and Finland. N Engl J Med 343(2):78–85, 2000.
6. Nelson WG, DeMarzo AM, Isaacs WB. Prostate cancer. N Engl J Med 349(4):366–381, 2003.
7. National Cancer Institute. Opportunities for Prevention. Available at: http://www.cancer.gov/cancertopics/pdq/prevention/prostate/HealthProfessional/page4. Accessed June 6, 2007.
8. U.S. Preventive Services Task Force. Screening for prostate cancer: recommendation and rationale. Ann Intern Med 137(11):915–916, 2002.
9. AUA Practice Guidelines Committee. AUA guideline on management of benign prostatic hyperplasia. Chapter 1: diagnosis and treatment recommendations. J Urol 170 (2 Pt 1):530–547, 2003. Available at: http://www.auanet.org/guidelines/bph.cfm. Accessed July 7, 2007.
10. Murthy GD, Byron DP, Pasquale D. Underutilization of digital rectal examination when screening for prostate cancer. Arch Intern Med 164:313–316, 2004.
11. Hoogendam A, Buntinx F, de Vet HC. The diagnostic value of digital rectal examination in primary care screening for prostate cancer: A meta-analysis. Fam Pract 16:621–626, 1999.
12. Andriole GL, Levin DL, Crawford ED, et al. Prostate cancer screening in the prostate, lung, colorectal and ovarian

## BIBLIOGRAPHIE

(PLCO) cancer screening trial: findings from the initial screening round of a randomized trial. J Natl Cancer Inst 97(6): 433–438, 2005.

13. Thompson IM, Pauler DK, Goodman PJ, et al. Prevalence of prostate cancer among men with a prostate-specific antigen level ≤ 4.0 ng per milliliter. N Engl J Med 350(22): 2239–2246, 2004.

14. Catalona WJ, Loeb S, Han M. Viewpoint: expanding prostate cancer screening. Ann Intern Med 144(6):441–443, 2006.

15. Winawer S, Fletcher R, Rex D, et al. Gastrointestinal Consortium Panel. Colorectal cancer screening and surveillance: clinical guidelines and rationale. Update based on new evidence. Gastroenterology 124(2):544–560, 2003.

16. Winawer SJ, Zauber AG, Fletcher RH, et al. Guidelines for colonoscopy surveillance after polypectomy: a consensus update. U.S. Multi-Society Task Force on Colorectal Cancer and the American Cancer Society. Gastroenterology 130(6): 1872–1875, 2006.

17. Eisen GM, Weinberg DS. Narrative review: screening for colorectal cancer in patients with a first-degree relative with colonic neoplasia. Ann Intern Med 143(3):190–198, 2005.

18. U.S. Preventive Services Task Force. Routine aspirin or nonsteroidal anti-inflammatory drugs for the prevention of colorectal cancer: U.S. Preventive Services Task Force Recommendation Statement. Ann Intern Med 146(5):361–365, 2007.

19. Sox HS. Office-based testing for fecal occult blood: do only in case of emergency [editorial]. Ann Intern Med 142(2): 146–148, 2005.

20. Boolchand V, Olds G, Singh J, et al. Colorectal screening after polypectomy: a national survey study of primary care physicians. Ann Intern Med 145(9):654–659, 2006.

21. Collins JF, Lieberman DA, Durbin TE, et al. Veterans Affairs Cooperative Study #380 Group. Accuracy of screening for fecal occult blood on a single stool sample obtained by digital rectal examination: a comparison with recommended sampling practice. Ann Intern Med 142(2):81–85, 2005.

22. Nadel MR, Shapiro JA, Klabunde CN, et al. A national survey of primary care physicians' methods for screening for fecal occult blood. Ann Intern Med 142(2):86–94, 2005.

## AUTRES LECTURES

Dube C. Rostum A, Lewin G, et al. The use of aspirin for primary prevention of colorectal cancer: a systematic review prepared for the U.S. Preventive Services Task Force. Ann Intern Med 146(5):365–375, 2007.

Hoffman RM. Viewpoint: limiting prostate cancer screening. Ann Intern Med 144(6):438–440, 2006.

Hull TL. Diseases of the anorectum. In: Feldman M, Friedman LS, Brandt LJ, eds. Sleisenger & Fordtran's Gastrointestinal and Liver Disease: Pathophysiology, Diagnosis, Management, 8th ed. Philadelphia: Saunders/Elsevier, 2006.

Philip J, Dutta RS, Ballal M, et al. Is a digital rectal examination necessary in the diagnosis and clinical staging of early prostate cancer? BJU Int 95(7):969–971, 2005.

## TABLEAU 15-1 Score des symptômes de l'hypertrophie bénigne de la prostate de l'AUA *(American Urological Association)*

Cotez ou demandez au patient de coter toutes les questions ci-dessous. Plus les symptômes sont sévères, plus les scores sont élevés (au maximum : 35) ; des scores ≤ 7 sont considérés comme bas et, en général, ne justifient pas de traitement.

| Partie A | Jamais | Moins d'une fois sur 5 | Moins d'une fois sur 2 | Environ une fois sur 2 | Plus d'une fois sur 2 | Presque toujours | Nombre de points de chaque ligne de la partie A |
|---|---|---|---|---|---|---|---|
| 1. Au cours du dernier mois, combien de fois avez-vous eu la sensation que votre vessie n'était pas complètement vidée après avoir fini d'uriner ? | | | | | | | |
| 2. Au cours du dernier mois, combien de fois avez-vous eu besoin d'uriner à nouveau moins de 2 heures après avoir fini d'uriner ? | | | | | | | |
| 3. Au cours du dernier mois, combien de fois avez-vous eu une interruption du jet (arrêt et reprise du jet) en urinant ? | | | | | | | |
| 4. Au cours du dernier mois, combien de fois, avez-vous eu des difficultés à vous retenir d'uriner ? | | | | | | | |
| 5. Au cours du dernier mois, combien de fois avez-vous eu un jet urinaire faible ? | | | | | | | |
| 6. Au cours du dernier mois, combien de fois avez-vous dû forcer ou pousser pour commencer à uriner ? | | | | | | | |

| Partie B | Jamais | 1 fois | 2 fois | 3 fois | 4 fois | ≥ 5 fois | Nombre de points de la partie B |
|---|---|---|---|---|---|---|---|
| 7. Au cours du dernier mois, combien de fois par nuit, en moyenne, vous êtes-vous levé pour uriner (entre le moment du coucher et celui du lever le lendemain) ? | | | | | | | |

TOTAL DES POINTS DES PARTIES A et B (max. 35) = ___________

Adapté de : Madsen FA, Bruskewitz RC. Clinical manifestations of benign prostatic hyperplasia. Urol Clin North Am 1995 ; 22 : 291-298.

**TABLEAU 15-2    Anomalies de l'anus, de la peau environnante et du rectum**

### Kyste ou sinus pilonidal

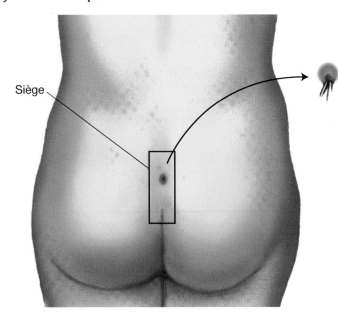

Siège

Le kyste pilonidal est une anomalie fréquente, probablement congénitale, située sur la ligne médiane, à la surface du coccyx ou de la partie inférieure du sacrum. Recherchez l'orifice d'un trajet fistuleux. Cette ouverture peut laisser voir une petite touffe de poils et être entourée d'un halo érythémateux. Bien que généralement asymptomatique, sauf peut-être un léger écoulement, il peut se compliquer d'abcès ou de fistules secondaires.

### Hémorroïdes externes *(thrombosées)*

Les hémorroïdes externes sont des veines hémorroïdales dilatées qui apparaissent en dessous de la ligne pectinée et sont recouvertes de peau. Elles sont en général asymptomatiques, sauf en cas de thrombose. Celle-ci se manifeste par une douleur aiguë, accrue par la défécation et la position assise. Une tuméfaction ovoïde, bleutée, douloureuse, est visible au niveau de la marge anale.

### Hémorroïdes internes *(prolabées)*

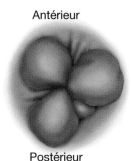

Antérieur

Postérieur

Les hémorroïdes internes résultent d'une dilatation des coussinets vasculaires normaux, situés au-dessus de la ligne pectinée. Habituellement, elles ne sont pas palpables. Quelquefois, notamment lors de la défécation, elles donnent un saignement rouge vif. Elles peuvent aussi se prolaber par le canal anal et réaliser des masses protruses, humides, rougeâtres, siégeant typiquement aux endroits montrés ici.

### Prolapsus du rectum

Lors des efforts de défécation, la muqueuse rectale et parfois la paroi musculaire peuvent se prolaber par l'anus, réalisant une rosette de muqueuse rouge. Un prolapsus de la seule muqueuse est assez petit, avec des plis radiaires, comme sur le schéma. Un prolapsus de toute la paroi est plus volumineux, avec des plis circulaires concentriques.

## Fissure anale

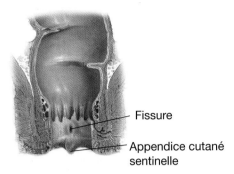

Fissure

Appendice cutané
sentinelle

Une fissure anale est une ulcération ovalaire très douloureuse
du canal anal. Elle est généralement localisée postérieurement
sur la ligne médiane et, moins souvent, antérieurement sur
la ligne médiane. Son grand axe est longitudinal. On trouve
parfois, juste en dessous, un appendice cutané « sentinelle »,
gonflé, et l'écartement délicat de la marge de l'anus peut faire
apparaître le bord inférieur de la fissure. Le sphincter est spastique et l'examen douloureux. Il faut parfois avoir recours à
une anesthésie locale.

## Polypes du rectum

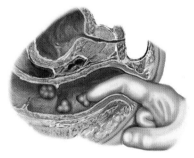

Les polypes du rectum sont assez communs. Ils varient considérablement en taille et en nombre et peuvent se développer
sur un pédoncule *(pédonculés)* ou directement sur la surface
muqueuse *(sessiles)*. Ils sont mous et difficiles sinon impossibles à palper, même lorsqu'ils sont à portée de doigt. Il faut
recourir à la rectoscopie et à la biopsie pour différencier les
lésions bénignes des lésions malignes.

## « Placard » rectal

## Fistule anorectale

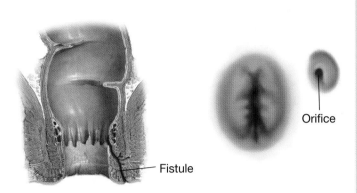

Orifice

Fistule

Une fistule anorectale constitue un trajet fistuleux inflammatoire, dont
une extrémité s'ouvre dans l'anus ou le rectum, et l'autre à la surface de la peau (comme indiqué sur le dessin) ou dans un autre viscère. Un abcès précède généralement cette fistule. Recherchez l'orifice
ou les orifices de la fistule sur la peau entourant l'anus.

## Cancer du rectum

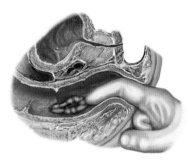

Le carcinome rectal asymptomatique rend l'examen systématique du
rectum très important chez l'adulte. On voit ici le rebord nodulaire
ferme d'un cancer ulcéré.

Des métastases péritonéales étendues, quelle qu'en soit l'origine, peuvent se développer dans le repli prérectal du péritoine. Un « placard »
nodulaire, ferme à dur, peut être palpé à bout de doigt. Chez la femme,
ce placard se développe dans le cul-de-sac rétro-utérin de Douglas,
en arrière du col et de l'utérus.

TABLEAU 15-3    **Anomalies de la prostate**

### Prostate normale

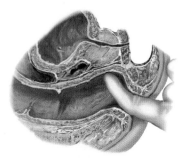

À travers la paroi rectale antérieure, la prostate normale est perçue à la palpation comme une structure arrondie, en forme de cœur, d'environ 2,5 cm de long. On peut sentir le sillon médian entre les deux lobes latéraux. On ne peut palper que la face postérieure de la prostate. Les lésions antérieures, y compris celles qui peuvent obstruer l'urètre, ne sont pas décelables par l'examen physique.

### Prostatite

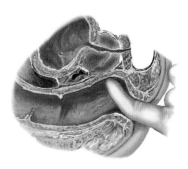

Une *prostatite bactérienne aiguë* (schéma ci-contre) se révèle par de la fièvre et des troubles urinaires (pollakiurie, dysurie, mictions incomplètes, et parfois douleurs lombaires). La glande est douloureuse, gonflée, infiltrée et chaude. Examinez-la avec douceur. Plus de 80 % des infections sont dues à des germes aérobies à Gram négatif tels que *E. coli*, *Enterococcus*, et *Proteus*. Chez les hommes de moins de 35 ans, pensez à une contamination sexuelle par *Neisseria gonorrhea* et *Chlamydia trachomatis*.

Une *prostatite bactérienne chronique* est associée à des infections urinaires récidivantes, dues presque toujours au même micro-organisme. Les patients peuvent être asymptomatiques ou se plaindre de dysurie et de légères douleurs pelviennes. La glande peut sembler normale, sans douleur ni gonflement. Le liquide prostatique cultive en général des colibacilles.

Il peut être difficile de distinguer une prostatite du *syndrome de douleur pelvienne chronique* de l'homme, plus fréquent, qui se voit chez jusqu'à 80 % des hommes qui rapportent des symptômes obstructifs ou irritatifs à la miction, mais qui ne présentent pas d'infection prostatique ou urinaire. L'examen physique ne permet pas de trancher, mais il est indispensable pour rechercher une induration ou une asymétrie de la prostate, évocatrice d'un carcinome.

### Hypertrophie bénigne (ou adénome) de la prostate

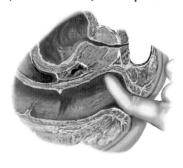

L'*hypertrophie bénigne (ou adénome) de la prostate* est une augmentation de volume non maligne de la prostate, présente chez plus de 50 % des hommes de 50 ans.[9] Les symptômes proviennent de la contraction du muscle lisse de la prostate et du col vésical et de la compression de l'urètre. Ils sont irritatifs (mictions impérieuses, pollakiurie, nycturie) et/ou obstructifs (diminution du jet, vidange incomplète, efforts de miction) et se voient chez plus d'un tiers des hommes de 65 ans. La glande peut être de taille normale ou symétriquement augmentée de volume, lisse et ferme, bien qu'un peu élastique. Son sillon médian peut être comblé, et elle peut faire saillie dans la lumière du rectum.

### Cancer de la prostate

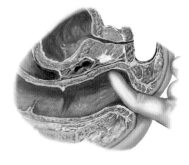

Toute zone d'induration dans la glande évoque un cancer de la prostate. Un nodule net, dur, déformant le contour de la glande, peut être palpable ou non. Quand le cancer augmente de volume, il est irrégulier et peut déborder les limites de la glande. Le sillon médian peut être effacé. Des zones dures dans la prostate ne sont pas toujours malignes. Elles peuvent résulter de calculs prostatiques, d'une inflammation chronique et d'autres affections.

# Appareil locomoteur

## ÉVALUATION DE L'APPAREIL LOCOMOTEUR

### → Vue d'ensemble

Les plaintes et les pathologies musculosquelettiques sont des causes majeures de consultation en pratique clinique. À elles seules, les lombalgies figurent au cinquième rang des motifs de consultation et au deuxième rang des symptômes amenant à rechercher des soins.[1, 2]

Prévalence et âge de début des principales affections de l'appareil locomoteur aux États-Unis (1998)

| | Prévalence | Âge de début (en années) |
|---|---|---|
| Lombalgies | 26 millions | |
| Arthrose | 17 millions | |
| Fibromyalgie | 3,7 millions | |
| Polyarthrite rhumatoïde | 2,1 millions | |
| Goutte | 2,1 millions | Femmes / Hommes |
| Syndrome du canal carpien | 2,0 millions | |
| PPR | 450 000 | |
| Spondylarthrite ankylosante | 300 000 | |
| LED | 239 000 | |
| Rhumatisme psoriasique | 160 000 – 275 000 | |
| Sclérodermie | ≤ 34 000 | |
| Myosite | ≤ 25 000 | DM / DM/PM |

Âge de début (en années) : 0 10 20 30 40 50 60 70 80

Source : Cush JJ, Lipky PE. Approach to articular and musculoskeletal disorders. In : Kasper DL, Braunwald E, Fauci AS *et al.*, eds. Harrison's Principles of Internal Medicine. 16th edition. New York : McGraw-Hill, 2005.

PPR : pseudopolyarthrite rhizomélique ; LED : lupus érythémateux disséminé ; DM : dermato-myosite ; PM : polymyosite.

En raison de la nature spécialisée du bilan articulaire, l'organisation de ce chapitre s'écarte de celle des chapitres sur les examens des autres appareils. L'évaluation des articulations requiert la visualisation et la connaissance approfondie des repères superficiels et de l'anatomie sous-jacente. Pour aider les étudiants à faire le lien entre leurs connaissances sur la structure et le fonctionnement d'une articulation et les méthodes d'examen de cette articulation, l'anatomie, la physiologie et les techniques d'examen sont regroupées par articulation. Le plan de ce chapitre est le suivant.

---

**PLAN DU CHAPITRE**

✔ **Structure et fonction des articulations.**

✔ **Antécédents médicaux.**

✔ **Promotion de la santé et conseils.**

✔ **Examen des principales articulations : anatomie, physiologie et techniques d'examen en rapport.**
  – Pour favoriser un abord systématique de l'examen des articulations, le chapitre adopte un ordre « de la tête aux pieds », en commençant par la mâchoire et les articulations des membres supérieurs, puis en continuant par le rachis et les hanches, et en terminant par les articulations des membres inférieurs.
  – Ordre : *articulation temporomandibulaire, épaule, coude, poignet et main, rachis, hanche, genou et membre inférieur, cheville et pied.*

✔ Pour chacune de ces articulations, on trouvera les paragraphes suivants : *Vue d'ensemble de l'articulation, Structures osseuses et articulaires, Groupes musculaires et autres structures,* et *Techniques d'examen.*
  – La *vue d'ensemble* de l'articulation présente les caractéristiques anatomiques et fonctionnelles distinctives d'une articulation donnée.
  – Les *techniques d'examen* exposent les étapes fondamentales de l'examen de cette articulation : *inspection, palpation* des repères osseux et des parties molles, appréciation de la *mobilité articulaire* (l'amplitude du mouvement dans différents plans), et *manœuvres* pour tester le fonctionnement et la stabilité de l'articulation.
  – La maîtrise de ces manœuvres est difficile, mais capitale pour le diagnostic et la consultation au cabinet. Elle s'acquiert par une pratique supervisée.

---

## → Structure et fonctionnement des articulations

Pour commencer, il est utile de revoir quelques termes anatomiques.

■ Les *structures articulaires* comprennent la capsule et le cartilage articulaires, la synoviale et le liquide synovial, les ligaments intra-articulaires et les os juxta-articulaires.

Typiquement, une *pathologie articulaire* donne une tuméfaction douloureuse de la totalité de l'articulation et limite l'amplitude des mouvements actifs et passifs de cette articulation.

■ Les *structures extra-articulaires* comprennent les ligaments, tendons, bourses, muscles, aponévroses, os et nerfs péri-articulaires et la peau sus-jacente :

- les *ligaments* sont des faisceaux cordiformes de fibres collagènes qui relient un os à un autre ;
- les *tendons* sont des fibres collagènes attachant un muscle à un os. Un autre type de substance collagène forme le *cartilage* qui recouvre les surfaces osseuses ;
- les *bourses* sont des poches de liquide synovial qui protègent le mouvement des tendons et des muscles sur les os ou d'autres structures articulaires.

Pour comprendre le fonctionnement articulaire, étudiez les différents types d'articulations, comment celles-ci s'articulent ou se relient et le rôle des bourses dans la facilitation des mouvements articulaires.

Typiquement, une *pathologie extra-articulaire* n'affecte que certaines zones de l'articulation et certains mouvements.

## → Types d'articulation

Il y a trois grands types d'articulations : synovial, cartilagineux et fibreux, qui permettent un jeu articulaire plus ou moins grand.

| Articulations | | |
|---|---|---|
| **Type d'articulation** | **Degré de mobilité** | **Exemple** |
| **Synovial** | Librement mobile | Genou, épaule |
| **Cartilagineux** | Légèrement mobile | Corps vertébraux |
| **Fibreux** | Immobile | Sutures du crâne |

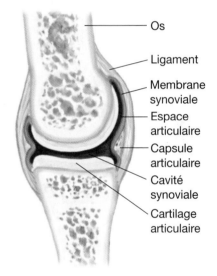

**ARTICULATION SYNOVIALE**

***Articulations synoviales.*** Les os ne se touchent pas et les articulations sont *librement mobiles*. Les os sont recouverts de *cartilage articulaire*, et séparés par une *cavité synoviale* qui amortit les mouvements articulaires, comme montré ci-contre. Une *membrane synoviale* borde la cavité synoviale et sécrète une petite quantité de liquide lubrifiant visqueux, le *liquide synovial*. Cette membrane s'insère sur les bords du cartilage articulaire et forme des poches ou replis pour s'adapter au jeu articulaire. Elle est entourée d'une *capsule articulaire* fibreuse, renforcée par des ligaments allant d'un os à l'autre.

***Articulations cartilagineuses.*** Ces articulations, comme les articulations intervertébrales et la symphyse pubienne, sont *légèrement mobiles*. Les surfaces osseuses sont séparées par des disques fibrocartilagineux. Au centre de chaque disque se trouve le *nucleus pulposus*, fibrocartilagineux, qui sert d'amortisseur entre les surfaces osseuses.

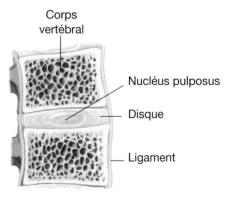

**ARTICULATION CARTILAGINEUSE**

**Articulations fibreuses.** Dans ces articulations, comme les sutures du crâne, les os sont maintenus ensemble par des couches intermédiaires de tissu fibreux ou de cartilage. Les os sont presque en contact direct, ce qui *n'autorise pas de mouvement appréciable.*

**ARTICULATION FIBREUSE**

# → Structure des articulations synoviales

Pendant votre apprentissage de l'examen de l'appareil locomoteur, rappelez-vous que le mouvement d'une articulation dépend de son anatomie.

| **Articulations synoviales** | | | |
|---|---|---|---|
| **Type d'articulation** | **Forme de l'article** | **Mouvement** | **Exemple** |
| **Sphéroïde (énarthrose)** | Surface convexe dans une cavité concave | Grande amplitude : flexion, extension, abduction, adduction, rotation, circumduction | Épaule, hanche |
| **Pivotante (diarthrose trochoïde)** | Aplatie, plane | Mouvement dans un plan ; flexion-extension | Interphalangiennes des doigts et orteils ; coude |
| **Condylienne** | Convexe ou concave | Mouvement des deux surfaces articulaires non dissociable | Genou, articulation temporo-mandibulaire |

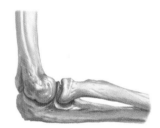

**ARTICULATION SPHÉROÏDE**

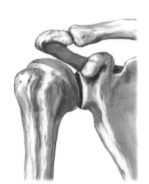

**ARTICULATION PIVOTANTE**

De nombreuses articulations que nous allons examiner sont de type *synovial*, donc mobiles. La forme des surfaces de ces articulations détermine la direction et l'amplitude du mouvement de l'articulation.

■ Dans les *articulations sphéroïdes*, une surface convexe arrondie s'articule avec une cavité cupuliforme, ce qui permet des mouvements de rotation amples, comme dans l'épaule et la hanche.

■ Les *articulations pivotantes* sont aplaties, planes ou légèrement incurvées, ce qui permet un mouvement de glissement dans un seul plan, comme la flexion-extension des doigts.

■ Dans les *articulations condyliennes*, comme les genoux, les surfaces articulaires sont convexes ou concaves, et sont appelées condyles.

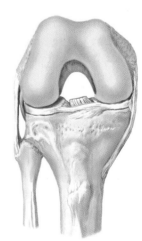

**ARTICULATION CONDYLIENNE**

**Bourses.** Les bourses, qui facilitent le mouvement articulaire, sont des sacs synoviaux de forme discoïde qui permettent aux muscles contigus ou aux muscles et aux tendons de glisser les uns sur les autres pendant le mouvement. Elles siègent entre la peau et la surface convexe d'un os ou d'une articulation (bourse prérotulienne du genou, p. 653) ou dans les endroits où les tendons ou les muscles frottent sur les os, les ligaments ou d'autres tendons et muscles (bourse sous-acromiale de l'épaule, p. 614).

Connaître l'anatomie et la mobilité des articulations vous permettra d'évaluer les articulations sujettes à des traumatismes. Connaître les parties molles, ligaments et bourses vous permettra d'apprécier les modifications dues au vieillissement et aux rhumatismes.

## ANTÉCÉDENTS MÉDICAUX

### Symptômes banals ou inquiétants

- Lombalgie.
- Cervicalgie.
- Mono ou polyarthralgie.
- Douleur articulaire inflammatoire ou infectieuse.
- Douleur articulaire avec des signes généraux tels que fièvre, frissons, éruptions, anorexie, perte de poids, faiblesse.
- Douleur articulaire avec symptômes extra-articulaires.

La *douleur articulaire (arthralgie)* est l'une des plaintes majeures des consultants. Outre les sept attributs communs à toute douleur, trois astuces peuvent orienter l'examen et le diagnostic.

### ASTUCES POUR ÉVALUER LA DOULEUR ARTICULAIRE

✔ Demandez au patient de *montrer du doigt le siège de la douleur*. Cela peut vous faire gagner beaucoup de temps car le récit du patient peut être imprécis.

✔ Éclaircissez et notez le *mécanisme de la lésion*, notamment s'il y a un antécédent de traumatisme.

✔ Précisez si la douleur est *localisée ou diffuse, aiguë ou chronique, inflammatoire ou non*.

**Lombalgie.** Vous pouvez vouloir commencer par : « Avez-vous des douleurs du dos ? », parce que deux tiers des adultes ont des lombalgies au moins une fois au cours de leur vie.[3] La lombalgie est le deuxième motif de consultation en médecine de ville. Des questions à réponse ouverte permettent d'obtenir une bonne définition du problème, notamment la localisation de la douleur.

Voir tableau 16-1 : « Lombalgies », p. 670.

Environ 85 % des patients ont des *lombalgies idiopathiques*, sans cause sous-jacente précise. Ce terme est préférable à celui d'entorse vertébrale.[4]

Précisez si la douleur siège sur la *ligne médiane*, au niveau des vertèbres, ou *à distance*.

Pour une *douleur lombaire sur la ligne médiane*, recherchez des lésions musculoligamentaires, une hernie discale, un tassement vertébral, des métastases vertébrales, un *abcès épidural* (rare). Pour une *douleur à distance de la ligne médiane*, recherchez une sacro-iléite, une bursite trochantérienne, une sciatique ou une arthropathie de la hanche.

Y a-t-il des irradiations dans les membres inférieurs ? Si oui, y a-t-il un engourdissement ou des paresthésies ?

Douleur radiculaire à la fesse et à la face postérieure du membre inférieur dans la *sciatique* de type S1, augmentée par la toux et la manœuvre de Valsalva (voir p. 737 pour les autres signes neurologiques). Douleur du membre inférieur soulagée par le repos et/ou l'antéflexion du rachis lombaire dans la *sténose du canal lombaire*.

Y a-t-il également des troubles de l'évacuation de la vessie et de l'intestin ?

Pensez à un *syndrome de la queue de cheval* par hernie discale ou tumeur de la ligne médiane de S2-4 s'il y a des troubles sphinctériens intestinaux ou vésicaux (en général, rétention vésicale ou incontinence par regorgement).[3]

Recherchez les *signes faisant craindre une maladie générale grave sous-jacente* : un âge supérieur à 50 ans, un antécédent de cancer, une perte de poids inexpliquée, une douleur durant depuis plus d'un mois ou rebelle au traitement, une douleur nocturne ou augmentant au repos, une toxicomanie par voie IV, ou la présence d'une infection.[3, 5]

Dans les cas où la lombalgie est accompagnée par un signe alarmant, la probabilité d'une maladie générale sévère est de 10 %.[3, 5]

**Cervicalgie.** Une douleur cervicale est également fréquente. Bien qu'elle régresse spontanément en général, il est important de rechercher une irradiation dans le membre supérieur, une faiblesse ou des paresthésies des membres, des troubles de l'évacuation vésicale ou intestinale. Recherchez bien tous ces signes alarmants. Une douleur persistante après une contusion ou un accident d'automobile justifie un examen plus approfondi.[6]

Voir tableau 16-2 : « Douleurs cervicales », p. 671.

Douleur radiculaire par compression d'un nerf cervical, plus souvent de C7 que de C6. À la différence de la lombalgie, elle est en général due à un conflit dans le trou de conjugaison par dégénérescence articulaire (70-75 %) plutôt que par hernie discale (20-25 %).[7, 8]

***Arthralgie.*** Pour rechercher d'autres troubles musculosquelettiques, demandez : « Avez-vous des douleurs articulaires ? » Une douleur articulaire peut être *localisée*, *diffuse* ou *généralisée*. Demandez au patient de *désigner le siège de la douleur*.

■ Si la douleur articulaire est localisée et n'intéresse qu'une seule articulation, on dit qu'elle est *monoarticulaire*. Une douleur provenant des petites articulations des mains et des pieds est plus finement localisée qu'une douleur provenant des grosses articulations. La douleur provenant de la hanche est particulièrement trompeuse. Bien qu'elle siège typiquement dans l'aine ou la fesse, elle est parfois ressentie à l'avant de la cuisse ou seulement dans le genou.

Une douleur dans une seule articulation évoque un traumatisme, une monoarthrite, une tendinite ou une bursite. Une douleur latérale de la hanche, près du grand trochanter, évoque une *bursite trochantérienne.*

■ Certains patients rapportent des douleurs *polyarticulaires*, qui intéressent plusieurs articulations. Si la douleur est polyarticulaire, quel est son *schéma évolutif…* migrant d'une articulation à une autre ou gagnant progressivement d'autres articulations ? L'atteinte est-elle bilatérale et symétrique, touchant les mêmes articulations des deux côtés du corps ?

Évolution migratrice dans le *rhumatisme articulaire aigu* ou l'*arthrite gonococcique*. Extension progressive avec atteinte bilatérale et symétrique dans la *polyarthrite rhumatoïde.*

■ Une douleur articulaire peut être aussi *extra-articulaire* et toucher les os, les muscles et les tissus autour de l'articulation, comme les tendons, les bourses, voire la peau sus-jacente. Les douleurs généralisées sont des *myalgies* – dans les muscles – et des *arthralgies* – s'il y a des douleurs mais pas de signes d'arthrite.

Douleur extra-articulaire dans l'inflammation des bourses séreuses *(bursite)*, des tendons *(tendinite)* ou des gaines tendineuses *(ténosynovite)* ; également, *entorses* par étirement ou déchirure des ligaments.

**Chronologie.** Évaluez la chronicité, la qualité et l'intensité des symptômes articulaires. La *chronologie* est particulièrement importante. Est-ce que la douleur a rapidement progressé sur une durée de quelques heures ou, de façon insidieuse, sur des semaines, voire des mois ? Y a-t-il eu une aggravation progressive ou des périodes d'amélioration et d'aggravation ? Quelle a été la durée de la douleur ? À quoi est-elle comparable sur l'ensemble de la journée ? Le matin ? Au fur et à mesure que la journée s'écoule ?

Douleur intense à début rapide d'une articulation enflée et rouge dans l'*arthrite septique aiguë* ou la *goutte*.[9, 10] Chez les enfants, pensez à l'*ostéomyélite* touchant l'os contigu à une articulation.

Si le début est plus rapide, comment la douleur est-elle apparue ? Y a-t-il eu un traumatisme ou un surmenage par mouvements répétés de la même partie du corps ? Si la douleur est survenue après un traumatisme, quel *mécanisme lésionnel* ou quelle succession d'événements a provoqué la douleur articulaire ? De plus, qu'est-ce qui aggrave ou soulage la douleur ? Quels sont les effets de l'exercice physique, du repos et du traitement ?

Voir tableau 16-3 : « Types de douleurs intra et périarticulaires », p. 672-673.

**Inflammation.** Essayez de déterminer si le problème est *inflammatoire ou pas*. Existe-t-il une *douleur*, une *chaleur* et une *rougeur* ? Ces signes sont appréciés par l'examen mais les patients peuvent parfois vous orienter vers les points douloureux. Recherchez des signes généraux comme de la fièvre et des frissons.

Fièvre, frissons, chaleur et rougeur dans l'*arthrite septique* ; pensez aussi à la *goutte* et au *rhumatisme articulaire aigu.*

**Gonflement et raideur.** D'autres symptômes peuvent vous aider à décider de l'origine *articulaire* ou non de la douleur, à savoir un *gonflement*, une *raideur* ou une *limitation des mouvements*. Localisez un *gonflement* avec autant de précision que possible. Une *raideur*, si elle est présente, peut être difficile à évaluer parce que les gens emploient ce terme dans des acceptions différentes. Une raideur ostéoarticulaire désigne une sensation de restriction ou de résistance au mouvement, le contraire de la souplesse. Elle est souvent associée à une gêne ou à une douleur. Si le patient n'a pas parlé spontanément de la raideur, interrogez-le à ce sujet et essayez d'en calculer la durée. Précisez à quelle heure le patient se réveille le matin et à quel moment ses articulations sont les plus souples. Les gens en bonne santé éprouvent de la raideur et des douleurs musculaires après un effort musculaire d'intensité inhabituelle ; ces symptômes sont à leur maximum dans les 48 heures suivant l'effort.

Pour évaluer la *limitation des mouvements*, posez des questions sur les changements du niveau d'activité du fait des problèmes articulaires. Si c'est pertinent, renseignez-vous spécifiquement sur l'aptitude du patient à marcher, se tenir debout, se pencher en avant, s'asseoir, se redresser, se relever, grimper, pincer, saisir, tourner une page, ouvrir une porte ou un bocal, et à assurer ses soins corporels, comme se peigner, se brosser les dents, manger, s'habiller et se laver.

Douleur, gonflement, limitation de la mobilité active et passive, « blocage », déformation dans la *douleur articulaire* ; limitation de la mobilité active mais pas passive, douleur en dehors de l'articulation, absence de déformation dans la *douleur non articulaire*.

Dans le rhumatisme dégénératif, raideur et mobilité réduite après une période d'inactivité, qui ne durent en général que quelques minutes (« dérouillage ») ; raideur durant 30 minutes ou plus dans la *polyarthrite rhumatoïde* et d'autres rhumatismes inflammatoires. Raideur également dans la *fibromyalgie* et la *pseudo-polyarthrite rhizomélique* (PPR).

**Signes généraux.** Pour finir, certains problèmes articulaires s'accompagnent de *signes généraux* tels que de la fièvre, des frissons, une éruption, une anorexie, une perte de poids et une faiblesse.

D'autres troubles articulaires peuvent être liés à *des appareils et des organes en dehors de l'appareil locomoteur*. Les symptômes extra-articulaires peuvent donner des orientations importantes vers ces affections. Recherchez les symptômes et les affections énumérés ci-dessous.

Signes généraux dans la *polyarthrite rhumatoïde*, le *lupus érythémateux aigu disséminé* (LEAD), la *PPR* et d'autres rhumatismes inflammatoires. Une fièvre élevée et des frissons évoquent une cause infectieuse.

## Douleurs articulaires et affections générales

- *Signes cutanés :*
  - éruption en ailes de papillon sur les joues
  - éruption squameuse et ongles piquetés du psoriasis
  - quelques papules, pustules ou vésicules sur une base rouge au niveau des extrémités distales
  - placard érythémateux extensif au début d'une maladie
  - urticaire

  - érosions ou squames sur la verge, ou papules croûteuses ou écailleuses sur les paumes et les plantes

  - éruption maculopapuleuse de la rubéole
  - hippocratisme digital (voir p. 200)                                    *(suite)*

*Lupus érythémateux aigu disséminé*

*Rhumatisme psoriasique*

*Arthrite gonococcique*

*Maladie de Lyme*

*Maladie sérique, réaction aux médicaments*

*Syndrome de Reiter*, qui comporte également arthrite, urétrite et conjonctivite

Arthrite de la *rubéole*

*Ostéoarthropathie hypertrophiante de Pierre Marie*

## Douleurs articulaires et affections générales *(suite)*

- Yeux rouges qui brûlent et démangent *(conjonctivite)*
- *Angine* ayant précédé les troubles

- *Diarrhée, douleurs abdominales*

- Symptômes d'*urétrite*

- Troubles mentaux, faiblesse faciale ou autre, cou raide

*Syndromes de Reiter et de Behçet*[11]

*Rhumatisme articulaire aigu* ou *arthrite gonococcique*

Arthrite liée à une *rectocolite hémorragique*, une *maladie de Crohn*, une *sclérodermie*

*Syndrome de Reiter* ou éventuellement *arthrite gonococcique*

*Maladie de Lyme* avec atteinte du système nerveux central

# PROMOTION DE LA SANTÉ ET CONSEILS

## Sujets importants pour la promotion de la santé et les conseils

- Alimentation, exercice physique, et poids.
- Dos : soulever une charge et biomécanique du dos.
- Prévention des chutes.
- Prévention et dépistage de l'ostéoporose.

Le maintien de l'intégrité de l'appareil locomoteur met en jeu plusieurs caractéristiques de la vie quotidienne : alimentation équilibrée, exercice régulier, poids convenable. Comme cela est montré dans ce chapitre, chaque articulation a sa propre vulnérabilité au traumatisme et à la charge. Les précautions pour soulever, la prévention des chutes, les mesures de sécurité à la maison, et l'exercice physique permettent de protéger et de maintenir en bon état de fonctionnement les muscles et les articulations.

***Alimentation, exercice physique, et poids.*** Les habitudes d'un mode de vie sain sont directement bénéfiques pour le squelette. Une bonne alimentation apporte le calcium nécessaire à la minéralisation et à la densité osseuses. L'exercice semble maintenir et peut-être augmenter la masse osseuse, outre qu'il affine la silhouette et évacue le stress. Un poids en rapport avec la taille et l'ossature diminue la charge mécanique des articulations supportant le poids du corps comme les hanches et les genoux. Il est démontré qu'une activité physique régulière contribue à la prévention de l'ostéoporose, de l'obésité, de la maladie cardiovasculaire, de l'hypertension artérielle et du diabète de type 2 et peut diminuer la morbidité de toute origine, et allonger la durée de vie.[12] Même un exercice modéré, comme marcher ou faire du vélo 30 minutes par jour, est bénéfique pour la santé. De 20 à 30 % des adultes américains ont des modes de vie sédentaires et peuvent tirer profit de conseils systématiques (même si le lien entre conseils et changements de comportement n'est pas encore prouvé).

***Dos : soulever une charge et biomécanique du dos.*** Le « bas du dos » est l'une des parties les plus vulnérables du squelette, particulièrement la charnière L5-S1, où les vertèbres sacrées font un angle postérieur aigu. De 60 à 80 % des gens se plaignent de *lombalgies* au moins une fois dans leur vie.[13] En général, les symptômes tournent court, mais 30 à 60 % des gens font des récidives quand le premier épisode est en rapport avec le travail. Les exercices visant à muscler les lombes, notamment en flexion-extension, et la modification des facteurs de risque sont souvent recommandés (bien que les études n'aient pas démontré un bénéfice constant de ces interventions).[3, 14, 15] Par ailleurs, les exercices de maintien en forme sont également efficaces. Une formation portant sur les façons de soulever, les positions et la biomécanique des lésions est justifiée chez les patients qui font des efforts pour soulever à répétition, comme les infirmières, les conducteurs d'engin et les ouvriers du bâtiment. Pour les douleurs du dos professionnelles, la reprise progressive d'une activité physique et les conseils comportementaux sont prometteurs pour améliorer l'état fonctionnel et le retour au travail.[16] Ces programmes sont centrés sur l'amélioration fonctionnelle et ne font pas de la disparition de la douleur la condition d'une reprise du travail.

***Prévention des chutes.*** Aux États-Unis, les *chutes* pèsent lourdement sur la morbidité et la mortalité des personnes âgées. Elles représentent la principale cause de blessures non mortelles et expliquent la spectaculaire élévation du taux de mortalité à partir de 65 ans, ce taux passant d'environ 5 pour 100 000 dans la population générale à environ 10 pour 100 000 entre 65 et 74 ans et à 147 pour 100 000 après 85 ans.[17] Approximativement 5 % des chutes provoquent des fractures, en général du poignet, de la hanche, du bassin ou du fémur. Seulement un tiers des patients victimes de fractures récupèrent leur niveau fonctionnel antérieur ; un tiers doivent être placés dans des établissements de long séjour.[18] Les facteurs de risque sont cognitifs et physiologiques, à savoir l'instabilité de la marche, le déséquilibre postural, la diminution de la force, les pertes cognitives comme dans la démence, les déficits visuels et proprioceptifs et l'ostéoporose. Le mauvais éclairage, les escaliers, les chaises trop hautes, les surfaces glissantes ou irrégulières, les chaussures mal adaptées sont des dangers environnementaux qui peuvent souvent être rectifiés. Les cliniciens doivent travailler avec les patients et leurs familles afin de limiter ces risques chaque fois que possible. L'évaluation de l'habitation est utile pour réduire les risques liés à l'environnement, de même que les programmes d'exercices visant à améliorer l'équilibre et la force du patient (voir aussi chapitre 20 : « Sujet âgé », p. 954-955).

***Ostéoporose : dépistage et prévention.*** L'ostéoporose est un problème de santé publique majeur aux États-Unis[18-21] :

■ 10 millions d'Américains souffrent d'ostéoporose, et 34 millions ont un risque accru d'ostéoporose en raison d'une masse osseuse basse ;

■ l'ostéoporose peut survenir à tout âge ; 42 % des personnes à risque sont des hommes. Chez les femmes blanches américaines, la prévalence croît de 15 % entre 50 et 59 ans à 70 % après 80 ans. Chez les femmes afro-américaines de plus de 50 ans, elle est de 12 %, et chez les femmes d'origine mexicaine, de 18 % ;

■ une femme sur deux et un homme sur quatre âgés de plus de 50 ans auront une fracture en rapport avec l'ostéoporose. Environ un tiers des fractures surviennent chez des femmes plus jeunes ;

■ 20 % des patients ayant une fracture de hanche liée à l'ostéoporose décèdent dans l'année qui suit.

Le NIH *(National Institutes of Health)* définit l'ostéoporose comme une « pathologie squelettique caractérisée par une solidité osseuse compromise prédisposant le sujet à un risque accru de fracture ».[19] La *solidité osseuse* reflète à la fois la *densité osseuse* et la *qualité de l'os.* La *densité osseuse* dépend de l'interaction entre la masse osseuse (qui est la plus élevée entre 10 et 20 ans), la formation d'os nouveau et la résorption osseuse. La *qualité de l'os* renvoie à « l'architecture, le *turnover,* les lésions dues aux microfractures et la minéralisation ». Typiquement, l'ostéoporose est due à une perte osseuse au cours du vieillissement, mais une réduction de la masse osseuse due à une croissance osseuse défectueuse dans l'enfance et l'adolescence peut aussi entraîner une ostéoporose.

On ne peut pas mesurer directement la solidité osseuse. La densité minérale osseuse (DMO), qui rend compte d'environ 70 % de la solidité osseuse, est utilisée par défaut.[19] L'OMS (Organisation mondiale de la santé) se sert de la DMO pour définir l'ostéopénie et l'ostéoporose :

■ on parle d'*ostéopénie* lorsque la DMO est inférieure de 1,0 à 2,5 écarts types à la valeur moyenne chez la femme blanche adulte jeune (T-score entre – 2,5 et – 1,0) ;

■ on parle d'*ostéoporose* lorsque la DMO est inférieure de 2,5 écarts types ou plus à la valeur moyenne chez la femme blanche adulte jeune (T-score ≤ – 2,5).

Les Z-scores (écarts types par rapport à des témoins appariés sur l'âge) sont plus utiles que les T-scores parce qu'ils permettent des comparaisons avec des personnes d'âge, de taille et de poids similaires. La DMO est mesurée au niveau du col du fémur, du triangle de Ward du col fémoral, du grand trochanter et de la région intertrochantérienne, et moyennée pour la « hanche totale ». Une chute de 10 % de la DMO – l'équivalent d'un écart type – est associée à une augmentation de 20 % du risque de fracture.

L'USPSTF *(US Preventive Services Task Force)* recommande un dépistage systématique par mesure de la DMO chez les femmes de 65 ans et plus et chez les femmes plus jeunes ayant des facteurs de risque.[22] Le risque relatif de fracture est plus élevé chez les femmes ostéoporotiques ; cependant, presque la moitié des fractures par fragilité osseuse surviennent dans le groupe des femmes ostéopéniques, qui est plus important.[23]

## FACTEURS DE RISQUE D'OSTÉOPOROSE [19, 23]

✔ Postménopause chez les femmes blanches.

✔ Âge > 50 ans.

✔ Poids < 70 kg.

✔ Antécédent familial de fracture chez un parent au premier degré.

✔ Antécédent personnel de fracture.

✔ Consommation d'alcool.

✔ Premières règles tardives ou ménopause précoce.

✔ Personnes qui continuent à fumer.

✔ Taux bas de 25-OH-vitamine D3.

✔ Prise de corticoïdes pendant plus de 2 mois.

✔ Maladies inflammatoires de l'appareil locomoteur, du poumon et du tube digestif, y compris la maladie cœliaque, insuffisance rénale chronique, transplantation d'organe, hypogonadisme, anorexie mentale.

Les questions de base pour le dépistage chez les femmes âgées sont les suivantes : « Avez-vous déjà eu une fracture ? Un de vos parents a-t-il eu une fracture ? Est-ce que vous fumez ? Quel est votre poids ? Prenez-vous un traitement substitutif aux œstrogènes ? »[21] Le dépistage doit être étendu aux femmes plus jeunes et aux hommes qui ont des facteurs de risque. Un poids faible est le meilleur élément prédicteur d'une DMO basse, et une DMO basse au col fémoral est le meilleur élément prédicteur d'une fracture de hanche.[22, 24] Les chutes augmentent le risque de fracture, appréciez les facteurs de risque de chutes : troubles cognitifs, visuels ou de la marche, déficits neuromusculaires, et traitements agissant sur l'équilibre.

Apprenez les indications des différents produits utilisés pour traiter l'ostéoporose, qui sont résumées ci-dessous :

■ un apport accru de *calcium* diminue l'hyperparathyroïdie liée à l'âge et augmente la minéralisation de l'os nouvellement formé ;

■ jusqu'à deux tiers des patients qui font des fractures du col fémoral ont une carence en *vitamine D*, indispensable à l'absorption de calcium et à la force musculaire[25] ;

■ les *agents antirésorptifs* inhibent l'activité ostéoclastique et ralentissent le remodelage osseux, permettant une meilleure minéralisation de la matrice osseuse et une stabilisation de la microarchitecture trabéculaire. Il s'agit des biphosphonates, des modulateurs des récepteurs sélectifs des œstrogènes (SERM), de la calcitonine, et des œstrogènes postménopausiques, qui sont remis en question à cause des risques associés de cancer du sein et de problèmes vasculaires ;

- les *agents anaboliques* tels que la parathormone stimulent la formation d'os en agissant en premier lieu sur les ostéoblastes, mais ils nécessitent une injection sous-cutanée et une surveillance de la calcémie. On les réserve aux formes d'ostéoporose modérées à sévères ;

- un *exercice physique régulier* comprenant le port de charges et des exercices de résistance peut augmenter la densité osseuse et la force musculaire, mais il n'est pas prouvé qu'il réduise le risque fracturaire.[19] Des programmes multidisciplinaires destinés à améliorer la force et l'équilibre, et la sécurité domestique et médicamenteuse peuvent contribuer à éviter les chutes.

Les œstrogènes ont un effet bénéfique sur la densité osseuse, mais trois essais récents ont montré que le risque d'accident vasculaire cérébral était augmenté chez les femmes qui prenaient un traitement hormonal substitutif (THS), sans réduction du risque de maladie coronarienne, et deux d'entre eux ont trouvé un risque accru de cancer du sein.[26-28] L'USPSTF met à présent en garde contre l'utilisation systématique du THS pour éviter des affections chroniques chez les femmes ménopausées.[29] Malgré l'intérêt qu'ils suscitent auprès du public, les œstrogènes naturels, comme les phyto-œstrogènes, provenant des plantes, ne réduisent pas le risque fracturaire.[19]

# EXAMEN DES PRINCIPALES ARTICULATIONS : ANATOMIE, PHYSIOLOGIE ET TECHNIQUES D'EXAMEN

## Points importants de l'examen des principales articulations

- Inspection de la symétrie articulaire et de l'alignement et des déformations osseux.
- Inspection et palpation des parties molles avoisinantes à la recherche de changements cutanés, nodules, amyotrophie et crépitations.
- Amplitude des mouvements et manœuvres testant le fonctionnement et la stabilité de l'articulation, l'intégrité des ligaments, des tendons, des bourses, notamment en cas de douleur ou de traumatisme.
- Évaluation de l'inflammation ou arthrite, notamment gonflement, chaleur, douleur et rougeur.

Au cours de l'interrogatoire, vous avez évalué la capacité du patient à exécuter les activités normales de la vie quotidienne. Gardez en tête cette capacité pendant votre examen physique.

Au cours de l'examen général du patient, vous avez apprécié son aspect, ses proportions corporelles et sa facilité de mouvement. À présent, visualisez l'anatomie sous-jacente de l'appareil locomoteur et rappelez-vous les éléments clés de l'histoire, par exemple le mécanisme des lésions s'il y a un traumatisme, ou l'évolution des symptômes et des limitations fonctionnelles dans un rhumatisme.

Votre examen doit être systématique. Il doit comprendre l'inspection, la palpation des repères osseux ainsi que des structures articulaires et des parties molles en rapport, l'appréciation de l'amplitude des mouvements et des *manœuvres spéciales* pour tester des mouvements particuliers. Rappelez-vous que la forme anatomique de chaque articulation détermine l'amplitude de ses mouvements. Il y a deux composantes dans l'amplitude d'un mouvement : *active* (par le patient) et *passive* (par l'examinateur).

### ASTUCES POUR RÉUSSIR L'EXAMEN DE L'APPAREIL LOCOMOTEUR

✔ Pendant l'inspection, il est particulièrement important de noter la *symétrie* de l'atteinte. Y a-t-il une modification asymétrique des articulations des deux moitiés du corps, ou la modification ne concerne-t-elle qu'une ou deux articulations ?

> L'atteinte aiguë d'une seule articulation évoque un traumatisme, une arthrite septique, la goutte. La *polyarthrite rhumatoïde* touche typiquement plusieurs articulations, de façon bilatérale et symétrique.[30-32]

Notez également des *déformations articulaires* ou un *mauvais alignement des os*.

> *Maladie de Dupuytren* (p. 678), jambes arquées ou genoux cagneux.

✔ Par l'inspection et la palpation, appréciez les *tissus environnants* : notez les changements cutanés, les nodules sous-cutanés et l'amyotrophie. Notez une éventuelle *crépitation*, craquement audible et/ou palpable pendant le mouvement des tendons ou des ligaments sur l'os. Elle peut s'observer dans des articulations normales, mais est plutôt anormale quand elle est associée à des symptômes ou à des signes.

> Nodules sous-cutanés dans la *polyarthrite rhumatoïde* ou le *rhumatisme articulaire aigu*, épanchements dans les traumatismes ; crépitation des articulations inflammatoires, de l'*arthrose* et des *ténosynovites*.

✔ Testez l'amplitude des mouvements et faites les manœuvres (décrites pour chaque articulation) révélant des *limitations des mouvements* ou une instabilité articulaire due à une *hyperlaxité ligamentaire* (mobilité excessive des ligaments articulaires).

> Diminution de la mobilité dans une arthrite, une inflammation des tissus péri-articulaires, une fibrose intra ou péri-articulaire, ou une *ankylose* (fixation osseuse). Laxité ligamentaire du LCA dans les traumatismes du genou.

✔ Enfin, étudiez la *force musculaire*, dans la mesure où elle vous permet d'apprécier la fonction articulaire (pour ces techniques, voir chapitre 17).

> Atrophie ou faiblesse musculaire dans la *polyarthrite rhumatoïde*.

*(suite)*

Recherchez tout particulièrement *des signes d'inflammation et d'arthrite*.

✔ *Gonflement*. Un gonflement palpable peut intéresser : (1) la membrane synoviale, qui semble épaissie ou empâtée, (2) le liquide synovial, en excès dans la cavité articulaire (épanchement), ou (3) des parties molles, telles que les bourses, les tendons et les gaines tendineuses.

Un épaississement ou un empâte-ment palpable de la membrane synoviale est l'indice d'une *synovite*, souvent accompagnée par un épanchement. Liquide intra-articulaire palpable en cas d'épan-chement. Douleur sur les gaines tendineuses dans la *tendinite*.

✔ *Chaleur*. Utilisez le dos des doigts pour comparer l'articulation atteinte à l'articulation controlatérale saine ou aux tissus voisins si les deux articulations sont touchées.

Arthrite, tendinite, bursite, *ostéo-myélite*.

✔ *Douleur*. Essayez de déterminer quelle structure anatomique précise est douloureuse. Un traumatisme peut aussi être à l'origine d'une douleur.

Douleur et chaleur au-dessus d'une synoviale épaissie suggèrent un rhumatisme ou une infection.

✔ *Rougeur*. La rougeur de la peau sus-jacente est le signe le plus rare d'une inflammation péri-articulaire.

La rougeur de la peau sur une articulation douloureuse suggère une arthrite septique ou goutteuse, ou encore une *polyarthrite rhumatoïde*.

Si un patient a des articulations douloureuses, mobilisez-le avec douceur. Le patient peut se mobiliser lui-même plus aisément. Laissez-le vous montrer comment il s'y prend. En cas de traumatisme articulaire, regardez la radiographie avant de tenter une mobilisation.

L'examen de l'appareil locomoteur peut être plus ou moins détaillé. Cette partie présente les techniques d'examen pour l'évaluation complète ou ciblée de la fonction articulaire. Les patients qui ont des troubles de l'appareil loco-moteur étendus ou sévères demandent plus de temps. Un examen plus rapide pour ceux qui n'ont pas de troubles musculosquelettiques est pré-senté au chapitre 4 (voir p. 113-114).

Pour préparer votre examen de l'appareil locomoteur, étudiez le diagramme des plaintes ostéoarticulaires présenté ci-après.

## APPROCHE DES PLAINTES OSTÉOARTICULAIRES

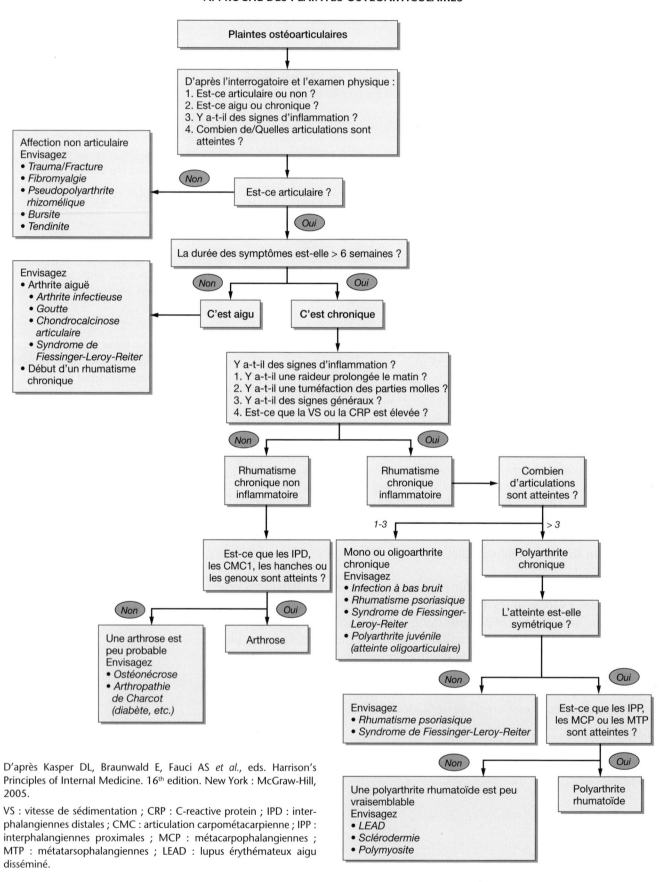

D'après Kasper DL, Braunwald E, Fauci AS *et al.*, eds. Harrison's Principles of Internal Medicine. 16ᵗʰ edition. New York : McGraw-Hill, 2005.

VS : vitesse de sédimentation ; CRP : C-reactive protein ; IPD : inter-phalangiennes distales ; CMC : articulation carpométacarpienne ; IPP : interphalangiennes proximales ; MCP : métacarpophalangiennes ; MTP : métatarsophalangiennes ; LEAD : lupus érythémateux aigu disséminé.

# → Articulation temporomandibulaire

## Vue d'ensemble, structures osseuses et articulations

L'articulation temporomandibulaire (ATM) est la plus active du corps, elle ouvre et ferme la bouche jusqu'à 2 000 fois par jour. Elle est formée par la fosse et le tubercule de l'os temporal et par le condyle de la mandibule. Elle est à mi-chemin du conduit auditif externe et de l'arcade zygomatique.

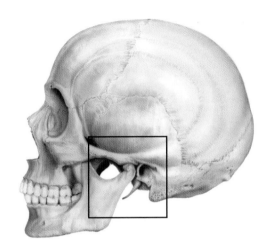

Un disque fibrocartilagineux amortit l'action du condyle de la mandibule sur la synoviale et la capsule des surfaces articulaires de l'os temporal. C'est donc une articulation synoviale condylienne.

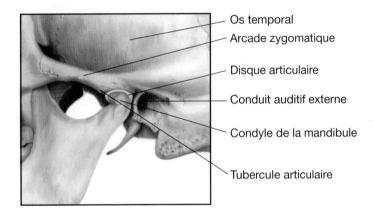

- Os temporal
- Arcade zygomatique
- Disque articulaire
- Conduit auditif externe
- Condyle de la mandibule
- Tubercule articulaire

## Groupes musculaires et autres structures

Les principaux muscles ouvrant la bouche sont les *ptérygoïdiens externes*. Ceux qui ferment la bouche, le *masséter*, le *temporal* et les *ptérygoïdiens internes*, sont innervés par le nerf trijumeau, nerf crânien V (voir p. 687).

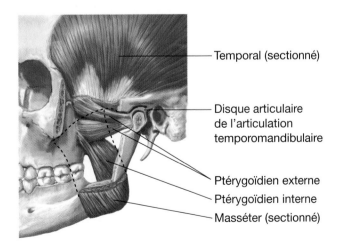

- Temporal (sectionné)
- Disque articulaire de l'articulation temporomandibulaire
- Ptérygoïdien externe
- Ptérygoïdien interne
- Masséter (sectionné)

## Techniques d'examen

***Inspection et palpation.*** Inspectez la face à la recherche d'une asymétrie. Inspectez l'ATM à la recherche d'un gonflement ou d'une rougeur. Le gonflement peut se présenter comme une masse arrondie à environ 2,5 cm en avant du conduit auditif externe.

Asymétrie faciale associée au *syndrome ATM*. Les caractéristiques de ce syndrome sont une douleur unilatérale chronique quand le patient mâche, serre les dents ou grince des dents, souvent lors d'un stress (peut aussi ressembler à une céphalée). Douleur à la mastication également dans la *névralgie du trijumeau* et la *maladie de Horton*.

Gonflement, douleur provoquée et limitation articulaire dans l'inflammation et le rhumatisme.

Pour localiser et palper l'articulation, placez le bout de l'index juste devant le tragus de chaque oreille et demandez au patient d'ouvrir la bouche. Le bout des doigts doit tomber dans l'espace articulaire quand la bouche s'ouvre. Vérifiez l'amplitude du mouvement, notez tout gonflement ou douleur. Un ressaut ou un claquement peuvent être audibles et palpables chez des sujets normaux.

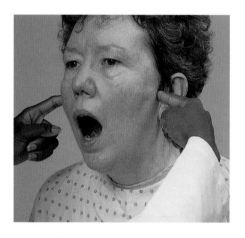

Luxation de l'ATM possible en cas de traumatisme.

Un clic ou une crépitation palpable sont possibles en cas de malocclusion, lésion méniscale ou gonflement synovial d'origine traumatique.

Palpez également les muscles masticateurs :

■ les *masséters* en dehors, à l'angle de la mandibule ;

Douleur spontanée et provoquée par la palpation dans le *syndrome ATM*.

■ les *muscles temporaux*, en dehors, pendant le serrement et le relâchement de la mâchoire ;

■ les *muscles ptérygoïdiens*, en dedans, entre les piliers des amygdales, à la mandibule.

***Amplitude des mouvements et manœuvres.*** L'ATM a des mouvements de glissement et de pivotement dans ses parties haute et basse, respectivement. Le broiement ou mâchage consiste avant tout en des mouvements de glissement dans les parties hautes.

L'amplitude du mouvement est triple : demandez au patient de faire des mouvements d'ouverture et de fermeture, de protrusion et de rétraction (en avançant la mâchoire) ou de déplacement latéro-latéral. Normalement, quand la bouche est grande ouverte, on peut introduire trois doigts entre les incisives. Au cours de la protrusion de la mâchoire, les dents inférieures peuvent s'aligner avec les dents supérieures.

# → Épaule

## Vue d'ensemble

L'articulation glénohumérale de l'épaule se distingue par l'amplitude de ses mouvements dans toutes les directions. Elle est peu bridée par des structures osseuses. La tête humérale entre en contact avec moins d'un tiers de la surface de la cavité glénoïde, et pend littéralement de l'omoplate, à laquelle la relient la capsule articulaire, les ligaments intra-articulaires, le bourrelet glénoïdien et un ensemble complexe de muscles et de tendons.

L'épaule tire sa mobilité de l'ensemble complexe et interconnecté de 4 articulations, 3 grands os et 3 principaux groupes musculaires, souvent dénommé la *ceinture scapulaire*. Certaines structures sont considérées comme des *stabilisateurs dynamiques*, capables de mouvement, et d'autres comme des *stabilisateurs statiques*, incapables de mouvement :

■ *stabilisateurs dynamiques :* les « muscles SITS » de la coiffe des rotateurs (*supraspinatus, infraspinatus, teres minor* et *subscapularis*), qui mobilisent l'humérus et enfoncent et maintiennent la tête humérale à l'intérieur de la cavité glénoïde ;

■ *stabilisateurs statiques :* les pièces osseuses de la ceinture scapulaire, le bourrelet glénoïdien, la capsule articulaire et les ligaments glénohuméraux. Le bourrelet (ou *labrum*) est un anneau fibrocartilagineux qui entoure la glène et approfondit sa concavité, donnant une plus grande stabilité à la tête humérale. La *capsule articulaire*, formée par les tendons de la coiffe des rotateurs et d'autres muscles et renforcée par les ligaments glénohuméraux, contribue aussi à la stabilité de l'articulation.

## Structures osseuses

Elles comprennent l'humérus, la clavicule et l'omoplate. L'omoplate n'est ancrée au squelette axial que par l'articulation sternoclaviculaire et les muscles qui s'y insèrent (*articulation scapulothoracique*, qui n'est pas une vraie articulation).

Identifiez le *manubrium sternal*, l'*articulation sternoclaviculaire* et la *clavicule*. Identifiez aussi l'*extrémité de l'acromion*, la *grosse tubérosité de l'humérus* (ou *trochiter*), et l'*apophyse coracoïde de l'omoplate*, qui sont des repères anatomiques importants de l'épaule.

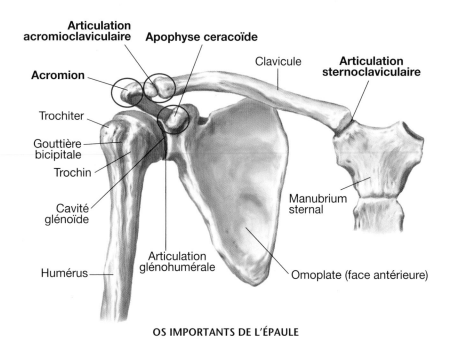

**OS IMPORTANTS DE L'ÉPAULE**

## Articulations

L'épaule comprend 3 articulations :

- l'*articulation glénohumérale*. Dans cette articulation, la tête de l'humérus s'articule avec la cavité glénoïde peu profonde de l'omoplate. Elle est située profondément et n'est pas palpable normalement. C'est une articulation sphéroïde qui donne au bras sa grande mobilité : flexion, extension, abduction (écartement du tronc), adduction (rapprochement du tronc), rotation et circumduction ;

- l'*articulation sternoclaviculaire*. L'extrémité interne convexe de la clavicule s'articule avec une concavité de la partie supérieure du sternum ;

- l'*articulation acromioclaviculaire*. L'extrémité externe de la clavicule s'articule avec l'acromion de l'omoplate.

## Groupes musculaires

Trois groupes musculaires s'insèrent sur l'épaule.

***Groupe scapulohuméral.*** Ce groupe va de l'omoplate à l'humérus et comprend les muscles qui s'insèrent directement sur l'humérus, appelés « muscles SITS » de la *coiffe des rotateurs* :

■ le *supra-épineux (supraspinatus)* passe au-dessus de l'articulation glénohumérale et s'insère sur le trochiter ;

■ l'*infra-épineux (infraspinatus)* et le *petit rond (teres minor)* passent en arrière de la glénohumérale et s'insèrent sur le trochiter ;

■ le *sous-scapulaire (subscapularis,* non représenté) naît de la face antérieure de l'omoplate, passe en avant de l'articulation et s'insère sur la petite tubérosité (ou trochin).

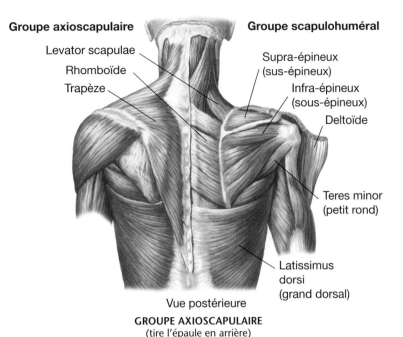

**Groupe axioscapulaire**

Levator scapulae
Rhomboïde
Trapèze

**Groupe scapulohuméral**

Supra-épineux (sus-épineux)
Infra-épineux (sous-épineux)
Deltoïde
Teres minor (petit rond)
Latissimus dorsi (grand dorsal)

Vue postérieure
**GROUPE AXIOSCAPULAIRE**
(tire l'épaule en arrière)

**GROUPE SCAPULOHUMÉRAL**
(fait tourner l'épaule en dehors ; comprend la coiffe des rotateurs)

Le groupe scapulohuméral fait tourner l'épaule en dehors *(coiffe des rotateurs)* et enfonce et fait tourner la tête de l'humérus (voir p. 617-619 la discussion sur les lésions de la coiffe des rotateurs).

***Groupe axioscapulaire.*** Ce groupe solidarise le tronc et l'omoplate. Il comprend le trapèze, les rhomboïdes, le *serratus anterior* et le *levator scapulae.* Ces muscles font tourner l'épaule.

***Groupe axiohuméral.*** Ce groupe solidarise le tronc et l'humérus. Il comprend le grand pectoral, le petit pectoral et le grand dorsal. Ces muscles produisent une rotation interne de l'épaule.

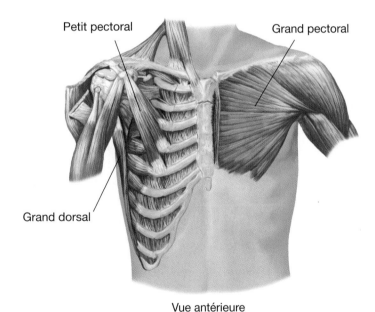

Petit pectoral
Grand pectoral
Grand dorsal

Vue antérieure
**GROUPE AXIOHUMÉRAL**
(fait tourner l'épaule en dedans)

Le biceps et le triceps, qui relient l'omoplate aux os de l'avant-bras, sont aussi impliqués dans les mouvements de l'épaule, en particulier dans l'abduction.

# Autres structures

La *capsule articulaire* et les *bourses* sont aussi importantes pour les mouvements de l'épaule. L'articulation glénohumérale est entourée par une capsule articulaire fibreuse formée par les insertions tendineuses des muscles de la coiffe des rotateurs et d'autres muscles capsulaires. La laxité de la capsule permet aux os de l'épaule de se séparer ; elle facilite la grande amplitude des mouvements. La capsule est doublée par la membrane synoviale, avec deux évaginations, la *bourse sous-scapulaire* et la *gaine synoviale du tendon du long chef du biceps*.

Pour localiser le tendon du biceps, faites tourner le bras en dehors et trouvez la corde tendineuse qui passe juste en dedans du trochiter. Faites-la rouler sous vos doigts. C'est le tendon du long biceps. Il passe dans la gouttière bicipitale, entre le trochiter et le trochin.

La principale bourse de l'épaule est la *bourse sous-acromiale*, située entre l'acromion et la tête de l'humérus, qui recouvre le tendon du supra-épineux. L'abduction de l'épaule comprime cette bourse. Normalement, le tendon du supra-épineux et la bourse sous-acromiale ne sont pas palpables. Cependant, quand la bourse est inflammatoire (bursite sous-acromiale), il peut exister une zone douloureuse juste sous l'extrémité de l'acromion, des douleurs à l'abduction et à la rotation, et une perte de souplesse du mouvement.

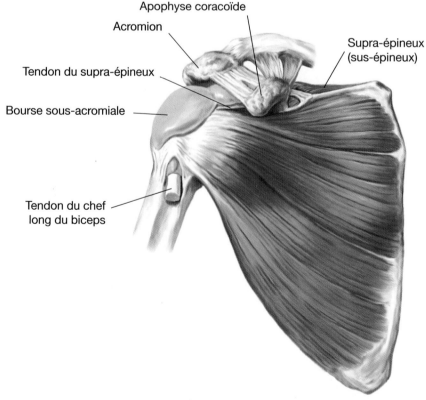

Apophyse coracoïde

Acromion

Supra-épineux
(sus-épineux)

Tendon du supra-épineux

Bourse sous-acromiale

Tendon du chef
long du biceps

**VUE ANTÉRIEURE DE L'ÉPAULE**

# Techniques d'examen

***Inspection.*** Observez les épaules et la ceinture scapulaire en avant, les omoplates et leurs muscles en arrière.

Notez un gonflement, une déformation, une amyotrophie ou des fasciculations (tremblements fins des muscles), ou une position anormale.

Recherchez un gonflement de la capsule articulaire en avant ou un bombement de la bourse sous-acromiale sous le muscle deltoïde. Examinez le membre supérieur en totalité à la recherche de modifications de couleur, d'altération de la peau, ou de déformations des os.

***Palpation.*** Commencez par palper les repères osseux de l'épaule ; puis palpez toute zone douloureuse.

- En partant de l'*articulation sternoclaviculaire* en dedans, suivez la clavicule avec les doigts, de dedans en dehors.

- Puis, à l'arrière, suivez l'épine de l'omoplate latéralement et vers le haut, jusqu'à ce qu'elle devienne l'acromion (**A**), le sommet de l'épaule. La face supérieure de l'acromion est rugueuse et légèrement convexe. Identifiez l'extrémité antérieure de l'acromion.

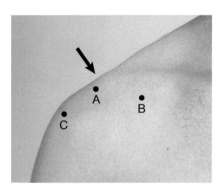

- Votre index étant posé sur le sommet de l'acromion, juste en arrière de son extrémité, appuyez en dedans avec le pouce pour trouver l'arête légèrement surélevée qui signale l'extrémité externe de la clavicule au niveau de l'*articulation acromioclaviculaire* (indiquée par la flèche). Déplacez le pouce en dedans et en bas, jusqu'à la saillie osseuse voisine, l'*apophyse coracoïde* (**B**) de l'omoplate.

- À présent, avec le pouce sur l'apophyse coracoïde, laissez tomber les doigts et saisissez la face externe de l'humérus pour palper le *trochiter* (**C**), sur lequel s'insèrent les muscles SITS.

- Puis, pour palper le *tendon du biceps* dans la gouttière bicipitale, gardez le pouce sur la coracoïde et les doigts sur la face externe de l'humérus. Soulevez l'index et placez-le à mi-distance de la coracoïde et du trochiter, sur

Une *scoliose* peut entraîner la surélévation d'une épaule. Dans la *luxation antérieure de l'épaule*, l'arrondi externe du moignon de l'épaule s'aplatit.[33, 34]

Amyotrophie du supra et de l'infra-épineux à la face postérieure de l'omoplate, avec saillie plus marquée de l'épine dans les 2 à 3 semaines suivant une *déchirure de la coiffe des rotateurs*.

Il faut beaucoup de liquide synovial pour que la capsule articulaire soit distendue.

Voir tableau 16-4 : « Épaules douloureuses », p. 674-675.

Voir aussi la tendinite bicipitale dans le tableau 16-4 : « Épaules douloureuses », p. 674-675.

la face antérieure du bras. Pour rechercher une douleur tendineuse, il peut être utile de faire rouler le tendon sous le bout des doigts. Vous pouvez aussi faire tourner l'avant-bras en dehors, localiser le muscle près du coude, et suivre son tendon en remontant vers la gouttière bicipitale.

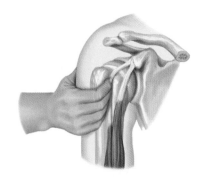

**PALPATION DE LA GOUTTIÈRE BICIPITALE ET DU TENDON BICIPITAL**

■ Pour examiner les bourses sous-acromiale et sous-deltoïdienne et les muscles SITS, étendez d'abord passivement le bras en soulevant le coude en arrière. Cela fait tourner ces structures de telle sorte qu'elles deviennent antérieures à l'acromion. Palpez soigneusement les bourses sous-acromiale et sous-deltoïdienne. Les muscles SITS sous-jacents palpables sont :
  – le supra-épineux *(supraspinatus)* : directement sous l'acromion ;
  – l'infra-épineux *(infraspinatus)* : en arrière du supra-épineux ;
  – le petit rond *(teres minor)* : en arrière et en dessous du supra-épineux ;
  – (le quatrième muscle, le sous-scapulaire, s'insère en avant et n'est pas palpable).

Une sensibilité provient d'une *bursite sous-acromiale* ou *sous-deltoïdienne*, d'un processus dégénératif, ou de calcifications dans la coiffe des rotateurs.

Une tuméfaction évoque une *rupture d'une bourse* communiquant avec la cavité articulaire.

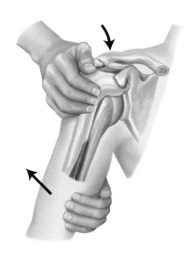

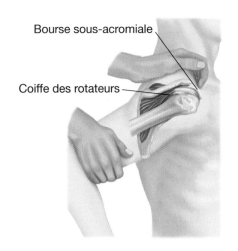

Bourse sous-acromiale

Coiffe des rotateurs

Une douleur provoquée sur les insertions des muscles SITS et l'incapacité d'élever le bras au-dessus de l'épaule se voient dans les entorses, déchirures et ruptures des tendons de la coiffe des rotateurs, le plus souvent le *supra-épineux*. Voir le tableau 16-4 : « Épaules douloureuses », p. 674-675.

■ La capsule fibreuse et les tendons aplatis de la coiffe des rotateurs sont si étroitement associés qu'ils doivent être examinés ensemble. Un gonflement de la capsule et de la synoviale est souvent mieux décelé en regardant le dessus de l'épaule d'en haut. Palpez la capsule et la synoviale sous les rebords antérieur et postérieur de l'acromion.

Une douleur provoquée et un épanchement évoquent une synovite de l'articulation gléno-humérale. Si les bords de la capsule et la membrane synoviale sont palpables, c'est qu'il existe un épanchement de moyenne à grande abondance. Des degrés minimes de synovite de l'articulation glénohumérale ne sont pas détectables par la palpation.

## Amplitude des mouvements et manœuvres

**Amplitude des mouvements.** Les six mouvements de la ceinture scapulaire sont la flexion, l'extension, l'abduction, l'adduction, la rotation interne et la rotation externe.

Placez-vous en face du patient et observez la fluidité des différents mouvements des épaules qu'il effectue à votre demande (voir tableau ci-dessous). Notez bien les muscles responsables de chaque mouvement. Donnez des ordres clairs afin d'obtenir le geste désiré.

Mobilité réduite dans les *bursites, capsulites, entorses, tendinites* et *déchirures de la coiffe des rotateurs.*

| Mouvement de l'épaule | Principaux muscles exécutant le mouvement | Instructions au patient |
| --- | --- | --- |
| **Flexion** 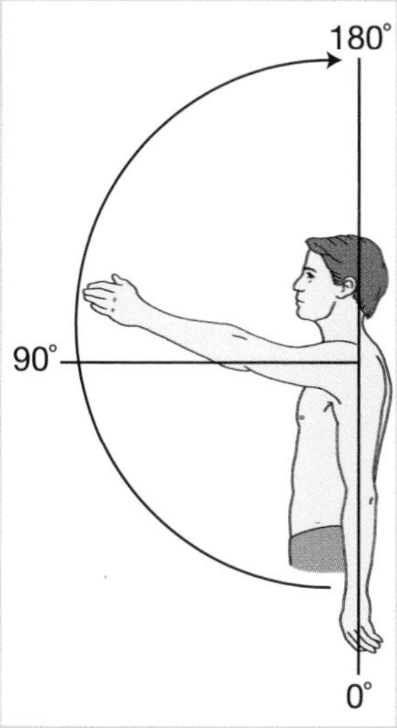 <br> | Deltoïde antérieur, grand pectoral (chef claviculaire), coracobrachial, biceps brachial (chef court) | *« Élevez les membres supérieurs devant vous, et amenez-les au-dessus de votre tête »* |
| **Extension** 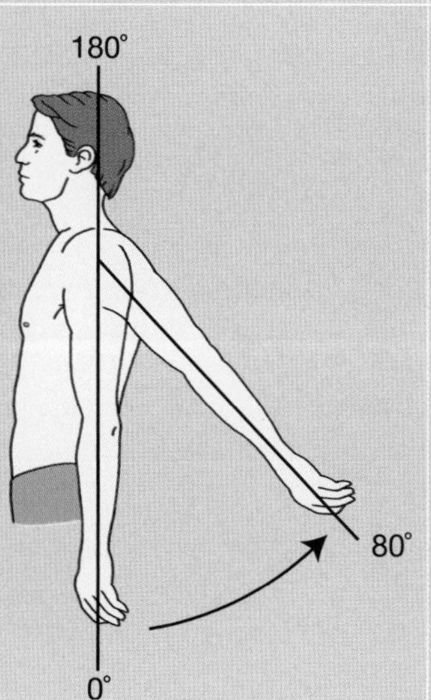 <br> | Grand dorsal, grand rond, deltoïde postérieur, triceps brachial (long chef) | *« Élevez les membres supérieurs derrière vous »* |

*(suite)*

| Mouvement de l'épaule | Principaux muscles exécutant le mouvement | Instructions au patient |
|---|---|---|
| **Abduction** | Supra-épineux, deltoïde moyen, serratus antérieur (*via* la rotation vers le haut de l'épaule) | *« Élevez les membres supérieurs en dehors, et amenez-les au-dessus de votre tête »*<br><br>Notez que pour ne tester que le mouvement qui a lieu dans la glénohumérale, le patient doit relever les membres supérieurs jusqu'à hauteur des épaules (à 90°) avec les paumes des mains tournées vers le sol. Pour tester le mouvement qui a lieu dans la scapulo-thoracique, le patient doit retourner les paumes vers le plafond et relever les membres supérieurs d'encore 60°. Les 30 derniers degrés testent les deux articulations. |
| **Adduction** | Grand pectoral, coracobrachial, grand dorsal, grand rond, sous-scapulaire | *« Faites passer le membre supérieur devant votre poitrine »* |
| **Rotation interne** | Sous-scapulaire, deltoïde antérieur, grand pectoral, grand rond, grand dorsal | *« Portez une main derrière votre dos et essayez de toucher l'omoplate du côté opposé »*<br><br>Notez la plus haute des apophyses épineuses que le patient peut atteindre au niveau du rachis. |

*(suite)*

| Mouvement de l'épaule | Principaux muscles exécutant le mouvement | Instructions au patient |
|---|---|---|
| **Rotation externe** | Infra-épineux, petit rond, deltoïde postérieur | *« Relevez le membre supérieur à hauteur d'épaule, pliez le coude et tournez l'avant-bras vers le plafond »*<br><br>ou<br><br>*« Placez une main derrière le cou ou la tête comme si vous étiez en train de vous brosser les cheveux »* |

**Manœuvres.** L'examen de l'épaule nécessite souvent une évaluation sélective de certains mouvements ou de certaines structures. Il existe plus de 20 manœuvres différentes pour tester le fonctionnement de l'épaule ; toutes ne sont pas bien étudiées.[35] Les manœuvres le plus souvent recommandées et validées sont décrites pages 620 à 622. Il faudra vous exercer à les pratiquer en vous faisant superviser, mais vous les trouverez utiles pour diagnostiquer la pathologie de l'épaule.

Notez que la cause la plus fréquente de douleur de l'épaule est l'atteinte de la coiffe des rotateurs, qui touche habituellement le tendon du supra-épineux et peut progresser par la suite en arrière et en avant. La compression des muscles de la coiffe des rotateurs entre la tête de l'humérus et l'acromion donne des « signes de conflit sous-acromial » (en anglais, *impingement signs*), mis en évidence par les tests de Neer, Hawkins et du bras tombant. Cependant, les meilleurs éléments prédicteurs d'une déchirure de la coiffe des rotateurs sont la diminution de la force du supra-épineux en abduction, de l'infra-épineux en rotation externe, et un signe de conflit positif.[35, 36]

Un âge ≥ 60 ans et un test du bras tombant positif sont les meilleurs indicateurs d'une déchirure de la coiffe des rotateurs avec des *likelihood* ratios (LR) de 3,2 et 5,0 respectivement. La combinaison d'une faiblesse du supra-épineux, d'une faiblesse de l'infra-épineux et d'un signe de conflit sous-acromial positif élève le LR d'une déchirure à 48,0 ; quand ces trois signes manquent, le LR tombe à 0,02, ce qui élimine pratiquement le diagnostic.[35, 36]

## Manœuvres pour examiner l'épaule

| Structure | Technique | |
|---|---|---|
| **Articulation acromioclaviculaire** | Palpez et comparez les deux articulations à la recherche d'un gonflement et d'une douleur. Portez le membre supérieur du patient en adduction, croisant le thorax *(cross-over test)*. 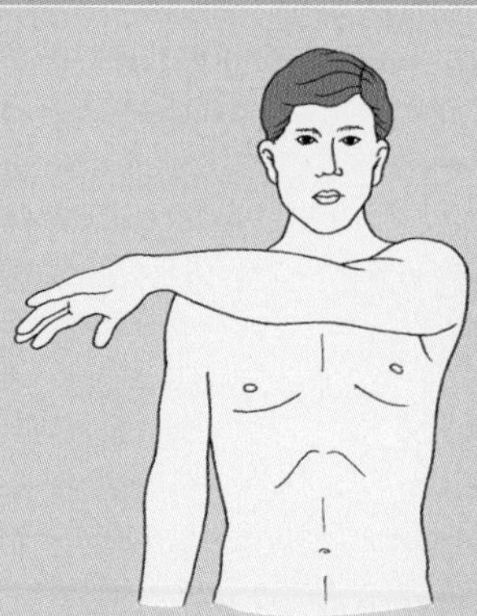 | Voir tableau 16-4 : « Épaules douloureuses », p. 674-675. Une douleur localisée ou une douleur *à l'adduction* suggèrent une inflammation ou un rhumatisme de l'articulation acromioclaviculaire. Cependant, la douleur localisée a une sensibilité de 95 % et une spécificité de 10 % environ, et à l'adduction une sensibilité de 80 % et une spécificité de 50 % environ. |
| **Rotation globale de l'épaule** | Demandez au patient de toucher l'omoplate controlatérale en utilisant les deux mouvements représentés ci-dessous *(scratch test d'Apley)*. 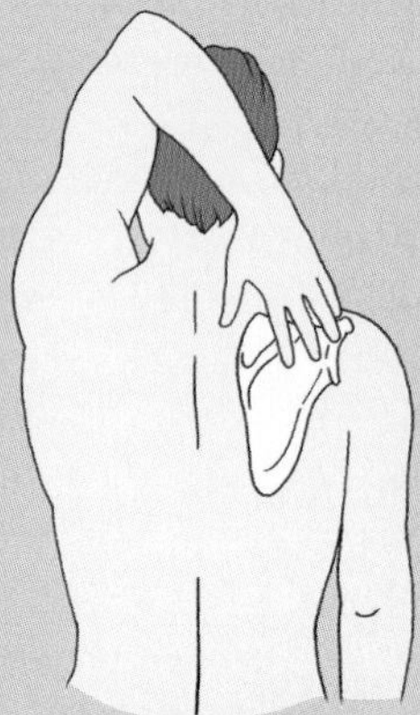 Teste l'abduction et la rotation externe 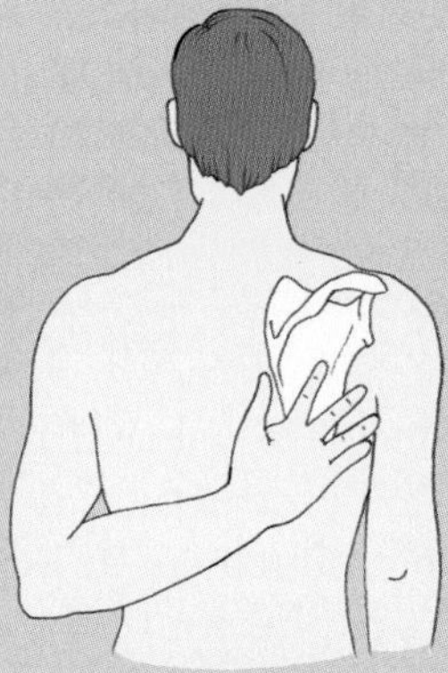 — Teste l'adduction et la rotation interne | La difficulté de ces mouvements suggère une pathologie de la coiffe des rotateurs. |
| **Coiffe des rotateurs** | Recherchez un signe de conflit sous-acromial à la *manœuvre de Neer*. Appuyez sur l'omoplate du patient avec une main pour la bloquer, et élevez son membre supérieur avec l'autre main. Cette manœuvre appuie le trochiter de l'humérus sur l'acromion. 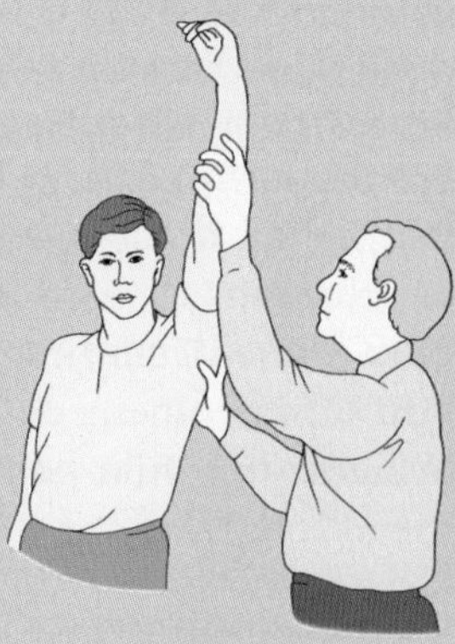 | Une douleur provoquée par cette manœuvre, c'est-à-dire un *test positif*, peut traduire une *déchirure de la coiffe des rotateurs*. |

*(suite)*

## Manœuvres pour examiner l'épaule *(suite)*

| Structure | Technique | |
|---|---|---|
| | Recherchez un signe de conflit sous-acromial à la *manœuvre de Hawkins*. Fléchissez l'épaule et le coude du patient à 90°, avec la paume regardant vers le bas. Puis, avec une main posée sur son avant-bras et l'autre sur son bras, mettez son bras en rotation interne. Cette manœuvre appuie le trochiter sur le ligament coraco-acromial. | Une douleur provoquée par cette manœuvre, c'est-à-dire un *test positif*, peut traduire une *déchirure de la coiffe des rotateurs.* |
| | Testez *la force du supra-épineux (manœuvre de Jobe)*. Élevez les membres supérieurs du patient à 90° et mettez-les en rotation interne, pouces pointant vers le bas, comme pour vider une canette. Demandez au patient de résister tandis que vous essayez d'abaisser ses membres. | Une faiblesse démontrée par cette manœuvre, c'est-à-dire un *test positif*, peut traduire une *déchirure de la coiffe des rotateurs.* |
| | Testez *la force de l'infra-épineux*. Demandez au patient de mettre les membres supérieurs le long du corps et de plier les coudes à 90°, pouces tournés vers le haut. Puis demandez au patient d'écarter les avant-bras du corps malgré votre résistance. | Une faiblesse démontrée par cette manœuvre, c'est-à-dire un *test positif*, peut traduire une *déchirure de la coiffe des rotateurs* ou une *tendinite du biceps.* |

*(suite)*

| Manœuvres pour examiner l'épaule *(suite)* | |
| --- | --- |
| **Structure** | **Technique** |
| | Testez *la supination de l'avant-bras*. Fléchissez l'avant-bras du patient à 90° au niveau du coude et tournez son poignet en pronation. Demandez au patient de mettre l'avant-bras en supination malgré votre résistance. |
| | Recherchez *le signe du « bras tombant »*. Demandez au patient de porter un membre supérieur en abduction complète à hauteur de l'épaule (ou > 90°), puis de l'abaisser lentement (notez que l'abduction au-dessus de l'épaule, de 90 à 120°, traduit l'action du muscle deltoïde). |

Une faiblesse démontrée par cette manœuvre, c'est-à-dire un *test positif*, traduit une inflammation du long chef du biceps et possiblement une *déchirure de la coiffe des rotateurs*.

Si le patient n'arrive pas à maintenir le membre supérieur en abduction complète à hauteur de l'épaule, le test est *positif*, et traduit une *déchirure de la coiffe des rotateurs* (LR = 5,0).[35]

# → Coude

## Vue d'ensemble, structures osseuses et articulations

Le coude permet le positionnement de la main dans l'espace et stabilise l'action de levier de l'avant-bras. L'articulation du coude est formée par l'humérus et les deux os de l'avant-bras, le radius et l'ulna (ou cubitus). Identifiez l'épicondyle médial (ou épitrochlée) et l'épicondyle latéral de l'humérus et l'olécrane de l'ulna.

Ces os ont trois articulations : l'*articulation ulnohumérale*, l'*articulation radiohumérale* et l'*articulation radio-ulnaire*. Les trois partagent une grande cavité articulaire commune et une synoviale étendue.

## Groupes musculaires et autres structures

Les muscles du coude comprennent le *biceps* et le *brachioradial* (flexion), le *triceps* (extension), le *rond pronateur* (pronation), et le *supinateur* (supination).

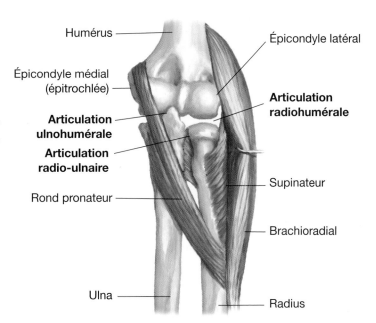

Humérus — Épicondyle latéral

Épicondyle médial (épitrochlée) — **Articulation radiohumérale**

**Articulation ulnohumérale** — 

**Articulation radio-ulnaire** — 

Rond pronateur — Supinateur

Brachioradial

Ulna — Radius

**VUE ANTÉRIEURE DU COUDE GAUCHE**

Notez le siège de la *bourse olé-cranienne* entre l'olécrane et la peau. Elle n'est pas palpable normalement mais gonfle et devient douloureuse en cas d'inflammation. Le *nerf ulnaire* (ou cubital) passe en arrière entre l'épicondyle médial (ou épitro-chlée) et l'olécrane. En avant, le *nerf médian* est juste en dedans de l'artère brachiale.

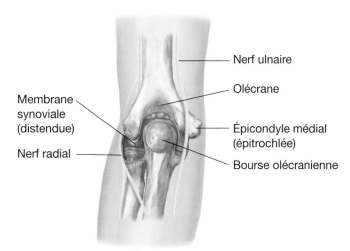

Nerf ulnaire

Olécrane

Membrane synoviale (distendue) — Épicondyle médial (épitrochlée)

Nerf radial — Bourse olécranienne

**VUE POSTÉRIEURE DU COUDE GAUCHE**

## Techniques d'examen

***Inspection.*** Soutenez l'avant-bras du patient avec votre main opposée de telle sorte que le coude soit fléchi à environ 70°. Identifiez les épicondyles médial et latéral et l'olécrane de l'ulna. Inspectez les contours du coude, y compris la face d'extension de l'ulna et de l'olécrane. Notez tout nodule ou gonflement.

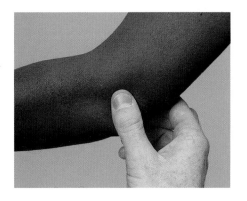

Voir tableau 16-5 : « Coudes gonflés ou douloureux », p. 676.

Gonflement sur l'olécrane, visible en cas de bursite olécranienne (voir p. 676), inflammation ou liquide synovial dans l'arthrite.

***Palpation.*** Palpez l'olécrane et appuyez sur les épicondyles à la recherche d'une douleur. Notez tout déplacement de l'olécrane.

Palpez les gouttières entre les épicondyles et l'olécrane, en notant tout épaississement, gonflement ou douleur. La synoviale est plus accessible à l'examen entre l'olécrane et les épicondyles (normalement, ni la synoviale ni les bourses ne sont palpables). Le nerf ulnaire, sensible, peut être perçu en arrière, entre l'olécrane et l'épicondyle médial.

Douleur de l'*épicondylite externe (tennis elbow)* et, plus rarement, de l'*épicondylite interne*.

L'olécrane est déplacé postérieurement dans la *luxation postérieure du coude* et la *fracture supracondylienne*.

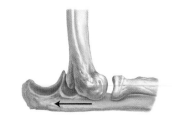

**LUXATION POSTÉRIEURE DU COUDE**

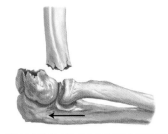

**FRACTURE SUPRACONDYLIENNE DU COUDE**

***Amplitude des mouvements et manœuvres.*** Les mouvements comprennent la *flexion-extension* du coude et la *pronation-supination* de l'avant-bras. Le tableau ci-dessous indique les muscles responsables des différents mouvements et les instructions à donner au patient pour obtenir les mouvements désirés.

L'extension complète du coude rend peu vraisemblable un épanchement intra-articulaire ou une hémarthrose.

| Mouvement du coude | Principaux muscles exécutant le mouvement | Instructions au patient |
|---|---|---|
| **Flexion** | Biceps brachial, brachial, brachioradial | *« Pliez le coude »* |
| **Extension** | Triceps brachial, anconé | *« Étendez le coude »* |
| **Supination** | Biceps brachial, supinateur | *« Tournez les paumes vers le haut, comme si vous demandiez l'aumône »* |
| **Pronation** | Rond pronateur, carré pronateur | *« Tournez les paumes vers le bas »* |

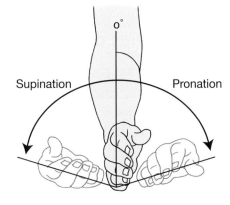

# → Poignet et main

## Vue d'ensemble

Le poignet et la main forment un ensemble complexe de petites articulations très actives qui travaillent presque continuellement pendant les heures d'éveil. Ils sont peu protégés par les parties molles qui les recouvrent, ce qui les rend vulnérables aux traumatismes et au handicap.

## Structures osseuses

Le poignet comprend les extrémités inférieures du radius et de l'ulna et huit petits os carpiens. Au poignet, identifiez les extrémités osseuses du radius et de l'ulna.

Les os du carpe sont distaux par rapport à l'articulation du poignet, situés dans la main. Identifiez les os du carpe, les cinq métacarpiens et les trois phalanges des doigts (le pouce n'en a que deux).

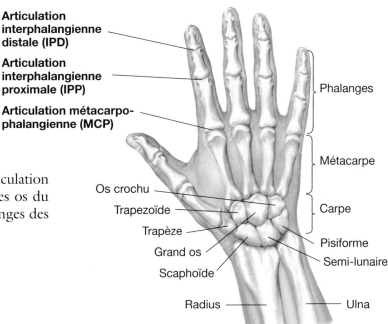

Articulation interphalangienne distale (IPD)

Articulation interphalangienne proximale (IPP)

Articulation métacarpophalangienne (MCP)

Phalanges

Métacarpe

Os crochu

Trapezoïde

Trapèze

Grand os

Scaphoïde

Carpe

Pisiforme

Semi-lunaire

Radius

Ulna

## Articulations

Les nombreuses articulations du poignet et de la main donnent aux mains leur extraordinaire dextérité.

■ *Articulations du poignet.* Ce sont l'*articulation radiocarpienne* (ou du poignet), l'*articulation radio-ulnaire distale* et les *articulations du carpe*. La capsule, le disque articulaire (ou ligament triangulaire) et la synoviale du poignet relient le radius à l'ulna et à la rangée proximale des os carpiens. Sur le dos du poignet, localisez la gouttière de l'*articulation radiocarpienne* qui assure la majeure partie de la flexion-extension du poignet parce que l'ulna ne s'articule pas directement avec les os du carpe.

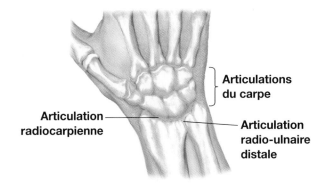

Articulations du carpe

Articulation radiocarpienne

Articulation radio-ulnaire distale

■ *Articulations des mains.* Ce sont les *articulations métacarpophalangiennes* (MCP), les *interphalangiennes proximales* (IPP) et les *interphalangiennes distales* (IPD). Fléchissez la main et localisez les rainures marquant les MCP de chaque doigt. Elles sont distales par rapport aux jointures et mieux perçues de chaque côté du tendon extenseur.

Articulation métacarpophalangienne

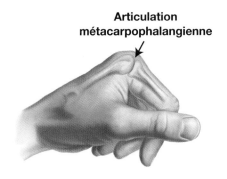

## Groupes musculaires

La flexion du poignet dépend des deux muscles carpiens situés sur les faces radiale et ulnaire, son extension de deux muscles radiaux et d'un muscle ulnaire. Pronation et supination résultent de la contraction de muscles de l'avant-bras.

Le pouce est mû par trois muscles qui forment l'éminence thénar et commandent sa flexion, son abduction et son opposition. Les muscles extenseurs se trouvent à la base du pouce, le long du bord radial. Les mouvements des doigts sont commandés par les tendons des muscles fléchisseurs et extenseurs de l'avant-bras et du poignet.

Les muscles intrinsèques de la main, qui s'insèrent sur les métacarpiens, interviennent dans la flexion *(lombricaux)*, l'abduction *(interosseux dorsaux)* et l'adduction *(interosseux palmaires)* des doigts.

## Autres structures

Les parties molles, notamment les tendons et leurs gaines, jouent un rôle important dans le poignet et la main. Six tendons extenseurs et deux tendons fléchisseurs vont s'insérer sur les doigts après avoir traversé le poignet et la main. Pendant la plus grande partie de leur trajet, ces tendons sont entourés de gaines qui ne sont palpables qu'en cas d'inflammation.

Familiarisez-vous avec le *canal carpien*, un canal étroit sous la face palmaire du poignet et de la partie proximale de la main. Ce canal contient les tendons des muscles fléchisseurs de l'avant-bras avec leur gaine, et le *nerf médian*.

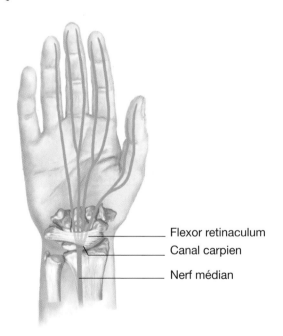

Tendons et gaine des fléchisseurs sont maintenus en place par un ligament transverse, le *flexor retinaculum*. Le nerf médian se trouve entre la gaine tendineuse et le *flexor retinaculum*. Il assure l'innervation sensitive de la paume et de la plus grande partie des faces palmaires des 1er, 2e et 3e doigts ainsi que d'une moitié du 4e doigt. Il innerve aussi les muscles de la flexion, de l'abduction et de l'opposition du pouce.

Flexor retinaculum
Canal carpien
Nerf médian

## Techniques d'examen

***Inspection.*** Observez la position des mains en mouvement pour voir si les mouvements sont harmonieux et naturels. Au repos, les doigts doivent être légèrement fléchis et alignés presque parallèlement.

Des mouvements prudents suggèrent une blessure. Un mauvais alignement des doigts se voit dans les lésions des tendons fléchisseurs.

Inspectez soigneusement les faces palmaire et dorsale du poignet et de la main à la recherche d'un gonflement articulaire.

Gonflement diffus ou localisé dans le rhumatisme ou l'infection ; gonflement localisé d'un kyste synovial. Voir tableau 16-6 : « Arthrites des mains », p. 677, et tableau 16-7 : « Gonflements et déformations des mains », p. 678.

Notez toute déformation des os du poignet, de la main, des doigts et toute angulation due à une déviation radiale ou ulnaire.

Dans l'*arthrose*, nodosités de Heberden aux articulations IPD et nodosités de Bouchard aux IPP. Dans la *polyarthrite rhumatoïde*, déformation symétrique des articulations du poignet, MCP et IPP, avec déviation ulnaire.

Observez les contours des paumes, à savoir les éminences thénar et hypothénar.

Atrophie de l'éminence thénar dans la compression du nerf médian au cours du *syndrome du canal carpien* ; atrophie de l'éminence hypothénar dans la *compression du nerf ulnaire*.

Notez tout épaississement des tendons fléchisseurs, toute contracture en flexion des doigts.

Les contractures en flexion des 3e, 4e et 5e doigts, dans la *maladie de Dupuytren*, résultent d'un épaississement de l'aponévrose palmaire (voir p. 677).

***Palpation.*** Au poignet, palpez les extrémités distales du radius et de l'ulna, sur les faces latérale et médiale. Palpez la rainure de chaque articulation du poignet avec vos pouces sur le dos du poignet et vos doigts dessous. Notez tout gonflement, œdème ou douleur.

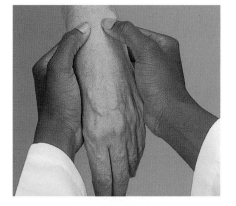

Douleur sur l'extrémité inférieure du radius dans la *fracture de Pouteau-Colles*. Toute douleur provoquée, toute marche d'escalier osseuse font suspecter une fracture.

Un gonflement et/ou une douleur provoquée évoquent une *polyarthrite rhumatoïde* s'ils sont bilatéraux et symétriques et durent plusieurs semaines.

Palpez la styloïde radiale et la *tabatière anatomique*, une dépression située juste au-dessous de la styloïde radiale, entre les muscles extenseurs et abducteurs du pouce. La « tabatière » devient plus visible lors de l'extension-abduction du pouce.

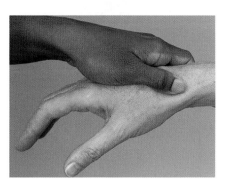

Douleur provoquée sur les tendons du court extenseur et du long abducteur du pouce au niveau de la styloïde radiale dans la *ténosynovite de De Quervain* et la *ténosynovite gonococcique*. Voir tableau 16-8 : « Infections des gaines synoviales tendineuses et des espaces palmaires, et panaris », p. 679.

Palpez les huit os carpiens au-dessous du poignet puis les cinq métacarpiens et les différentes phalanges.

Palpez toute autre zone suspecte d'anomalie.

Comprimez les articulations MCP en serrant la main par ses bords, entre le pouce et les doigts. Vous pouvez également vous servir du pouce pour palper chaque articulation MCP, juste au-dessous et de chaque côté de la jointure tandis que votre index perçoit la tête du métacarpien dans la paume. Notez tout gonflement, œdème ou douleur.

À présent, examinez les doigts et le pouce. Palpez les faces médiale et latérale de chaque articulation IPP entre votre pouce et votre index, en recherchant à nouveau un gonflement, un œdème, une augmentation du volume des os ou une douleur.

Examinez les articulations IPD en utilisant les mêmes techniques.

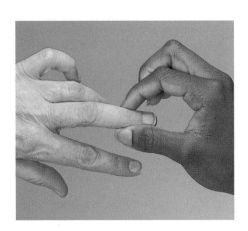

Douleur dans la tabatière anatomique en cas de *fracture du scaphoïde* (la lésion la plus fréquente des os du carpe). Sa vascularisation médiocre fait courir au scaphoïde le risque de *nécrose ischémique*.

Une synovite des MCP est douloureuse à la pression (s'en rappeler quand on donne une poignée de main).

Les MCP sont souvent empâtées et douloureuses dans la *polyarthrite rhumatoïde* (mais rarement atteintes dans l'arthrose). Douleur à la pression également dans le *rhumatisme posttraumatique*.

Modifications des IPP dans la *polyarthrite rhumatoïde*, nodosités de Bouchard dans l'*arthrose*. Douleur à la base du pouce dans l'*arthrite de la 1re articulation carpométacarpienne*.

Nodules durs sur la face dorsolatérale des IPD, ou *nodosités de Heberden*, dans l'arthrose ; atteinte des IPD dans le *rhumatisme psoriasique*.

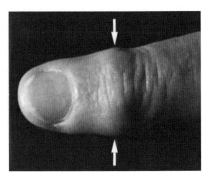

**NODOSITÉS DE HEBERDEN**

Dans les zones de gonflement ou d'inflammation, palpez les tendons qui s'insèrent sur le pouce ou les doigts.

Douleur et gonflement d'une *ténosynovite*, ou inflammation des gaines tendineuses. *Ténosynovite de De Quervain*, autour des tendons du court extenseur et du long abducteur du pouce, là où ils croisent la styloïde radiale. Voir tableau 16-8 : « Infections des gaines synoviales tendineuses et des espaces palmaires, et panaris », p. 679.

## Amplitude des mouvements et manœuvres : le poignet

**Amplitude des mouvements.** Reportez-vous au tableau ci-dessous pour connaître les muscles responsables des différents mouvements et les instructions à donner au patient afin d'obtenir les mouvements désirés. Pour les techniques permettant de tester la force des muscles du poignet, consultez le chapitre 17 : « Système nerveux », p. 711-715.

Les affections qui altèrent l'amplitude des mouvements comprennent le *rhumatisme*, la *ténosynovite* et la *maladie de Dupuytren*. Voir tableau 16-7 : « Gonflements et déformations des mains », p. 678.

| Mouvement du poignet | Principaux muscles exécutant le mouvement | Instructions au patient |
|---|---|---|
| **Flexion** | Fléchisseur radial du carpe, fléchisseur ulnaire du carpe | *« Les paumes tournées vers le bas, dirigez les doigts vers le sol »* |
| **Extension** | Extenseur ulnaire du carpe, extenseurs radiaux du carpe (long et court) | *« Les paumes tournées vers le bas, dirigez les doigts vers le plafond »* |
| **Adduction (déviation radiale)** | Fléchisseur ulnaire du carpe | *« Les paumes tournées vers le bas, rapprochez les doigts de la ligne médiane »* |
| **Abduction (déviation ulnaire)** | Fléchisseur radial du carpe | *« Les paumes tournées vers le bas, éloignez les doigts de la ligne médiane »* |

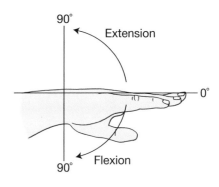

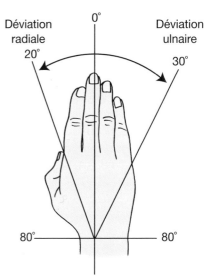

**Manœuvres.** Plusieurs manœuvres utiles pour évaluer des plaintes concernant le poignet, fréquentes en consultation, sont décrites ci-dessous. Pour les plaintes de chute des objets, d'incapacité à retirer le couvercle d'un bocal, ou d'engourdissement des trois premiers doigts, apprenez les tests permettant de diagnostiquer un *syndrome du canal carpien*. Notez bien les territoires innervés par les nerfs médian, radial et ulnaire au poignet et à la main.

L'apparition d'un *syndrome du canal carpien* est souvent liée à un mouvement répétitif avec les poignets fléchis (utilisation d'un clavier, tri du courrier), à la grossesse, à une polyarthrite rhumatoïde, au diabète sucré ou à l'hypothyroïdie.

Il peut aussi exister une atrophie de l'éminence thénar.

Déficit sensitif dans le territoire du nerf médian en cas de *syndrome du canal carpien*.

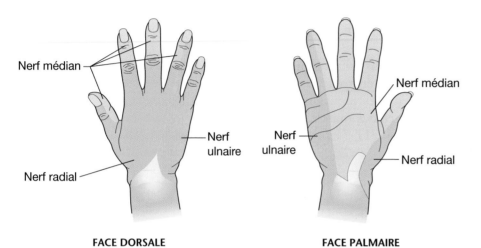

Nerf médian

Nerf ulnaire

Nerf radial

Nerf médian

Nerf ulnaire

Nerf radial

**FACE DORSALE**

**FACE PALMAIRE**

Vous pouvez tester la sensibilité de la façon suivante :

■ pulpe de l'index : nerf médian ;

■ pulpe du 5$^e$ doigt : nerf ulnaire ;

■ face dorsale de l'espace entre le pouce et l'index : nerf radial.

*PRÉHENSION.* Testez la *force de préhension* en demandant au patient de saisir votre index et votre majeur. Cette manœuvre teste les articulations du poignet, les fléchisseurs des doigts, les muscles intrinsèques et les articulations de la main.

La diminution de la force de la préhension traduit une faiblesse des fléchisseurs des doigts et/ou des muscles intrinsèques de la main.

Douleur du poignet et faiblesse de la préhension dans la *ténosynovite de De Quervain*. Diminution de la force de la préhension dans le *rhumatisme*, le *syndrome du canal carpien*, l'*épicondylite* et la *névralgie cervicobrachiale*.

*MOUVEMENTS DU POUCE.* S'il existe une douleur du poignet, testez le fonctionnement du pouce en demandant au patient d'attraper son pouce entre sa paume et ses doigts fléchis, puis de porter le poignet en déviation ulnaire *(test de Finkelstein).*

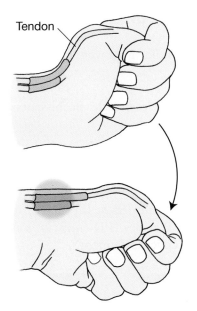

Tendon

Une douleur provoquée par cette manœuvre signe une *téno-synovite de De Quervain* par inflammation des tendons du court extenseur et du long abducteur du pouce et de leurs gaines.

*CANAL CARPIEN : ABDUCTION DU POUCE, TEST DE TINEL ET TEST DE PHALEN.*[37-39] Testez l'*abduction du pouce* en demandant au patient d'élever le pouce à la verticale tandis que vous appuyez vers le bas.

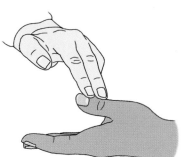

Une faiblesse de l'abduction du pouce constitue un *test positif* (le long abducteur du pouce n'est innervé que par le médian). Une faiblesse de l'abduction du pouce, des paresthésies localisées aux trois premiers doigts (d'après un schéma de la main complété par le patient) et une hypoesthésie doublent grosso modo le *likelihood ratio* d'un syndrome du canal carpien.[37]

Recherchez le *signe de Tinel,* traduisant une compression du nerf médian, en tapotant le trajet du nerf médian dans le canal carpien, comme sur la figure.

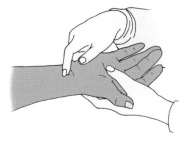

Une douleur et un engourdissement dans le territoire du nerf médian constituent un *test positif.*

Recherchez le *signe de Phalen,* traduisant également une compression du nerf médian, en demandant au patient de maintenir les poignets en flexion pendant une minute, ou bien d'appuyer les dos de ses mains l'un contre l'autre, pour former des angles droits. Ces manœuvres compriment le nerf médian.

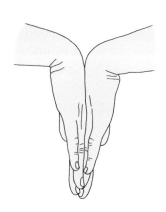

Un engourdissement et des fourmillements dans le territoire du nerf médian dans les 60 secondes constituent un *test positif.*

Les signes de Tinel et de Phalen ne prédisent pas de façon fiable un diagnostic électromyographique positif de syndrome du canal carpien.[37]

### *Amplitude des mouvements et manœuvres : les doigts et le pouce*

**Amplitude des mouvements.** Étudiez la *flexion*, l'*extension*, l'*abduction* et l'*adduction* des doigts.

■ *Flexion-extension. Flexion :* afin de tester les muscles fléchisseurs des doigts et les lombricaux, demandez au patient de *« serrer fort le poing des deux côtés, avec le pouce posé sur les jointures ». Extension :* afin de tester les muscles extenseurs des doigts, demandez au patient d'*« étendre et écarter les doigts »*.

Aux MCP, les doigts peuvent s'étendre au-delà de la position neutre. Testez aussi la flexion-extension des IPP et des IPD (muscles lombricaux). Les doigts doivent se déplier et se replier facilement.

■ *Abduction-adduction.* Demandez au patient d'écarter (abduction : muscles interosseux dorsaux) puis de rapprocher (adduction : muscles interosseux palmaires) les doigts. Vérifiez que les mouvements sont harmonieux et coordonnés.

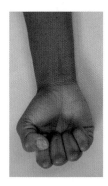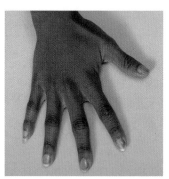

Altération des mouvements de la main dans le rhumatisme, le doigt à ressort et la maladie de Dupuytren.

**Pouce.** Pour le *pouce*, appréciez la *flexion*, l'*extension*, l'*abduction*, l'*adduction* et l'*opposition*. Chacun de ces mouvements est exécuté par un muscle du pouce.

Demandez au patient de mettre le pouce en travers de la paume, jusqu'à toucher la base du 5ᵉ doigt *(flexion)*, puis de le déplacer en sens inverse et de l'écarter des doigts *(extension)*.

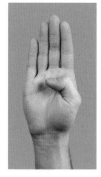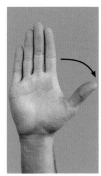

**FLEXION**    **EXTENSION**

Demandez-lui ensuite de mettre le pouce et les doigts en position neutre, paumes tournées vers le haut, et de déplacer le pouce vers l'avant en l'écartant de la paume (abduction) puis en sens inverse (adduction). Pour tester l'opposition, les mouvements du pouce à travers la paume, demandez au patient de toucher avec le pouce le bout des autres doigts.

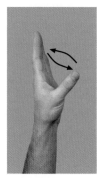

**ABDUCTION**        **OPPOSITION**
**ET ADDUCTION**

Un examen complet du poignet et de la main suppose une étude détaillée de la force musculaire et de la sensibilité, exposée au chapitre 17 : « Système nerveux », p. 711-715.

# → Colonne vertébrale

## Vue d'ensemble

La colonne vertébrale ou rachis est la charpente axiale du tronc et du dos. Notez les *courbures concaves* du rachis cervical et lombaire et les *courbures convexes* du rachis thoracique et sacrococcygien. Ces courbures contribuent à répartir le poids de la partie supérieure du corps sur le bassin et les membres inférieurs et à amortir l'impact de la marche et de la course.

La mécanique complexe du dos résulte de l'action coordonnée :

■ des vertèbres et des disques intervertébraux ;

■ d'un système de ligaments qui relient les vertèbres antérieures et postérieures, les apophyses épineuses, et les lames de deux vertèbres superposées ;

■ de grands muscles superficiels, de muscles intrinsèques plus profonds et de muscles de la paroi abdominale.

## Structures osseuses

La colonne vertébrale comporte 24 vertèbres reposant sur le sacrum et le rachis. Sur une vertèbre typique se trouvent des surfaces articulaires – points d'appui – et des insertions musculaires, ainsi que des orifices pour le passage des racines rachidiennes et des nerfs périphériques. En avant, le *corps vertébral* supporte le poids du corps. En arrière, l'*arc vertébral* entoure la moelle épinière. Revoyez la localisation des apophyses et des orifices vertébraux, en portant une attention particulière :

■ à l'*apophyse épineuse*, qui saille en arrière sur la ligne médiane, et aux deux apophyses transverses à l'union du *pédicule* et de la *lame*. Des muscles s'insèrent sur ces apophyses ;

■ aux *apophyses articulaires*, deux de chaque côté de la vertèbre, l'une regardant vers le haut et l'autre regardant vers le bas, à l'union des pédicules et des lames (souvent appelées *facettes articulaires*) ;

■ au *trou vertébral*, qui contient la moelle épinière, au *canal intervertébral* (ou trou de conjugaison), délimité par les apophyses articulaires inférieure et supérieure de deux vertèbres superposées, par où passent les racines des nerfs rachidiens et, dans les vertèbres cervicales, au *trou transversaire* pour l'artère vertébrale.

Étant très proches des vertèbres et des disques intervertébraux, la moelle épinière et les racines des nerfs rachidiens sont très vulnérables aux hernies discales, aux processus dégénératifs et aux traumatismes.

## SCHÉMA DES VERTÈBRES CERVICALES ET LOMBAIRES

### C4-5 Vues coronale et latérale

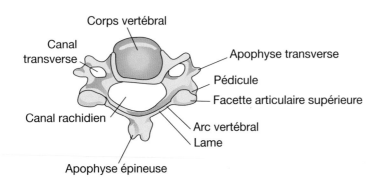

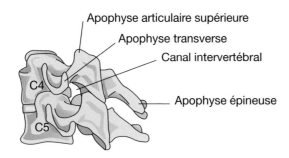

### T12-L1 Vues coronale et latérale

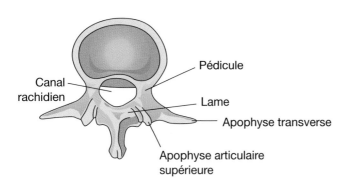

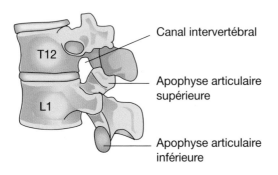

## Articulations

Le rachis a des articulations cartilagineuses peu mobiles entre les corps vertébraux et entre les facettes articulaires. Entre les corps vertébraux se trouvent les *disques intervertébraux*, comprenant un noyau central mucoïde mou, le *nucleus pulposus*, entouré par le tissu cartilagineux ferme de l'*anneau fibreux*. Les disques intervertébraux amortissent les mouvements intervertébraux et permettent au rachis de s'incurver et de se fléchir. La souplesse du rachis est en grande partie déterminée par l'angle que les facettes articulaires font avec le plan des corps vertébraux et varie selon le niveau rachidien. Notez que la colonne vertébrale fait un angle aigu en arrière à la *charnière lombosacrée* et devient immobile. Le stress mécanique au niveau de cette angulation contribue au risque de hernie discale et de subluxation – ou spondylolisthésis – de L5 sur S1.

## Groupes musculaires

Le *trapèze* et le *grand dorsal* forment la couche la plus externe des muscles qui s'insèrent de part et d'autre du rachis. Ils recouvrent deux autres couches musculaires, l'une s'insérant sur la tête, le cou et les apophyses épineuses *(splenius capitis, splenius cervicis et sacrospinalis)*, l'autre faite de petits muscles intrinsèques, entre les vertèbres. Les muscles qui s'insèrent sur la face antérieure des vertèbres, y compris le *psoas* et la sangle abdominale, concourent à la flexion.

Les muscles qui mobilisent le cou et la partie basse du rachis sont résumés dans les tableaux pages 639-641.

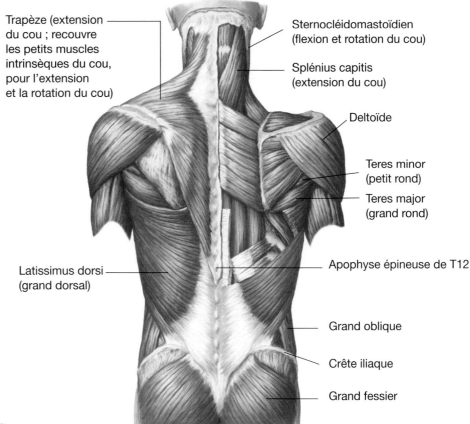

Trapèze (extension du cou ; recouvre les petits muscles intrinsèques du cou, pour l'extension et la rotation du cou)

Sternocléidomastoïdien (flexion et rotation du cou)

Splénius capitis (extension du cou)

Deltoïde

Teres minor (petit rond)

Teres major (grand rond)

Apophyse épineuse de T12

Latissimus dorsi (grand dorsal)

Grand oblique

Crête iliaque

Grand fessier

## Techniques d'examen

***Inspection.*** Commencez par observer la posture du patient, y compris la position de son cou et de son tronc, quand il pénètre dans la pièce.

Appréciez chez le patient la rectitude du port de la tête, la coordination et l'harmonie des mouvements du cou, et l'aisance de la démarche.

Une raideur du cou indique un rhumatisme, une entorse du cou, ou une autre affection sous-jacente à rechercher.

Découvrez le patient de façon à exposer la totalité du dos pour une inspection complète. Si possible, le patient doit se tenir debout de façon naturelle, les pieds joints et les bras le long du corps. La tête doit être médiane, à l'aplomb du sacrum, et les épaules et les hanches au même niveau.

Une inclinaison latérale et une rotation de la tête évoquent un *torticolis* dû à la contraction d'un muscle sternocléidomastoïdien.

En regardant le patient de dos, identifiez les repères suivants :

■ les apophyses épineuses, celles de C7 et D1 étant très saillantes, de façon encore plus nette en antéflexion ;

■ les muscles paravertébraux de chaque côté de la ligne médiane ;

■ les crêtes iliaques ;

■ les épines iliaques postérosupérieures, habituellement marquées par des fossettes cutanées.

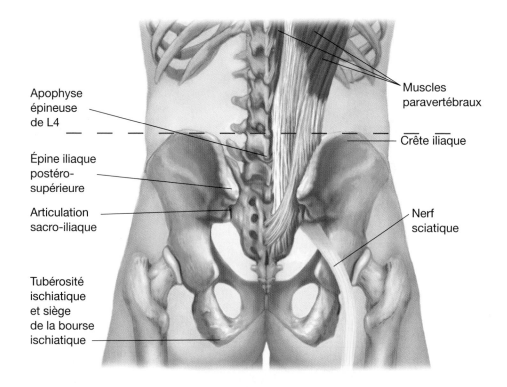

Apophyse
épineuse
de L4

Épine iliaque
postéro-
supérieure

Articulation
sacro-iliaque

Tubérosité
ischiatique
et siège
de la bourse
ischiatique

Muscles
paravertébraux

Crête iliaque

Nerf
sciatique

Une ligne joignant en arrière les 2 crêtes iliaques croise l'apophyse épineuse de L4.

Inspectez le patient de profil et de dos. Appréciez les courbures rachidiennes et les caractéristiques décrites à la page suivante.

***Palpation.*** En vous tenant assis ou debout, palpez les apophyses épineuses de chaque vertèbre avec le pouce.

Une douleur provoquée suggère une fracture ou une luxation si elle est post-traumatique, une infection sous-jacente ou un rhumatisme.

## Inspection du rachis

| Vue du patient | Points à inspecter | |
|---|---|---|
| **De profil** | Courbures cervicale, thoracique et lombaire | 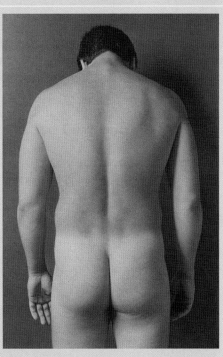 Concavité cervicale<br><br>Convexité thoracique<br><br>Concavité lombaire |
| **De dos** | Rectitude du rachis (une ligne imaginaire descendant de C7 doit passer par le sillon interfessier)<br><br>Alignement des épaules, des crêtes iliaques et des plis sous les fesses (plis fessiers)<br><br>Marques, appendices et masses cutanés | |

La *cyphose thoracique* s'exagère avec l'âge. Chez les enfants, il faut rechercher une déformation structurelle à corriger.

Une scoliose combine une inclinaison latérale et une rotation du rachis, pour ramener la tête sur la ligne médiane. Elle apparaît souvent à l'adolescence, avant de devenir symptomatique.

Une *inégalité de hauteur des épaules* se voit dans la scoliose, la maladie de Sprengel (avec une formation osseuse entre la partie haute de l'omoplate et C7), la *scapula alata* (par paralysie du nerf du grand dentelé), et la faiblesse du trapèze controlatéral.

Une *inégalité de hauteur des crêtes iliaques*, ou *bascule du bassin*, suggère une inégalité de longueur des membres inférieurs, et est corrigée en mettant une cale sous le pied du membre inférieur court. Une scoliose et une abduction ou une adduction d'une hanche peuvent aussi entraîner une bascule du bassin. Une inclinaison du tronc d'un côté se voit dans les hernies discales lombaires.

Des naevi, des angiomes plans, des touffes de poils et des lipomes recouvrent souvent des défects osseux, comme un *spina bifida*.

Taches café au lait (zones de peau décolorées), appendices cutanés et tumeurs fibreuses dans la *neurofibromatose*.

Une douleur, un déficit sensitif ou une altération des mouvements justifient un examen neurologique soigneux du cou et des membres supérieurs.

**Amplitude des mouvements : le rachis.** À présent, appréciez l'amplitude des mouvements dans la colonne vertébrale Le tableau ci-dessous indique les muscles responsables des différents mouvements et les instructions à donner au patient pour obtenir les mouvements désirés.

| Mouvement du rachis | Principaux muscles exécutant le mouvement | Instructions au patient |
|---|---|---|
| **Flexion** | Psoas (grand et petit), carré des lombes, muscles abdominaux s'insérant sur la partie antérieure des vertèbres (tels que les obliques interne et externe et les droits) | *« Penchez-vous en avant et essayez de toucher vos orteils »* <br><br> Notez la régularité et la symétrie du mouvement, son amplitude et la courbure lombaire. Au cours de la flexion, la concavité lombaire doit s'aplatir. <br><br> 10+ cm / 5 cm — Augmentation normale jusqu'à 4 cm |
| **Extension** | Muscles intrinsèques profonds du dos (tels que les spinaux et les transversaires épineux) | *« Penchez-vous en arrière, aussi loin que vous le pouvez »* <br><br> Soutenez le patient en plaçant votre main sur l'épine iliaque postérosupérieure, les doigts dirigés vers la ligne médiane <br><br> *(suite)* |

Une douleur au niveau de C1-C2 dans la *polyarthrite rhumatoïde* fait évoquer un risque de subluxation et de compression de la moelle cervicale haute.

Déformation du thorax dans la flexion en avant en cas de *scoliose*.

Pour mesurer la flexion du rachis, faites des marques sur la jonction lombosacrée, puis à 10 cm au-dessus et à 5 cm en dessous de ce point. Un accroissement de la distance entre les deux points supérieurs est normal jusqu'à 4 cm ; la distance entre les deux points inférieurs doit rester inchangée.

La persistance d'une lordose lombaire suggère une contracture musculaire ou une *spondylarthrite ankylosante*.

Diminution de la *mobilité rachidienne* dans l'*arthrose* et la *spondylarthrite ankylosante*,[40, 41] entre autres affections.

| Mouvement du rachis | Principaux muscles exécutant le mouvement | Instructions au patient |
|---|---|---|
| **Rotation** | Muscles abdominaux, muscles intrinsèques du dos | *« Pivotez de droite à gauche et inversement »*<br><br>Stabilisez le bassin du patient en plaçant une main sur sa hanche et l'autre sur son épaule opposée. Puis faites pivoter le tronc en tirant l'épaule puis la hanche en arrière. Faites de même pour le côté opposé. |
| **Inclinaison (latérale)** | Muscles abdominaux, muscles intrinsèques du dos | *« Inclinez-vous sur le côté, à partir de la ceinture »*<br><br>Stabilisez le bassin du patient en plaçant votre main sur sa hanche. Faites de même pour le côté opposé. |

Comme pour le cou, une douleur déclenchée par ces manœuvres, notamment si elle irradie dans les membres inférieurs, nécessite un examen neurologique soigneux des membres inférieurs. Voir au chapitre 17 : « Système nerveux », le test d'élévation du membre inférieur, p. 736-737.

Pensez à une compression sous-jacente de la moelle épinière ou d'une racine nerveuse. Notez qu'un rhumatisme ou une infection de la hanche, du rectum ou du bassin peuvent donner des symptômes de la colonne lombaire. Voir tableau 16-1 : « Douleurs lombaires », p. 670.

# → Hanche

## Vue d'ensemble

L'articulation de la hanche est profondément enfouie dans le bassin ; elle est remarquable par sa force, sa stabilité et sa grande mobilité. La stabilité de la hanche, essentielle pour supporter le poids du corps, est due à la congruence de la tête du fémur et de l'*acetabulum* (ou cotyle), à la solidité de la capsule articulaire fibreuse et à la puissance des muscles qui croisent l'articulation et qui, en s'insérant sous la tête fémorale, ont une action de levier sur les mouvements du fémur.

## Structures osseuses et articulations

L'articulation de la hanche se situe en dessous du tiers moyen de l'arcade crurale mais dans un plan plus profond. C'est une articulation sphéroïde. Remarquez de quelle façon la tête arrondie du fémur s'articule avec la cavité cupuliforme de l'*acetabulum*. En raison des muscles qui la recouvrent et de sa profondeur, elle n'est pas facile à palper. Revoyez les os du bassin : *acetabulum*, *ilion* et *ischion*, et leurs connexions en bas avec la *symphyse pubienne* et en arrière avec le sacrum.

Sur la *face antérieure de la hanche*, localisez les repères osseux suivants :

- la crête iliaque au niveau de L4 ;
- le tubercule iliaque ;
- l'épine iliaque antérosupérieure (EIAS) ;
- le grand trochanter du fémur ;
- la symphyse pubienne.

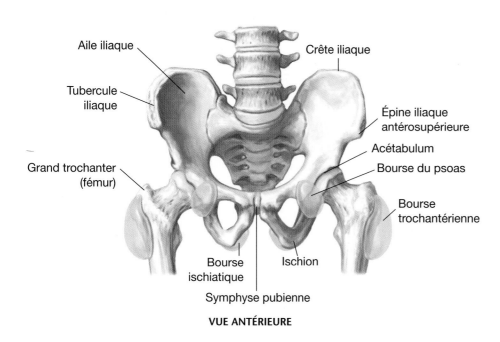

Aile iliaque
Tubercule iliaque
Grand trochanter (fémur)
Bourse ischiatique
Symphyse pubienne
Crête iliaque
Épine iliaque antérosupérieure
Acétabulum
Bourse du psoas
Bourse trochantérienne
Ischion

**VUE ANTÉRIEURE**

Sur la *face postérieure de la hanche*, localisez les repères suivants :

■ l'épine iliaque postérosupérieure (EIPS) ;

■ le grand trochanter ;

■ la tubérosité ischiatique ;

■ l'articulation sacro-iliaque.

Notez qu'une ligne imaginaire joignant les deux EIPS traverse l'articulation au niveau de S2.

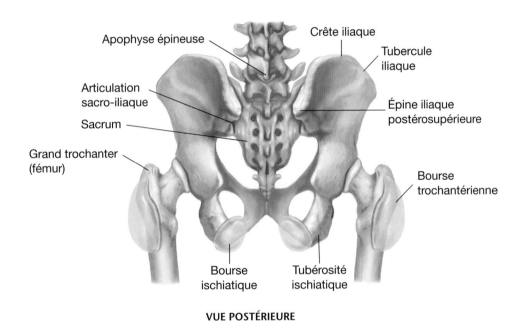

Apophyse épineuse

Crête iliaque

Tubercule iliaque

Articulation sacro-iliaque

Sacrum

Épine iliaque postérosupérieure

Grand trochanter (fémur)

Bourse trochantérienne

Bourse ischiatique

Tubérosité ischiatique

**VUE POSTÉRIEURE**

## Groupes musculaires

Quatre groupes musculaires puissants mobilisent la hanche. Représentez-vous ces groupes en examinant les patients et rappelez-vous que pour mobiliser le fémur ou un autre os dans une direction donnée, l'insertion proximale et l'insertion distale d'un muscle doivent se trouver *de part et d'autre de l'interligne articulaire*.

Le *groupe des fléchisseurs* se trouve en avant et fléchit la cuisse. Le principal fléchisseur de la hanche est le psoas iliaque *(iliopsoas)*, qui va de dessus la crête iliaque au petit trochanter. Le *groupe des extenseurs* est postérieur et étend la cuisse. Le grand fessier *(gluteus maximus)* est le principal extenseur de la hanche. Il forme une bande allant de son origine le long du bassin interne à son insertion en dessous du trochanter.

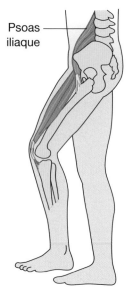

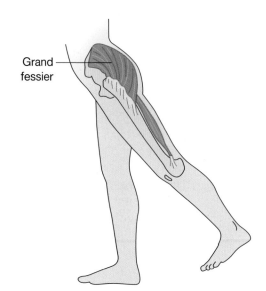

Groupe des fléchisseurs                    Groupe des extenseurs

Le *groupe des adducteurs* est médial et rapproche la cuisse du corps. Les muscles de ce groupe naissent du pubis et de l'ischion et s'insèrent sur la face postéro-interne du fémur. Le *groupe des abducteurs* est latéral, tendu entre la crête iliaque et la tête du fémur ; il écarte la cuisse du corps. Il comprend les petit et moyen fessiers *(gluteus minimus et medius)*. Ces muscles servent à stabiliser le bassin au cours de la phase d'appui de la marche.

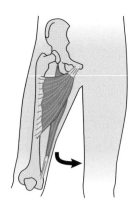

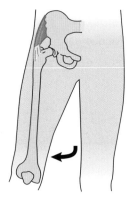

Groupe des adducteurs                    Groupe des abducteurs

## Autres structures

Une capsule articulaire compacte et forte, allant de l'*acetabulum* au col du fémur, enclot et consolide l'articulation de la hanche ; elle est renforcée par 3 ligaments et doublée par une membrane synoviale. Il existe 3 grandes bourses au niveau de la hanche. En avant de l'articulation se trouve la *bourse iliopectinée* (ou *iliopsoïque*), qui recouvre la capsule et le muscle psoas.

Trouvez la saillie osseuse en dehors de l'articulation de la hanche : c'est le *grand trochanter* du fémur. La *bourse trochantérienne*, grande et multiloculaire, se trouve à sa face postérieure. La *bourse ischiofessière* – inconstante – siège sous la *tubérosité ischiatique*, sur laquelle on s'assied. Notez la proximité du nerf sciatique, comme montré page 647.

# Techniques d'examen

*Inspection.* L'inspection de la hanche commence par l'observation attentive de la démarche du patient quand il pénètre dans la pièce. Observez les deux phases de la démarche :

■ *l'appui*, quand le pied touche le sol et supporte le poids du corps (60 % du cycle de la marche) ;

La plupart des problèmes se manifestent pendant la phase d'appui, où le poids du corps est supporté.

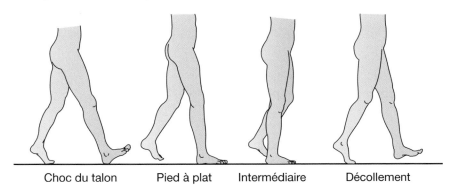

| Choc du talon | Pied à plat | Intermédiaire | Décollement |

**LA PHASE D'APPUI DE LA MARCHE**

■ *le balancement*, quand le même pied est projeté en avant et ne supporte pas le poids du corps (40 % du cycle).

Observez la démarche quant à la largeur de la base, la déviation du bassin et la flexion du genou. La largeur de la base est de 5 à 10 cm de talon à talon. Une démarche normale a un rythme régulier, continu, accompli en partie par la contraction des abducteurs du membre qui supporte le poids du corps. La contraction des abducteurs stabilise le bassin, et concourt au maintien de l'équilibre, en élevant la hanche opposée. Le genou doit être fléchi pendant toute la durée de l'appui, sauf quand le talon heurte le sol pour contrebalancer le mouvement de la cheville.

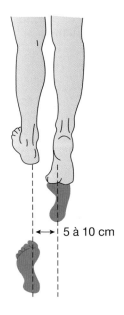

5 à 10 cm

Une base élargie suggère une maladie cérébelleuse ou des problèmes au niveau des pieds.

Une luxation de hanche, un rhumatisme ou une faiblesse des abducteurs peuvent provoquer un abaissement du bassin du côté opposé, donnant une démarche « en canard ».

Une absence de flexion du genou rompt l'harmonie de la démarche.

Observez la légère lordose du rachis lombaire et, sur le patient couché sur le dos, mesurez la longueur des deux membres inférieurs, qui est normalement égale (voir les techniques spéciales, p. 665-666).

La disparition de la lordose peut traduire une *contracture paravertébrale* ; une hyperlordose suggère une *déformation en flexion* de la hanche.

Des changements de la longueur du membre inférieur se voient dans les déformations en abduction ou adduction et les scolioses. Un raccourcissement et une rotation externe du membre inférieur suggèrent une *fracture du col du fémur.*

Inspectez les faces antérieure et postérieure de la hanche à la recherche de zones amyotrophiques ou ecchymotiques.

## *Palpation*

**Repères osseux.** Palpez les repères superficiels de la hanche, indiqués p. 642-643. Sur la *face antérieure* des hanches, palpez les importantes structures énumérées ci-dessous.

■ Identifiez la *crête iliaque* au bord supérieur du bassin, au niveau de L4.

■ Suivez sa courbure antérieure descendante et localisez le *tubercule iliaque*, qui est le point le plus large de la crête, puis poursuivez vers le bas jusqu'à l'*épine iliaque antérosupérieure* (EIAS).

■ Placez vos pouces sur les EIAS et déplacez vos doigts vers le bas, des tubercules iliaques aux *grands trochanters* des fémurs.

■ Puis déplacez vos pouces en bas et en dedans vers la *symphyse pubienne*, qui se trouve au même niveau que le grand trochanter.

Sur la *face postérieure* des hanches, palpez les repères osseux ci-dessous.

■ Palpez l'*épine iliaque postérosupérieure* (EIPS), directement sous les fossettes visibles au-dessus des fesses.

■ Posez votre pouce et votre index gauches sur l'EIPS ; puis localisez le *grand trochanter* en dehors, avec les doigts au niveau du pli fessier, et placez votre pouce en dedans sur la *tubérosité ischiatique*. L'*articulation sacro-iliaque* n'est pas palpable. Notez qu'une ligne imaginaire joignant les deux EIPS traverse l'articulation au niveau de S2.

**Structures inguinales.** Le patient étant couché sur le dos, demandez-lui de mettre le talon du membre inférieur examiné sur le genou opposé. Puis palpez le long de l'arcade crurale (ou *ligament inguinal*), qui va de l'EIAS à l'épine du pubis. Le nerf et les vaisseaux fémoraux passent sous ce ligament ; les ganglions lymphatiques sont en dedans d'eux. Un moyen mnémotechnique – **NAVEL** – peut vous aider à retenir que de dehors en dedans on trouve successivement le **N**erf, l'**A**rtère, la **V**eine, un **E**space vide et les ganglions **L**ymphatiques.

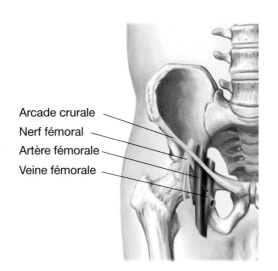

Arcade crurale
Nerf fémoral
Artère fémorale
Veine fémorale

Des bombements le long de l'arcade crurale peuvent suggérer une *hernie inguinale* et, parfois, un *anévrisme*.

Des adénopathies suggèrent des infections du membre inférieur ou du bassin.

Une douleur de l'aine peut être due à une *synovite* de l'articulation de la hanche, une *bursite* ou, possiblement, un *abcès du psoas*.

**Bourses.** Si la hanche est douloureuse, palpez la *bourse iliopectinée* (du psoas iliaque), juste sous l'arcade crurale mais sur un plan plus profond.

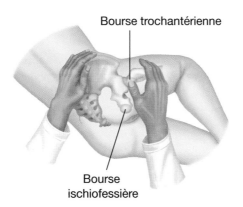

Bourse trochantérienne

Bourse
ischiofessière

**BOURSE TROCHANTÉRIENNE**

Douleur localisée au trochanter dans la *bursite trochantérienne*. Douleur sur la face postérieure du grand trochanter d'une tendinite locale ou d'une contracture musculaire due à une douleur de hanche projetée.

Le patient reposant sur un côté, la hanche fléchie et en rotation interne, palpez la *bourse trochantérienne* qui recouvre le grand trochanter. Normalement, la *bourse ischiofessière* sur la tubérosité ischiatique n'est palpable qu'en cas d'inflammation.

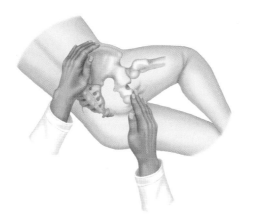

**BOURSE ISCHIOFESSIÈRE**

Douleur d'une *bursite ischiofessière*. Étant donné la proximité du nerf sciatique, elle peut simuler une sciatique.

## Amplitude des mouvements et manœuvres

**Amplitude des mouvements.** À présent, évaluez l'amplitude des mouvements des hanches en vous rapportant au tableau ci-après pour connaître les muscles responsables des différents mouvements et donner des instructions claires au patient pour obtenir les mouvements désirés.

| Mouvement de la hanche | Principaux muscles exécutant le mouvement | Instructions au patient |
|---|---|---|
| **Flexion** | Psoas iliaque | « *Pliez le genou et ramenez-le à la poitrine en le tirant vers votre ventre* » |
| **Extension** (en fait, hyperextension) | Grand fessier | « *Couchez-vous sur le ventre, pliez le genou et soulevez-le au-dessus de la table* » |
| | | Ou « *Couché à plat dos, écartez la jambe et laissez-la tomber en dehors de la table* » |
| **Abduction** | Petit et moyen fessiers | « *Couché à plat dos, écartez du corps le membre inférieur étendu* » |
| **Adduction** | Court adducteur, long adducteur, grand adducteur, pectiné, gracile | « *Couché à plat dos, pliez le genou et ramenez le membre inférieur vers la ligne médiane* » |
| **Rotation externe** | Obturateurs interne et externe, carré crural, jumeaux supérieur et inférieur | « *Couché à plat dos\*, pliez le genou et faites tourner le membre inférieur et le pied vers la ligne médiane et au-delà* » |
| **Rotation interne** | Petit et moyen fessiers | « *Couché à plat dos\*, pliez le genou et faites tourner le membre inférieur et le pied en sens inverse* » |

\* NdT : La rotation des hanches peut aussi être étudiée sur un patient à plat ventre, genou fléchi.

**Manœuvres.** L'examinateur doit souvent assister le patient dans l'exécution des mouvements de la hanche ; vous trouverez ci-dessous plus de détails sur la flexion, l'abduction, l'adduction, la rotation externe et la rotation interne.

- *Flexion*. Le patient étant en décubitus dorsal, placez votre main sous le rachis lombaire. Demandez-lui de fléchir successivement chaque genou et de le ramener vers la poitrine, en le tirant vers l'abdomen. Notez que la hanche fléchit plus lorsque le genou est fléchi. Lorsque le dos touche votre main, ce qui indique l'aplatissement normal de la lordose lombaire, une flexion supplémentaire doit provenir de la hanche elle-même.

Pendant que la cuisse est maintenue contre l'abdomen, notez le degré de flexion de la hanche et du genou. Normalement, la partie antérieure de la cuisse peut presque toucher la paroi thoracique. Notez si la cuisse opposée reste bien étendue, reposant sur la table.

- *Extension*. Le patient couché sur le ventre, étendez la cuisse en arrière, vers vous. Vous pouvez aussi installer le patient couché sur le dos, près du bord de la table d'examen et étendre le membre postérieurement.

Dans la *déformation en flexion de la hanche*, quand la hanche opposée est fléchie (la cuisse sur la poitrine), la hanche atteinte ne permet pas l'extension complète du membre inférieur et la cuisse atteinte se présente en flexion.

La déformation en flexion peut être masquée par une exagération plutôt que par un aplatissement de la lordose lombaire et par une bascule antérieure du bassin.

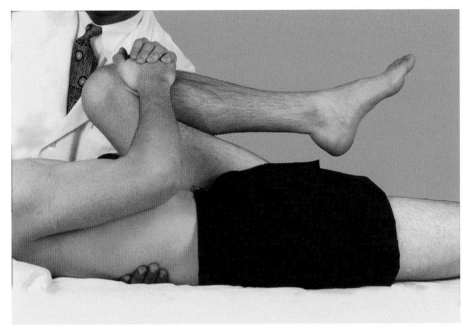

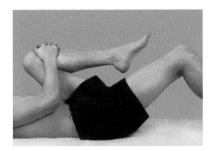

**FLEXION DE LA HANCHE ET APLATISSEMENT DE LA LORDOSE LOMBAIRE**

■ *Abduction.* Stabilisez le bassin en appuyant vers le bas sur l'épine iliaque antérosupérieure opposée, avec une main. Avec l'autre main, saisissez la cheville et portez en abduction le membre inférieur étendu jusqu'à ce que vous sentiez bouger l'épine iliaque, ce qui signe la limite de l'abduction de la hanche.

Vous pouvez aussi vous placer au pied de la table, saisir les deux chevilles et les écarter au maximum, ce qui provoque l'abduction des hanches des membres inférieurs étendus. Cette méthode permet de comparer aisément les deux côtés quand les mouvements sont limités mais elle n'est pas pratique quand l'amplitude des mouvements est normale.

Une limitation de l'abduction de la hanche est fréquente dans l'*arthrose* de la hanche.

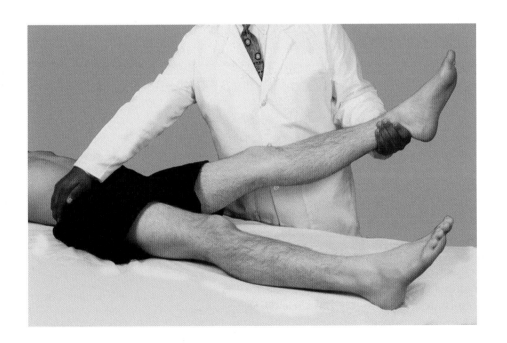

■ *Adduction.* Le patient étant couché sur le dos, stabilisez le bassin, tenez une cheville et portez le membre inférieur en dedans afin qu'il précroise l'autre membre.

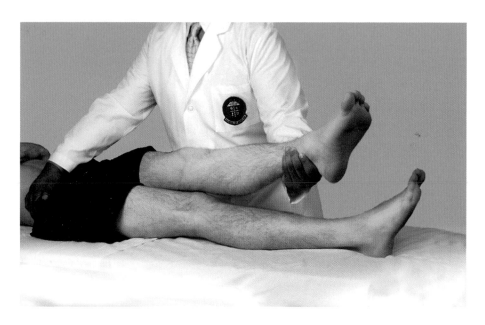

■ *Rotations interne et externe.* Fléchissez le genou et la hanche à 90°, stabilisez la cuisse d'une main et saisissez la cheville de l'autre, et faites pivoter le membre inférieur en dedans pour tester la rotation externe de la hanche, et en dehors pour la rotation interne. Cela peut sembler surprenant au début, mais c'est le mouvement de la tête du fémur dans l'acétabulum qui caractérise les mouvements.

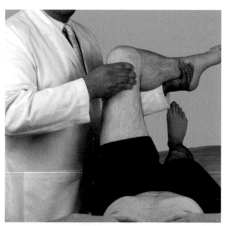

Les limitations de la rotation interne et de la rotation externe sont des indicateurs sensibles d'une affection de la hanche comme un rhumatisme.[42]

# → Genou

## Vue d'ensemble

Le genou est la plus grande articulation du corps. C'est une articulation pivotante qui intéresse trois os : le fémur, le tibia et la rotule, avec trois surfaces articulaires, deux entre le fémur et le tibia et une entre le fémur et la rotule. Remarquez comment les deux condyles arrondis du fémur reposent sur le plateau tibial relativement plat. L'articulation du genou n'est pas stable en elle-même, sa stabilité dépend des ligaments qui maintiennent les os qui s'articulent en bonne place. Cette caractéristique, outre l'action de levier du fémur sur le tibia et le manque de rembourrage graisseux ou musculaire, rend le genou très sensible aux traumatismes.

# Structures osseuses

Apprenez les repères osseux du genou. Ils vous aideront dans l'examen de cette articulation complexe.

- Sur la *face médiale*, identifiez le *tubercule des adducteurs*, l'*épicondyle médial* du fémur et le *condyle médial* du tibia.

- Sur la *face antérieure*, identifiez la rotule, qui repose sur la surface articulaire antérieure du fémur, à mi-distance des épicondyles, au sein du tendon du muscle quadriceps. Ce tendon se prolonge en dessous du genou par le *tendon rotulien* qui s'insère sur la *tubérosité tibiale*.

- Sur la *face latérale*, localisez l'*épicondyle latéral* du fémur et le *condyle latéral* du tibia.

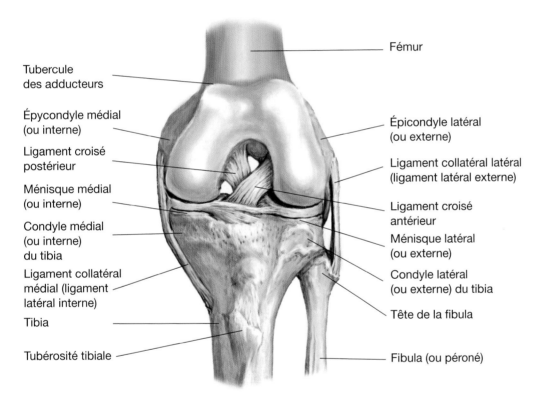

**FACE ANTÉRIEURE DU GENOU**

# Articulations

Deux articulations *tibiofémorales*, condyliennes, sont formées par les courbures convexes des condyles médial et latéral du fémur et les condyles concaves correspondants du tibia. La troisième est l'*articulation fémoro-patellaire*. Pendant la flexion et l'extension du genou, la rotule glisse dans une gouttière située à la face antérieure du fémur inférieur, ou *gouttière trochléaire*.

# Groupes musculaires

Des muscles puissants mobilisent et soutiennent le genou. Le *quadriceps* étend le membre inférieur ; il recouvre les faces antérieure, interne et externe de la cuisse. Les *muscles ischiojambiers* de la cuisse se trouvent à la face postérieure de la cuisse et fléchissent le genou.

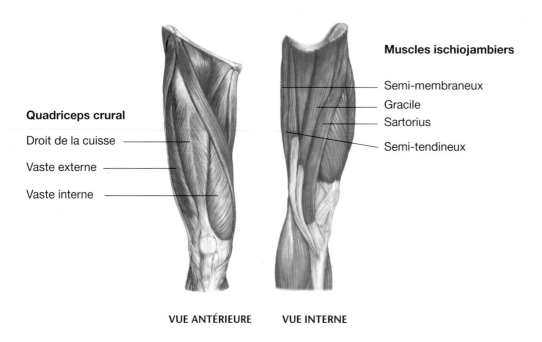

**Muscles ischiojambiers**

— Semi-membraneux
— Gracile
— Sartorius
— Semi-tendineux

**Quadriceps crural**

Droit de la cuisse —
Vaste externe —
Vaste interne —

**VUE ANTÉRIEURE**    **VUE INTERNE**

# Autres structures

Les ménisques et deux paires importantes de ligaments, les ligaments latéraux et les ligaments croisés, ont une importance cruciale pour la stabilité du genou ; identifiez ces structures sur les illustrations p. 651 et ci-contre.

■ Les *ménisques médial et latéral* amortissent l'action du fémur sur le tibia. Ces disques fibrocartilagineux en forme de croissant ajoutent une surface cupuliforme au plateau tibia – qui est plat.

■ Le *ligament latéral interne* (LLI) ou *collatéral médial*, difficile à palper, est un ligament plat et large qui relie l'épicondyle médial du fémur au condyle médial du tibia. La portion médiale du LLI s'attache aussi sur le ménisque médial.

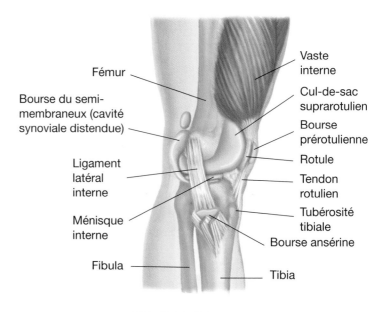

Fémur —

Bourse du semi-membraneux (cavité synoviale distendue) —

Ligament latéral interne —

Ménisque interne —

Fibula —

Vaste interne

Cul-de-sac suprarotulien

Bourse prérotulienne

Rotule

Tendon rotulien

Tubérosité tibiale

Bourse ansérine

Tibia

**GENOU GAUCHE – VUE INTERNE**

- Le *ligament latéral externe* (LLE) ou *collatéral latéral* relie l'épicondyle fémoral latéral à la tête du péroné. Le LLI et le LLE donnent au genou sa stabilité transversale.

- Le *ligament croisé antérieur* (LCA) va obliquement du tibia médial antérieur au condyle latéral du fémur, empêchant le tibia de glisser en avant sur le fémur.

- Le *ligament croisé postérieur* (LCP) va du tibia postérieur et du ménisque latéral au condyle fémoral médial, empêchant le tibia de glisser en arrière sur le fémur. Comme ces ligaments sont intra-articulaires, ils ne peuvent être palpés. Ils jouent néanmoins un rôle capital dans la stabilité antéro-postérieure du genou.

Observez les concavités, habituellement nettes de chaque côté de la rotule et au-dessus d'elle. La cavité synoviale du genou occupe ces régions ; c'est la plus grande cavité articulaire du corps. Elle comprend un prolongement qui monte à 6 cm au-dessus du bord supérieur de la rotule, sous le muscle quadriceps, le *cul-de-sac sous-quadricipital* (ou *supra-patellaire*). La cavité articulaire recouvre les faces antérieure, médiale et latérale du genou, ainsi que les condyles du fémur et le tibia postérieurement. La synoviale n'est pas décelable normalement, mais ces zones deviennent tuméfiées et sensibles quand l'articulation est inflammatoire.

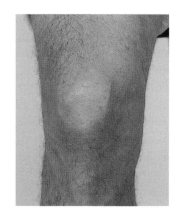

Plusieurs bourses se trouvent à proximité du genou. La *bourse prérotulienne* siège entre la rotule et la peau qui la recouvre. La *bourse ansérine* siège 2,5 à 5 cm au-dessous de la face médiale de l'articulation du genou, au-dessus et en dedans des insertions des muscles ischiojambiers sur le tibia. Elle n'est pas palpable en raison des tendons qui la recouvrent. Identifiez à présent la grande *bourse du semi-membraneux* qui communique avec la cavité articulaire et qui se trouve aussi sur les faces postérieure et médiale du genou.

## Techniques d'examen

*Inspection.* Observez l'allure rythmique, régulière de la démarche du patient quand il pénètre dans la pièce. Le genou doit être étendu quand le talon frappe le sol et fléchi à toutes les autres phases du balancement et de l'appui.

Un trébuchement ou une aide manuelle à l'extension du genou, tandis que le talon frappe le sol, suggèrent une *faiblesse du quadriceps*.

Vérifiez l'alignement et les contours des genoux. Recherchez une amyotrophie des quadriceps.

Des jambes arquées *(genu varum)* et des genoux cagneux *(genu valgum)* sont fréquents ; contracture en flexion (impossibilité d'extension complète) dans la paralysie des membres inférieurs.

Recherchez la disparition des creux normaux autour de la rotule (un signe de gonflement de l'articulation du genou et du cul-de-sac sous-quadricipital) et notez tout autre gonflement dans et autour du genou.

Une tuméfaction sur la rotule suggère une *bursite prérotulienne*. Une tuméfaction sur la tubérosité tibiale suggère une *bursite sous-rotulienne* ou, si elle est plus interne, une *bursite ansérine*.

***Palpation.*** Demandez au patient de s'asseoir au bord de la table d'examen, les genoux fléchis. Dans cette position, les repères osseux sont plus visibles et les muscles, tendons et ligaments plus relâchés, ce qui facilite leur palpation.

Accordez une attention particulière aux zones douloureuses. La douleur est fréquente dans les problèmes du genou, et la localisation de la structure qui en est responsable est importante pour une évaluation précise.

**Articulation tibiofémorale.** Palpez l'*articulation tibiofémorale*. Faisant face au genou à examiner, placez les pouces dans les dépressions situées de chaque côté du *tendon rotulien*. Identifiez la rainure de l'articulation tibiofémorale. La rotule se trouve juste au-dessus de cet interligne articulaire. En enfonçant les pouces vers le bas, vous pouvez sentir la bordure du plateau tibial. Suivez-la en dedans, puis en dehors jusqu'à ce que vous soyez arrêté par la convergence du fémur et du tibia. En déplaçant les pouces vers le haut, en direction de la ligne médiane, vers le sommet de la rotule, vous pouvez suivre la surface articulaire du fémur et identifier les bords de l'articulation.

Notez toute irrégularité des crêtes osseuses le long des bords de l'articulation.

*Arthrose* en cas de sensibilité des crêtes osseuses le long des bords de l'articulation, déformation en *genu varum* et raideur pendant plus de 30 minutes (*likelihood ratios* : 11,8, 3,4 et 3,0).[43-46] Il peut aussi exister une crépitation.

Palpez le *ménisque médial* en appuyant sur la dépression interne des parties molles le long du rebord supérieur du plateau tibial. Il est plus facile de palper le ménisque médial si le tibia est légèrement en rotation interne. Fléchissez un peu le genou et palpez le *ménisque latéral* le long de l'interligne articulaire latéral.

Une déchirure méniscale post-traumatique douloureuse intéresse plus fréquemment le ménisque médial.

Évaluez les *compartiments médial et latéral* de l'articulation tibiofémorale sur un genou fléchi à environ 90° sur la table d'examen. Accordez une attention particulière aux zones douloureuses ou sensibles.

■ *Compartiment médial.* En dedans, déplacez vos pouces vers le haut pour palper le *condyle fémoral médial*. Le tubercule du grand adducteur est situé en arrière du condyle fémoral médial. Descendez vos pouces pour palper le *plateau tibial médial*.

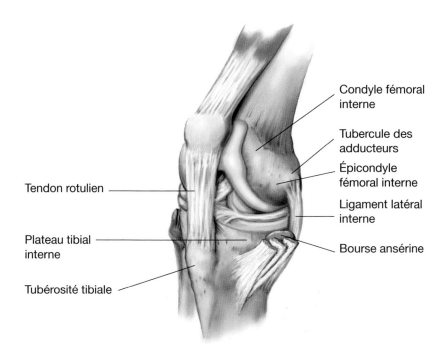

Tendon rotulien

Plateau tibial
interne

Tubérosité tibiale

Condyle fémoral
interne

Tubercule des
adducteurs

Épicondyle
fémoral interne

Ligament latéral
interne

Bourse ansérine

Également en dedans, palpez le long de l'interligne articulaire pour identifier le *ligament latéral interne*, qui relie l'épicondyle médial du fémur au condyle médial et à la surface supérieure médiale du tibia. Palpez le trajet de ce ligament plat et large de son origine à son insertion.

■ *Compartiment latéral.* En dehors du tendon rotulien, déplacez les pouces vers le haut pour palper le *condyle fémoral latéral*, et vers le bas pour palper le *plateau tibial latéral*. Quand le genou est fléchi, l'épicondyle fémoral se trouve en dehors du condyle fémoral.

Toujours sur la face latérale, recherchez le *ligament latéral externe* après avoir demandé au patient de croiser la jambe de telle sorte que la cheville repose sur le genou opposé. Le LLE est un cordon ferme qui va de l'épicondyle fémoral latéral à la tête du péroné.

Évaluez le *compartiment fémoropatellaire*. Localisez à présent la *rotule* et suivez le *tendon rotulien* vers le bas jusqu'à percevoir la *tubérosité tibiale*. Demandez au patient d'étendre le membre inférieur pour vérifier l'intégrité du tendon rotulien.

Le patient étant couché sur le dos, avec le genou en extension, repoussez la rotule sur le fémur sous-jacent. Demandez au patient de contracter le quadriceps pour que la rotule descende dans la gouttière trochléaire. Recherchez un mouvement de glissement régulier (*grinding test fémoropatellaire*).

Sensibilité du LLI après un traumatisme faisant craindre une déchirure de ce ligament. Les lésions du LLE sont moins fréquentes.

Une douleur du tendon ou l'incapacité à étendre le membre inférieur suggère une déchirure partielle ou complète du tendon rotulien.

Douleur et crépitation suggèrent des irrégularités de la face postérieure de la rotule (s'articulant avec le fémur). Une douleur similaire peut se manifester en montant un escalier ou en grimpant sur une chaise.

Une douleur à la compression et au déplacement de la rotule pendant la contraction du quadriceps évoque une *chondromalacie* ou dégénérescence rotulienne *(syndrome fémoro-patellaire)*.

Un gonflement au-dessus et autour de la rotule suggère un épaississement synovial ou la présence de liquide dans le genou.

**Cul-de-sac sous-quadricipital, bourse prérotulienne et bourse ansérine.** Essayez de sentir un épaississement ou un gonflement du *cul-de-sac sous-quadricipital* et le long des bords de la rotule. En commençant à 10 cm au-dessus du bord supérieur de la rotule (bien au-dessus du cul-de-sac), palpez des tissus mous entre le pouce et les doigts. Déplacez votre main vers le bas, de façon progressive, en essayant de reconnaître le cul-de-sac. Puis, palpez les bords latéraux de la rotule. Notez toute douleur ou chaleur plus importante que dans les tissus avoisinants.

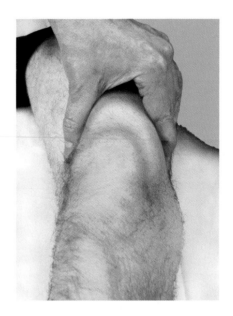

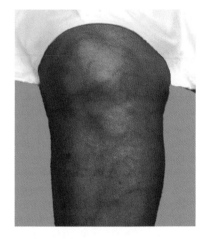

Un épaississement, un empâtement ou une chaleur dans ces régions indiquent une synovite ou un épanchement non douloureux dans une arthrose.

Recherchez un gonflement ou un empâtement au niveau des trois autres bourses. Palpez la *bourse prérotulienne* et la *bourse ansérine* sur le côté postéro-interne du genou, entre le LLI et les tendons qui s'insèrent sur le tibia interne et son plateau. À la face postérieure, sur le membre inférieur étendu, vérifiez la partie interne du creux poplité.

*Bursite prérotulienne* (« hygroma prérotulien ») en cas d'agenouillements prolongés. *Bursite ansérine* en cas de course à pied, *genu valgum*, fibromyalgies, arthrose. *Kyste du creux poplité* par distension de la bourse du semi-membraneux.

**Tests pour rechercher un épanchement du genou.** Apprenez à utiliser trois tests pour déceler du liquide dans l'articulation du genou : le signe du bombement, le signe du ballon et le ballottement de la rotule.

■ *Le signe du bombement (pour les épanchements peu abondants).* Le genou étant étendu, placez la main gauche au-dessus de lui et appuyez sur le cul-de-sac sous-quadricipital, pour « chasser » le liquide vers le bas. Poussez vers le bas sur la face médiale du genou et exercez une pression pour envoyer le liquide dans la partie externe. Donnez un petit coup sur le genou, juste en arrière du bord latéral de la rotule, avec la main droite.

Une onde liquidienne ou un bombement du côté interne, entre la rotule et le fémur, confirme un épanchement.

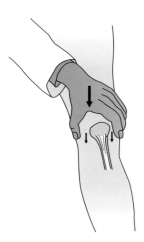

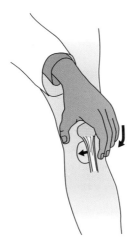

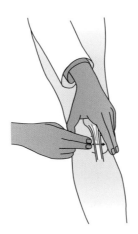

Exprimez vers le bas

Appliquez une pression
en dedans

Frappez et rechercher
une onde liquidienne

■ *Le signe du ballon (pour les épanchements très abondants)*. Placez le pouce et l'index de la main droite de chaque côté de la rotule ; avec la main gauche, comprimez le cul-de-sac sous-quadricipital sur le fémur. Percevez le liquide qui pénètre dans les espaces entourant la rotule sous le pouce et l'index droits.

Quand l'épanchement du genou est abondant, la compression au-dessus de la rotule chasse le liquide dans les espaces contigus à la rotule. L'onde liquidienne est palpable (signe du ballon positif). L'onde liquidienne de retour dans le cul-de-sac sous-quadricipital confirme l'épanchement.

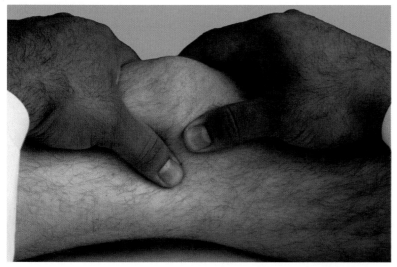

■ *Le ballottement de la rotule*. Pour détecter des épanchements abondants, comprimez le cul-de-sac sous-quadricipital et « ballottez » ou poussez brièvement la rotule vers le fémur. Regardez si du liquide regagne le cul-de-sac sous-quadricipital.

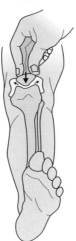

La perception du liquide qui regagne le cul-de-sac sous-quadricipital confirme la présence d'un épanchement abondant.

Un clic rotulien palpable à la compression (« choc rotulien ») peut aussi être constaté, mais il comporte plus de faux positifs.

**Triceps sural et tendon d'Achille.** Palpez les muscles du triceps sural, le *gastrocnémien* et le *soléaire*, à la face postérieure de la jambe. Leur tendon commun, le tendon d'Achille, est palpable du tiers inférieur du mollet à son insertion sur le calcanéum.

Défect musculaire avec douleur et gonflement à la palpation dans la *rupture du tendon d'Achille* ; douleur et épaississement du tendon au-dessus du calcanéum, parfois avec une apophyse osseuse du calcanéum saillante en arrière et en dehors dans la *tendinite achilléenne*.

Pour vérifier l'intégrité du *tendon d'Achille*, couchez le patient sur le ventre avec le genou et la cheville fléchis à 90°, ou encore demandez au patient de s'agenouiller sur une chaise. Comprimez le mollet et observez une flexion plantaire à la cheville.

L'absence de flexion plantaire est un test positif de rupture du tendon d'Achille. Une douleur intense et brusque, « comme une plaie par balle », une ecchymose allant du mollet au talon et une démarche avec les pieds à plat, sans décollement des orteils, peuvent aussi être présentes.

### Amplitude des mouvements et manœuvres

**Amplitude des mouvements.** À présent, évaluez l'amplitude des mouvements du genou en vous rapportant au tableau ci-dessous pour connaître les muscles responsables des différents mouvements et donner des instructions claires au patient pour obtenir les mouvements désirés.

| Mouvement du genou | Principaux muscles exécutant le mouvement | Instructions au patient |
|---|---|---|
| **Flexion** | Muscles ischiojambiers : biceps fémoral, semi-tendineux, semi-membraneux | *« Pliez (ou fléchissez) le genou »*<br>Ou *« Accroupissez-vous (par terre) »* |
| **Extension** | Quadriceps : droit fémoral, vaste interne, vaste externe, vaste intermédiaire | *« Étendez le membre inférieur »*<br>Ou *« Après vous être accroupi, relevez-vous »* |
| **Rotation interne** | Sartorius, gracile, semi-tendineux, semi-membraneux | *« Étant assis, balancez votre jambe vers la ligne médiane »* |
| **Rotation externe** | Biceps fémoral | *« Étant assis, balancez votre jambe en sens inverse »* |

Crépitation à la flexion-extension dans l'arthrose.[44, 45]

**Manœuvres.** Vous aurez fréquemment besoin de tester la stabilité des ligaments et l'intégrité des ménisques, notamment en cas de traumatisme ou de douleur à la palpation.[47, 48] Examinez toujours les deux genoux de façon comparative.

## Manœuvres pour examiner le genou

| Structure | Manœuvre | |
|---|---|---|
| **Ménisques médial et latéral**<br> | *Test de McMurray.* Si vous percevez ou entendez un clic articulaire pendant la flexion-extension du genou ou si vous trouvez une douleur le long de l'interligne articulaire, recherchez une déchirure postérieure d'un ménisque.<br><br>Le patient étant couché sur le dos, saisissez le talon et fléchissez le genou. Empaumez le genou avec l'autre main, les doigts et le pouce le long de l'interligne articulaire (en dedans et en dehors). Par le talon, faites tourner la jambe en dedans et en dehors. Puis, poussez sur le côté externe pour faire un stress en valgus sur la partie interne de l'articulation. En même temps, tournez le membre inférieur en dehors et étendez-le lentement. | Un clic ou claquement à la face interne de l'articulation lors du stress en valgus, de la rotation externe et de l'extension du membre inférieur suggère une *déchirure de la portion postérieure du ménisque médial.* La déchirure peut détacher une languette de ménisque, responsable d'un blocage empêchant l'extension complète du membre inférieur.<br><br>Un signe de McMurray et un blocage multiplient par 8,2 et 3,2 la probabilité d'une déchirure du ménisque médial.[43] |
| **Ligament latéral interne (LLI, ou collatéral médial)**<br> | *Test de l'abduction forcée.* Le patient étant couché sur le dos, le genou légèrement fléchi, écartez la cuisse de 30° vers le bord de la table. Placez une main sur la partie externe du genou pour stabiliser le fémur et l'autre main autour de la partie interne de la cheville. Poussez le genou en dedans et tirez la cheville en dehors pour faire bâiller le côté interne de l'articulation du genou *(stress en valgus).* | Une douleur et un bâillement de l'interligne articulaire médial orientent vers une laxité ligamentaire et une *déchirure partielle du LLI.* La plupart des lésions affectent le côté interne. |
| **Ligament latéral externe (LLE, ou collatéral latéral)**<br> | *Test de l'adduction forcée.* À présent, la cuisse et le genou étant dans la même position, changez de place afin de mettre une main sur la partie interne du genou et l'autre autour de la partie externe de la cheville. Poussez le genou en dehors et tirez la cheville en dedans pour faire bâiller le côté externe de l'articulation du genou *(stress en varus).*<br><br>*(suite)* | Une douleur et un bâillement de l'interligne articulaire latéral orientent vers une laxité ligamentaire et une *déchirure partielle du LLE.* |

| Manœuvres pour examiner le genou *(suite)* | |
| --- | --- |
| Structure | Manœuvre |
| **Ligament croisé antérieur (LCA)** | *Signe du tiroir antérieur.* Le patient étant couché sur le dos, hanches et genoux fléchis et pieds à plat sur la table, empaumez le genou à deux mains avec les pouces sur l'interligne articulaire et les doigts sur les insertions interne et externe des muscles de la loge postérieure de la cuisse. Tirez le tibia en avant et observez s'il glisse en avant (comme un tiroir), sous le fémur. Comparez le degré de déplacement antérieur avec celui du côté opposé. |
| | *Test de Lachman.* Mettez le genou en flexion à 15° et en rotation externe. Saisissez la partie basse du fémur d'une main et la partie haute du tibia de l'autre. Avec le pouce de la main tibiale sur l'interligne articulaire, déplacez simultanément le tibia en avant et le fémur en arrière. Estimez le degré de déplacement vers l'avant. |
| **Ligament croisé postérieur (LCP)** | *Signe du tiroir postérieur.* Positionnez le patient et placez vos mains comme pour le test du tiroir antérieur. Poussez le tibia en arrière et observez le degré de déplacement postérieur par rapport au fémur. |

Un petit déplacement vers l'avant est normal s'il existe aussi de l'autre côté.

Une avancée saccadée révélant les contours du tibia supérieur constitue un *signe du tiroir antérieur positif* et multiplie la probabilité d'une déchirure du LCA par 11,5.[43]

Une avancée importante indique une *déchirure du LCA* (probabilité multipliée par 17,0 *si le test est positif*).[43]

Les *déchirures isolées du LCP* sont rares.

# → Cheville et pied

## Vue d'ensemble

Tout le poids du corps est transmis au pied par la cheville. Cheville et pied doivent équilibrer le corps et absorber l'impact du choc de la marche sur le talon. Malgré d'épais coussinets le long des orteils, de la plante et du talon, et les ligaments qui stabilisent la cheville, la cheville et le pied sont souvent le siège d'entorses et de lésions osseuses.

## Structures osseuses et articulations

La cheville est une articulation pivotante formée par le tibia, la *fibula* (ou péroné) et le *talus* (ou astragale). Le tibia et la fibula se comportent comme une mortaise, enserrant le talus comme s'il était un tenon.

Les principales articulations de la cheville sont la *tibiotalaire*, entre le tibia et le talus, et la *sous-talienne* (ou *sous-astragalienne*), entre le talus et le calcanéum.

Notez les principaux repères de la cheville : la *malléole médiale*, saillie osseuse de l'extrémité distale du tibia, et la *malléole latérale*, à l'extrémité distale de la fibula. Situé sous le talus qu'il déborde en arrière se trouve le *calcanéum* formant le talon.

Une ligne imaginaire, l'*arche longitudinale*, parcourt le pied du calcanéum en arrière aux métatarsiens et aux orteils en avant, en passant par les os du tarse (voir os cuboïde, naviculaire et cunéiformes, ci-après). Les *têtes des métatarsiens* sont palpables dans la partie saillante du pied. Dans l'avant-pied, identifiez les *articulations métatarsophalangiennes*, près des palmures entre les orteils, et les *articulations interphalangiennes proximales et distales* des orteils.

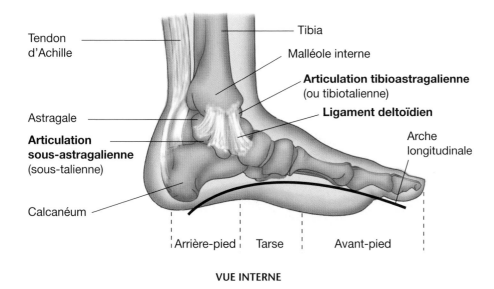

**VUE INTERNE**

## Groupes musculaires et autres structures

Les mouvements de la cheville sont limités à la dorsiflexion et à la flexion plantaire. La *flexion plantaire* est assurée par le muscle gastrocnémien (les jumeaux de la jambe), le muscle tibial postérieur et les fléchisseurs des orteils. Leurs tendons passent en arrière des malléoles. Les *fléchisseurs dorsaux* comprennent le muscle tibial antérieur et les extenseurs des orteils. Ils font saillie sur la face antérieure ou dos de la cheville, en avant des malléoles.

Les ligaments vont des malléoles au pied.

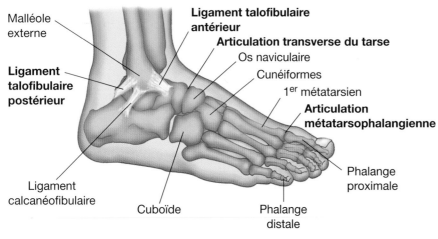

Malléole externe

**Ligament talofibulaire antérieur**

**Articulation transverse du tarse**

Os naviculaire

Cunéiformes

1er métatarsien

**Articulation métatarsophalangienne**

**Ligament talofibulaire postérieur**

Ligament calcanéofibulaire

Cuboïde

Phalange distale

Phalange proximale

**VUE EXTERNE**

■ En dedans, le *ligament deltoïdien*, triangulaire, s'étale de la face inférieure de la malléole médiale à l'astragale et aux os du tarse proximal ; il s'oppose à une éversion du pied.

■ En dehors, le ligament collatéral latéral de la cheville, moins solide, comprend trois faisceaux : antérieur, le *ligament talofibulaire antérieur*, le plus souvent lésé par une inversion du pied ; moyen, le *ligament calcanéofibulaire* ; et postérieur, le *ligament talofibulaire postérieur*. Le puissant tendon d'Achille attache le triceps sural au calcanéum postérieur. L'aponévrose plantaire s'insère sur la tubérosité médiale du calcanéum.

## Techniques d'examen

*Inspection.* Observez toutes les faces des chevilles et des pieds, en notant les déformations, nodules ou gonflements éventuels et les cors et durillons.

*Palpation.* Avec les pouces, palpez la face antérieure de chaque *cheville*, en notant un œdème, un gonflement ou un point douloureux éventuels.

Palpez le *tendon d'Achille* à la recherche de nodules ou de douleurs.

Palpez le talon, notamment le calcanéum inférieur et postérieur, et l'aponévrose plantaire à la recherche de points douloureux.

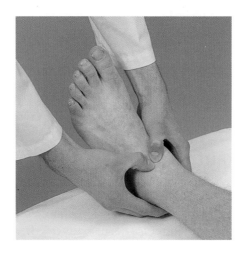

Voir tableau 16-9 : « Anomalies des pieds », p. 680 et tableau 16-10 : « Anomalies des orteils et des plantes des pieds », p. 681.

Douleur localisée dans le rhumatisme, les lésions ligamentaires et l'infection de la cheville.

Nodules rhumatoïdes ; douleur du tendon d'Achille dans la tendinite, la bursite ou la rupture partielle post-traumatique.

Des épines osseuses peuvent être présentes sur le calcanéum. Une douleur localisée à la palpation de l'aponévrose plantaire suggère une *aponévrosite plantaire*, qui se voit dans la station debout prolongée, les talonnades répétées, ainsi que dans la *polyarthrite rhumatoïde* et la *goutte*.[49, 50]

Recherchez une douleur provoquée sur les malléoles médiale et latérale, notamment après un traumatisme.

Après un traumatisme, l'incapacité de supporter le poids du corps au-delà de 4 pas et la douleur exquise sur la face postérieure des deux malléoles - notamment l'interne - font suspecter une fracture de la cheville (voir les règles d'Ottawa).[51]

Palpez les *articulations métatarsophalangiennes* à la recherche de points douloureux. Serrez l'avant-pied entre le pouce et les doigts. Comprimez juste au-dessus des têtes des 1er et 5e métatarsiens.

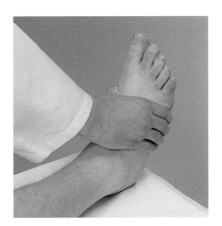

La douleur à la pression est un signe précoce de *polyarthrite rhumatoïde*. Inflammation aiguë de l'articulation métatarsophalangienne du gros orteil dans la *goutte*.

Palpez la tête des cinq métatarsiens et les sillons les séparant, entre votre pouce et votre index. Placez votre pouce sur le dos du pied et votre index sur la plante.

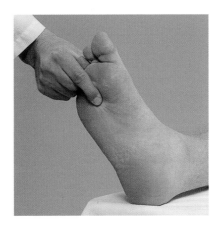

Douleur spontanée et provoquée, appelée *métatarsalgie*, en cas de traumatisme, rhumatisme et ischémie.

Douleur des têtes des 3e et 4e métatarsiens, sur la plante des pieds, dans le *névrome de Morton* (voir p. 680).

### Amplitude des mouvements et manœuvres

**Amplitude des mouvements.** Appréciez la flexion-extension au niveau de l'articulation tibiotalaire (la cheville) et l'inversion-éversion du pied au niveau des articulations sous-talaire et médiotarsienne (ou transverse du tarse).

| Mouvement de la cheville et du pied | Principaux muscles exécutant le mouvement | Instructions au patient |
|---|---|---|
| **Flexion de la cheville** (flexion plantaire) | Triceps sural (gastrocnémien et soléaire), plantaire grêle, tibial postérieur | *« Dirigez la pointe du pied vers le sol »* |
| **Extension de la cheville** (dorsiflexion) | Tibial antérieur, long extenseur des orteils, long extenseur du gros orteil | *« Dirigez la pointe du pied vers le plafond »* |
| **Inversion** | Tibial postérieur et tibial antérieur | *« Tordez la cheville en dedans »* |
| **Éversion** | Long péronier latéral, court péronier latéral | *« Tordez la cheville en dehors »* |

### Manœuvres

■ *Articulation tibiotalaire (de la cheville).* Fléchissez et étendez le pied au niveau de la cheville.

La douleur pendant les mouvements de la cheville et du pied aide à localiser une possible arthrite.

■ *Articulation sous-talaire (entre le talus et le calcanéum).* Immobilisez la cheville d'une main, saisissez le talon de l'autre ; inversez et éversez le pied.

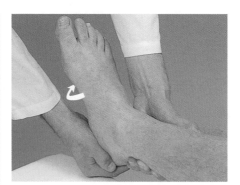

INVERSION          ÉVERSION

Une articulation arthritique est souvent douloureuse lorsqu'on la mobilise dans n'importe quelle direction, alors qu'une entorse ligamentaire donne le maximum de douleur lorsque le ligament est étiré. Par exemple, dans une forme commune d'entorse de la cheville, l'inversion et la flexion plantaire provoquent la douleur, tandis que l'éversion et la dorsiflexion sont relativement indolores.

■ *Articulation médiotarsienne.* Immobilisez le talon, inversez et éversez le pied et l'avant-pied.

■ *Articulations métatarsophalangiennes.* Fléchissez les orteils par rapport aux pieds.

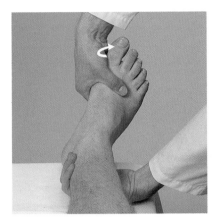
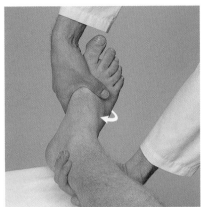

INVERSION                                    ÉVERSION

# → Techniques spéciales

***Mesure de la longueur des membres inférieurs.*** Si vous soupçonnez que les membres inférieurs du sujet sont de longueur inégale, mesurezles. Le sujet doit être étendu à plat sur le dos et ses membres inférieurs étendus, symétriquement. Avec un ruban métrique, mesurez la distance séparant l'épine iliaque antérosupérieure de la malléole interne. Le ruban doit croiser le genou sur son côté interne.

Une inégalité de longueur des membres inférieurs peut expliquer une scoliose.

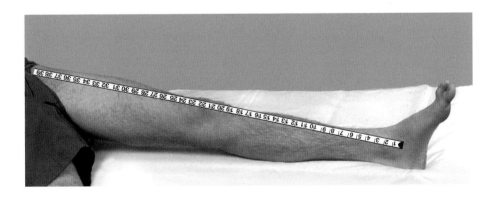

***Description de la limitation des mouvements d'une articulation.*** Quoiqu'une mesure précise soit rarement nécessaire, les limitations des mouvements peuvent être décrites en degrés. Il existe des goniomètres de poche pour cet usage. Dans les deux exemples ci-après, les lignes rouges indiquent les limites des mouvements du patient, et les lignes noires, les limites normales.

Vous pouvez décrire vos observations de plusieurs façons. Les nombres entre parenthèses sont des notations abrégées admises.

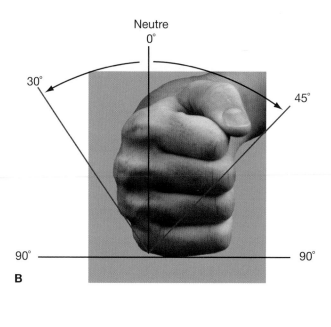

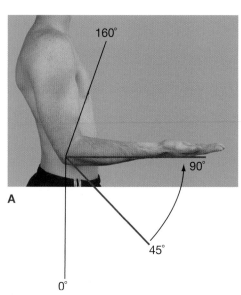

**A.** Le coude fléchit de 45 à 90° (45° → 90°)

Ou

Le coude est bloqué en flexion à 45° et il peut être fléchi jusqu'à 90° (45° → 90°)

**B.** Supination du coude = 30° (0° → 30°)
Pronation du coude = 45° (0° → 45°)

# CONSIGNER VOS OBSERVATIONS

Les exemples ci-dessous emploient des phrases convenant à la plupart des rapports écrits. Notez que l'utilisation des termes anatomiques spécifiques des structure et fonction impliquées dans les problèmes articulaires individuels rend votre compte rendu des constatations musculosquelettiques plus significatif et plus informatif.

## Consigner l'examen : appareil locomoteur

« Amplitude des mouvements satisfaisante pour toutes les articulations. Pas de gonflement ni de déformation. »

**Ou**

« Amplitude des mouvements satisfaisante pour toutes les articulations. Au niveau des mains, nodules de Heberden aux articulations interphalangiennes distales et nodules de Bouchard aux articulations interphalangiennes proximales. Légère douleur à la flexion-extension et à la rotation des hanches. Amplitude des mouvements des genoux satisfaisante, avec crépitation modérée ; pas d'épanchement ni d'empâtement de la synoviale ; ostéophytes le long de l'interligne tibiofémoral, des deux côtés. Hallux valgus bilatéral, à la 1re articulation métatarsophalangienne. »

*Évoque une* arthrose.

**Ou**

« Genou droit avec petit épanchement et douleur provoquée sur le ménisque interne, le long de l'interligne articulaire. Laxité modérée du ligament croisé antérieur (LCA), au test du tiroir antérieur ; ligament croisé postérieur (LCP) et ligaments latéraux intacts – pas de signe du tiroir ni de douleur au valgus et au varus forcés. Tendon rotulien intact, le patient peut étendre le membre inférieur. Toutes les autres articulations ont de bonnes amplitudes de mouvement et ne sont ni déformées ni enflées. »

*Évoque une* déchirure partielle du ménisque interne et du LCA, *due possiblement au sport ou à un traumatisme.*

## Bibliographie

### RÉFÉRENCES

1. Atlas SJ, Deyo RA. Evaluating and managing acute low back pain in the primary care setting. J Gen Intern Med 16(2):129–131, 2001.
2. Cush JJ, Lipsky PE. Approach to articular and musculoskeletal disorders. In: Kasper DL, Braunwald E, Fauci AS, et al., eds. Harrison's Principles of Internal Medicine, 16th ed. New York: McGraw-Hill, 2005:2029–2036.
3. Deyo RA, Weinstein JN. Low back pain. N Engl J Med 344(5):363–370, 2001.
4. Deyo RA. Diagnostic evaluation of LBP: reaching a specific diagnosis is often impossible. Arch Intern Med 162 (13): 1444–1447, 2002.
5. Lurie JD, Gerber PD, Sox HC. A pain in the back. N Engl J Med 343(10):723–726, 2000.
6. Hoffman JR, Mower WR, Wolfson AB, et al. Validity of a set of clinical criteria to rule out injury to the cervical spine in patients with blunt trauma. N Engl J Med 343(2):94–99, 2000.
7. Devereaux MW. Neck and low back pain. Med Clin North Am 87(3):643–662, 2003.
8. Carette S, Fehlings MG. Cervical radiculopathy. N Engl J Med 353(4):392–399, 2005.
9. Margaretten ME, Kohlwes J, Moore D, et al. Does this adult patient have septic arthritis? JAMA 297(13):1478–1488, 2007.
10. Terkeltaub RA. Gout. N Engl J Med 249(17):1647–1655, 2003.
11. Sakane T, Takleno M, Suzuke N, et al. Bechet's disease. N Engl J Med 341(17):1284–1291, 1999.

12. U.S. Preventive Services Task Force. Behavioral counseling in primary care to promote physical activity: recommendations and rationale. Rockville, MD: Agency for Healthcare Research and Quality, July 2002. Available at: http://www.ahrq.gov/clinic/3rduspstf/physactivity/physactrr.htm. Accessed December 10, 2007.

13. U.S. Preventive Services Task Force. Counseling to prevent low back pain. In: Guide to Clinical Preventive Services, 2nd ed. Baltimore: Williams & Wilkins, 1996:600–709.

14. U.S. Preventive Services Task Force. Primary care interventions to prevent low back pain in adults: recommendation statement. Rockville MD: Agency for Healthcare Research and Quality, February 2004. Available at: http://www.ahrq.gov/clinic/uspstf/uspsback.htm. Accessed December 10, 2007.

15. Caragee EJ. Persistent low back pain. N Engl J Med 352 (18):1891–1898, 2005.

16. Staal JB, Hlobil H, Twoisk JWR, et al. Graded activity for low back pain in occupational health care. Ann Intern Med 140(2):77–84, 2004.

17. U.S. Preventive Services Task Force. Counseling to prevent household and recreational injuries. In: Guide to Clinical Preventive Services, 2nd ed. Baltimore: Williams & Wilkins, 1996:659–686.

18. National Institutes of Health Osteoporosis and Related Bone Disease National Resource Center. Osteoporosis overview: facts and figures. Available at: http://www.niams.nih.gov/Health_Info/Bone/Osteoporosis/default.asp. Accessed December 9, 2007.

19. NIH Consensus Development Panel on Osteoporosis Prevention, Diagnosis, and Therapy. Osteoporosis prevention, diagnosis, and therapy. JAMA 285(6):785–795, 2001.

20. Green CJ. Postmenopausal osteoporosis. N Engl J Med 353(6):595–603, 2005.

21. Kuehn BM. Evidence-based guidelines needed for osteoporosis screening and treatment. JAMA 294(1):34, 2005.

22. U.S. Preventive Services Task Force. Screening for osteoporosis in postmenopausal women: recommendations and rationale. Rockville, MD: Agency for Healthcare Research and Quality, September 2002. Available at: http://www.ahrq.gov/clinic/3rduspstf/osteoporosis/osteorr.htm. Accessed December 10, 2007.

23. Raisz LG. Screening for osteoporosis. N Engl J Med 353(2):164–171, 2005.

24. Margolis KL, Ensrud KE, Schreiner PJ, et al. Body size and risk for clinical fractures in older women. Ann Intern Med 133(2):123–127, 2000.

25. Rosen CJ. Postmenopausal osteoporosis. N Engl J Med 353(6):595–603, 2005.

26. Hulley S, Grady D, Bush T, et al. Randomized trial of estrogen plus progestin for secondary prevention of coronary heart disease in postmenopausal women. Heart and Estrogen/Progestin Replacement Study (HERS) Research Group. JAMA 280(7): 605–613, 1998.

27. Writing Group for the Women's Health Initiative Investigators. Risks and benefits of estrogen plus progestin in healthy postmenopausal women: principal results from the Women's Health Initiative randomized controlled trial. JAMA 288:321–333, 2002.

28. Women's Health Initiative Steering Committee. Effects of conjugated equine estrogen in postmenopausal women with hysterectomy: the Women's Health Initiative randomized controlled trial. JAMA 291:1701–1712, 2004.

29. U.S. Preventive Services Task Force. Hormone replacement therapy for primary prevention of chronic conditions: recommendations and rationale. Rockville MD: Agency for Healthcare Research and Quality, May 2005. Available at: http://www.ahrq.gov/clinic/uspstf05/ht/htpostmenrs.htm. Accessed December 10, 2007.

30. Arnett FC, Edworthy SM, Bloch DA, et al. The American Rheumatism Association 1987 revised criteria for the classification of rheumatoid arthritis. Arthritis Rheum 31:315–324, 1988.

31. Goldring SR. A 55-year-old woman with rheumatoid arthritis. JAMA283(4):524–529, 2000.

32. Lee DM, Weinblatt ME. Rheumatoid arthritis. Lancet 358:903–911, 2001.

33. Woodward TW, Best TM. The painful shoulder. Part II. Acute and chronic disorders. Am Fam Phys 61(11): 3291–3300, 2000.

34. Liume JJ, Verhagen AP, Meidema HS, et al. Does this patient have an instability of the shoulder or a labrum lesion? The rational clinical examination. JAMA 292:1989–1999, 2004.

35. McGee S. Examination of the musculoskeletal system: the shoulder. In: Evidence-based Physical Diagnosis, 2nd ed. St. Louis: Saunders, 2007:628–638.

36. Murrell GA. Diagnosis of rotator cuff tears. Lancet 357: 769–770, 2001.

37. D'Arcy CA, McGee S. Does this patient have carpal tunnel syndrome? The rational clinical examination. JAMA 283(23):3110–3117, 2000.

38. Griffin LY, ed. Hand and wrist. In: Essentials of Musculoskeletal Care 3. Rosemont, IL: American Academy of Orthopedic Surgeons, 2005:297–299, 321–327.

39. Katz JN, Simmons BP. Carpal tunnel syndrome. N Engl J Med 346(23): 1807–1811, 2002.

40. Haywood KL, Garratt AM, Jordan K, et al. Spinal mobility in ankylosing spondylitis: reliability, validity and responsiveness. Rheumatology 43(6):750–757, 2004.

41. Laine C, Goldmann D, eds. In the clinic: osteoarthritis. Ann Intern Med 147(3):ITC8-1–ITC8-16, 2007.

42. Steultjens MPM, Dekker J, van Baar ME, et al. Range of joint motion and disability in patients with osteoarthritis of the knee or hip. Rheumatology 39(9):955–961, 2000.

43. McGee S. Examination of the musculoskeletal system: the knee. In: Evidence-based Physical Diagnosis, 2nd ed. St. Louis: Saunders, 2007:638–652.

44. Altman R, Asch E, Bloch D, et al. Development of criteria for the classification and reporting of osteoarthritis: classification of osteoarthritis of the knee. Arthritis Rheum 29(8): 1039–1049, 1986.

45. Cibere J, Bellamy N, Thorne A, et al. Reliability of the knee examination in osteoarthritis. Arthritis Rheum 50(2): 458–468, 2004.

46. Felson DT. Osteoarthritis of the knee. N Engl J Med 354(8):841–848, 2006.

47. Solomon DH, Simel DL, Bates DW, et al. Does this patient have a torn meniscus or ligament of the knee? Value of the physical examination. The rational physical examination. JAMA 286(13):1610–1620, 2001.

48. Jackson JL, O'Malley PG, Kroenke K. Evaluation of acute knee pain in primary care. Ann Intern Med 139(7): 575–588, 2003.

49. Young CC, Rutherford DS, Niedfeldt MW. Treatment of plantar fasciitis. Am Fam Phys 63:467–474, 477–478, 2001.

50. Buchbinder R. Plantar fasciitis. N Engl J Med 350(21): 2159–2166, 2004.

51. Stiell IG, Greenberg GH, McKnight RD, et al. Decision rules for the use of radiography in acute ankle injuries: refinement and prospective validation. JAMA 269(9): 1127–1132, 1993.

52. Chou R, Qaseem A, Sonow V, et al. Diagnosis and treatment of low back pain: a joint clinical practice guideline from the American College of Physicians and the American Pain Society. Ann Intern Med 147(7):478–491, 2007.

53. McGee S. Disorders of the nerve roots, plexi, and peripheral nerves. In: Evidence-based Physical Diagnosis, 2nd ed. St. Louis: Saunders, 2007:777–788.

54. Kyle RA, Rajkumar SV. Multiple myeloma. N Engl J Med 351(18):1860–1873, 2004.

55. Davis BT, Pasternak MS. Case 19-2007: a 19-year-old college student with fever and joint pain. N Engl J Med 356(25): 2631–2637, 2007.

56. Goldenberg DL, Burckhardt C, Crofford L. Management of fibromyalgia syndrome. JAMA 292(19):2388–2395, 2004.

57. Levanthal LJ. Management of bromyalgia. Ann Intern Med 131(11):850–858, 1999.

58. Wolfe F, Smythe HA, Yunus MB, et al. The American College of Rheumatology 1990 criteria for the classification of fibromyalgia. Report of the Multicenter Criteria Committee. Arthritis Rheum 33(2):160–172, 1990.

59. Griffin LY, ed. Shoulder. In: Essentials of Musculoskeletal Care 3. Rosemont, IL: American Academy of Orthopedic Surgeons, 2005:155, 214–221.

## AUTRES LECTURES

Chou R, Huffman AH. Nonpharmacologic therapies for acute and chronic low back pain: a review of the evidence for an American Pain Society/American College of Physicians Clinical Practice Guideline. Ann Intern Med 147(7):492–504, 2007.

Clegg DO, Reda DJ, Harria CL. Glucosamine, chondroitin sulfate, and the two in combination for painful knee osteoarthritis. N Engl J Med 354(8):795–808, 2006.

Darouiche RO. Spinal epidural abscess. N Engl J Med 355(19):2012–2020, 2006.

Firestein GS, Kelley WN. Kelley's Textbook of Rheumatology, 8th ed. Philadelphia: Saunders–Elsevier, 2008.

Fransen M, Nairn L, Winstanley J, et al. Physical activity for osteoarthritis management: a randomized controlled clinical trial evaluating hydrotherapy or Tai Chi classes. Arthritis Rheum 57(3):407–414, 2007.

Griffin LY, ed. Essentials of Musculoskeletal Care, 3rd ed. Rosemont, IL: American Academy of Orthopedic Surgeons, 2005.

Hoppenfeld S, Hutton R. Physical Examination of the Spine and Extremities. New York: Appleton–Century–Crofts, 1976.

Koopman WJ, Moreland LW. Arthritis and Allied Conditions: A Textbook of Rheumatology, 15th ed. Philadelphia: Lippincott Williams & Wilkins, 2005.

Lane NE. Osteoarthritis of the hip. N Engl J Med 357(14): 1413–1421, 2007.

Lew DP, Waldvogel FA. Osteomyelitis. Lancet 364(9431): 369–379, 2004.

Matsen FA. Rotator-cuff failure. N Engl J Med 358(20): 2138–2147, 2008.

Murrell GAC, Walton JR. Diagnosis of rotator cuff tears. Lancet 357(9258):769–770, 2001.

O'Dell JR. Therapeutic strategies for rheumatoid arthritis. N Engl J Med 350(25):2591–2602, 2004.

Peul WC, van Houwelingen HC, van den Hout WB, et al. Surgery versus prolonged conservative treatment for sciatica. N Engl J Med 356(22):2245–2256, 2007.

Porcheret M, Jordan K, Croft P. Treatment of knee pain in older adults in primary care: development of an evidence-based model of care. Rheumatology 46(4):638–648, 2007.

Scholten RJ, Deville W, Opstelten W, et al. The accuracy of physical diagnostic tests for assessing meniscal lesions of the knee: a meta-analysis. J Fam Pract 50(11):938–944, 2001.

Walton J, Mahajan S, Paxinos A, et al. Diagnostic values of tests for acromioclavicular joint pain. J Bone Joint Surg 86(4): 807–812, 2004.

| Types | Causes possibles | Signes physiques |
|---|---|---|
| **Lombalgie mécanique**<br>Douleur de la région lombosacrée, qui peut irradier dans le membre inférieur, notamment dans les dermatomes de L5 (partie externe du membre) ou de S1 (partie postérieure du membre). Renvoie à une anomalie anatomique ou fonctionnelle autre qu'une néoplasie, une infection ou une maladie inflammatoire.[3] Habituellement aiguë (< 3 mois), idiopathique, bénigne et autolimitée ; représente 97 % des douleurs du bas du dos. Souvent liée à la profession, survenant chez des patients de 30-50 ans. Les facteurs de risque sont le soulèvement de charges, une mauvaise condition physique, l'obésité. | Souvent due à des lésions musculoligamentaires (~ 70 %) ou au vieillissement des disques intervertébraux et des apophyses articulaires (~ 4 %).[3] Autres causes : hernie discale (~ 4 %), sténose du canal rachidien (~ 3 %), tassements vertébraux (~ 4 %), et spondylolisthésis (~ 2 %). | Douleur des muscles paravertébraux et des apophyses articulaires, douleur aux mouvements du dos, perte de la lordose lombaire normale, mais pas d'anomalies de la sensibilité, de la motricité ou des réflexes. Dans l'ostéoporose, recherchez une cyphose thoracique, une douleur à la percussion d'une apophyse épineuse, des fractures du rachis dorsal ou du col du fémur. |
| **Sciatique (douleur radiculaire L5/S1)**<br>Douleur fulgurante descendant en dessous du genou, le plus souvent à la partie externe de la jambe (L5) ou à la face postérieure de la cuisse (S1) ; accompagne typiquement une lombalgie. Certains patients présentent aussi des paresthésies et une faiblesse du membre inférieur. Se courber, éternuer, tousser, pousser pour aller à la selle aggravent souvent la douleur.[1] | La sciatalgie a une sensibilité de ~ 95 % et une spécificité de ~ 88 % pour la hernie discale. Elle est habituellement due à une hernie du disque intervertébral entraînant une compression ou un étirement des racines nerveuses chez les sujets de 50 ans ou plus. Les hernies discales touchent les racines nerveuses L5 ou S1 dans ~ 95 % des cas.[3] Compression de la moelle ou des racines par une néoplasie dans moins de 1 % des cas. Tumeur ou hernie discale médiane s'il y a des troubles sphinctériens, paraplégie dans le syndrome de la queue de cheval (S2-4). | Hernie discale très probable s'il existe une amyotrophie du mollet, une faiblesse de la dorsiflexion de la cheville, l'abolition du réflexe achilléen, une douleur dans le membre inférieur lors de l'élévation de l'autre membre inférieur (douleur croisée) ; l'absence de douleur croisée rend le diagnostic de sciatique très improbable. Une douleur lors de l'élévation du membre du côté atteint (douleur ipsilatérale) est un signe sensible (~ 65-98 %) mais pas spécifique (~ 10-60 %).[53] |
| **Sténose du canal lombaire (« canal lombaire étroit »)**<br>Douleur du dos ou des membres inférieurs apparaissant à la marche (« pseudo-claudication »), qui est soulagée par le repos et/ou la flexion lombaire (qui décomprime la moelle épinière). Douleur vague, mais habituellement bilatérale, avec des paresthésies d'un ou des deux membres inférieurs. | Maladie dégénérative d'une ou plusieurs vertèbres et apophyses articulaires, et épaississement du ligament jaune entraînant un rétrécissement du canal rachidien en son centre ou latéralement. Plus fréquente après 60 ans. | La posture peut être fléchie en avant, avec hyporéflexie des membres inférieurs. En général, pas de douleur à l'élévation des membres inférieurs. |
| **Raideur du dos chronique** | *Spondylarthrite ankylosante*, une polyarthrite inflammatoire, plus fréquente chez les hommes de moins de 40 ans.[40] *Hyperostéose vertébrale ankylosante* (ou maladie de Forestier), qui touche les hommes plus que les femmes, en général après 50 ans. | Perte de la lordose lombaire normale, contracture musculaire et limitation de la flexion antérieure et latérale. Amélioration avec l'exercice physique. Immobilité latérale du rachis surtout à l'étage thoracique. |
| **Douleur lombaire nocturne, non soulagée par le repos** | Pensez aux *métastases vertébrales* d'un cancer de la prostate, du sein, du poumon, de la thyroïde ou du rein, et au myélome multiple.[54] | Variables selon l'origine. Une douleur osseuse locale peut se voir. |
| **Douleur lombaire projetée de l'abdomen ou du bassin**<br>Habituellement, une douleur pénible, profonde, dont le niveau varie avec l'origine. Représente environ 1 % des lombalgies. | Ulcère peptique, pancréatite, cancer du pancréas, prostatite chronique, endométriose, anévrisme disséquant de l'aorte, tumeur rétropéritonéale, autres causes. | Les mouvements du rachis ne sont pas douloureux et l'amplitude des mouvements n'est pas limitée. Cherchez les signes de l'affection première. |

TABLEAU 16-2     Douleurs cervicales (ou cervicalgies)

| Types | Causes possibles | Signes physiques |
| --- | --- | --- |
| **Douleur cervicale mécanique**<br><br>Douleur des muscles paravertébraux et des ligaments de la nuque, avec contracture musculaire, associée à une raideur et une limitation des mouvements de la partie haute du dos et de l'épaule, pouvant durer jusqu'à 6 semaines. Pas d'irradiation de la douleur, de paresthésies ou de faiblesse musculaire. Il peut exister des céphalées. | Mécanisme mal compris, peut-être une contraction musculaire prolongée. Association avec une mauvaise attitude, le stress, des troubles du sommeil, une mauvaise position de la tête durant des activités comme se servir d'un ordinateur, regarder la télévision, conduire une automobile. | Douleurs des muscles locaux, douleurs au mouvement. Pas de déficits neurologiques. Possibilité de « points sensibles » dans la *fibromyalgie*. *Torticolis* en cas de position anormale du cou et de contracture musculaire. |
| **Douleur cervicale mécanique, après un « coup du lapin »**[7]<br><br>Une variété de cervicalgie mécanique, avec douleur paravertébrale et raideur, qui débute souvent le lendemain d'un traumatisme. Il peut exister des céphalées occipitales, des vertiges, un malaise et une fatigue. « Whiplash » chronique si les symptômes durent plus de 6 mois (20 à 40 % des cas). | Entorse musculoligamentaire due à un mouvement forcé de flexion/extension du cou, comme lors d'une collision par l'arrière (« coup du lapin » ou « whiplash »). | Douleur de la nuque, limitation de la mobilité du cou, faiblesse musculaire aux membres supérieurs. Des causes de compression de la moelle cervicale, telles qu'une fracture, une hernie discale, un traumatisme crânien et des troubles de la conscience sont exclus. |
| **Névralgie cervicobrachiale, par compression d'une racine nerveuse**[7, 8]<br><br>Douleur vive à type de brûlure ou de picotements dans la nuque et un membre supérieur, qui est le siège de paresthésies et d'une faiblesse musculaire. Les troubles sensitifs intéressent plus souvent un myotome qu'un dermatome. | Atteinte d'un nerf rachidien cervical et/ou de ses racines à l'étroit dans le trou de conjugaison (~ 75 %) ou comprimés par une hernie discale (~ 25 %). Causes rares : tumeurs, syringomyélie, sclérose en plaques. Mécanismes : rôle possible de l'hypoxie des racines nerveuses et du ganglion spinal, libération de médiateurs de l'inflammation. | Les racines le plus souvent atteintes sont celles de C7 (45-60 %), avec une faiblesse du triceps et des fléchisseurs et des extenseurs des doigts, et de C6, avec une faiblesse du biceps, du brachioradial et des extenseurs du poignet. |
| **Myélopathie cervicoarthrosique, par compression de la moelle cervicale**[7]<br><br>Douleur de la nuque avec une faiblesse musculaire et des paresthésies bilatérales, touchant les membres supérieurs et inférieurs, et souvent une pollakiurie. Les troubles peuvent être frustes : maladresse manuelle, paresthésies palmaires, troubles de la démarche. La flexion du cou exacerbe souvent les symptômes. | *Cervicarthrose* : souvent discopathie dégénérative avec des éperons, une protrusion du ligament jaune et/ou des hernies discales (~ 80 %) ; parfois, sténose du canal cervical due à des ostéophytes, une ossification du ligament jaune. Une volumineuse hernie discale centrale ou paracentrale peut aussi comprimer la moelle épinière. | Syndrome pyramidal : hyperréflectivité, clonus du poignet, du genou et de la cheville, signe de Babinski, difficultés à la marche. On peut aussi voir un *signe de Lhermitte* : la flexion du cou entraîne une décharge électrique tout le long du rachis. Un diagnostic de myélopathie par arthrose cervicale justifie l'immobilisation du cou et un bilan neurochirurgical. |

| Problème | Physiopathologie | Localisations habituelles | Modalités d'extension | Début | Évolution et durée |
|---|---|---|---|---|---|
| Polyarthrite rhumatoïde[30-32, 55] | Inflammation chronique des *membranes synoviales* avec érosions secondaires des cartilages adjacents et de l'os, et lésions des ligaments et des tendons | Mains (articulations interphalangiennes proximales et métacarpophalangiennes), pieds (articulations métatarsophalangiennes), poignets, genoux, coudes et chevilles | Progressive et symétrique : extension à d'autres articulations et persistance dans celles qui sont déjà atteintes | Habituellement insidieux | Souvent chronique, avec des rémissions et des poussées |
| Arthrose (*maladie dégénérative des articulations*)[41] | Dégénérescence et destruction progressive des *cartilages* articulaires, lésions de l'os sous-jacent et néoformations osseuses sur les bords du cartilage | Genoux, hanches, mains (articulations interphalangiennes distales et parfois proximales), rachis cervical et lombaire et poignets (première articulation carpométacarpienne) ; également articulations déjà lésées ou malades | Progressive, mais une seule articulation peut être atteinte | Habituellement insidieux | Lentement progressive, avec des poussées suivant des périodes de surmenage |
| Arthrite goutteuse[10] *Goutte aiguë* | Réaction inflammatoire aux microcristaux d'urate de sodium | Base du gros orteil (la première articulation métatarsophalangienne), le cou ou le dos du pied, les chevilles, les genoux et les coudes | Les premiers accès sont habituellement limités à une articulation | Brusque, souvent nocturne, après un traumatisme, une intervention chirurgicale, ou l'ingestion excessive d'aliments ou d'alcool | Accès occasionnels isolés durant des jours à quelques semaines ; ils peuvent devenir plus fréquents et plus intenses, avec des symptômes persistants |
| *Goutte tophacée chronique* | Accumulations locales multiples d'urate de sodium dans les articulations et dans d'autres tissus (tophus) avec ou sans inflammation | Pieds, chevilles, poignets, doigts et coudes | Progressive, pas aussi symétrique que dans la polyarthrite rhumatoïde | Passage progressif à la chronicité avec des accès à répétition | Symptômes chroniques avec des poussées aiguës |
| Pseudopolyarthrite rhizomélique | Maladie de cause indéterminée observée chez des sujets de plus de 50 ans, en particulier des femmes ; peut être associée à une maladie de Horton | Muscles de la ceinture pelvienne et de la ceinture scapulaire ; symétriques | | Brusque ou insidieux, pouvant apparaître dans la nuit | Chronique, mais en définitive autolimitée |
| Fibromyalgie[55-58] | Douleurs musculosquelettiques diffuses et « points sensibles ». Peut accompagner d'autres maladies. Mécanisme inconnu | « Partout », en particulier dans le cou, les épaules, les coudes, les mains, les lombes et les genoux | Fluctuations imprévisibles ou aggravation liée à l'immobilité, au surmenage ou au refroidissement | Variable | Chronique, avec « des hauts et des bas » |

La nature vague de ces caractéristiques est en soi un argument en faveur d'une fibromyalgie

## Symptômes associés

| Gonflement | Rougeur, chaleur et douleur | Raideur | Limitation des mouvements | Symptômes généraux |
|---|---|---|---|---|
| Fréquent gonflement du tissu synovial articulaire et des gaines tendineuses ; également nodules sous-cutanés | Douleur, chaleur fréquente, mais rougeur rare | Prédominante, souvent durant une heure ou deux le matin, aussi après une période d'inactivité | Apparaît souvent | Faiblesse musculaire, fatigue, amaigrissement et fébricule fréquents |
| Il peut y avoir de petits épanchements intra-articulaires en particulier au niveau des genoux ; augmentation possible du volume des os | Douleur possible, chaleur et rougeur rares | Fréquente mais brève (habituellement 5 à 10 min), le matin et après une période d'inactivité | Apparaît souvent | Habituellement absents |
| Présent dans l'articulation atteinte et les tissus voisins | Douleur exquise, chaleur et rougeur | Pas évidente | Le mouvement est principalement limité par la douleur | Fièvre possible |
| Présent, sous forme de tophus dans les articulations, les bourses et les tissus sous-cutanés | Douleur, chaleur, et rougeur peuvent se voir durant les poussées | Présente | Présente | Fièvre possible ; le patient peut aussi avoir des symptômes d'insuffisance rénale et des calculs rénaux |
| Aucun | Les muscles sont souvent douloureux mais ni chauds ni rouges | Prédominante, surtout le matin | Habituellement aucune | Malaise, sentiment de dépression, éventuellement anorexie, perte de poids et fièvre mais pas de véritable faiblesse musculaire |
| Aucun | « Points sensibles », multiples mais précis et symétriques (leur palpation digitale est douloureuse). Ils peuvent être méconnus jusqu'à l'examen | Présente, en particulier le matin | Absente, bien que la raideur soit plus grande en début et fin de mouvement | Association habituelle à des troubles du sommeil et à une fatigue matinale |

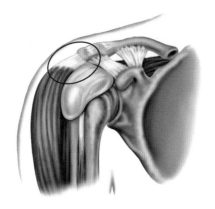

### Tendinite de la coiffe des rotateurs

Des mouvements répétés de l'épaule, comme dans le lancer ou la natation, peuvent entraîner un œdème et des hémorragies puis une inflammation, intéressant le plus souvent le tendon du supra-épineux. Il peut en résulter une douleur aiguë, récidivante ou chronique, souvent aggravée par les mouvements. Le patient peut rapporter des épisodes de douleur, grincement et faiblesse musculaire quand il élève le bras au-dessus de la tête. Quand le tendon du supra-épineux est touché, il y a un point douloureux exquis juste sous l'extrémité de l'acromion. Les patients sont typiquement des athlètes.

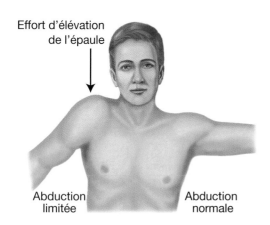

Effort d'élévation de l'épaule

Abduction limitée

Abduction normale

### Déchirures de la coiffe des rotateurs

Quand le bras est élevé en antéflexion, la coiffe des rotateurs peut heurter la face inférieure de l'acromion et du ligament acromio-coracoïdien. Des lésions dues à une chute ou à des heurts répétés peuvent affaiblir la coiffe des rotateurs et provoquer une déchirure ou une rupture complète, en général après 40 ans. Une faiblesse et une atrophie des muscles supra et infra-épineux, une douleur spontanée et provoquée peuvent s'ensuivre. Dans la rupture complète du tendon du supra-épineux (illustrée ici), l'abduction active et l'antéflexion de l'articulation glénohumérale sont gravement compromises, entraînant un haussement caractéristique de l'épaule et un « test du bras tombant » positif (voir p. 622).

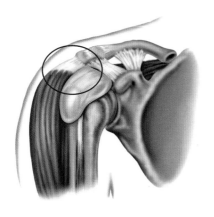

### Tendinite calcifiante

Ce terme désigne un processus dégénératif du tendon, avec des calcifications. Elle intéresse, en général, le tendon du supra-épineux. Des épisodes aigus et invalidants de douleurs de l'épaule peuvent survenir, habituellement chez des sujets de plus de 30 ans et de sexe féminin. Le bras est maintenu près du corps et tous les mouvements sont très limités par la douleur. La douleur à la palpation est maximale au-dessous de l'extrémité de l'acromion. La bourse sous-acromiale, qui recouvre le tendon du supra-épineux, peut être enflammée. Une douleur chronique, moins intense, peut aussi survenir.

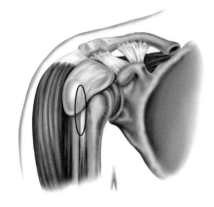

### Tendinite du biceps

Une inflammation du tendon du long chef du biceps et de sa gaine provoque une douleur antérieure de l'épaule, qui peut ressembler à la tendinite de la coiffe des rotateurs et coexister avec elle. Les deux tendinites supposent des traumatismes. La douleur provoquée est maximale dans la gouttière bicipitale. Mettez le bras en rotation externe et abduction pour différencier cette zone de la douleur sous-acromiale de la tendinite du supra-épineux. Le patient ayant le bras le long du corps, le coude fléchi à 90°, demandez-lui de mettre l'avant-bras en supination malgré votre opposition. L'augmentation de la douleur dans la gouttière bicipitale confirme le diagnostic.

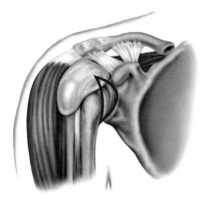

### Épaule gelée (capsulite rétractile)

On appelle ainsi une fibrose de la capsule de l'articulation gléno-humérale, se manifestant par une douleur sourde et diffuse de l'épaule et une limitation progressive des mouvements actifs et passifs, en général sans point douloureux précis. Cette affection est habituellement unilatérale et touche des personnes de 50 à 70 ans. Il y a souvent un antécédent de pathologie douloureuse de l'épaule ou autre (comme un infarctus du myocarde), qui a diminué les mouvements de l'épaule. L'évolution est chronique, durant des mois et des années, mais les troubles régressent spontanément, au moins en partie.

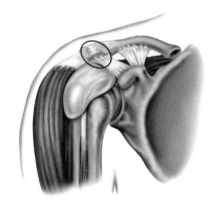

### Arthrite acromioclaviculaire

L'arthrite acromioclaviculaire est rare. Elle est due à un traumatisme direct de la ceinture scapulaire, ayant entraîné des modifications dégénératives. La douleur est localisée sur l'articulation acromio-claviculaire. Les mouvements de l'articulation glénohumérale ne sont pas douloureux, mais les mouvements de l'omoplate, comme dans le haussement de l'épaule, le sont.

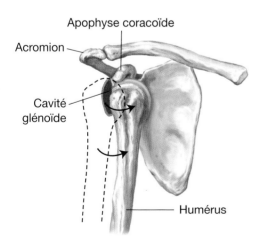

Apophyse coracoïde

Acromion

Cavité glénoïde

Humérus

### Luxation antérieure de l'humérus[33, 34, 59]

L'instabilité de l'épaule par luxation antérieure de l'humérus est habituellement la conséquence d'une chute ou d'un vigoureux mouvement de lancer ; elle devient récidivante. L'épaule semble « sortir de l'articulation » quand le bras est mis en abduction et rotation externe, donnant le signe de l'armé quand l'examinateur porte le bras dans cette position *(test de l'appréhension)*. Tous les mouvements de l'épaule peuvent être douloureux, et le patient maintient son bras en position neutre. L'arrondi de l'épaule s'aplatit. Des luxations inférieures, postérieures (rarement) et multidirectionnelles sont aussi possibles.

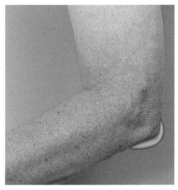

Bursite
olécranienne

**Bursite de l'olécrane**

Le gonflement et l'inflammation de la bourse de l'olécrane peuvent résulter d'un traumatisme ou être associés à une arthrite goutteuse ou rhumatoïde. Le gonflement est situé au niveau de l'olécrane.

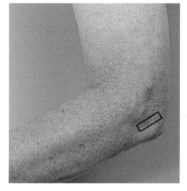

Arthrite

**Arthrite du coude**

On perçoit mieux une inflammation de la synoviale ou la présence de liquide dans les sillons situés entre l'olécrane et les épicondyles. Recherchez par la palpation un empâtement mou ou fluctuant, et des points douloureux.

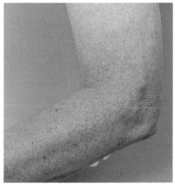

Nodules
rhumatoïdes

**Nodules rhumatoïdes**

Des nodules sous-cutanés peuvent se former aux points de pression sur la face d'extension de l'ulna chez des patients atteints de polyarthrite rhumatoïde ou de rhumatisme articulaire aigu. Les nodules sont fermes, indolores, non fixés à la peau. Ils peuvent être ou non fixés au périoste sous-jacent. Quoiqu'ils puissent se former dans la zone de la bourse olécranienne, ils siègent souvent plus bas.

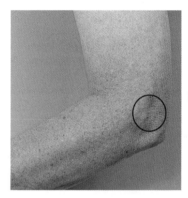

Épicondylite

**Épicondylites**

L'*épicondylite latérale (tennis elbow)* fait suite à une extension répétée du poignet ou à une pronation-supination répétée de l'avant-bras. Une douleur spontanée et provoquée apparaît à 1 cm en dessous de l'épicondyle et, parfois, dans les muscles extenseurs contigus. Quand le patient essaie d'étendre le coude contre une résistance, la douleur augmente.

L'*épicondylite médiale (ou épitrochléite)* fait suite à une flexion répétée du poignet, comme dans le lancer. La douleur est maximale sur l'épitrochlée. La flexion contrariée du poignet augmente la douleur.

## Polyarthrite rhumatoïde aiguë

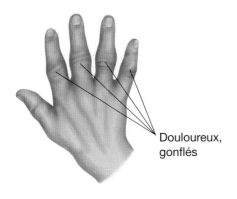

Douloureux, gonflés

Articulations douloureuses et raides dans la *polyarthrite rhumatoïde* avec, en général, une atteinte bilatérale et *symétrique*. Les articulations interphalangiennes proximales, métacarpophalangiennes et du poignet sont les plus souvent touchées. Notez le gonflement fusiforme des articulations interphalangiennes proximales dans la forme aiguë.

## Polyarthrite rhumatoïde chronique

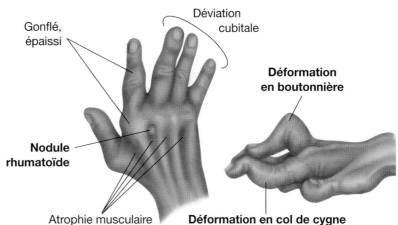

Gonflé, épaissi

Déviation cubitale

**Déformation en boutonnière**

**Nodule rhumatoïde**

Atrophie musculaire

**Déformation en col de cygne**

Dans la maladie chronique, notez le gonflement et l'épaississement des articulations métacarpophalangiennes et interphalangiennes proximales. L'amplitude des mouvements est limitée, les doigts peuvent être déviés du côté ulnaire et les muscles interosseux s'atrophient. Les doigts peuvent présenter des *déformations en « col de cygne »*, c'est-à-dire une hyper-extension des articulations interphalangiennes proximales avec une flexion fixée des articulations interphalangiennes distales. Plus rarement, on observe une *déformation en boutonnière*, c'est-à-dire une flexion persistante de l'articulation interphalangienne proximale avec une hyper-extension de l'articulation interphalangienne distale. Des nodules rhumatoïdes peuvent se voir au stade aigu ou au stade chronique.

## Arthrose *(rhumatisme dégénératif)*

Déviation radiale de la phalange distale

**Nodosité de Heberden**

**Nodosité de Bouchard**

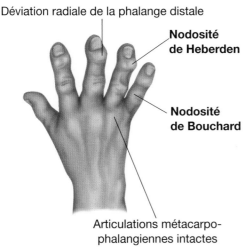

Articulations métacarpo-phalangiennes intactes

*Nodosités de Heberden* sur les faces dorsolatérales des articulations interphalangiennes distales, dues à la croissance osseuse exagérée de l'arthrose. Habituellement dures et indolores, elles touchent les gens d'âge moyen ou très âgés et sont souvent associées à des modifications rhumatismales dans d'autres articulations. Il peut apparaître des déformations en flexion et des déviations. Les *nodosités de Bouchard* sur les articulations interphalangiennes proximales sont moins fréquentes. Les articulations métacarpophalangiennes sont épargnées.

## Goutte tophacée chronique

Gonflé

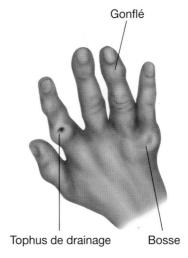

Tophus de drainage

Bosse

Les déformations qui se constituent à la longue dans la goutte tophacée chronique peuvent parfois imiter celles de la polyarthrite rhumatoïde et de l'arthrose. L'atteinte articulaire n'est habituellement pas aussi symétrique que dans la polyarthrite rhumatoïde. Une inflammation aiguë peut être présente. Les bosses des articulations s'ulcèrent parfois, libérant des urates blanc crayeux.

## Maladie de Dupuytren

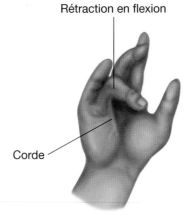

Rétraction en flexion

Corde

Le premier signe d'une *maladie de Dupuytren* est une plaque épaissie au-dessus du tendon fléchisseur de l'annulaire et parfois de l'auriculaire, au niveau du pli palmaire distal. Par la suite, la peau de cette zone se plisse et une corde fibreuse épaisse se forme entre la paume et le doigt. Une rétraction progressive des doigts, en flexion, peut s'ensuivre.

## Doigt à ressort

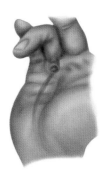

Le doigt à ressort est secondaire à un nodule indolore d'un tendon fléchisseur, situé dans la paume, près de la tête du métacarpien. Le nodule est trop gros pour rentrer facilement dans la gaine du tendon quand le sujet essaye d'étendre les doigts préalablement fléchis. Grâce à un effort ou à une aide, le doigt s'étend avec un claquement palpable et audible, quand le nodule rentre brusquement dans la gaine tendineuse. Regardez, écoutez et palpez le nodule tandis que le patient fléchit et étend les doigts.

## Atrophie de l'éminence thénar

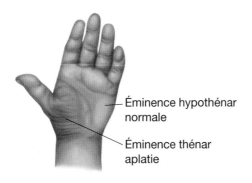

Éminence hypothénar normale

Éminence thénar aplatie

Une atrophie musculaire de l'éminence thénar suggère une *atteinte du nerf médian*, telle qu'un *syndrome du canal carpien* (voir p. 631). L'atrophie de l'éminence hypothénar suggère une *atteinte du nerf cubital*.

## Kyste synovial

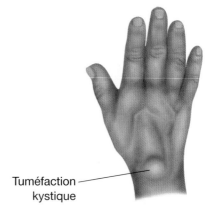

Tuméfaction kystique

Les kystes synoviaux sont des tuméfactions arrondies, habituellement indolores, situées le long des gaines tendineuses ou des capsules articulaires, fréquemment sur le dos du poignet. La flexion du poignet fait saillir le kyste, l'extension tend à l'effacer. Les kystes peuvent se former ailleurs, sur les mains, les poignets, les chevilles et les pieds.

## Ténosynovite aiguë

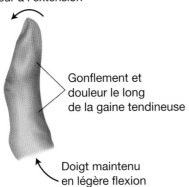

Douleur à l'extension

Gonflement et douleur le long de la gaine tendineuse

Doigt maintenu en légère flexion

L'infection des gaines synoviales des tendons des fléchisseurs *(ténosynovite aiguë)* peut être consécutive à une plaie locale, même d'apparence insignifiante. Au contraire de l'arthrite, la douleur et le gonflement n'apparaissent pas au niveau des articulations, mais le long du trajet de la gaine tendineuse, depuis la phalange distale jusqu'au niveau de l'articulation métacarpophalangienne. Le doigt est maintenu en légère flexion ; les tentatives d'extension sont très douloureuses.

## Ténosynovite aiguë et atteinte de l'éminence thénar

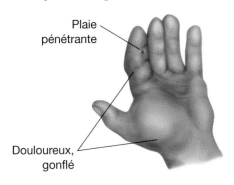

Plaie pénétrante

Douloureux, gonflé

Lorsque l'infection progresse, elle peut déborder de la gaine tendineuse dans les espaces aponévrotiques de la paume. Une infection de l'index et de l'éminence thénar est illustrée ci-contre. Un diagnostic et un traitement précoces sont importants.

## Panaris

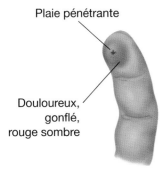

Plaie pénétrante

Douloureux, gonflé, rouge sombre

Une blessure de l'extrémité du doigt peut provoquer une infection de la pulpe du doigt. Une douleur vive, localisée, un gonflement et une rougeur sombre sont caractéristiques. Un diagnostic et un traitement précoces sont importants.

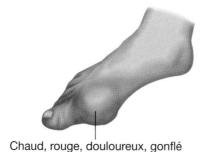

### Arthrite goutteuse aiguë

L'articulation métatarsophalangienne du gros orteil est la première articulation atteinte dans l'*arthrite goutteuse*. Elle est caractérisée par un gonflement très douloureux, spontanément et à la pression, chaud, rouge sombre, qui s'étend au-delà de l'articulation. On peut aisément le confondre avec une cellulite. La crise de goutte aiguë peut aussi intéresser le dos du pied.

Chaud, rouge, douloureux, gonflé

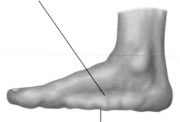

Le bord interne devient convexe

### Pied plat

Les signes du *pied plat* peuvent n'apparaître que lorsque le sujet se tient debout, ou devenir permanents. L'arc longitudinal s'aplatit de sorte que la plante du pied se rapproche du sol ou le touche. La concavité normale du côté médial du pied devient convexe. Une zone douloureuse à la pression peut être présente, de la malléole médiale à la partie interne de la plante du pied. Un gonflement peut se former en avant des malléoles. Examinez les chaussures à la recherche d'une usure excessive du côté interne des semelles et des talons.

La plante touche le sol

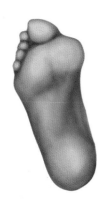

### Hallux valgus

Dans l'*hallux valgus*, le gros orteil est anormalement placé en abduction par rapport au premier métatarsien, qui est lui-même dévié en dedans. La tête du premier métatarsien peut s'hypertrophier sur son côté interne et une bourse se former au point de pression. Cette bourse peut devenir inflammatoire.

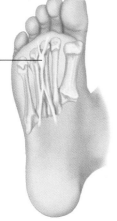

Métatarsalgie de Morton

### Névrome de Morton (métatarsalgie de Morton)

Douleur provoquée sur la face plantaire des têtes des 3ᵉ et 4ᵉ métatarsiens, probablement par compression des nerfs plantaires interne et externe. Les symptômes sont une hyperesthésie, un engourdissement, des douleurs à type d'élancement ou de brûlure de la tête des métacarpiens aux 3ᵉ et 4ᵉ orteils.

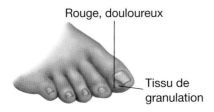

Rouge, douloureux

Tissu de granulation

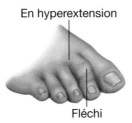

En hyperextension

Fléchi

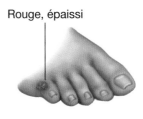

Rouge, épaissi

### Ongle incarné

Le coin aigu de l'ongle du gros orteil peut pénétrer dans le repli unguéal latéral et le blesser, provoquant une inflammation et une infection. Le repli cutané surplombe l'ongle et devient douloureux, rouge, avec parfois du tissu de granulation et un écoulement purulent. Les autres orteils sont rarement touchés.

### Orteil en marteau

Intéressant le plus souvent le deuxième orteil, l'orteil en marteau se caractérise par une hyperextension de l'articulation métatarsophalangienne, avec une flexion de l'articulation interphalangienne proximale. Un cor se forme fréquemment au point de pression, au-dessus de l'articulation interphalangienne proximale.

### Cor

Un cor est un épaississement conique et douloureux de la peau qui résulte de pressions répétées sur une peau normalement fine. Le sommet du cône pointe en dedans et provoque la douleur. Les cors apparaissent de façon caractéristique au-dessus des saillies osseuses, par exemple au 5e orteil. Lorsque le cor est situé dans des zones humides, par exemple aux points de pression entre les 4e et 5e orteils, on l'appelle œil de perdrix.

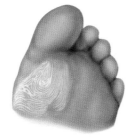

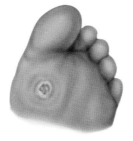

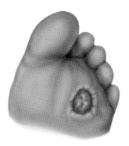

### Durillon

Comme un cor, un durillon est une zone de peau très épaissie qui se forme en un point de pression répétée. Au contraire du cor, le durillon se forme dans une peau normalement épaisse, comme celle de la plante du pied, et il est habituellement indolore. Si un durillon est douloureux, on soupçonnera une verrue plantaire sous-jacente.

### Verrue plantaire

Une verrue plantaire est une verrue commune *(verruca vulgaris)* située dans la peau épaisse de la plante du pied. Elle peut ressembler à un durillon, qui peut même la surmonter. Recherchez les petites taches noires caractéristiques qui donnent à une verrue son aspect pointillé. Les sillons cutanés normaux s'arrêtent au bord de la verrue.

### Mal perforant plantaire (ulcère neurogène)

Lorsque la sensibilité douloureuse est diminuée ou absente, comme dans une neuropathie diabétique, des maux perforants peuvent se développer aux points de pression des pieds. Quoique fréquemment profonds et infectés, ils sont indolores. La formation d'une callosité autour de l'ulcère est utile au diagnostic. Comme l'ulcère lui-même, la callosité résulte d'une pression chronique.

# Système nerveux

L'évaluation du système nerveux fait appel à des compétences multiples et complexes de l'examen et du raisonnement clinique. Vous avez déjà appris les principes et les techniques de l'évaluation de l'état mental, une partie importante de l'examen du système nerveux. Comme vous l'avez vu au chapitre 5 : « Comportement et état mental », l'état mental du patient permet de comprendre les délires, les troubles de la mémoire et d'autres troubles neurologiques. En étudiant ce chapitre, posez-vous constamment trois importantes questions :

■ est-ce que les facultés mentales sont intactes ?

■ est-ce que les constatations faites du côté droit et celles faites du côté gauche sont symétriques ?

■ si les constatations sont asymétriques ou anormales, est-ce que la lésion causale se trouve dans le *système nerveux central* (le cerveau et la moelle épinière) ou dans le *système nerveux périphérique* (les douze paires de nerfs crâniens et les nerfs rachidiens et périphériques) ?

Dans ce chapitre, la partie « Anatomie et physiologie » décrit brièvement les principales structures et fonctions du cerveau (voir le schéma ci-contre), de la moelle épinière, des nerfs crâniens et périphériques, les principales voies motrices et sensitives, et les réflexes. Elle est suivie des « Antécédents médicaux » et de « Promotion de la santé et conseils ». Les « Techniques d'examen » détaillent la façon d'examiner les nerfs crâniens, les systèmes moteurs et sensitifs et les réflexes. Comme vous le verrez au paragraphe « Consigner vos observations », les notes sur l'état mental précèdent celles sur l'examen neurologique proprement dit.

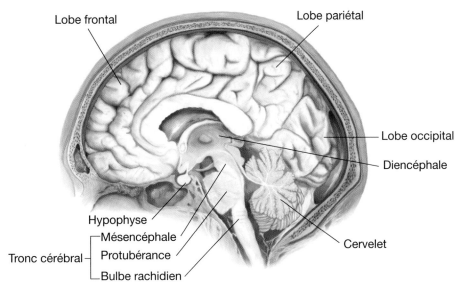

Lobe frontal
Lobe pariétal
Lobe occipital
Diencéphale
Hypophyse
Mésencéphale
Protubérance
Bulbe rachidien
Tronc cérébral
Cervelet

**MOITIÉ DROITE DU CERVEAU, VUE INTERNE**

## ANATOMIE ET PHYSIOLOGIE

# → Système nerveux central

## Cerveau

Le cerveau comprend quatre parties : les hémisphères cérébraux, le diencéphale, le tronc cérébral et le cervelet. Les hémisphères cérébraux contiennent la plus grande masse de tissu cérébral. Chaque hémisphère est subdivisé en quatre lobes : frontal, pariétal, temporal et occipital, comme illustré ci-dessous.

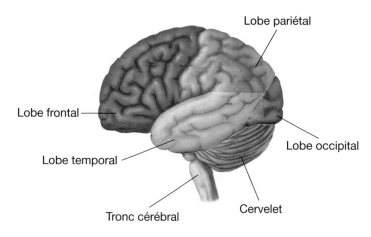

**VUE EXTERNE GAUCHE DU CERVEAU**

Le cerveau est un vaste réseau de *neurones* interconnectés. Chaque neurone possède un corps cellulaire et un *axone*, fibre longue unique qui transmet les influx nerveux à d'autres parties du système nerveux.

Le tissu cérébral est « gris » ou « blanc ». La *substance grise* est formée par l'agrégation des corps cellulaires des neurones. Elle tapisse en quelque sorte les hémisphères cérébraux, formant le cortex cérébral. La *substance blanche* est formée par les axones recouverts de myéline. Les gaines de myéline, responsables de la couleur blanche, accélèrent la propagation des influx nerveux.

Dans la profondeur du cerveau se trouvent d'autres amas de substance grise, à savoir les *noyaux gris centraux* et l'hypothalamus. Parmi les noyaux gris centraux, le *thalamus* traite des influx sensitifs et les retransmet au cortex cérébral ; les autres – dénommés *basal ganglia* ou « noyaux de la base » par les Anglo-Saxons – jouent un rôle dans le mouvement. L'*hypothalamus*, situé dans le diencéphale comme le thalamus, maintient l'homéostasie et régule la température, la fréquence cardiaque et la pression artérielle. Il influe sur les glandes endocrines et régit les comportements émotionnels tels que l'angoisse et l'activité sexuelle. Des hormones sécrétées dans l'hypothalamus agissent directement sur l'hypophyse.

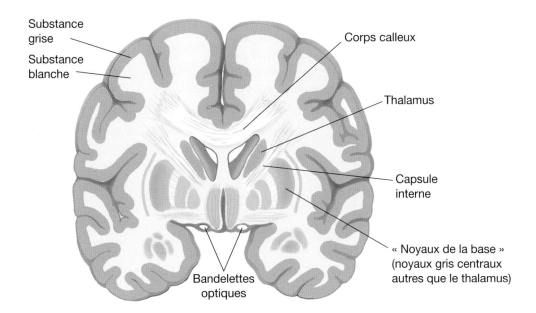

- Substance grise
- Substance blanche
- Corps calleux
- Thalamus
- Capsule interne
- « Noyaux de la base » (noyaux gris centraux autres que le thalamus)
- Bandelettes optiques

**COUPE CORONALE DU CERVEAU**

Repérez par opposition la *capsule interne*, zone de substance blanche où convergent des fibres myélinisées provenant de toutes les parties du cortex cérébral avant de descendre dans le tronc cérébral. Le *tronc cérébral*, qui relie le cerveau supérieur à la moelle épinière, comprend trois parties : le mésencéphale, la protubérance annulaire et le bulbe rachidien.

La conscience dépend de l'interaction d'hémisphères cérébraux intacts avec la *formation réticulée activatrice*, qui est située dans le tronc cérébral et le diencéphale.

Le *cervelet*, situé à la base du cerveau, coordonne tous les mouvements et joue un rôle dans le maintien de l'équilibre.

## Moelle épinière

Sous le bulbe rachidien, le système nerveux central se prolonge par la *moelle épinière*, une formation étirée, enfermée dans la colonne vertébrale et se terminant à la hauteur de la 1re ou 2e vertèbre lombaire. La moelle épinière assure une série de relais segmentaires avec la périphérie ; elle véhicule des informations vers et à partir du cerveau. Ses voies motrices et sensitives transmettent les signaux nerveux qui y entrent ou en sortent par les racines nerveuses antérieures et postérieures des nerfs rachidiens et périphériques.

La moelle épinière est divisée en 5 segments : cervical (C1-C8), thoracique (T1-T12), lombaire (L1-L5), sacré (S1-S5) et coccygien.

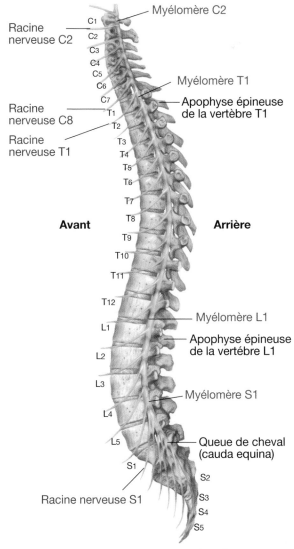

- Racine nerveuse C2
- Myélomère C2
- Racine nerveuse C8
- Racine nerveuse T1
- Myélomère T1
- Apophyse épineuse de la vertèbre T1
- Avant
- Arrière
- Myélomère L1
- Apophyse épineuse de la vertèbre L1
- Myélomère S1
- Queue de cheval (cauda equina)
- Racine nerveuse S1

**VUE EXTERNE DE LA MOELLE ÉPINIÈRE**

Notez bien que la moelle épinière n'est pas aussi longue que le canal rachidien. Les racines lombaires et sacrées ont le plus grand trajet intrarachidien et elles se disposent en éventail, comme une « queue de cheval » *(cauda equina)* au niveau de L1-L2. Pour éviter de blesser la moelle, la plupart des ponctions lombaires sont faites au niveau de l'espace intervertébral L3-L4 ou L4-L5.[1, 2]

# → Système nerveux périphérique

## Nerfs crâniens

Douze paires de nerfs spéciaux, les *nerfs crâniens*, sortent du crâne. Les nerfs crâniens III à XII naissent du diencéphale et du tronc cérébral, comme illustré ci-dessous. Les nerfs crâniens I et II sont en réalité formés par des axones dont les neurones sont intracérébraux. Certains nerfs crâniens ont des fonctions motrices et/ou sensitives, tandis que d'autres sont spécialisés dans l'odorat, la vision et l'audition (I, II, VIII).

Les fonctions des nerfs crâniens (NC) les plus intéressants en clinique sont résumées dans le tableau de la page suivante.

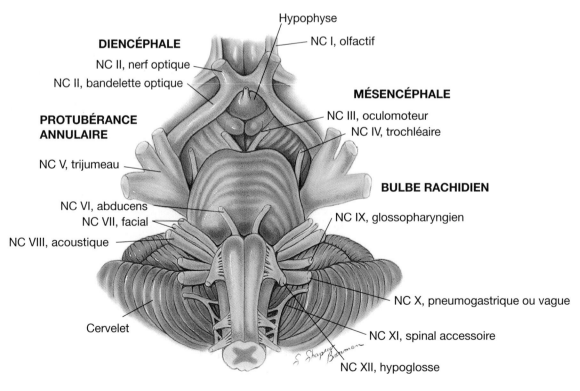

**VUE INFÉRIEURE DU CERVEAU**

# Nerfs périphériques

Outre les nerfs crâniens, le système nerveux périphérique comprend les nerfs rachidiens (ou spinaux) et périphériques qui transportent des influx qui vont à ou qui proviennent de la moelle épinière. Il y a 31 paires de nerfs rachidiens : 8 cervicales, 12 thoraciques – ou dorsales –, 5 lombaires, 5 sacrées et 1 coccygienne. Chaque nerf a une racine antérieure (ventrale), contenant des fibres motrices, et une racine postérieure (dorsale), contenant des fibres sensitives. Les deux racines fusionnent pour former le court *nerf rachidien* (< 5 mm). Les fibres d'un nerf rachidien s'entremêlent à celles d'autres nerfs rachidiens pour former des *nerfs périphériques*. La plupart des nerfs périphériques contiennent à la fois des fibres *sensitives* (afférentes) et *motrices* (efférentes).

| **Nerfs crâniens** | | |
|---|---|---|
| **N°** | **Nom (ancien nom)** | **Fonction** |
| I | **Olfactif** | Odorat |
| II | **Optique** | Vision |
| III | **Oculomoteur (moteur oculaire commun)** | Constriction pupillaire, ouverture de l'œil (élévation de la paupière), la plupart des mouvements du globe oculaire |
| IV | **Trochléaire (pathétique)** | Abaissement et rotation interne de l'œil |
| V | **Trijumeau** | *Moteur* : muscles temporal et masséter (fermeture de la mâchoire), ptérygoïdiens externes (mouvement latéral de la mâchoire) <br><br> *Sensitif* : facial. Le nerf a trois branches : 1) ophtalmique, 2) maxillaire et 3) mandibulaire |
| VI | **Abducens (moteur oculaire externe)** | Déviation latérale de l'œil |

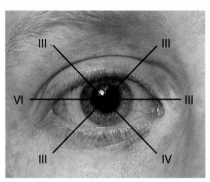

**ŒIL DROIT (NC III, IV, VI)**

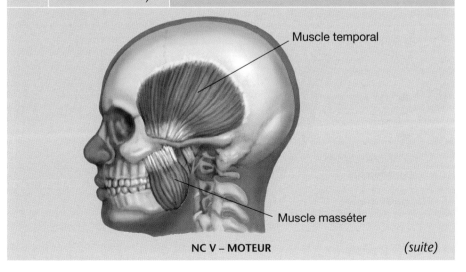

**NC V – MOTEUR** *(suite)*

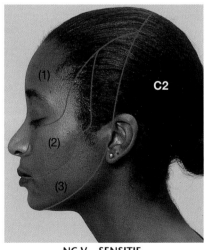

**NC V – SENSITIF**

| Nerfs crâniens *(suite)* | | |
|---|---|---|
| N° | Nom (ancien nom) | Fonction |
| VII | **Facial** | *Moteur :* mouvements de la face, à savoir mimique, fermeture de l'œil, fermeture de la bouche<br><br>*Sensoriel :* goût (salé, doux, aigre et amer) sur les 2/3 antérieurs de la langue |
| VIII | **Acoustique (auditif)** | Ouïe (branche cochléaire) et équilibre (branche vestibulaire) |
| IX | **Glossopharyngien** | *Moteur :* pharynx<br><br>*Sensitif et sensoriel :* partie postérieure du tympan et du conduit auditif externe, pharynx et partie postérieure de la langue pour le goût (salé, doux, aigre et amer) |
| X | **Vague (pneumo-gastrique)** | *Moteur :* palais, pharynx et larynx<br>*Sensitif :* pharynx et larynx |
| XI | **Spinal accessoire (spinal)** | *Moteur :* sternocléidomastoïdien et partie supérieure du trapèze |
| XII | **Hypoglosse (grand hypoglosse)** | *Moteur :* langue |

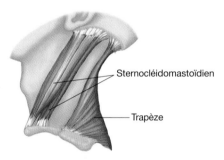

Sternocléidomastoïdien

Trapèze

**NC XI – MOTEUR**

Comme le cerveau, la moelle épinière contient de la substance grise et de la substance blanche. Les noyaux gris, des agrégats de neurones, sont entourés par des faisceaux blancs de fibres nerveuses, reliant le cerveau au système nerveux périphérique. Notez l'aspect en ailes de papillon des noyaux gris, avec des cornes antérieures et postérieures.

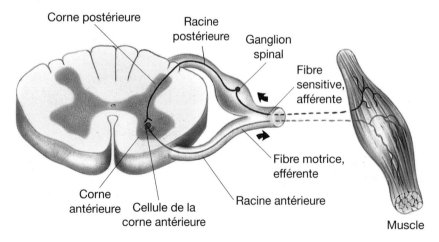

Corne postérieure

Racine postérieure

Ganglion spinal

Fibre sensitive, afférente

Fibre motrice, efférente

Racine antérieure

Muscle

Corne antérieure

Cellule de la corne antérieure

**COUPE TRANSVERSALE DE LA MOELLE ÉPINIÈRE**

# → Voies motrices

Les voies motrices cheminent des motoneurones supérieurs aux synapses avec les motoneurones inférieurs dans de longs cordons de substance blanche, puis vers la périphérie dans les nerfs périphériques. Les corps cellulaires des *motoneurones supérieurs* se trouvent dans la couche motrice du cortex cérébral et dans plusieurs noyaux du tronc cérébral ; leurs axones s'articulent avec les noyaux moteurs du tronc cérébral (pour les nerfs crâniens) et de la moelle épinière (pour les nerfs périphériques). Les corps cellulaires des *motoneurones inférieurs* se trouvent dans la corne antérieure de la moelle épinière ; leurs axones véhiculent des influx par les racines antérieures et les nerfs rachidiens dans les nerfs périphériques jusqu'à la jonction neuromusculaire.

## PRINCIPALES VOIES MOTRICES

✔ Le *faisceau corticospinal ou pyramidal*. Les faisceaux pyramidaux président aux mouvements volontaires, intègrent les mouvements fins et complexes en stimulant certaines actions musculaires et en en inhibant d'autres. Ils véhiculent aussi des influx qui inhibent le *tonus musculaire*, cette légère tension qui persiste dans un muscle normal même quand il n'est pas contracté. Ils naissent dans le cortex moteur du cerveau. Les fibres motrices descendent dans le bulbe rachidien où elles forment une structure anatomique ressemblant à une pyramide. Là, la plupart d'entre elles croisent la ligne médiane pour passer *du côté opposé* du bulbe (décussation), puis elles continuent à descendre pour s'articuler avec les neurones de la corne antérieure ou des neurones intermédiaires. Les fibres qui font synapse dans le tronc cérébral avec les noyaux moteurs des nerfs crâniens sont appelées *corticobulbaires*.

✔ Le *système extrapyramidal*. Ce système excessivement complexe comprend des voies motrices entre le cortex, les « noyaux de la base », le tronc cérébral et la moelle épinière. Il aide à maintenir le tonus musculaire et à contrôler les mouvements du corps, surtout les mouvements automatiques globaux, tels que la marche.

✔ Le *système cérébelleux*. Le cervelet reçoit des influx sensitifs et moteurs. Il coordonne l'activité musculaire, maintient l'équilibre et participe au contrôle de la posture.

Trois sortes de voies motrices aboutissent aux cellules de la corne antérieure : le faisceau corticospinal (ou pyramidal), le système des noyaux gris de la base et le système cérébelleux. Il existe d'autres voies qui naissent dans le tronc cérébral et qui interviennent dans le tonus de flexion-extension des mouvements et de la posture des membres, notamment chez les comateux (voir tableau 17-13, p. 767).

Toutes ces voies motrices supérieures influencent l'activité motrice uniquement par l'intermédiaire des motoneurones inférieurs, qui constituent la « voie finale commune ». Tout mouvement, commandé volontairement dans le cortex, « automatiquement » dans les noyaux de la base, ou de façon réflexe en partant d'un récepteur sensitif, doit finalement être transformé en acte *via* les cellules de la corne antérieure. Une lésion d'une de ces zones produira des effets sur la motricité et l'activité réflexe.

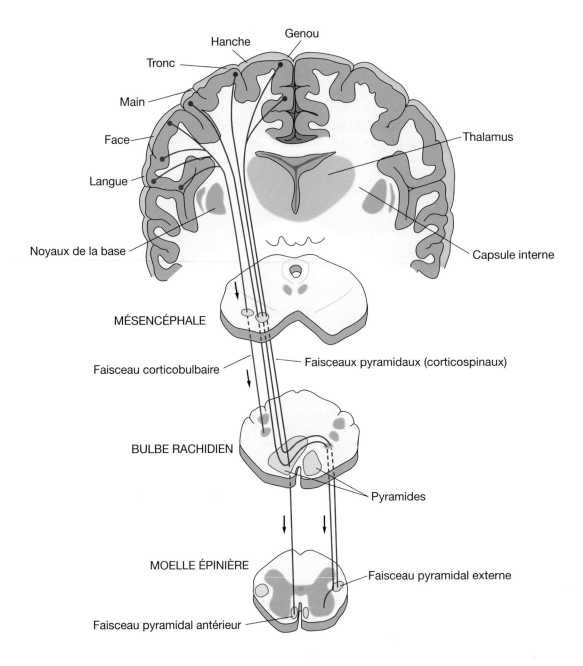

**Hanche**

**Genou**

**Tronc**

**Main**

**Face**

**Langue**

**Noyaux de la base**

**Thalamus**

**Capsule interne**

**MÉSENCÉPHALE**

**Faisceau corticobulbaire**

**Faisceaux pyramidaux (corticospinaux)**

**BULBE RACHIDIEN**

**Pyramides**

**MOELLE ÉPINIÈRE**

**Faisceau pyramidal externe**

**Faisceau pyramidal antérieur**

**VOIES MOTRICES : FAISCEAUX PYRAMIDAUX ET CORTICOBULBAIRES**

Quand le faisceau pyramidal est lésé ou détruit, ses fonctions sont réduites ou perdues au-dessous du niveau de la lésion. *Quand les motoneurones supérieurs sont lésés au-dessus du croisement bulbaire, l'atteinte motrice touche le côté opposé (controlatéral) du corps. Quand ils sont lésés au-dessous de ce croisement, l'atteinte motrice touche le même côté (ipsilatéral).* Les membres touchés deviennent faibles, paralysés ; les mouvements fins et complexes sont plus perturbés que les mouvements globaux.

Dans l'atteinte des motoneurones supérieurs, le tonus musculaire est augmenté et les réflexes ostéotendineux exagérés. L'atteinte des motoneurones inférieurs provoque une diminution de la force musculaire ou une paralysie ipsilatérale mais, dans ce cas, le tonus musculaire et les réflexes sont diminués ou abolis.

Les maladies des noyaux gris de la base et du système cérébelleux n'entraînent pas de paralysie mais elles sont invalidantes. L'atteinte des noyaux de la base provoque des modifications du tonus (le plus souvent une hypertonie), des troubles de la posture et de la démarche, le ralentissement ou l'absence des mouvements spontanés et automatiques *(bradykinésie)* et divers mouvements involontaires. L'atteinte du cervelet altère la coordination, la démarche et l'équilibre et diminue le tonus musculaire.

# → Voies sensitives

Non seulement les influx sensitifs participent à l'activité réflexe comme décrit ci-dessus mais ils donnent aussi des sensations conscientes, situent le corps dans l'espace et interviennent dans la régulation des fonctions végétatives telles que la pression artérielle, le rythme cardiaque et la respiration.

Un système complexe de récepteurs sensitifs transmet des influx de la peau, des muqueuses, des muscles, des tendons et des viscères. Les fibres sensitives, qui enregistrent les sensations telles que la douleur, la température, la position et le tact, traversent les nerfs périphériques et les racines postérieures, et pénètrent dans la moelle épinière. Une fois parvenus à la moelle, les influx sensitifs gagnent le cortex sensitif par l'une de ces deux voies : les faisceaux spinothalamiques ou les cordons postérieurs.

Un ou deux segments médullaires après leur entrée dans la moelle, les fibres conduisant les sensations *thermiques* et *douloureuses* passent dans la corne postérieure de la moelle épinière et font synapse avec les deuxièmes neurones sensitifs. Les fibres conduisant la sensibilité grossière – une sensation de *léger toucher*, sans localisation précise – passent aussi dans la corne postérieure et font synapse avec les deuxièmes neurones. Ceux-ci traversent la ligne médiane et gagnent le thalamus par le *faisceau spinothalamique.*

Les fibres conduisant les sensations de *position* et de *vibration* passent directement dans les *cordons postérieurs* de la moelle, où elles montent vers le bulbe avec les fibres conduisant le *toucher fin*, lequel est localisé avec précision et finement discriminatif. Dans le bulbe, elles s'articulent avec un deuxième neurone sensitif. Ces neurones sensitifs secondaires croisent à l'étage bulbaire et vont jusqu'au thalamus.

*Au niveau du thalamus,* la qualité générale de la sensation est perçue (par exemple, douleur ou froid, agréable ou désagréable), mais les distinctions fines ne sont pas faites. Pour une perception complète, un troisième groupe de neurones sensitifs transporte les influx du thalamus au *cortex sensitif* du cerveau. Là, les stimuli sont localisés et les discriminations sont faites.

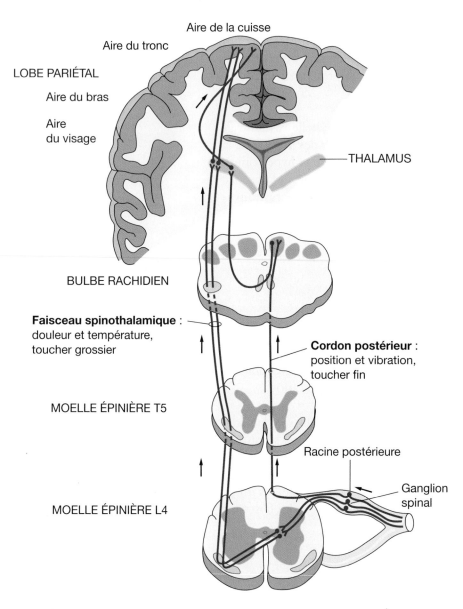

Aire de la cuisse

Aire du tronc

LOBE PARIÉTAL

Aire du bras

Aire du visage

THALAMUS

BULBE RACHIDIEN

**Faisceau spinothalamique :** douleur et température, toucher grossier

**Cordon postérieur :** position et vibration, toucher fin

MOELLE ÉPINIÈRE T5

Racine postérieure

Ganglion spinal

MOELLE ÉPINIÈRE L4

**VOIES SENSITIVES : FAISCEAU SPINOTHALAMIQUE ET CORDONS POSTÉRIEURS**

Des lésions situées en différents points des voies sensitives produisent divers types de déficits sensitifs. La distribution des déficits sensitifs, ajoutée aux signes moteurs, est par conséquent utile pour localiser la lésion. Par exemple, une lésion du cortex sensitif n'altère pas la perception de la douleur, du toucher et de la position, mais altère les discriminations fines. Une personne ainsi atteinte est incapable d'apprécier les dimensions, la forme et la texture d'un objet par le tact, et n'arrive donc pas à le reconnaître. La perte des sens de position et de vibration alors que sont préservées les autres sensibilités indique une maladie des cordons postérieurs ; la perte de toute sensibilité au-dessous de la taille, avec paralysie et réflexes exagérés des membres inférieurs, indique une section transversale de la moelle (voir tableau 17-11, p. 765). Le toucher grossier et le toucher fin sont souvent conservés en cas de lésion partielle de la moelle parce que les influx provenant d'un côté du corps montent des deux côtés de la moelle.

**Dermatomes.** La connaissance des *dermatomes* aide également à situer les lésions neurologiques. Un dermatome est la bande de peau innervée par la racine sensitive d'un seul nerf rachidien. La connaissance et l'exploration des dermatomes aident à localiser une lésion à un niveau donné de la moelle épinière. Vous trouverez les cartes des dermatomes p. 726-728.

# → Réflexes médullaires : réflexes ostéotendineux

Les réflexes ostéotendineux empruntent des structures du système nerveux central et du système nerveux périphérique. Rappelez-vous qu'un *réflexe* est une réaction involontaire stéréotypée qui peut n'impliquer que deux neurones, l'un afférent, sensitif, et l'autre efférent, moteur, avec une seule synapse. Les réflexes ostéotendineux des membres sont des réflexes monosynaptiques. Ils illustrent l'unité fonctionnelle sensitivomotrice la plus simple (d'autres réflexes sont polysynaptiques, faisant intervenir plusieurs interneurones).

Pour mettre en évidence un réflexe ostéotendineux, percutez vivement le tendon d'un muscle partiellement étiré. Pour que le réflexe se produise, toutes les composantes de l'arc réflexe doivent être intactes : les fibres nerveuses sensitives, la synapse médullaire, les fibres nerveuses motrices, la jonction neuromusculaire, et les fibres musculaires. La percussion du tendon active des fibres sensitives spéciales dans le muscle partiellement étiré, ce qui déclenche un influx sensitif qui atteint la moelle épinière par un nerf périphérique. La fibre sensitive stimulée s'articule directement avec le neurone de la corne antérieure qui innerve le même muscle. Quand l'influx traverse la jonction neuromusculaire, le muscle se contracte brusquement, ce qui achève l'arc réflexe.

Étant donné que chaque réflexe ostéotendineux intéresse un segment de la moelle (ou myélomère) donné, par ses fibres motrices et sensitives, un réflexe anormal permet de localiser une lésion nerveuse. Apprenez les myélomères des principaux réflexes ostéotendineux. Vous pouvez les mémoriser facilement en retenant la suite des numéros des myélomères, de bas en haut, c'est-à-dire du tendon d'Achille au triceps : S1-L2, 3, 4-C5, 6, 7.

| Réflexes ostéotendineux | |
| --- | --- |
| Réflexe achilléen | Sacré 1 avant tout |
| Réflexe rotulien | Lombaire 2, 3 et 4 |
| Réflexe styloradial (supinateur) | Cervical 5, 6 |
| Réflexe bicipital | Cervical 5, 6 |
| Réflexe tricipital | Cervical 6, 7 |

On peut déclencher des réflexes en stimulant la peau de même qu'un muscle. Par exemple, un coup sur la peau de l'abdomen provoque une contraction musculaire localisée. Ces réflexes superficiels (ou cutanés) – avec leurs myélomères correspondants – sont les suivants.

| Réflexes cutanés | |
| --- | --- |
| Réflexes abdominaux : | |
| – supérieurs | Thoracique 8, 9, 10 |
| – inférieurs | Thoracique 10, 11, 12 |
| Réflexe plantaire | Lombaire 5, Sacré 1 |
| Réflexe anal | Sacré 2, 3, 4 |

# ANTÉCÉDENTS MÉDICAUX

## Symptômes banals ou inquiétants

- Céphalées.
- Étourdissements et vertiges.
- Faiblesse musculaire distale, proximale ou généralisée.
- Engourdissement, sensations anormales, perte de sensibilité.
- Perte de conscience, syncope, lipothymie.
- Convulsions.
- Tremblements, mouvements involontaires.

Deux des symptômes les plus fréquents dans les troubles neurologiques sont les *céphalées* et les *étourdissements*. L'histoire de la maladie concernant ces symptômes est exposée ci-dessous.

**Céphalées.** Pour les céphalées, précisez l'intensité, la localisation, la durée, et les symptômes associés éventuels tels que des troubles visuels, une faiblesse musculaire ou une perte de sensibilité. Demandez si la céphalée est influencée par la toux, les éternuements ou les mouvements brusques de la tête (qui augmentent la pression intracrânienne).

Pensez aux nombreuses formes atypiques de migraine et dépistez-les en conséquence.[6-9]

Voir tableau 7-1 : « Céphalées primaires », p. 261, et tableau 7-2 : « Céphalées secondaires », p. 262-263.

Une *hémorragie sous-arachnoïdienne* peut se présenter comme « la pire céphalée de toute ma vie ».[3, 4] Céphalée intense dans la *méningite*.[5] Douleur sourde influencée par les manœuvres énumérées, surtout au réveil, et récidivant au même endroit, dans les processus expansifs, comme les *tumeurs* et les *abcès cérébraux*.

***Étourdissements et vertiges.*** Se plaindre d'*étourdissements* peut signifier plusieurs choses. Vous devrez préciser ce que le patient a éprouvé. Est-ce que le patient a la tête vide ou est sur le point de s'évanouir ? Ou s'agit-il d'un vertige, sensation que la chambre tourne sur elle-même ou autour de soi ?

Impression de tête vide lors de palpitations, lipothymies par stimulation vasovagale, hypotension artérielle, maladie fébrile et autres. Vertiges dans les affections de l'oreille interne et les tumeurs du tronc cérébral. Voir tableau 7-3 : « Étourdissements et vertiges », p. 264.

Y a-t-il, notamment chez les sujets âgés, la notion de médicaments qui peuvent entraîner des vertiges ? Y a-t-il des symptômes associés tels qu'une vision double ou *diplopie*, une difficulté à prononcer les mots ou *dysarthrie*, ou encore des troubles de la démarche et de l'équilibre ou *ataxie* ?

Diplopie, dysarthrie, ataxie dans les *accidents ischémiques transitoires* (AIT) et les *AVC* du territoire vertébrobasilaire.[10] Voir tableau 17-1 : « Types d'AVC », p. 748-749.

***Faiblesse musculaire.*** Y a-t-il une *faiblesse* associée, généralisée ou localisée à la face ou à une partie du corps ? La faiblesse musculaire est un autre symptôme fréquent qui requiert une attention minutieuse pour la détailler. Précisez sa signification exacte pour le patient. Recherchez s'il y a une *paralysie*, qui est l'impossibilité de bouger une partie du corps. Cette faiblesse a-t-elle commencé brusquement ou progressivement ? A-t-elle évolué et comment ? Quelles sont les parties du corps atteintes ? La faiblesse musculaire concerne-t-elle un côté du corps ou les deux ? Quels sont les mouvements affectés ?

Faiblesse ou paralysie dans les *AIT* et les *AVC*.[11]

Une faiblesse localisée peut être due à des lésions du système nerveux central ischémiques, vasculaires ou expansives ; également à des pathologies du système nerveux périphérique, de la jonction neuromusculaire ou des muscles eux-mêmes.

En cas de faiblesse sans impression de tête vide, essayez de faire la différence entre une *faiblesse musculaire distale* et *proximale*. Pour la faiblesse proximale, posez des questions sur la possibilité de se peigner les cheveux, d'atteindre quelque chose sur une étagère haute, la difficulté à se lever d'un fauteuil ou à monter sur une haute marche. Est-ce que la faiblesse s'aggrave avec la répétition de l'effort et diminue au repos ? Y a-t-il des symptômes sensitifs, ou autres, associés ? Pour la faiblesse distale des membres supérieurs, posez des questions sur les mouvements de la main tels que l'ouverture d'un bocal ou d'une boîte, ou le maniement d'instruments tels que des ciseaux, des tenailles ou un tournevis. Pour la faiblesse distale des membres inférieurs, demandez au patient s'il trébuche souvent ?

Faiblesse proximale bilatérale dans les myopathies. Faiblesse à prédominance distale, bilatérale dans les polyneuropathies. Une faiblesse aggravée par l'effort répété et améliorée par le repos évoque une *myasthénie*.[12]

***Perte de sensibilité.*** Recherchez si le patient a une *perte de sensibilité*. Demandez-lui s'il a eu des *engourdissements* et où, mais précisez ce qu'il entend par là. A-t-il ressenti une perte de sensibilité, de la difficulté à déplacer un membre ou des sensations de fourmillement ou de picotement ? Les *paresthésies* sont des sensations bizarres sans stimulus manifeste. C'est ce qu'on ressent quand un bras ou une jambe « s'endort » du fait de la compression d'un nerf et qu'on décrit comme des fourmillements, des picotements, des sensations de chaud et de froid ou une pression. Les *dysesthésies* sont des sensations déformées en réponse à un stimulus, qui peuvent durer plus longtemps que le stimulus lui-même. Par exemple, un sujet peut perce-

Hypoesthésie, paresthésies ou dysesthésies dans les lésions centrales du cerveau et de la moelle épinière ainsi que dans les pathologies des racines et des nerfs sensitifs périphériques ; paresthésies des mains et autour de la bouche dans l'hyperventilation. Douleurs à type de brûlure dans une neuropathie sensitive douloureuse.[13]

voir un effleurement ou une piqûre d'épingle, comme une sensation de brûlure ou de picotement, agaçante ou désagréable. La *douleur* peut avoir des causes neurologiques mais elle est aussi l'un des symptômes rapportés pour d'autres organes, comme la tête et le cou ou l'appareil locomoteur.

Voir tableau 16-1 : « Lombalgies », p. 670, et tableau 16-2 : « Douleurs cervicales », p. 671.

**Perte de conscience (évanouissement).** « Vous êtes-vous déjà évanoui ou avez-vous perdu connaissance ? » oriente la discussion vers une *perte de conscience* éventuelle. Il est important de commencer par préciser ce que le patient entend par perte de conscience. Le patient a-t-il perdu complètement connaissance ou entendait-il les voix au cours de l'épisode, ce qui traduit un certain degré de conscience ? Utilisez des termes descriptifs, avec soin et précision. Une *syncope* est une perte de conscience brusque mais transitoire qui survient quand le débit sanguin cérébral devient insuffisant ; elle est communément appelée évanouissement. Les impressions de « se trouver mal », d'« avoir la tête vide », ou de « défaillir », sans véritable perte de conscience, sont des *présyncopes* ou *lipothymies*.

Voir tableau 17-2 : « Syncopes et troubles similaires », p. 750-751.

Obtenez une description de l'événement aussi complète et objective que vous pouvez. Qu'est-ce qui a provoqué cet épisode ? Y a-t-il eu des signes d'alarme ? Est-ce que le patient était debout, assis ou couché quand l'épisode a débuté ? Combien de temps a-t-il duré ? Des voix étaient-elles audibles au début et à la fin ? Le patient a-t-il récupéré rapidement ? *A posteriori*, l'installation et la régression étaient-elles lentes ou rapides ?

Des personnes jeunes, victimes d'un stress émotionnel, ayant des signes d'alarme à type de rougeur du visage, chaleur, nausées, peuvent faire une *syncope vaso-vagale*, à début et fin progressifs. *Syncope cardiaque* au cours des troubles du rythme cardiaque, plus fréquente chez les patients âgés, souvent à début et fin brusques.[14]

Demandez aussi si quelqu'un a observé l'épisode. Si oui, quel était l'aspect du patient avant de perdre conscience, pendant l'épisode et après ? Y a-t-il eu des mouvements convulsifs des membres ? Une perte d'urines ou de matières ? Une somnolence ou une perte de mémoire après l'épisode ?

Un épisode tonicoclonique, une perte des urines et des matières, et une *phase post-critique* évoquent une crise d'épilepsie généralisée. Par différence avec une syncope, il peut y avoir une morsure de la langue ou une contusion des membres.[15]

**Convulsions.** Une *convulsion* est une crise provoquée par une décharge électrique excessive et brusque dans le cortex cérébral ou les structures sous-jacentes. Les convulsions peuvent être de plusieurs types.[15] Selon le type, il peut y avoir une perte de conscience ou pas. Dans certains types de convulsions, il peut y avoir des impressions, des processus de pensée, des sensations – y compris des odeurs – ou des mouvements anormaux. Demandez : « Avez-vous déjà eu des convulsions, des crises ? » ou « Des crises ou des convulsions ? » pour ouvrir la discussion. Comme pour une syncope, cherchez à obtenir une description complète, comprenant les circonstances de survenue, les signes d'alarme, le comportement et le ressenti pendant la crise et après elle. Précisez l'âge de début, la fréquence, une modification éventuelle de fréquence ou de symptomatologie et l'utilisation de médicaments. Y a-t-il un antécédent de traumatisme crânien, ou d'autres conditions pouvant en être la cause ?

Voir tableau 17-3 : « Convulsions », p. 752-753.

**Tremblements.** Des *tremblements* et d'autres *mouvements involontaires* surviennent avec ou sans autres signes neurologiques. Posez des questions sur un tremblement, des secousses ou des mouvements du corps que le patient paraît incapable de contrôler.

Le *phénomène des jambes sans repos,* difficile à décrire, est à distinguer de ces symptômes. Typiquement, il survient au repos et s'accompagne d'un besoin impérieux de bouger. Il est soulagé par la marche.

Voir tableau 17-4 : « Tremblements et mouvements involontaires », p. 754-755. Tremblement, rigidité et bradykinésie dans la maladie de Parkinson.[16, 17]

*Syndrome des jambes sans repos,* fréquent mais souvent méconnu, habituellement bénin.[18]

## PROMOTION DE LA SANTÉ ET CONSEILS

### Sujets importants pour la promotion de la santé et les conseils

- Prévention des accidents vasculaires cérébraux (AVC) et des accidents ischémiques transitoires (AIT).
- Réduction du risque de neuropathie périphérique.
- Détection des « 3 D » : délire, démence et dépression.

**Prévention des AVC et des AIT.** Les AVC dus à la maladie cérébrovasculaire sont la 3<sup>e</sup> grande cause de décès aux États-Unis et la première cause d'invalidité de longue durée dans la population laborieuse et dans la population générale. Apprenez les causes et l'évolution des AVC et des AIT.

- Un *AVC* est un déficit neurologique brusque dû à une ischémie (80-85 % des cas) ou à une hémorragie (15-20 %) cérébrovasculaire. Les *AVC hémorragiques* peuvent être *intracérébraux* (10-15 % de tous les AVC) ou *sous-arachnoïdiens* (5 % de tous les AVC).[19, 20]

- Un *AIT* est un déficit neurologique localisé brusque durant moins de 1 heure – *versus* 24 heures autrefois –, sans anomalies structurales sous-jacentes.[21-23] C'est un épisode avant-coureur d'un AVC : dans les 3 mois qui suivent un AIT, 15 % des patients feront un AVC, surtout s'ils sont diabétiques, âgés de plus de 60 ans, et s'ils ont présenté des troubles de la parole ou des troubles moteurs.[23] Le risque d'AVC est maximal dans les 30 jours qui suivent l'AIT.

Les symptômes et les signes d'un AVC dépendent du territoire vasculaire atteint dans le cerveau. Un AVC ischémique est le plus souvent dû à l'occlusion de l'*artère cérébrale moyenne* (ou sylvienne), qui se manifeste par des anomalies du champ visuel, et une hémiparésie et des déficits sensitifs controlatéraux. De plus, l'occlusion de l'artère sylvienne de l'hémisphère gauche entraîne souvent une *aphasie*, et celle de l'hémisphère droit une *négligence* de la moitié opposée du corps.

Voir tableau 17-1 : « Types d'AVC », p. 748-749.

Voir p. 152 et tableau 17-5 : « Troubles de la parole », p. 756, pour une discussion de l'*aphasie*.

## LES AVC D'UN COUP D'ŒIL

**Faits importants pour la prévention des AVC et l'éducation du patient[19]**

✔ Les AVC sont la 3e grande cause de décès aux États-Unis, après la maladie cardiaque et le cancer ; ils affectent plus de 5,7 millions d'habitants.

✔ L'incidence et la mortalité des AVC sont beaucoup plus élevées chez les Afro-Américains que chez les sujets blancs :
  – *incidence chez les sujets noirs versus blancs, entre 45 et 84 ans : 6,6 versus 3,6 pour 1 000 hommes et 4,9 versus 2,3 pour 1 000 femmes ;*
  – *mortalité chez les sujets noirs versus blancs, entre 45 et 84 ans : 73,9 versus 48,1 pour 1 000 hommes et 64,9 versus 47,4 pour 1 000 femmes.*

✔ L'incidence cumulée des AVC est beaucoup plus élevée chez les Latino-Américains que chez les autres sujets blancs : 16,8 *versus* 13,6 pour 1 000.

✔ La mortalité un an après un AIT est d'environ 25 %.

✔ Les gens ont une bonne connaissance des signes d'alarme des AVC, mais seulement 17 % appelleraient le numéro d'urgence (le 911 aux États-Unis) s'ils pensaient que quelqu'un était victime d'un AVC.

✔ Le pronostic des AVC est grandement amélioré si le traitement est commencé dans les 3 heures suivant l'apparition des symptômes ; cependant, en pratique, il s'écoule 3 à 6 heures (valeur médiane) entre l'apparition des symptômes et l'arrivée dans un service d'urgences.

✔ La vigilance des médecins reste insuffisante en ce qui concerne les signes d'alarme, les facteurs de risque et la prévention.

**Signes d'alarme d'un AVC.** L'AHA *(American Heart Association)* et l'ASA *(American Stroke Association)* incitent les patients à consulter immédiatement pour tous les signes d'alarme suivants :

■ engourdissement ou faiblesse subits de la face ou d'un membre ;

■ confusion, troubles de la parole ou de la compréhension subits ;

■ difficultés à marcher, vertiges ou perte de l'équilibre ou manque d'équilibre ou de coordination subits ;

■ troubles visuels subits, d'un ou des deux yeux ;

■ migraine sévère subite.

Enseignez ces signes d'alarme d'une « attaque cérébrale » à vos patients, notamment ceux qui présentent des facteurs de risque.

**Facteurs de risque d'AVC : prévention primaire.** La prévention primaire vise les *facteurs de risque modifiables de l'AVC ischémique*, à savoir l'hypertension artérielle, le tabagisme, l'hyperlipidémie, le diabète, la surcharge pondérale, le manque d'exercice, et l'alcoolisme. Le traitement de la fibrillation auriculaire et de la maladie carotidienne asymptomatique réduisent le risque d'AVC spécifique d'une maladie. Le contrôle d'une hypertension artérielle est capital pour prévenir un AVC hémorragique par hémor-

Voir au chapitre 4 la classification de la pression artérielle chez l'adulte, p. 120.

ragie intracérébrale. La rupture d'un anévrisme sacculaire d'une artère du polygone de Willis est la principale cause d'AVC hémorragique type hémorragie sous-arachnoïdienne ; ses facteurs de risque sont le tabagisme, l'hypertension artérielle, l'abus d'alcool et un antécédent chez un parent au premier degré.

**Facteurs de risque d'AVC : prévention secondaire.** Une fois qu'un patient a fait un AVC ou un AIT, concentrez-vous sur les facteurs de risque secondaires, qui dépendent de l'étiologie. Un AVC ischémique peut être dû à une athérosclérose des grosses artères, une embolie cardiaque, une maladie des petits vaisseaux, des causes autres ou rares, pas de causes connues (AVC idiopathique). Quand vous serez plus expérimenté, vous consulterez les nombreux articles exposant les recommandations thérapeutiques, leurs bénéfices et leurs risques pour ce groupe de patients.[27, 35] Notez que plus les patients sont jeunes, plus ils ont de risques de faire des AVC cryptogénétiques ou dus à des causes autres ou rares telles que les collagénoses, l'artérite de Takayasu, la dissection artérielle, la dyplasie fibromusculaire ou une toxicomanie (cocaïne, etc.). Apprenez les indications d'un traitement préventif par l'aspirine ou la coumadine.[27]

Voir tableau 17-1 : « Types d'AVC », p. 748-749, pour une discussion plus approfondie sur les AVC lacunaires et autres.

| Facteurs de risque d'AVC : prévention primaire des AVC ischémiques | |
|---|---|
| **Facteurs de risque comportementaux** | |
| **Hypertension artérielle** | L'hypertension est le principal déterminant du risque d'AVC ischémique et hémorragique. Par comparaison avec les sujets hypertendus, ceux qui ont une pression artérielle (PA) < 12/8 cmHg ont un risque d'AVC sur la durée d'une vie réduit de moitié.[19] Une PA optimale est particulièrement importante pour les Afro-Américains à cause de leur risque accru d'AVC.[24] |
| **Tabagisme** | Les grands *fumeurs* (> 40 cigarettes/jour) ont un risque d'AVC double de celui des petits fumeurs (< 10 cigarettes/jour). Il faut 5 ans aux ex-fumeurs pour abaisser leur niveau de risque à celui des non-fumeurs. |
| **Hyperlipidémie** | De plus en plus de données provenant d'études cardiovasculaires sur les statines indiquent que la correction d'une *hyperlipidémie* diminue le risque d'AVC de 25 %.[25, 26] |
| **Diabète sucré** | Le *diabète* augmente le risque d'AVC, d'hypertension et d'hyperlipidémie. Un contrôle étroit est recommandé pour éviter les complications microvasculaires du diabète, mais il n'est pas encore prouvé que la diminution de la glycémie réduise le risque d'AVC. Il faut noter que dans la *United Kingdom prospective diabetes study* les patients diabétiques de type 2 et hypertendus, dont la PA a été normalisée grâce à un traitement « agressif », avaient une réduction du risque d'AVC létal et non létal de 44 %.[27, 28] |
| **Poids** | L'obésité multiplie par deux le risque d'AVC. *(suite)* |

## Facteurs de risque d'AVC : prévention primaire des AVC ischémiques *(suite)*

| | |
|---|---|
| **Exercice physique** | Comme pour la maladie coronarienne, l'hypertension et le diabète, un *exercice physique* modéré, à savoir 30 minutes de marche énergique ou un équivalent la plupart des jours de la semaine, réduit le risque d'AVC.[19] Il n'est pas encore démontré que la réduction de risque d'AVC soit proportionnelle à la « quantité » d'exercice.[28] |
| **Consommation d'alcool** | L'*alcoolisme* a un « effet dose-dépendant direct sur le risque d'AVC hémorragique », et il augmente le risque d'AVC ischémique par l'intermédiaire de ses conséquences : hypertension artérielle, état d'hypercoagulabilité, troubles du rythme cardiaque, et hypoperfusion cérébrale.[27] |

### Facteurs de risque spécifiques d'une maladie

| | |
|---|---|
| **Fibrillation auriculaire** | Par comparaison avec des témoins, les patients en *fibrillation auriculaire* d'origine valvulaire (rhumatismale) ou non valvulaire ont un risque d'AVC multiplié par 5 et 17, respectivement.[27] Le risque d'AVC ischémique est réduit de 68 % par la warfarine (avec un INR entre 2 et 3) et de 20 % par l'aspirine, mais il y a de grandes variations individuelles. Considérant le traitement antithrombotique, les experts recommandent de stratifier le risque individuel en élevé, modéré, ou bas et, pour les groupes à bas risque, de mettre en balance le risque d'AVC avec celui de saignement. Des outils d'évaluation du risque utilisant des systèmes de cotation fondés en communauté sont en train d'apparaître.[29-31] Les patients en fibrillation auriculaire ayant le risque le plus élevé d'AVC sont ceux qui présentent des facteurs de risque supplémentaires : antécédent d'AIT ou d'AVC, hypertension, diabète, fonction ventriculaire gauche médiocre, maladie rhumatismale de la valvule mitrale, femmes âgées de plus de 75 ans. |
| **Maladie carotidienne** | La prévalence de la *maladie carotidienne* par athérosclérose des carotides extracrâniennes est de 1 % chez les Américains de plus de 65 ans.[32] L'endartériectomie carotidienne chez les patients asymptomatiques qui ont une sténose carotidienne supérieure à 60 % diminue le risque d'AVC sur 5 ans de 11 à 5 %, malgré un risque péri-opératoire d'AVC et de décès de 3 %.[32, 33] Il n'y a pas de facteur de risque unique ou d'outil d'évaluation du risque qui permette actuellement d'identifier les gens ayant une maladie carotidienne à risque élevé cliniquement significatif. En 2007, l'USPSTF *(US Preventive Services Task Force)* a déconseillé un dépistage dans la population générale à cause de la possibilité de faux positifs avec l'échographie carotidienne et du risque d'AVC avec l'angiographie, et de la nécessité pour l'endartériectomie d'avoir un taux de complications opératoires inférieur à 3 %.[34] |

***Réduction du risque de neuropathie périphérique.*** Le diabète sucré est la cause la plus fréquente de neuropathie périphérique : la neuropathie est présente chez 10 % des patients au diagnostic, et chez 50 % d'entre eux 5 ans plus tard.[36] Il donne plusieurs types de neuropathie, à savoir : une *polyneuropathie sensitivomotrice symétrique et distale*, à évolution lente, qui constitue les « chaussettes » des modifications en « gants et chaussettes » (c'est la plus fréquente des neuropathies diabétiques) ; une *neuropathie végétative*, entraînant des troubles de l'érection, une hypotension orthostatique, et une gastroparésie ; des *mononeuropathies multiples* (ou multinévrite), donnant des déficits sensitifs et moteurs localisés, dans les territoires d'au moins deux nerfs distincts ; et l'*amyotrophie diabétique*, donnant une douleur de la cuisse et une faiblesse de la racine du membre inférieur, au début unilatérale. Conseillez aux patients d'obtenir un contrôle optimal de la glycémie. Quand le taux de l'hémoglobine glyquée A1C est ≤ 7,4 %, l'incidence de la neuropathie diabétique diminue de 50 à 60 %.[37]

***Détection des 3 D : délire, démence et dépression.*** Le délire et la démence augmentent de fréquence en clinique, avec des présentations frustes, à détecter précocement. Comme ils affectent avant tout les sujets âgés, les mesures de promotion de la santé et les conseils qui les concernent sont discutés au chapitre 20 : « Sujet âgé ». Vous trouverez au chapitre 5 : « Comportement et état mental », le dépistage et les facteurs de risque de la dépression, qui est facilement confondue avec le délire et la démence.

Voir le chapitre 20 : « Sujet âgé », p. 955-956, et le tableau 20-2 : « Délire et démence », p. 977.

Voir aussi chapitre 5 : « Comportement et état mental », p. 139-168.

## TECHNIQUES D'EXAMEN

### Points importants de l'examen

- État mental : voir chapitre 5 : « Comportement et état mental ».
- Nerfs crâniens I à XII.
- Système moteur : masse, tonus et force musculaires ; coordination, démarche et station debout.
- Système sensitif : douleur et température, position et vibration, toucher léger, discrimination.
- Réflexes ostéotendineux, abdominaux et plantaires.

Revenons maintenant aux trois questions qui régissent l'examen neurologique :

- est-ce que les facultés mentales sont intactes ?

- est-ce que les constatations faites du côté droit et celles faites du côté gauche sont symétriques ?

- si les constatations sont asymétriques ou anormales, est-ce que la lésion causale se trouve dans le *système nerveux central* ou dans le *système nerveux périphérique* ?

Dans cette partie, vous apprendrez les techniques d'un examen pratique et assez complet du système nerveux. Il est important de maîtriser les techniques d'un examen complet. Au début, ces techniques peuvent sembler difficiles, mais avec de la pratique, de la persévérance et une supervision, vous en viendrez à vous sentir à l'aise quand vous évaluerez les symptômes et les maladies neurologiques. Vous devez apprendre activement et demander à vos enseignants ou à des neurologues de contrôler vos compétences.

Un examen neurologique peut être plus ou moins détaillé. Avec l'expérience, vous vous rendrez compte que chez les gens bien portants, votre examen pourra être relativement succinct. Si vous détectez des anomalies, votre examen devra devenir plus complet. Sachez que les neurologues peuvent utiliser bien d'autres techniques dans des situations particulières.

Pour être efficace, vous devrez intégrer certaines parties de l'examen neurologique à d'autres parties de votre examen. Faites par exemple un premier point sur l'état mental et la parole pendant l'interrogatoire, même si vous souhaitez faire un examen plus approfondi pendant l'examen neurologique. Étudiez certains nerfs crâniens quand vous examinez la tête et le cou, et inspectez les membres supérieurs et inférieurs à la recherche d'anomalies neurologiques au moment où vous étudiez le système vasculaire périphérique et l'appareil locomoteur. Le chapitre 1 décrit ce type d'approche intégrée. Cependant, gardez à l'esprit, en décrivant vos constatations, que le système nerveux forme un tout.

## RECOMMANDATIONS DE L'AAN (AMERICAN ACADEMY OF NEUROLOGY) POUR L'EXAMEN NEUROLOGIQUE DE DÉBROUILLAGE

Les étudiants doivent être capables d'effectuer un examen neurologique de débrouillage, suffisant pour détecter une maladie neurologique importante, même chez les patients sans plaintes neurologiques. Cet examen peut avoir un ordre variable, mais il doit évaluer plus ou moins l'état mental, les nerfs crâniens, la force musculaire, la démarche et la coordination, la sensibilité et les réflexes. Voici un exemple d'examen de débrouillage.

### État mental

Degré de conscience, adaptation des réactions, orientation temporo-spatiale.

### Nerfs crâniens

✔ Acuité visuelle.

✔ Réflexe photomoteur.

✔ Mouvements oculaires.

✔ Audition.

✔ Motricité faciale : sourire, fermeture des yeux.

*(suite)*

**Système moteur**

✔ Force musculaire : abduction des épaules, extension du coude, extension du poignet, abduction des doigts, flexion de la hanche, dorsiflexion de la cheville.

✔ Démarche : ordinaire, un pied devant l'autre.

✔ Coordination : mouvements fins des doigts, porter le doigt au nez.

**Système sensitif**

Une modalité aux orteils : ce peut être le toucher léger, la douleur/température ou la sensibilité proprioceptive.

**Réflexes**

✔ Réflexes ostéotendineux : bicipital, rotulien, achilléen.

✔ Réflexe cutané plantaire.

Note : si on suspecte une maladie neurologique d'après l'anamnèse du patient ou un élément de l'examen de débrouillage, un examen neurologique plus complet s'impose.

Source : adapté de l'*American Academy of Neurology*. Accessible sur : http://www.aan.com/globals/axon/assets/2770.pdf. Visité le 2 janvier 2008.

Que vous fassiez un examen complet ou de débrouillage, classez vos réflexions dans cinq rubriques : (1) état mental, parole et langage, (2) nerfs crâniens, (3) système moteur, (4) système sensitif et (5) réflexes. Si vous constatez des anomalies, commencez à les grouper en troubles centraux ou périphériques.

# ➜ Nerfs crâniens

***Vue d'ensemble.*** L'examen des nerfs crâniens (NC) peut être résumé de la façon suivante.

## RÉSUMÉ : LES NERFS CRÂNIENS I À XII

| | |
|---|---|
| I | Odorat |
| II | Acuité visuelle, champs visuels et fonds d'yeux |
| II, III | Réactions pupillaires |
| III, IV, VI | Motricité oculaire extrinsèque |
| V | Réflexes cornéens, sensibilité de la face, et mouvements de la mâchoire |
| VII | Mimique |
| VIII | Audition |
| IX, X | Déglutition, élévation du voile du palais, réflexe nauséeux |
| V, VII, X, XII | Voix et parole |
| XI | Mouvements des épaules et du cou |
| XII | Symétrie et position de la langue |

***Nerf crânien I – Olfactif.*** Testez le *sens de l'odorat* en présentant au patient des odeurs familières non irritantes. Assurez-vous d'abord que chaque fosse nasale est perméable en comprimant un côté du nez et en demandant au patient de renifler de l'autre. Le patient doit alors fermer les yeux. Bouchez une narine et présentez sous l'autre une des substances suivantes : clous de girofle, café, savon, vanille… (évitez les substances nocives telles que l'ammoniac, qui pourraient stimuler le NC V). Demandez au patient s'il sent quelque chose et, si oui, quoi. Testez l'autre côté. Une personne normale perçoit les odeurs des deux côtés et elle peut souvent les identifier.

Perte de l'odorat dans les affections des sinus, les traumatismes crâniens, le tabagisme et l'usage de cocaïne, le vieillissement, ainsi que dans la *maladie de Parkinson.*

***Nerf crânien II – Optique.*** Testez l'*acuité visuelle* (voir p. 220-221).

Examinez le *fond d'œil* avec un ophtalmoscope, en portant une attention particulière aux papilles optiques (voir p. 227-231).

Pâleur de la papille dans l'atrophie optique ; bombement de la papille dans l'œdème papillaire (voir p. 229).

*Étudiez les champs visuels par confrontation* (voir p. 221-222). Il peut arriver – par exemple en cas d'AVC – qu'un patient se plaigne d'une perte partielle de la vision ; l'examen des deux yeux révélera un *défect du champ visuel* tel qu'une *hémianopsie homonyme*, alors qu'un examen d'un œil après l'autre ne confirmerait pas la trouvaille.

Voir tableau 7-5 : « Altérations du champ visuel », p. 266. Atteintes préchiasmatiques ou antérieures dans le *glaucome*, l'*embolie rétinienne*, la *névrite optique* (acuité visuelle diminuée). Atteintes du chiasma optique donnant des hémianopsies bitemporales, dues en général à une *tumeur hypophysaire*. Atteintes post-chiasmatiques donnant des hémianopsies ou une quadranopsie homonymes, dues en général à un AVC dans le *lobe pariétal* (acuité visuelle normale).[38]

***Nerfs crâniens II et III – Optique et oculomoteur.*** Inspectez la taille et la forme des pupilles, et comparez les deux côtés. Une *anisocorie*, c'est-à-dire une différence de diamètre > 0,4 mm entre les deux pupilles, se voit chez jusqu'à 38 % des gens bien portants. Testez les *réactions pupillaires à la lumière*. Testez aussi l'adaptation à la *vision de près* (p. 225), qui explore la constriction pupillaire (muscle constricteur de la pupille), la convergence (muscles droits médiaux) et l'accommodation du cristallin (muscle ciliaire).

Voir tableau 7-10 : « Anomalies pupillaires », p. 271. Constriction minime d'une grande pupille en cas d'anomalie du muscle *constricteur* de la pupille due à une pathologie de l'iris ou à une *paralysie du NC III* avec dénervation parasympathique, ptosis, et ophtalmoplégie (les yeux ne sont pas parallèles). Les pupilles réagissent à la lumière dans le *syndrome de Claude Bernard-Horner*, mais du fait de l'atteinte sympathique et de l'anomalie du muscle *dilatateur* de la pupille, la pupille touchée reste petite (en myosis).[38]

### Nerfs crâniens III, IV et VI – Oculomoteur, trochléaire et abducens.
Testez la *motricité extrinsèque* de l'œil dans les six directions du regard et cherchez une perte de mouvements conjugués dans chacune des six directions, qui entraîne une *diplopie*. Demandez au patient dans quelle direction la diplopie s'aggrave et observez de près les yeux à la recherche d'une déviation asymétrique. Précisez si la diplopie est *monoculaire* ou *binoculaire* en demandant au patient de cacher un œil ou faites le test de l'écran (voir tableau 7-11, p. 272).

Voir tableau 7-11 : « Strabismes », p. 272. Diplopie monoculaire en cas de problèmes locaux avec des lunettes ou des lentilles de contact, cataracte, astigmatisme, ptosis palpébral. Diplopie binoculaire en cas de *neuropathie des NC III, IV, VI* (40 % des patients), pathologie des muscles oculaires *(myasthénie, traumatisme, ophtalmopathie thyroïdienne, ophtalmoplégie internucléaire)*.[38]

Vérifiez la convergence des yeux. Identifiez un *nystagmus*, une oscillation involontaire des yeux, avec une composante rapide et une composante lente. Notez la direction du regard dans laquelle il apparaît, son plan (horizontal, vertical, rotatoire ou mixte) et la direction des composantes rapide et lente (voir p. 227). *Le nystagmus est dénommé d'après la direction de la composante rapide.*

Voir tableau 17-6 : « Nystagmus », p. 757. Nystagmus dans la *pathologie cérébelleuse*, avec démarche ataxique et dysarthrie (augmente avec la fixation rétinienne) et dans la *pathologie vestibulaire* (diminue avec la fixation rétinienne). Se voit aussi dans l'*ophtalmoplégie internucléaire.*

Demandez au patient de fixer son regard sur un objet lointain et observez si le nystagmus augmente ou diminue.

Cherchez un *ptosis* (chute des paupières supérieures). Une discrète différence de largeur des fentes palpébrales peut être observée chez environ un tiers des sujets normaux.

Ptosis dans la *paralysie du NC III*, le *syndrome de Claude Bernard-Horner* (ptosis, myosis, anhidrose), la *myasthénie.*

### Nerf crânien V – Trijumeau

**Moteur.** Pendant que vous palpez les muscles temporaux et masséters tour à tour, demandez au patient de serrer les dents. Notez la force de la contraction musculaire. Demandez-lui de déplacer la mâchoire d'un côté à l'autre.

Difficulté à serrer la mâchoire ou à la déplacer du côté opposé en cas de faiblesse du masséter ou du ptérygoïdien latéral, respectivement.

Faiblesse unilatérale dans les lésions du pont ; faiblesse bilatérale dans l'atteinte des hémisphères cérébraux, à cause de l'innervation corticale bilatérale.

Schématiquement, dans les AVC, anesthésie de la face et du corps du même côté, controlatérale par rapport à une lésion du cortex ou du thalamus ; anesthésie ipsilatérale de la face et controlatérale du corps par rapport à des lésions du tronc cérébral.

PALPATION DES MUSCLES TEMPORAUX

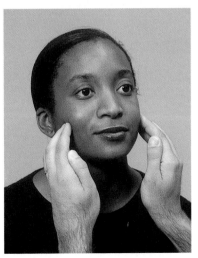

PALPATION DES MUSCLES MASSÉTERS

**Sensitif.** Après avoir expliqué ce que vous allez faire, testez la *sensibilité à la douleur* du front, des joues et de la mâchoire, des deux côtés. Les zones suggérées sont indiquées par des cercles. Le sujet doit avoir les yeux fermés. Utilisez une épingle de sûreté ou tout autre objet pointu*, en substituant de temps à autre le bout mousse au bout pointu. Demandez au patient de dire si c'est « pointu » ou « mousse » et de comparer les deux côtés.

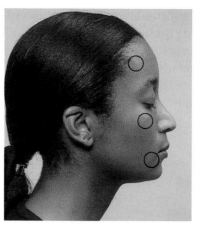

Anesthésie faciale isolée dans les pathologies des nerfs périphériques, telles que la *névralgie du trijumeau.*

Si vous trouvez une anomalie, confirmez-la par l'examen de la *sensibilité thermique.* On utilise traditionnellement deux tubes à essais remplis l'un d'eau chaude et l'autre d'eau glacée. On peut aussi se servir d'un diapason. Il semble habituellement froid. En le passant sous l'eau, on peut le rendre plus froid ou tiède. Séchez-le avant de l'appliquer. Touchez la peau et demandez au sujet s'il a une sensation de « chaud » ou de « froid ».

Ensuite, testez le *toucher léger* en utilisant un fin tortillon de coton. Demandez au sujet de dire si vous touchez sa peau.

**Réflexe cornéen.** Testez le *réflexe cornéen.* Demandez au patient de regarder en haut et loin de vous. En vous approchant de côté, hors de l'axe de vision du patient et en évitant les cils, touchez légèrement la cornée (pas seulement la conjonctive) avec un fin tortillon de coton. Si le patient a de l'appréhension, toucher en premier la conjonctive peut dissiper ses craintes.

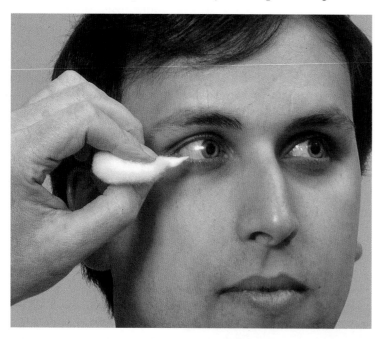

---

* Pour éviter de transmettre une infection, utilisez un nouvel objet pour chaque patient. Vous pouvez fabriquer une écharde de bois en cassant ou tordant un écouvillon. Le coton du bout de l'écouvillon peut aussi servir de stimulus mousse.

Vous devez observer un clignement des paupières, qui est la réaction normale au stimulus (la branche sensitive de ce réflexe chemine dans le NC V, la réponse motrice dans le NC VII). Le port de lentilles de contact diminue ou abolit souvent ce réflexe.

Absence de clignement par lésion du NC V ou du NC VII. Absence de clignement et surdité neurosensorielle dans le *neurinome de l'acoustique*.

***Nerf crânien VII – Facial.*** Inspectez le visage, au repos et au cours de la conversation avec le sujet. Notez toute asymétrie (par exemple des sillons nasolabiaux) et observez des tics ou d'autres mouvements anormaux.

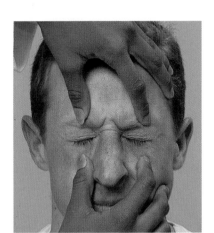

Effacement du sillon nasolabial et chute de la paupière inférieure suggèrent une faiblesse des muscles de la face.

Demandez au patient de :

1. Relever les sourcils.

2. Froncer les sourcils.

3. Fermer fortement les yeux, de façon que vous ne puissiez les ouvrir. Testez la force musculaire en essayant de les ouvrir, comme sur la photo.

4. Découvrir les dents supérieures et inférieures.

5. Sourire.

6. Gonfler les joues.

Une lésion périphérique du NC VII, comme une *paralysie de Charles Bell*, touche la partie supérieure et la partie inférieure de la face ; une lésion centrale touche principalement la partie inférieure de la face. Également perte du goût, hyperacousie, augmentation ou diminution des sécrétions lacrymales dans la *paralysie de Charles Bell*. Voir tableau 17-7 : « Types de paralysies faciales », p. 759.

Dans la paralysie faciale unilatérale, la bouche tombe du côté paralysé quand le patient sourit ou grimace.

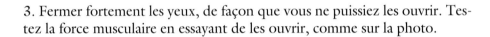

***Nerf crânien VIII – Acoustique.*** Évaluez l'ouïe avec la voix chuchotée. En cas de surdité, précisez si elle est de type *conductif*, par défaut de transmission aérienne, ou *neurosensoriel*, par lésion de la branche cochléaire du NC VIII. Testez : 1) la *conduction aérienne et osseuse*, avec le test de Rinne, et 2) la *latéralisation*, avec le test de Weber.

Voir les techniques des tests de Weber et Rinne p. 236-237 et tableau 7-21 : « Types de surdité », p. 283. Le test de la voix chuchotée est à la fois sensible (> 90 %) et spécifique (> 80 %) pour apprécier la présence ou l'absence d'une surdité.[38] Causes de surdité de conduction : bouchon de cérumen, otospongiose, *otite moyenne* ; de surdité neurosensorielle : *presbyacousie* (vieillissement).

Des épreuves spécifiques de la fonction vestibulaire du NC VIII sont rarement incluses dans l'examen neurologique habituel. En cas de besoin, consultez des manuels de neurologie ou d'otorhinolaryngologie.

Vertige avec surdité et nystagmus dans la *maladie de Ménière* ; voir tableau 7-3 : « Étourdissements et vertiges », p. 264, et tableau 17-6 : « Nystagmus », p. 757-758 pour la stimulation calorique chez les patients comateux.

***Nerfs crâniens IX et X – Glossopharyngien et vague.*** Écoutez la *voix* du patient. Est-elle rauque ou nasonnée ?

Voix rauque dans une paralysie des cordes vocales ; voix nasonnée dans la paralysie vélo-palatine.

A-t-il des difficultés à déglutir ?

Paralysie du pharynx ou du voile du palais.

Demandez au patient de dire « Ah » ou de bâiller tandis que vous observez les *mouvements du voile du palais et du pharynx*. Normalement, le voile du palais s'élève symétriquement, la luette reste médiane et les deux côtés du pharynx postérieur se rapprochent en dedans (« mouvement de rideau »). La légère incurvation de la luette, parfois visible chez des gens normaux, ne doit pas être prise pour une déviation de la luette due à une lésion du NC X.

Le palais ne s'élève pas dans une lésion bilatérale du vague. Dans une paralysie unilatérale, un hémivoile ne s'élève pas et est, comme la luette, dévié vers le côté normal (voir p. 246).

Prévenez le patient que vous allez tester le *réflexe nauséeux*, qui consiste en une élévation de la langue et du voile du palais et une contraction des muscles pharyngés. Excitez légèrement le fond de la gorge, d'un côté puis de l'autre, et observez le réflexe nauséeux. Il peut être diminué de façon symétrique ou absent chez certains sujets normaux.

L'absence unilatérale de ce réflexe évoque une lésion du NC IX, ou parfois du NC X.

***Nerf crânien XI – Spinal accessoire.*** De l'arrière, recherchez une atrophie ou des *fasciculations* dans les muscles trapèzes, et comparez les deux côtés. Les fasciculations sont des mouvements fins et irréguliers intéressant de petits groupes de fibres musculaires. Demandez au sujet de hausser les épaules contre vos mains qui résistent. Notez la force et la contraction des muscles trapèzes.

Une faiblesse du trapèze avec atrophie et fasciculations indique un trouble nerveux périphérique. Quand le trapèze est paralysé, l'épaule tombe et l'omoplate descend en bas et en dehors.

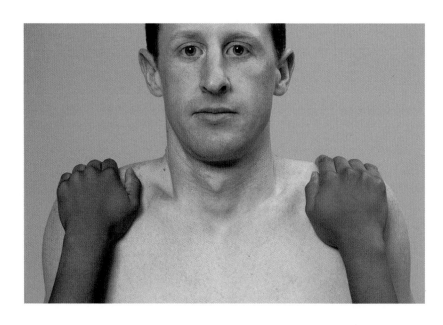

Demandez au sujet de tourner la tête de chaque côté, contre vos mains. Observez la contraction du sternocléidomastoïdien du côté opposé et la force du mouvement contre vos mains.

### Nerf crânien XII – Hypoglosse.

Écoutez l'articulation des mots par le patient. Elle dépend des nerfs crâniens V, VII, X et XII. Inspectez la langue du sujet alors qu'elle repose sur le plancher de la bouche. Recherchez une atrophie ou des *fasciculations*. On voit souvent des mouvements plus massifs, incessants, dans une langue normale. Puis, faites tirer la langue et recherchez une asymétrie, une atrophie ou une déviation latérale. Demandez au patient de déplacer sa langue d'un côté à l'autre et notez la symétrie du mouvement. En cas de doute, demandez au patient de pousser la langue contre la face interne de chaque joue, tandis que vous palpez à l'extérieur, pour apprécier la force de sa langue.

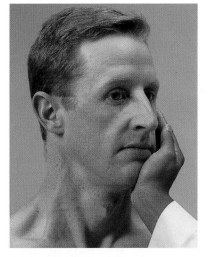

Un sujet couché qui a une diminution de la force des deux sternocléidomastoïdiens a du mal à soulever la tête de l'oreiller.

Pour la *dysarthrie*, voir le tableau 17-5 : « Troubles de la parole », p. 756. Atrophie et fasciculations de la langue dans la *sclérose latérale amyotrophique*, la *poliomyélite*.

Dans une lésion corticale unilatérale, la langue protruse est transitoirement déviée du côté opposé à la lésion corticale (vers le côté faible).

## → Système moteur

Pour évaluer le système moteur, concentrez-vous sur la position du corps, les mouvements involontaires, les caractéristiques des muscles (masse, tonus et force) et la coordination. Ces éléments sont décrits successivement ci-dessous. Vous pouvez suivre cet ordre ou vérifier chaque élément au niveau des membres inférieurs, puis des membres supérieurs, puis du tronc. Si vous notez une anomalie, identifiez le (les) muscle(s) concerné(s). Précisez si l'anomalie est d'origine centrale ou périphérique, et commencez à chercher quels nerfs innervent les muscles touchés.

### Position du corps.
Observez la position du corps du patient en mouvement et au repos.

Des positions anormales peuvent révéler des déficits neurologiques, tels qu'une paralysie.

### Mouvements involontaires.
Cherchez des mouvements involontaires tels que des tremblements, des tics ou des fasciculations, et notez leur siège, qualité, rythme, amplitude, ainsi que leur relation avec la posture, l'activité, la fatigue, l'émotion ou d'autres facteurs.

Voir tableau 17-4 : « Tremblements et mouvements involontaires », p. 754-755.

### Masses musculaires.
Notez les dimensions et les contours des muscles. Est-ce que les muscles sont plats ou concaves, suggérant une atrophie ? Dans ce cas, est-ce que le processus est uni ou bilatéral ? Proximal ou distal ?

Quand vous recherchez une atrophie, accordez une attention particulière aux mains, aux épaules et aux cuisses. Les éminences thénar et hypothénar doivent être pleines et convexes, et les espaces entre les métacarpiens, où

L'*amyotrophie* désigne une fonte de la masse musculaire. Elle résulte de maladies du système nerveux périphérique, comme une neuropathie diabétique, ou de maladies des muscles eux-mêmes.

s'insèrent les muscles interosseux dorsaux, doivent être remplis ou à peine déprimés. Cependant, une atrophie des muscles de la main peut survenir au cours du vieillissement normal comme cela est montré ci-dessous à droite.

L'*hypertrophie* désigne une augmentation de la masse et de la force musculaire, tandis qu'une augmentation de la masse avec une force diminuée est appelée *pseudohypertrophie* (se voit dans la *myopathie de type Duchenne de Boulogne*).

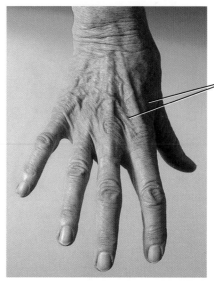

Atrophie

Main d'une femme de 44 ans                    Main d'une femme de 84 ans

Un aplatissement des éminences thénar et hypothénar et un creusement entre les métacarpiens évoquent une atrophie. Une atrophie localisée aux éminences thénar ou hypothénar évoque respectivement une lésion du nerf médian ou du nerf ulnaire.

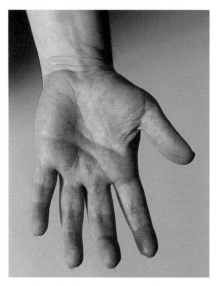
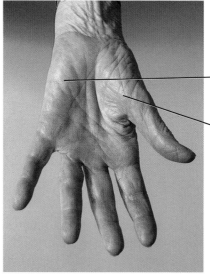

Éminence hypothénar

Aplatissement de l'éminence thénar dû à une atrophie modérée

Main d'une femme de 44 ans                    Main d'une femme de 84 ans

Les autres causes d'amyotrophie comprennent les maladies des motoneurones, les maladies touchant le système moteur périphérique (partant de la moelle épinière), la polyarthrite rhumatoïde et la malnutrition protéino-calorique.

Faites attention à des fasciculations dans les muscles atrophiques. Si vous n'en voyez pas, un coup de marteau à réflexes sur le muscle, peut les déclencher.

Des fasciculations sur un muscle faible et atrophique suggèrent une maladie du système moteur périphérique.

**Tonus musculaire.** Quand un muscle normal, à l'innervation intacte, est volontairement relâché, il garde une légère tension résiduelle appelée tonus musculaire. Celui-ci peut être apprécié en éprouvant la résistance musculaire à l'étirement passif. Incitez le patient à se détendre. Prenez une de ses mains dans vos mains et, pendant que vous soutenez son coude, fléchissez et étendez ses doigts, son poignet et son coude, puis mobilisez modérément son épaule. Avec de la pratique, ces manœuvres peuvent être combinées en un seul mouvement régulier. Notez de chaque côté le tonus musculaire, c'est-à-dire la résistance opposée aux mouvements du clinicien. Des patients contractés peuvent faire preuve d'une résistance accrue. C'est seulement à force de pratique que l'on apprend à apprécier la résistance normale.

Si vous suspectez une diminution de résistance, empoignez l'avant-bras, et agitez la main en avant et en arrière. Normalement, la main ballotte en avant et en arrière mais n'est pas complètement molle.

Si la résistance est augmentée, précisez si elle varie quand vous mobilisez le membre ou si elle persiste durant tout le mouvement et dans toutes les directions, par exemple pendant la flexion et l'extension. Décelez des à-coups dans la résistance.

Pour évaluer le tonus musculaire aux membres inférieurs, soutenez la cuisse du patient d'une main, attrapez le pied de l'autre, et fléchissez et étendez le genou et la cheville des deux côtés. Notez la résistance à vos mouvements.

**Force musculaire.** La force est très variable chez les sujets normaux, et une appréciation, forcément grossière, doit tenir compte de variables telles que l'âge, le sexe et l'entraînement musculaire. L'hémicorps dominant d'un sujet est habituellement plus fort que l'autre. Il faut s'en souvenir quand on compare les deux côtés.

Testez la force musculaire en demandant au patient d'exécuter un mouvement actif malgré votre résistance ou de résister à votre mouvement. Rappelez-vous qu'un muscle est d'autant plus fort qu'il est raccourci et d'autant plus faible qu'il est étiré.

---

Une résistance diminuée suggère une maladie du système nerveux périphérique, une maladie cérébelleuse ou les stades aigus d'un traumatisme de la moelle. Voir tableau 17-8 : « Troubles du tonus musculaire », p. 760.

Une « mollesse » importante traduit une *hypotonie (flaccidité)* musculaire, due en général à une atteinte du système moteur périphérique.

La *spasticité* est une résistance accrue, plus marquée au début et à la fin du mouvement. La spasticité qui se voit dans les maladies du faisceau corticospinal (ou pyramidal) augmente avec la vitesse du mouvement. La *rigidité* est une résistance pendant toute la durée et dans toutes les directions du mouvement (elle ne dépend pas de la vitesse du mouvement).

Une diminution de la force musculaire est appelée faiblesse ou *parésie*. L'absence de force musculaire est appelée *paralysie* (plégie). Une *hémiparésie* désigne une faiblesse d'une moitié du corps ; une *hémiplégie*, une paralysie de la moitié du corps. Une *paraplégie* désigne une paralysie des membres inférieurs ; une *tétraplégie*, une paralysie des quatre membres.

Voir tableau 17-9 : « Troubles des systèmes nerveux central et périphérique », p. 761-762.

Si les muscles sont trop faibles pour surmonter la résistance, testez-les alors contre la pesanteur seule ou en supprimant celle-ci. Par exemple, quand l'avant-bras est au repos, en pronation, on peut tester la dorsiflexion du poignet contre la pesanteur seule. Quand il est à mi-chemin de la pronation et de la supination, on peut tester l'extension du poignet sans la pesanteur. En dernier lieu, si le patient est incapable de déplacer une partie du corps, vous devez être capable de voir ou de sentir une faible contraction musculaire.

---

### ÉCHELLE D'ÉVALUATION DE LA FORCE MUSCULAIRE

On peut graduer la force musculaire sur une échelle de 0 à 5 :

0 – Aucune contraction musculaire n'est détectée.

1 – Frémissement à peine décelable ou ébauche de contraction.

2 – Mouvement actif d'une partie du corps en éliminant la pesanteur.

3 – Mouvement actif contre la pesanteur.

4 – Mouvement actif contre la pesanteur et une certaine résistance.

5 – Mouvement contre une résistance complète, sans fatigue évidente. C'est la force musculaire normale.

---

Beaucoup de cliniciens affinent leur évaluation en ajoutant des signes + ou −, aux degrés élevés de cette échelle. Ainsi 4+ indique une force bonne mais non parfaite et 5− un « soupçon » de faiblesse.

Les techniques servant à tester les grands groupes musculaires sont décrites ci-dessous, les racines nerveuses et les muscles intéressés étant cités entre parenthèses. Pour localiser plus précisément des lésions de la moelle épinière ou du système nerveux périphérique, des tests supplémentaires peuvent être nécessaires. Pour ces techniques spécialisées, reportez-vous à des traités de neurologie.

*Testez la flexion* (C5, C6 ; biceps) *et l'extension* (C6, C7, C8 ; triceps) *au niveau du coude* en demandant au sujet de tirer et de pousser votre main qui résiste.

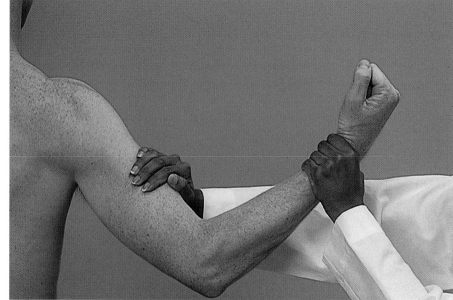

**FLEXION DU COUDE**

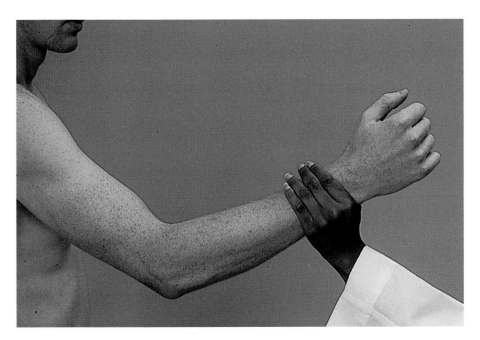

**EXTENSION DU COUDE**

*Testez l'extension au niveau du poignet* (C6, C7, C8, nerf radial ; long et court extenseurs radiaux du carpe) en demandant au sujet de fermer le poing et de résister lorsque vous tentez de l'abaisser.

Une extension faible se voit dans les pathologies des nerfs périphériques (par exemple, lésion du nerf radial) et celles du système nerveux central donnant une hémiplégie (par exemple, *AVC* ou *sclérose en plaques*).

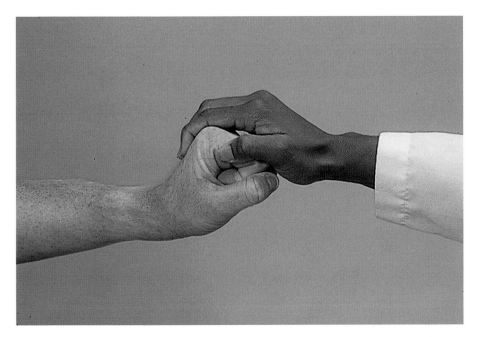

**EXTENSION DU POIGNET**

*Testez la préhension* (C7, C8, T1). Demandez au patient de serrer deux de vos doigts aussi fort que possible et de les empêcher de s'échapper (pour éviter d'être blessé, placez votre majeur au-dessus de votre index). Normalement, il doit vous être difficile de retirer vos doigts de la prise du patient. Testez les deux mains simultanément pour comparer (les membres supérieurs peuvent être étendus ou ramenés à l'abdomen).

Préhension faible dans une radiculopathie cervicale, la *ténosynovite de De Quervain*, le *syndrome du canal carpien*, le rhumatisme et l'épicondylite.

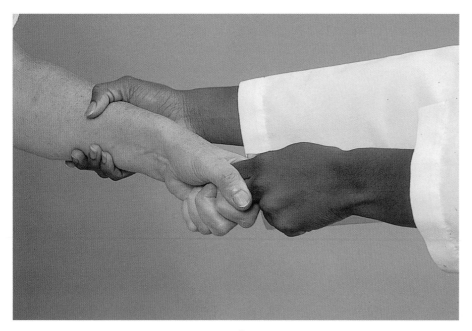

**TEST DE PRÉHENSION**

*Testez l'abduction des doigts* (C8, T1, nerf ulnaire). Installez la main du sujet, paume en bas et doigts écartés. Demandez-lui de résister quand vous essayez de rapprocher ses doigts.

Abduction faible des doigts dans les pathologies du nerf ulnaire.

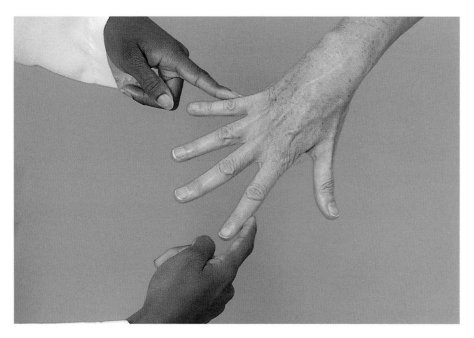

**ABDUCTION DES DOIGTS**

*Testez l'opposition du pouce* (C8, T1, nerf médian). Le patient doit essayer de toucher l'extrémité de l'auriculaire avec le pouce, malgré votre résistance.

Opposition faible du pouce dans les pathologies du nerf médian, comme le *syndrome du canal carpien* (p. 631).

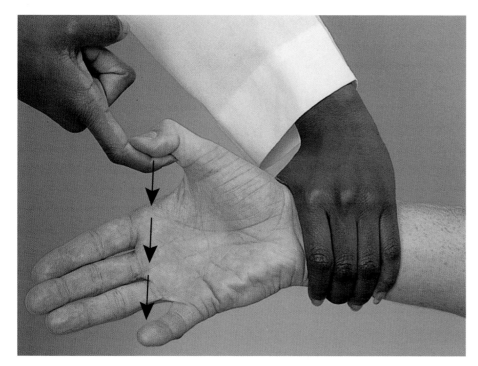

**OPPOSITION DU POUCE**

Vous pouvez avoir déjà évalué la *force des muscles du tronc* dans d'autres parties de l'examen, à savoir :

■ la flexion, l'extension et l'inclinaison du rachis ;

■ l'ampliation du thorax et le déplacement du diaphragme pendant la respiration.

*Testez la flexion de la hanche* (L2, L3, L4 ; psoas iliaque) en plaçant la main sur la cuisse du sujet et en lui demandant de soulever la jambe contre votre main qui résiste.

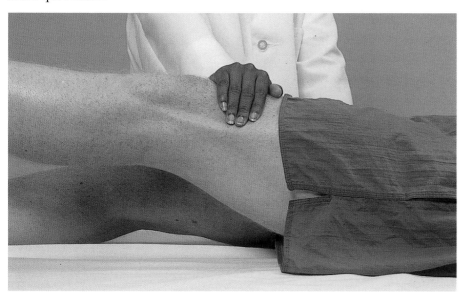

**FLEXION DE LA HANCHE**

*Testez l'adduction des hanches* (L2, L3, L4 ; adducteurs). Placez vos mains fermement sur le lit entre les genoux du patient. Demandez-lui de rapprocher les deux membres inférieurs.

Une faiblesse symétrique des muscles proximaux suggère une *myopathie* (atteinte des muscles) ; une faiblesse symétrique des muscles distaux, une *polynévrite* (atteinte des nerfs périphériques).

*Testez l'abduction des hanches* (L4, L5, S1 ; petit et moyen fessiers). Placez vos mains fermement sur le lit en dehors des genoux du patient. Demandez-lui d'écarter les membres inférieurs malgré vos mains.

*Testez l'extension des hanches* (S1 ; grand fessier). Demandez au patient de repousser votre main vers le bas avec la face postérieure de la cuisse.

*Testez l'extension du genou* (L2, L3, L4 ; quadriceps). Soutenez le genou fléchi et demandez au patient d'étendre le membre inférieur malgré votre main. Le quadriceps étant le muscle le plus puissant du corps, attendez-vous à une réaction puissante.

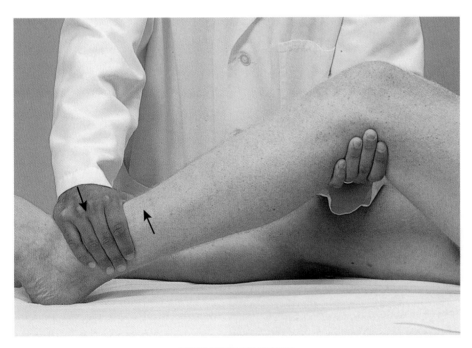

**EXTENSION DU GENOU**

*Testez la flexion du genou* (L4, L5, S1, S2 ; muscles ischiojambiers). Placez la jambe du sujet de façon que le genou soit fléchi, le pied reposant sur le lit. Demandez au patient de maintenir le pied en bas tandis que vous essayez d'étendre le membre inférieur.

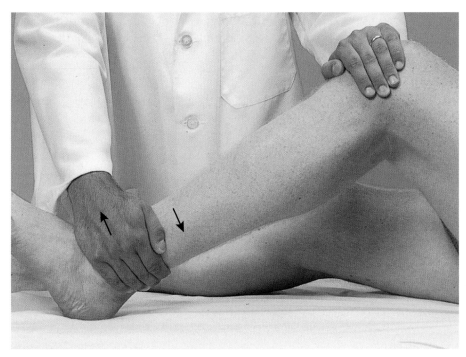

**FLEXION DU GENOU**

*Testez la dorsiflexion* (principalement L4, L5 ; tibial antérieur) et la *flexion plantaire* (principalement S1 ; triceps sural) au niveau de la cheville, en demandant au sujet de relever et d'abaisser le pied malgré la résistance de votre main.

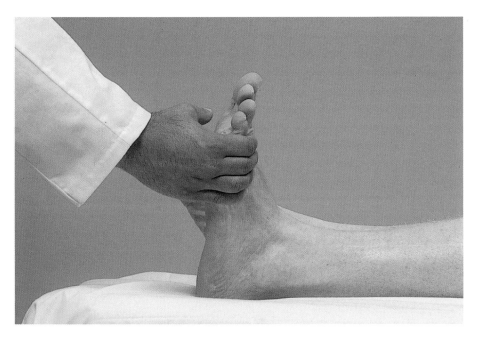

**FLEXION DORSALE DU PIED**

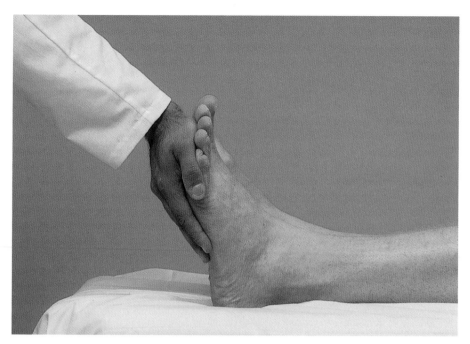

**FLEXION PLANTAIRE DU PIED**

***Coordination.*** La coordination des mouvements fait appel à quatre parties du système nerveux, de façon intégrée :

■ le système moteur, pour la force musculaire ;

■ le système cérébelleux (qui fait aussi partie du système moteur), pour les mouvements rythmiques et la posture stable ;

Dans une pathologie cérébelleuse, recherchez un nystagmus, une dysarthrie, une hypotonie et une ataxie.

■ le système vestibulaire, pour l'équilibre et la coordination des yeux, de la tête et des mouvements corporels ;

■ le système sensitif, pour le sens de la position.

Pour évaluer la coordination, observez l'exécution par le patient :

■ de mouvements alternants rapides ;

■ de mouvements d'un point à un autre ;

■ la démarche et les mouvements corporels en rapport ;

■ la station debout dans des situations particulières.

### Mouvements alternants rapides

*MEMBRES SUPÉRIEURS.* Montrez au patient comment se frapper la cuisse avec la paume d'une main, relever la main, la retourner et refrapper au même endroit avec le dos de la main. Incitez-le à répéter ces mouvements alternants aussi vite que possible.

Notez la vitesse, le rythme et la régularité des mouvements. Refaites la manœuvre avec l'autre main. La main non dominante est souvent un peu moins habile.

Dans une pathologie cérébelleuse, un mouvement ne peut être suivi rapidement de son opposé, et les mouvements sont lents, irréguliers et maladroits. C'est ce qu'on appelle l'*adiadococinésie*. Une atteinte du motoneurone supérieur, une maladie des noyaux gris de la base peuvent aussi perturber les mouvements alternants rapides, mais pas de la même manière.

Montrez au patient comment taper l'articulation distale du pouce avec l'extrémité de l'index dessus, cela le plus rapidement possible. À nouveau, notez la vitesse, le rythme et la régularité des mouvements. La main non dominante est souvent un peu moins habile.

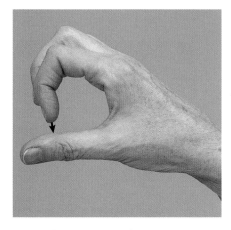

*MEMBRES INFÉRIEURS.* Demandez au patient de venir toucher votre main, aussi rapidement que possible, avec un avant-pied puis l'autre. Notez toute lenteur ou maladresse. Les pieds sont normalement moins habiles que les mains.

*Adiadococinésie* dans une pathologie cérébelleuse.

### Mouvements d'un point à un autre

*MEMBRES SUPÉRIEURS : DOIGT AU NEZ.* Demandez au sujet de toucher alternativement votre index puis son nez plusieurs fois de suite. Déplacez votre doigt de façon que le patient soit obligé de changer de direction et d'étendre complètement son bras pour l'atteindre. Observez la précision et la régularité des mouvements, et guettez l'apparition de tout tremblement. Normalement, les mouvements du patient sont réguliers et précis.

Dans une pathologie cérébelleuse, les mouvements sont maladroits, instables et variables dans leur vitesse, leur force et leur direction. Le doigt peut dépasser son but mais, finalement, il l'atteint très bien : c'est la *dysmétrie*. Un tremblement intentionnel peut apparaître en fin de mouvement (voir p. 754).

À présent, maintenez votre doigt à un endroit où il peut être touché à bout de doigts par le patient lorsqu'il allonge son membre supérieur et un doigt au maximum. Demandez au patient de relever son membre supérieur au-dessus de sa tête et de le rabaisser pour toucher votre doigt et ce, à plusieurs reprises. Demandez-lui ensuite de fermer les yeux et d'essayer encore plusieurs fois. Recommencez avec l'autre membre. Un sujet normal réussit à toucher le doigt de l'examinateur, yeux ouverts ou fermés. Ces manœuvres évaluent le sens de la position et les fonctions vestibulaires et cérébelleuses.

Une pathologie cérébelleuse entraîne une incoordination qui s'aggrave avec la fermeture des yeux. Une telle incoordination suggère une perte du sens de la position. Une déviation répétée et constante vers un côté, s'aggravant à la fermeture des yeux, évoque un trouble cérébelleux ou vestibulaire.

*MEMBRES INFÉRIEURS : TALON AU TIBIA.* Demandez au sujet de placer son talon sur le genou opposé et de lui faire suivre ensuite la crête tibiale jusqu'au pied. Notez la régularité et la précision des mouvements. En faisant recommencer le patient avec les yeux fermés, on teste son sens de la position. Faites de même avec l'autre membre.

Dans la pathologie cérébelleuse, le talon peut dépasser le genou puis osciller de part et d'autre du tibia. Quand le sens de la position est perdu, le talon est soulevé trop haut et le patient essaye de regarder. Les yeux fermés, le résultat est médiocre.

**Démarche.** Demandez au sujet de :

Les troubles de la démarche augmentent les risques de chute.

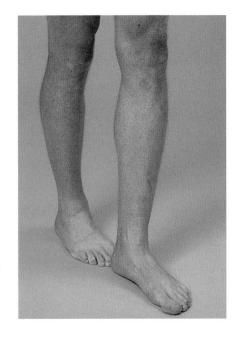

- *marcher dans la pièce* ou aller jusqu'au couloir, faire demi-tour et revenir. Observez son attitude, son équilibre, le balancement des bras et les mouvements des membres inférieurs. Normalement, l'équilibre est aisé, les bras se balancent sur les côtés et les demi-tours sont accomplis sans à-coups ;

Une démarche incoordonnée, chancelante, instable est dite ataxique. L'ataxie peut être due à une pathologie cérébelleuse, la perte du sens de la position ou une intoxication. Voir tableau 17-10 : « Anomalies de la démarche et de la posture », p. 764.

- *marcher, la pointe d'un pied touchant le talon de l'autre,* en ligne droite ;

La démarche pointe du pied-talon peut révéler une ataxie non évidente jusque-là.

- *marcher sur la pointe des pieds,* puis *sur les talons* : des tests sensibles, respectivement, de la flexion plantaire et dorsale des chevilles, aussi bien que de l'équilibre ;

La marche sur la pointe des pieds ou les talons peut révéler une faiblesse musculaire distale des membres inférieurs. L'impossibilité de marcher sur les talons est un test sensible de lésion du faisceau corticospinal.

- *sautiller sur place,* d'un pied sur l'autre (si le patient n'est pas trop âgé ou malade). Le sautillement fait intervenir les muscles proximaux et distaux des membres inférieurs, et nécessite un bon sens de la position et une fonction cérébelleuse normale ;

Une difficulté à sautiller sur place peut être due à une parésie, à une perte du sens de la position, ou à un dysfonctionnement cérébelleux.

- *faire des petites génuflexions*, sur un membre puis l'autre. Soutenez le coude du patient si vous pensez qu'il risque de tomber ;

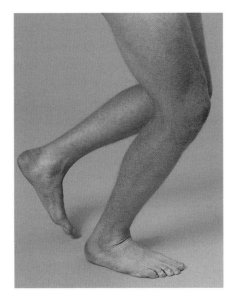

- *se relever à partir de la position assie*, sans s'aider des bras, et *monter* sur un tabouret solide sont des tests plus adéquats que les sautillements et les génuflexions quand les patients sont âgés ou faibles.

Une difficulté à cette épreuve suggère une faiblesse des muscles proximaux (extenseurs de la hanche), du quadriceps (extenseur du genou), ou des deux.

Les gens qui ont une diminution de la force des muscles de la ceinture pelvienne et des membres inférieurs ont du mal à faire ces exercices.

**Station debout.** Les deux tests suivants peuvent être effectués concurremment. Ils ne diffèrent que par la position du membre supérieur du patient et ce que vous recherchez. Dans tous les cas, tenez-vous près du patient pour éviter qu'il ne tombe.

*ÉPREUVE DE ROMBERG.* C'est principalement un test du sens de la position. Le patient doit d'abord se tenir debout, les pieds joints et les yeux ouverts, puis fermer les yeux pendant 20 à 30 secondes, sans appui. Notez sa capacité à rester droit. Normalement, il ne se produit qu'un léger vacillement.

Dans l'ataxie par atteinte du cordon postérieur et perte du sens de la position, la vision compense le déficit sensitif. Le patient peut se tenir debout très bien les yeux ouverts, mais il perd l'équilibre les yeux fermés, ce qui constitue un *signe de Romberg positif*. Dans l'*ataxie cérébelleuse*, le patient a du mal à se tenir debout, les pieds joints, que ses yeux soient ouverts ou fermés.

*RECHERCHE D'UNE DÉRIVE EN PRONATION.* Le patient doit rester debout pendant 20 à 30 secondes, les membres supérieurs étendus devant lui, les paumes vers le haut et les yeux fermés. S'il ne peut se tenir debout, il peut être testé en position assise. Dans les deux cas, un sujet normal garde bien la position des membres supérieurs.

La *dérive en pronation* est la pronation d'un avant-bras. C'est un signe sensible et spécifique de lésion du faisceau corticospinal de l'hémisphère controlatéral. Un abaissement du membre supérieur avec flexion des doigts et du coude peut aussi se produire.[39]

À présent, tout en demandant au patient de garder les membres supérieurs dans la même position et les yeux fermés, *donnez une tape vive vers le bas sur les membres*. Normalement, les membres reviennent sans à-coups à la position horizontale. Cette réponse nécessite force musculaire, coordination et sens de la position satisfaisants.

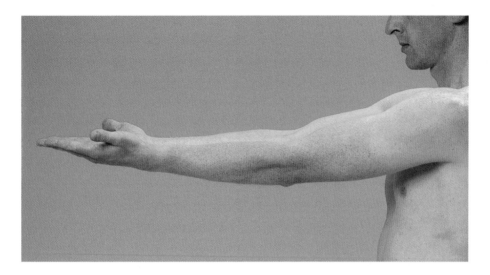

Une déviation vers le côté ou le haut, parfois avec des mouvements de torsion et de recherche des mains, évoque une perte du sens de la position : le patient peut ne pas se rendre compte du déplacement, et il le corrige mal quand on lui demande de le faire. Dans l'incoordination cérébelleuse, le membre supérieur revient à sa position initiale mais il la dépasse et rebondit.

## ➜ Système sensitif

Pour évaluer le système sensitif, il faut tester différentes sortes de sensibilités :

■ la douleur et la température (faisceaux spinothalamiques) ;

■ la position et la vibration (cordons postérieurs) ;

■ le toucher léger (conduit par ces deux voies) ;

■ les sensibilités discriminatives, qui dépendent de certaines des sensibilités ci-dessus, mais font aussi intervenir le cortex.

Familiarisez-vous avec les différents tests, afin de pouvoir les pratiquer si c'est indiqué. Si vous détectez des anomalies, corrélez-les avec l'activité motrice et réflexe. Examinez le patient soigneusement pour répondre aux questions suivantes : la lésion sous-jacente est-elle centrale ou périphérique ? Le déficit sensitif est-il bilatéral ou unilatéral ? Est-ce que ses caractéristiques évoquent l'atteinte d'un dermatome, une polyneuropathie, ou un syndrome médullaire, avec une anesthésie thermoalgésique mais la conservation de la sensibilité au toucher et à la vibration ? Pour progresser dans le diagnostic des pathologies du système nerveux, vous devrez travailler avec des spécialistes, affiner votre examen et apprendre la présentation complexe de nombreux syndromes sensitifs.

Voir tableau 17-9 : « Troubles des systèmes nerveux central et périphérique », p. 761-763.

Consultez les ouvrages indiqués dans les « Autres lectures », p. 746-747, pour une discussion des *syndromes médullaires* comportant des troubles sensitifs croisés (à la fois ipsilatéraux et controlatéraux par rapport à la lésion de la moelle).

***Modèles d'évaluation.*** Étant donné que l'étude de la sensibilité fatigue rapidement beaucoup de patients et donne alors des résultats non fiables, menez l'examen aussi efficacement que possible. Accordez une attention particulière aux zones où se trouvent : 1) des symptômes tels qu'engourdissement et douleur, 2) des anomalies motrices ou réflexes, suggérant une lésion de la moelle épinière ou du système nerveux périphérique, et 3) des troubles trophiques (c'est-à-dire une sudation absente ou excessive, une peau atrophique, une ulcération cutanée). La répétition de l'examen est souvent nécessaire pour confirmer les anomalies.

Une carte sensitive détaillée permet d'établir le niveau d'une lésion médullaire et de préciser le siège d'une lésion plus périphérique (dans une racine, un grand nerf périphérique ou l'une de ses branches).

Les modèles d'évaluation suivants sont utiles pour reconnaître des déficits sensitifs avec précision et efficacité.

■ *Comparez des zones symétriques* sur les deux côtés du corps, à savoir membres supérieurs, membres inférieurs et tronc.

Déficit sensitif d'un hémicorps, dû à une lésion de la moelle ou des voies plus haut situées.

■ Pour la douleur, la température et le toucher, *comparez aussi les extrémités et les racines des membres.* En outre, dispersez les stimuli afin d'explorer la plupart des dermatomes et les principaux nerfs périphériques (voir p. 727-728). L'un des modèles proposés comprend les épaules (C4), les bords externe et interne des avant-bras (C6 et T1), les pouces et les petits doigts (C6 et C8), le devant des cuisses (L2), les faces interne et externe des mollets (L4 et L5), les derniers orteils (S1) et la face interne des fesses (S3).

Un déficit sensitif distal symétrique évoque une *polyneuropathie,* comme dans l'exemple décrit page suivante. Vous pouvez méconnaître ce déficit si vous ne comparez pas les régions distales et proximales.

■ Pour la vibration et la position, testez d'abord les doigts et les orteils. S'ils sont normaux, vous pouvez présumer sans risque d'erreur que les régions plus proximales sont aussi normales.

■ *Variez la cadence de l'examen* de façon que le patient ne puisse pas répondre en se fondant sur un rythme répétitif.

■ Quand vous décelez une zone d'anesthésie ou d'hyperesthésie, *délimitez-la* en détail. Stimulez d'abord en un point de sensation réduite, puis déplacez-vous en dehors progressivement jusqu'à ce que le sujet décèle le changement. Un exemple est montré à droite.

Ici, toutes les sensations de la main sont abolies. La répétition de l'examen en remontant révèle une zone de transition vers la sensibilité normale, au niveau du poignet. Ce schéma ne cadre ni avec l'atteinte d'un nerf périphérique, ni avec celle d'un dermatome (voir p. 727-728). S'il est bilatéral, il évoque la perte de sensibilité « en gants et chaussettes » d'une *polyneuropathie,* fréquente dans l'*alcoolisme* et le *diabète.*

En identifiant la répartition des anomalies sensitives et les types de sensibilité atteints, on peut en déduire le siège de la lésion causale. Naturellement, tout déficit moteur ou anomalie réflexe contribue également à ce processus de localisation.

Avant chaque sorte de test, montrez au patient ce que vous allez faire et quelles réactions vous voulez obtenir. Sauf indication contraire, le patient doit avoir les yeux fermés pendant l'évaluation même.

**Douleur.** Utilisez une épingle de sûreté, un coton-tige cassé ou un autre instrument adéquat. De temps à autre, substituez l'extrémité mousse à la pointe. Demandez au patient : « Est-ce pointu ou mousse ? » et, en faisant des comparaisons : « Est-ce que ceci produit la même sensation que cela ? » Utilisez le stimulus le plus léger que le patient puisse percevoir comme pointu et essayez de ne pas faire saigner.

L'*analgésie* signifie l'absence de sensations douloureuses, l'*hypoalgésie* la diminution de la sensibilité à la douleur, et l'*hyperalgésie* une sensibilité à la douleur exagérée.

Pour éviter de transmettre des infections par voie hématogène, *jetez l'épingle ou un autre instrument en respectant la sécurité. Ne vous en servez pas pour une autre personne !*

**Température.** On peut se dispenser de la tester si la sensibilité à la douleur est normale, mais il faut l'explorer au moindre doute. Utilisez deux tubes à essai, l'un rempli d'eau chaude, l'autre d'eau froide, ou un diapason passé sous l'eau chaude ou froide. Touchez la peau du sujet et demandez-lui de dire si c'est « chaud » ou « froid ».

**Toucher.** Avec un petit tortillon de coton, touchez légèrement la peau, sans appuyer. Demandez au patient de dire chaque fois qu'on le touche et de comparer un endroit avec un autre. La peau calleuse est relativement insensible et doit être évitée.

L'*anesthésie* est l'absence de sensibilité au toucher, l'*hypoesthésie* une sensibilité diminuée, et l'*hyperesthésie* une sensibilité accrue.

**Vibration.** Utilisez un diapason de tonalité relativement basse (128 Hz). Frappez-le sur le talon de la main et appliquez-le fermement sur une articulation interphalangienne distale d'un doigt du patient, puis sur l'articulation interphalangienne du gros orteil. Demandez au patient ce qu'il ressent. Si vous ne savez pas s'il sent la pression ou les vibrations, demandez au sujet de dire quand les vibrations cessent et arrêtez alors les vibrations en touchant le diapason. Si

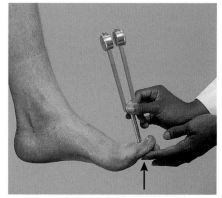

**DIAPASON SUR LE GROS ORTEIL**

le sens vibratoire est altéré, examinez des saillies osseuses plus proximales (par exemple, le poignet et le coude ou la malléole interne, la rotule, l'épine iliaque antérosupérieure, les apophyses épineuses et les clavicules).

Le sens vibratoire est souvent la première sensibilité à disparaître dans une neuropathie périphérique. Les causes habituelles comprennent le *diabète* et l'*alcoolisme*. Le sens vibratoire est aussi aboli dans les atteintes du cordon postérieur comme dans la *syphilis tertiaire* et la *carence en vitamine B12*.

Tester le sens vibratoire au niveau du tronc peut être utile pour estimer le niveau d'une lésion médullaire.

**Sens de la position (proprioception).** Saisissez le gros orteil du sujet entre votre pouce et votre index, *en le tenant par les côtés*, et écartez-le des autres orteils (ces précautions servent à éviter que d'autres stimuli tactiles ne renseignent le sujet sur un changement de position, qu'il ne décèlerait pas autrement). Montrez ce que vous entendez par « en haut » et « en bas » quand vous déplacez le gros orteil vers le haut ou vers le bas. Puis, le patient ayant fermé les yeux, demandez-lui de répondre « en haut » ou « en bas » pendant que vous déplacez l'orteil selon un petit arc de cercle.

Perte du sens de la position comme celle du sens vibratoire dans une pathologie du cordon postérieur (*tabès, sclérose en plaques, carence en vitamine B12*), et dans la neuropathie périphérique du diabète.

Répétez la manœuvre plusieurs fois de chaque côté, en évitant l'alternance simple des stimuli. Si le sens de la position est altéré, remontez et testez-le à la cheville. De façon similaire, testez la position des doigts et, si besoin est, remontez aux articulations métacarpophalangiennes, au poignet et au coude.

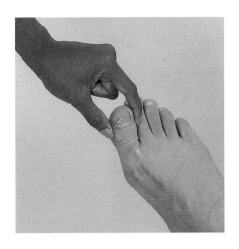

### Sensibilités discriminatives.

**Sensibilités discriminatives.** Plusieurs manœuvres supplémentaires testent la capacité du cortex sensitif à mettre en relation, analyser et interpréter les sensations. Comme les sensibilités discriminatives dépendent du toucher et du sens de la position, elles ne sont utiles que si ces sensibilités sont conservées ou peu altérées.

Quand le toucher et le sens de la position sont normaux ou à peine altérés, une diminution notable ou l'abolition des sensibilités discriminatives suggèrent une pathologie du cortex sensitif. La stéréognosie, l'identification des chiffres et la discrimination de deux points sont aussi altérées dans les atteintes du cordon postérieur.

Étudiez la *stéréognosie* d'un patient puis poursuivez l'examen si cela est indiqué. Durant toutes ces manœuvres, les yeux du patient doivent être fermés.

■ *Stéréognosie.* La stéréognosie désigne la capacité à identifier un objet d'après sa perception. Placez un objet familier dans la main du sujet, par exemple une pièce de monnaie, un trombone, une clef, un crayon, une boule de coton et demandez-lui de dire ce que c'est. Normalement, un sujet manipulera l'objet adroitement et l'identifiera correctement en moins de 5 secondes. Demander au patient de reconnaître « pile » ou « face » sur une pièce de monnaie est un test stéréognosique sensible.

L'*astéréognosie* signifie l'incapacité de reconnaître des objets placés dans la main.

■ *Identification des chiffres (graphesthésie).* Lorsqu'un déficit moteur des mains, un rhumatisme ou d'autres affections empêchent le patient de manipuler un objet suffisamment bien pour l'identifier, évaluez la capacité du patient à reconnaître des chiffres. Avec l'extrémité mousse d'un crayon, tracez un gros chiffre sur la paume de la main. Un sujet normal est capable de reconnaître la plupart des chiffres.

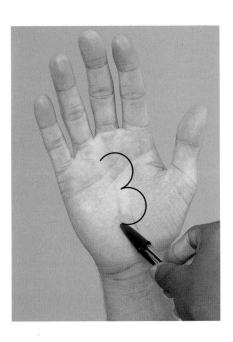

L'incapacité à reconnaître les chiffres, comme l'astéréognosie, évoque une lésion du cortex sensitif.

■ *Discrimination de deux points.* Touchez la pulpe d'un doigt simultanément en deux endroits, avec les côtés de deux épingles ou les extrémités d'un trombone déplié. Alternez de façon irrégulière le stimulus double avec le toucher en un point. Prenez garde de ne pas provoquer de douleur.

Trouvez la distance minimale pour laquelle le sujet sépare un point de deux points (normalement moins de 5 mm sur la pulpe des doigts). Ce test peut être utilisé sur d'autres parties du corps, mais les distances normales varient beaucoup d'une région du corps à l'autre.

Des lésions du cortex sensitif accroissent la distance de discrimination entre deux points.

■ *Localisation d'un point.* Touchez brièvement un point de la peau du patient. Demandez-lui d'ouvrir les yeux et de montrer l'endroit touché. Un sujet normal peut le faire avec précision. Cette méthode, avec celle de l'extinction, est particulièrement utile pour le tronc et les membres inférieurs.

Des lésions du cortex sensitif diminuent la capacité de localiser exactement les points.

■ *Extinction.* Stimulez en même temps des zones correspondantes sur les deux côtés du corps. Demandez au sujet de dire ce qu'il ressent. Normalement, il doit sentir les deux stimuli.

En présence de lésions du cortex sensitif, un seul stimulus peut être reconnu. Le stimulus du côté opposé au cortex lésé est aboli.

**Dermatomes.** La connaissance des dermatomes aide à situer des lésions neurologiques dans un segment donné de la moelle épinière (myélomère), notamment en cas de lésion médullaire. *Un dermatome est la bande de peau innervée par la racine sensitive d'un seul nerf rachidien.* La topographie des dermatomes est illustrée dans les deux figures ci-après, selon le standard de l'ASIA *(American Spinal Injury Association).*[40] Les limites d'un dermatome sont beaucoup plus variables que le suggèrent les schémas ; elles chevauchent celles des dermatomes sus et sous-jacents et franchissent aussi un peu la ligne médiane.

Dans un traumatisme de la moelle épinière, le niveau sensitif peut se trouver plusieurs segments *en dessous* de la lésion, pour des raisons qui ne sont pas bien comprises. Le niveau de la douleur à la percussion vertébrale peut s'avérer utile.[38]

N'essayez pas de mémoriser tous les dermatomes. Apprenez plutôt ceux qui sont colorés en vert sur le côté droit des schémas. La topographie de quelques nerfs périphériques importants est représentée sur les petits schémas de gauche.

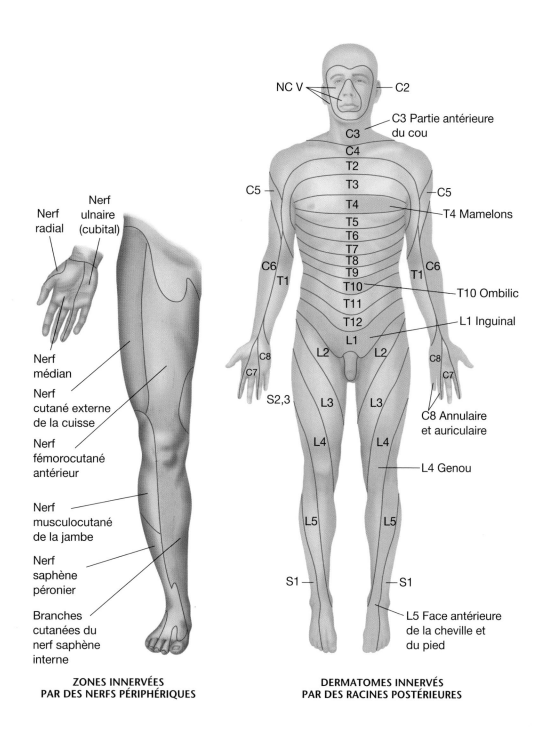

**ZONES INNERVÉES
PAR DES NERFS PÉRIPHÉRIQUES**

**DERMATOMES INNERVÉS
PAR DES RACINES POSTÉRIEURES**

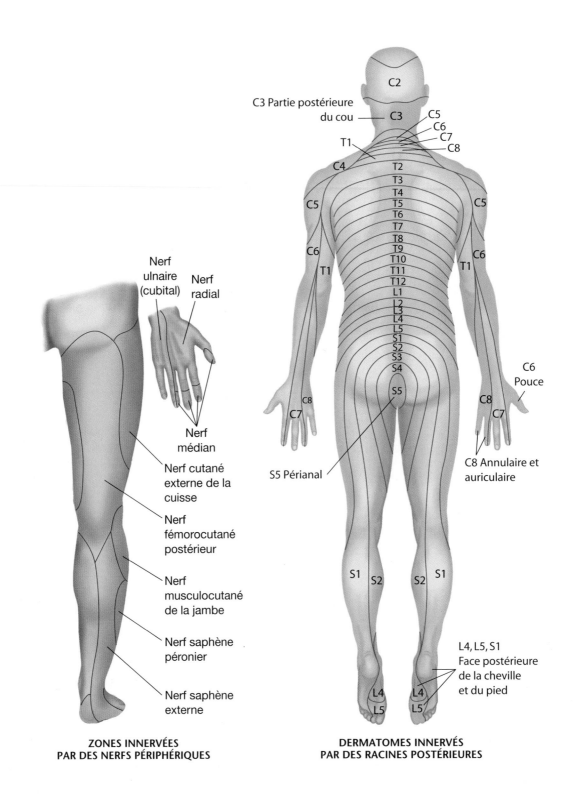

Nerf ulnaire (cubital)

Nerf radial

Nerf médian

Nerf cutané externe de la cuisse

Nerf fémorocutané postérieur

Nerf musculocutané de la jambe

Nerf saphène péronier

Nerf saphène externe

C2

C3 Partie postérieure du cou — C3

C5
C6
C7
C8

T1

C4 — T2
T3
T4
T5
T6
T7
T8
T9
T10
T11
T12
L1
L2
L3
L4
L5
S1
S2
S3
S4
S5

C5

C5

C6

C6

T1

T1

C8

C7

C8

C7

C6 Pouce

C8 Annulaire et auriculaire

S5 Périanal

S1  S2    S2  S1

L4, L5, S1
Face postérieure de la cheville et du pied

L4    L4
L5    L5

**ZONES INNERVÉES PAR DES NERFS PÉRIPHÉRIQUES**

**DERMATOMES INNERVÉS PAR DES RACINES POSTÉRIEURES**

# → Réflexes ostéotendineux

La mise en évidence des *réflexes ostéotendineux* suppose plusieurs compétences de la part de l'examinateur. Choisissez un marteau à réflexes ni trop lourd ni trop léger. Apprenez à vous servir de la partie pointue et de la partie plate du marteau. Par exemple, la pointe est utile pour percuter des zones étroites telles que votre doigt reposant sur le tendon du biceps. À présent, testez les réflexes de la façon suivante :

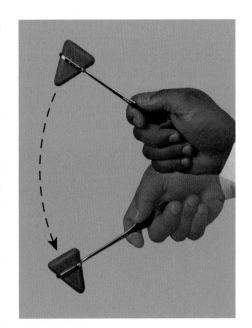

- encouragez le patient à se détendre, puis disposez ses membres correctement et symétriquement ;

- tenez le marteau entre le pouce et l'index de façon lâche afin qu'il décrive librement une courbe dans la limite formée par votre paume et les autres doigts ;

- votre poignet étant relâché, percutez le tendon avec vivacité, d'un mouvement rapide du poignet. La percussion doit être rapide et directe, pas oblique ;

- notez la vitesse, la force et l'amplitude de la réaction réflexe, en utilisant l'échelle ci-dessous. Comparez toujours un côté avec l'autre. Les réflexes sont habituellement mesurés sur une échelle de 0 à 4+.[41]

Une *hyperréflectivité* suggère une atteinte du motoneurone supérieur dans le faisceau corticospinal (ou pyramidal). Recherchez les autres signes de l'atteinte du motoneurone supérieur (faiblesse musculaire, spasticité, signe de Babinski).

*Réflexes diminués (hyporéflectivité)* ou *absents (areflexie)* dans la pathologie des racines des nerfs rachidiens, des nerfs rachidiens, des plexus nerveux et des nerfs périphériques. Recherchez les autres signes de l'atteinte du motoneurone inférieur (faiblesse musculaire, amyotrophie, fasciculations).[38]

> ## ÉCHELLE POUR COTER LES RÉFLEXES
>
> 4+ Très vifs ; hyperréflectivité associée à un *clonus* (oscillations rythmiques entre la flexion et l'extension).
> 3+ Plus vifs que la moyenne ; possiblement pathologiques mais pas toujours.
> 2+ Moyens ; la normale.
> 1+ Un peu diminués ; limite inférieure de la normale.
> 0 Pas de réaction.

La réponse réflexe dépend en partie de la force du stimulus appliqué. On ne doit pas utiliser plus de force qu'il n'en faut pour obtenir une réponse nette. Des différences entre les deux côtés sont habituellement plus faciles à observer que des modifications symétriques. Les réflexes peuvent être diminués ou même abolis symétriquement chez des gens normaux.

**Renforcement.** Si les réflexes du patient sont diminués ou abolis de façon symétrique, on utilise le *renforcement,* une technique faisant appel à la contraction isométrique d'autres muscles (pendant au plus 10 secondes), qui peut accroître l'activité réflexe. Pour les réflexes des membres supérieurs, demandez par exemple au sujet de serrer les dents ou de comprimer sa cuisse avec sa main opposée. Si les réflexes des membres inférieurs sont diminués ou abolis, vous pouvez les renforcer en demandant au sujet de tenter d'écarter l'une de l'autre les deux mains réunies par les doigts en crochets. Dites bien au patient de tirer juste avant de percuter le tendon.

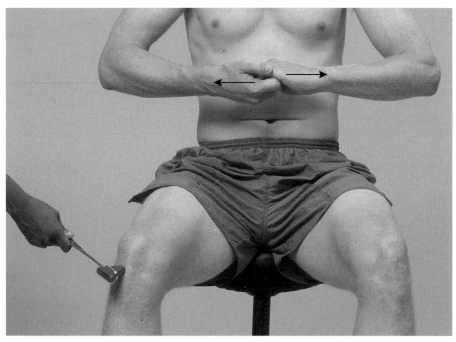

**RENFORCEMENT DU RÉFLEXE ROTULIEN**

**Réflexe bicipital (C5, C6).** Les membres supérieurs du patient doivent être en partie fléchis au coude, les paumes tournées vers le bas. Placez votre pouce ou un doigt fermement sur le tendon du biceps. Frappez avec le marteau à réflexes de sorte que le coup soit dirigé directement sur le tendon du biceps par l'intermédiaire de votre doigt.

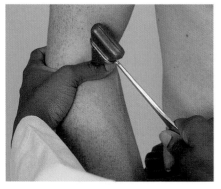

**SUJET ASSIS**

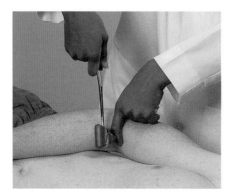

**SUJET COUCHÉ**

Observez la flexion du coude et, par l'inspection et la palpation, la contraction du biceps.

**Réflexe tricipital (C6, C7).** Le patient peut être assis ou couché. Fléchissez le membre supérieur du patient au coude, la paume tournée vers le corps, et tirez-le légèrement vers la poitrine. Frappez le tendon du triceps au-dessus du coude, directement et de l'arrière. Observez la contraction du triceps et l'extension du coude.

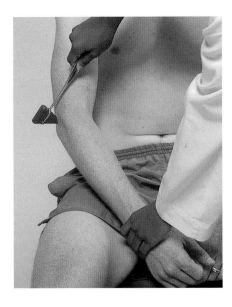
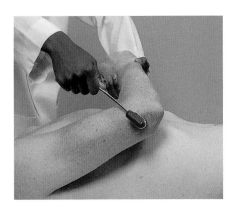

Si vous avez des difficultés pour obtenir le relâchement du patient, essayez en soutenant le membre supérieur comme sur la photographie ci-contre. Demandez au patient de laisser pendre le bras, comme s'il était « suspendu pour sécher ». Frappez ensuite le tendon du triceps.

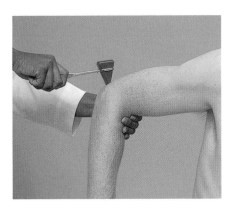

**Réflexe styloradial ou supinateur (C5, C6).** La main du patient repose sur l'abdomen ou le haut des cuisses, l'avant-bras est en semipronation. Frappez le radius de 2,5 à 5 cm au-dessus du poignet. Observez la flexion et la supination de l'avant-bras.

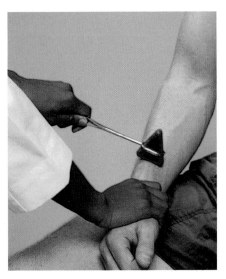

*Réflexe rotulien (L2, L3, L4).* Le patient peut être assis ou couché du moment que le genou est fléchi. Frappez rapidement le tendon rotulien, juste au-dessous de la rotule, et notez la contraction du quadriceps avec l'extension du genou. Une main posée sur la face antérieure de la cuisse vous permet de percevoir ce réflexe.

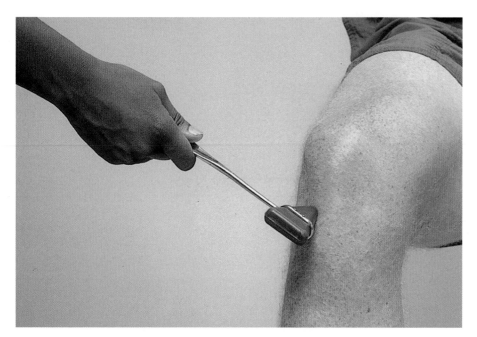

**SUJET ASSIS**

Deux techniques sont utiles pour examiner le sujet couché sur le dos. On soutient les deux genoux à la fois, comme le montre l'illustration ci-dessous à gauche, ce qui permet d'évaluer de petites différences entre les réflexes rotuliens en répétant la manœuvre sur un genou puis sur l'autre. Cependant, il est parfois inconfortable de soutenir les deux membres inférieurs, aussi bien pour l'observateur que pour le sujet. Une autre solution plus confortable consistant à appuyer le bras de soutien sur la jambe opposée du sujet est montrée ci-dessous à droite. Certains sujets peuvent se détendre plus facilement avec cette méthode.

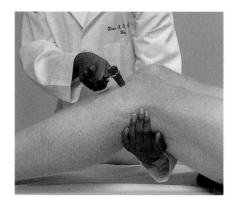
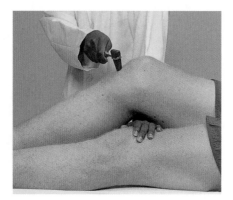

***Réflexe achilléen (principalement S1).*** Si le patient est assis, mettez le pied en flexion dorsale. Demandez au patient de se détendre et frappez le tendon d'Achille. Recherchez par l'inspection et la palpation une extension du pied à la cheville et notez aussi la vitesse du relâchement musculaire après la contraction.

Le ralentissement de la phase de relaxation des réflexes dans l'*hypothyroïdie* est souvent facilement vu et perçu au niveau du réflexe achilléen.

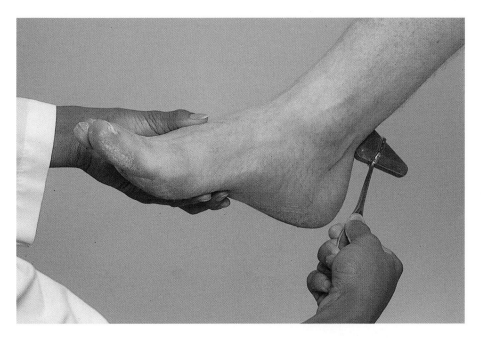

**SUJET ASSIS**

Lorsque le sujet est couché, fléchissez un membre inférieur à la hanche et au genou, puis faites-le tourner en dehors de façon à l'amener à croiser la crête tibiale opposée. Fléchissez ensuite le pied à la cheville et frappez le tendon d'Achille.

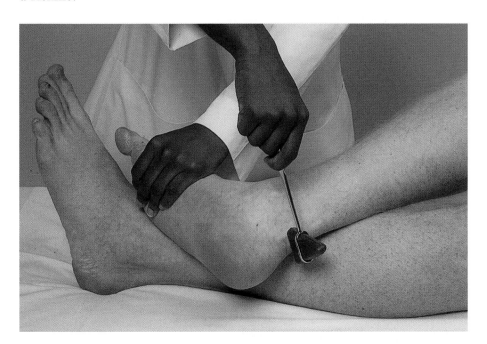

**SUJET COUCHÉ**

*Clonus.* S'il y a une hyperréflectivité, recherchez un *clonus de la cheville.* Soutenez le genou en demi-flexion. Avec l'autre main, étendez et fléchissez le pied plusieurs fois de suite, tout en demandant au sujet de se détendre, puis fléchissez brusquement le pied et maintenez-le en dorsiflexion. Recherchez des mouvements rythmiques de flexion-extension du pied. Chez la plupart des gens normaux, la cheville ne réagit pas à ce stimulus mais quelques mouvements cloniques sont parfois visibles et perceptibles, notamment si le sujet est tendu ou a fait de l'exercice.

Le clonus peut aussi être mis en évidence au niveau d'autres articulations. Par exemple, un abaissement brusque de la rotule peut déclencher un clonus rotulien sur le genou en extension.

Un clonus prolongé de la cheville indique une atteinte du système nerveux central. Il se traduit par l'alternance itérative et rythmique de flexions dorsales et plantaires du pied (« trépidation épileptoïde du pied »).

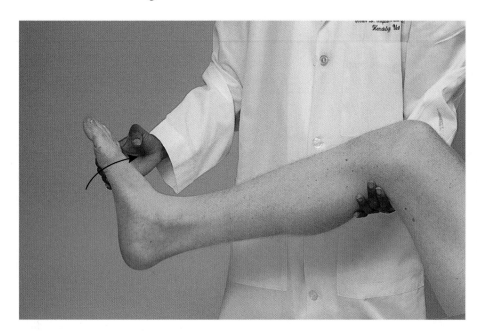

# → Réflexes cutanés

*Réflexes cutanés abdominaux.*
Testez les réflexes abdominaux en grattant légèrement mais rapidement chaque côté de l'abdomen, au-dessus (T8, T9, T10) et au-dessous (T10, T11, T12) de l'ombilic, selon les directions indiquées dans la figure. Servez-vous d'une clef, d'un écouvillon ou d'un abaisse-langue fendu longitudinalement. Notez la contraction des muscles abdominaux et la

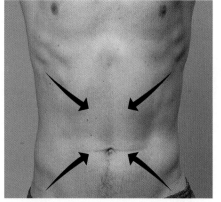

Les réflexes abdominaux peuvent être abolis dans les pathologies du système nerveux central et périphérique.

déviation de l'ombilic vers le stimulus. L'obésité peut masquer un réflexe abdominal. Dans ce cas, utilisez un doigt pour tirer l'ombilic du sujet du côté opposé à la stimulation. On perçoit la contraction musculaire avec le doigt qui rétracte l'ombilic.

***Réflexe plantaire (L5, S1).*** Avec un objet, tel qu'une clef ou l'extrémité en bois d'un écouvillon, grattez le bord externe de la plante, du talon à l'avant-pied, en allant vers l'intérieur de l'avant-pied. Utilisez le stimulus le plus léger qui produira une réponse, mais qui pourra être augmenté si besoin. Notez les mouvements des orteils, normalement en flexion plantaire.

L'extension (ou dorsiflexion) du gros orteil, avec souvent un écartement des autres orteils, « en éventail », constitue le *signe de Babinski*. Ce signe indique une lésion du système nerveux central dans le faisceau corticospinal (ou pyramidal). Il se voit également dans les comas dus à une intoxication médicamenteuse ou éthylique et, en phase post-critique, après une convulsion.

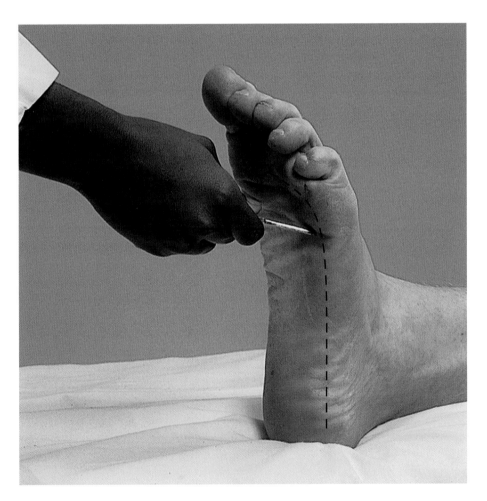

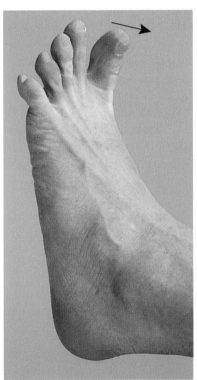

Certains patients se soustraient au stimulus en fléchissant la hanche et le genou. Si besoin est, maintenez la cheville pour mener à bien l'observation. Il est parfois difficile de distinguer une réaction de retrait d'un signe de Babinski.

Un signe de Babinski franc est parfois accompagné d'une flexion réflexe de la hanche et du genou.

**Réflexe anal.** Avec un objet mousse, tel qu'un tampon de coton, frottez de dedans en dehors les quatre quadrants de l'anus. Observez la contraction réflexe de la musculature anale.

La disparition du réflexe anal évoque une lésion de l'arc réflexe S2-3-4, comme dans une lésion de la queue de cheval.

# → Techniques spéciales

**Signes méningés.** La recherche des signes méningés est importante lorsqu'on soupçonne une inflammation des méninges par une infection ou une hémorragie sous-arachnoïdienne.

**Mobilité du cou.** Assurez-vous d'abord qu'il n'y a pas de lésion des vertèbres cervicales ni de la moelle cervicale (dans un contexte de traumatisme, des radiographies peuvent être nécessaires). Puis, le sujet étant couché sur le dos, placez vos mains sous sa tête et fléchissez sa nuque jusqu'à ce que son menton touche sa poitrine, si cela est possible. Normalement, le cou est souple et le patient peut fléchir facilement la tête et le cou.

Raideur de la nuque et résistance à la flexion chez 90 % des patients qui ont une méningite bactérienne et chez 20 à 85 % de ceux qui ont une hémorragie sous-arachnoïdienne.[38] Également dans un rhumatisme ou un traumatisme du cou.

**Signe de Brudzinski.** Pendant que vous fléchissez la nuque, observez la réaction des hanches et des genoux à cette manœuvre. Normalement, ils doivent rester étendus, immobiles.

Une flexion des hanches et des genoux constitue un *signe de Brudzinski*, et suggère une inflammation des méninges.

**Signe de Kernig.** Fléchissez un membre inférieur du patient au genou et à la hanche, puis étendez le genou. Beaucoup de gens normaux ressentent une gêne derrière le genou, à l'extension complète, mais cette manœuvre ne doit pas entraîner de douleur.

Une douleur et une résistance accrue à l'extension du genou constituent un *signe de Kernig*. Un signe de Kernig bilatéral suggère une irritation méningée.

Une compression d'une racine nerveuse lombosacrée peut aussi donner une résistance et une douleur lombaire et de la face postérieure de la cuisse, mais d'un seul côté, en général.

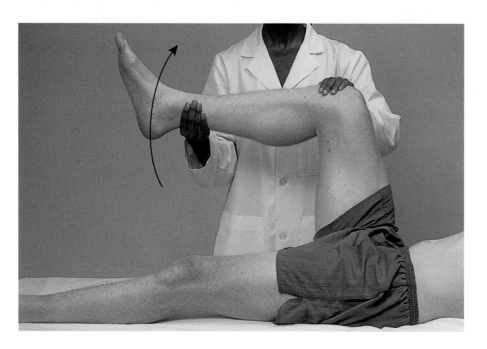

***Radiculopathie lombosacrée : élévation du membre inférieur étendu (signe de Lasègue).*** Si le patient à une lombalgie irradiant dans un membre inférieur, ce qu'on appelle souvent une *sciatique* de type S1, faites le test de l'élévation du membre inférieur étendu, d'un côté puis de l'autre. Couchez le patient sur le dos. Élevez son membre inférieur étendu mais souple, en le fléchissant à la hanche, puis mettez le pied en flexion dorsale. Certains examinateurs élèvent d'abord le membre inférieur avec le genou fléchi, puis ils l'étendent.

Voir tableau 16-1 : « Lombalgies », p. 670. La compression d'une racine nerveuse rachidienne dans le trou vertébral, qui est due en général à une hernie discale, donne une *radiculopathie* douloureuse avec faiblesse des muscles et anesthésie du dermatome correspondant. Plus de 95 % des hernies discales surviennent au niveau de L5-S1, là où le rachis fait un angle aigu ouvert en arrière. Recherchez une amyotrophie du mollet et une faiblesse de la dorsiflexion du pied du même côté, qui rendent ce diagnostic 5 fois plus vraisemblable.[38]

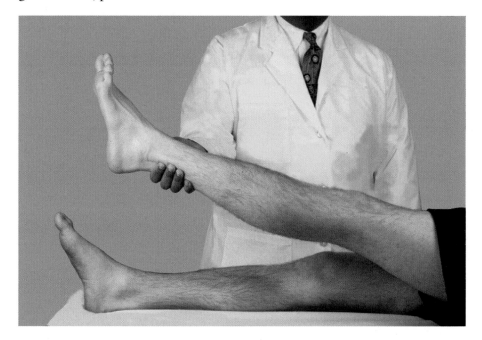

Précisez l'angle d'élévation auquel apparaît une douleur, la qualité et le trajet de cette douleur, l'effet de la flexion dorsale du pied. Une tension et une légère gêne dans les fesses ou les ischiojambiers au cours de ces manœuvres sont fréquentes ; ne les interprétez pas comme une douleur radiculaire.

Une douleur irradiant dans le membre inférieur ipsilatéral constitue le *signe de Lasègue* (test de l'élévation du membre inférieur positif), en faveur d'une *radiculopathie lombosacrée*. La dorsiflexion du pied peut augmenter la douleur dans une *radiculopathie lombosacrée*, une neuropathie sciatique ou les deux (« lombosciatique »). L'augmentation de la douleur quand le membre controlatéral – sain – est élevé constitue un *signe de Lasègue croisé*. Ces manœuvres étirent les racines nerveuses touchées et le nerf sciatique.

N'oubliez pas d'étudier la motricité, la sensibilité et les réflexes au niveau lombosacré.

La sensibilité et la spécificité d'un signe de Lasègue pour une hernie discale sont respectivement d'environ 95 % et 25 % pour le signe direct, et 40 % et 90 % pour le signe croisé.[42]

***Astérixis.*** L'astérixis est utile pour reconnaître une encéphalopathie métabolique chez les patients qui ont des troubles mentaux. Demandez au patient d'« arrêter la circulation » en étendant les bras, avec les mains relevées et les doigts étalés. Observez-le pendant 1 à 2 minutes, en l'encourageant, autant que nécessaire, à maintenir cette attitude.

Des flexions brusques, brèves, non rythmiques des mains et des doigts traduisent un astérixis, qui s'observe dans l'insuffisance hépatique, l'insuffisance rénale et l'hypercapnie.

***Scapula alata.*** Quand les épaules semblent faibles ou atrophiées, recherchez une *scapula alata*. Demandez au patient d'étendre les membres supérieurs et de pousser contre vos mains ou un mur. Observez les omoplates. Normalement, elles doivent rester appliquées sur le thorax.

Dans la *scapula alata* (voir ci-dessous), le bord médial de l'omoplate est décollé, ce qui suggère une faiblesse du muscle serratus anterior (ou grand dentelé), comme dans une *myopathie* ou l'atteinte du nerf du grand dentelé.

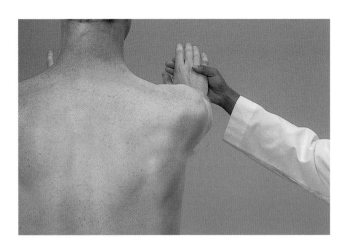

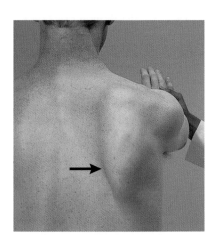

Chez les gens très minces mais normaux, l'omoplate peut sembler un peu décollée, sans qu'il y ait d'anomalie musculaire.

***Patient stuporeux ou comateux.*** Le coma indique une atteinte possiblement létale des deux hémisphères et/ou du tronc cérébral. La succession habituelle de l'interrogatoire, de l'examen physique et des examens complémentaires ne s'applique pas ici. À la place, vous devez :

Voir tableau 17-11 : « Comas métaboliques et structurels », p. 765.

- d'abord évaluer les fonctions vitales (respiration et circulation) ;

- établir le niveau de conscience ;

- faire un examen neurologique du patient. Recherchez des anomalies focales ou unilatérales, et déterminez si le trouble de la conscience est dû à une cause métabolique ou structurelle.

Interrogez les parents, amis, ou témoins pour préciser la rapidité d'installation et la durée du trouble de conscience, les prodromes, des facteurs déclenchants, des épisodes précédents, l'aspect et le comportement antérieurs du patient. Des antécédents médicaux et psychiatriques sont aussi utiles.

En procédant à l'examen, rappelez-vous deux interdictions capitales.

> ### CE QU'IL *NE FAUT PAS FAIRE* QUAND ON EXAMINE UN PATIENT COMATEUX
>
> ✔ *Ne pas dilater les pupilles*. L'état des pupilles est l'élément le plus important pour le diagnostic étiologique (coma structurel *versus* coma métabolique).
>
> ✔ *Ne pas fléchir le cou* s'il y a un contexte de traumatisme de la tête ou du cou. Immobilisez le rachis cervical et faites d'abord des radiographies pour éliminer une fracture du rachis cervical, qui comprimerait et léserait la moelle cervicale.

**Respiration et circulation.** Vérifiez rapidement le teint et la respiration du patient. Regardez le pharynx postérieur et auscultez la trachée pour contrôler la perméabilité des voies aériennes. Si la respiration est lente ou superficielle, ou si les voies aériennes sont encombrées, envisagez d'intuber le patient dès que possible, en stabilisant le rachis cervical.

Appréciez les autres constantes vitales : fréquence cardiaque, pression artérielle et température *rectale*. En cas d'hypotension ou d'hémorragie, posez une voie d'abord veineuse et commencez un remplissage vasculaire (le traitement d'urgence et les examens de laboratoire sortent du cadre de cet ouvrage).

**Niveau de conscience.** Le niveau de conscience reflète en premier lieu la capacité d'éveil du patient, son état de vigilance. Elle est déterminée par le niveau d'activité que le patient peut manifester en réponse à des stimulations croissantes de l'examinateur.

Cinq niveaux de conscience sont décrits dans le tableau ci-après ainsi que les techniques d'examen correspondantes. Augmentez les stimuli par palier, en fonction de la réaction du patient.

Cinq signes cliniques prédisent une évolution défavorable ou un décès, avec des rapports de vraisemblance de 5 à 12 : à H24, l'abolition du réflexe cornéen, l'abolition du réflexe photomoteur, l'absence de retrait à la douleur, l'absence de réaction motrice ; à H72, l'absence de réaction motrice.[45]

Quand vous examinez des patients ayant des troubles de la conscience, décrivez et consignez exactement ce que vous voyez et entendez. L'usage impropre de termes tels que léthargie, obnubilation, stupeur ou coma peut induire en erreur d'autres examinateurs.

| Niveau de conscience (éveil) : techniques et réactions du patient | | Réponse anormale |
|---|---|---|
| **Niveau** | **Technique** | |
| **Vigilance** | Parlez au patient d'une voix normale. Un sujet vigilant ouvre les yeux, vous regarde et répond de façon complète et appropriée aux stimuli (éveil normal). | |
| **Léthargie** | Parlez au patient d'une voix forte. Par exemple, appelez le patient par son nom ou demandez-lui : « Comment allez-vous ? ». | Un sujet léthargique semble somnolent mais ouvre les yeux, vous regarde, répond à vos questions puis se rendort. |
| **Obnubilation** | Secouez le patient avec douceur, comme pour réveiller un dormeur. | Un patient obnubilé ouvre les yeux, vous regarde, mais répond lentement et est un peu confus. Sa vigilance et son intérêt pour l'environnement sont diminués. |
| **Stupeur** | Appliquez un stimulus douloureux. Par exemple, pincez un tendon, frottez le sternum ou faites rouler un crayon sur un ongle (pas de stimuli plus forts !). | Un patient stuporeux ne se réveille qu'après un stimulus douloureux. Il répond lentement ou pas du tout. Il retombe dans un état d'aréactivité dès que le stimulus cesse. Il est peu conscient de lui-même et de son environnement. |
| **Coma** | Appliquez des stimuli douloureux répétés. | Un patient comateux reste inconscient, les yeux fermés. Il ne réagit ni à ses besoins internes ni aux stimuli externes. |

### Examen neurologique

*RESPIRATION.* Observez la fréquence, le rythme et le type de la respiration. Étant donné que les structures nerveuses qui commandent la respiration dans le cortex et le tronc cérébral recoupent celles qui régissent la conscience, il y a souvent des anomalies respiratoires au cours du coma.

Voir tableau 17-11 : « Comas métaboliques et structurels », p. 765, et tableau 4-8 : « Anomalies de la fréquence et du rythme respiratoires », p. 137.

*PUPILLES.* Observez la taille et l'égalité des pupilles, et testez leur réaction à la lumière. La présence ou l'absence du réflexe photomoteur est un signe très important pour distinguer les causes structurelles des causes métaboliques des comas. Le réflexe photomoteur est souvent conservé dans un coma métabolique.

Voir tableau 17-12 : « Pupilles chez les patients comateux », p. 766.

Des lésions de la structure d'un hémisphère, par un AVC, un abcès ou une tumeur, peuvent entraîner une asymétrie pupillaire et l'abolition du réflexe photomoteur.

MOUVEMENTS OCULAIRES. Observez la position des yeux et des paupières au repos. Cherchez une déviation horizontale des yeux d'un côté (regard préférentiel). Quand les voies oculomotrices sont intactes, les yeux regardent droit devant.

Dans les lésions de la structure d'un hémisphère, les yeux « regardent l'hémisphère lésé ».

Dans les lésions irritatives (épilepsie, hémorragie cérébrale débutante), les yeux se détournent de l'hémisphère atteint.

RÉFLEXE OCULOCÉPHALIQUE (MOUVEMENT DES YEUX DE POUPÉE). Ce réflexe permet d'évaluer le fonctionnement du tronc cérébral chez les patients comateux. Relevez les paupières supérieures pour voir les yeux, et faites tourner rapidement la tête, d'un côté puis de l'autre (vérifiez au préalable que le patient n'a pas de lésion au niveau du cou).

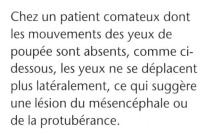

Chez un patient comateux dont les mouvements des yeux de poupée sont absents, comme ci-dessous, les yeux ne se déplacent plus latéralement, ce qui suggère une lésion du mésencéphale ou de la protubérance.

Chez un sujet comateux dont le tronc cérébral est intact, quand la tête est tournée, les yeux se déplacent vers le côté opposé (mouvement des yeux de poupée). Dans la photo ci-contre, par exemple, la tête du patient a été tournée vers la droite et les yeux se sont déplacés vers la gauche. Les yeux semblent encore regarder l'appareil photo. Les mouvements des yeux de poupée sont conservés.

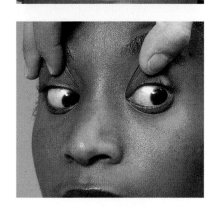

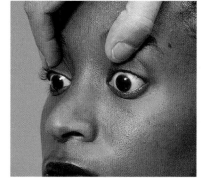

RÉFLEXE OCULOVESTIBULAIRE (AVEC STIMULUS THERMIQUE). Si le réflexe oculocéphalique est absent et que vous désirez explorer plus avant le fonctionnement du tronc cérébral, étudiez le réflexe oculovestibulaire. Remarquez qu'on ne pratique presque jamais ce test sur un sujet conscient.

Vérifiez que les tympans sont intacts et les conduits auditifs externes perméables. Vous devez surélever la tête du patient à 30° pour la précision du test. Placez un haricot sous l'oreille pour recueillir l'eau en excès. Avec une grosse seringue, injectez de l'eau glacée par un petit cathéter situé dans le conduit auditif (mais ne le bouchant pas). Recherchez une déviation des yeux dans le plan horizontal. Il faut parfois utiliser jusqu'à 120 mL d'eau glacée pour obtenir une réponse. Chez le sujet comateux dont *le tronc cérébral est intact*, on observe une déviation conjuguée des yeux *vers* l'oreille irriguée. Faites de même du côté opposé, après avoir attendu 3 à 5 minutes, si besoin est, que la première réponse ait disparu.

L'absence de réponse à cette stimulation évoque une lésion du tronc cérébral.

POSTURE ET TONUS MUSCULAIRE. Observez la posture du patient. S'il n'y a pas de mobilité spontanée, appliquez un stimulus douloureux (voir page précédente) et classez ainsi le mouvement obtenu :

Voir tableau 17-13 : « Postures anormales chez les patients comateux », p. 767.

■ *normal, d'évitement* : le patient repousse le stimulus ou retire son membre ;

■ *stéréotypé* : le stimulus provoque des attitudes anormales du tronc et des membres ;

Deux réponses stéréotypées prédominent : la *rigidité de décortication* et la *rigidité de décérébration* (voir tableau 17-13 : « Postures anormales chez les patients comateux », p. 767).

■ *absent, paralysie flasque.*

L'absence de réponse d'un côté évoque une lésion d'un faisceau corticospinal (ou pyramidal).

Testez le tonus musculaire en saisissant chaque avant-bras près du poignet et en le relevant verticalement. Notez la position de la main, qui n'est habituellement qu'un peu fléchie sur le poignet.

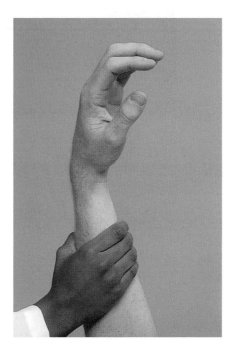 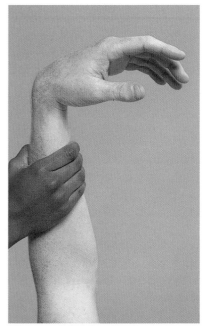

L'hémiplégie des accidents cérébraux aigus est habituellement d'abord flasque. La main hypotonique tombe jusqu'à faire un angle droit avec le poignet.

Puis abaissez le membre supérieur jusqu'à environ 30 à 45 cm du plan du lit et lâchez-le. Observez sa chute. Un membre supérieur normal tombe assez lentement.

Un membre supérieur flasque tombe rapidement, comme une masse.

Soutenez les genoux fléchis du patient. Puis, étendez un membre inférieur et laissez-le tomber. Faites de même avec l'autre membre. Comparez la rapidité avec laquelle chaque jambe tombe.

Dans une *hémiplégie aiguë*, le membre flasque tombe plus rapidement.

Fléchissez les deux membres inférieurs en laissant les talons reposer sur le lit et lâchez-les. Le membre normal retourne lentement à sa position étendue initiale.

Dans une hémiplégie aiguë, le membre inférieur flasque revient plus vite en extension, avec une rotation externe de la hanche.

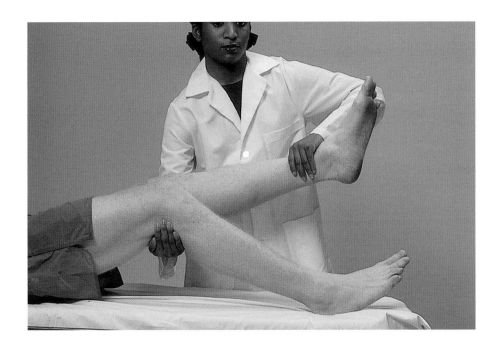

**Examen plus poussé.** En terminant l'examen neurologique, recherchez une asymétrie faciale, une asymétrie de la motricité, de la sensibilité et de la réflectivité. Recherchez des signes méningés, si c'est indiqué.

*Méningite, hémorragie sous-arachnoïdienne.*[3]

Pendant l'examen général, recherchez des odeurs inhabituelles.

Alcoolisme, insuffisance hépatique, insuffisance rénale.

Recherchez des anomalies de la peau, comprenant la couleur, l'humidité, les signes d'hémorragie, les piqûres d'aiguille, etc.

Jaunisse, cyanose, couleur rouge cerise de l'intoxication au monoxyde de carbone.

Examinez le cuir chevelu et le crâne, à la recherche de signes de traumatisme.

Ecchymoses, lacérations, gonflement.

Examinez soigneusement les fonds d'yeux.

Œdème papillaire, rétinopathie hypertensive.

Vérifiez que les réflexes cornéens sont intacts (rappelez-vous que le port de verres de contact peut abolir ces réflexes).

Abolition des réflexes cornéens dans le coma et l'atteinte du NC V et du NC VII.

Examinez les oreilles, le nez, la bouche et la gorge.

Du sang ou du LCR dans le nez ou dans les oreilles évoquent une fracture du crâne ; une otite moyenne fait évoquer la possibilité d'un abcès du cerveau.

N'oubliez pas d'examiner le cœur, les poumons et l'abdomen.

Une blessure de la langue évoque une convulsion.

# CONSIGNER VOS OBSERVATIONS

Notez qu'au début vous pouvez faire des phrases pour décrire vos trouvailles ; plus tard, vous utiliserez des phrases courtes. Le style ci-dessous emploie des phrases convenant à la plupart des rapports écrits. Notez les cinq composantes de l'examen et du compte rendu du système nerveux.

## Consigner l'examen : système nerveux

« *État mental :* conscient, détendu et coopérant. Processus de pensée cohérents. Orientation pour les personnes, les lieux et le temps. Tests cognitifs différés. *Nerfs crâniens* – I : pas testé ; II à XII : normaux. *Motricité :* masses et tonus musculaires satisfaisants. Force 5/5 partout. Cérébelleux : mouvements alternants rapides (MAR), épreuve doigt au nez (D → N), talon au tibia (T → T) normaux. Démarche stable. Romberg : maintient son équilibre les yeux fermés. Pas de dérive en pronation. *Sensibilité :* piqûre, toucher léger, position et vibration normaux. *Réflexes :* 2+, symétriques, réflexes plantaires en flexion plantaire. »

**Ou**

« *État mental :* le patient est conscient et essaye de répondre aux questions mais a du mal à trouver ses mots. *Nerfs crâniens* – I : pas testé ; II : acuité visuelle normale, champs visuels complets ; III, IV, VI : motricité oculaire extrinsèque normale ; V moteur : force des temporaux et des masséters normale, réflexes cornéens normaux ; VII moteur : affaissement des traits de l'hémiface droite et effacement du sillon nasolabial droit, mobilité de l'hémiface gauche conservée ; sensoriel : goût non testé ; VIII : audition de la voix chuchotée normale des deux côtés ; IX et X : réflexe nauséeux présent ; XI : force des sternocléidomastoïdiens et des trapèzes 5/5 ; XII : langue médiane. *Motricité :* force du biceps, du triceps, du psoas iliaque, des fessiers, du quadriceps, des ischiojambiers, des fléchisseurs et extenseurs de la cheville du côté droit 3/5 avec une masse musculaire satisfaisante mais une hypertonie et une spasticité ; force des muscles symétriques du côté gauche 5/5 avec masse et tonus musculaires normaux. Démarche : impossible à tester. Cérébelleux : ne peut être testé à droite à cause de la faiblesse des membres droits ; MAR, D → N et T → T conservés à gauche. Romberg : impossible à tester à cause de la faiblesse du membre inférieur droit. Dérive en pronation présente à droite. *Sensibilité :* diminution de la sensibilité à la piqûre sur l'hémiface droite, les membres supérieur et inférieur droits ; RAS à gauche. Stéréognosie et discrimination de deux points pas testées. *Réflexes* (peuvent être notés de 2 façons) :

| | Bicipital | Tricipital | Styloradial | Rotulien | Achilléen | Cutané plantaire | |
|---|---|---|---|---|---|---|---|
| Droit | 4+ | 4+ | 4+ | 4+ | 4+ | ↑ | |
| Gauche | 2+ | 2+ | 2+ | 2+ | 1+ | ↓ | |

OU

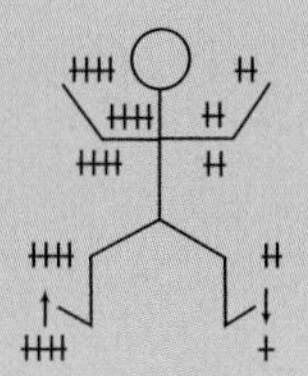

Évoque un AVC hémisphérique gauche dans le territoire de l'artère cérébrale moyenne gauche, avec une hémiparésie droite.

## Bibliographie

### RÉFÉRENCES

1. Straus SE, Thorpe KE, Holroyd-Leduc J. How do I perform a lumbar puncture and analyze the results to diagnose bacterial meningitis? JAMA 296(16):2012–2022, 2006.

2. Ellenby MS, Tegtmeyer K, Lai S, et al. Lumbar puncture. N Engl J Med 355(13):e12, 2006.

3. Suarez JI, Tarr RW, Selman WR. Aneurysmal subarachnoid hemorrhage. N Engl J Med 354(4):387–396, 2006.

4. Brisman JL, Song JK, Newell DW. Cerebral aneurysms. N Engl J Med 355(9):928–939, 2006.

5. Van de Beek D, de Gans J, Spanjaard L, et al. Clinical features and prognostic factors in adults with bacterial meningitis. N Engl Med 351(18):1849–1859, 2004.

6. Goadsby PJ, Lifton RB, Ferrari MD. Migraine: current understanding and treatment. N Engl J Med 346(4):257–269, 2002.

7. Kaniecki R. Headache assessment and management. JAMA 289(11):1430–1433, 2003.

8. Maizels M, Burchette R. A rapid and sensitive paradigm for screening headache patients in primary care. Headache 43(5): 441–450, 2003.

9. American Academy of Neurology. AAN encounter kit for headache. Available at: http://www.aan.com/go/practice/quality/headache. Accessed January 13, 2008.

10. Savitz SI, Caplan LR. Vertebrobasilar disease. N Engl J Med 352(25):2618–2626, 2005.

11. Johnston SC. Transient ischemic attack. N Engl J Med 347(21): 1687–1692, 2002.

12. Scherer K, Bedlack RS, Simel DL. Does this patient have myasthenia gravis? JAMA 293(15):1906–1914, 2005.

13. Mendell JR, Sahenk Z. Painful sensory neuropathy. N Engl J Med 348(13):1243–1255, 2003.

14. Kapoor WN. Syncope. N Engl J Med 343(25):1856–1862, 2000.

15. Browne TR, Holmes GL. Epilepsy. N Engl J Med 344(15): 1145–1151, 2001.

16. Rao G, Fisch L, Srinivasan S, et al. Does this patient have Parkinson disease? JAMA 289(3):347–353, 2003.

17. Louis ED. Essential tremor. N Engl J Med 345(12): 887–891, 2001.

18. Earley CJ. Restless legs syndrome. N Engl J Med 348(21): 2103–2109, 2003.

19. American Heart Association. Heart Disease and Stroke Statistics—2007 Update. Available at: http://www.americanheart.org/downloadable/heart/1166712318459HS_Stats InsideText.pdf. Accessed December 7, 2007.

20. Van der Worp HB, van Gijn J. Acute ischemic stroke. N Engl J Med 357(6):572–570, 2007.

21. Kidwell CS, Warach S. Acute ischemic cerebrovascular syndrome: diagnostic criteria. Stroke 34(12):2995–2998, 2003.

22. Albers GW, Caplan LR, Easton JD, et al. Transient ischemic attack: proposal for a new definition. N Engl J Med 347(21): 1713–1716, 2002.

23. Johnston SC, Gress DR, Browner WS, et al. Short-term prognosis after emergency department diagnosis of TIA. JAMA 284(22):2901–2906, 2000.

24. Douglas JG, Bakris GL, Epstein M, et al. Management of high blood pressure in African Americans: consensus statement of the Hypertension in African Americans Working Group of the International Society on Hypertension in Blacks. Arch Intern Med 163(5):525–541, 2003.

25. Corvol JC, Bouzamondo A, Sirol M, et al. Differential effects of lipid-lowering therapies on stroke prevention: a meta-analysis of randomized trials. Arch Intern Med 163(6):669–676, 2003.

26. Collins R, Armitage J, Parish S, et al. Effects of cholesterol lowering with simvastatin on stroke and other major vascular events in 20,536 people with cerebrovascular disease or other high-risk conditions. Lancet 363(9411):757–767, 2004.

27. Straus SE, Majumdar SR, McAlister FA. New evidence for stroke prevention: scientific review. JAMA 288(11):1388–1395, 2002.

28. Gorelick PB, Sacco RL, Smith DB, et al. Prevention of a first stroke: a review of the guidelines and a multidisciplinary consensus statement from the National Stroke Association. JAMA 281(12):1112–1120, 1999.

29. Waldo AL. Stroke prevention after atrial fibrillation. JAMA 290(8):1093–1094, 2003.

30. Wang TJ, Massaro JM, Levy D, et al. A risk score for predicting stroke or death in individuals with new-onset atrial fibrillation in the community. The Framingham Heart Study. JAMA 290(8):1049–1056, 2003.

31. Hart RG. Atrial fibrillation and stroke prevention. JAMA 349(11):1015–1016, 2003.

32. Wolff T, Guirgulis-Blake J, Miller T, et al. Screening for carotid artery stenosis: an update of the evidence for the U.S. Preventive Services Task Force. Ann Intern Med 147(12): 860–870, 2007.

33. Halliday I, Mansfield A, Marro J, et al. Prevention of disabling and fatal strokes by successful carotid endarterectomy in patients without recent neurological symptoms: randomized controlled trial. Lancet 363(9420):1491–1502, 2004.

34. U.S. Preventive Services Task Force. Screening for Carotid Artery Stenosis. Rockville, MD: Agency for Healthcare Research and Quality, December 2007. Available at: http://www.ahrq.gov/ clinic/uspstf/uspsacas.htm. Accessed December 30, 2007.

35. American College of Physicians. Stroke in Neurology: Medical Knowledge Self-Assessment Program (MKSAP) 14. Philadelphia: American College of Physicians, 2006:52–68.

36. Boulton AJ, Vinik AT, Arezzo JC, et al. Diabetic neuropathies: A statement by the American Diabetes Association. Diabetes Care 28(4):956–962, 2005.

37. Martin CL, Albers J, Herman WH, et al. Neuropathy among the Diabetes Control and Complications Trial Cohort 8 years after trial completion. Diabetes Care 29(2):340–344, 2006.

38. McGee S. Evidence-Based Physical Diagnosis, 2nd ed. St. Louis: Saunders, 2005. See especially Visual field defects, pp. 663–670; The pupils, pp. 203–233; Nerves of the eye muscles (III, IV, and VI): approach to diplopia, pp. 671–689; Coordination and cerebellar testing, pp. 793–800; Miscellaneous cranial nerves, pp. 690–706; Hearing, pp. 242–249; Stance and gait, pp. 57–74; Examination of the sensory system, pp. 736–753; Examination of the reflexes, pp. 754–771; Disorders of the nerve roots, plexi, and peripheral nerves, pp. 772–792; and Meninges, pp. 277–282.

39. Teitelbaum JS, Eliasziw M, Garner M. Tests of motor function in patients suspected of having mild unilateral cerebral lesions. Can J Neurol Sci 29(4):337–344, 2002.

40. Maynard FM, Bracken MB, Creasey G, et al. International standards for neurological and functional classification of spinal cord injury. Spinal Cord 35(5):266–274, 1997. See diagram, American Spinal Cord Injury Association, Available at http://www.asia-spinalinjury.org/publications/2006_Classif_worksheet.pdf. Accessed January 7, 2008.

41. Hallett M. NINDS myotatic reflex scale. Neurology 43(12):2723, 1993.

42. Sabatine MS. Pocket Medicine, 2nd ed. Philadelphia: Lippincott Williams & Wilkins, 2004.

43. Bateman DE. Neurological assessment of coma. J Neurol Neurosurg Psychiatry 71(Suppl 1):i13–i37, 2001.

44. Laureys S, Owen AM, Schiff ND. Brain function in coma, vegetative state, and related disorders. Lancet Neurol 3(9):537–546, 2004.

45. Booth CM, Boone RH, Tomlinson G, et al. Is this patient dead, vegetative, or severely neurologically impaired? Assessing outcome for comatose survivors of cardiac arrest. JAMA 291(7):870–879, 2004.

46. Goldstein LB, Matchar DB. Clinical assessment of stroke. JAMA 271(14):1114–1120, 1994.

47. Goldstein LB, Simel DL. Is this patient having a stroke? JAMA 293(19):2391–2402, 2005.

48. Grubb BP. Neurocardiogenic syncope. N Engl J Med 352(10):1004–1010, 2004.

49. Soteriades ES, Evans JC, Larson MG, et al. Incidence and prognosis of syncope. N Engl J Med 347(12):878–885, 2002.

## AUTRES LECTURES

Aids to the Examination of the Peripheral Nervous System: Medical Research Council Memorandum No. 45. London: Her Majesty's Stationery Office, 1976.

Booth CN, Boone RH, Tomlinson G, et al. Is this patient dead, vegetative, or severely neurologically impaired? JAMA 291(7):870–879, 2004.

Boyer EW, Shannon M. The serotonin syndrome. N Engl J Med 352(11):1112–1120, 2005.

Budson AE, Price BH. Memory dysfunction. N Engl J Med 352(7):692–699, 2005.

Campbell WW, DeJong RN, Haerer AF. DeJong's The Neurologic Examination, 6th ed. Philadelphia: Lippincott Williams & Wilkins, 2005.

Chang BS, Lowenstein DH. Epilepsy. N Engl J Med 349(13):1257–1266, 2003.

Chimowitz MI. The accuracy of bedside neurological diagnoses. Ann Neurol 28(1):78–85, 1990.

Darouiche RO. Spinal epidural abscess. N Engl J Med 355(19):2012–2020, 2006.

Detsky ME, McDonald DR, Baerlocher MO, et al. Does this patient with headache have a migraine or need neuroimaging? JAMA 296(10):1272–1283, 2006.

Freeman R. Clinical practice: neurogenic orthostatic hypotension. N Engl J Med 358(6):615–624, 2008.

Gardner P. Prevention of meningococcal disease. N Engl J Med 355(14):1466–1473, 2006.

Gilden DH. Bell's palsy. N Engl J Med 351(13):1323–1331, 2004.

Gilman S, Manter JT, Gatz AJ, et al. Manter and Gatz's Essentials of Clinical Neuroanatomy and Neurophysiology, 10th ed. Philadelphia: FA Davis, 2003.

Gilron I, Watson PN, Cahill C, et al. Neuropathic pain: a practical guide for the clinician. CMAJ 175(3):265–275, 2006.

Griggs RC, Joynt RJ, eds. Baker and Joynt's Clinical Neurology on CD-ROM. Philadelphia: Lippincott Williams & Wilkins, 2003.

Jeha LE, Sila CA, Lederman RJ, et al. West Nile virus infection: a new acute paralytic illness. Neurology 61(1):55–59, 2003.

Katz JN. Carpal tunnel syndrome. N Engl J Med 346(23):1807–1812, 2002.

Lavan ZP. Stroke prevention through community action. J Community Nurs 19(3):4, 6, 8–10, 2005.

Louis ED. Essential tremor. N Engl J Med 345(12):887–891, 2001.

Magnetic Resonance Angiography in Relatives of Patients with Subarachnoid Hemorrhage Study Group. Risks and benefits of screening for intracranial aneurysms in first-degree relatives of patients with sporadic subarachnoid hemorrhage. N Engl J Med 341(18):1344–1350, 1999.

McGill M, Molyneaux L, Spencer R, et al. Possible sources of discrepancies in the use of the Semmes-Weinstein monofilament. Diabetes Care 22(4):598–602, 1999.

Mendell JR, Sahenk Z. Painful sensory neuropathy. N Engl. J Med 348(13):1243–1294, 2003.

Nutt JG, Wooten GF. Clinical practice: diagnosis and initial management of Parkinson's disease. N Engl J Med 353(10):1021–1027, 2005.

# BIBLIOGRAPHIE

Partanen J, Kiskanen L, Leghtinen J, et al. Natural history of peripheral neuropathic pain patients with non-insulin-dependent diabetes mellitus. N Engl J Med 333(2):89–94, 1995.

Plum F, Posner JB. Plum and Posner's Diagnosis of Stupor and Coma, 4th ed. Oxford, New York: Oxford University Press, 2007.

Ropper AH, Adams RD, Victor MV, et al. Adams and Victor's Principles of Neurology, 8th ed. New York: McGraw-Hill, 2005.

Rosenberg RN. Atlas of Clinical Neurology, 3rd ed. Philadelphia: Current Medicine Group, 2008.

Rowland LP, Merritt HH. Merritt's Neurology, 11th ed. Philadelphia: Lippincott Williams & Wilkins, 2005.

Saltzman CL, Rashid R, Hayes A, et al. 4.5 Gram monofilament sensation beneath both first metatarsal heads indicates protective foot sensation in diabetic patients. J Bone Joint Surg 86(4):717–723, 2004.

Tan MP, Parry SW. Vasovagal syncope in the older patient. J Am Coll Cardiol 51(6):599–606, 2008.

Tarsy D, Simon DK. Dystonia. N Engl J Med 355(8):818–829, 2006.

Van de Beek D, de Gans J, Tunkel AR, et al. Community-acquired bacterial meningitis in adults. N Engl J Med 354(1):44–53, 2006.

Pour évaluer les patients victimes d'un accident vasculaire cérébral (AVC), il faut répondre à trois questions fondamentales, grâce aux données d'un interrogatoire minutieux et d'un examen physique détaillé : *quelle zone du cerveau et quel territoire vasculaire cérébral correspondant expliquent les signes du patient ? L'AVC est-il ischémique ou hémorragique ? S'il est ischémique, est-il dû à une thrombose ou à une embolie ?* Un AVC est une urgence médicale, où le temps joue un rôle essentiel. Des réponses aux trois questions dépendent le pronostic du patient et l'indication du traitement thrombolytique dans l'AVC ischémique au stade aigu.

Dans un *AVC ischémique aigu*, la lésion ischémique comprend au début une zone centrale où l'hypoperfusion est extrême et la mort cellulaire irréversible, et une zone périphérique, dite *de pénombre*, où les cellules ischémiées sont encore potentiellement viables, si le flux sanguin est rétabli rapidement. Étant donné que la plupart des dégâts irréversibles se produisent au cours des 3 à 6 heures suivant le début des symptômes, les traitements mis en œuvre pendant la « fenêtre » des 3 premières heures obtiennent les meilleurs résultats, avec une récupération totale pouvant atteindre 50 % des patients dans certaines études.[20]

L'efficacité des cliniciens pour diagnostiquer les AVC s'améliore avec la formation.[46] Comprendre la physiopathologie des AVC exige ardeur au travail, supervision pour améliorer les techniques d'examen neurologique, et persévérance. *Ce survol rapide a pour but d'inciter à étudier et à pratiquer.* La précision dans l'examen clinique est possible ; elle est plus importante que jamais pour déterminer le traitement du patient.[47] (Voir aussi p. 698-699 la discussion sur les « facteurs de risque des AVC : prévention primaire et secondaire »).

## Caractéristiques cliniques et territoires vasculaires des AVC

| Trouvailles cliniques | Territoire vasculaire | Commentaires |
|---|---|---|
| Faiblesse du membre inférieur controlatéral | *Circulation antérieure* : artère cérébrale antérieure (ACA) | Comprend le segment précommuniquant de l'ACA (qui fait partie du polygone de Willis), le segment post-communiquant de l'ACA, et l'artère choroïdienne antérieure |
| Faiblesse de l'hémiface et des membres (supérieur > inférieur) controlatéraux, hypoesthésie, altération du champ visuel, aphasie (ACM gauche) ou négligence, apraxie (ACM droite) | *Circulation antérieure* : artère cérébrale moyenne (ACM) | Le plus grand lit vasculaire pour un AVC |
| Déficit moteur ou sensitif controlatéral sans signes corticaux* | *Circulation sous-corticale* : branches pénétrantes profondes lenticulo-striées de l'ACM | *Infarctus lacunaires* des petits vaisseaux sous-corticaux dans la capsule interne, le thalamus, le tronc cérébral. Quatre syndromes fréquents : hémiparésie purement motrice, hémianesthésie purement sensitive, ataxie-hémiparésie, maladresse manuelle-dysarthrie |
| Altération du champ visuel controlatéral | *Circulation postérieure* : artère cérébrale postérieure (ACP) | Comprend les deux artères vertébrobasilaires, les deux artères cérébrales postérieures. Un infarctus bilatéral de l'ACP entraîne une cécité corticale, mais les réflexes photomoteurs ne sont pas abolis |
| Dysphagie, dysarthrie, déviation de la langue/du palais et/ou ataxie avec des déficits sensitifs/moteurs croisés (hémiface ipsilatérale et hémicorps controlatéral) | *Circulation postérieure* : tronc cérébral, branches des artères vertébrales et du tronc basilaire | |
| Déficits oculomoteurs et/ou ataxie avec déficits sensitifs/moteurs croisés | *Circulation postérieure* : artère basilaire | Occlusion complète de l'artère basilaire *(« locked-in syndrome »)* avec une conscience normale mais une incapacité à parler et une quadriplégie |

---

* Apprenez à différencier l'atteinte corticale et l'atteinte sous-corticale. Les infarctus lacunaires ou sous-corticaux respectent les fonctions cognitives supérieures, le langage et les champs visuels.

Source : adapté de l'*American College of Physicians*. Stroke. In : Neurology. Medical Knowledge Self-Assessment Program (MKSAP) 14. Philadelphia : American College of Physicians, 2006 : 52-68.

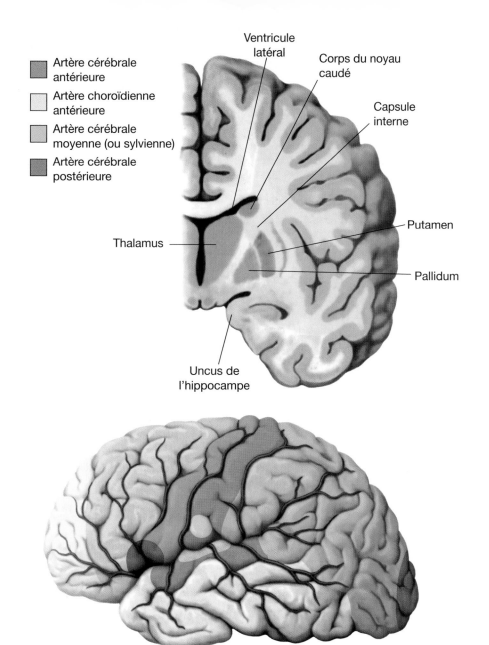

Ventricule
latéral

Corps du noyau
caudé

Capsule
interne

Artère cérébrale
antérieure

Artère choroïdienne
antérieure

Artère cérébrale
moyenne (ou sylvienne)

Artère cérébrale
postérieure

Thalamus

Putamen

Pallidum

Uncus de
l'hippocampe

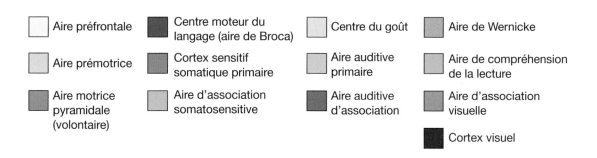

Aire préfrontale

Centre moteur du
langage (aire de Broca)

Centre du goût

Aire de Wernicke

Aire prémotrice

Cortex sensitif
somatique primaire

Aire auditive
primaire

Aire de compréhension
de la lecture

Aire motrice
pyramidale
(volontaire)

Aire d'association
somatosensitive

Aire auditive
d'association

Aire d'association
visuelle

Cortex visuel

| Problème | Mécanisme | Facteurs déclenchants |
|---|---|---|
| **Syncope vasovagale**<br>*(perte de connaissance commune)* | Brusque vasodilatation périphérique, en particulier dans les muscles squelettiques, sans augmentation compensatrice du débit cardiaque. La pression artérielle chute. Souvent, début et fin progressifs | Une émotion forte telle qu'une peur ou une douleur |
| **Hypotension orthostatique**<br>*(posturale)* | ■ *Réflexes de vasoconstriction inadaptés*, à la fois dans les artérioles et les veines, entraînant une accumulation de sang veineux, une diminution du débit cardiaque et une hypotension artérielle | ■ Passage en position debout |
| | ■ *Hypovolémie*, une diminution du volume sanguin insuffisante pour maintenir le débit cardiaque et la pression artérielle, en particulier en position debout | ■ Passage en position debout après hémorragie ou déshydratation |
| **Syncope de la toux** | Différents mécanismes possibles associés à une élévation de la pression intrathoracique | Quintes de toux sévères |
| **Syncope de la miction** | Obscur | Évacuation vésicale après s'être levé du lit pour uriner |
| **Troubles cardiovasculaires** | | |
| *Arythmies* | Diminution du débit cardiaque secondaire à des rythmes trop rapides (au-dessus de 180/min en général), ou trop lents (moins de 35-40). Souvent, début et fin brusques | Un brusque changement de rythme |
| *Rétrécissement aortique et cardiomyopathie hypertrophique* | Chute des résistances vasculaires lors d'un effort physique, mais le débit cardiaque ne peut pas s'élever | Effort physique |
| *Infarctus du myocarde* | Arythmie brusque ou diminution du débit cardiaque | Variables |
| *Embolie pulmonaire massive* | Hypoxie brusque ou diminution du débit cardiaque | Variables, y compris le repos au lit prolongé et les troubles de la coagulation |
| **Troubles ressemblant à une syncope** | | |
| *Hypocapnie par hyperventilation* | Vasoconstriction des vaisseaux cérébraux secondaire à l'hypocapnie induite par l'hyperventilation | Éventuellement, une situation stressante |
| *Hypoglycémie* | Glycémie insuffisante pour maintenir le métabolisme cérébral ; une sécrétion d'adrénaline contribue aux symptômes. Une vraie syncope est rare | Variables, incluant le jeûne |
| *Perte de connaissance hystérique due à une névrose de conversion* | Expression symbolique par le langage corporel d'une pensée intolérable. La couleur de la peau et les signes vitaux peuvent être normaux, quelquefois avec des mouvements bizarres et intentionnels ; survenue devant d'autres personnes | Situation stressante |

| Facteurs prédisposants | Manifestations prodromiques | Associations posturales | Récupération |
|---|---|---|---|
| Fatigue, faim, environnement chaud et humide | Agitation, faiblesse, pâleur, nausées, hypersalivation, sueurs, bâillements | Survient habituellement en position debout, possible en position assise | Rapide retour à la conscience en s'étendant, mais pâleur, faiblesse musculaire, nausées et légère confusion pouvant persister un certain temps |
| ▪ Neuropathies périphériques et pathologies du système nerveux autonome ; médicaments comme les antihypertenseurs et les vasodilatateurs ; repos prolongé au lit | ▪ Souvent aucune | ▪ Survient peu après que le sujet s'est mis debout | ▪ Rapide retour à la normale en s'étendant |
| ▪ Saignement du tube digestif ou traumatique, diurétiques puissants, vomissements, diarrhée, polyurie | ▪ Impression de tête vide et palpitations (tachycardie) lors du passage en position debout | ▪ Survient en général peu après que le sujet s'est mis debout | ▪ Amélioration en s'étendant |
| Bronchite chronique chez un homme musclé | Souvent aucune, excepté la toux | Peut survenir dans n'importe quelle position | Retour rapide à la normale |
| Nycturie, en général chez un homme adulte ou âgé | Souvent aucune | Position debout pour uriner | Retour rapide à la normale |
| Une cardiopathie et un âge avancé diminuent la tolérance aux arythmies | Souvent aucune | Peut survenir dans n'importe quelle position | Retour rapide à la normale, à moins qu'il y ait des lésions cérébrales |
| Pathologies cardiaques | Souvent aucune. Début souvent brusque | Survient au cours de l'effort physique ou après lui | En général, rapide retour à la normale |
| Maladie coronarienne | Souvent aucune | Peut survenir dans n'importe quelle position | Variable |
| Thrombose veineuse profonde | Souvent aucune | Peut survenir dans n'importe quelle position | Variable |
| Une prédisposition aux accès d'angoisse et à l'hyperventilation | Dyspnée, palpitations, oppression thoracique, engourdissement et fourmillement dans les mains et autour de la bouche, durant plusieurs minutes. La conscience est souvent conservée | Peut survenir dans n'importe quelle position | Amélioration lente à l'arrêt de l'hyperventilation |
| Insulinothérapie et divers troubles métaboliques | Sueurs, tremblements, palpitations, faim ; céphalées, confusion, troubles du comportement, coma | Peut survenir dans n'importe quelle position | Variable, en fonction de la sévérité et du traitement |
| Traits de personnalité hystérique | Variables | Chute sur le sol, souvent à partir d'une position debout, sans blessure | Variable, peut être prolongée, souvent avec une réactivité fluctuante |

## Crises convulsives partielles

Les *crises convulsives partielles* débutent par des manifestations focales. Elles sont divisées en *crises convulsives partielles simples*, sans altération de la conscience, et en *crises convulsives partielles complexes*, avec altération de la conscience. *Elles peuvent devenir généralisées.* Les crises convulsives partielles de tous types indiquent habituellement des lésions de structures corticales cérébrales telles que cicatrices, tumeurs ou infarctus. Les caractéristiques des crises aident le clinicien à localiser la lésion responsable dans le cerveau.

| Problème | Manifestations cliniques | État postcritique (après les convulsions) |
|---|---|---|
| **Crises convulsives partielles** | | |
| *Crises partielles simples* | | |
| ■ Avec symptômes moteurs de type Bravais-Jackson | Mouvements toniques puis cloniques débutant unilatéralement à la main, au pied ou à la face et s'étendant à d'autres parties du corps du même côté | Conscience normale |
| Autres | Rotation de la tête et des yeux vers un côté, ou mouvements toniques et cloniques d'un membre supérieur ou inférieur sans extension Jacksonienne | Conscience normale |
| ■ Avec symptômes sensitifs ou sensoriels | Engourdissement, fourmillements ; hallucinations visuelles, auditives ou olfactives simples, telles qu'un éclair lumineux, un bourdonnement ou des odeurs | Conscience normale |
| ■ Avec symptômes végétatifs | Une « sensation curieuse » dans l'épigastre, des nausées, une pâleur, des bouffées vasomotrices, une impression de tête vide | Conscience normale |
| ■ Avec symptômes psychiques | Anxiété, peur ; sentiment de « déjà vu » ou d'irréel ; état onirique ; angoisse ou colère ; expérience de retour en arrière ; hallucinations plus complexes | Conscience normale |
| *Crises partielles complexes* | La crise convulsive peut ou non débuter par des symptômes végétatifs ou psychiques. La conscience est altérée et le sujet paraît confus. Les automatismes comprennent des comportements moteurs automatiques comme mâchonner, se lécher les lèvres, marcher sans but, déboutonner ses vêtements, ainsi que des comportements plus complexes, nécessitant plus d'adresse comme la conduite d'une voiture | Le patient peut se souvenir des symptômes végétatifs ou psychiques initiaux (dénommés alors *aura*) mais il est amnésique pour le reste de la crise. Une confusion transitoire et une céphalée peuvent survenir |
| *Crises partielles secondairement généralisées* | Les crises partielles secondairement généralisées ressemblent aux crises tonicocloniques (voir page suivante). Malheureusement, le patient peut ne pas se souvenir du début focalisé et l'entourage également | Comme lors d'une crise tonicoclonique, décrite page suivante. Deux caractéristiques indiquent une crise partielle secondairement généralisée : (1) la notion d'une *aura*, et (2) un *déficit* neurologique unilatéral durant la phase postcritique |

---

Source : Commission on Classification and Terminology of the International League Against Epilepsy. Proposal for revised classification of epilepsies and epileptic syndromes. Epilepsia 1989 ; 30 : 389-399. Voir aussi International League against Epilepsy. A proposed diagnostic scheme for people with epileptic seizures and with epilepsy : report of the ILAE Task Force on Classification and Terminology. Accessible sur : http://www.ilae-epilepsy.org/Visitors/Centre/ctf/overview.cfm#2. Visité le 10 janvier 2008.

## Crises convulsives généralisées et pseudoconvulsions

Les *crises convulsives généralisées* débutent par des mouvements bilatéraux du corps, ou par une altération de la conscience, ou les deux. Elles évoquent un trouble cortical bilatéral étendu, qui peut être héréditaire ou acquis. Quand les crises convulsives généralisées de type tonicoclonique (grand mal) débutent dans l'enfance ou dans l'adolescence, elles sont souvent héréditaires. Quand les crises tonicocloniques débutent après 30 ans, suspectez soit la généralisation d'une crise partielle, soit une crise généralisée due à un trouble toxique ou métabolique. Les causes toxiques et métaboliques comprennent le sevrage de l'alcool ou d'autres substances sédatives, l'urémie, l'hypoglycémie, l'hyperglycémie, l'hyponatrémie et une méningite bactérienne.

| Problème | Manifestations cliniques | État postcritique (après les convulsions) |
|---|---|---|
| **Crises convulsives généralisées** | | |
| *Convulsions tonicocloniques** (grand mal) | Le sujet perd brusquement connaissance, parfois en poussant un cri, et le corps se raidit (rigidité tonique en extension). La respiration s'arrête et le sujet se cyanose. Suit une phase de contractions musculaires rythmiques. La respiration reprend, souvent bruyante, avec hypersalivation. Une blessure, une perte d'urines et une morsure de la langue peuvent survenir | Confusion, somnolence, fatigue, céphalée, douleur musculaire et parfois persistance transitoire d'anomalies neurologiques bilatérales telles qu'une hyperréflectivité et un signe de Babinski. Le sujet a une amnésie de la crise et ne se souvient pas de l'aura |
| *Absence* | Suspension brusque et brève de la conscience, avec clignements, regard fixe et mouvement des lèvres et des mains, momentanés et sans chute. Deux sous-types : *absences petit mal* durant moins de 10 secondes et cessant brusquement, et *absences atypiques* pouvant durer plus de 10 secondes | Aucun souvenir de l'aura. Rapide retour à la normale dans les absences du petit mal ; une certaine confusion postcritique dans les absences atypiques |
| *Crise atonique (drop attack)* | Brusque perte de conscience avec chute mais sans mouvements. Une blessure peut se produire | Soit un rapide retour à la conscience, soit une brève période de confusion |
| *Myoclonies* | Secousses brusques, brèves, rapides, intéressant le tronc ou les membres. Associées à des pathologies variées | Variable |
| **Pseudo-crises convulsives** Elles peuvent mimer les crises convulsives mais sont dues à une réaction de conversion (trouble psychologique) | Les mouvements peuvent avoir une signification symbolique personnelle et, souvent, ne correspondent à aucun schéma neuroanatomique. Il n'y a habituellement aucune blessure | Variable |

---

* Les *convulsions hyperthermiques*, qui ressemblent à des convulsions tonicocloniques brèves, surviennent chez les nourrissons et les jeunes enfants. Elles sont habituellement bénignes mais peuvent être la première manifestation d'une épilepsie.

## Tremblements

Les tremblements sont des mouvements d'oscillation relativement rythmiques que l'on peut répartir grossièrement en trois groupes : tremblements de repos (ou statiques), tremblements d'attitude et tremblements intentionnels.

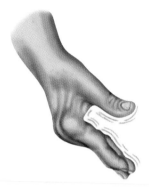

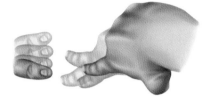

### Tremblements de repos

Ces tremblements prédominent le plus souvent au repos et peuvent diminuer ou disparaître lors du mouvement volontaire. L'illustration représente le tremblement parkinsonien relativement lent, fin, avec mouvement d'émiettement, à une fréquence d'environ 5 par seconde.

### Tremblements d'attitude

Ces tremblements apparaissent lors du maintien actif d'une posture dans le secteur atteint. Ils comprennent le tremblement fin et rapide de l'hyperthyroïdie, les tremblements d'anxiété et de fatigue, le tremblement essentiel bénin (parfois familial). Ils peuvent s'aggraver lors du mouvement.

### Tremblements intentionnels

Ces tremblements intentionnels, absents au repos, apparaissent lors de l'activité et s'aggravent souvent lorsque le but est proche. Ils s'observent dans les troubles des voies cérébelleuses, comme dans la sclérose en plaques.

## Dyskinésies buccofaciales

Les dyskinésies buccofaciales sont des mouvements rythmiques répétitifs et bizarres intéressant principalement la face, la bouche, la mâchoire et la langue : grimaces, pincement des lèvres, protrusion de la langue, ouverture et fermeture de la bouche et déviations de la mâchoire. Les membres et le tronc sont moins souvent touchés. Ces mouvements peuvent être une complication tardive de la prise de médicaments psychotropes tels que les phénothiazines et ont donc été appelés dyskinésies *tardives*. Ils se voient également dans les psychoses chroniques, chez certaines personnes âgées et chez certains sujets édentés.

### Tics

Les tics sont des mouvements brefs, répétitifs, stéréotypés et coordonnés survenant à intervalles irréguliers : clignements d'yeux, grimaces, haussements d'épaule répétés. Les causes en sont la maladie de Gilles de la Tourette et des médicaments tels que les phénothiazines et les amphétamines.

### Dystonie

Les mouvements dystoniques sont assez semblables à ceux de l'athétose mais intéressent souvent des zones plus étendues du corps, y compris le tronc. Des attitudes grotesques et des contorsions peuvent en résulter. Les causes comprennent des médicaments tels que les phénothiazines, la dystonie de torsion primitive (« spasmes de torsion ») et, comme le montre l'illustration, le torticolis spasmodique.

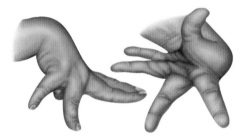

### Athétose

Les mouvements athétosiques sont plus lents, plus en torsion et crispés que ceux de la chorée, et ils ont une amplitude plus grande. Ils intéressent le plus souvent la face et les extrémités distales. L'athétose est fréquemment associée à une spasticité. Ses causes incluent l'infirmité motrice cérébrale.

### Chorée

Les mouvements choréiques sont brefs, rapides, saccadés, irréguliers et imprévisibles. Ils surviennent au repos, ou interrompent les mouvements coordonnés normaux. Contrairement aux tics, ils sont rarement répétitifs. Ils intéressent souvent la face, la tête, les avant-bras et les mains. Les causes de la chorée comprennent la chorée de Sydenham (avec le rhumatisme articulaire aigu) et la chorée de Huntington.

Les troubles de la parole se divisent en en trois groupes : ceux affectant 1) la voix, 2) l'articulation des mots et 3) la production et la compréhension du langage.

L'*aphonie* est la perte de la voix au cours d'une maladie du larynx ou de son innervation. La *dysphonie* est une altération moins grave du volume, de la qualité ou de la hauteur de la voix. Par exemple, une personne peut être enrouée ou juste capable de chuchoter. Les causes en sont les laryngites, les tumeurs du larynx et la paralysie unilatérale d'une corde vocale (NC X).

La *dysarthrie* est un défaut du contrôle des muscles intervenant dans le langage (lèvres, langue, palais, pharynx). Les mots peuvent être nasonnés, empâtés, indistincts mais la fonction symbolique du langage est intacte. Les causes en sont des lésions motrices du système nerveux central ou périphérique, la maladie de Parkinson, la pathologie cérébelleuse.

L'*aphasie* est un trouble de la production ou de la compréhension du langage. Il est souvent dû à des lésions de l'hémisphère cérébral dominant (le gauche en général).

Deux types d'aphasie sont comparés ci-dessous : 1) l'aphasie de Wernicke, aphasie fluide (de réception) et 2) l'aphasie de Broca, aphasie non fluide (d'expression). Il y a d'autres types d'aphasie, plus rares, qu'on peut différencier les uns des autres grâce aux réponses aux tests spécifiques cités. Un avis neurologique spécialisé est en général nécessaire.

| | Aphasie de Wernicke | Aphasie de Broca |
|---|---|---|
| **Qualités du langage spontané** | Fluide ; souvent rapide, volubile et sans effort. Inflexion et articulation sont correctes mais les phrases manquent de sens, les mots sont déformés (paraphasie) ou inventés (néologismes). Le discours peut être tout à fait incompréhensible | Non fluide ; lent, avec peu de mots et beaucoup d'efforts. Inflexion et articulation sont altérées mais les mots ont un sens, avec des noms, des verbes transitifs et des adjectifs importants. Les petits mots grammaticaux ont souvent disparu |
| **Compréhension des mots** | Altérée | Bonne |
| **Répétition** | Altérée | Altérée |
| **Dénomination** | Altérée | Altérée, quoique le patient reconnaisse les objets |
| **Compréhension de la lecture** | Altérée | Bonne |
| **Écriture** | Altérée | Altérée |
| **Localisation de la lésion** | Partie postérosupérieure du lobe temporal | Partie postéro-inférieure du lobe frontal |

Il est important de reconnaître une aphasie précocement au cours de l'entretien avec le patient mais sa signification ne deviendra claire qu'après son intégration dans l'examen neurologique.

Le nystagmus est une oscillation rythmique des yeux, analogue à un tremblement dans d'autres parties du corps. Ses causes sont multiples et comprennent des troubles de la vue au début de la vie, des pathologies du labyrinthe et du système cérébelleux, et la toxicité de certains médicaments. Un nystagmus survient normalement lorsqu'une personne regarde un objet en déplacement rapide, par exemple le passage d'un train. Étudiez les trois caractères d'un nystagmus indiqués ci-dessous et sur la page suivante. Puis consultez des manuels de neurologie pour le diagnostic différentiel.

### Directions du regard dans lesquelles le nystagmus apparaît

*Exemple : nystagmus dans le regard latéral droit*

*Nystagmus présent (regard latéral droit)*

Bien que le nystagmus puisse exister dans toutes les directions du regard, il peut à l'inverse n'apparaître ou ne s'accentuer que lorsque les yeux se déplacent, par exemple vers le côté ou en haut. Dans le regard de côté extrême, une personne normale peut présenter quelques battements ressemblant à un nystagmus. On évitera de tels mouvements extrêmes et *on ne recherchera le nystagmus que dans le champ d'une vision binoculaire complète.*

*Nystagmus absent (regard latéral gauche)*

### Direction des composantes rapide et lente

*Exemple : nystagmus battant à gauche ; déplacement rapide vers la gauche de chaque œil, puis retour lent vers la droite*

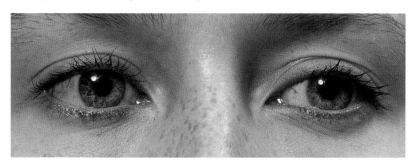

Le *nystagmus* a habituellement une phase rapide et une phase lente, mais *il est défini par sa phase rapide.* Par exemple, si l'œil se déplace rapidement vers la gauche et revient lentement vers la droite, on dit que le patient a un *nystagmus qui bat à gauche.*

De temps à autre, le nystagmus se compose seulement de mouvements oscillants grossiers, sans composante rapide ni lente. On dit qu'il est *pendulaire.*

*(suite)*

## Plan des déplacements
*Nystagmus horizontal*

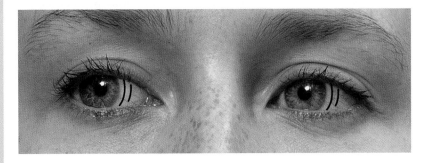

Les mouvements du nystagmus peuvent se produire dans un ou plusieurs plans, par exemple horizontal, vertical ou rotatoire. C'est le plan des mouvements, et non la direction du regard, qui est pris en considération.

*Nystagmus vertical*

*Nystagmus rotatoire*

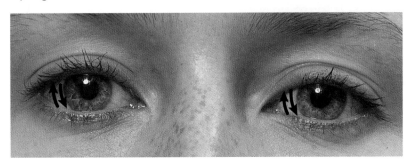

Une paralysie faciale peut être due (1) à une lésion périphérique du nerf facial (NC VII), de son origine, dans la protubérance, à sa terminaison, dans la face, ou (2) à une lésion centrale touchant les motoneurones supérieurs, entre le cortex et la protubérance. Une lésion périphérique du NC VII, illustrée ici par une paralysie de Charles Bell, est comparée à une lésion centrale, illustrée par un accident vasculaire cérébral de l'hémisphère gauche. Notez leurs effets différents sur la partie supérieure de la face, ce qui permet de les distinguer.

La partie inférieure de la face dépend de motoneurones supérieurs, situés dans le cortex du côté opposé. *Une lésion gauche de ces voies nerveuses, comme dans un AVC, paralyse la partie inférieure de l'hémiface droite.* La partie supérieure de la face dépend de motoneurones supérieurs des deux côtés du cortex. Même si les motoneurones supérieurs du côté gauche sont détruits, ceux de droite sont intacts et assurent une motricité normale à la partie supérieure de l'hémiface droite.

| NC VII – Lésion périphérique | NC VII – Lésion centrale |
|---|---|

Une lésion du nerf facial droit paralyse toute l'hémiface droite, y compris le front.

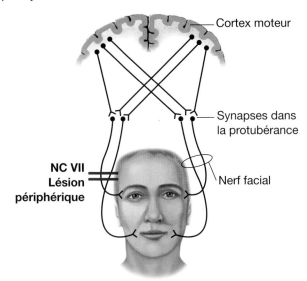

Cortex moteur

Synapses dans la protubérance

NC VII Lésion périphérique

Nerf facial

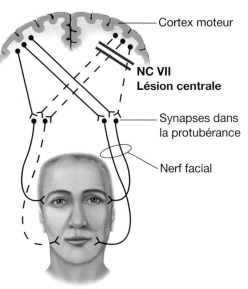

Cortex moteur

NC VII Lésion centrale

Synapses dans la protubérance

Nerf facial

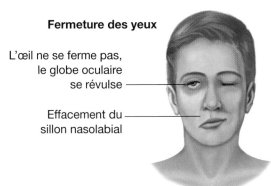

**Fermeture des yeux**

L'œil ne se ferme pas, le globe oculaire se révulse

Effacement du sillon nasolabial

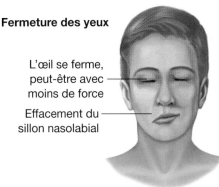

**Fermeture des yeux**

L'œil se ferme, peut-être avec moins de force

Effacement du sillon nasolabial

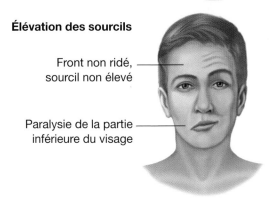

**Élévation des sourcils**

Front non ridé, sourcil non élevé

Paralysie de la partie inférieure du visage

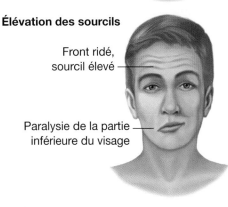

**Élévation des sourcils**

Front ridé, sourcil élevé

Paralysie de la partie inférieure du visage

| | Spasticité | Rigidité | Hypotonie | Paratonie |
|---|---|---|---|---|
| **Siège de la lésion** | Neurone moteur supérieur du faisceau pyramidal, n'importe où entre le cortex et la moelle épinière | Système extrapyramidal, notamment les « noyaux de la base » | Neurone moteur inférieur, n'importe où entre la corne antérieure et les nerfs périphériques | Les deux hémisphères, habituellement dans les lobes frontaux |
| **Description** | Tonus musculaire augmenté *(hypertonie)*. L'hypertonie est plus marquée quand le mouvement passif est rapide que lorsqu'il est lent. Elle est aussi plus marquée aux deux extrémités de l'arc du mouvement. Pendant le mouvement passif rapide, l'hypertonie initiale peut céder brusquement (phénomène du « coup de canif ») | Résistance augmentée persistant pendant tout le mouvement, quelle que soit sa rapidité *(rigidité en tuyau de plomb)*. Quand vous fléchissez et étendez le poignet ou l'avant-bras, les à-coups surimposés sont appelés *phénomène de la roue dentée* | Perte de tonus musculaire *(hypotonie)* rendant les membres détendus ou flasques. Les membres touchés peuvent être hyperextensibles ou même ballants. La force musculaire est diminuée | Changements brusques de tonus au cours du mouvement passif. La brusque chute de tonus qui facilite le mouvement est dite d'*accompagnement*. La brusque augmentation qui le gêne est dite de *résistance* |
| **Cause fréquente** | Accident vasculaire cérébral (AVC), surtout à un stade tardif ou chronique | Maladie de Parkinson | Syndrome de Guillain-Barré et phase initiale d'une lésion de la moelle épinière (sidération médullaire) ou d'un AVC | Démence |

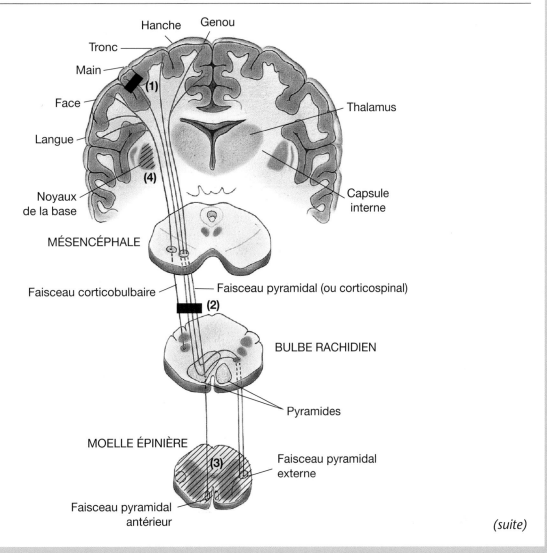

*(suite)*

## Troubles du système nerveux central

| Siège de la lésion | Constatations typiques | | | Exemples de cause |
|---|---|---|---|---|
| | *Motricité* | *Sensibilité* | *Réflexes ostéotendineux* | |
| **Cortex cérébral (1)** | Paralysie spastique chronique du côté opposé au motoneurone supérieur atteint. Au membre supérieur, flexion plus forte que l'extension ; au membre inférieur, flexion plantaire du pied plus forte que la dorsiflexion, hanche en rotation externe | Déficit sensitif des membres et du tronc du même côté que le déficit moteur | ↑ | AVC cortical |
| **Tronc cérébral (2)** | Paralysie spastique, comme ci-dessus, plus des atteintes des nerfs crâniens, telles qu'une diplopie (diminution de la force des muscles extrinsèques de l'œil) et une dysarthrie | Variable. Pas de trouvailles caractéristiques | ↑ | AVC du tronc cérébral, neurinome de l'acoustique |
| **Moelle épinière (3)** | Paralysie spastique, comme ci-dessus, mais touchant souvent les deux côtés (si l'atteinte médullaire est bilatérale), donnant une paraplégie ou une tétraplégie selon le niveau de la lésion | Déficit sensitif bilatéral des dermatomes du tronc au niveau de la lésion et anesthésie par lésion des faisceaux en dessous de la lésion | ↑ | Traumatisme, entraînant une compression médullaire |
| **Substance grise sous-corticale : noyaux de la base (4)** | Lenteur des mouvements (bradykinésie), rigidité et tremblement | Sensibilité intacte | Normaux ou ↓ | Maladie de Parkinson |
| **Cervelet (non illustré)** | Hypotonie, ataxie et autres mouvements anormaux, y compris nystagmus, adiadococinésie et dysmétrie | Sensibilité intacte | Normaux ou ↓ | AVC cérébelleux, tumeur cérébrale |

## Troubles du système nerveux périphérique

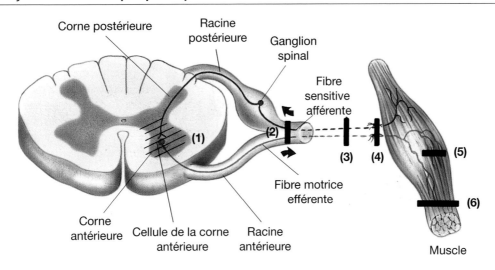

## Constatations typiques

| Siège de la lésion | Motricité | Sensibilité | Réflexes ostéotendineux | Exemples de cause |
|---|---|---|---|---|
| Cellule de la corne antérieure (1) | Paralysie avec amyotrophie, segmentaire ou focale ; fasciculations | Sensibilité intacte | ↓ | Poliomyélite, sclérose latérale amyotrophique |
| Nerfs et racines rachidiens (2) | Paralysie avec amyotrophie radiculaire ; parfois, fasciculations | Déficit sensitif dans les dermatomes correspondants | ↓ | Hernie discale, cervicale ou lombaire |
| Nerfs périphériques : mononeuropathie (3) | Paralysie avec amyotrophie dans le territoire d'un nerf périphérique ; parfois, fasciculations | Déficit sensitif dans le territoire du nerf | ↓ | Traumatisme |
| Nerfs périphériques : polyneuropathie (4) | Paralysie avec amyotrophie à prédominance distale ; parfois, fasciculations | Déficit sensitif, typiquement « en gants et chaussettes » | ↓ | Polyneuropathie de l'alcoolisme, du diabète |
| Jonction neuromusculaire (5) | Fatigabilité plus que paralysie | Sensibilité intacte | Normaux | Myasthénie |
| Muscle (6) | Diminution de la force musculaire à prédominance proximale ; fasciculations rares | Sensibilité intacte | Normaux ou ↓ | Myopathie |

### Hémiplégie spastique

Par lésion du faisceau corticospinal (ou pyramidal), dans un AVC, entraînant un mauvais contrôle des muscles fléchisseurs lors de la phase de balancement. Le membre supérieur atteint est fléchi, immobile, le long du corps, avec le coude, le poignet et les articulations interphalangiennes en flexion. Le membre inférieur est en extension et le pied en flexion plantaire et inversion. À la marche, les orteils traînent sur le sol et le membre inférieur décrit un demi-cercle pour avancer *(circumduction)*, ou le tronc est penché du côté opposé pour dégager le membre inférieur paralysé.

### Steppage

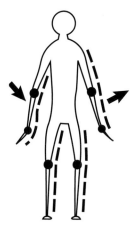

Par chute du pied, habituellement secondaire à une atteinte du motoneurone inférieur. Le patient peut soit traîner les pieds, soit les lever haut, en fléchissant les genoux, puis les ramener au sol avec un claquement (il semble monter un escalier). Il est incapable de marcher sur les talons. Le steppage peut intéresser un ou les deux côtés. Les muscles tibial antérieur et extenseurs des orteils sont faibles.

### Ataxie cérébelleuse

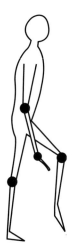

Par atteinte du cervelet ou des faisceaux correspondants. La démarche est chancelante, hésitante, à base large, avec des difficultés exagérées pour tourner. Le patient ne peut se maintenir en équilibre pieds joints, que ses yeux soient ouverts ou fermés. Il existe d'autres signes cérébelleux, tels qu'une dysmétrie, un nystagmus, et un tremblement intentionnel.

### Démarche en ciseaux

Par atteinte de la moelle épinière entraînant une spasticité des deux membres inférieurs, avec contracture des adducteurs, et une proprioception anormale. La démarche est raide. Chaque membre inférieur est avancé lentement et les cuisses tendent à se croiser en passant l'une devant l'autre à chaque pas. Les pas sont courts. Le patient donne l'impression de marcher dans l'eau.

### Démarche parkinsonienne

Par atteinte des noyaux de la base dans la maladie de Parkinson. L'attitude est voûtée, avec la tête, les membres supérieurs, les hanches et les genoux légèrement fléchis. Le patient est « lent à démarrer ». Ses pas sont courts et traînants, avec des accélérations involontaires *(démarche festinante)*. Le balancement des bras est diminué et le patient se tourne avec raideur, « d'un seul bloc ». Le contrôle postural est mauvais *(rétropulsion)*.

### Ataxie sensitive

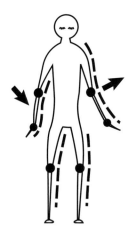

Par perte du sens de la position des membres inférieurs (dans une polyneuropathie ou une lésion du cordon postérieur). La démarche est hésitante, à base large (pieds très écartés). Le patient projette son pied en avant et en dehors, puis le ramène au sol, par le talon puis par la pointe, avec un double claquement. Il regarde le sol pour guider ses pas. S'il ferme les yeux, il ne peut se maintenir en équilibre pieds joints (signe de Romberg positif) et l'instabilité de sa démarche s'aggrave.

Bien qu'elles soient nombreuses, les causes de coma peuvent le plus souvent être classées en *métaboliques* ou *structurelles*. Les trouvailles varient beaucoup d'un patient à l'autre ; les caractéristiques citées ci-dessous sont davantage des éléments d'orientation que des critères de diagnostic. Rappelez-vous que certains troubles psychiatriques peuvent simuler un coma.

| | Métaboliques/toxiques | Structurelles |
|---|---|---|
| **Physiopathologie** | Intoxication des centres de l'éveil ou manque des substrats essentiels | La lésion détruit ou comprime les centres de l'éveil du tronc cérébral, directement ou par effet de masse |
| **Caractéristiques cliniques** | | |
| ▪ Types de respiration | Si régulière, respiration normale ou hyperventilation. Si irrégulière, d'habitude rythme de Cheyne-Stokes | Irrégulière, surtout rythme de Cheyne-Stokes ou respiration ataxique. Mais aussi respiration « apneustique » (pause au sommet de l'inspiration) ou hyperventilation centrale |
| ▪ Taille et réactivité des pupilles | Égales, réagissant à la lumière. En cas de *myosis serré* (pupilles en tête d'épingle par opiacés ou cholinergiques), une loupe peut être nécessaire pour voir la réponse. | Inégales et aréactives à la lumière : <br> – *en position intermédiaire* : évoquent une compression du mésencéphale |
| | Peuvent être aréactives si *paralysées et dilatées* par les anticholinergiques ou une hypothermie | – e*n mydriase* : évoquent une compression du NC III par engagement cérébral |
| ▪ Niveau de conscience | Modifications *suivant* celles des pupilles | Modifications *précédant* celles des pupilles |
| **Exemples de cause** | Urémie, hyperglycémie | Hémorragie intracérébrale, sous-durale ou épidurale |
| | Alcool, médicaments, insuffisance hépatique | Embolie ou infarctus cérébral |
| | Hypothyroïdie, hypoglycémie | Tumeur, abcès |
| | Anoxie, ischémie | Infarctus, tumeur ou hémorragie du tronc cérébral |
| | Méningite, encéphalite | Infarctus, hémorragie, tumeur, ou abcès du cervelet |
| | Hyperthermie, hypothermie | |

La taille, l'égalité et la réaction à la lumière des pupilles permettent de préciser la cause du coma et la région du cerveau qui est atteinte. Rappelez-vous que des anomalies pupillaires d'autre origine, notamment l'instillation de collyres myotiques – pour un glaucome – ou mydriatiques – pour un examen des fonds d'yeux – peuvent avoir précédé le coma.

### Petites pupilles ou pupilles en tête d'épingle

*Petites pupilles bilatérales* (1-2,5 mm). Elles évoquent : 1) une lésion des voies sympathiques dans l'hypothalamus, ou 2) une encéphalopathie métabolique (défaillance cérébrale diffuse, ayant des causes multiples, dont certains médicaments). Le réflexe photomoteur est en général normal.

*Pupilles en tête d'épingle* (< 1 mm). Elles évoquent : 1) une hémorragie protubérantielle, ou 2) les effets de la morphine, de l'héroïne ou d'autres stupéfiants. On peut voir le réflexe photomoteur avec une loupe.

### Pupilles en position intermédiaire aréactives

Des pupilles *en position intermédiaire ou un peu dilatées* (4 à 6 mm) et *ne réagissant pas à la lumière* évoquent une atteinte organique du mésencéphale.

### Mydriase bilatérale

Des *pupilles dilatées et aréactives* se voient : 1) après une anoxie grave, comme un arrêt cardiaque, ou 2) au cours de traitements par des parasympathicolytiques, phénothiazines ou antidépresseurs tricycliques.

Des *pupilles dilatées et réactives* peuvent être dues à la cocaïne, aux amphétamines, au LSD ou à d'autres agonistes du système nerveux sympathique.

### Mydriase unilatérale

Une pupille *dilatée et aréactive* signe un engagement du lobe temporal, qui comprime le NC III et le mésencéphale.

### Rigidité de décortication

Dans la *rigidité de décortication*, les membres supérieurs sont maintenus étroitement fléchis contre les côtés, avec les coudes, les poignets et les doigts fléchis. Les membres inférieurs sont étendus en rotation interne, les pieds en flexion plantaire. Cette posture indique une lésion destructive des faisceaux corticospinaux (ou pyramidaux) au niveau ou très près des hémisphères cérébraux. Lorsqu'elle est unilatérale, c'est la posture de l'hémiplégie spastique chronique.

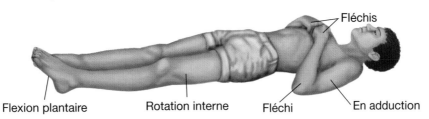

Fléchis

Flexion plantaire    Rotation interne    Fléchi    En adduction

### Hémiplégie (au début)

Une lésion cérébrale unilatérale soudaine intéressant le faisceau pyramidal peut produire une *hémiplégie* (ou paralysie d'un hémicorps), qui est flasque au début de son évolution. La spasticité apparaîtra plus tard. Les membres paralysés sont inertes. Lorsqu'on les soulève et les lâche, ils retombent lourdement, sans aucun tonus, sur le lit. Les mouvements spontanés ou les réponses à des stimuli nociceptifs sont limités au côté opposé. Le membre inférieur peut reposer en rotation externe. La partie inférieure de l'hémiface peut être paralysée, et la joue de ce côté se gonfle à l'expiration. Les deux yeux peuvent être tournés vers le côté sain.

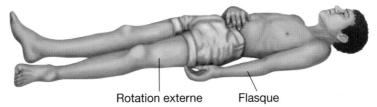

Rotation externe    Flasque

### Rigidité de décérébration

Dans la *rigidité de décérébration*, les mâchoires sont serrées, le cou en extension. Les membres supérieurs sont en adduction, raidis en extension aux coudes, avec les avant-bras en pronation, les poignets et les doigts fléchis. Les membres inférieurs sont *raidis en extension aux genoux*, avec les pieds en flexion plantaire. Cette posture peut survenir spontanément ou seulement en réponse à des stimuli extérieurs, tels que la lumière, un bruit ou une douleur. La cause est une lésion du diencéphale, du mésencéphale ou de la protubérance annulaire, quoique des troubles métaboliques graves tels que l'hypoxie ou l'hypoglycémie puissent aussi donner cette posture.

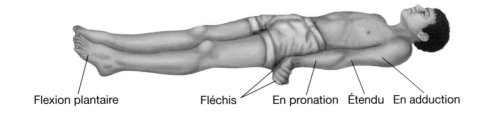

Flexion plantaire    Fléchis    En pronation    Étendu    En adduction

# Populations particulières

# Évaluation des enfants : du nourrisson à l'adolescent

*Peter G. Szilagyi*

Ce chapitre a été réorganisé dans cette édition afin de mieux souligner les problèmes relevant de chaque tranche d'âge pédiatrique. Il commence par une partie sur les principes généraux du développement et les éléments clés de la promotion de la santé. Il comprend ensuite des parties sur le nouveau-né, le nourrisson, le jeune enfant et l'enfant d'âge scolaire, et l'adolescent, avec les notions correspondantes sur le développement, l'anamnèse, la promotion de la santé et les conseils, et les techniques d'examen. De nouvelles références, tirées de la médecine factuelle, émaillent le texte. Le chapitre se termine par un CRO détaillé, une bibliographie mise à jour, et des tableaux d'anomalies.

## Guide de l'organisation de ce chapitre

Les néophytes, et même des examinateurs chevronnés, sont souvent intimidés en abordant un petit bébé ou un enfant qui crie, en particulier sous le regard critique de parents anxieux. Quoique cela demande du courage, vous devez relever ce défi et aussi apprécier de telles rencontres.

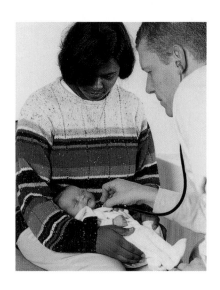

Revoyez le chapitre 1 : « Vue d'ensemble de l'interrogatoire et de l'examen physique », sur les techniques et l'ordre de l'examen des adultes. Quand vous examinez des enfants, cet ordre doit varier pour tenir compte de l'âge et du confort de l'enfant. *Effectuez les manœuvres non dérangeantes au début et les manœuvres possiblement pénibles vers la fin de l'examen.* Par exemple, palpez le crâne et le cou en commençant, et l'abdomen en finissant. Si l'enfant signale une douleur dans une zone, examinez celle-ci en dernier.

Le format de l'observation médicale pédiatrique est le même que celui de l'adulte. L'ordre de l'examen peut varier, mais vous devez rédiger le CRO en suivant le plan classique.

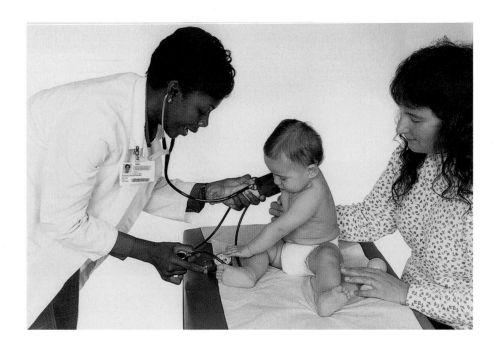

# PRINCIPES GÉNÉRAUX DU DÉVELOPPEMENT DE L'ENFANT

L'enfance est une période remarquable de croissance physique, cognitive et sociale, de loin la plus importante au cours de la vie. En quelques années, un enfant grandit (dimensions multipliées par 20) et mûrit pour devenir un adulte ; il acquiert un langage et un raisonnement sophistiqués et il développe des interactions psychosociales complexes. Quelle aventure !

La compréhension du développement physique, cognitif et social normal des enfants vous aidera beaucoup dans l'entrevue et l'examen physique et vous permettra de distinguer le normal de l'anormal.

### Quatre principes du développement de l'enfant[1]

- Le développement de l'enfant suit un chemin prévisible.
- Le spectre du développement normal est large.
- Divers facteurs physiques, sociaux et environnementaux, ainsi que les maladies peuvent affecter le développement et la santé de l'enfant.
- Le niveau de développement de l'enfant retentit sur la façon de mener l'interrogatoire et l'examen physique.

■ Le premier principe de *développement de l'enfant* est qu'il *suit un chemin prévisible*, régi par le cerveau en maturation. Vous pouvez déterminer des stades chronologiques et qualifier le développement de l'enfant de normal ou d'anormal par rapport à ces stades développementaux. Un stade étant atteint, l'enfant passe au suivant. La perte d'une acquisition (régression) est inquiétante. Étant donné que votre examen physique a lieu à un moment donné, vous devez savoir à quel stade de son développement est parvenu l'enfant.

■ Le deuxième principe dit que *le spectre du développement normal est large*. Les enfants évoluent à des rythmes différents. Le développement physique, cognitif et social de l'enfant doit s'inscrire dans ce large spectre.

■ Le troisième principe reconnaît que *divers facteurs physiques, sociaux et environnementaux, ainsi que les maladies, peuvent affecter le développement et la santé de l'enfant*. Par exemple, des maladies chroniques, la maltraitance et la pauvreté peuvent entraîner non seulement des anomalies physiques détectables mais aussi des perturbations du rythme et des progrès du développement. Les enfants qui ont des handicaps physiques ou cognitifs ne suivront pas le parcours du développement normal pour l'âge. Adaptez l'examen au niveau de développement de l'enfant.

■ Un quatrième principe, propre à l'examen pédiatrique, est que *le niveau de développement de l'enfant influe sur votre façon de mener l'interrogatoire et l'examen physique*. Par exemple, l'entrevue avec un enfant de 5 ans est fondamentalement différente de celle d'un adolescent. L'examen physique d'un nourrisson turbulent qui commence à marcher et qui démantèle la pièce d'examen n'a pas grand-chose à voir avec celui d'un adolescent timide. L'ordre et le style diffèrent de l'examen d'un adulte. Vous devrez adapter votre examen au niveau de développement de l'enfant tout en essayant d'établir ce niveau. La connaissance du développement de l'enfant normal vous aidera à remplir ces tâches.

## PROMOTION DE LA SANTÉ ET CONSEILS : ÉLÉMENTS CLÉS

L'aphorisme de Benjamin Franklin : « Une once de prévention vaut une livre de remèdes », est particulièrement vrai chez l'enfant et l'adolescent parce que la prévention dans l'enfance peut entraîner une amélioration de la santé pendant des décennies. Les pédiatres consacrent beaucoup de temps aux examens systématiques et à la promotion de la santé.

Plusieurs organisations nationales et internationales ont établi des recommandations pour la promotion de la santé des enfants.[2-5] Les concepts actuels de promotion de la santé incluent non seulement la détection et la prévention de la maladie mais aussi une promotion active du bien-être de l'enfant et de sa famille, embrassant la santé physique, mentale, émotionnelle et sociale.

*Toute interaction avec un enfant et sa famille est l'occasion de promouvoir la santé !* De l'interrogatoire à l'examen physique, pensez que vos échanges sont l'occasion de deux choses : la détection classique de problèmes médicaux et la promotion de la santé. C'est un cadeau qui n'a pas de prix !

Profitez de l'examen pour proposer des conseils appropriés à l'âge sur le développement de l'enfant. Faites des suggestions sur la lecture, la conversation, la musique, et toutes les occasions de développer la motricité fine et globale. Renseignez les parents sur les stades du développement à venir et les stratégies stimulant le développement de leur enfant. Rappelez-vous que les parents sont les principaux agents de la promotion de la santé pour les enfants et que vos conseils s'appliquent par leur intermédiaire.

L'AAP *(American Academy of Pediatrics)* publie des recommandations sur les *examens systématiques* et leur contenu en fonction de l'âge de l'enfant (voir www.aap.org). Rappelez-vous que les enfants et les adolescents qui souffrent d'une maladie chronique ou qui ont une famille ou un environnement à risque ont vraisemblablement besoin de consultations plus rapprochées et d'une promotion de la santé plus intensive. Les grands problèmes et les stratégies importantes en matière de promotion de la santé, adaptées aux différentes tranches d'âge, figurent dans ce chapitre.

*Combinez l'explication de vos constatations* à la promotion de la santé. Par exemple, indiquez les changements maturatifs attendus et la façon dont certains comportements peuvent retentir sur l'organisme (l'exercice physique peut diminuer la pression artérielle et l'obésité). Montrez bien la relation entre un mode de vie sain et la santé physique.

*Les vaccinations de l'enfant* sont un élément capital de la promotion de la santé et sont réputées être l'avancée médicale la plus importante pour la santé publique à l'échelle mondiale. Le calendrier vaccinal des enfants change chaque année ; les mises à jour sont publiées dans la presse médicale et sur les sites Web des CDC *(Centers for Disease Control and Prevention)* et de l'AAP.[6,7] Les figures des deux pages suivantes présentent le calendrier vaccinal américain de 2008.

# Calendrier vaccinal 2008 pour les Américains de 0 à 18 ans
### (si l'âge recommandé est dépassé, voir le calendrier de rattrapage)

| Vaccin ▼ Âge ► | Naissance | 1 mois | 2 mois | 4 mois | 6 mois | 12 mois | 15 mois | 18 mois | 19–23 mois | 2–3 ans | 4–6 ans |
|---|---|---|---|---|---|---|---|---|---|---|---|
| Hépatite B | HepB | HepB | | | | HepB | | | | | |
| Rotavirus | | | Rota | Rota | Rota | | | | | | |
| Diphtérie, tétanos, coqueluche | | | DTCa | DTCa | DTCa | | DTCa | | | | DTCa |
| *Haemophilus influenzae* type b | | | Hib | Hib | *Hib* | Hib | | | | | |
| Pneumocoques | | | Pn7 | Pn7 | Pn7 | Pn7 | | | | Pn23 | |
| Poliovirus inactivé | | | Polio in. | Polio in. | | Polio in. | | | | | Polio in. |
| Grippe | | | | | | Grippe (chaque année) | | | | | |
| Rougeole, oreillons, rubéole | | | | | | ROR | | | | | ROR |
| Varicelle | | | | | | Varicelle | | | | | Varicelle |
| Hépatite A | | | | | | HepA (2 doses) | | | | Série HepA | |
| Méningocoques | | | | | | | | | | MCV4 | |

**Tranche d'âge recommandée**

**Certains groupes à risque**

| Vaccin ▼ Âge ► | 7-10 ans | 11-12 ans | 13-18 ans |
|---|---|---|---|
| Diphtérie, tétanos, coqueluche | | Ddca | Ddca |
| Papillomavirus humain (HPV) | | HPV (3 doses) | Série HPV |
| Méningocoques | MCV4 | MCV4 | MCV4 |
| Pneumocoques | Pn23 | | |
| Grippe | Grippe (tous les ans) | | |
| Hépatite A | Série HepA | | |
| Hépatite B | Série HepB | | |
| Poliovirus inactivé | Série Polio in. | | |
| Rougeole, oreillons, rubéole | Série ROR | | |
| Varicelle | Série varicelle | | |

**Tranche d'âge recommandée**

**Rattrapage**

**Certains groupes à risque**

Ce calendrier indique les âges recommandés pour la vaccination systématique des enfants de 0-18 ans, avec les vaccins autorisés pour les enfants au 1er décembre 2007. On peut trouver des informations supplémentaires sur le site : **www.cdc. gov/ vaccines/recs/schedules.** Toute dose non administrée à l'âge recommandé doit être administrée à la consultation suivante, si c'est indiqué et faisable. D'autres vaccins peuvent être autorisés et recommandés en cours d'année. Les vaccins combinés autorisés peuvent être utilisés chaque fois que leurs composantes vaccinales sont indiquées et que les autres composantes ne sont pas contre-indiquées, à condition que les doses soient identiques aux doses approuvées par la FDA (*Food and Drug Adminis-* *tration*) pour la série. **Pour trouver des recommandations détaillées, y compris sur les affections à risque élevé, les vaccinateurs doivent consulter le document du *Advisory Committee on Immunization Practice* sur le site : www.cdc.gov/ vaccines/ACIP-ist.htm.** Les événements indésirables post-vaccinaux importants doivent être rapportés au système VAERS (*Vaccine Adverse Event Reporting System*). Des conseils sur la façon d'obtenir et de remplir le formulaire VAERS sont accesibles sur le site : www.vaers.hhs.gov.

## Calendrier vaccinal de rattrapage 2008 pour les Américains de 4 mois à 18 ans qui débutent tard ou ont plus d'un mois de retard

Le tableau ci-dessous indique les rattrapages et les intervalles minimaux entre deux doses pour les enfants dont les vaccinations sont retardées. Il n'est pas nécessaire de recommencer une série, quel que soit le temps écoulé entre les doses. Utilisez la partie convenant à l'âge de l'enfant.

| Vaccin | Âge minimal pour la dose n° 1 | Intervalle minimal entre deux doses | | | |
|---|---|---|---|---|---|
| | | Dose 1-Dose 2 | Dose 2-Dose 3 | Dose 3-Dose 4 | Dose 4-Dose 5 |
| **CALENDRIER DE RATTRAPAGE POUR LES PERSONNES DE 4 MOIS À 6 ANS** | | | | | |
| **Hépatite B** | Naissance | 4 semaines | 8 semaines (et 16 semaines après la 1re dose) | | |
| **Rotavirus** | 6 semaines | 4 semaines | 4 semaines | | |
| **Diphtérie, tétanos, coqueluche** | 6 semaines | 4 semaines | 4 semaines | 6 mois | 6 mois |
| ***Haemophilus influenzae* type b** | 6 semaines | 4 semaines si 1re dose avant 12 mois 8 semaines (comme dernière dose) si 1re dose à 12-14 mois Pas de dose supplémentaire si 1re dose à 15 mois ou plus | 4 semaines si âge actuel < 12 mois 8 semaines (comme dernière dose) si âge actuel ≥ 12 mois et 2e dose faite avant 15 mois Pas de dose supplémentaire si dose précédente à 15 mois ou plus | 8 semaines (comme dernière dose) N'est nécessaire que chez les enfants de 12 mois à 5 ans ayant reçu 3 doses avant 12 mois | |
| **Pneumocoques** | 6 semaines | 4 semaines si 1re dose avant 12 mois 8 semaines (comme dernière dose) si 1re dose à 12 mois ou plus, ou âge actuel entre 24 et 59 mois Pas de dose supplémentaire si 1re dose à 24 mois ou plus | 4 semaines si 1re dose avant 12 mois 8 semaines (comme dernière dose) si âge actuel ≥ 12 mois Pas de dose supplémentaire chez les enfants bien-portants si dose précédente à 24 mois ou plus | 8 semaines (comme dernière dose) N'est nécessaire que chez les enfants de 12 mois à 5 ans ayant reçu 3 doses avant 12 mois | |
| **Polio inactivé** | 6 semaines | 4 semaines | 4 semaines | 4 semaines | |
| **Rougeole, oreillons, rubéole** | 12 mois | 4 semaines | | | |
| **Varicelle** | 12 mois | 3 mois | | | |
| **Hépatite A** | 12 mois | 6 mois | | | |
| **CALENDRIER DE RATTRAPAGE POUR LES PERSONNES DE 7 À 18 ANS** | | | | | |
| **Diphtérie, tétanos/ Diphtérie, tétanos, coqueluche** | 7 ans | 4 semaines | 4 semaines si 1re dose avant 12 mois 6 mois si 1re dose à 12 mois ou plus | 6 mois si 1re dose reçue avant 12 mois | |
| **HPV (papillomavirus humain)** | 9 ans | 4 semaines | 12 semaines | | |
| **Hépatite A** | 12 mois | 6 mois | | | |
| **Hépatite B** | Naissance | 4 semaines | 8 semaines (et 16 semaines après la 1re dose) | | |
| **Polio inactivé** | 6 semaines | 4 semaines | 4 semaines | 4 semaines | |
| **Rougeole, oreillons, rubéole** | 12 mois | 4 semaines | | | |
| **Varicelle** | 12 mois | 4 semaines si 1re dose à 13 ans ou plus 3 mois si 1re dose avant 13 ans | | | |

Des *procédures de dépistage* sont effectuées à certains âges. Chez tous les enfants, elles comprennent les paramètres de la croissance et les repères du développement (à tout âge), la pression artérielle (à partir de 1 an), le contrôle de la vision et de l'audition (à des âges clés). Des dépistages ciblés sont préconisés chez les patients à risque élevé d'intoxication au plomb (saturnisme), d'exposition à la tuberculose, d'anémie, d'hypercholestérolémie, d'infection urinaire et de maladies sexuellement transmises. Les recommandations sur les tests de dépistage varient d'un pays à l'autre ; celles de l'AAP sont accessibles sur www.aap.org.[2]

## PROMOTION DE LA SANTÉ ET CONSEILS : ÉLÉMENTS CLÉS

Une *guidance anticipée* est l'une des composantes majeures de la consultation pédiatrique. Ses principaux domaines sont indiqués ci-dessous ; ils couvrent une large gamme de sujets, de la santé purement « médicale » à la santé sociale et émotionnelle. Tous ces facteurs influencent la santé de l'enfant.

Pour atteindre un monde plus sain, nous *devons* mettre l'accent sur la promotion de la santé au sens large pendant l'enfance. L'avenir de nos enfants en dépend.

### Principales composantes de la promotion de la santé en pédiatrie

1. Atteinte d'un développement approprié à l'âge de l'enfant, sur les plans :
   - physique (maturation, croissance, puberté) ;
   - moteur (motricité globale et fine) ;
   - cognitif (atteinte des repères, langage, résultats scolaires) ;
   - émotionnel (auto-efficacité, estime de soi, indépendance, moralité) ;
   - social (compétences sociales, responsabilité personnelle, intégration dans la famille et la communauté).

2. Examens de santé systématiques :
   - examens médicaux et buccodentaires périodiques (selon le schéma recommandé) ;
   - adaptation de la fréquence pour les enfants et les familles ayant des besoins particuliers.

3. Intégration des constatations de l'examen physique dans des modes de vie sains.

4. Vaccinations.

5. Procédures de dépistage.

6. Guidance anticipée[9] :
   - habitudes saines ;
   - alimentation saine ;
   - sécurité et prévention des blessures ;
   - développement sexuel et sexualité ;
   - responsabilité personnelle et efficacité ;
   - relations familiales (interactions, forces, soutiens) ;
   - santé mentale et émotionnelle ;
   - santé buccodentaire ;
   - prévention et reconnaissance de la maladie ;
   - prévention des conduites à risque ;
   - scolarité et profession ;
   - relations avec les camarades ;
   - interactions communautaires.

7. Partenariat entre le professionnel de santé et l'enfant, l'adolescent, et la famille.

## ÉVALUATION DU NOUVEAU-NÉ

La première année de vie est divisée en période néonatale (les 28 premiers jours) et période post-néonatale (de 29 jours à 1 an).

> ### ASTUCES POUR EXAMINER LES NOUVEAU-NÉS
>
> ✔ Examinez le nouveau-né en présence de ses parents.
>
> ✔ Emmaillotez puis déshabillez le nouveau-né au fur et à mesure de l'examen.
>
> ✔ Baissez la lumière et bercez le bébé pour qu'il ouvre les yeux.
>
> ✔ Regardez-le téter (notamment le sein), si c'est possible.
>
> ✔ Montrez aux parents des manœuvres qui calment le bébé (par exemple, le langeage).
>
> ✔ Observez les transitions quand le bébé s'éveille et instruisez les parents de ces transitions.
>
> ✔ Séquence typique d'examen (pour déranger le moins possible le bébé) :
> – observation minutieuse ;
> – tête, cou, cœur, poumons, abdomen, appareil urogénital ;
> – membres inférieurs, dos ;
> – oreilles, bouche ;
> – yeux, chaque fois qu'ils s'ouvrent spontanément ;
> – peau, tout au long de l'examen ;
> – système nerveux ;
> – hanches.

En général, le premier examen pédiatrique, hors de la salle d'accouchement, est pratiqué à l'hôpital, au cours des premières 24 heures de vie.

Si c'est possible, faites l'examen physique devant les parents pour qu'ils puissent réagir et poser des questions. Souvent les parents s'interrogent sur l'aspect de leur bébé ; entendre énoncer à voix haute les constatations normales en cours d'examen est très rassurant pour eux. Observez le lien parents-nouveau-né et regardez comment le bébé prend le sein et tète. L'allaitement est optimal physiologiquement et psychologiquement mais de nombreuses mères ont besoin d'aide et de soutien au début. La détection précoce des difficultés et une guidance anticipée peuvent promouvoir et maintenir l'allaitement.

Les nouveau-nés sont plus réactifs 1 à 2 heures après un repas, quand ils ne sont ni trop rassasiés (et donc moins réactifs) ni trop affamés (et donc souvent agités). Commencez l'examen sur le nouveau-né emmailloté et confortablement installé. Déshabillez le nouveau-né au fur et à mesure de l'examen pour le stimuler et l'éveiller progressivement. S'il s'agite, donnez-lui une tétine ou un biberon de lait (s'il n'est pas allaité) ou laissez-le sucer votre doigt ganté. Rhabillez le bébé suffisamment lentement pour terminer l'examen des zones qui demandent du silence.

# → Examen immédiatement à la naissance

L'examen du nouveau-né immédiatement à la naissance est important pour préciser son état général, sa maturité, des anomalies du développement intra-utérin et des malformations congénitales. L'examen peut révéler des maladies cardiaques, respiratoires ou neurologiques. Auscultez la face antérieure du thorax avec le stéthoscope, palpez l'abdomen et inspectez la tête, la face, la cavité buccale, les membres, les organes génitaux et le périnée.

**Score d'Apgar.** Le score d'Apgar est l'évaluation initiale du nouveau-né, aussitôt après la naissance. Il comprend 5 critères permettant de classer la récupération neurologique après l'accouchement et l'adaptation immédiate à la vie extra-utérine. Relevez le score à 1 et à 5 minutes de vie après la naissance, chez tous les nouveau-nés. Chaque critère est coté sur une échelle de 0 à 2 (0, 1 ou 2). Le score d'Apgar peut aller de 0 à 10. Il faut coter le score toutes les 5 minutes tant qu'il ne dépasse pas 7. Si, à 5 minutes, le score d'Apgar est égal ou supérieur à 8, faites un examen plus complet.[10]

## Score d'Apgar[10]

| Signes cliniques | Score attribué | | |
|---|---|---|---|
| | 0 | 1 | 2 |
| Fréquence cardiaque | Pas de battements | < 100 | > 100 |
| Respiration | Absente | Lente et irrégulière | Bonne, efficace |
| Tonus musculaire | Hypotonie | Membres un peu fléchis | Gesticulation |
| Réactivité* | Aucune réaction | Grimaces | Cris vigoureux, éternuements, toux |
| Couleur | Bleue, pâle | Corps rose, extrémités bleues | Entièrement rose |

* Réaction à l'aspiration nasale avec une sonde.

| Score d'Apgar à 1 minute | | Score d'Apgar à 5 minutes | |
|---|---|---|---|
| 8-10 | Normal | 8-10 | Normal |
| 5-7 | Dépression du système nerveux | 0-7 | Risque élevé de dysfonctionnement du système nerveux central et d'autres organes |
| 0-4 | Dépression grave du système nerveux nécessitant une réanimation immédiate | | |

*__Âge gestationnel et poids de naissance.__ Une fois que les nouveau-nés se sont adaptés à leur nouvel environnement, il est important de les classer d'après le poids de naissance et l'âge gestationnel (maturité).* Ces classifications permettent de prévoir certains problèmes médicaux et la morbidité. Certaines recommandations cliniques ciblent des enfants nés en dessous d'un âge gestationnel (AG) donné ou d'un poids de naissance (PN) donné.

L'AG est déterminé d'après des signes neuromusculaires et des caractéristiques morphologiques particulières qui se modifient avec la maturation gestationnelle. Plusieurs scores ont été mis au point pour estimer l'AG d'après ces caractéristiques. Le *score de Ballard* estime l'AG à 2 semaines près, même chez les très grands prématurés. Vous trouverez le score de Ballard complet page 782 et des instructions pour apprécier la maturité neuromusculaire et physique.[11]

---

### CLASSIFICATION DES NOUVEAU-NÉS D'APRÈS LE PN ET L'AG

**Âge gestationnel**

| Classification | Âge gestationnel |
|---|---|
| ✔ Prématuré | < 37 SA* (< 259e jour) |
| ✔ À terme | 37-42 SA |
| ✔ Post-terme | > 42 SA (> 294e jour) |

**Poids de naissance**

| Classification | Poids |
|---|---|
| ✔ PN extrêmement faible | < 1 000 grammes |
| ✔ PN très faible | < 1 500 grammes |
| ✔ PN faible | < 2 500 grammes |
| ✔ PN normal | ≥ 2 500 grammes |

\* SA : semaines d'aménorrhée.

---

Une classification utile, montrée ci-dessous, intègre le PN et l'AG ; elle repose sur le PN du nouveau-né reporté sur la courbe de croissance intra-utérine.

| **Catégories de nouveau-nés[10]** | | |
|---|---|---|
| **Catégorie** | **Dénomination anglaise (abréviation)** | **Percentile** |
| Hypotrophiques | Small for gestational age (SGA) | < 10e p. |
| Eutrophiques | Appropriate for gestational age (AGA) | 10-90e p. |
| Hypertrophiques | Large for gestational age (LGA) | > 90e p. |

La figure de la page suivante montre les courbes de croissance intra-utérine des 10e et 90e percentiles et les neuf catégories possibles de maturité des nouveau-nés en fonction du PN et de l'AG.

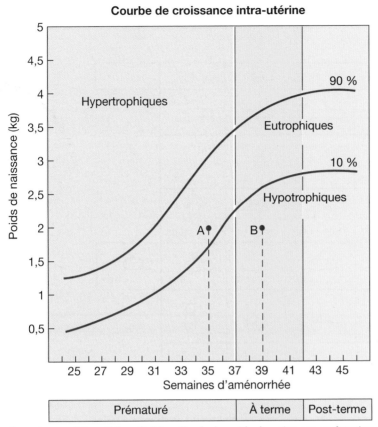

**Courbe de croissance intra-utérine**

Courbes de croissance intra-utérine, établies d'après le poids de naissance en fonction de l'âge gestationnel, de nouveau-nés vivants, uniques, de race blanche.
Le point A représente un prématuré, le point B, un nouveau-né de même poids, à terme mais hypotrophique ; les courbes de croissance visualisent le 10e et le 90e percentile de la population étudiée. (D'après Sweet YA. Classification of the low-birth-weight infant. *In* : Klaus MH, Fanaroff AA. Care of the High-Risk Neonate, 3e éd. Philadelphie : WB Saunders, 1986.)

Les trois bébés montrés ci-dessous sont nés à 32 semaines d'âge gestationnel. Ils pèsent respectivement 600 g (hypotrophique ou SGA), 1 400 g (eutrophique ou AGA), et 2 750 g (hypertrophique ou LGA). Chaque catégorie a son taux de mortalité propre : celui des prématurés hypotrophiques et hypertrophiques (prématurés SGA et LGA) est le plus fort, celui des eutrophiques à terme (AGA) le plus faible.

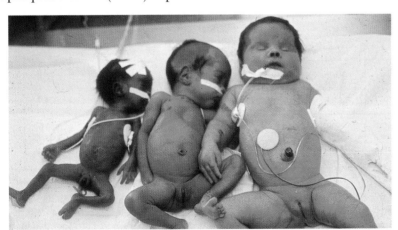

Reproduit avec autorisation de : Korones SB. High-risk newborn infants : the basis for intensive nursing care. 4th edition. St Louis : Mosby, 1986.

Les bébés hypertrophiques (LGA) peuvent éprouver des difficultés au cours de l'accouchement. Les nouveau-nés de mère diabétique sont souvent hypertrophiques et peuvent avoir des troubles métaboliques peu après la naissance, ainsi que des malformations congénitales.

Les *prématurés eutrophiques* (AGA) sont plus enclins à faire une maladie des membranes hyalines, des apnées, une persistance du canal artériel (avec shunt gauche-droit) et des infections, alors que les *prématurés hypotrophiques* (SGA) risquent plus de présenter une asphyxie, une hypoglycémie et une hypocalcémie.

## Score de Ballard pour déterminer l'âge gestationnel en semaines

**Maturation neuromusculaire**

| | – 1 | 0 | 1 | 2 | 3 | 4 | 5 |
|---|---|---|---|---|---|---|---|
| Posture | | | | | | | |
| Signe de la fenêtre (poignet) | >90° | 90° | 60° | 45° | 30° | 0° | |
| Retour en flexion du membre supérieur | | 180° | 140°–180° | 110°–140° | 90–110° | <90° | |
| Angle poplité | 180° | 160° | 140° | 120° | 100° | 90° | <90° |
| Signe du foulard | | | | | | | |
| Manœuvre talon-oreille | | | | | | | |

**Maturation morphologique**

| | | | | | | | |
|---|---|---|---|---|---|---|---|
| Peau | Collante, friable, transparente | Gélatineuse, rouge, translucide | Rose, veines apparentes | Desquamation superficielle et/ou érythème, quelques veines | Craquelée, zones pâles, veines rares | Parcheminée, profondément craquelée, pas de vaisseaux | Épaissie, craquelée, ridée |
| Lanugo | Néant | Clairsemé | Abondant | Fin | Discontinu | Très discontinu | |
| Surface plantaire | Du talon au gros orteil : 40-50 mm : – 1 < 40 mm : – 2 | > 50 mm pas de sillons | Faibles marques rouges | Sillons transverses sur la partie antérieure seulement | Sillons sur les 2/3 antérieurs | Sillons sur toute la surface plantaire | |
| Mamelons | Imperceptibles | À peine perceptibles | Aréole plate, pas de bourgeon | Aréole « ponctuée », bourgeon de 1-2 mm | Aréole surélevée, bourgeon de 3-4 mm | Aréole formée, bourgeon de 5-10 mm | |
| Yeux/oreilles | Paupières fusionnées de façon lâche – 1 serrée – 2 | Paupières séparées, pavillon plat, conservant un pli | Pavillon un peu recourbé, mou mais un peu élastique | Pavillon bien recourbé, mou mais toujours élastique | Formé et ferme, revenant instantanément | Cartilage épais, oreille rigide | |
| OGE* masculins | Scrotum plat, lisse | Scrotum vide, à peine rugueux | Testicules en haut du canal ; plis rares | Testicules dans le canal ; quelques plis | Testicules descendus, plis nets | Testicules oscillants, plis profonds | |
| OGE* féminins | Clitoris proéminent, lèvres plates | Clitoris proéminent, petites lèvres peu développées | Clitoris proéminent, petites lèvres mieux développées | Grandes et petites lèvres également proéminentes | Grandes lèvres développées, petites lèvres | Les grandes lèvres recouvrent le clitoris et les petites lèvres | |

* OGE : organes génitaux externes

**Score de maturation**

| Score | SA |
|---|---|
| – 10 | 20 |
| – 5 | 22 |
| 0 | 24 |
| 5 | 26 |
| 10 | 28 |
| 15 | 30 |
| 20 | 32 |
| 25 | 34 |
| 30 | 36 |
| 35 | 38 |
| 40 | 40 |
| 45 | 42 |
| 50 | 44 |

**Les critères de maturation neurologique** sont représentés dans la moitié supérieure de la figure. Les nouveau-nés asphyxiés ou déprimés par des médicaments ou des anesthésiques ont des scores de maturation neurologique abaissés. Dans ces cas, il faut refaire le score à 24-48 h de vie. Les critères de maturation morphologique sont détaillés dans la moitié inférieure de la figure. Pour chaque critère, le score correspond au nombre en haut des colonnes. La somme des scores neurologiques et morphologiques permet d'estimer l'âge gestationnel en semaines d'aménorrhée (SA), en utilisant le score de maturation de la partie droite de la figure (figure tirée de Ballard JL *et al.* J Pediatr 1991 ; 119 : 417).

# → Examen dans les heures suivant la naissance

Au cours du premier jour de vie, les nouveau-nés doivent subir un examen exhaustif. Attendez 1 à 2 heures, après un repas, quand le bébé est plus réceptif et demandez aux parents de rester dans la pièce. Suivez la séquence indiquée p. 778.

Observez le bébé déshabillé. Notez sa couleur, sa taille, les proportions de son corps, sa trophicité et sa posture, ainsi que sa respiration, les mouvements de sa tête et de ses membres. La plupart des nouveau-nés à terme normaux reposent dans une position symétrique, les membres demi-fléchis et les cuisses en abduction partielle sur les hanches.

Notez l'activité motrice spontanée du bébé, avec des mouvements de flexion et d'extension alternés des membres supérieurs et inférieurs. Les doigts sont habituellement fléchis dans un poing fermé, mais peuvent s'étendre dans des mouvements de posture lents de type athétoïde. Des trémulations brèves des membres et du corps sont souvent visibles peu de temps après la naissance, lors des cris vigoureux ou même au calme.

Les études du Dr T. Berry Brazelton et d'autres ont démontré la grande étendue des compétences du nouveau-né, décrites ci-dessous. Les parents seront émerveillés par ces capacités.

Chez les enfants nés *en présentation du siège décomplété*, les membres inférieurs et la tête sont en extension ; chez ceux qui sont nés *en siège complet*, ils sont en abduction et rotation externe.

Au cours des 4 premiers jours de vie, des trémulations au repos indiquent une maladie du système nerveux central de cause variable, allant de l'*asphyxie* au *syndrome de sevrage*.

Des mouvements asymétriques des membres, en permanence, évoquent un *déficit neurologique central ou périphérique*, un *traumatisme obstétrical* (tel qu'une fracture de la clavicule ou une paralysie du plexus brachial) ou une *anomalie congénitale*.

---

### CE QU'UN NOUVEAU-NÉ SAIT FAIRE*

**Éléments principaux**

✔ Les nouveau-nés savent se servir de leurs cinq sens. Par exemple, ils préfèrent regarder un visage et se tourner vers la voix d'un parent.

✔ Les nouveau-nés sont des êtres uniques, qui ont des capacités d'interaction avec leur environnement variables. Il y a des différences marquées de tempérament, personnalité, comportement et apprentissage.

✔ Les nouveau-nés sont en interaction dynamique avec ceux qui s'occupent d'eux. C'est une chaussée à 2 voies !

**Exemples de comportement complexe du nouveau-né**

| | |
|---|---|
| ✔ Habituation | Capacité « d'éteindre » progressivement un stimulus négatif (tel qu'un bruit répétitif). |
| ✔ Attachement | Processus dynamique réciproque d'interaction et de liaison avec la personne qui dispense les soins. |

*(suite)*

Les nouveau-nés qui ne sont pas capables d'avoir ces comportements peuvent souffrir d'une affection neurologique, d'un syndrome de sevrage ou d'une maladie grave.

✔ Régulation de l'état     Capacité de moduler le niveau d'éveil en réponse au degré de stimulation (par exemple, la capacité à se consoler tout seul).

✔ Perception     Capacité de regarder les visages, se tourner vers les voix, se calmer quand on chante, suivre des objets colorés, réagir au toucher et reconnaître des odeurs familières.

\* D'après T. Berry Brazelton.[12]

# ÉVALUATION DU NOURRISSON

## ➜ Développement

***Développement physique.[13]*** La croissance physique est plus rapide chez le nourrisson qu'aux autres âges de la vie. À l'âge de 1 an, l'enfant a triplé son poids de naissance et augmenté de 50 % sa taille de naissance.

Le tableau de la page suivante montre l'évolution stupéfiante du développement de la naissance à l'âge de 1 an. Même un nouveau-né a des capacités étonnantes, comme fixer un visage humain et le suivre des yeux. Le développement neurologique progresse de l'axe du corps vers sa périphérie. Un nourrisson tient sa tête avant de tenir assis et il se sert de ses bras et de ses jambes avant de se servir de ses mains et de ses doigts.

L'activité, l'exploration de l'environnement et la manipulation des objets contribuent à l'apprentissage. À 3 mois, un nourrisson normal soulève sa tête et serre les mains. À 6 mois, il se retourne, attrape les objets, se tourne vers les voix et peut tenir assis avec aide. L'apprentissage se fait par la gesticulation, l'exploration et la manipulation de l'environnement. Avec l'accroissement de la coordination périphérique, l'enfant peut attraper les objets, les passer d'une main dans l'autre, marcher à quatre pattes, se tenir debout en s'accrochant, et jouer avec les objets en les cognant et en les empoignant. Un nourrisson de 1 an peut se tenir debout, explorer son environnement et porter tout à la bouche.[14]

***Développement cognitif et linguistique.*** Avec l'exploration, vient la connaissance croissante du soi et de l'environnement. Le nourrisson apprend la relation de cause à effet (par exemple, agiter un hochet pour produire un bruit), la permanence des objets et l'emploi d'outils pour explorer l'environnement. À 9 mois, il peut vous identifier comme un étranger, se méfier de vous et rechercher le réconfort de ses parents durant l'examen ou manipuler activement les objets à sa portée (comme votre matériel). Le développement du langage passe par le gazouillis à 2 mois, le babil à 6 mois et la prononciation de 1 à 3 mots à 1 an.[15]

*Développement social et émotionnel.* La compréhension du soi et de la famille par le nourrisson évolue aussi. Les relations sociales comprennent les liens affectifs, l'attachement aux personnes qui s'occupent de lui, et la confiance que celles-ci satisferont ses besoins. Les caractères varient. Certains nourrissons sont prévisibles, s'adaptent et réagissent positivement aux nouveaux stimuli ; d'autres sont moins souples et répondent intensément ou négativement aux nouveaux stimuli. Étant donné que le développement social est influencé par l'environnement, observez les interactions entre l'enfant et les personnes qui s'occupent de lui.

### Repères du développement du nourrisson[13]

| | Naissance | 1 m | 2 m | 3 m | 4 m | 5 m | 6 m | 7 m | 8 m | 9 m | 10 m | 11 m | 12 m |
|---|---|---|---|---|---|---|---|---|---|---|---|---|---|
| **Physique/ Moteur** | Fixe/Suit des yeux | | | | Se retourne | | S'assoit | Tire pour se mettre debout | | | Tient debout | | Marche |
| | Contrôle sa tête | | | | Attrape le hochet | | Attrape entre le pouce et un doigt | | | | Marche à 4 pattes | | |
| **Cognitif/ Linguistique** | Réagit aux bruits | | Crie | | Imite des sons du langage | | Dit « Dada/Mama » | | | | 2 mots | | 3 mots |
| **Social/ Émotionnel** | Sourit | | | Réclame un jouet | | | | | | Imite les activités | | | |
| | Regarde les visages | | | | Se nourrit | | Indique ce qu'il veut | | | Utilise la cuillère | | | |

# → Antécédents médicaux

Utilisez des méthodes développementales appropriées comme la distraction et le jeu pour examiner le nourrisson. Puisque les nourrissons ne font pas attention à plus d'une chose à la fois, il est relativement facile d'attirer l'attention d'un bébé vers autre chose que l'examen en train de se dérouler. Distrayez-le avec un objet mobile, une lumière qui s'allume et s'éteint, le jeu de « coucou le voilà », des chatouilles ou des bruits divers.

Si vous n'arrivez pas à détourner ou à fixer l'attention d'un bébé sur un objet, votre visage, ou un bruit, pensez à la possibilité d'un *déficit visuel ou auditif.*

---

### ASTUCES POUR EXAMINER LES NOURRISSONS

✔ Approchez-vous progressivement du nourrisson, avec un jouet ou un objet pour le distraire.

✔ Pratiquez la plus grande partie de l'examen avec le nourrisson sur les genoux du parent.

✔ Parlez doucement au nourrisson ou imitez ses sons pour capter son attention.

✔ Si le nourrisson est grognon, assurez-vous qu'il a mangé avant d'entreprendre l'examen.

✔ Interrogez le parent sur les forces du nourrisson pour obtenir des renseignements utiles sur le développement et la parentalité.

## Recommandations générales

Commencez l'examen sur le nourrisson assis ou couché sur les genoux du parent. S'il est fatigué, affamé ou malade, demandez au parent de le prendre contre lui. Vérifiez qu'il y a des jouets appropriés, une couverture ou d'autres objets familiers à proximité. Un enfant qui a faim peut avoir besoin d'être nourri au préalable.

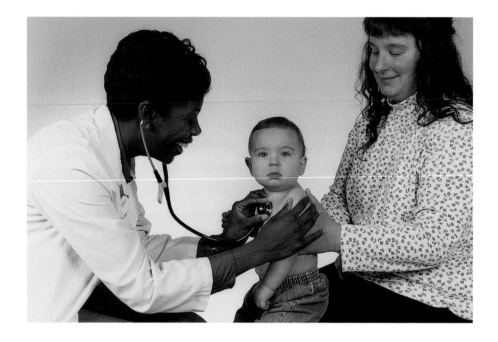

Observez les interactions parent-enfant. Notez l'affect du parent quand il parle de son nourrisson. Notez sa façon de tenir, déplacer et habiller le bébé et de le réconforter. Appréciez et commentez les interactions positives, comme la fierté sur le visage de la mère ci-dessus.

Habituellement, les nourrissons ne s'opposent pas à ce qu'on les déshabille. Pour éviter d'être mouillé ainsi que votre environnement, il est sage de laisser la couche en place pendant la durée de l'examen, et de ne l'enlever que pour examiner les organes génitaux, le rectum, la partie basse du rachis et les hanches.

L'observation de la communication du nourrisson avec ses parents peut révéler des anomalies telles qu'un *retard de développement*, un *retard de langage*, une *surdité* ou un *trouble de l'attachement parental*. De plus, les observations des interactions parents-enfant peuvent déceler des types d'éducation inadaptés du fait d'une *dépression maternelle* ou d'un *soutien social inadéquat*.

## Étude du développement psychomoteur

Étant donné que vous voulez mesurer la meilleure performance du nourrisson, le mieux est d'étudier le développement psychomoteur à la fin de l'interrogatoire, juste avant l'examen. Cet intermède ludique améliore aussi la coopération pendant l'examen. Les cliniciens expérimentés peuvent répartir les tests psychomoteurs dans les autres parties de l'examen. Le tableau de la page 785 montre quelques étapes physiques, motrices, cognitives, linguistiques et socioémotionnelles importantes de la première année de vie.

De nombreuses pathologies provoquent un retard de plus d'un repère. Chez la plupart des enfants qui ont un retard de développement, les causes sont inconnues.

Le DDST *(Denver Developmental Screening Test)* est l'une des références pour évaluer le développement psychomoteur du nourrisson et de l'enfant. Il est conçu pour déceler des retards de développement dans les domaines de la relation, de la motricité fine, du langage et de la motricité globale, de la naissance jusqu'à l'âge de 6 ans.

L'imprimé est reproduit sur les deux pages qui suivent, avec les instructions pour noter les observations. Chaque item du test est représenté sur l'imprimé du DDST par une barre sous l'âge, qui indique quand 25, 50, 75 et 90 % des enfants atteignent l'étape du développement décrite. *Le DDST est une mesure du développement atteint dans les domaines indiqués et non une mesure de l'intelligence.*

Parmi les causes connues, on trouve des *anomalies de l'embryogenèse* (par exemple, agression prénatale, aberration chromosomique), des *affections héréditaires et génétiques* (par exemple, erreurs innées, anomalies génétiques), des *problèmes environnementaux et sociaux* (par exemple, stimulation insuffisante), des *problèmes gravidiques et périnataux* (par exemple, insuffisance placentaire, prématurité), et des *maladies de l'enfance* (par exemple, infection, traumatisme, maladie chronique).

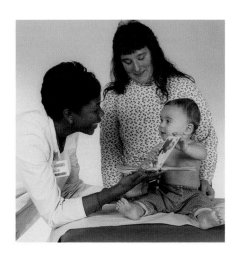

Le DDST est un test de dépistage très spécifique : les enfants normaux ont un test normal. Cependant, il n'est pas très sensible : beaucoup d'enfants ayant un léger retard psychomoteur ont un résultat normal. En particulier, la partie sur le langage est peu fournie et elle méconnaît les enfants qui ont un léger retard de langage. Hormis le DDST, des tests plus fins sont disponibles pour évaluer le développement moteur, linguistique et social.

Servez-vous du DDST comme d'un accessoire pour l'examen complet du développement. La suspicion d'un retard à l'examen général ou par le DDST justifie une évaluation plus poussée. Pour les bébés nés prématurément, ajustez les performances attendues sur l'âge gestationnel jusqu'à environ 12 mois.

Si un enfant coopératif échoue à des items du DDST, un retard de développement est possible, ce qui nécessite des tests et une évaluation plus précise.

## DDST *(DENVER DEVELOPMENTAL SCREENING TEST)*

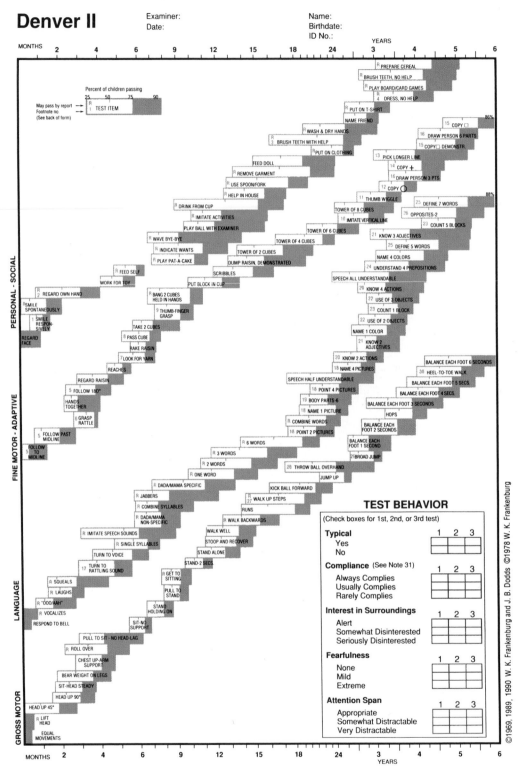

Le matériel, les formulaires et les manuels de référence (qui doivent être utilisés pour la conformité des tests) concernant le test de Denver peuvent être commandés à l'adresse suivante : Denver Developmental Materials Incorporated, PO Box 6919, Denver, CO 80206-0919. (Reproduit avec l'autorisation de William F. Frankenburg, MD.)

*(suite)*

## GUIDE D'APPLICATION DU TEST DE DENVER

1. Essayez de faire sourire l'enfant en souriant vous-même, en parlant ou en agitant les mains. Ne le touchez pas
2. L'enfant doit fixer ses mains pendant plusieurs secondes
3. Le parent peut guider les mouvements de la brosse et y mettre de la pâte dentifrice
4. L'enfant n'est pas censé être capable de nouer les lacets de ses chaussures, ni fermer un bouton ou une fermeture à glissière dans son dos
5. Bougez le fil lentement selon un arc de cercle, d'un côté à l'autre, à environ 15 cm du visage de l'enfant
6. Le test est réussi lorsque l'enfant touche le hochet avec le dos des doigts ou leur extrémité
7. Le test est réussi lorsque l'enfant essaie de voir où va le fil. Le fil doit être rapidement hors de vue, lâché par l'examinateur sans mouvement apparent du bras
8. L'enfant doit passer le cube d'une main à l'autre, sans l'aide de son corps, de la bouche ou de la table
9. Le test est réussi lorsque l'enfant arrive à saisir des raisins entre le pouce et les doigts
10. La ligne ne doit varier que de 30° au maximum de celle de l'examinateur
11. Fermez le poing avec le pouce pointant vers le haut et remuez seulement le pouce. Le test est réussi si l'enfant imite le mouvement, sans bouger d'autre doigt que le pouce

12. N'importe quelle forme fermée est valable
Un mouvement en spirale n'est pas valable

13. Quelle est la ligne la plus longue ? (Et non la plus grosse.) Retournez le papier de haut en bas et recommencez (succès : 3 sur 3 ou 5 sur 6)

14. Deux traits quelconques se coupant vers leur milieu sont valables

15. Laissez faire l'enfant d'abord
S'il rate, montrez-lui

Pour les items 12, 14 et 15, ne nommez pas les formes. Ne montrez pas comment réaliser 12 ni 14

16. Pour faire le score, comptabilisez une paire (2 bras, 2 jambes, etc.) comme une partie
17. Placez un cube dans une tasse et agitez-la doucement près de l'oreille de l'enfant, mais hors de sa vue. Recommencez à l'autre oreille
18. Montrez une image à l'enfant et demandez-lui de la nommer (le bruit que fait l'animal n'est pas valable). S'il nomme correctement moins de 4 figures, demandez-lui de montrer les figures alors que vous les lui nommez

19. À l'aide d'une poupée, dites à l'enfant : Montre-moi le nez, les yeux, les oreilles, les mains, les pieds, le ventre, les cheveux. Réussite à 6 sur 8
20. À l'aide d'images, demandez à l'enfant : Lequel vole ?... dit « miaou » ?... aboie ?... galope ? Réussite à 2 sur 5, 4 sur 5
21. Demandez à l'enfant : Que fais-tu quand tu as froid ?... faim ?... quand tu es fatigué ? Réussite à 2 sur 3, 3 sur 3
22. Demandez à l'enfant : Que fais-tu avec une tasse ? À quoi sert une chaise ?... un crayon ? Le verbe d'action doit être inclus dans la réponse
23. Le test est réussi lorsque l'enfant place et dit combien de cubes sont sur le papier (1, 5)
24. Mets le cube **sur** la table ; **sous** la table ; **devant** moi ; **derrière** moi. Réussite à 4 sur 4. (N'aidez pas l'enfant en désignant du doigt ni en déplaçant la tête ou les yeux.)
25. Demandez à l'enfant : Qu'est-ce qu'une balle ?... un lac ?... un bureau ?... une maison ?... une banane ?... un rideau ?... une barrière ?... un plafond ? Réussite si les mots sont définis en terme d'usage, de forme, de matière ou de catégorie (par exemple : une banane est un fruit, et non seulement : une banane est jaune). Réussite à 5 sur 8, 7 sur 8
26. Demandez à l'enfant : Si un cheval est grand, comment est une souris ? Si le feu est chaud, comment est la glace ? Si le soleil brille le jour, la lune brille… ? Réussite à 2 sur 3
27. L'enfant peut se tenir au mur ou à une rampe, mais pas à une personne. Il ne doit pas ramper
28. L'enfant doit lancer la balle à une distance de 1 m, en direction des bras de l'examinateur
29. L'enfant doit réussir un saut large par-dessus une feuille test (21 cm)
30. Dites à l'enfant de faire des ⬭⬭⬭⬭➤ pas l'un devant l'autre, le talon à 2 cm des orteils. L'examinateur lui montre Quatre pas successifs sont nécessaires
31. Pendant la 2e année, environ la moitié des enfants refusent de faire ce qu'on leur demande

**OBSERVATIONS :**
Ces instructions sont imprimées au dos du formulaire du DDST pour la réalisation de certains items du Denver Developmental Screening Test.
(Reproduit avec l'autorisation de William K. Frankenburg, M.D.)

# ➜ Promotion de la santé et conseils

L'AAP et un groupe d'experts, *Bright Futures*, recommandent des consultations pour contrôler l'état de santé des nourrissons et de leurs parents aux âges suivants : 1, 2, 4, 6, 9 et 12 mois. C'est ce qu'on appelle le *calendrier des examens de santé systématiques du nourrisson*. Ces consultations sont l'occasion de répondre aux interrogations des parents, d'évaluer la croissance et le développement de l'enfant, d'effectuer un examen physique complet et de fournir une guidance anticipée. La guidance anticipée appropriée à l'âge porte sur les habitudes et les comportements, la compétence sociale des personnes qui s'occupent du nourrisson, les relations familiales, et les interactions communautaires.

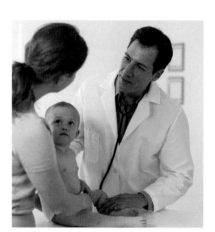

Bien que les examens de santé systématiques couvrent de nombreux sujets, vous apprendrez vite à les apprécier. Les enfants vus lors de ces consultations sont en général bien portants, ce qui accroît la qualité de l'expérience. Les parents sont habituellement réceptifs aux suggestions concernant la promotion de la santé, qui peuvent exercer des influences importantes à long terme sur l'enfant et sa famille. De grandes qualités d'interrogatoire sont nécessaires quand vous discutez avec les familles des stratégies destinées à optimiser la santé et le bien-être de leurs enfants.

Passez en revue les points importants d'un examen de santé systématique chez un nourrisson de 6 mois. Adaptez le contenu au niveau de développement de l'enfant.

## EXAMEN DE SANTÉ SYSTÉMATIQUE À 6 MOIS : PRINCIPAUX POINTS

**Discussion avec les parents**

✔ Aborder les inquiétudes/questions des parents

✔ Donner des conseils

✔ Préciser les antécédents sociaux

✔ Apprécier le développement, la nutrition, la sécurité, la santé buccodentaire, les relations familiales, la communauté

**Évaluation du développement**

✔ Apprécier les acquisitions par l'interrogatoire (voir DDST)

✔ Mesurer les stades atteints par l'examen (voir DDST)

**Examen physique**

✔ Faire un examen soigneux, incluant les mensurations (à reporter sur les courbes de croissance)

**Tests de dépistage**

✔ Vision et audition (par l'examen) ; éventuellement hématocrite et plombémie (si risque élevé) ; facteurs de risque sociaux

**Vaccinations**

✔ Voir le calendrier p. 775-776

*(suite)*

<table>
<tr><td>

**Guidance anticipée**

*Habitudes et comportements sains*

✔ Prévention des accidents et des maladies : siège d'enfant, trotteur pour bébé, produits toxiques, tabagisme passif

</td><td>

✔ Nutrition : alimentation au sein ou au biberon, aliments solides, limitation des jus de fruits, prévention des fausses routes et de la suralimentation

✔ Santé buccodentaire : pas de biberon dans le lit, fluor, brossage des dents

</td><td>

*Interaction parent-enfant*

✔ Favoriser un bon développement

*Relations familiales*

✔ Garder du temps pour soi ; baby-sitters

*Interactions communautaires*

✔ Soins de l'enfant, ressources

</td></tr>
</table>

# → Techniques d'examen

## Examen général et constantes vitales

Il est important de prendre les mensurations du nourrisson (taille, poids, périmètre crânien) et de relever ses constantes vitales (pression artérielle, pouls, fréquence respiratoire, température). Comparez les constantes vitales et les mensurations avec les normes pour l'âge, parce qu'elles changent considérablement avec la croissance des enfants. Certains pédiatres évaluent aussi régulièrement la douleur, en utilisant des échelles de douleur standardisées.

En général, des mensurations s'écartant de plus de 2 déviations standard (ou écarts types) de la moyenne, ou encore supérieures au 95e percentile ou inférieures au 5e percentile justifient une évaluation plus détaillée. De tels écarts peuvent être les premiers et les seuls indicateurs d'une maladie.

*Croissance somatique.* La mesure de la croissance est l'un des indicateurs les plus importants de la santé de l'enfant. Les écarts de la normale peuvent traduire précocement un problème sous-jacent. Comparez les mensurations de l'enfant :

■ aux normes pour l'âge et le sexe ;

■ aux valeurs antérieures de l'enfant, pour préciser les tendances.

Les mensurations doivent être effectuées soigneusement, avec toujours la même technique et, autant que possible, la même toise et la même balance.

Une cause fréquente d'écart apparent de la croissance somatique est l'*erreur de mesure*, attribuable en partie à la difficulté de mesurer un enfant qui bouge sans cesse. Toute anomalie doit être confirmée par une deuxième mesure.

Les meilleurs outils pour évaluer la croissance somatique sont les courbes de croissance publiées par le *National Center for Health Statistics*. Ces courbes concernent la taille, le poids et le périmètre crânien en fonction de l'âge ; il en existe une série pour les enfants jusqu'à 36 mois et une autre série pour les enfants de 2 à 18 ans. Il existe aussi des courbes du poids en fonction de la taille. Sur ces courbes de croissance figurent des lignes de percentiles indiquant le pourcentage d'enfants normaux au-dessus et au-dessous de la mesure de l'enfant, en fonction de l'âge civil. Des courbes de croissance spéciales sont disponibles pour les ex-prématurés.

Bien que de nombreux enfants changent de couloir sur les courbes de croissance, un changement brusque ou important de la croissance peut traduire une pathologie touchant divers organes ou appareils.

**Taille.** Pour les enfants de moins de 2 ans, mesurez la longueur du corps en mettant l'enfant en décubitus dorsal sur une toise ou un plateau à toiser, comme montré ci-après. La mesure directe, avec un ruban métrique, est imprécise, à moins qu'un assistant n'immobilise l'enfant, les hanches et les genoux en extension. Les courbes de vitesse de croissance sont utiles chez les enfants plus âgés, notamment si on suspecte des troubles endocriniens.

Un *ralentissement de la croissance*, objectivé par une diminution du percentile de la taille sur la courbe de croissance, peut traduire une maladie chronique. La comparaison aux normes est essentielle parce que la vitesse de croissance au cours de la deuxième année est normalement inférieure à ce qu'elle est au cours de la première année.

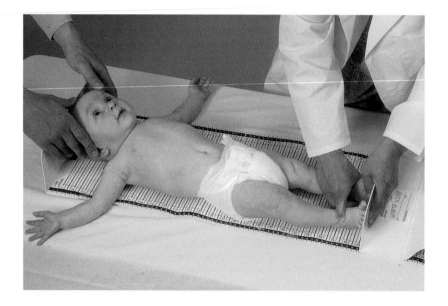

Les affections chroniques qui donnent un retard statural sont *neurologiques*, *rénales*, *cardiaques* ou *endocriniennes*.

**Poids.** Pesez les nourrissons directement sur une balance pour nourrissons ; c'est plus précis que la méthode indirecte consistant à peser un parent et l'enfant ensemble puis à soustraire le poids du parent du poids total. Les nourrissons doivent être pesés nus ou avec juste une couche.

Si le poids du nourrisson diffère de façon importante et surprenante de ce qui est attendu, repesez-le pour vérifier.

Une *hypotrophie* du nourrisson est une prise de poids insuffisante pour l'âge. Les situations fréquentes sont :

- une croissance < 5e percentile pour l'âge ;

- une chute de la croissance > 2 quartiles en 6 mois ;

- un poids rapporté à la taille < 5e percentile.

Les causes comprennent des facteurs *environnementaux* et *psychosociaux* et diverses maladies *digestives*, *neurologiques*, *endocriniennes*, *rénales* et autres.

**Périmètre crânien.** Le périmètre crânien des nourrissons doit être régulièrement mesuré les 2 premières années de vie, mais sa mesure peut être utile à tout âge pour évaluer la croissance de la tête. Chez les nourrissons, le périmètre crânien reflète la vitesse de croissance du crâne et du cerveau.

Une petite tête peut être due à une *craniosténose (fermeture prématurée des sutures)* ou à une *microcéphalie*. Une microcéphalie peut être familiale ou consécutive à des *aberrations chromosomiques*, *infections congénitales*, *troubles métaboliques maternels* et *agressions neurologiques*.

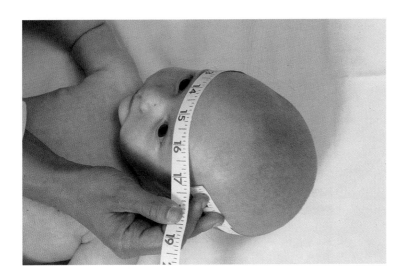

Une tête anormalement grosse (> 97e percentile ou > 2 écarts types au-dessus de la moyenne) est une *macrocéphalie*. Il peut s'agir d'une *hydrocéphalie*, d'un *hématome sous-dural* ou plus rarement d'une *tumeur cérébrale* ou de *syndromes héréditaires*. La *mégalencéphalie familiale* (grosse tête) est une affection familiale bénigne, avec une croissance cérébrale normale.

## *Constantes vitales*

**Pression artérielle.** Malgré la difficulté qu'il y a à obtenir des valeurs précises chez les jeunes nourrissons, la pression artérielle (PA) doit être mesurée au moins une fois les premiers mois de vie. Il peut être nécessaire de distraire ou de jouer avec l'enfant, comme sur la photo.

La *technique Doppler* est la plus commode pour mesurer la PA systolique des nourrissons ; elle détecte les vibrations du sang dans les artères, les convertit en valeurs de PA systolique et les transmet à un appareil de lecture numérique.

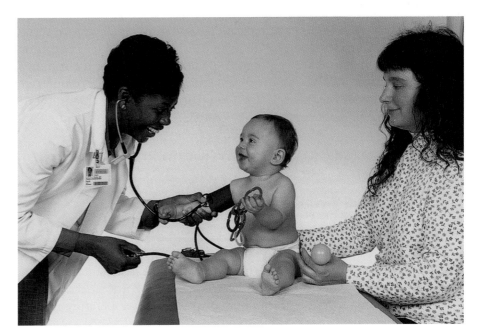

La PA systolique augmente progressivement au cours de l'enfance. Par exemple, chez les garçons, la PA systolique normale est de 70 mmHg à la naissance, 85 mmHg à 1 mois et 90 mmHg à 6 mois.

**Pouls.** La fréquence cardiaque (FC) des nourrissons est plus sensible aux effets de la maladie, de l'exercice et de l'émotion que celle des adultes.

Les causes d'*hypertension artérielle permanente* du nouveau-né comprennent des affections de l'artère rénale (sténose, thrombose), des malformations rénales congénitales et la coarctation de l'aorte.

| Fréquences cardiaques de la naissance à 1 an | | |
|---|---|---|
| Âge | FC moyenne (/min) | Valeurs extrêmes |
| Naissance | 140 | 90-190 |
| 6 premiers mois | 130 | 80-180 |
| 6-12 mois | 115 | 75-155 |

Un pouls trop rapide pour être compté (> 180-200/min) indique en général une *tachycardie supra-ventriculaire paroxystique*.

Une bradycardie peut être due à des *médicaments*, une *hypoxie*, des *affections intracrâniennes* ou *neurologiques* ou, rarement, à un *trouble du rythme cardiaque* tel qu'un *bloc auriculoventriculaire*.

Il vous sera difficile de compter avec précision le pouls d'un nourrisson qui se tortille. Le mieux est de palper les artères fémorales dans la région inguinale ou les artères brachiales au pli du coude, ou encore d'ausculter le cœur.

**Fréquence respiratoire.** Comme la fréquence cardiaque, la fréquence respiratoire du nourrisson et de l'enfant est plus variable et plus sensible à la maladie, à l'effort et à l'émotion que chez l'adulte. La fréquence respiratoire se situe entre 30 et 60 par minute chez le nouveau-né.

Une respiration très rapide et superficielle se voit chez les nouveau-nés qui ont des *cardio-pathies congénitales cyanogènes* et un *shunt droit-gauche*, ou une *acidose métabolique*.

La fréquence respiratoire peut varier notablement d'un moment à l'autre chez le nouveau-né, avec des alternances de respiration rapide et de respiration lente. Le rythme respiratoire du sommeil est le plus fiable. Pendant le sommeil agité, la fréquence respiratoire peut surpasser celle du sommeil calme de 10 respirations par minute. Il faut compter la fréquence respiratoire pendant au moins 60 secondes. Chez le nourrisson et le jeune enfant, la respiration est surtout diaphragmatique et l'ampliation thoracique minime.

La *fièvre* peut augmenter la fréquence respiratoire (FR) des nourrissons de 10 respirations par minute par degré centigrade au-dessus de 37 °C.

Les valeurs limites communément admises pour parler de *tachypnée* sont :

- de la naissance à 2 mois : > 60/min ;

- de 2 à 12 mois : > 50/min.

La tachypnée et la dyspnée chez un nourrisson sont les signes d'une possible pneumonie.

**Température.** La fièvre étant très fréquente chez l'enfant, prenez la température corporelle chaque fois que vous suspectez une infection, une collagénose ou un cancer. Les techniques de prise de la température rectale, buccale, et auriculaire chez l'adulte sont décrites p. 122-123. La mesure de la température cutanée, axillaire ou frontale (papier thermique), est imprécise chez le nourrisson et l'enfant, alors que celle de la température auriculaire est précise.

Une fièvre (> 38,0 °C ou > 100,0 °F) chez un nourrisson de moins de 3 mois peut être le signe d'une *infection* ou d'une *maladie grave*. Les nourrissons doivent être évalués rapidement.

La technique de prise de la *température rectale* est relativement simple. Une méthode est illustrée ci-après. Placez le nourrisson sur le ventre, écartez les fesses avec le pouce et l'index d'une main, introduisez doucement avec l'autre main le thermomètre rectal bien lubrifié jusqu'à 2-3 cm de profondeur. Maintenez le thermomètre en place pendant au moins 2 minutes.

La température corporelle du nourrisson et de l'enfant est moins stable que celle de l'adulte. La température rectale moyenne est plus élevée chez le nourrisson et le petit enfant, habituellement jamais inférieure à 37,2 °C jusqu'à 3 ans. La température du corps peut varier de 1,5 °C sur une journée et atteindre 38,3 °C chez des enfants normaux, tout particulièrement en fin d'après-midi, après une journée d'intense activité.

*L'anxiété* peut élever la température corporelle des enfants. *Trop emmailloter* les petits nourrissons peut élever leur température cutanée mais pas leur température centrale.

*L'instabilité thermique* d'un nouveau-né peut être due à une septicémie, un trouble métabolique ou d'autres affections graves. Les nourrissons ont rarement une instabilité thermique.

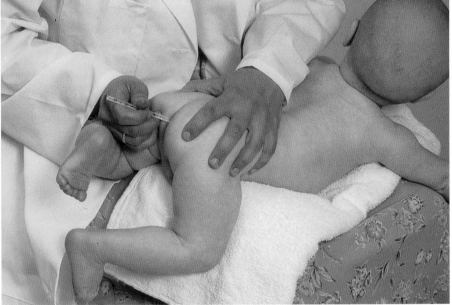

## La peau

***Inspection.*** Examinez soigneusement la peau du nouveau-né et du nourrisson pour identifier les marques normales et anormales. Les photos des pages 798-800 montrent des marques normales. La peau du nouveau-né a une *texture* et un *aspect* caractéristiques. Sa texture est douce et lisse parce qu'elle est plus mince que la peau des enfants plus âgés. Dans les 10 minutes qui suivent la naissance, un nouveau-né normal passe d'une cyanose généralisée à un teint rose. Chez les enfants de race blanche, un érythème généralisé donnant à la surface de la peau l'aspect d'un « homard bouilli » est fréquent pendant les 8 à 24 premières heures. On observe ensuite la coloration rose pâle normale.

Les *marbrures* se voient surtout chez les prématurés et chez les nourrissons ayant une *hypothyroïdie congénitale* ou une *trisomie 21.*

Vous pouvez être amené à observer les effets frappants des modifications vasomotrices sur la peau du nouveau-né. Les modifications vasomotrices du tissu sous-cutané et du derme – en réponse à un refroidissement ou à une exposition prolongée à la chaleur radiante – peuvent produire un aspect marbré *(cutis marmorata)*, tout particulièrement au niveau du tronc et des membres. Cette réaction au froid peut persister des mois chez des nourrissons normaux. La cyanose des extrémités (acrocyanose), une coloration

Si une acrocyanose n'a pas disparu avant 8 heures de vie ou avec le réchauffement, il faut penser à une *cardiopathie congénitale cyanogène.*

bleutée des mains et des pieds quand ils sont exposés au froid, est très fréquente au cours des premiers jours de vie et peut récidiver au cours des premiers mois. Parfois, on observe chez les nouveau-nés une cyanose transitoire d'un hémicorps ou d'un membre *(phénomène d'Arlequin)*, qu'on attribue à une instabilité vasomotrice temporaire.

Notez que la quantité de mélanine de la peau des nouveau-nés est variable, ce qui influe sur la *pigmentation*. Les nouveau-nés de race noire peuvent avoir une couleur de peau plus claire au début, sauf au niveau des lits unguéaux et des organes génitaux externes, qui sont foncés dès la naissance. Une pigmentation bleuâtre ou foncée sur les fesses et les régions lombaires basses est fréquente chez les nouveau-nés d'origine africaine, asiatique ou méditerranéenne. Ces zones, autrefois appelées taches mongoloïdes, sont dues à la présence de cellules pigmentées dans les couches profondes de la peau ; elles deviennent moins visibles avec l'âge et disparaissent habituellement pendant l'enfance. Il est important de documenter ces zones pigmentées pour ne pas les confondre plus tard avec des hématomes.

*Une cyanose centrale chez un bébé ou un enfant doit faire suspecter une cardiopathie congénitale cyanogène. Le meilleur endroit pour rechercher la cyanose centrale est la langue ou la muqueuse buccale, pas le lit unguéal ni les extrémités.*

À la naissance, un fin duvet, appelé *lanugo*, recouvre tout le corps, notamment le dos et les épaules. Ces poils tombent pendant les premières semaines. Le lanugo est plus marqué chez les prématurés. L'épaisseur de la chevelure varie beaucoup d'un nouveau-né à l'autre, et fort heureusement ne permet pas de prédire la future chevelure. Tous les cheveux présents à la naissance tombent pendant les premiers mois et sont remplacés par une nouvelle chevelure, de couleur parfois différente.

*Des lésions marron clair (< 1 à 2 cm à la naissance) sont des taches café au lait. Isolées, elles n'ont pas de signification, mais multiples et avec des limites régulières, elles peuvent évoquer une neurofibromatose (voir tableau 18-2 : « Éruptions et trouvailles cutanées fréquentes chez les nouveau-nés et les nourrissons, p. 899).*

Inspectez de près le nouveau-né à la recherche de manifestations cutanées fréquentes. À la naissance, un enduit blanchâtre, crémeux, le *vernix caseosa*, fait de sébum et de cellules épithéliales desquamées, recouvre le corps. Certains nouveau-nés ont des *œdèmes* des mains, des pieds, des membres inférieurs, du pubis et du sacrum, qui disparaissent en quelques jours. Une desquamation superficielle de la peau est souvent visible dans les 24 à 36 premières heures de vie, notamment chez les bébés post-terme (> 42 SA).

*Une desquamation est rarement un signe d'insuffisance placentaire ou d'ichtyose congénitale.*

Vous devez être capable d'identifier quatre dermatoses fréquentes chez les nouveau-nés : la *miliaire rouge*, l'*érythème toxiallergique*, la *mélanose pustuleuse* et le *milium*, qui sont présentées pages 798-799. Aucune d'elles n'a de signification pathologique.

*L'érythème toxi-allergique et la mélanose pustuleuse peuvent ressembler à l'éruption vésiculeuse d'un herpès ou d'une staphylococcie cutanée.*

Notez tout signe de traumatisme obstétrical, comme des marques de forceps ou de ventouse ; ils sont transitoires mais doivent faire pratiquer un examen neurologique soigneux.

*Une touffe de poils sur le rachis lombosacré évoque une anomalie de la moelle épinière.*

**Ictère (ou jaunisse).** Examinez la peau du nouveau-né pour apprécier l'intensité de l'ictère. L'*ictère* « physiologique », qui survient chez approximativement 50 % des nouveau-nés, apparaît au 2e ou 3e jour de vie, culmine vers le 5e jour, et disparaît habituellement en une semaine. Il est préférable d'apprécier un ictère à la lumière du jour plutôt qu'à la lumière artificielle. L'ictère du nouveau-né semble s'étendre de la tête vers les orteils, avec une coloration plus intense dans la moitié supérieure du corps et une coloration moins intense aux membres inférieurs.

Une jaunisse débutant le premier jour de vie peut être due à une *maladie hémolytique du nouveau-né.*

Une jaunisse qui persiste au-delà de 2 à 3 semaines de vie doit faire suspecter une *obstruction biliaire* ou une *maladie hépatique.*

Pour détecter la jaunisse, exercez une pression sur la peau (voir les photographies) pour « chasser » la coloration rose ou brune normale. Recherchez un blanchissement jaunâtre qui traduit la jaunisse. Une autre technique consiste à appuyer une lame de verre sur la peau pour chasser le sang des capillaires et observer le contraste des couleurs.

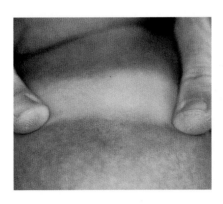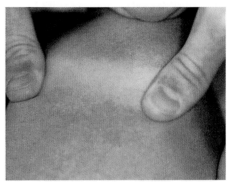

« Chasser » la couleur rouge de la peau permet de mieux reconnaître la coloration jaune d'un ictère. Le nouveau-né à gauche n'a pas de jaunisse, alors que le nouveau-né de droite a un taux de bilirubine de 130 mg/L (222 µmol/L). D'après Fletcher M. Physical diagnosis in neonatology. Philadelphia : Lippincott-Raven, 1998.

**Taches vasculaires.** Une *marque vasculaire* fréquente est la « tache saumonée » (encore appelée *naevus simplex,* naevus télangiectasique ou hémangiome capillaire). C'est une tache plane, irrégulière, rosée (voir p. 800), le plus souvent visible dans le cou ou sur les paupières supérieures, le front, la lèvre supérieure. Ce n'est pas un véritable angiome mais des capillaires du derme dilatés. Elle disparaît presque toujours avant 1 an.

Un angiome plan (« tache de vin ») unilatéral, dans le territoire de la branche ophtalmique du nerf trijumeau, peut être le signe d'un *syndrome de Sturge-Weber,* qui s'accompagne de convulsions, hémiparésie, glaucome et retard mental.

***Palpation.*** Palpez la peau du nouveau-né ou du nourrisson pour apprécier son degré d'hydratation ou *turgor.* Pincez la peau lâche de la paroi abdominale antérieure entre le pouce et l'index pour former un pli, et appréciez sa consistance. La peau d'un nourrisson bien hydraté reprend sa position initiale immédiatement après qu'on l'a relâchée. Un retard au retour à l'aspect antérieur est appelé « persistance du pli cutané » et survient habituellement chez des enfants qui ont une *déshydratation* significative.

Un œdème significatif des mains et des pieds chez un nouveau-né de sexe féminin peut évoquer un *syndrome de Turner.*

La déshydratation est un problème fréquent chez les nourrissons. Elle est souvent due à des apports insuffisants ou à des pertes excessives en eau (diarrhée).

## Trouvailles cutanées chez le nouveau-né

| Trouvaille | Description |
|---|---|
| **Conditions physiologiques fréquentes** | |
| Acrocyanose 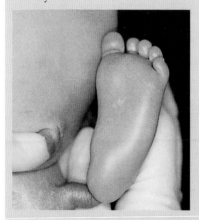 | Cette coloration bleuâtre apparaît habituellement sur la paume des mains et la plante des pieds. *Attention : une cardiopathie congénitale peut se révéler par une acrocyanose.* |
| Jaunisse 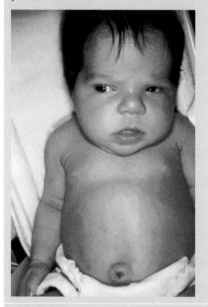 | La jaunisse physiologique survient de J2 à J5 et progresse de la tête aux pieds en s'intensifiant. *Attention : un ictère intense peut traduire une hémolyse ou une maladie hépatique ou biliaire.* |
| **Éruptions bénignes fréquentes** | |
| Miliaire rouge (*miliara rubra*) 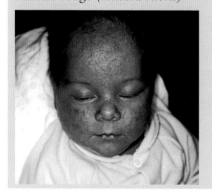 | De petites vésicules dispersées, reposant sur une base érythémateuse, qui siègent habituellement au niveau de la face et du tronc, provoquées par l'obstruction des canaux des glandes sudoripares. Elles disparaissent spontanément en quelques semaines. |

*(suite)*

## Trouvailles cutanées chez le nouveau-né *(suite)*

| Trouvaille | Description |
|---|---|
| Érythème toxiallergique 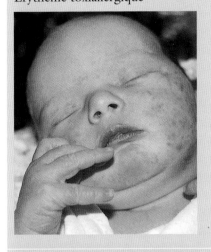 | Apparaissant habituellement à J2 ou J3, cette éruption est faite de macules érythémateuses centrées par des vésicules en tête d'épingle disséminées sur toute la surface du corps. Elles ressemblent à des piqûres de puce. L'étiologie est inconnue. Les lésions disparaissent en une semaine. |
| Mélanose pustuleuse 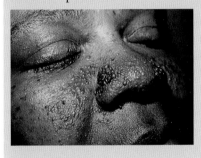 | Visible plus fréquemment chez les enfants noirs, cette éruption se présente à la naissance comme de petites vésiculopustules reposant sur une macule brunâtre. Elle peut durer plusieurs mois. |
| Milium 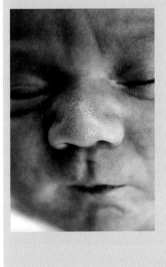 | De petites zones blanches surélevées, de la taille d'une tête d'épingle, lisses, sans aréole érythémateuse, qui siègent sur le nez, le menton et le front et sont dues à la rétention de sébum dans les orifices des glandes sébacées. Parfois présent dès la naissance, le milium apparaît plus souvent dans les premières semaines de vie et disparaît après plusieurs semaines. |

*(suite)*

## Trouvailles cutanées chez le nouveau-né *(suite)*

| Trouvaille | Description |
|---|---|
| **Marques de naissance bénignes (naevus bénins)** | |
| Télangiectasies des paupières 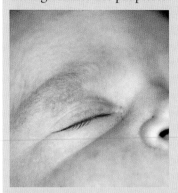 | Ces télangiectasies s'atténuent en général au cours de la première année de vie. |
| Tache saumonée (télangiectasie de la nuque) 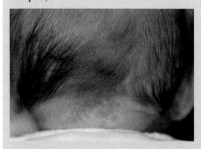 | Cette tache rosée s'atténue avec l'âge. |
| Taches café au lait 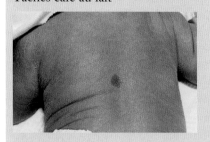 | Ces taches pigmentées marron clair ont en général des limites nettes et une coloration uniforme. On en voit chez plus de 10 % des nourrissons de race noire. *Attention : s'il y en plus de 5, pensez à la neurofibromatose. Voir tableau 18-2 : « Éruptions et trouvailles cutanées fréquentes chez les nouveau-nés et les nourrissons », p. 899.* |
| Taches mongoloïdes 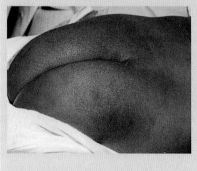 | Elles sont plus fréquentes chez les bébés à peau foncée. Il est important de les noter afin de ne pas les confondre avec des ecchymoses. |

# Tête

À la naissance, la tête d'un bébé peut vous sembler relativement volumineuse. Elle compte pour le quart de la taille et le tiers du poids. Ces proportions changent avec la croissance, si bien qu'à l'âge adulte la tête ne représente plus que le huitième de la taille et environ le dixième du poids.

***Sutures et fontanelles.*** Les os du crâne sont séparés les uns des autres par des espaces de tissu membraneux, appelés les *sutures*. Les endroits où se rejoignent les principales sutures constituent les *fontanelles*. Examinez soigneusement les sutures et les fontanelles (voir la figure ci-dessous).

À la palpation, les sutures sont perçues comme des rainures et les fontanelles comme des dépressions souples. La *fontanelle antérieure* mesure 4 à 6 cm dans son plus grand diamètre à la naissance et se ferme normalement entre 4 et 26 mois (dans 90 % des cas entre 7 et 19 mois). La *fontanelle postérieure* mesure 1 à 2 cm à la naissance et se ferme habituellement vers l'âge de 2 mois.

Une grande fontanelle postérieure peut se voir dans l'*hypothyroïdie congénitale*.

Une fontanelle bombante, tendue, s'observe chez les nourrissons ayant une *hypertension intracrânienne*, qui peut être due à des *infections du système nerveux central*, une *tumeur cérébrale* ou une *hydrocéphalie* (obstruction de la circulation du liquide céphalorachidien dans les ventricules du cerveau ; voir tableau 18-5, p. 901).

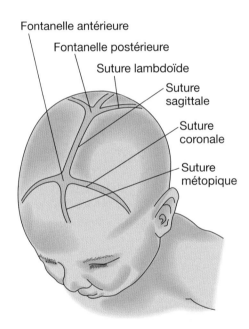

Fontanelle antérieure
Fontanelle postérieure
Suture lambdoïde
Suture sagittale
Suture coronale
Suture métopique

Un examen soigneux de la fontanelle antérieure est important parce que la plénitude de cette fontanelle reflète la *pression intracrânienne*. Palpez la fontanelle sur un bébé assis et calme ou tenu debout. Les pédiatres expérimentés palpent souvent les fontanelles au début de l'examen. Chez les nourrissons normaux, la fontanelle antérieure est souple et plate. L'hypertension intracrânienne provoque un bombement de toute la fontanelle antérieure, ce qui se voit quand un bébé pleure, vomit ou a une pathologie sous-jacente. Les pulsations de la fontanelle reflètent le pouls périphérique.

Une fontanelle antérieure déprimée peut être un signe de *déshydratation*.

Le chevauchement des os du crâne à la naissance *(modelage)* est la conséquence du passage de la tête dans la filière pelvienne ; il disparaît en 48 heures.

Inspectez le cuir chevelu, à la recherche de veines dilatées.

La dilatation des veines du cuir chevelu indique un *accroissement ancien de la pression intracrânienne*.

**Symétrie du crâne et périmètre crânien.** Appréciez la *symétrie du crâne*. Plusieurs affections peuvent rendre le crâne asymétrique ; certaines sont bénignes, d'autres reflètent une pathologie sous-jacente. L'inspection soigneuse du crâne, en partant de l'avant ou de l'arrière, vous permet d'apprécier cette symétrie.

Recherchez une augmentation de volume asymétrique du crâne. Le scalp du nouveau-né peut être tuméfié dans la région occipitopariétale par une *bosse sérosanguine*, provenant de la distension des capillaires et de l'extravasation de sang et de sérum consécutives à la dépression produite par la rupture de la poche des eaux. La tuméfaction déborde souvent les sutures et disparaît en 1 à 2 jours.

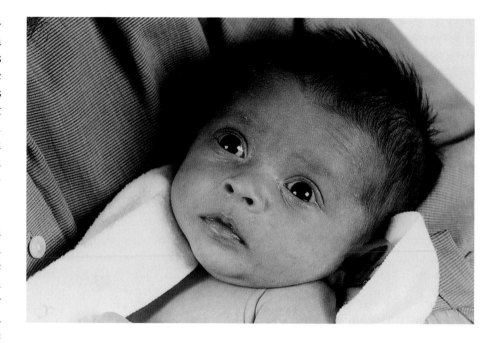

La tête du prématuré à la naissance est relativement longue dans son diamètre occipitofrontal et étroite dans son diamètre bitemporal *(dolichocéphalie)*. Sa forme se normalise habituellement en 1 à 2 ans.

Une asymétrie de la voûte crânienne *(plagiocéphalie)* se voit chez un nourrisson qui est toujours couché sur le même côté. Il en résulte un aplatissement de l'occiput du côté où l'enfant est couché et une proéminence de la région frontale du côté opposé. Cette anomalie disparaît lorsque l'enfant devient plus actif et ne reste plus aussi longtemps dans la même position ; la symétrie est presque toujours restaurée. La tendance actuelle, consistant à coucher les nouveau-nés sur le dos pour réduire le risque de mort subite, a augmenté la fréquence de la plagiocéphalie.

Mesurez le périmètre crânien (p. 793) pour détecter des têtes trop grosses *(macrocéphalie)* ou trop petites *(microcéphalie)*, ce qui peut traduire un trouble sous-jacent touchant le cerveau. Palpez les sutures. Une crête osseuse à leur emplacement suggère une craniosynostose.

Un autre type de tuméfaction localisée du cuir chevelu est le *céphalhématome*, dû à une hémorragie sous-périostée consécutive au traumatisme obstétrical. La tuméfaction ne déborde pas les sutures et disparaît en 3 semaines. Quand l'hématome se résorbe et se calcifie, on peut palper un rebord osseux autour d'un centre mou.

Une *plagiocéphalie* peut aussi traduire une pathologie telle qu'un torticolis par traumatisme du sternocléidomastoïdien à la naissance, ou une *insuffisance de stimulation du nourrisson*.

La fermeture prématurée d'une ou plusieurs sutures du crâne provoque une *craniosténose* (p. 901), avec déformation du crâne. La *craniosténose sagittale* donne un crâne étroit par défaut de croissance des os pariétaux.

Palpez soigneusement le crâne du petit nourrisson. Les os du crâne semblent habituellement « mous » ou malléables ; ils deviendront plus fermes avec l'avancement de l'âge gestationnel.

Dans le *craniotabès*, les os du crâne sont souples et malléables. Le craniotabès peut être dû à une hypertension intracrânienne, comme dans l'*hydrocéphalie*, des troubles métaboliques comme le *rachitisme*, une infection comme la *syphilis congénitale*.

L'auscultation du crâne est inutile chez les jeunes enfants parce qu'on peut entendre des souffles systoliques ou continus dans les régions temporales tout à fait normalement. Des enfants plus âgés très anémiques peuvent aussi avoir un souffle intracrânien.

Une *fistule artérioveineuse* du cerveau peut donner un souffle intense.

***Symétrie faciale.*** Vérifiez la symétrie de la face des nourrissons. La position intra-utérine peut donner des asymétries transitoires de la face. Si la tête est fléchie sur le sternum, on peut observer un raccourcissement du menton *(micrognathie)*, et si une épaule comprime la mâchoire, il peut exister un déplacement latéral temporaire de la mandibule.

Une micrognathie peut aussi faire partie d'un syndrome, tel que le *syndrome de Pierre Robin*.

Examinez le visage pour avoir une impression globale du *faciès* ; il est utile de comparer avec la face des parents. L'évaluation systématique d'un enfant qui a un faciès bizarre permet d'identifier des syndromes spécifiques.[16] L'encadré ci-dessous décrit les étapes de l'évaluation du faciès.

### ÉVALUATION D'UN NOUVEAU-NÉ OU D'UN ENFANT QUI A UN FACIÈS BIZARRE

Revoyez soigneusement les antécédents, en particulier :
- ✔ les antécédents familiaux ;
- ✔ la grossesse ;
- ✔ la période périnatale.

Notez les anomalies d'autres parties de l'examen physique, notamment :
- ✔ la croissance ;
- ✔ le développement ;
- ✔ d'autres traits dysmorphiques.

Prenez les mensurations (et reportez-les sur des courbes), notamment :
- ✔ le périmètre crânien ;
- ✔ la taille ;
- ✔ le poids.

Rappelez-vous les 3 mécanismes de la dysmorphologie faciale :
- ✔ les déformations dues aux contraintes intra-utérines ;
- ✔ les solutions de continuité dues aux bandes amniotiques ou interruption des tissus fœtaux ;
- ✔ les malformations dues à une anomalie intrinsèque de la face/de la tête ou du cerveau.

*(suite)*

La plupart des syndromes génétiques et développementaux, avec un faciès bizarre, comportent d'autres anomalies.

Anomalies de l'obliquité ou de la longueur des fentes palpébrales (voir tableau 18-6, p. 902-903) :
- ■ obliquité en haut et en dehors (dite mongoloïde) : trisomie 21 ;

Examinez les parents et les frères et sœurs :

✔ une ressemblance avec les parents peut être rassurante (par exemple, une grosse tête) mais peut aussi indiquer une maladie familiale ;

Essayez de préciser si le faciès est compatible avec celui d'un syndrome identifiable, et comparez avec :

✔ les références (y compris les mensurations) et les images des syndromes ;

✔ des tableaux/bases de données de combinaison des signes.

■ obliquité en bas et en dehors (antimongoloïde) : syndrome de Noonan ;

■ brièveté : syndrome d'alcoolisme fœtal.

***Signe de Chvostek.*** La percussion de la joue est utile pour rechercher un *signe de Chvostek*, présent dans certains troubles métaboliques et, parfois, chez des enfants normaux. Percutez la partie supérieure de la joue, juste en dessous de l'arcade zygomatique, devant l'oreille, avec l'extrémité de l'index ou du médius.

Un signe de Chvostek positif produit des grimaces du visage du fait de contractions itératives des muscles faciaux. Il se voit en cas de *tétanie hypocalcémique*, de *tétanos* et de *tétanie par hyperventilation*.

# Yeux

***Inspection.*** Les nouveau-nés gardent les yeux fermés, sauf pendant de brèves périodes d'éveil. Si vous essayez d'écarter leurs paupières, ils les serrent encore plus. La lumière vive les faisant cligner des yeux, utilisez une lumière tamisée. Pour réveiller un bébé en douceur, baissez la lumière et tenez-le en position assise : vous constaterez souvent qu'il ouvre les yeux. Il existe fréquemment un œdème palpébral à la naissance.

Un nouveau-né qui ne peut vraiment pas ouvrir un œil (même quand il est réveillé et conscient) peut avoir un *ptosis congénital*. Les causes en sont le traumatisme obstétrical, une paralysie du NC III et des problèmes mécaniques.

Vous devrez être ingénieux pour examiner les yeux des nourrissons et des jeunes enfants et utiliser quelques astuces pour obtenir leur coopération. Des petits jouets colorés sont utiles pour fixer le regard quand vous examinez les yeux.

Si un nouveau-né ne vous regarde pas et ne vous suit pas des yeux quand il est réveillé, prêtez une attention particulière au reste de l'examen oculaire. L'enfant peut être normal mais il peut aussi avoir une *atteinte visuelle*.

Les nouveau-nés peuvent regarder votre visage et suivre une lumière brillante si vous les saisissez dans une période d'éveil. Certains nouveau-nés peuvent même suivre votre visage et tourner la tête à 90°, de chaque côté, au grand ravissement de leurs parents.

Examinez les *mouvements oculaires*. Tenez le bébé verticalement, en soutenant sa tête. Tournez lentement avec le bébé dans un sens. Cela provoque généralement l'ouverture des yeux, ce qui vous permet d'examiner les sclérotiques, les pupilles, les iris et la motricité extrinsèque des globes oculaires. Les yeux doivent regarder dans la direction de votre rotation. Quand la rotation cesse, les yeux regardent dans la direction opposée, après quelques mouvements nystagmiformes.

Un nystagmus (mouvements oculaires erratiques ou oscillants) persistant après quelques jours ou après la manœuvre décrite ci-contre peut indiquer une *cécité* ou une *maladie du système nerveux central*.

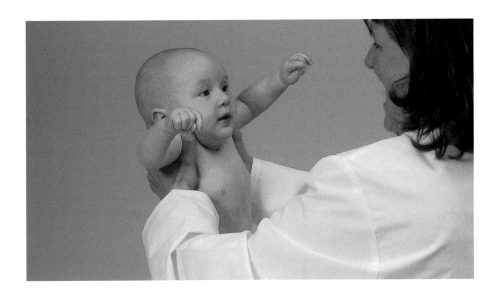

Au cours des 10 premiers jours de vie, les yeux peuvent rester fixes, regardant dans une direction, si la tête est tournée sans déplacer le corps *(réflexe des yeux de poupée)*. Au cours des premiers mois de vie, certains nourrissons ont une déviation intermittente des yeux en dedans *(strabisme convergent alternant intermittent* ou *ésotropie)* ou en dehors *(strabisme divergent alternant intermittent* ou *exotropie)*.

Un *strabisme* convergent ou divergent intermittent persistant au-delà de 3 mois, ou un strabisme permanent quel qu'en soit le type, peut indiquer une *faiblesse de la motricité oculaire* ou une autre anomalie de la vision.

Recherchez des anomalies ou des problèmes congénitaux des *sclérotiques* et des *pupilles*. Des hémorragies sous-conjonctivales sont fréquentes chez les nouveau-nés.

On peut voir des *colobomes* à l'œil nu ; ce sont des défects de l'iris.

Observez les réactions pupillaires en éclairant les pupilles ou en recouvrant chaque œil avec une main, puis en le découvrant. Il peut y avoir initialement une asymétrie pupillaire, mais avec le temps, les pupilles deviennent égales et réagissent pareillement à la lumière.

Inspectez les iris à la recherche d'anomalies.

Les *taches de Brushfield* sont un anneau de petites taches blanchâtres de l'iris (voir tableau 18-7, p. 904). Elles se voient quelquefois chez des enfants normaux mais évoquent fortement une *trisomie 21*.

Examinez les *conjonctives* à la recherche d'un œdème ou d'une rougeur. Vous pouvez constater une conjonctivite si du nitrate d'argent a été instillé à la naissance pour prévenir la conjonctivite gonococcique *(ophtalmia neonatorum)*. La plupart des maternités utilisent à présent un collyre à l'érythromycine, moins irritant.

Un écoulement oculaire ou un larmoiement persistant depuis la naissance peuvent être dus à une *dacryocystite* ou à une *obstruction du canal lacrymal*.

Il n'est pas possible de mesurer l'*acuité visuelle* des nouveau-nés et des nourrissons, mais vous pouvez utiliser des réflexes visuels pour évaluer indirectement la vision : le réflexe photomoteur direct et consensuel, le clignement des paupières en réponse à une lumière vive, et le clignement en réponse au rapprochement rapide d'un objet vers les yeux. Au cours de la première année de vie, l'acuité visuelle s'affine en même temps que le centrage s'améliore. Les nourrissons passent par les stades visuels suivants.

| Repères de la vision du nourrisson[17] | |
|---|---|
| Naissance | Cligne, peut regarder en face |
| 1 mois | Fixe les objets |
| 1 mois et demi-2 mois | Mouvements oculaires coordonnés |
| 3 mois | Les yeux convergent, le bébé attrape |
| 12 mois | Acuité d'environ 4/10 |

L'absence de progrès dans ce domaine peut indiquer un *retard de maturation visuelle*.

***Examen des fonds d'yeux.*** Pour l'*examen des fonds d'yeux*, le nouveau-né étant éveillé, les yeux ouverts, examinez le reflet rouge rétinien en ajustant l'ophtalmoscope à « zéro dioptrie » et en regardant la pupille à une distance d'environ 25 cm. On observe normalement un reflet rouge ou orangé venant du fond de l'œil à travers la pupille.

Un examen ophtalmologique complet est difficile chez le petit nourrisson, mais il peut être nécessaire en cas d'anomalies oculaires ou neurologiques. La cornée peut être habituellement vue à + 20 dioptries, le cristallin à + 15 dioptries, et le fond d'œil à 0 dioptrie.

Une opacité de la cornée peut être due à un glaucome congénital. L'absence de reflet lumineux peut être due à une *cataracte*, une *rétinopathie du prématuré* ou d'autres pathologies. Une opacité blanche de la pupille *(leucocorie)* est anormale ; elle doit faire suspecter une *cataracte*, un *décollement rétinien*, une *choriorétinite* ou un *rétinoblastome*.

Examinez la papille optique comme vous le feriez chez un adulte. Chez les petits nourrissons, elle est plus claire. Il peut y avoir une pigmentation maculaire moindre et le reflet lumineux de la fovéa peut ne pas être visible. Recherchez soigneusement des hémorragies rétiniennes. L'œdème papillaire est rare chez le nourrisson parce que les fontanelles et les sutures compensent toute augmentation de la pression intracrânienne, ce qui protège les papilles optiques.

De petites hémorragies rétiniennes peuvent survenir chez des nouveau-nés normaux. Des hémorragies étendues peuvent évoquer une *anoxie grave*, un *hématome sous-dural*, une *hémorragie sous-arachnoïdienne* ou un *traumatisme*.

Des modifications de la pigmentation rétinienne peuvent survenir dans la rétine des nouveau-nés ayant une *toxoplasmose*, une *infection à cytomégalovirus* ou une *rubéole congénitale*.

# Oreilles

L'examen des oreilles des nourrissons est important parce qu'il permet de détecter de nombreuses anomalies, y compris les malformations de l'oreille, l'otite moyenne et la surdité. Cela veut dire que vous devez savoir vous servir d'un otoscope !

Les principaux objectifs sont de préciser *la position, la forme et les caractéristiques de l'oreille* et de détecter des anomalies. Notez la position des oreilles par rapport aux yeux. Normalement, le prolongement de la ligne passant par les angles interne et externe de l'œil coupe la partie supérieure du pavillon de l'oreille. Si le pavillon est en dessous de cette ligne, le nourrisson a des oreilles bas implantées. Tracez cette ligne imaginaire en travers de la face du bébé de la p. 810 ; notez qu'elle coupe le pavillon de l'oreille.

Des oreilles petites, malformées ou bas implantées peuvent être des indicateurs de *malformations congénitales*, surtout d'anomalies rénales.

L'examen de l'oreille d'un nouveau-né avec un otoscope se limite à vérifier la perméabilité du *conduit auditif externe*, puisque les tympans sont masqués par l'accumulation de *vernix caseosa* pendant les premiers jours de vie.

Un petit appendice cutané, une fente ou une fossette juste en avant du tragus représentent des vestiges de la *première fente branchiale*, et n'ont pas, en général, de signification particulière.

Chez le nourrisson, le conduit auditif externe se dirige en bas et en dedans ; vous pouvez donc avoir besoin de tirer avec douceur le pavillon vers le bas, pas vers le haut, pour mieux voir le tympan. Quand le tympan est visible, notez que la lumière se réfléchit de façon diffuse sur la membrane et ne prend pas la forme d'un cône lumineux avant plusieurs mois.

Le *réflexe de clignement au bruit* est un clignement des yeux de l'enfant en réaction à un bruit sec ; vous pouvez produire un tel bruit en claquant des doigts ou en utilisant une cloche, un bip ou tout autre objet sonore à environ 30 cm de l'oreille de l'enfant. Assurez-vous qu'en produisant le bruit vous ne créez pas un courant d'air qui provoquerait un réflexe de clignement. Le réflexe de clignement au bruit est difficile à obtenir pendant les 2 ou 3 premiers jours et peut disparaître temporairement après avoir été provoqué plusieurs fois de suite (phénomène d'*habituation*). C'est un test grossier, qui n'a pas de valeur diagnostique. Actuellement, il y a un courant en faveur du dépistage généralisé de la surdité chez tous les nouveau-nés, et pas seulement ceux qui sont à risque élevé de problèmes auditifs.

Les problèmes périnatals qui augmentent le *risque de surdité* sont un poids de naissance < 1 500 g, l'anoxie, un traitement par des médicaments ototoxiques (par exemple, les aminosides), les infections congénitales, une hyperbilirubinémie importante et une méningite.

| Signes qu'un nourrisson entend | |
|---|---|
| Âge | Signe |
| 0-2 mois | Sursaut et clignement à un bruit brusque<br>Est calmé par une voix apaisante ou de la musique |
| 2-3 mois | Modification de la gesticulation en réaction à un bruit<br>Changement de mimique aux bruits familiers |
| 3-4 mois | Tourne les yeux et la tête vers le bruit |
| 6-7 mois | Se tourne pour écouter les voix et les conversations |

De nombreux enfants ayant une *surdité* ne sont pas diagnostiqués avant l'âge de 2 ans. Les indices d'un déficit auditif comprennent les inquiétudes des parents sur l'audition, le retard de langage et l'absence des indicateurs développementaux de l'audition.

## Nez et sinus

Un des points les plus importants de l'examen du nez chez les nouveau-nés est la vérification de la perméabilité des fosses nasales. Vous pouvez le faire en douceur en bouchant chaque narine alternativement tout en maintenant la bouche de l'enfant fermée. Cette manœuvre ne procurera aucun stress à l'enfant normal puisque la plupart des nouveau-nés respirent par le nez. En vérité, certains petits nourrissons ont même des difficultés à respirer par la bouche *(respiration nasale obligatoire)*. N'obstruez pas les deux narines en même temps, cela peut être très mal supporté.

Inspectez le nez pour vous assurer que la cloison nasale est médiane. Vous pouvez aussi introduire avec douceur le grand spéculum nasal de l'otoscope dans le nez.

À la naissance, seuls les sinus ethmoïdiens sont pneumatisés. La palpation des sinus est inutile chez le nouveau-né.

Les voies nasales du nouveau-né sont bouchées dans l'*atrésie des choanes*. L'obstruction nasale est affirmée en essayant de passer une sonde gastrique n° 8 par chaque narine jusqu'au pharynx postérieur.

## Bouche et pharynx

Utilisez l'inspection (avec un abaisse-langue et une lampe) et la palpation pour examiner la bouche et le pharynx. La bouche du nouveau-né est dépourvue de dents ; la muqueuse alvéolaire est lisse, avec des bordures finement dentelées. Il existe parfois de petits kystes d'inclusion d'aspect perlé sur la crête des gencives ; ils sont souvent pris pour des dents et disparaissent spontanément en 1 à 2 mois. On trouve souvent des pétéchies au niveau du palais membraneux après la naissance. Palpez le palais osseux pour vérifier qu'il est intact. Les *perles d'Epstein* sont de petits kystes d'inclusion muqueux, arrondis, blancs ou jaunâtres, situés sur la partie postérieure de la ligne médiane du palais osseux. Ils disparaissent en quelques mois.

Il est rare de trouver des *dents surnuméraires*. Elles sont en général dysmorphiques et tombent en quelques jours, mais il faut les enlever avant pour éviter leur inhalation.

On peut noter des kystes de la langue ou de la bouche. Les kystes du tractus thyréoglosse peuvent s'ouvrir sous la langue.

Les petits nourrissons ne produisent pas beaucoup de salive au cours des 3 premiers mois. Les nourrissons plus âgés en produisent beaucoup et bavent souvent.

Inspectez la langue. Le frein de la langue est variable ; il va parfois jusqu'à la pointe de la langue ou presque, d'autres fois il est épais et court, ce qui limite la protrusion de la langue *(ankyloglossie)*. Ces variations ont rarement une répercussion sur la parole ou sur l'alimentation.

Bien qu'inhabituelle, une grosse langue protruse peut indiquer une *hypothyroïdie congénitale* ou une *trisomie 21.*

Vous verrez souvent aussi un enduit blanchâtre sur la langue. S'il est dû à du lait, il peut être facilement enlevé en le grattant ou en l'essuyant.

La *candidose buccale (muguet)* est fréquente chez les nourrissons. L'enduit est difficile à détacher et repose sur une base érythémateuse, à vif (voir tableau 18-7 : « Anomalies des yeux, des oreilles et de la bouche », p. 904).

Le pharynx du nourrisson est plus visible quand il pleure. Vous aurez sans doute des difficultés à utiliser un abaisse-langue parce qu'il provoque un réflexe nauséeux puissant. N'espérez pas arriver à voir les amygdales.

Écoutez le *cri du nourrisson.* Les nourrissons normaux ont un cri fort, puissant. L'encadré ci-dessous énumère quelques types de cris inhabituels chez le nourrisson.

Une macroglossie est associée à plusieurs affections systémiques. Si elle est associée à une hypoglycémie et une omphalocèle, le diagnostic vraisemblable est celui de syndrome de Beckwith-Wiedemann.

## Cris anormaux du nourrisson

| Type | Étiologies possibles |
| --- | --- |
| Perçants ou aigus | Hypertension intracrânienne. Également chez les nouveau-nés de mères toxicomanes |
| Rauques | Tétanie hypocalcémique et hypothyroïdie congénitale |
| Stridor permanent, inspiratoire et expiratoire | Obstruction des voies aériennes supérieures par diverses lésions (par exemple, un polype ou un hémangiome), larynx relativement étroit *(stridor laryngé du petit nourrisson)*, ou retard de développement des cartilages trachéaux *(trachéomalacie)* |
| Absence de pleurs | Maladie grave, paralysie des cordes vocales, ou lésion cérébrale importante |

Il existe un schéma de l'ordre d'éruption des dents, avec de grandes variations. Une règle approximative dit qu'un enfant sort une nouvelle dent chaque mois entre 6 et 26 mois, jusqu'à ce que la première dentition soit complète (20 dents).

## Cou

Palpez les *ganglions du cou* et recherchez d'autres masses telles que des *kystes congénitaux*. Le cou des nourrissons étant court, il est préférable de le palper pendant qu'ils sont en décubitus dorsal (les enfants plus âgés sont mieux examinés en position assise). Vérifiez la position du cartilage thyroïde et de la trachée.

Les *kystes des fentes branchiales* se présentent comme de petites fossettes ou de petits orifices en avant de la portion moyenne du sternocléidomastoïdien. Ils peuvent être associés à un trajet fistuleux.

Les *kystes et fistules préauriculaires* sont des trous de la taille d'une aiguille situés en général en avant de l'hélix. Ils sont souvent bilatéraux et peuvent être associés à des *déficits auditifs*.

Les *kystes du tractus thyréoglosse* sont situés sur la ligne médiane du cou, juste au-dessus du cartilage thyroïde. Ce sont de petites masses fermes et mobiles, qui se déplacent avec la protrusion de la langue ou la déglutition. Habituellement, ils ne sont détectés qu'après l'âge de 2 ans.

Un *torticolis congénital* est dû à un saignement dans le sternocléidomastoïdien au cours du processus d'étirement de la naissance. Une masse fibreuse ferme est perçue dans le muscle 2 à 3 semaines après la naissance et disparaît en général en plusieurs mois.

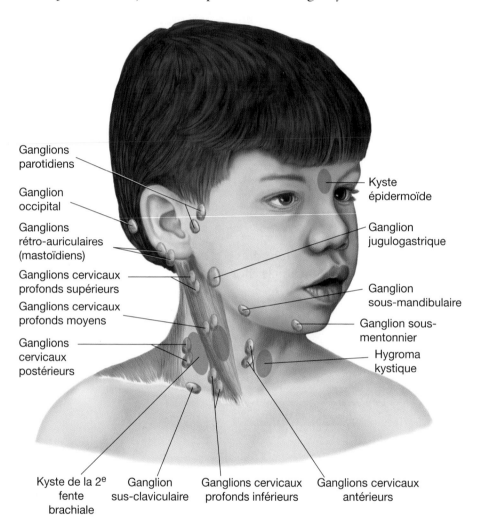

Ganglions parotidiens

Ganglion occipital

Ganglions rétro-auriculaires (mastoïdiens)

Ganglions cervicaux profonds supérieurs

Ganglions cervicaux profonds moyens

Ganglions cervicaux postérieurs

Kyste épidermoïde

Ganglion jugulogastrique

Ganglion sous-mandibulaire

Ganglion sous-mentonnier

Hygroma kystique

Kyste de la 2ᵉ fente brachiale

Ganglion sus-claviculaire

Ganglions cervicaux profonds inférieurs

Ganglions cervicaux antérieurs

Chez les nouveau-nés, palpez les *clavicules* à la recherche des signes d'une fracture. Dans ce cas, vous percevrez une interruption du rebord osseux, une douleur et une crépitation au foyer de fracture, et une limitation des mouvements du membre supérieur du côté atteint.

Une *fracture de la clavicule* peut survenir au cours de l'accouchement, notamment en cas de dystocie des épaules.

## Thorax et poumons

Le *thorax* du nourrisson est plus arrondi que celui de l'enfant et de l'adulte. La paroi thoracique du nourrisson est également mince et peu musclée, ce qui fait que les bruits pulmonaires et cardiaques sont transmis avec une grande netteté. La cage thoracique, osseuse et cartilagineuse, est souple et déformable. L'extrémité de l'apophyse xiphoïde pointe souvent en avant, directement sous la peau.

Deux types d'anomalies de la paroi thoracique sont notés dans l'enfance : le *pectus excavatum* ou « thorax en entonnoir », et le *pectus carinatum* ou « thorax en carène ».

**Inspection.** Évaluez soigneusement la *respiration* et le *type respiratoire*. Les nouveau-nés, surtout les prématurés, présentent une respiration irrégulière, caractérisée par l'alternance de périodes de respiration régulière (à 30 à 40 par minute) et de « respiration périodique », pendant laquelle la respiration ralentit notablement et peut même s'arrêter pendant 5 à 10 secondes.

*Ne vous précipitez pas sur le stéthoscope.* Observez d'abord le nourrisson attentivement, comme montré à la page suivante. L'inspection est plus facile chez un nourrisson qui ne pleure pas, donc calmez l'enfant avec l'aide des parents. En observant pendant disons 1 minute, vous pouvez noter l'aspect général, la fréquence respiratoire, la couleur, la composante nasale de la respiration, des bruits respiratoires audibles et le travail ventilatoire, comme décrit ci-dessous.

Comme les petits nourrissons respirent obligatoirement par le nez, observez leur nez au cours de la respiration et recherchez un *battement des ailes du nez*. Observez la respiration bouche fermée ou lors d'une tétée pour vérifier la perméabilité nasale. Écoutez les bruits respiratoires du nourrisson, et notez un *grognement*, un *sifflement audible* ou *l'absence de ces bruits (obstruction)*.

Précisez deux points importants de la respiration du nourrisson : les *bruits respiratoires audibles* et le *travail ventilatoire*. C'est particulièrement indiqué en cas de maladie des voies aériennes supérieures ou inférieures. Des études, dans des pays où l'accès à la radiographie thoracique est limité, ont montré que ces signes étaient au moins aussi utiles que l'auscultation pour évaluer l'état des voies aériennes supérieures et inférieures.

L'*apnée* est définie par l'arrêt de la respiration pendant plus de 20 secondes. Elle s'accompagne souvent d'une bradycardie. Elle peut indiquer la présence d'une *maladie respiratoire ou du système nerveux central* ou plus rarement d'une *affection cardiopulmonaire*. C'est un facteur de risque de *mort subite du nourrisson (MSN)*.

Chez les nouveau-nés et les petits nourrissons, un battement des ailes du nez peut être dû à une *infection des voies aériennes supérieures*, avec une obstruction consécutive de leurs narines étroites, mais aussi à une pneumonie ou à d'autres infections respiratoires graves.

| Observation de la respiration : avant de toucher l'enfant ! | |
| --- | --- |
| **Type d'évaluation** | **Pathologie observable** |
| Aspect général | Incapacité à s'alimenter ou à sourire<br>N'est pas consolable |
| Fréquence respiratoire | Tachypnée (voir p. 137) |
| Teint | Pâleur ou cyanose |
| Composante nasale de la respiration | Battement des ailes du nez (les narines sont dilatées à l'inspiration) |
| Bruits respiratoires audibles | Grognement (petit bruit expiratoire répétitif)<br>Sifflement (bruit expiratoire musical)<br>Stridor (bruit inspiratoire aigu)<br>Obstruction (absence de bruits respiratoires) |
| Travail ventilatoire | Battement des ailes du nez (mouvement exagéré des narines)<br>Grognement (bruits expiratoires)<br>Signes de lutte ou tirage :<br>– sus-claviculaire (parties molles au-dessus des clavicules)<br>– intercostal (espaces intercostaux)<br>– sous-costal (juste en dessous du rebord costal) |

Toutes les anomalies énumérées à gauche font craindre une pathologie respiratoire sous-jacente.

Les *infections des voies aériennes inférieures*, définies comme des infections en dessous des cordes vocales, sont fréquentes chez les nourrissons et comprennent les *bronchiolites* et les *pneumonies*.

Un *stridor aigu* est une affection potentiellement grave ; il peut être dû à une *laryngite*, une *épiglottite*, une *trachéite bactérienne*, un *corps étranger* ou un *arc vasculaire*.

Chez les nourrissons, un travail ventilatoire anormal associé à des trouvailles anormales est le meilleur signe en faveur d'une pneumonie. Le meilleur signe contre une pneumonie est l'absence de tachypnée.

Chez les nourrissons bien-portants, les côtes ne bougent pas beaucoup pendant la respiration calme. Leur déplacement en dehors est dû à la descente du diaphragme. (Cette descente du diaphragme comprime le contenu abdominal, qui à son tour déplace les côtes en dehors.)

Une asymétrie de l'ampliation thoracique peut indiquer une lésion expansive. Une maladie pulmonaire avant l'âge de 2 ans peut entraîner une respiration abdominale et des *signes de lutte respiratoire*. Le tirage intercostal est la rétraction de la peau entre les côtes, à l'inspiration. Le mouvement du diaphragme est le plus important pour la respiration, les muscles thoraciques jouant un rôle accessoire. Comme dit dans le tableau précédent, on peut noter trois types de tirage chez le nourrisson : sus-claviculaire, intercostal et sous-costal.

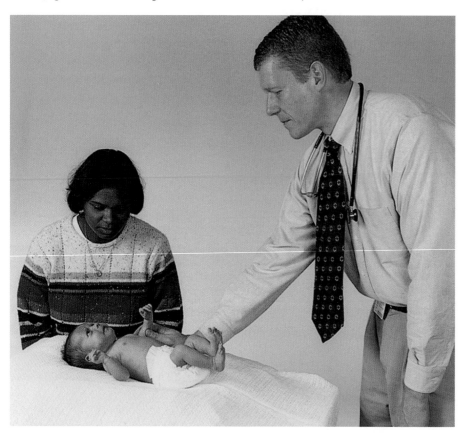

Une maladie respiratoire obstructive chez le nourrisson peut entraîner une *respiration paradoxale*, où l'abdomen se gonfle et le thorax se creuse à l'inspiration (bascule thoracoabdominale).

La *bascule thoracoabdominale*, mouvement de contraction du thorax et de dilatation de l'abdomen à l'inspiration, est une trouvaille normale chez les prématurés et les nouveau-nés à terme. Elle persiste pendant le sommeil agité *(rapid eye movements sleep)*, alors même qu'elle a disparu pendant l'éveil ou le sommeil calme, à cause de la diminution du tonus musculaire dans le sommeil agité. Avec l'âge et la croissance, la force musculaire augmente et la compliance thoracique diminue, et la bascule thoracoabdominale devient une constatation anormale.

Des enfants qui ont une *faiblesse musculaire* peuvent présenter une bascule thoracoabdominale après plusieurs années de vie.

**Palpation.** Les vibrations vocales peuvent être évaluées par la *palpation*. Placez votre main sur le thorax du nourrisson pendant qu'il pleure ou fait du bruit. Mettez votre main ou l'extrémité de vos doigts de chaque côté du thorax du nourrisson et percevez la symétrie des vibrations vocales. La percussion est inutile chez le nourrisson, sauf dans des cas extrêmes. Le thorax du nourrisson est hypersonore en totalité ; il est difficile de détecter des anomalies à la percussion.

Étant donné que la transmission des bruits dans le thorax est excellente, toute anomalie des vibrations vocales ou de la percussion évoque une pathologie grave, comme une *condensation pulmonaire étendue*.

**Auscultation.** Ces manœuvres effectuées, vous êtes prêt pour l'*auscultation*. Le murmure vésiculaire est à la fois plus fort et plus sec que chez l'adulte, car le stéthoscope est plus près de l'origine des bruits. Il est souvent difficile de faire la distinction entre des bruits transmis des voies aériennes

Des bruits aux deux temps impliquent une *obstruction grave*, due à un *rétrécissement des voies aériennes intra* ou *extrathoraciques*.

supérieures et des bruits d'origine thoracique. Le tableau ci-dessous contient quelques suggestions utiles. Les bruits des voies aériennes supérieures (VAS) tendent à être forts, transmis symétriquement dans tout le thorax, et encore plus forts quand le stéthoscope remonte vers le cou. Ils sont en général inspiratoires et rudes. Ceux des voies aériennes inférieures (VAI) sont les plus forts au foyer de la pathologie, et souvent asymétriques et expiratoires.

| Distinction entre bruits respiratoires des VAS et des VAI chez les nourrissons | | |
|---|---|---|
| **Technique** | **Voies aériennes supérieures** | **Voies aériennes inférieures** |
| Comparez les bruits du nez et du stéthoscope | Mêmes bruits | Souvent des bruits différents |
| Écoutez la rudesse des bruits | Souvent rudes et forts | Variables |
| Notez la symétrie (gauche/droite) | Symétriques | Souvent asymétriques |
| Comparez les bruits en différents endroits (plus haut ou plus bas) | Les bruits deviennent plus forts quand le stéthoscope remonte vers le cou | Les bruits sont souvent plus forts à la partie basse du thorax, vers l'abdomen |
| Inspiratoire *versus* expiratoire | Presque toujours inspiratoires | Ont souvent un temps expiratoire |

La diminution du murmure vésiculaire dans un hémithorax chez un nouveau-né suggère une lésion unilatérale (par exemple, *hernie diaphragmatique congénitale*).

Les bruits expiratoires sont en général d'origine thoracique. En revanche, les bruits inspiratoires naissent typiquement d'une voie aérienne extrathoracique, comme la trachée. À l'expiration, le diamètre des voies aériennes intrathoraciques diminue du fait que les forces radiales du poumon environnant ne maintiennent plus les voies aériennes ouvertes, comme c'est le cas à l'inspiration. Les débits aériens plus élevés pendant l'inspiration entraînent des turbulences, à l'origine de bruits audibles.

Les caractéristiques des *bruits respiratoires*, tels que le murmure vésiculaire et le murmure bronchovésiculaire et les bruits surajoutés, crépitants, sifflements et ronchi, sont les mêmes que chez l'adulte, à cela près qu'il est plus difficile de les identifier chez les nourrissons et qu'ils surviennent souvent ensemble. Sifflements et ronchi sont fréquents chez les nourrissons. Les *sifflements*, souvent audibles sans stéthoscope, sont plus fréquents à cause de la plus petite taille de l'arbre trachéobronchique. Les *ronchi* traduisent l'obstruction de voies aériennes plus grosses, bronchiques. Les *râles crépitants* sont des bruits discontinus (voir p. 316), entendus en fin d'inspiration ; ils sont dus en général à des pathologies pulmonaires et exceptionnellement à une insuffisance cardiaque, et ils tendent à être plus rudes que chez l'adulte.

Des sifflements chez un nourrisson sont fréquents dans l'*asthme* et la *bronchiolite*.

Des râles crépitants peuvent être entendus dans la *pneumonie* et la *bronchiolite*.

# Cœur

*Inspection.* Avant d'examiner le cœur lui-même, *observez* le nourrisson soigneusement à la recherche d'une cyanose. L'acrocyanose du nouveau-né a été discutée page 798. Il est important de détecter une *cyanose centrale* (voir tableau 18-9 : « Cyanose chez l'enfant », p. 906) parce qu'elle est toujours anormale et parce que de nombreuses malformations cardiaques et maladies respiratoires se présentent avec une cyanose (voir tableau 18-10 : « Souffles cardiaques congénitaux », p. 907-908).[18]

Pour reconnaître une cyanose discrète, il faut être très attentif. Regardez à l'intérieur du corps plutôt que sur la peau (c'est-à-dire dans la bouche, la langue, les conjonctives et, à un moindre degré, les lits unguéaux). Une couleur rose fraise est normale alors qu'un teint plutôt rouge framboise évoque une désaturation.

La répartition de la cyanose doit être précisée. Une mesure de la saturation avec un oxymètre de pouls confirmera la désaturation.

Une cyanose centrale avec des troubles respiratoires aigus évoquent une cardiopathie.

| Causes cardiaques de cyanose centrale chez les enfants | |
| --- | --- |
| Âge de début | Malformations cardiaques possibles |
| Immédiatement à la naissance | Transposition des gros vaisseaux<br>Atrésie pulmonaire<br>Sténose pulmonaire serrée<br>Malformation d'Ebstein |
| Au cours des premiers jours de vie | Toutes les précédentes, plus :<br>– retour veineux pulmonaire anormal total<br>– hypoplasie du cœur gauche<br>– tronc artériel commun (quelquefois)<br>– certains ventricules uniques |
| Les premiers mois ou années de vie | Toutes les précédentes, plus : maladie artérielle pulmonaire compliquant un shunt interauriculaire, interventriculaire ou entre les gros vaisseaux |

Observez les *signes généraux de la bonne santé* du nourrisson. L'état nutritionnel du nourrisson, sa réactivité, sa joie et son irritabilité sont des éléments utiles à préciser dans le bilan d'une cardiopathie. Notez que des signes extra-cardiaques peuvent être présents chez des nourrissons ayant une cardiopathie.

Une tachypnée, une tachycardie et une hépatomégalie chez un nourrisson évoquent une *insuffisance cardiaque congestive.*

## TROUVAILLES EXTRACARDIAQUES FRÉQUENTES CHEZ DES NOURRISSONS AYANT UNE CARDIOPATHIE

| | | |
| --- | --- | --- |
| Difficultés d'alimentation. | Tachypnée. | Aspect chétif. |
| Retard staturopondéral. | Hépatomégalie. | Faiblesse. |
| Irritabilité. | Hippocratisme digital. | |

Observez la fréquence et le type de la respiration ; cela vous aidera à apprécier la gravité d'une cardiopathie et à la distinguer d'une maladie pulmonaire. On s'attend à une augmentation de l'effort respiratoire dans une maladie pulmonaire, alors que dans une cardiopathie, il peut y avoir une tachypnée mais pas d'augmentation du travail ventilatoire tant qu'il n'y a pas d'insuffisance cardiaque congestive significative.

*Palpation.* On peut évaluer les principales branches de l'aorte grâce aux *pouls périphériques.* Il faut palper tous les pouls des nouveau-nés lors de leur premier examen. Chez les nouveau-nés et les nourrissons, il est plus facile de percevoir le pouls brachial au pli du coude que le pouls radial au poignet. Les artères temporales sont perceptibles devant les oreilles.

Palpez les pouls fémoraux. Ils se trouvent juste sous le pli de l'aine, à mi-distance de la crête iliaque et de la symphyse pubienne. Prenez votre temps pour les rechercher ; ils sont difficiles à détecter chez des nourrissons potelés, qui se tortillent. Si vous fléchissez d'abord les cuisses du nourrisson sur l'abdomen, cela peut vaincre la flexion réflexe qui se produit quand vous étendez les membres inférieurs.

Les pouls pédieux et tibial postérieur (voir la photo) peuvent être difficiles à percevoir, sauf en cas d'anomalie de l'écoulement du sang aortique. Les pouls normaux doivent avoir une ascension nette, être fermes et bien localisés.

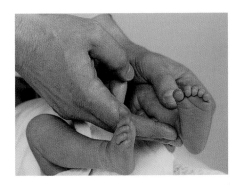

Comme discuté pages 793-794, la mesure soigneuse de la *pression artérielle* des nourrissons et des enfants fait partie de l'examen cardiaque.

Le *maximum du choc précordial* n'est pas toujours palpable chez les nourrissons, et il est influencé par le type respiratoire, un estomac plein et la position. Il siège en général un espace intercostal plus haut que chez l'adulte au cours des premières années de vie parce que le cœur est plus « horizontalisé » dans le thorax.

La *palpation* de la paroi thoracique vous permettra d'évaluer les modifications de volume du cœur. Par exemple, un éréthisme précordial traduit une importante modification de volume.

Des frémissements ou *thrills* sont palpables quand une turbulence du sang dans le cœur ou les gros vaisseaux est transmise à la surface. La connaissance des structures sous-jacentes à l'aire précordiale vous aide à déterminer l'origine du frémissement. Les frémissements sont plus faciles à palper avec la paume ou la base des doigts qu'avec les extrémités de ceux-ci. Ils ont une qualité vibratoire un peu rude. La figure ci-après montre la localisation des frémissements de diverses cardiopathies du nourrisson et de l'enfant.

Un bombement de tout l'hémithorax gauche du thorax évoque une *cardiomégalie* chronique.

L'absence ou la diminution des pouls fémoraux indique une *coarctation de l'aorte.* Si vous n'arrivez pas à détecter les pouls fémoraux, mesurez la pression artérielle aux membres supérieurs et inférieurs. Si elle est égale ou plus basse aux membres inférieurs, une coarctation est vraisemblable.

Un pouls faible, filant, difficile à percevoir peut refléter un *dysfonctionnement myocardique* et une *insuffisance cardiaque congestive,* notamment s'il s'y associe une tachycardie inhabituelle.

Bien que les pouls pédieux des nouveau-nés et des petits nourrissons soient souvent faibles, une hyperpulsatilité peut se voir dans des affections comme le *canal artériel persistant* ou le *tronc artériel commun (truncus arteriosus).*

Un soulèvement « en rouleau » au bord gauche du sternum évoque une *augmentation du travail ventriculaire droit* tandis que le même type de mouvement plus près de l'apex évoque la même chose pour le ventricule gauche.

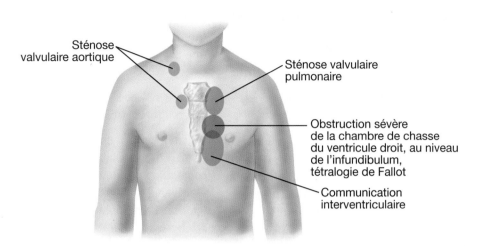

Sténose
valvulaire aortique

Sténose valvulaire
pulmonaire

Obstruction sévère
de la chambre de chasse
du ventricule droit, au niveau
de l'infundibulum,
tétralogie de Fallot

Communication
interventriculaire

**LOCALISATION DES FRÉMISSEMENTS CHEZ LES NOURRISSONS ET LES ENFANTS**

***Auscultation.*** Chez les nourrissons, vous pouvez évaluer le *rythme cardiaque* plus facilement par l'auscultation cardiaque que par la palpation des pouls périphériques, mais chez les enfants plus âgés, les deux techniques sont utilisables. Les nourrissons et les enfants ont fréquemment une arythmie sinusale normale, le cœur s'accélérant à l'inspiration et se ralentissant à l'expiration, parfois de façon brusque. Cette trouvaille normale peut être identifiée parce qu'elle se répète, est corrélée à la respiration et intéresse plusieurs battements plutôt qu'un seul.

De nombreux nouveau-nés et certains enfants plus âgés ont des extrasystoles auriculaires ou ventriculaires (des battements qui « sautent »). Ces extrasystoles disparaissent en général quand le rythme sinusal est accéléré par l'effort, comme les pleurs chez le nourrisson ou des bonds chez l'enfant plus âgé, mais il arrive qu'elles soient plus fréquentes après l'effort. Chez un enfant parfaitement bien-portant, elles sont en général bénignes et ne persistent pas.

**Bruits du cœur.** Évaluez soigneusement les *bruits du cœur* B1 et B2. Ils sont normalement bien frappés. Les deuxièmes bruits (B2) sont en général entendus séparément à la base du cœur, mais ils peuvent fusionner en un bruit unique dans l'expiration profonde. Chez le nouveau-né, vous pouvez détecter un dédoublement du 2ᵉ bruit si vous examinez le bébé quand il est parfaitement calme ou endormi ; la détection de ce dédoublement élimine de nombreuses malformations cardiaques graves, mais pas toutes.

Des battements cardiaques visibles et palpables évoquent un état hyperkinétique par une augmentation du métabolisme ou un « pompage » inefficace d'origine cardiaque.

Chez le nourrisson, le trouble du rythme cardiaque le plus fréquent est la *tachycardie supraventriculaire paroxystique* (TSVP) ou *tachycardie auriculaire paroxystique* (TAP). Il peut survenir à n'importe quel âge, y compris *in utero*. Il est remarquablement bien toléré par certains enfants ; il est alors découvert à l'examen de nourrissons qui semblent aller parfaitement bien ou sont juste un peu pâles et tachypnéiques, mais qui ont une fréquence cardiaque rapide, à 240 battements/min ou plus, en permanence. D'autres enfants, particulièrement des nouveau-nés, sont très malades. Chez les grands enfants, ce trouble du rythme est plus probablement paroxystique, avec des accès de durée et de fréquence variables.

Les *troubles du rythme cardiaque* chez les enfants peuvent être dus à des *lésions structurelles du cœur* mais aussi à d'autres causes telles que des *intoxications médicamenteuses*, des *troubles métaboliques*, des *pathologies endocriniennes*, des *infections graves* ou des *états post-infectieux*, ou ils peuvent être liés à des troubles de la conduction, sans anomalie structurelle du cœur.

| Caractéristiques des variantes normales des rythmes cardiaques chez les enfants | | |
|---|---|---|
| **Caractéristiques** | **Extrasystoles auriculaires (ESA) ou ventriculaires (ESV)** | **Arythmies sinusales normales** |
| Âge de prédilection | Nouveau-nés (mais possibles à tout âge) | Enfants de plus de 1 an (moins fréquentes chez les adultes) |
| Relation avec la respiration | Non | Oui : augmente à l'inspiration, diminue à l'expiration |
| Effet de l'effort sur la tachycardie | Disparition avec l'effort, mais peuvent être plus fréquentes après | Disparition |
| Caractéristique du rythme | « Ratés » du cœur, survenant irrégulièrement | S'accélère progressivement à l'inspiration. Ralentit souvent brusquement à l'expiration |
| Nombre de battements | En général, un seul battement anormal | Plusieurs battements, en général de façon cyclique |
| Gravité | En général, bénignes | Bénignes (par définition) |

Bien que les ESV se voient en général chez des nourrissons par ailleurs bien-portants, elles peuvent survenir sur des cardiopathies, notamment des *cardiomyopathies* ou des *cardiopathies congénitales*. Les troubles ioniques ou métaboliques sont d'autres causes possibles.

Des bruits du cœur lointains évoquent un *épanchement péricardique*. Des bruits du cœur assourdis évoquent un *dysfonctionnement myocardique*.

Si vous détectez un dédoublement du 2ᵉ bruit du cœur (B2), écoutez l'intensité de A2 et de P2. La première composante (aortique) de B2 à la base du cœur est normalement plus forte que la deuxième composante (pulmonaire).

Une composante pulmonaire plus forte que normalement, en particulier plus forte que la composante aortique, suggère une *hypertension pulmonaire*.

Un dédoublement permanent de B2 peut indiquer une surcharge volumique du ventricule droit, comme dans la *communication interauriculaire*, les *anomalies du retour veineux pulmonaire* ou l'*anémie chronique*.

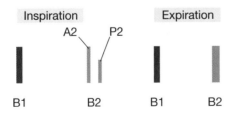

Les *troisièmes bruits du cœur* (B3) sont des bruits graves, protodiastoliques, mieux entendus à la partie basse du bord gauche du sternum ou à l'apex. Ils sont souvent perçus chez les enfants et sont normaux. Ils reflètent le remplissage ventriculaire rapide.

Le troisième bruit du cœur, B3, doit être différencié d'un bruit de galop, d'intensité plus forte, qui a une signification pathologique.

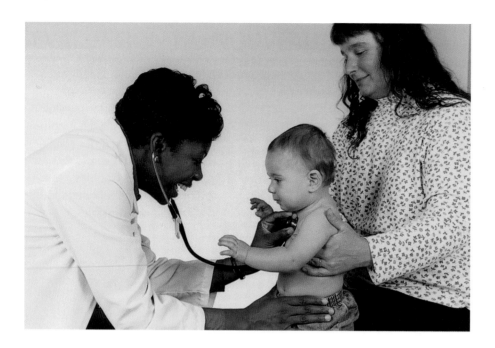

Les *quatrièmes bruits du cœur* (B4), qui sont rarement entendus chez les enfants, sont des bruits graves, télédiastoliques, survenant juste avant le premier bruit du cœur.

Les *quatrièmes bruits du cœur* traduisent une diminution de la compliance ventriculaire et sont associés à une *insuffisance cardiaque congestive* (avec des œdèmes).

Vous pouvez aussi entendre un *pseudo-galop* (un dédoublement espacé et variable de B2), sur un cœur ayant un rythme et une fréquence normaux. Cette trouvaille, fréquente chez des enfants normaux, n'a pas de signification pathologique.

Un *galop* – une tachycardie plus un B3 et/ou un B4 forts – est pathologique et indique une *insuffisance cardiaque congestive (fonction ventriculaire médiocre)*.

**Souffles cardiaques.** Un des aspects les plus difficiles de l'examen cardiaque chez l'enfant est l'évaluation des *souffles cardiaques*. Il faut essayer d'ausculter un enfant non coopérant qui se tortille et, de plus, différencier les souffles bénins des souffles inhabituels ou pathologiques. Chez l'enfant, les souffles cardiaques doivent être caractérisés par leur localisation précise (par exemple, partie supérieure du bord gauche du sternum et pas seulement bord gauche du sternum), leur temps, leur intensité et leur qualité. Si le souffle est bien défini, le diagnostic est en général fait et il ne reste plus qu'à le confirmer par des examens complémentaires tels que l'ECG, la radiographie du thorax et l'échocardiographie.

Une règle importante est que, par définition, *les souffles cardiaques bénins sont isolés.* La plupart (pas tous) des enfants ayant une malformation cardiaque grave ont des signes et des symptômes autres que le souffle, qu'on peut recueillir par l'interrogatoire et par l'examen. Beaucoup ont aussi des signes et des symptômes extracardiaques, tels que des anomalies génétiques, qui peuvent être des indices diagnostiques utiles.

La présence d'un des *signes extracardiaques* qui accompagnent fréquemment une cardiopathie de l'enfant augmente fortement la possibilité qu'un souffle, en apparence bénin, soit en réalité pathologique.

La plupart des enfants (certains disent presque tous) ont un ou plusieurs *souffles cardiaques bénins ou fonctionnels* avant d'atteindre l'âge adulte.[19] Il est important de reconnaître les souffles fonctionnels d'après leurs qualités plutôt que d'après leur intensité. Avec de la pratique, vous serez capable de reconnaître les souffles fonctionnels fréquents chez le nourrisson et l'enfant, qui la plupart du temps ne nécessitent pas de bilan.

Le tableau ci-dessous représente deux souffles cardiaques *bénins* chez les nourrissons avec leur localisation et leurs principales caractéristiques.

Nombre de *souffles de cardiopathie congénitale* sont entendus dès la naissance. Certains apparaissent plus tard, en fonction de leur gravité, de la chute des résistances pulmonaires après la naissance ou de modifications en rapport avec la croissance de l'enfant. Le tableau 18-10, p. 907-908, présente des exemples de souffles pathologiques chez l'enfant.

## Souffles cardiaques bénins chez les nourrissons

| Âge de prédilection | Nom | Caractéristiques | Description et localisation |
|---|---|---|---|
| Nouveau-né | *Souffle de canal artériel en train de se fermer* | | Transitoire, doux, éjectionnel. À la partie supérieure du bord gauche du sternum. |
| De la naissance à l'âge de 1 an | *Souffle de débit pulmonaire périphérique* | B1      B2 | Doux, discrètement éjectionnel, systolique. À gauche de la partie supérieure du bord gauche du sternum, et dans les champs pulmonaires et les aisselles. |

Certains nourrissons ont un souffle d'allure éjectionnelle, doux, audible, non pas dans l'aire précordiale mais sur les champs pulmonaires, notamment dans les aisselles. C'est un souffle de débit pulmonaire périphérique, en partie dû à la croissance insuffisante de l'artère pulmonaire *in utero* (quand il y a peu de débit pulmonaire) et à l'angle aigu que fait cette artère en s'inclinant vers l'arrière. En l'absence de signes associés suggérant une maladie sous-jacente, ce *souffle de débit pulmonaire périphérique* peut être considéré comme bénin ; il disparaît en général vers 1 an.

Un souffle de débit pulmonaire chez un nouveau-né qui a d'autres signes anormaux est vraisemblablement pathologique. Il peut se voir dans le *syndrome de Williams*, la *rubéole congénitale* et le *syndrome d'Alagille*.

### BASES PHYSIOPATHOLOGIQUES DE CERTAINS SOUFFLES CARDIAQUES

**Changement des résistances vasculaires pulmonaires**

Les souffles cardiaques qui dépendent de la chute postnatale des résistances pulmonaires – nécessaire pour créer un flux turbulent entre la circulation systémique à haute pression et la circulation pulmonaire à basse pression – ne sont pas audibles tant que cette chute ne s'est pas produite. Donc, sauf chez les prématurés, il ne faut pas s'attendre à entendre un souffle de *communication interventriculaire* ou de *canal artériel persistant* pendant les premiers jours de vie. Ces souffles ne deviennent en général audibles qu'après 7 à 10 jours de vie.

**Lésions obstructives**

Dans les lésions obstructives, telles que la *sténose aortique ou pulmonaire,* un flux sanguin normal doit traverser des valvules trop petites. Les souffles ne dépendent donc pas de la chute des résistances vasculaires pulmonaires ; ils sont audibles dès la naissance.

**Gradients de pression**

Les souffles de l'*insuffisance mitrale ou tricuspide* sont audibles dès la naissance en raison d'un gradient de pression élevé entre le ventricule et son oreillette.

**Modifications liées à la croissance des enfants**

Certains souffles n'obéissent pas aux règles ci-dessus ; ils sont audibles à cause de perturbations du débit sanguin normal et apparaissent ou se modifient avec la croissance. Par exemple, même si c'est une anomalie obstructive congénitale, le *rétrécissement aortique* peut rester silencieux jusqu'à la fin de la croissance, voire ne « souffler » qu'à l'âge adulte. De même, le souffle de débit pulmonaire d'une *communication interauriculaire* peut ne pas être entendu la 1re année de vie ou au-delà ; il faut attendre que la compliance du ventricule droit ait suffisamment augmenté et que le shunt soit devenu plus important pour qu'apparaisse un souffle par hyperdébit à travers une valve pulmonaire normale.

Un nouveau-né qui a un souffle cardiaque et une cyanose centrale a probablement une cardiopathie congénitale et nécessite un bilan cardiaque en urgence.

Si vous détectez un souffle cardiaque chez un enfant, notez-en toutes les qualités, décrites au chapitre 9 : « Appareil cardiovasculaire », afin de différencier les *souffles pathologiques* des souffles bénins qui viennent d'être décrits. Les souffles cardiaques dus à une malformation cardiaque sont plus faciles à évaluer si vous avez une bonne connaissance de l'anatomie du thorax et des modifications fonctionnelles du cœur après la naissance, et si vous avez compris la physiopathologie des souffles cardiaques. Ces bases vous aideront à distinguer les souffles pathologiques des souffles bénins chez les enfants.

Les caractéristiques des souffles cardiaques pathologiques spécifiques de l'enfant sont décrites dans le tableau 18-10, p. 907-908.

## Seins

Les seins des nouveau-nés de sexe masculin ou féminin sont souvent augmentés de volume du fait d'une imprégnation œstrogénique maternelle ; cet effet peut durer plusieurs mois. Ils sont aussi engorgés par un liquide blanc, parfois appelé « lait de sorcière », qui peut persister de 1 à 2 semaines.

Dans le *prémature thélarche,* les seins commencent à se développer le plus souvent entre 6 mois et 2 ans, mais il n'y a pas d'autres signes de puberté ni de troubles hormonaux.

# Abdomen

**Inspection.** *Inspectez* l'abdomen, le nourrisson étant en décubitus dorsal (et, idéalement, endormi). L'abdomen du nourrisson est proéminent en raison de l'insuffisance du développement de la musculature abdominale. Vous remarquerez aisément les vaisseaux de la paroi abdominale et le péristaltisme intestinal.

Inspectez le *cordon ombilical* du nouveau-né pour détecter des anomalies. Normalement, il contient deux artères ombilicales à paroi épaisse et une veine ombilicale plus large mais à paroi plus fine, qui se trouve en général vers 12 heures.

Une *artère ombilicale unique* peut être associée à des malformations congénitales mais peut aussi être isolée.

L'ombilic du nouveau-né peut avoir une portion cutanée longue *(umbilicus cutis)*, qui est recouverte de peau, ou une portion amniotique relativement longue *(umbilicus amnioticus)*, dont l'aspect est gélatineux. La portion amniotique se dessèche et tombe en 2 semaines environ tandis que la portion cutanée se rétracte au niveau de la paroi abdominale.

Un *granulome ombilical*, à la base de l'ombilic, est un bourgeon charnu rose qui se forme au cours du processus de cicatrisation.

Recherchez une rougeur ou un gonflement péri-ombilical. Les *hernies ombilicales* peuvent être détectées à quelques semaines de vie ; la plupart ont disparu à 1 an, presque toutes à 5 ans.

Les *hernies ombilicales* des nourrissons sont dues à un défaut de la paroi abdominale, qui peut mesurer jusqu'à 6 cm de diamètre. Elles sont très proéminentes quand la pression intra-abdominale augmente.

On peut noter un *diastasis des droits* chez des nourrissons normaux. Les deux muscles grands droits de l'abdomen sont séparés, ce qui crée une crête médiane, plus apparente lors de la contraction des muscles abdominaux. C'est une condition bénigne le plus souvent, qui guérit dans la petite enfance. Elle peut aussi être favorisée par une distension abdominale chronique.

**Auscultation.** L'*auscultation* de l'abdomen chez un nourrisson calme est facile. Ne soyez pas surpris d'entendre un récital de tintements intestinaux sous votre stéthoscope posé sur l'abdomen du nourrisson.

Une tonalité plus élevée ou une fréquence accrue des bruits intestinaux s'entendent dans la *gastroentérite* ou, plus rarement, l'*occlusion intestinale*.

**Percussion et palpation.** Vous pouvez *percuter* l'abdomen d'un nourrisson comme celui d'un adulte mais attendez-vous à trouver un tympanisme plus important du fait de la propension des nourrissons à avaler de l'air. La percussion est utile pour préciser la taille des organes et des masses abdominales.

Un abdomen distendu, sensible, tympanique et silencieux évoque une *péritonite*.

Vous trouverez facile de *palper* l'abdomen d'un nourrisson parce qu'il aime être touché. Une technique utile pour décontracter le nourrisson, montrée ci-après, consiste à maintenir d'une main les membres inférieurs fléchis aux genoux et aux hanches et à palper de l'autre l'abdomen. Vous pouvez aussi vous servir d'une tétine pour calmer l'enfant dans cette position.

Commencez par palper avec douceur le foie des nourrissons bas dans l'abdomen, et remontez avec les doigts. Vous éviterez ainsi de passer à côté d'un énorme foie descendant jusque dans le bassin. Grâce à un examen soigneux, vous pouvez percevoir le bord inférieur du foie chez la plupart des nourrissons, à 1 ou 2 cm en dessous du rebord costal droit.

Une technique pour estimer la taille du foie consiste à combiner la percussion et l'auscultation.[20] Percutez et auscultez simultanément, et notez le changement du son selon que vous percutez sur le foie ou en dessous de lui.

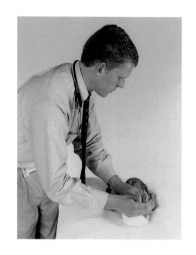

Un foie augmenté de volume et sensible peut être dû à une *insuffisance cardiaque congestive* ou à des *maladies de surcharge*. Chez les nouveau-nés, les causes d'hépatomégalie comprennent les *hépatites*, les *maladies de surcharge*, la *congestion vasculaire* et l'*obstruction biliaire*.

La *rate*, comme le foie, est perçue facilement chez la plupart des enfants. Elle est également molle, avec un rebord mince et elle se projette comme une languette en dessous du rebord costal gauche. Elle est mobile et descend rarement à plus de 1 à 2 cm en dessous du rebord costal gauche.

Plusieurs maladies peuvent donner une splénomégalie, à savoir des *infections*, des *anémies hémolytiques*, des *processus infiltrants*, des *maladies inflammatoires* et *auto-immunes*, et l'*hypertension portale*.

Palpez les *autres structures abdominales*. Vous noterez facilement les pulsations de l'aorte dans l'épigastre, en palpant profondément à gauche de la ligne médiane.

Vous devez arriver à palper les reins des nourrissons en posant soigneusement les doigts d'une main devant et ceux de l'autre derrière chaque rein. Le côlon descendant est une masse boudinée dans le quadrant inférieur gauche.

Les masses abdominales pathologiques des nourrissons peuvent être de nature rénale (par exemple, *hydronéphrose*), vésicale (par exemple, *obstruction urétrale*), intestinale (par exemple, *maladie de Hirschsprung* ou *invagination*) ou tumorale.

Après avoir identifié toutes les structures normales dans l'abdomen du nourrisson, servez-vous de la palpation pour identifier des masses anormales.

Dans la *sténose du pylore*, la palpation profonde du quadrant supérieur droit ou de la ligne médiane peut révéler une « olive pylorique », une masse ferme de 2 cm. Lors de l'alimentation, les enfants ayant cette maladie présentent parfois des ondes péristaltiques visibles qui traversent leur abdomen et sont suivies d'un vomissement en jet.

| Dimensions du foie chez les nouveau-nés bien-portants[21] | |
|---|---|
| Hauteur d'après la palpation et la percussion | Moyenne : 5,9 ± 0,7 cm |
| Débord en-dessous du rebord costal droit | Moyenne : 2,5 ± 1,0 cm |

## Organes génitaux masculins

*Inspectez* les organes génitaux masculins sur le nourrisson en décubitus dorsal. Notez l'aspect de son pénis, de ses testicules et de son scrotum. Le *prépuce* recouvre complètement le *gland*. À la naissance, il n'est pas rétractable mais vous pouvez le repousser suffisamment pour visualiser le méat urétral. Le décalottage chez le garçon non circoncis devient possible des mois à des années plus tard. Le taux de circoncision a diminué en Amérique du Nord et est variable d'un pays à l'autre, selon les pratiques culturelles.

Inspectez le *corps du pénis*. Notez les anomalies éventuelles sur la face ventrale, et assurez-vous de la rectitude du pénis.

Un œdème diffus du scrotum peut persister plusieurs jours après l'accouchement. Il est dû à l'imprégnation œstrogénique maternelle.

Inspectez le *scrotum* ; notez son plissement, qui doit être présent à 40 SA. Palpez les testicules dans les bourses, en allant de l'anneau inguinal superficiel au scrotum. Si vous percevez un testicule dans le canal inguinal, poussez-le avec douceur, vers le bas, dans le scrotum. Les testicules du nouveau-né mesurent environ 10 mm de large sur 15 mm de long et se trouvent dans les bourses la plupart du temps.

Chez 3 % des nouveau-nés de sexe masculin, un *testicule* ou les deux ne sont pas perceptibles dans le scrotum ni le canal inguinal. On craint une *cryptorchidie*. À l'âge de 1 an, dans deux tiers de ces cas, les deux testicules sont descendus dans le scrotum.

Examinez les testicules à la recherche d'une tuméfaction dans les bourses ou au niveau de l'anneau inguinal. Si vous détectez un gonflement intrascrotal, essayez de le différencier du testicule. Notez si ses dimensions changent quand le nourrisson augmente sa pression intra-abdominale, lors des cris. Regardez si vos doigts peuvent passer au-dessus de la masse et la coincer dans le scrotum. Exercez une pression douce pour essayer de réduire les dimensions de la masse et notez toute douleur éventuelle. Notez si elle est transilluminable.

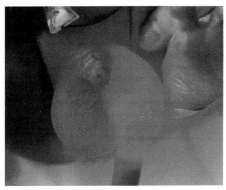

**TRANSILLUMINATION D'UNE HYDROCÈLE**

D'après Fletcher M. Diagnosis in neonatology. Philadelphia : Lippincott-Raven, 1998.

Il existe un *hypospadias* lorsque l'orifice urétral est situé sur la face ventrale du gland ou du pénis (voir tableau 18-12 : « Appareil urogénital du garçon », p. 910). Dans ce cas, le prépuce est incomplètement formé à la face ventrale.

On appelle *chordée* une coudure fixée du pénis vers le bas. Elle peut être associée à un hypospadias.

Chez les nouveau-nés dont *les testicules ne sont pas descendus (cryptorchidie)*, le scrotum apparaît souvent sous-développé et étroit, et il est vide à la palpation (voir tableau 18-12 : « Appareil urogénital du garçon », p. 910).

Les deux types de masses scrotales fréquentes chez les nouveau-nés sont les *hydrocèles* et les *hernies inguinales* ; souvent les deux coexistent. Elles sont plus fréquentes à droite. L'hydrocèle entoure le testicule et le cordon spermatique, n'est pas réductible, est transilluminable (voir photo à gauche). La plupart du temps, elle a régressé à 18 mois. La hernie est séparée du testicule, en général réductible et non transilluminable. Elle ne régresse pas. Quelquefois le cordon spermatique est épaissi.

## Organes génitaux féminins

Bien que cela soit difficile, vous devez vous familiariser avec l'anatomie normale des organes génitaux externes de la fille. Cette anatomie est représentée à la page suivante sur une figure et une photographie en gros plan.

Chez le nouveau-né de sexe féminin, les organes génitaux sont proéminents du fait de l'imprégnation œstrogénique maternelle. Les grandes et les petites lèvres ont une coloration rose terne chez les sujets blancs et peuvent être pigmentées chez les noirs. Au cours des premières semaines de vie, il y a souvent un écoulement laiteux, qui peut se teinter de sang. L'aspect « œstrogénique » des organes génitaux diminue pendant la 1re année de vie.

Examinez les organes génitaux féminins sur un nourrisson en décubitus dorsal.

Une *ambiguïté sexuelle* à type de virilisation des organes génitaux externes féminins est une affection rare due à des troubles endocriniens, tels qu'une *hyperplasie congénitale des surrénales*.

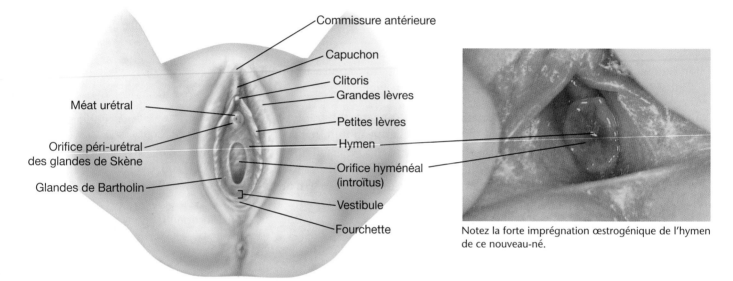

Cette figure représente l'anatomie d'une petite fille, avec ses différentes structures.

Notez la forte imprégnation œstrogénique de l'hymen de ce nouveau-né.

Examinez systématiquement les différentes structures, à savoir la taille du clitoris, la couleur et les dimensions des grandes et petites lèvres, toute éruption, hématome ou lésion externe éventuels. Puis écartez les grandes lèvres par leur milieu avec le pouce de chaque main pour les jeunes nourrissons ou comme montré sur les schémas page 869 pour les enfants plus âgés. Les nourrissons ne font pas attention à l'examen parce qu'ils ont l'habitude d'être changés et lavés.

Des adhérences entre les lèvres ne sont pas rares ; elles sont fines et disparaissent souvent sans traitement.

Inspectez l'orifice urétral et les petites lèvres. Appréciez l'hymen, qui chez les nouveau-nés et les nourrissons est une structure avasculaire épaisse, percée d'un orifice central, et qui recouvre l'orifice du vagin. Vous devez voir un orifice vaginal, même si l'hymen est épais et exubérant. Notez tout écoulement.

Une imperforation de l'hymen peut être notée à la naissance.

## Rectum

En général, on ne pratique pas d'examen du rectum chez les nourrissons et les enfants, à moins qu'on s'interroge sur la perméabilité de l'anus ou sur l'existence d'une masse abdominale. Dans ces cas, fléchissez les hanches du nourrisson et ramenez les jambes vers la tête. Servez-vous du petit doigt recouvert d'un doigtier lubrifié.

# Appareil locomoteur

L'appareil locomoteur subit d'énormes changements chez le nourrisson. L'essentiel de l'examen musculosquelettique du nouveau-né est centré sur la détection d'anomalies congénitales, en particulier des mains, du rachis, des hanches, des jambes et des pieds. Avec un peu de pratique, vous serez capable de combiner l'examen de l'appareil locomoteur à l'examen neurologique et développemental.

Les *mains du nouveau-né* sont fermées. À cause du *grasping* des doigts (voir la discussion sur le système nerveux), vous devrez aider le nourrisson à étendre les doigts. Inspectez les doigts soigneusement, en notant toute anomalie.

Palpez la *clavicule* du nouveau-né et notez toute grosseur, douleur ou crépitation, qui peuvent indiquer une fracture.

Examinez soigneusement le *rachis*. Si les grandes anomalies du rachis, telles que les *myéloméningocèles*, sont évidentes et souvent détectées par l'échographie anténatale, des anomalies plus discrètes peuvent être présentes comme des taches pigmentées, des touffes de poils ou des fossettes profondes. Ces anomalies, quand elles siègent sur la ligne médiane (± 1 cm), peuvent recouvrir l'orifice d'un sinus dermique qui communique avec le canal rachidien. Ne sondez pas les sinus dermiques à cause du risque potentiel d'infection. Palpez le rachis, notamment dans la région lombosacrée, et notez toute déformation vertébrale.

Examinez les *hanches* du nouveau-né et du nourrisson avec soin, à chaque consultation, à la recherche de signes de luxation.[22] Les photographies ci-dessous illustrent les deux principales techniques, l'une pour rechercher l'existence d'une luxation postérieure de la hanche *(manœuvre d'Ortolani)*, l'autre pour tester la tendance d'une hanche intacte mais instable à se subluxer ou à se luxer *(manœuvre de Barlow)*.[22]

L'inspection minutieuse peut révéler de grosses difformités, telles qu'un nanisme, des anomalies congénitales des membres ou des doigts, des brides amniotiques enserrant un membre.

Les *appendices cutanés*, les *vestiges de doigts*, la *polydactylie* (doigts surnuméraires), la *syndactylie* (doigts fusionnés) sont des anomalies congénitales, notées à la naissance.

Une *fracture de la clavicule* peut se produire au cours d'un accouchement difficile.

Un *spina bifida occulta* (défaut de fermeture des arcs postérieurs des vertèbres) peut être associé à des anomalies de la moelle épinière, responsables de troubles neurologiques graves.

Un petit clic entendu au cours de ces manœuvres ne prouve pas une luxation de la hanche mais doit faire pratiquer rapidement un examen soigneux.

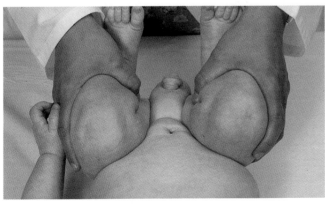

MANŒUVRE D'ORTOLANI

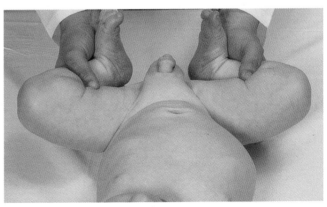

MANŒUVRE DE BARLOW

Assurez-vous que l'enfant est détendu pour les deux techniques. Pour la *manœuvre d'Ortolani*, placez l'enfant en décubitus dorsal, les jambes dirigées vers vous. Fléchissez les hanches et les genoux à angle droit, en plaçant l'index sur le grand trochanter de chaque fémur et le pouce sur le petit trochanter. Portez les deux hanches en abduction simultanément, jusqu'à ce que la face latérale de chaque genou touche la table d'examen.

Dans une *dysplasie de hanche*, vous percevrez un « clunk » quand la tête fémorale, située en arrière de l'acétabulum, rentre dans celui-ci. Le retour en place de la tête fémorale, perçu à la palpation, constitue un *signe d'Ortolani positif*.

Il est important de détecter la dysplasie de hanche congénitale : un traitement adapté précoce donne d'excellents résultats.

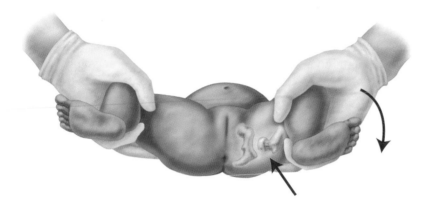

Pour la *manœuvre de Barlow*, placez vos mains comme pour la manœuvre d'Ortolani, mais cette fois-ci appuyez dans la direction opposée, vos pouces se déplaçant en bas, vers la table, et en dehors. Essayez de percevoir un déplacement éventuel de la tête fémorale vers l'extérieur. Normalement, il n'y a pas de déplacement, la hanche est « stable ».

Le signe de Barlow traduit une laxité ou une subluxation de la hanche, mais pas une *dysplasie de la hanche* ; le bébé devra être réexaminé. La perception du glissement de la tête sur le sourcil postérieur de l'acétabulum constitue un *signe de Barlow positif*. Si vous percevez un tel mouvement de luxation, mettez la hanche en abduction en appuyant avec l'index et le majeur en arrière et en dedans et cherchez à percevoir le ressaut de la tête fémorale qui rentre dans l'acétabulum.

Les enfants de plus de 3 mois peuvent présenter un signe d'Ortolani ou de Barlow négatif et pourtant avoir une *hanche luxée*, du fait d'une « contracture » des muscles et des ligaments de la hanche.

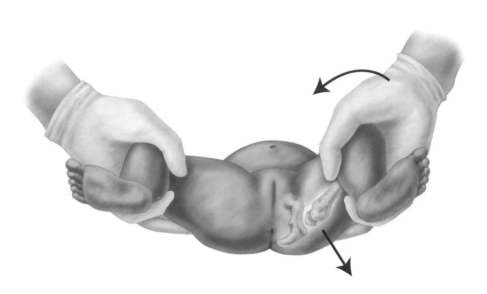

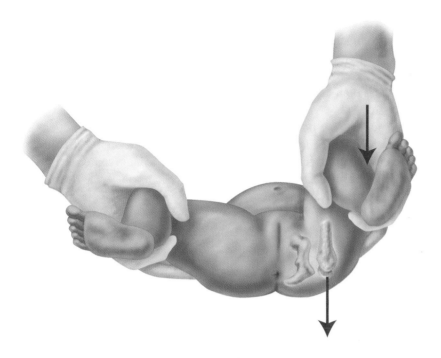

Outre les hanches, il est important d'examiner les *jambes* et les *pieds* des nouveau-nés et des nourrissons pour détecter des anomalies. Évaluez la symétrie, la courbure, et la torsion des membres inférieurs. Il ne doit pas y avoir de différence de longueur des membres inférieurs. L'asymétrie des plis des cuisses est fréquente chez les nourrissons, mais si vous en détectez une, vérifiez la stabilité des hanches parce que des hanches instables sont souvent associées à cette trouvaille.

La plupart des nouveau-nés ont les *jambes arquées*, ce qui reflète leur position recroquevillée *in utero*.

Une autre trouvaille après l'âge de 3 mois est le raccourcissement apparent des fémurs *(signe de Galeazzi ou d'Alice)*. La photographie ci-contre illustre cette technique. Joignez les deux pieds et notez toute différence de hauteur entre les genoux.

Certains nourrissons normaux ont une *torsion du tibia* en dedans ou en dehors, le long de l'axe longitudinal. Les parents peuvent s'inquiéter de pieds qui « tournent en dedans ou en dehors » et d'une démarche maladroite, qui sont habituellement normaux. La torsion tibiale se corrige d'elle-même au cours de la 2ᵉ année de la vie, quand la marche est bien acquise.

Une torsion tibiale pathologique ne se voit qu'en association avec des *déformations des pieds* ou des *hanches*.

À présent, examinez les pieds des nouveau-nés et des nourrissons. À la naissance, les pieds peuvent apparaître déformés, du fait de la position intra-utérine ; ils sont souvent tournés en dedans, comme montré ci-dessous. Un pied normal doit être facile à ramener en position neutre et même au-delà. Vous pouvez aussi gratter ou tapoter le bord externe du pied pour voir s'il revient à une position normale.

Les véritables *déformations des pieds* ne peuvent être réduites, même par la manipulation.

Le pied du nouveau-né normal a plusieurs particularités bénignes, qui peuvent de prime abord vous inquiéter. Il semble plat en raison d'un coussinet plantaire de graisse. Il est souvent en inversion ou varus (le bord interne est surélevé). Certains bébés ont une adduction de l'avant-pied, sans varus, c'est-à-dire un *metatarsus adductus*. D'autres présentent une adduction de tout le pied. Pour finir, la plupart des nourrissons ont un certain degré de pronation quand ils commencent à marcher, avec une éversion du pied. Dans toutes ces variantes de la normale, la position anormale peut être facilement surcorrigée. Elles tendent toutes à régresser entre 1 et 2 ans.

La plus grave et la plus fréquente déformation congénitale du pied est le *pied bot varus équin*.

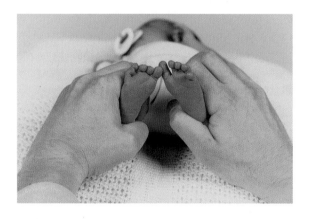
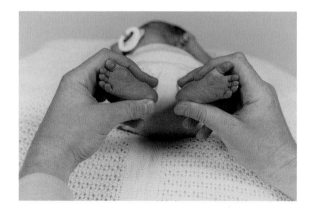

## Système nerveux

L'examen du système nerveux des nourrissons comprend des techniques hautement spécifiques de cette tranche d'âge. De plus, au lieu de donner des signes neurologiques focaux comme chez l'adulte, les anomalies neurologiques du nourrisson se révèlent souvent par des troubles du développement, comme l'incapacité à réaliser des tâches appropriées à l'âge. Donc les examens neurologique et développemental doivent aller de pair. Si vous trouvez une anomalie du développement, accordez une attention particulière à l'examen neurologique.

Les signes d'une maladie neurologique grave comprennent l'*hyperexcitabilité*, une *asymétrie de posture persistante*, une *extension des membres persistante*, une *rotation de la tête toujours du même côté*, une *hyperextension de la tête, du cou et des membres* (*opisthotonos*), une *hypotonie massive* et une *réaction limitée à la douleur*.

L'examen neurologique de dépistage doit comprendre l'évaluation de l'état mental, de la motricité fine et globale, du tonus, du cri, des réflexes ostéotendineux et des réflexes primaires. Un examen plus détaillé des nerfs crâniens, de la sensibilité et des réflexes primaires moins courants est indiqué si vous suspectez des anomalies d'après l'interrogatoire ou le premier examen.[23]

L'examen neurologique peut révéler une maladie étendue mais pas déterminer des déficits fonctionnels ou des lésions minimes.

**État mental.** Évaluez l'*état mental* des nouveau-nés en observant les activités du nouveau-né discutées page 783 (« Ce qu'un nouveau-né sait faire »). Testez le nouveau-né durant ses périodes d'éveil.

Une *hyperexcitabilité persistante* chez un nouveau-né peut être le signe d'une *atteinte neurologique* ou refléter diverses *anomalies métaboliques*, *infectieuses* ou *constitutionnelles*, ou des affections exogènes, telles qu'un *syndrome de sevrage*.

**Motricité et tonus.** Évaluez le *tonus musculaire* des nouveau-nés et des nourrissons en commençant par observer leur position au repos et par tester leur résistance au mouvement passif.

Puis évaluez le *tonus* en mobilisant chaque grande articulation ; notez une spasticité ou une hypotonie éventuelle. Tenez le bébé dans vos mains, comme montré ci-après, pour préciser si le tonus est normal, augmenté ou diminué. Une hypertonie ou une hypotonie peuvent indiquer une maladie intracrânienne, bien que ce genre de maladie soit accompagné par bien d'autres signes.

Un nouveau-né *hypotonique* a souvent une « position en grenouille », avec les membres supérieurs fléchis et les mains près des oreilles. L'hypotonie peut être due à diverses *anomalies du système nerveux central* ou à des *pathologies de l'unité motrice*.

**Sensibilité.** Vous ne pouvez tester la *sensibilité* du nouveau-né que de façon limitée. Pour la douleur, faites-lui une pichenette sur la paume ou la plante du pied, avec votre doigt. Observez le retrait, l'éveil, le changement de mimique. N'utilisez pas une épingle pour tester la douleur.

Si après un stimulus douloureux le nourrisson grimace ou crie mais ne retire pas son membre, il peut avoir une *paralysie*.

**Nerfs crâniens.** Les *nerfs crâniens* du nouveau-né ou du nourrisson peuvent être testés, mais il vous faudra puiser dans votre boîte à astuces des techniques différentes de celles de l'enfant plus âgé et de l'adulte. Le tableau ci-après donne quelques stratégies utiles.

## Stratégies pour évaluer les nerfs crâniens chez les nouveau-nés et les nourrissons

| Nerfs crâniens | | Stratégie |
|---|---|---|
| I | Odorat | Difficile à tester. |
| II | Acuité visuelle | Le bébé regardant votre visage, observez sa mimique et sa poursuite oculaire. |
| II, III | Réaction à la lumière | Faites l'obscurité dans la pièce, mettez le bébé en position assise pour qu'il ouvre les yeux. |
| | | Utilisez une lampe et testez le *réflexe de clignement à la lumière* (le clignement des yeux en réponse à une lumière). |
| | | Utilisez un otoscope (dépourvu de spéculum) pour tester les réflexes photomoteurs. |
| III, IV, VI | Motricité extrinsèque de l'œil | Observez comment le bébé suit des yeux votre visage souriant. |
| | | Utilisez une lampe, si besoin est. |
| V | Motricité | Testez le réflexe des points cardinaux. |
| | | Testez le réflexe de succion (observez le bébé qui tète le sein, un biberon ou une tétine). |
| VII | Face | Observez le bébé qui pleure et qui sourit. Notez la symétrie de la face et du front. |
| VIII | Audition | Testez le réflexe de clignement au bruit (clignement des deux yeux en réponse à un bruit fort). |
| | | Observez la poursuite en réponse à un bruit. |
| IX, X | Déglutition | Observez la coordination pendant la déglutition. |
| | Nausées | Testez le réflexe nauséeux. |
| XI | Spinal accessoire | Observez la symétrie des épaules. |
| XII | Hypoglosse | Observez la coordination de la déglutition, de la succion et du mouvement en avant de la langue. |
| | | Pincez les narines ; observez l'ouverture réflexe de la bouche, avec la pointe de la langue médiane. |

Les anomalies des nerfs crâniens évoquent des lésions intracrâniennes telles qu'une hémorragie ou une malformation congénitale.

**Réflexes ostéotendineux.** Les *réflexes ostéotendineux* sont variables chez les nouveau-nés et les nourrissons parce que les voies pyramidales ne sont pas complètement développées. Par conséquent, leur exagération ou leur absence a peu d'intérêt diagnostique, sauf en cas de différence avec les résultats d'un examen antérieur ou de réactions extrêmes.

Pour les obtenir, utilisez les mêmes techniques que chez l'adulte. Vous pouvez remplacer le marteau à réflexes par votre index ou votre médius, comme montré ci-dessous.

Une augmentation progressive de la réflectivité ostéotendineuse au cours de la première année de vie peut indiquer une maladie du système nerveux central, telle qu'une *infirmité motrice cérébrale*, notamment si elle s'associe à une hypertonie.

Comme chez l'adulte, une asymétrie des réflexes évoque une lésion des nerfs périphériques ou d'un myélomère.

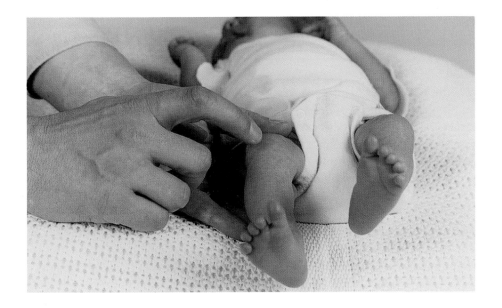

Les réflexes tricipital, styloradial et cutanés abdominaux sont difficiles à mettre en évidence avant l'âge de 6 mois. Le *réflexe anal* est présent à la naissance ; il est important de le rechercher si on suspecte une lésion de la moelle épinière.

L'absence de réflexe anal est très évocatrice de la perte de l'innervation du sphincter externe par anomalie de la moelle épinière de nature *malformative (spina bifida), tumorale* ou *traumatique*.

Bien que 90 % des nourrissons aient un réflexe cutané plantaire en flexion, certains bébés normaux ont une réponse en extension du gros orteil avec écartement des autres orteils *(signe de Babinski)* jusqu'à l'âge de 2 ans.

Vous pouvez essayer de déclencher le réflexe achilléen, comme chez l'adulte, en percutant le tendon d'Achille mais souvent vous n'obtiendrez pas de réponse. Une autre méthode, montrée ci-après, consiste à attraper les malléoles d'une main et à mettre brusquement la cheville en dorsiflexion. Ne soyez pas surpris si vous observez des flexions plantaires rythmiques rapides du pied du nouveau-né en réponse à cette manœuvre. Leur nombre est normal jusqu'à 10 chez les nouveau-nés et les nourrissons.

Lorsque les secousses sont permanentes *(trépidation épileptoïde du pied)*, il faut craindre une *maladie grave du système nerveux central*.

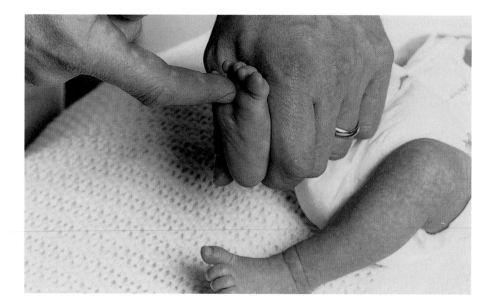

**Réflexes primaires.** Évaluez le système nerveux central en développement du nouveau-né et du nourrisson en recherchant les *réflexes primaires* ou *archaïques*. Ces automatismes apparaissent en cours de gestation, sont en général présents à la naissance et disparaissent à des âges précis. Les anomalies des réflexes primaires évoquent une maladie neurologique et justifient une exploration plus poussée.[24] Les réflexes primaires les plus importants sont illustrés à la page suivante.

Les réflexes primitifs supplémentaires montrés page 834 ne sont pas recherchés habituellement dans l'examen général, mais ils sont utiles pour explorer de façon plus approfondie un nourrisson qui a des anomalies neurologiques.

**Développement.** Reportez-vous aux étapes du développement psychomoteur, pages 784-785, et au DDST, pages 788-789, pour apprendre quelles sont les tâches à évaluer en fonction de l'âge. En observant le nourrisson et en jouant avec lui, vous pouvez faire l'examen de dépistage du développement et l'évaluation de la motricité fine et globale. En particulier, recherchez une *faiblesse musculaire*, en position assise ou debout et lors du passage d'une position à l'autre. Notez la *tenue* assise et debout. Observez minutieusement la *démarche* d'un grand nourrisson, y compris l'équilibre et la fluidité des mouvements. On peut apprécier le développement de la motricité fine de façon similaire, en combinant l'examen neurologique et développemental. Les étapes principales comprennent le développement de la préhension (pince pouce-index), la capacité à manipuler les objets, et des tâches plus précises, telles que la construction d'une tour avec des cubes et le gribouillage, au fur et à mesure de la progression centrifuge de la motricité fine.

Appréciez le développement cognitif et socioémotionnel en effectuant l'examen neurodéveloppemental complet. Certaines anomalies neurologiques donnent des déficits ou des retards du développement cognitif et social. Comme dit plus haut, les nourrissons qui ont des retards de développement peuvent présenter des signes anormaux à l'examen neurologique, parce qu'une grande partie de l'examen repose sur des normes pour l'âge.

Une *anomalie neurologique ou développementale* est suspectée si les réflexes primaires sont :

■ absents à l'âge normal ;

■ présents au-delà de l'âge normal ;

■ asymétriques ;

■ associés à des attitudes stéréotypées ou à des clonies.

## Réflexes primaires

| Réflexe primaire | Manœuvre | Âge | |
|---|---|---|---|
|  **Réflexe d'agrippement des doigts (*grasping* des doigts)** | Placez vos doigts dans les mains du bébé et appuyez sur les faces palmaires. Le bébé doit fléchir tous ses doigts pour agripper vos doigts. | Naissance à 3-4 mois | La persistance au-delà de 4 mois évoque une atteinte du faisceau pyramidal. La persistance d'un poing serré au-delà de 2 mois évoque une lésion du système nerveux central, surtout si les doigts recouvrent le pouce. |
|  ***Grasping* des orteils** | Touchez la plante des pieds à la base des orteils. Les orteils fléchissent. | Naissance à 6-8 mois | La persistance au-delà de 8 mois évoque une atteinte du faisceau pyramidal. |
|  **Réflexe de Moro** | Tenez le bébé en décubitus dorsal, en soutenant sa tête, son dos et ses membres inférieurs. Abaissez brusquement l'ensemble du corps de 50 à 60 cm. Les bras se mettent en abduction et extension, les mains s'ouvrent et les jambes fléchissent. Le bébé peut crier. | Naissance à 4 mois | La persistance au-delà de 4 mois évoque une maladie neurologique (par exemple, une paralysie cérébrale) ; au-delà de 6 mois, elle l'évoque fortement.  Une réponse asymétrique évoque une fracture de la clavicule ou de l'humérus ou une paralysie du plexus brachial. |
|  **Réflexe tonique asymétrique du cou** | Le bébé étant en décubitus dorsal, tournez sa tête d'un côté, et maintenez la mâchoire sur l'épaule. Les membres du côté où la tête est tournée s'étendent tandis que les membres opposés fléchissent. Testez également l'autre côté. | Naissance à 2 mois | La persistance au-delà de 2 mois évoque un développement asymétrique du système nerveux central et annonce parfois l'apparition d'une paralysie cérébrale. |
|  **Réflexe de redressement** | Tenez le bébé autour du tronc et abaissez-le jusqu'à ce que ses pieds touchent une surface plane. Les hanches, les genoux et les chevilles s'étendent, le bébé se redresse en supportant partiellement le poids de son corps pendant 20 à 30 secondes. | De la naissance ou de 2 à 6 mois  *(suite)* | L'absence de réflexe évoque une hypotonie.  Une extension et une adduction des membres inférieurs fixées (ciseaux) évoquent une spasticité due à une maladie neurologique, telle qu'une paralysie cérébrale. |

## Réflexes primaires *(suite)*

| Réflexe primaire | Manœuvre | Âge | |
|---|---|---|---|
| **Réflexe des points cardinaux** | Tapotez la peau péribuccale aux commissures de la bouche. La bouche s'ouvre et le bébé tourne la tête vers le côté stimulé et tète. | Naissance à 3-4 mois | L'absence de réflexe des points cardinaux indique une maladie du système nerveux central ou une maladie générale grave. |
| **Réflexe d'incurvation du tronc (réflexe de Galant)** | Soutenez le bébé en décubitus ventral d'une main et tapotez un côté du dos à 1 cm de la ligne médiane, des épaules aux fesses. Le rachis doit s'incurver vers le côté stimulé. | Naissance à 2 mois | Son absence évoque une lésion transversale de la moelle épinière. Sa persistance peut indiquer un retard de développement. |
| **Enjambement et marche automatique** | Tenez le bébé debout par l'arrière, comme dans le réflexe de redressement. Faites toucher le plan d'examen par la plante d'un pied. La hanche et le genou de ce membre fléchissent et l'autre pied est lancé en avant. Une marche automatique est déclenchée. | Naissance (plus net après 4 jours) Âge de disparition variable | L'absence de ce réflexe peut indiquer une paralysie. Ce réflexe peut manquer chez les bébés nés par le siège. |
| **Réflexe de Landau** | Suspendez le bébé en décubitus ventral d'une main. La tête se redresse et le rachis se raidit. | Naissance à 6 mois | Sa persistance peut indiquer un retard de développement. |
| **Réflexe de parachutiste** | Suspendez le bébé en décubitus ventral et abaissez lentement sa tête vers une surface. Les membres se mettent en extension, pour se protéger. | 4-6 mois Peut persister plus longtemps | Son retard d'apparition peut annoncer d'autres retards dans le développement de la motricité volontaire. |

On mesure le développement par le quotient de développement (QD),[25] qui est ainsi calculé :

$$\text{Quotient de développement} = \frac{\text{Âge de développement}}{\text{Âge chronologique (civil)}} \times 100$$

Le développement d'un nourrisson peut être évalué en utilisant des échelles standard telles que le DDST pour chaque type de développement. Par exemple, vous pouvez attribuer à un enfant un QD pour la motricité globale, un QD pour la motricité fine, un QD pour le développement cognitif, etc.

---

## QUOTIENTS DE DÉVELOPPEMENT

✔ > 85    Normal.

✔ 70-85    Possiblement retardé ; un suivi est nécessaire.

✔ < 70    Retardé.

---

## EXEMPLES DE DÉVELOPPEMENT DE LA MOTRICITÉ GLOBALE ET FINE

### Développement de la motricité globale

Un nourrisson de 12 mois qui commence à se mettre debout (âge de développement de la motricité globale de 9 mois), se déplace à 4 pattes (10 mois) et marche avec les deux mains tenues (10 mois) a un âge de développement de la motricité globale de 10 mois. Son QD motricité globale est de :

$$(\frac{10}{12} \times 100) = 83$$

Cet enfant est dans la zone grise. Il ira probablement bien sans intervention mais il nécessite une surveillance étroite.

### Développement de la motricité fine

Un enfant de 12 mois peut passer les objets d'une main dans l'autre (âge de développement de la motricité fine de 6 mois), ramasser les objets avec la paume (7 mois) et attraper les objets (7 mois). Il ne peut pas tenir un cube dans chaque main et n'a pas de pince pouce-index (8-9 mois).

Il a des réflexes primaires normaux (la plupart absents), une hypertonie, des membres inférieurs en ciseaux quand il est suspendu, une spasticité et un retard de la partie motricité globale du DDST.

Son QD motricité fine est de :

$$(\frac{7}{12} \times 100) = 58$$

Cet enfant a un retard de développement de la motricité fine et présente les signes d'une *paralysie cérébrale*.

## ÉVALUATION DU PETIT ENFANT ET DE L'ENFANT D'ÂGE SCOLAIRE

# → Développement

## Petite enfance : de 1 à 4 ans

***Développement physique.*** Après l'âge de 1 an, la vitesse de croissance ralentit jusqu'à devenir la moitié de celle du nourrisson. Après 2 ans, les enfants grossissent de 2 à 3 kg et grandissent de 5 cm environ chaque année. Les changements physiques sont impressionnants. Des nourrissons potelés et maladroits se transforment en enfants d'âge préscolaire plus minces et plus musclés.

Les grandes acquisitions motrices sont rapides. La plupart des enfants marchent à 15 mois, courent bien à 2 ans, pédalent sur un tricycle et sautent à 3-4 ans. La motricité fine se développe avec la maturation neurologique et la manipulation des objets. L'enfant qui gribouillait à 18 mois, trace des lignes à 2 ans et fait des cercles à 4 ans.

***Développement cognitif et linguistique.*** Le petit enfant passe d'un apprentissage sensorimoteur (par le truchement du toucher et de la vision) à la pensée symbolique ; il résout des problèmes simples, retient des chansons, et entreprend des jeux d'imitation. Le langage se développe à une vitesse extraordinaire. L'enfant qui possédait 10 à 20 mots à 18 mois fait des phrases de 3 mots à 2 ans, et parle couramment à 3 ans. À 4 ans, les enfants d'âge préscolaire font des phrases complexes. Ils en restent cependant à la pensée préopératoire, dépourvue de mécanismes logiques.

***Développement social et émotionnel.*** Cette progression intellectuelle n'est surpassée que par la marche vers l'indépendance. Les petits enfants sont impulsifs ; ils font souvent des caprices.

### Repères du développement du petit enfant

| | 1 an | 2 ans | 3 ans | 4 ans | 5 ans |
|---|---|---|---|---|---|
| **Physique/ Moteur** | Marche | Lance | Saute sur place Tient en équilibre sur un pied | Saute à cloche-pied Pédale sur un tricycle | Bondit A un bon équilibre |
| **Cognitif/ Linguistique** | 2-3 mots | Phrases de 2-3 mots | Fait des phrases | Discours entièrement compréhensible | Copie des figures Définit des mots |
| **Social/ Émotionnel** | Joue à des jeux simples (« coucou le voilà ») | Imite des activités | Se nourrit seul | Imaginatif Chante | S'habille seul Joue à des jeux |

# Moyenne enfance : de 5 à 10 ans

N'en déplaise à Freud, la moyenne enfance n'est certainement pas une période de latence. Cette période est plutôt marquée par l'exploration orientée du monde, des capacités physiques et cognitives accrues, et des réalisations par essais et erreurs. L'examen physique est plus simple dans cette tranche d'âge mais gardez à l'esprit les stades du développement et les tâches de ces enfants d'âge scolaire.

***Développement physique.*** Les enfants grandissent régulièrement mais plus lentement. Néanmoins, la force et la coordination s'améliorent considérablement, avec une plus grande participation aux activités. C'est aussi l'époque où les enfants qui ont des handicaps ou des maladies chroniques commencent à se rendre compte de leurs limites.

***Développement cognitif et linguistique.*** Les enfants deviennent « opératoires concrets » : ils sont capables d'une pensée logique limitée et d'apprentissages plus complexes, mais ils restent encore ancrés dans le présent, avec peu de capacité à saisir les conséquences ou les abstractions. L'école, la famille et l'environnement influencent beaucoup les acquisitions. Une des grandes tâches du développement est d'arriver à être efficace par soi-même, c'est-à-dire être capable de réussir dans diverses situations. Le langage devient de plus en plus complexe.

***Développement social et émotionnel.*** Les enfants deviennent progressivement plus indépendants ; ils se lancent dans des activités et se réjouissent des résultats. Les réussites sont cruciales pour acquérir l'estime de soi et trouver sa place au sein des principales structures sociales, la famille, l'école et les groupes de pairs. Un sentiment de culpabilité et un manque d'estime de soi peuvent aussi apparaître. La famille et l'environnement contribuent beaucoup à l'image que l'enfant a de lui-même. Le développement moral reste simple et concret, avec un sens clair de ce qui est « bien ou mal ».

| Tâches de développement pendant la moyenne enfance | | |
|---|---|---|
| **Tâche** | **Caractéristique** | **Besoins en soins de santé** |
| Physique | Amélioration de la force et de la coordination. Compétence pour des tâches et activités diverses. | Dépistage des forces, évaluation des problèmes. Implication des parents. Soutien pour les handicaps. Guidance anticipée pour la sécurité. |
| Cognitive | « Opératoire concret » : centré sur le présent. Acquisition de connaissances et compétences, auto-efficacité. | Insistance sur les conséquences à court terme. Soutien, dépistage pour les compétences et la performance scolaire. |
| Sociale | Trouve sa place au sein de la famille, des pairs, de l'école. Estime de soi. Formation de l'identité. | Évaluation, soutien et conseils sur les interactions. Soutien et insistance sur les forces. Compréhension, conseils, soutien. |

# → Antécédents médicaux

L'examen des enfants a ceci d'important et d'unique qu'il se déroule en général sous les yeux de leurs parents, qui sont partie prenante, ce qui vous donne l'occasion d'observer la relation parents-enfant. Notez si l'enfant présente des comportements appropriés pour son âge. Appréciez l'entente entre les parents et l'enfant. Certaines réactions anormales peuvent découler du cadre inhabituel de la pièce d'examen, mais d'autres peuvent provenir de problèmes relationnels. L'*observation* attentive des relations de l'enfant avec ses parents et de ses jeux spontanés dans la pièce d'examen peut révéler des *anomalies du développement physique, cognitif et social.*

Les grands nourrissons sont parfois terrifiés ou irrités par l'examinateur. Souvent, ils ne sont pas du tout coopératifs. La plupart s'amadouent pour finir. Si leur comportement se prolonge et ne correspond pas au stade de développement, il peut exister un *trouble du comportement ou du développement sous-jacent.* Les enfants d'âge scolaire ont plus de maîtrise d'eux-mêmes et une expérience des médecins ; ils se prêtent en général à l'examen. Vous pouvez découvrir énormément de choses par l'observation.

---

## ANOMALIES DÉTECTÉES PAR L'OBSERVATION DU JEU

**Troubles du comportement\***

✔ Relation parent-enfant médiocre

✔ Jalousie entre frères et sœurs

✔ Discipline parentale inappropriée

✔ « Caractère difficile »

**Retard de développement (voir DDST)**

✔ Retard de la motricité globale

✔ Retard de la motricité fine

✔ Retard de langage (expression, réception)

✔ Retard des tâches sociales ou émotionnelles

**Problèmes sociaux et environnementaux**

✔ Problèmes parentaux (par exemple, stress, dépression)

✔ Risque de sévices ou de négligence

**Problèmes neurologiques**

✔ Faiblesse

✔ Posture anormale

✔ Spasticité

✔ Maladresse

✔ Troubles de l'attention et hyperactivité

✔ Traits autistiques

✔ Anomalies musculosquelettiques :

– déformation des pieds

– problèmes de marche

\* Le comportement de l'enfant pendant la consultation n'est pas représentatif du comportement habituel mais vos observations peuvent servir de tremplin pour la discussion avec les parents.

---

# Évaluation du jeune enfant

Arriver à examiner un enfant de cette tranche d'âge sans provoquer son opposition, ses pleurs ou l'affolement de ses parents est l'un des défis les plus difficiles que vous aurez à relever. Mener cet examen à bien est très satisfaisant. C'est un aspect de l'« art de la médecine » dans le domaine de la pédiatrie.

Commencez par gagner la confiance de l'enfant ; dissipez ses craintes initiales. L'approche varie avec les circonstances de la consultation. Un examen systématique chez un enfant bien-portant permet plus d'échanges qu'une consultation chez un enfant qui a une maladie aiguë.

Laissez l'enfant habillé pendant l'interrogatoire, pour diminuer son inquiétude. Cela vous permet aussi d'échanger plus naturellement et d'observer l'enfant qui joue, interagit avec ses parents, se déshabille et se rhabille.

Les nourrissons entre 9 et 15 mois peuvent ressentir l'*angoisse de l'étranger*, une peur des étrangers qui est un stade de développement normal. Elle traduit la conscience croissante de l'enfant que l'étranger est « nouveau ». N'approchez pas trop rapidement ces nourrissons. Assurez-vous qu'ils restent bien sur les genoux de leurs parents pendant la plus grande partie de l'examen.

Voici des astuces utiles pour examiner les jeunes enfants.

---

## QUELQUES ASTUCES POUR EXAMINER LES JEUNES ENFANTS (1 À 4 ANS)

### Stratégies utiles pour l'examen

- ✔ Examinez l'enfant assis sur les genoux d'un parent. Essayez de vous mettre à hauteur des yeux de l'enfant.

- ✔ Examinez d'abord un jouet ou l'ours en peluche de l'enfant puis l'enfant lui-même.

- ✔ Laissez l'enfant faire une partie de l'examen (par exemple, déplacer le stéthoscope). Puis revenez en arrière pour compléter l'examen.

- ✔ Demandez à un nourrisson qui continue à vous repousser de « tenir votre main » puis de vous « aider » pour l'examen.

- ✔ Certains nourrissons croient que, s'ils ne peuvent pas vous voir, vous n'êtes pas présent. Pratiquez l'examen sur l'enfant installé sur les genoux d'un parent, vous tournant le dos.

- ✔ Si un nourrisson de 2 ans tient quelque chose dans chacune de ses mains (par exemple, un abaisse-langue), il ne peut ni lutter ni résister !

### Jouets et aides utiles

- ✔ Éteignez la lumière de l'otoscope.

- ✔ Faites résonner le stéthoscope sur votre nez.

- ✔ Faites des marionnettes avec des abaisse-langues.

- ✔ Utilisez les jouets de l'enfant pour jouer avec lui.

- ✔ Faites tinter vos clés pour tester son audition.

- ✔ Allumez l'otoscope et faites-le briller derrière le bout de votre doigt, puis examinez les oreilles de l'enfant avec.

Entamez avec les enfants des conversations en rapport avec leur âge. Posez-leur des questions simples sur eux-mêmes, leur maladie ou leurs jouets. Les complimenter sur leur aspect ou leur comportement, raconter une histoire ou jouer à un jeu simple permet de « briser la glace ». Si l'enfant est timide, dirigez votre attention vers le parent afin de lui permettre de s'amadouer progressivement.

Sauf cas particuliers, l'examen physique ne nécessite pas l'utilisation de la table d'examen : il peut se faire sur le plancher ou sur les genoux d'un parent. La clé est d'engager une coopération avec l'enfant. Pour les jeunes enfants qui ne veulent pas se laisser déshabiller, ne dénudez que la partie du corps à examiner. Quand vous examinez des frères et sœurs, il vaut mieux commencer par le plus âgé, qui sera probablement plus coopératif et donnera le bon exemple. Abordez l'enfant d'une façon plaisante. Expliquez chaque étape de l'examen tout en l'exécutant. Continuez à discuter avec la famille pour faire distraction.

Planifiez l'examen de façon à commencer par les techniques les moins pénibles et à finir par les plus pénibles (intéressant la gorge ou les oreilles). Commencez par les parties que vous pouvez faire sur l'enfant assis, telles que l'examen des yeux, la palpation du cou. Coucher un enfant peut lui donner un sentiment de vulnérabilité et l'amener à résister à la suite de l'examen ; aussi ne changez les positions qu'avec précaution. Une fois l'enfant couché, examinez d'abord l'abdomen et laissez la gorge et les oreilles ou les organes génitaux pour la fin. Vous pouvez avoir besoin de l'aide des parents pour immobiliser l'enfant pendant l'examen des oreilles ou de la gorge, mais l'utilisation d'un moyen de contention est inappropriée. La patience, la distraction, le jeu, la flexibilité dans l'ordre de l'examen et une approche chaleureuse mais ferme et douce sont les clés de la réussite de l'examen du jeune enfant.

## PLUS D'ASTUCES POUR EXAMINER UN PETIT ENFANT

✔ Utilisez une voix rassurante tout au long de l'examen.

✔ Laissez l'enfant regarder et toucher les instruments que vous allez utiliser.

✔ Ne demandez pas l'autorisation d'examiner une partie du corps ; vous devrez l'examiner de toute façon. Demandez plutôt à l'enfant par quelle oreille ou par quelle partie du corps, il aimerait que vous commenciez.

✔ Examinez un enfant inquiet sur les genoux d'un parent et faites déshabiller l'enfant par le parent.

✔ Si vous n'arrivez pas à consoler l'enfant, faites une courte pause.

✔ Transformez l'examen en jeu ! Par exemple : « Montre-moi si ta langue est grosse », ou « La petite souris est-elle dans ton oreille ? Voyons ça ! »

Rassurez les parents en leur disant que la résistance à l'examen est une réaction développementale normale. Certains parents, gênés, grondent l'enfant, ce qui aggrave les choses. Impliquez les parents dans l'examen. Apprenez quelles techniques et quelles approches marchent le mieux et sont les plus commodes pour vous.

# Évaluation de l'enfant plus âgé

Examiner les enfants d'âge scolaire soulève en général peu de difficultés. Certains peuvent avoir gardé de mauvais souvenirs d'examens antérieurs, mais la plupart d'entre eux réagissent bien quand l'examinateur s'adapte à leur niveau de développement.

Nombre d'enfants de cet âge sont pudiques. Procurez-leur des blouses, laissez leurs sous-vêtements en place jusqu'au moment où il faut les retirer. Proposez de les installer derrière un rideau. N'hésitez pas à quitter la pièce quand les enfants se changent avec l'aide de leurs parents. Certains enfants préfèrent que les membres de la fratrie du sexe opposé sortent de la pièce, mais la plupart veulent que leurs parents restent. Les parents des enfants de moins de 11 ans doivent rester avec eux.

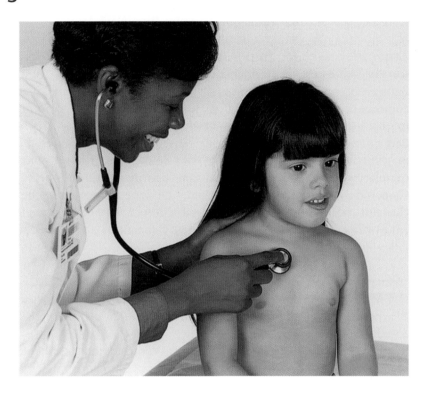

En général, les enfants sont accompagnés par un parent ou une personne qui s'occupe d'eux. Même s'ils se présentent seuls, ils viennent souvent consulter à l'instigation de leurs parents et le parent est habituellement assis dans la salle d'attente. Quand vous interrogez un enfant, vous devez prendre en considération les besoins et les perspectives de l'enfant et des personnes qui s'occupent de lui.

*Établir le contact.* Commencez l'entretien en saluant et en établissant des rapports avec chaque personne présente. Désignez l'enfant par son nom plutôt que par « lui » ou « elle ». Clarifiez le rôle ou le lien de chaque adulte et chaque enfant. « Êtes-vous la grand-mère de Jean ? », « Pouvez-vous m'indiquer quel lien il y a entre Jean et les personnes ici présentes ? » Appelez les parents par leur nom : « M. Dupont » et « Mme Dupont » plutôt que par leur prénom ou « Papa » et « Maman ». Quand la structure familiale n'est pas claire d'emblée, vous pouvez poser des questions directes sur les autres membres de la famille. « Qui d'autre vit à la maison ? », « Qui est le père de Jean ? », « Vivez-vous tous ensemble ? » Ne supposez pas que, parce que des parents sont séparés, un seul d'entre eux est impliqué activement dans la vie de l'enfant.

Pour établir le contact, mettez-vous au niveau de l'enfant. Laissez-vous guider par votre expérience personnelle des enfants pour réagir dans un contexte de soins. Un contact à hauteur d'yeux, une entrée en matière enjouée, des paroles sur ce qui les intéresse sont toujours de bonnes stratégies. Posez des questions aux enfants sur leurs vêtements, leurs jouets, le livre ou l'émission de télévision qu'ils aiment, ou leur accompagnant adulte, de façon chaleureuse mais douce. Consacrer du temps au début de l'entrevue à tranquilliser et à nouer une relation avec un enfant anxieux peut mettre à l'aise l'enfant et la personne qui l'accompagne.

***Travailler avec les familles.*** Une difficulté quand plusieurs personnes sont présentes est de décider à qui adresser les questions. Même si vous voulez obtenir des informations de l'enfant et de ses parents, il est utile de commencer par l'enfant. Des questions ouvertes simples, comme : « Es-tu malade ?... Dis-moi ce que tu as », suivies de questions plus spécifiques peuvent vous fournir beaucoup de renseignements cliniques. Les parents peuvent alors valider l'information, vous donner des détails supplémentaires, qui élargissent le contexte et vous font identifier d'autres sujets à aborder. Caractérisez les attributs des symptômes de la même façon que chez l'adulte. Certains enfants sont gênés pour commencer, mais une fois que le parent a entamé la conversation, ils répondent aux questions que vous leur posez :

> « Ta mère m'a dit que tu as très mal au ventre. Que peux-tu me dire à ce sujet ? »
> « Montre-moi où tu as mal ? Que ressens-tu ? »
> « Est-ce que c'est comme une piqûre d'épingle ou est-ce que ça fait très mal ? »
> « Est-ce que ça reste au même endroit ou est-ce que ça se déplace ? »
> « Qu'est-ce qui fait disparaître ces douleurs ? Qu'est-ce qui les aggrave ? »
> « Tu penses qu'elles sont dues à quoi ? »

La présence de membres de la famille vous permet aussi d'observer leurs interactions avec l'enfant. L'enfant peut rester assis calmement ou s'agiter et ne plus tenir en place. Regardez comment les parents mettent ou pas des limites à l'enfant quand c'est nécessaire.

***Programmes multiples.*** Chaque individu présent dans la pièce, y compris le clinicien, peut se faire une idée différente de la nature du problème et de ce qu'il faut faire. C'est votre travail de découvrir autant que possible les différents points de vue et ordres du jour. Les membres de la famille qui ne sont pas présents (un parent ou un grand-parent absent) peuvent aussi avoir des inquiétudes. Il est bon de s'enquérir de leurs inquiétudes. « Si le père de Suzie était là aujourd'hui, que dirait-il ? », « Mme Dubois, avez-vous discuté de cela avec votre mère ou quelqu'un d'autre ? Qu'en pense-t-elle ? » Par exemple, Mme Dubois a amené Suzie pour des douleurs abdominales ; elle a peur qu'elle ait un ulcère, et elle s'inquiète aussi de ses habitudes alimentaires. Suzie est plus préoccupée par les modifications de son corps et le risque de grossir que par la douleur abdominale. Mme Dubois pense que Suzie ne travaille pas assez à l'école. En tant que clinicien, vous devez mettre en balance ces inquiétudes avec ce que vous voyez, une fille de 12 ans, bien-portante, en début de puberté, avec de légères douleurs abdominales fonction-nelles. Vos objectifs doivent inclure d'aider la famille à avoir une vision réaliste de ce qui est normal, et de découvrir ce qui inquiète Suzie et ses parents.

***La famille comme ressource.*** En général, les parents, qui dispensent la plupart des soins, sont vos alliés naturels pour promouvoir la santé de l'en-fant. Soyez ouverts à une large gamme de comportements parentaux pour sceller cette alliance. L'éducation d'un enfant reflète des pratiques culturelles, socioéconomiques et familiales. Il est important de respecter la grande variation de ces pratiques. Une bonne stratégie consiste à considérer les parents comme des experts pour les soins de leur enfant et vous-même comme un consultant. Cela témoigne du respect pour les soins des parents et diminue le risque de dévaloriser ou ignorer votre avis. En élevant des enfants, les parents affrontent de nombreuses difficultés ; aussi les praticiens doivent-ils les soutenir, pas les juger. Des commentaires comme : « Pourquoi ne l'avez-vous pas amené plus tôt ? », ou « Pourquoi avez-vous fait cela ? » n'améliorent pas vos rapports avec les parents. Les déclarations reconnaissant la difficulté d'être parent et louant les réussites sont toujours appréciées. « M. Dupont, vous vous occupez tellement bien de Robert. Être un père est une activité si prenante. Le comportement de Robert ici, aujourd'hui, témoigne clairement de vos efforts », ou à l'enfant : « Robert, tu as tellement de chance d'avoir un papa aussi merveilleux. »

***Programmes cachés.*** Enfin, comme chez l'adulte, la principale plainte peut n'avoir rien à voir avec la véritable raison pour laquelle les parents vous ont amené l'enfant. La plainte est un « ticket d'accès aux soins » ou une passerelle vers des inquiétudes qui peuvent ne pas sembler un motif de consultation légitime. Essayez de créer une atmosphère de confiance, permettant aux parents d'exprimer toutes leurs inquiétudes. Posez des questions facilitatrices telles que :

« Avez-vous d'autres soucis à propos de Henri ? »
« Y a-t-il d'autres choses vous voudriez me dire/me demander aujourd'hui ? »

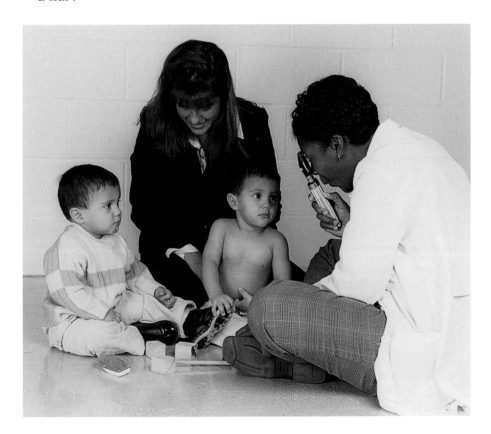

# → Promotion de la santé et conseils

## Enfants de 1 à 4 ans

Les programmes de protection de la santé de l'enfant de l'AAP et de *Bright Futures* comprennent des consultations systématiques à 12, 15, 18 et 24 mois, puis à 3 ans et à 4 ans.[8] Une consultation supplémentaire est également recommandée à 30 mois pour apprécier le développement de l'enfant.

Au cours des examens de santé systématiques, les cliniciens abordent les inquiétudes et les questions des parents, évaluent la croissance et le développement de l'enfant, effectuent un examen physique complet, et fournissent une guidance anticipée sur les habitudes et les comportements sains, la compétence sociale des personnes qui s'occupent de l'enfant, les relations familiales, et les interactions communautaires.

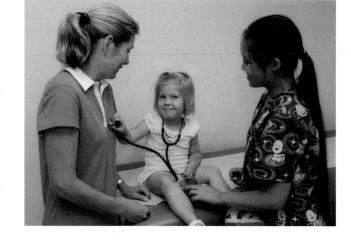

La petite enfance est un âge crucial pour la prévention de l'obésité de l'enfant : le point de départ de beaucoup d'obésités infantiles se situe entre 3 et 4 ans. Il est également important d'évaluer correctement le développement de l'enfant. Des outils de dépistage standardisés sont de plus en plus recommandés pour mesurer les différentes dimensions de ce développement. De même, il est important de différencier un comportement normal (mais possiblement difficile) de l'enfant de troubles du comportement ou psychiatriques.

L'encadré ci-dessous montre les principales composantes d'une consultation systématique chez un enfant de 3 ans, axée sur la promotion de la santé.

---

### CONSULTATION SYSTÉMATIQUE D'UN ENFANT DE 3 ANS : PRINCIPAUX POINTS

**Discussion avec les parents**

✔ Aborder les inquiétudes des parents.

✔ Donner des conseils.

✔ Soins de l'enfant, scolarité, contexte social.

✔ Explorer les grands thèmes : développement, nutrition, sécurité, santé buccodentaire, relations familiales, communauté.

**Évaluation du développement**

✔ Évaluer les acquisitions (DDST) : motrices, sociales et personnelles, linguistiques.

**Examen physique**

✔ Faire un examen soigneux, incluant les mensurations (à reporter sur les courbes de croissance).

**Tests de dépistage**

✔ Vision et audition (tests objectifs à 4 ans), hématocrite, plombémie (si risque élevé à 1-3 ans), dépistage des facteurs de risque sociaux.

**Vaccinations**

✔ Voir le calendrier p. 775-776.

*(suite)*

---

**Guidance anticipée**

*Habitudes et comportements sains*

✔ Prévention des accidents et des maladies : siège-auto, intoxications, tabagisme passif, surveillance.

✔ Nutrition :
 – recherche d'une obésité;
 – alimentation saine (repas et casse-croûtes).

✔ Santé buccodentaire :
 – brossage des dents;
 – dentiste.

*Interactions parents-enfant*

✔ Lecture, loisirs, TV.

*Relations familiales*

✔ Activités, baby-sitters.

*Interactions communautaires*

✔ Soins de l'enfant, ressources.

# Enfants de 5 à 10 ans

Les programmes de protection de la santé de l'enfant de l'AAP et de *Bright Futures* recommandent des examens de santé systématiques chaque année dans cette tranche d'âge.[8] Comme avant 5 ans, ces consultations sont autant d'occasions d'apprécier la santé physique et mentale et le développement de l'enfant, et les relations parents-enfant. À nouveau, il faut intégrer la promotion de la santé à tous les échanges avec l'enfant et sa famille. Profitez de toutes les occasions de promouvoir une santé et un développement optimaux !

L'un des points les plus satisfaisants de la promotion de la santé à cet âge est le dialogue direct avec l'enfant. Il ne suffit pas de discuter des problèmes de santé, de la sécurité, du développement, et de la guidance anticipée avec les parents ; vous devez inclure l'enfant dans la conversation, en utilisant un langage et des concepts appropriés à son âge. Par exemple, le principal environnement de l'enfant au-delà de sa famille est l'école. Parlez avec l'enfant de son expérience et de ses perceptions de l'école, ainsi que de ses autres activités cognitives et sociales. Au cours de ces discussions, concentrez-vous sur les habitudes saines, telles qu'une bonne nutrition, l'exercice physique, la lecture, les activités d'éveil et la sécurité.

De 12 à 20 % des enfants présentent un type ou un autre d'affection chronique physique, développementale, ou mentale.[26] Certains comportements qui s'enracinent à cet âge peuvent aussi entraîner ou aggraver des affections chroniques, telles que l'obésité ou les troubles de l'appétit. La promotion de la santé est donc cruciale pour favoriser les habitudes saines. De plus, aider des enfants atteints de maladies chroniques et leur famille à gérer au mieux ces maladies fait partie de la promotion de la santé. Pour tous les enfants, le bien-être de la famille est crucial pour leur santé ; par conséquent, la promotion de la santé implique l'évaluation et la promotion de la santé de la totalité de la famille.

Les composantes des examens systématiques des enfants de 5-10 ans sont les mêmes que celles des enfants plus jeunes (voir l'encadré p. 844-845). Mettez l'accent sur les expériences et la performance scolaires, et les activités et les sports appropriés et sûrs.

# ➜ Techniques d'examen

L'ordre de l'examen commence maintenant à suivre celui utilisé chez l'adulte. Examinez les zones douloureuses en dernier, et prévenez les enfants des zones que vous allez examiner. Si l'enfant s'oppose à une partie de l'examen, vous pouvez y revenir à la fin.

## Examen général et constantes vitales

***Croissance somatique.*** Les figures de la page suivante montrent la croissance somatique de différents organes et appareils chez l'enfant.

**Taille.** Pour les enfants de plus de 2 ans, mesurez la taille en position debout, si possible avec une toise fixée au mur. L'enfant doit se tenir debout, les talons, le dos et la tête contre un mur ou la toise. Si vous utilisez un mur gradué, mettez une surface plane à angle droit entre le sommet de la tête et la règle du mur. Les toises fixées sur des balances ne sont pas très précises.

*Règle pratique pour la croissance en taille :* après l'âge de 2 ans, un enfant grandit d'au moins 5 cm par an.

Une *petite taille*, c'est-à-dire une taille trop petite pour l'âge, peut être une variante de la normale ou due à une maladie endocrinienne ou autre. Les variantes de la normale comprennent la *petite taille familiale* et le *retard constitutionnel*. Les maladies chroniques comprennent le *déficit en hormone de croissance*, d'autres *maladies endocriniennes*, des *maladies digestives, rénales et métaboliques*, et des *syndromes génétiques*.

**Poids.** Les jeunes enfants qui tiennent debout et les enfants d'âge scolaire doivent être pesés avec leurs sous-vêtements ou en blouse sur une bascule. Malgré leur nervosité au début, la plupart des jeunes enfants peuvent être centrés sur ces bascules. Utilisez la même bascule, si cela est possible.

Les jeunes enfants peuvent avoir un poids et une taille insuffisants si leur apport calorique est insuffisant. Les étiologies des retards staturopondéraux comprennent des *troubles endocriniens, digestifs, relationnels et psychosociaux*.

**Périmètre crânien (PC).** En général, on mesure le PC jusqu'à l'âge de 24 mois. Ensuite, la mesure du PC peut être utile si vous suspectez une anomalie génétique ou du système nerveux central.

La plupart des enfants qui ont une obésité exogène sont aussi grands pour leur âge. L'obésité infantile de cause endocrinienne tend à comporter une petite taille.

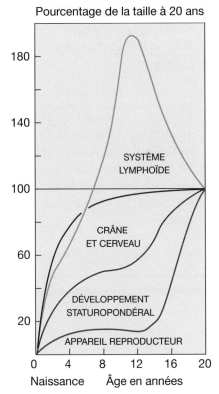

**Courbe de croissance de différents systèmes**

Pourcentage de la taille à 20 ans

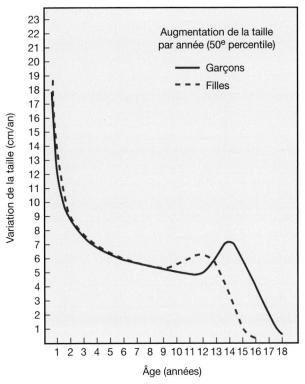

Courbes de la vitesse de croissance de la taille chez les garçons et les filles, par intervalles d'une année. (D'après Lowrey GH. Growth and development of children, 8th ed. Chicago, Mosby, 1986.)

**Indice de masse corporelle (IMC) en fonction de l'âge.** Des courbes en fonction de l'âge et du sexe sont maintenant disponibles pour évaluer l'IMC chez les enfants (voir le tableau ci-dessous). L'IMC des enfants est associé à la graisse corporelle et donc aux risques de l'obésité. Les mesures de l'IMC sont utiles pour détecter précocement l'obésité chez les enfants de plus de 2 ans. L'obésité est actuellement une grande épidémie de l'enfant, débutant souvent avant 6-8 ans. L'obésité infantile a pour conséquences l'hypertension artérielle, le diabète, le syndrome métabolique et le manque d'estime de soi. Elle mène souvent à l'obésité adulte et raccourcit la durée de vie.

L'obésité infantile est une véritable épidémie : 36 % des enfants américains ont un IMC > 85e percentile, et 16 % un IMC ≥ 95e percentile.[27] À long terme, l'obésité infantile a une morbidité organique (cardiovasculaire, endocrinienne, musculosquelettique, digestive) et psychologique. Elle nécessite une prévention, une détection précoce et une prise en charge énergique.

| Interprétation de l'IMC chez les enfants | |
| --- | --- |
| **Groupe** | **IMC en fonction de l'âge** |
| Maigreur | < 5e percentile |
| Risque de surpoids | ≥ 85e percentile |
| Surpoids | ≥ 95e percentile |

## Constantes vitales

**Pression artérielle (PA).** L'hypertension artérielle est plus fréquente chez l'enfant qu'on ne le pensait autrefois ; il est important de la reconnaître, de la confirmer et de la prendre en charge correctement. Vous devez donc apprendre à mesurer précisément la PA des enfants.

Les enfants ont une PA élevée durant l'exercice, les pleurs et l'anxiété. Les jeunes enfants peuvent être anxieux au début, mais la plupart des enfants sont coopératifs quand on leur explique et montre la procédure auparavant. Si la PA est initialement élevée, vous pouvez refaire des mesures à la fin de l'examen ; une astuce consiste à laisser le brassard – dégonflé – en place sur le bras et à refaire une mesure plus tard. Les mesures élevées doivent toujours être confirmées par des mesures ultérieures.

La « cause » la plus fréquente de PA élevée chez l'enfant est probablement une *mesure faite dans de mauvaises conditions*, souvent avec un brassard de taille inadéquate.

Choisissez le brassard comme vous le feriez chez l'adulte. Sa largeur doit être suffisante pour recouvrir deux tiers du bras ou de la cuisse. Un brassard trop étroit surestime la valeur de la PA alors qu'un brassard trop large la sous-estime et peut entraver la bonne position de la membrane du stéthoscope sur l'artère. Donc *une taille appropriée du brassard est la condition essentielle d'une mesure précise de la PA chez l'enfant.*

Chez les enfants comme chez les adultes, les chiffres de la PA à la cuisse sont supérieurs d'environ 10 mmHg à ceux du bras. S'ils sont identiques ou inférieurs, il faut suspecter une *coarctation de l'aorte.*

Chez l'enfant, comme chez l'adulte, le point où les bruits de Korotkoff disparaissent correspond à la pression diastolique. Parfois, notamment chez le petit enfant potelé, ces bruits ne sont pas facilement audibles. Dans ce cas, déterminez la pression systolique par palpation. Elle est inférieure d'environ 10 mmHg à la pression systolique déterminée par auscultation.

Un moyen assez imprécis consiste à vous servir de l'« inspection ». Notez les rebonds de l'aiguille, qui se produisent 10 mmHg au-dessus de la valeur d'auscultation. Cette technique n'est pas idéale mais chez un enfant qui se débat, elle peut être la seule possible.

Une hypertension artérielle transitoire de l'enfant peut être due à des médicaments donnés pour traiter un asthme (par exemple, la prednisone) ou une hyperactivité avec déficit de l'attention (par exemple, la ritaline).

En 2004, le groupe de travail du *National Heart, Lung and Blood Institute* sur l'hypertension artérielle des enfants et des adolescents a défini de la façon suivante les PA normale/normale haute/élevée, avec des mesures faites au moins en trois occasions distinctes.[28]

| Pression artérielle | |
|---|---|
| **Catégorie de PA** | **PA systolique et/ou diastolique pour l'âge, le sexe et la taille (moyenne des mesures)** |
| PA normale | < 90e percentile |
| Préhypertension | 90-95e percentile |
| Hypertension | ≥ 95e percentile |

Les causes d'*hypertension artérielle permanente* de l'enfant comprennent les maladies du parenchyme rénal ou de l'artère rénale, la coarctation de l'aorte et l'hypertension primitive.

Les enfants hypertendus doivent faire l'objet d'une enquête étiologique complète. Chez le nourrisson et le jeune enfant, on parvient habituellement à trouver une cause précise. Chez le grand enfant et l'adolescent, la proportion d'hypertension essentielle ou primaire croît. Dans tous les cas, il est important de répéter les mesures pour éliminer une hypertension artérielle due à l'anxiété. Quelquefois, la répétition des mesures à l'école est un moyen d'obtenir des valeurs dans un milieu plus détendu. L'hypertension artérielle et l'obésité coexistent souvent chez l'enfant.

Il est également important de ne pas *étiqueter à tort* comme hypertendu un enfant ou un adolescent à cause du caractère stigmatisant de cette étiquette, des possibles limitations des activités et des effets secondaires du traitement.

**Pouls.** Les fréquences cardiaques (moyennes ± 2 écarts types) figurent dans le tableau ci-dessous. Comptez la fréquence cardiaque (FC) sur 60 secondes.

| Fréquence cardiaque moyenne de l'enfant au repos | | |
|---|---|---|
| **Âge** | **Fréquence moyenne (/min)** | **Extrêmes (± 2 DS)** |
| 1-2 ans | 110 | 70-150 |
| 2-6 ans | 103 | 68-138 |
| 6-10 ans | 95 | 65-125 |

Une bradycardie sinusale est une fréquence cardiaque < 100 battements/minute chez un enfant de moins de 3 ans et < 60/minute chez un enfant de 3 à 9 ans.

**Fréquence respiratoire (FR).** La FR va de 20 à 40 par minute chez le jeune enfant, et de 15 à 25 chez l'enfant plus âgé ; elle atteint les valeurs adultes vers 15 ans.

Chez le jeune enfant, observez les mouvements de la paroi thoracique pendant deux périodes de 30 secondes ou sur 1 minute, de préférence avant toute stimulation. L'auscultation directe du thorax ou le placement du stéthoscope devant la bouche est également utile pour compter la respiration, mais les valeurs peuvent être faussement élevées si l'enfant s'agite. Chez les enfants plus âgés, utilisez la même technique que chez l'adulte.

Les enfants qui ont des maladies respiratoires, comme une *bronchiolite* ou une *pneumonie*, ont une respiration rapide (jusqu'à 80-90/min) mais *aussi* un travail ventilatoire accru avec grognement, battement des ailes du nez, traduisant la mise en jeu des muscles respiratoires accessoires.

La valeur limite généralement admise de la tachypnée chez les enfants de plus de 1 an est de 40 respirations par minute.

**Température.** Chez l'enfant, la prise de la température dans le conduit auditif externe est préférable parce qu'elle peut être faite rapidement, sans entraîner de gêne.

Le meilleur signe clinique pour éliminer une *pneumonie* est l'absence de tachypnée.

Les jeunes enfants ayant une infection peuvent avoir des fièvres très élevées (jusqu'à 40 °C ou 104 °F). Chez les enfants de moins de 3 ans fébriles, qui semblent très malades, il faut rechercher une septicémie, une infection urinaire, une pneumonie ou une autre infection.

## Peau

Après l'âge de 1 an, les techniques d'examen sont les mêmes que celles de l'adulte (voir chapitre 6 : « La peau et ses annexes »).

## Tête

Quand vous examinez la tête et le cou, adaptez votre examen au stade de croissance et de développement de l'enfant.

Avant même de toucher l'enfant, observez soigneusement la forme de la tête et sa symétrie, et recherchez un faciès anormal. Un faciès anormal peut ne pas être évident jusqu'à l'enfance ; donc examinez soigneusement la face de même que la tête de tous les enfants.

Dans l'enfance, certains faciès sont très évocateurs d'aberrations chromosomiques, de déficits endocriniens, de maladies chroniques et d'autres affections (voir tableau 18-6 : « Faciès caractéristiques dans l'enfance », p. 902-903).

## Yeux

Les deux points les plus importants de l'examen des yeux des jeunes enfants sont de déterminer si le regard est conjugué (symétrique) et de tester l'acuité visuelle de chaque œil.

Le *strabisme* de l'enfant (voir tableau 18-7 : « Anomalies des yeux, des oreilles et de la bouche », p. 904) doit être traité par un ophtalmologiste.

**Conjugaison du regard.** Utilisez les méthodes décrites au chapitre 7 pour les adultes pour évaluer la *conjugaison du regard*, ou *la position et l'alignement des yeux*, et le fonctionnement des muscles extrinsèques des yeux. Le test du reflet lumineux sur la cornée et le test de l'écran sont particulièrement utiles chez les jeunes enfants.

Le *strabisme* et l'*anisométropie* (des yeux qui ont des vices de réfraction très différents) peuvent entraîner une *amblyopie*, c'est-à-dire une diminution de la vision d'un œil par ailleurs normal.

Vous pouvez pratiquer le test de l'écran comme un jeu en demandant à l'enfant d'observer votre nez ou de dire si vous souriez ou non pendant que vous masquez un de ses yeux avec le cache.

Si l'*amblyopie* n'est pas corrigée précocement, elle peut entraîner une diminution définitive de l'acuité visuelle (en général vers 6 ans).

**Acuité visuelle.** Il peut être impossible de mesurer l'*acuité visuelle* chez les enfants de moins de 3 ans qui ne savent pas reconnaître les images sur une planche oculaire. Chez ces enfants, l'examen le plus simple consiste à évaluer la fixation préférentielle en masquant un œil après l'autre ; l'enfant qui a une vision normale ne proteste pas mais celui qui a une vision défectueuse d'un œil proteste quand on lui recouvre le bon œil. Dans tous les tests d'acuité visuelle, il est important que les deux yeux donnent le même résultat.

Les anciens prématurés et les enfants qui ont des troubles neurologiques ou du développement ont plus de risques d'avoir une acuité visuelle basse.

| Acuité visuelle | |
|---|---|
| **Âge** | **Acuité visuelle** |
| 3 mois | Les yeux convergent, le bébé atteint |
| 12 mois | ≈ 1/10 |
| < 4 ans | 5/10 |
| ≥ 4 ans | 7/10 |

Une différence d'acuité visuelle entre les deux yeux (par exemple 10/10 à gauche et 6/10 à droite) est anormale. Le patient doit être adressé à un ophtalmologiste.

Comme montré page suivante, l'acuité visuelle des enfants de 3 ans et plus peut en général être testée avec une planche oculaire ayant comme optotypes des caractères ou des symboles.[29] Un enfant qui ignore les lettres et les chiffres peut être testé avec des images, des symboles ou une planche de « E ». Pour la planche des « E », la plupart des enfants vous diront dans quelle direction pointe le « E ».

Le trouble visuel le plus fréquent chez l'enfant est la *myopie*, qu'on peut détecter facilement en utilisant cette technique d'examen.

**Champs visuels.** Les *champs visuels* peuvent être testés chez les nourrissons et les enfants en asseyant l'enfant sur les genoux d'un parent. On teste un œil à la fois, l'autre œil étant masqué. Maintenez la tête de l'enfant en position médiane tandis que vous amenez un objet tel qu'un jouet, de l'arrière, dans son champ de vision. La méthode est globalement la même que chez l'adulte, à cela près que vous devez la transformer en jeu pour le patient.

# Oreilles

Vous pouvez ressentir le besoin d'avoir plus de deux mains et plus d'un tour dans votre sac quand vous examinez le *conduit auditif* et le *tympan* des jeunes enfants, qui sont sensibles et apeurés parce qu'ils ne peuvent observer la procédure. Cependant, avec un peu de pratique, vous pouvez maîtriser cette technique. Malheureusement, beaucoup de jeunes enfants doivent être brièvement immobilisés pour cette partie de l'examen ; c'est pourquoi il est préférable de la laisser pour la fin.

Si l'enfant n'est pas trop apeuré, vous pouvez arriver à faire cet examen sur l'enfant assis sur les genoux d'un parent. Il est utile de transformer l'otoscopie en jeu, en invoquant par exemple la recherche d'un objet imaginaire dans l'oreille de l'enfant ou en plaisantant au cours de l'examen pour dissiper les craintes. Il peut être utile d'introduire le spéculum auriculaire dans le conduit auditif externe d'une oreille et de le retirer pour habituer l'enfant à la procédure, avant de pratiquer le véritable examen.

Demandez aux parents s'ils ont une préférence pour la position de l'enfant pendant l'examen. Il y a deux positions courantes : l'enfant en décubitus dorsal et immobilisé, et l'enfant assis sur les genoux d'un parent. Si l'enfant est maintenu couché, le parent doit tenir les membres supérieurs étendus ou le long du corps pour limiter les mouvements. Tenez la tête et repoussez le tragus d'une main tandis que vous tenez l'otoscope de l'autre main. Si l'enfant est assis sur les genoux d'un parent, ses jambes doivent être placées entre celles du parent. Le parent peut aider en plaçant un membre supérieur autour du corps de l'enfant et en se servant du deuxième membre supérieur pour stabiliser la tête.

***Examen des tympans.*** Beaucoup d'étudiants ont du mal à visualiser le tympan d'un enfant. Chez les jeunes enfants, le conduit auditif externe est dirigé en haut et en arrière – à partir du méat –, ce qui fait qu'il faut tirer le pavillon en haut, en dehors et en arrière pour obtenir la meilleure vue. Tenez la tête de l'enfant d'une main (de la main gauche, si vous êtes droitier) et avec la même main tirez sur le pavillon. Avec l'autre main, introduisez l'otoscope.

## ASTUCES POUR FAIRE UNE OTOSCOPIE

✔ Utilisez le meilleur angle de l'otoscope.

✔ Utilisez le plus grand spéculum possible :
  – un spéculum plus grand vous permet de mieux visualiser le tympan ;
  – un petit spéculum peut ne pas donner une étanchéité pour l'otoscopie pneumatique.

✔ N'exercez pas une trop grande pression, qui ferait pleurer l'enfant et pourrait donner des faux positifs à l'otoscopie pneumatique.

✔ Enfoncez l'otoscope d'environ 1 cm à l'intérieur du conduit.

✔ Trouvez d'abord les repères.

✔ Quelquefois le conduit auditif externe est pris pour le tympan. Ne vous laissez pas tromper !

✔ Notez si le tympan est anormal.

✔ Enlevez le cérumen, s'il vous bouche la vue, avec :
  – des curettes en plastique spéciales ;
  – un petit coton-tige humidifié ;
  – un lavage d'oreilles, chez les enfants plus grands ;
  – des instruments spéciaux, à acheter.

Non seulement il existe deux positions pour l'enfant – couché ou assis – mais il y a aussi deux façons de tenir l'otoscope, comme illustré ci-dessous :

■ la première est celle qui est généralement utilisée chez l'adulte, avec le manche de l'otoscope dirigé en haut ou en dehors, pendant que vous tirez sur le pavillon. Appuyez la face externe de votre main qui tient l'otoscope sur la tête de l'enfant pour amortir les mouvements brusques du patient ;

■ la deuxième est utilisée par beaucoup de praticiens à cause de l'angle particulier du conduit auditif externe de l'enfant. L'otoscope est tenu avec le manche dirigé vers les pieds de l'enfant tandis que vous tirez sur le pavillon. Tenez la tête et tirez sur le pavillon d'une main, tandis que vous tenez l'otoscope de l'autre.

Apprenez à utiliser un *otoscope pneumatique* pour améliorer la précision du diagnostic d'otite moyenne chez l'enfant. Cet appareil vous permet d'apprécier la mobilité du tympan quand vous faites varier la pression dans le conduit auditif externe en comprimant sa poire en caoutchouc.

L'*otite moyenne aiguë* est une affection fréquente dans l'enfance. Un enfant symptomatique a un tympan rouge, bombant, avec un reflet lumineux terne ou absent et un déplacement diminué du tympan à l'otoscopie pneumatique. On peut aussi voir du pus derrière le tympan. Voir tableau 18-7 : « Anomalies des yeux, des oreilles et de la bouche », p. 904. Le symptôme le plus évocateur du diagnostic est l'otalgie, quand elle se combine aux signes ci-dessus.[30, 31]

Vérifiez d'abord que l'otoscope pneumatique ne fuit pas en bouchant le bout du spéculum avec un doigt et en comprimant la poire. Notez la pression sur la poire. Puis insérez le spéculum, de façon à obtenir une bonne étanchéité. C'est un point critique parce que l'absence d'étanchéité peut donner des résultats faussement positifs (absence de déplacement de la membrane du tympan).

Quelquefois le tympan se perfore au cours d'une otite moyenne aiguë et du pus s'écoule par le conduit auditif externe. Dans ces cas, vous n'arrivez pas généralement à voir la membrane tympanique.

Le déplacement du tympan est absent dans les épanchements de l'oreille moyenne (*otite moyenne avec épanchement*).

Lorsqu'on introduit de l'air dans un conduit auditif externe normal, le tympan et son reflet lumineux sont repoussés vers l'intérieur. Lorsqu'on aspire l'air, le tympan revient en dehors, vers l'examinateur. Ce mouvement de va-et-vient du tympan a été comparé à une voile en ralingue. Si le tympan ne se déplace pas de façon perceptible avec la surpression et la dépression, c'est que l'enfant a probablement un épanchement dans l'oreille moyenne. Un enfant qui a une otite moyenne aiguë peut tressaillir à cause de la douleur due à la pression de l'air.

Un déficit auditif important mais temporaire, durant plusieurs mois, peut accompagner une otite moyenne séreuse.

Dans l'*otite externe* (mais pas dans l'otite moyenne), la traction du pavillon peut provoquer une douleur.

Déplacez et tirez avec douceur le *pavillon de l'oreille* avant ou pendant l'otoscopie. Regardez soigneusement derrière le pavillon, sur la mastoïde.

Dans la *mastoïdite* aiguë, le pavillon peut être déjeté en avant et la zone au-dessus de la mastoïde être rouge, gonflée et douloureuse.

***Contrôle de l'audition.*** Bien que des tests auditifs réglés soient nécessaires pour détecter avec précision les déficits auditifs des jeunes enfants, vous pouvez tester grossièrement leur audition avec la voix chuchotée. Pour cela, placez-vous derrière l'enfant (afin qu'il ne puisse pas lire sur vos lèvres), bouchez un de ses conduits auditifs et frottez le tragus d'un mouvement circulaire. Chuchotez des lettres, des chiffres, ou un mot, et demandez à l'enfant de répéter. Puis testez l'autre oreille. Cette technique a une sensibilité et une spécificité assez bonnes par comparaison avec les tests auditifs.[32]

Les jeunes enfants qui ne réussissent pas ces épreuves de dépistage et ceux qui ont un retard de langage doivent subir des tests auditifs parce qu'ils peuvent avoir un *déficit auditif*.

Jusqu'à 15 % des enfants d'âge scolaire ont une surdité, au moins modérée, ce qui souligne l'importance d'une étude de l'audition avant l'entrée à l'école.[32]

L'AAP recommande un test de dépistage auditif généralisé, avec un matériel standardisé, chez tous les enfants de plus de 4 ans. D'autres groupes d'experts ne conseillent pas un dépistage auditif réglé chez les enfants asymptomatiques. Si vous utilisez un test de dépistage auditif, assurez-vous qu'il couvre toute la gamme des sons audibles, y compris la parole (de 500 à 6 000 Hz). Le tableau ci-dessous présente une classification du degré de surdité.

| Classification du degré de surdité | |
|---|---|
| **Catégorie** | **Perte auditive\*** |
| Audition normale | 0-20 décibels (dB) |
| Surdité légère | 21-40 dB |
| Surdité modérée | 41-60 dB |
| Surdité sévère | 61-90 dB |
| Surdité profonde | > 90 dB |

\* NdT : il s'agit de la moyenne des résultats de l'audiométrie tonale de la meilleure oreille pour les fréquences de 500, 1 000 et 2 000 Hertz.

## Nez et sinus

Inspectez la partie antérieure du nez à l'aide d'un grand spéculum monté sur votre otoscope. Inspectez la muqueuse nasale et notez sa couleur et son aspect. Recherchez une déviation de la cloison nasale et la présence de polypes.

Muqueuse pâle, œdématiée chez les enfants ayant une *rhinite allergique chronique* (ou *perannuelle*).

Les sinus maxillaires sont radiologiquement visibles à 4 ans, les sinus sphénoïdes à 6 ans et les sinus frontaux à 6-7 ans. Les sinus des enfants plus âgés peuvent être palpés comme chez l'adulte, pour rechercher une douleur provoquée.[33] La transillumination des sinus paranasaux des jeunes enfants est peu sensible et peu spécifique pour le diagnostic de sinusite ou d'épanchement dans les sinus.

## Bouche et pharynx

Chez les enfants jeunes ou anxieux, vous pouvez préférer laisser cette partie de l'examen pour la fin, car elle peut nécessiter une immobilisation par les parents. Le jeune enfant coopératif peut être plus confortablement assis sur les genoux d'un parent comme montré sur la page suivante.

La photographie ci-contre montre quelques astuces pour faire ouvrir leur bouche aux enfants. L'enfant qui sait dire « Aaah » offrira en général une vue suffisante – quoique brève – sur le pharynx postérieur, ce qui rendra l'emploi d'un abaisse-langue inutile. Les enfants bien-portants collaborent plus facilement à cet examen que les enfants malades, surtout si ces derniers voient l'abaisse-langue ou ont déjà subi un prélèvement de gorge.

Si vous devez utiliser un abaisse-langue, la meilleure technique est d'appuyer vers le bas et de tirer légèrement vers vous pendant que l'enfant dit « Aaah », en prenant soin de ne pas placer l'abaisse-langue trop en arrière, ce qui déclencherait des nausées. Parfois des enfants jeunes et anxieux ont besoin d'être immobilisés ; ils peuvent serrer les dents et pincer les lèvres. Dans ces cas, vous devrez glisser délicatement l'abaisse-langue entre les dents, sur la langue et ensuite appuyer sur la base de la langue, ou déclencher un réflexe nauséeux pour apercevoir brièvement le pharynx postérieur et les amygdales. Rappelez-vous qu'un assaut frontal, non préparé, sur les dents de devant se soldera par un échec et un abaisse-langue cassé. Une bonne préparation et l'aide des parents sont nécessaires.

Examinez les *dents* pour préciser la chronologie et la séquence de leur éruption, leur nombre, leurs caractéristiques, leur état et leur position. Les anomalies de l'émail peuvent refléter une maladie locale ou générale.

---

**COMMENT FAIRE OUVRIR LA BOUCHE À UN ENFANT (OU « VEUX-TU DIRE "AAAH", S'IL TE PLAÎT ? »)**

✔ Transformez l'examen en jeu :
  – « Maintenant, voyons ce qu'il y a dans ta bouche ? »
  – « Peux-tu tirer *toute ta langue* ? »
  – « Je parie que tu ne peux pas ouvrir la bouche *toute grande* ! »
  – « Laisse-moi voir ce qu'il y a derrière ces dents. »
  – « Est-ce que Jiminy Criquet se cache ici ? »

✔ Ne montrez pas l'abaisse-langue, sauf si c'est vraiment nécessaire.

✔ Faites la démonstration d'abord sur un enfant plus âgé (ou même sur un parent).

✔ Louez-le chaudement d'ouvrir sa bouche un peu et encouragez-le à l'ouvrir encore plus !

---

Les *caries dentaires* sont le problème de santé le plus fréquent chez les enfants. Elles ont une prévalence plus élevée dans les populations pauvres et peuvent avoir des conséquences à court et à long terme[34] alors qu'elles sont parfaitement traitables.

Inspectez soigneusement les dents supérieures, comme montré sur la photographie. C'est le siège habituel des *caries des dents de lait*, dues au biberon. La technique montrée sur cette photographie, dite de relèvement de la lèvre, facilite la visualisation de ces caries. Pour voir la face interne des dents supérieures, il faut que l'enfant regarde le plafond, la bouche grande ouverte.

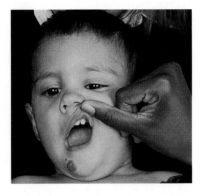

Les *caries dentaires* sont dues à une activité bactérienne. Elles sont plus fréquentes chez les jeunes enfants qui continuent à boire au biberon (« caries du biberon »). Voir les différents stades de carie dans le tableau 18-8 : « Anomalies des dents, du pharynx et du cou », p. 905.

Le tableau ci-dessous indique l'ordre d'apparition habituel des dents. En général, les dents inférieures apparaissent un peu plus tôt que les dents supérieures.

Une *coloration* des dents peut être intrinsèque ou extrinsèque. Les colorations intrinsèques peuvent provenir de la prise de tétracyclines avant l'âge de 8 ans (coloration jaune, grise ou marron). Les préparations à base de fer (coloration noire) donnent des colorations extrinsèques. Les colorations extrinsèques peuvent être enlevées, pas les colorations intrinsèques (voir tableau 18-8 : « Anomalies des dents, du pharynx et du cou », p. 905).

| Type de dents et âge d'éruption[35] | | |
|---|---|---|
| **Type de dent** | **Âge approximatif d'éruption** | |
| | *Provisoire ou de lait (mois)* | *Définitive (années)* |
| Incisive médiane | 5-8 | 6-8 |
| Incisive latérale | 5-11 | 7-9 |
| Canine | 24-30 | 11-12 |
| Première prémolaire | – | 10-12 |
| Deuxième prémolaire | – | 10-12 |
| Première molaire | 16-20 | 6-7 |
| Deuxième molaire | 24-30 | 11-13 |
| Troisième molaire | – | 17-22 |

Recherchez des anomalies de position des dents. Celles-ci comprennent la malocclusion, la protrusion maxillaire *(surocclusion)*, et la protrusion mandibulaire *(sous-occlusion)*. Vous pouvez démontrer la protrusion mandibulaire en demandant à l'enfant de mordre fort et en écartant les lèvres. Observez la morsure. Chez l'enfant normal, les dents inférieures sont à l'intérieur de l'arc formé par les dents supérieures.

La *malocclusion* et le mauvais alignement des dents sont souvent dus à une succion du pouce excessive. Ils sont réversibles si cette habitude cesse avant 6-7 ans. La malocclusion peut aussi être une affection héréditaire ou secondaire à la chute prématurée des dents de lait.

Inspectez soigneusement la *langue,* y compris sa face inférieure. La plupart des enfants sont contents de vous tirer la langue, de la déplacer latéralement et de montrer sa couleur (la couleur bleue de la langue ci-dessous est due à des friandises !).

Les anomalies fréquentes comprennent la *langue saburrale* des infections virales, la *langue géographique congénitale*, et la *langue framboisée* de la scarlatine.

Certains jeunes enfants ont un frein de la langue court. Ceux qui ont un frein lingual très court peuvent avoir un défaut de prononciation. Demandez à l'enfant de toucher la voûte du palais avec la langue pour faire le diagnostic de cette affection, qui est aisément traitable.

Notez la taille, la position, la symétrie et l'aspect des *amygdales.* Le maximum de croissance du tissu amygdalien se situe entre 8 et 16 ans (voir figure p. 905). La taille des amygdales varie beaucoup d'un enfant à l'autre et est souvent cotée de 1+ à 4+, 1+ correspondant à un espace bien visible entre les amygdales et 4+ à des amygdales qui se touchent sur la ligne médiane quand la bouche est ouverte. Les amygdales des enfants semblent toujours plus obstructives qu'elles ne le sont réellement.

La *pharyngite à streptocoques* donne typiquement une langue framboisée, des exsudats blanchâtres ou jaunâtres sur les amygdales, une luette rouge sang et des pétéchies sur le palais. Devant ces signes, la notion d'exposition à une pharyngite à streptocoques au cours des deux semaines précédentes est l'élément anamnestique le plus utile.[36]

Il existe habituellement à la surface des amygdales de profondes cryptes dont le fond est occupé par des particules alimentaires ou des concrétions blanchâtres. Cela n'a aucune signification pathologique.

Un *abcès péri-amygdalien* est suggéré par une augmentation de volume asymétrique des amygdales et une déviation latérale de la luette.

Recherchez les indices d'une division palatine sous-muqueuse, tels qu'une encoche du bord postérieur du palais osseux ou une *luette* bifide. La muqueuse étant intacte, le défect sous-jacent passe aisément inaperçu.

De façon exceptionnelle, vous pouvez vous trouver en présence d'un enfant souffrant d'une pharyngite, qui a du mal à avaler sa salive et se tient assis dans la position du tripode à cause de l'obstruction pharyngée. N'essayez pas d'ouvrir la bouche de cet enfant pour examiner sa gorge, parce qu'il peut avoir une épiglottite aiguë.

Notez la qualité de la voix de l'enfant. Certaines anomalies peuvent en modifier la hauteur et la qualité.

| Changements de la voix : indices d'anomalies sous-jacentes | |
|---|---|
| **Changement de la voix** | **Anomalie possible** |
| Voix nasonnée | Division palatine sous-muqueuse |
| Voix nasonnée + ronflements | Végétations adénoïdes |
| Voix rauque + toux | Laryngite virale |
| « Cailloux dans la bouche » | Amygdalite |

Vous pouvez noter une haleine anormale, qui peut vous aider à faire un diagnostic précis.

# Cou

Chez l'enfant, les techniques d'examen du cou sont les mêmes que chez l'adulte. Une adénopathie est inhabituelle chez le nourrisson mais très fréquente chez l'enfant. Le système lymphatique de l'enfant atteint sa croissance maximale à 12 ans, les ganglions cervicaux et les amygdales ont leurs dimensions maximales entre 8 et 16 ans.

La grande majorité des adénopathies de l'enfant est due à des infections (virales ou bactériennes) et pas à un cancer, même si c'est ce qui inquiète la plupart des parents. Il importe de différencier des ganglions normaux d'une adénopathie ou d'un kyste congénital du cou.

La figure de la page 810 montre les localisations anatomiques typiques des ganglions et des kystes congénitaux du cou.

L'*épiglottite aiguë* est devenue rare aux États-Unis grâce à la vaccination contre l'*Haemophilus influenzae* de type B. Elle contre-indique l'examen de la gorge à cause du risque de réflexe nauséeux et d'obstruction laryngée.

Une *angine* (amygdalite aiguë) peut être due à des bactéries, comme les streptocoques, ou à des virus. La voix rocailleuse accompagne des grosses amygdales recouvertes d'exsudats.

L'épidémie d'obésité infantile a fait augmenter le nombre des enfants qui ronflent et qui font des *apnées du sommeil*.

Une mauvaise haleine *(halitose)* chez un enfant peut être due à une infection de la bouche, du pharynx ou des voies aériennes supérieures, à un corps étranger des fosses nasales, à une affection dentaire, ou à un reflux gastro-œsophagien.

Les *adénopathies* sont habituellement dues à des infections virales ou bactériennes (voir tableau 18-8 : « Anomalies des dents, du pharynx et du cou », p. 905).

Une *adénopathie maligne* est plus probable si le ganglion mesure plus de 2 cm, est dur ou adhérent à la peau ou aux tissus sousjacents (c'est-à-dire n'est pas mobile), s'accompagne de signes systémiques graves, tels qu'une perte de poids et, en cas d'adénopathies cervicales, si la radiographie du thorax est anormale.

Vérifiez la *mobilité du cou*. Il est important de s'assurer que le cou de tout enfant est souple et facile à mobiliser dans toutes les directions. Cela est particulièrement important quand l'enfant tient sa tête de façon asymétrique et quand on suspecte une maladie du système nerveux central, telle qu'une méningite.

Chez les enfants, une raideur de la nuque est un signe d'irritation méningée plus fiable que les *signes de Kernig* et *de Brudzinski*. Pour détecter une raideur de la nuque chez un grand enfant, demandez-lui de s'asseoir sur la table d'examen les jambes étendues. Normalement, les enfants peuvent y arriver et toucher leur thorax avec leur menton. On peut obtenir une flexion du cou des enfants plus petits en leur faisant suivre des yeux un petit jouet ou un faisceau lumineux. Vous pouvez aussi tester la raideur de la nuque sur l'enfant couché sur la table d'examen, comme montré ci-dessous. Presque tous les enfants qui ont une raideur de la nuque sont très malades, excitables et difficiles à examiner. Dans les pays développés, l'incidence des méningites bactériennes a chuté grâce aux vaccinations.

Chez les jeunes enfants qui ont des cous courts, il peut être difficile de différencier des ganglions cervicaux postéro-inférieurs de *ganglions sus-claviculaires* (qui sont toujours anormaux et suspects de malignité).

La *raideur de la nuque* est une résistance marquée à la mobilisation de la tête, dans toutes les directions. Elle suggère une irritation méningée due à une *méningite*, un *saignement*, une *tumeur* ou d'autres causes. Ces enfants sont hyperexcitables, difficiles à consoler, ils peuvent avoir une « irritabilité paradoxale », c'est-à-dire être plus irritables quand ils sont tenus.

Lorsqu'il existe une irritation méningée, l'enfant adopte la *position dite du tripode* ; il est incapable de se tenir assis torse droit pour toucher son thorax avec le menton.

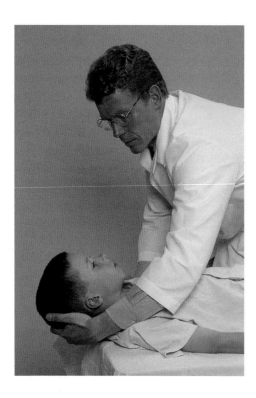

## Thorax et poumons

Avec l'âge, l'examen des poumons des enfants se rapproche de celui des adultes. La coopération est cruciale. L'auscultation est faite dans les meilleures conditions quand l'enfant se rend à peine compte de l'examen (par exemple, quand il est sur les genoux d'un parent). Si un grand nourrisson semble effrayé par le stéthoscope, vous pouvez le laisser jouer avec lui avant de l'appliquer sur son thorax.

Évaluez la durée relative de l'inspiration et de l'expiration. Normalement, ce rapport est d'environ 1/1. Une inspiration ou une expiration prolongée renseigne sur le siège de la maladie. L'effort respiratoire (ou travail ventilatoire) est lié à la sévérité de la maladie.

Si vous demandez à de jeunes enfants de « respirer profondément », ils retiennent souvent leur respiration, ce qui rend l'auscultation des poumons encore plus difficile. Il vaut mieux laisser les enfants d'âge préscolaire respirer normalement. Pour les enfants plus âgés, vous pouvez montrer comment respirer profondément et calmement, et transformer cela en jeu. Une expiration forcée peut être obtenue en demandant à l'enfant de souffler les bougies d'un gâteau d'anniversaire imaginaire.

En cas d'obstruction des voies aériennes supérieures, comme dans une laryngite, l'inspiration est prolongée et accompagnée d'autres signes tels qu'un stridor, une toux ou des ronchi. En cas d'obstruction des voies aériennes inférieures, comme dans l'asthme, l'expiration est prolongée et souvent accompagnée de *wheezing* (sifflements audibles).

Chez les jeunes enfants, une *pneumonie* se manifeste en général par de la fièvre, une tachypnée, une dyspnée, et un travail ventilatoire accru.

Alors que les *infections respiratoires hautes* dues à des virus peuvent rendre les petits nourrissons très malades, elles réalisent chez les enfants le même tableau clinique que chez les adultes : les enfants semblent aller bien, sans signes d'atteinte respiratoire basse.

L'*asthme infantile* est une affection très répandue dans le monde entier. Les enfants qui souffrent d'asthme aigu présentent un tableau clinique plus ou moins grave, avec souvent un travail ventilatoire accru. Les sifflements expiratoires et l'expiration prolongée, dus au bronchospasme réversible, peuvent être entendus sans stéthoscope et sont manifestes à l'auscultation (râles sibilants). Les sibilants (expiratoires) s'accompagnent souvent de ronchi à l'inspiration, causés par l'infection virale qui a déclenché la crise d'asthme.[37]

Les enfants plus âgés coopèrent à l'examen respiratoire et peuvent même se prêter à l'étude des vibrations vocales et à la recherche d'une égophonie (voir p. 316-317). Avec la croissance, l'évaluation par l'observation, discutée à la page précédente, telle que l'évaluation du travail ventilatoire, du battement des ailes du nez et du grognement, devient moins utile pour évaluer la pathologie respiratoire ; la palpation, la percussion et l'auscultation acquièrent une plus grande importance dans l'examen minutieux du thorax et des poumons.

# Cœur

L'examen du cœur et des vaisseaux chez les nourrissons et les enfants est similaire à celui des adultes, mais l'examen est plus facile et plus fructueux si on a conscience de leur peur, de leur incapacité à coopérer et, dans de nombreux cas, de leur désir de plaire. Utilisez votre connaissance du stade de développement de l'enfant. Un enfant de 2 ans peut être plus facile à examiner debout ou assis sur les genoux de sa mère, ou tenu contre son épaule.

Des anomalies générales augmentent la probabilité d'une cardiopathie congénitale, à l'exemple de la trisomie 21 et du syndrome de Turner.

Donnez aux jeunes enfants quelque chose à tenir dans chaque main. Ils ne savent pas comment jeter l'objet, et donc ils n'ont pas de main libre pour vous repousser. Un bavardage ininterrompu avec les petits enfants capte leur attention, et ils oublient que vous êtes en train de les examiner. Laissez les enfants déplacer le stéthoscope eux-mêmes, en revenant ultérieurement pour ausculter correctement. Soyez imaginatifs pour réussir l'examen !

***Pression artérielle.*** Mesurez la pression artérielle à la fois aux deux bras et à une cuisse vers 3-4 ans pour éliminer la possibilité d'une *coarctation de l'aorte*. Ensuite, vous ne prendrez la PA qu'au bras droit.

Dans la *coarctation de l'aorte*, la pression artérielle est plus basse aux membres inférieurs qu'aux membres supérieurs.

***Souffles bénins.*** Les enfants d'âge préscolaire et scolaire ont souvent des souffles cardiaques bénins (voir la figure page suivante). Le plus fréquent, le *souffle de Still*, est un souffle proto et mésosystolique, d'intensité 1-2/6, musical, vibratoire, avec plusieurs rehaussements, localisé vers le milieu ou la partie basse du bord gauche du sternum mais aussi fréquemment audible au niveau des artères carotides. La compression de l'artère carotide le fait en général disparaître. Ce souffle est extrêmement variable ; il s'accentue quand le débit cardiaque augmente, comme dans la fièvre et l'exercice.

## Localisation et caractéristiques des souffles cardiaques bénins de l'enfant

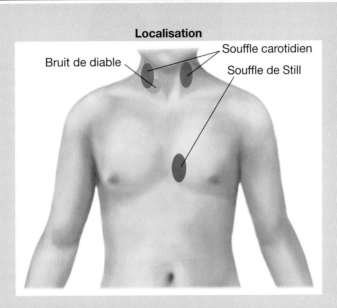

**Localisation**

Bruit de diable

Souffle carotidien

Souffle de Still

| Âge de prédilection | Dénomination | Caractéristiques | Description et localisation |
|---|---|---|---|
| Âge préscolaire et début de scolarité | *Souffle de Still* | | Grade 1-2/6, musical, vibratoire<br>Plusieurs rehaussements<br>Proto et mésosystolique<br>Partie moyenne et inférieure du bord gauche du sternum<br>Également carotidien |
| Âge préscolaire et début de scolarité | *Bruit de diable* | | Doux, creux, continu<br>Plus fort en diastole<br>Sous-claviculaire<br>Peut être supprimé par des manœuvres |
| Âge préscolaire et plus tard | *Souffle carotidien* | B1   B2   B1 | Proto et mésosystolique<br>En général plus fort à gauche<br>Supprimé par compression de la carotide |

Vous pouvez aussi détecter un *bruit de diable* chez les enfants d'âge préscolaire ou scolaire. C'est un bruit doux, creux, continu, plus fort en diastole, entendu juste en dessous de la clavicule droite. Il peut être supprimé par des manœuvres qui affectent le retour veineux, telles que le décubitus dorsal, le changement de position de la tête ou la compression de la veine jugulaire. Il a la même qualité que les bruits respiratoires et donc il est souvent méconnu.

Chez les jeunes enfants, des souffles cardiaques qui n'ont pas les caractéristiques des trois grands souffles cardiaques bénins décrits ci-dessus peuvent traduire une cardiopathie sous-jacente et doivent être complètement évalués par un cardiopédiatre.

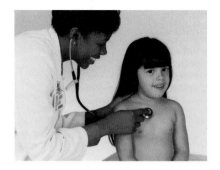 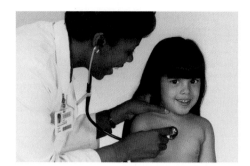

Des souffles pathologiques, traduisant une cardiopathie, peuvent n'apparaître qu'après quelques mois ou années de vie. Exemples : le rétrécissement aortique et la maladie mitrale.

Le souffle entendu dans l'aire des carotides ou juste au-dessus des clavicules est appelé *souffle carotidien*. Il est proto et mésosystolique, un peu rude. Il est en général plus fort à gauche ; il peut être isolé ou associé à un souffle de Still, comme signalé page 862. Il peut être supprimé par compression de l'artère carotide.

## Abdomen

Les grands nourrissons et les jeunes enfants ont fréquemment un abdomen proéminent, de façon encore plus nette quand ils sont debout. L'examen peut suivre l'ordre de celui de l'adulte, à cela près qu'il vous faut distraire l'enfant tout au long de l'examen.

Un abdomen très distendu peut indiquer une malabsorption due à une *maladie cœliaque*, une *mucoviscidose*, une *constipation* ou une *aérophagie*.

Le premier contact de votre main avec la paroi abdominale pour la *palpation* provoque presque toujours une sensation de chatouillement. Cette sensation disparaît dans presque tous les cas, tout particulièrement si vous distrayez l'enfant en conversant avec lui ou en plaçant votre main à la surface de l'abdomen pendant quelques instants, sans enfoncer les doigts. Chez les enfants très sensibles, qui contractent leurs muscles abdominaux, vous pouvez commencer en plaçant la main de l'enfant sous la vôtre. Par la suite, vous arriverez à enlever la main de l'enfant et à palper l'abdomen librement.

Une affection fréquente chez l'enfant, la constipation, peut parfois donner une distension abdominale. L'abdomen est souvent tympanique à la percussion, et des matières fécales sont perçues à la palpation.

Vous pouvez aussi essayer de fléchir les genoux et les hanches de l'enfant pour relâcher sa paroi abdominale, comme montré ci-après. Palpez légèrement dans toutes les zones puis profondément, en gardant la zone suspecte pour la fin.

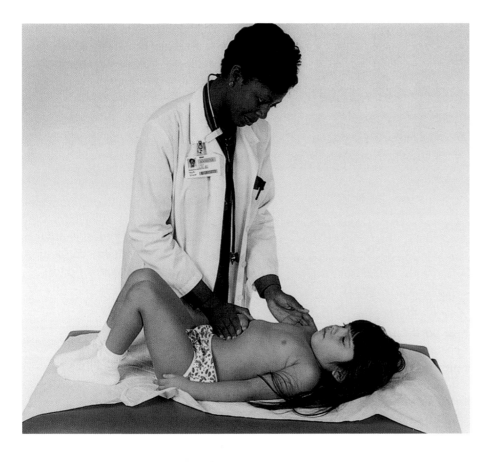

De nombreux enfants présentent des douleurs abdominales dues à une *gastro-entérite aiguë*. En dépit de la douleur, leur examen physique est relativement normal, mis à part une augmentation des bruits intestinaux à l'auscultation et une légère sensibilité à la palpation.

| Hauteur attendue du foie chez les enfants, à la percussion | | |
|---|---|---|
| **Âge en années** | **Hauteur estimée moyenne du foie (cm)** | |
| | *Garçons* | *Filles* |
| 2 | 3,5 | 3,6 |
| 3 | 4,0 | 4,0 |
| 4 | 4,4 | 4,3 |
| 5 | 4,8 | 4,5 |
| 6 | 5,1 | 4,8 |
| 8 | 5,6 | 5,1 |
| 10 | 6,1 | 5,4 |

Une conséquence de l'épidémie d'obésité infantile est que de nombreux enfants présentent une adiposité abdominale extrême. Il est difficile de bien examiner de tels enfants, mais les étapes de l'examen sont identiques à celles des enfants normaux.

Le bord inférieur du foie peut être déterminé par la *technique du grattage*, illustrée ci-après. Posez la membrane de votre stéthoscope juste au-dessus du rebord costal droit, sur la ligne médioclaviculaire. Avec l'ongle d'un doigt, grattez légèrement la peau de l'abdomen le long de la ligne médioclaviculaire, en allant de dessous l'ombilic au rebord costal. Quand le doigt qui gratte atteint le bord du foie, vous entendez une modification du bruit du grattage, qui traverse le foie pour atteindre votre stéthoscope.[38]

Chez les jeunes enfants, une hépatomégalie est inhabituelle. Elle peut être due à une mucoviscidose, une malabsorption protéique, des parasites ou des tumeurs.

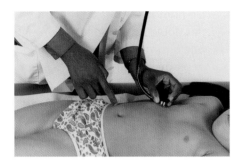
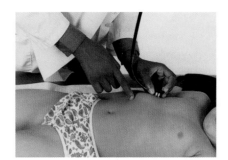

Si l'hépatomégalie s'accompagne d'une splénomégalie, il faut penser à une *hypertension portale*, une *maladie de surcharge*, une *infection chronique* ou un *processus malin*.

Une splénomégalie peut être due à diverses maladies, dont des *infections*, des *troubles hématologiques* tels qu'une *anémie hémolytique*, un *processus infiltrant*, des *maladies inflammatoires et auto-immunes*, ainsi qu'une congestion due à une *hypertension portale*.

Comme le foie, la *rate* est facilement perçue chez la plupart des enfants. Elle a également une consistance molle et un bord mince, et se projette comme une languette, en dessous du rebord costal gauche. Elle est mobilisable et déborde rarement le rebord costal de plus de 1 à 2 cm.

Palpez les *autres structures abdominales.* Vous noterez fréquemment des pulsations aortiques dans l'épigastre. Vous les percevrez plus facilement à gauche de la ligne médiane, à la palpation profonde.

La recherche d'une douleur abdominale à la palpation, chez un enfant plus âgé, ressemble à celle de l'adulte mais les causes de douleur abdominale sont souvent différentes, englobant un large spectre de maladies aiguës et chroniques. La localisation de la douleur peut vous aider à déterminer les structures abdominales probablement responsables de la douleur abdominale.

Chez un enfant qui a un abdomen aigu, comme une *appendicite aiguë*, des techniques spéciales sont utiles, comme la recherche d'une contracture, d'une douleur au rebond, d'un signe de Rovsing ou d'un signe du psoas ou de l'obturateur (voir p. 471).[39] Causes possibles : *gastro-entérite*, *constipation* et *occlusion intestinale*.

## Organes génitaux masculins

Inspectez le pénis. Sa taille, chez les enfants prépubères, a peu d'intérêt, à moins qu'il ne soit anormalement grand. Chez les garçons obèses, il peut être enfoui dans le coussinet de graisse qui recouvre la symphyse pubienne.

La *palpation* du scrotum et des testicules du jeune garçon est un art, parce que beaucoup d'enfants ont un réflexe crémastérien très vif, qui provoque la rétraction des testicules dans le canal inguinal, ce qui peut simuler une cryptorchidie. Examinez l'enfant quand il est bien détendu, puisque l'anxiété stimule le réflexe crémastérien. Avec les mains réchauffées, palpez le bas abdomen en progressant vers le scrotum le long du canal inguinal. Vous réduirez ainsi au minimum la rétraction des testicules dans le canal.

Dans la *puberté précoce*, le pénis et les testicules sont augmentés de volume, avec des signes de puberté. Les causes en sont diverses affections avec une hypersécrétion d'androgènes, y compris les *tumeurs surrénales et hypophysaires*. D'autres modifications pubertaires surviennent aussi.

Une technique utile consiste à faire asseoir l'enfant « en tailleur » sur la table d'examen, comme montré ici. Vous pouvez aussi lui donner un ballon à gonfler ou un objet à soulever pour augmenter la pression intra-abdominale. Si vous pouvez détecter le testicule dans le scrotum, c'est qu'il est « descendu », même s'il séjourne le plus souvent dans le canal inguinal.

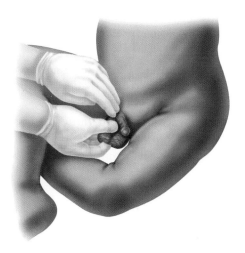

Une *cryptorchidie* peut être notée à cet âge. Elle nécessite une correction chirurgicale. Il faut la différencier d'un testicule rétractile.

Le réflexe crémastérien peut être testé en grattant la face interne de la cuisse. Le testicule du côté gratté remonte.

Un testicule douloureux nécessite un traitement rapide ; les causes fréquentes comprennent l'infection, comme l'*orchite* et l'*épididymite*, la *torsion du testicule*, ou la *torsion de l'hydatide sessile de Morgagni*.

Examinez le canal inguinal comme vous le feriez chez un adulte, en notant une éventuelle tuméfaction qui traduirait une *hernie inguinale*. Faites augmenter la pression intra-abdominale comme plus haut et notez si le bombement du canal inguinal augmente.

Les *hernies inguinales* des grands enfants se présentent comme chez l'homme adulte, avec un gonflement du canal inguinal, notamment après une manœuvre de Valsalva.

## Organes génitaux féminins

L'examen génital peut être anxiogène pour une grande fille ou une adolescente (notamment si l'examinateur est du sexe opposé), pour les parents et pour vous ; mais il doit être fait pour ne pas passer à côté d'une trouvaille significative. En fonction du stade de développement atteint par l'enfant, expliquez quelles parties du corps vous allez vérifier et que cela fait partie de l'examen systématique.

L'apparition d'une pilosité pubienne avant l'âge de 7 ans doit faire penser à une *puberté précoce* et nécessite un bilan pour en déterminer la cause.

Après les premiers mois de vie, les grandes et les petites lèvres s'aplatissent et l'hymen devient fin, translucide et vasculaire, avec des bords faciles à identifier.

Les éruptions des organes génitaux externes peuvent avoir des causes telles qu'une irritation mécanique, la transpiration, et les infections bactériennes et à *Candida*.

L'examen génital est identique à tous les âges de l'enfance, du nourrisson à l'adolescent. L'approche doit être calme et douce, assortie d'explications adaptées au développement, en cours d'examen. Une lumière vive est indispensable. La plupart des enfants peuvent être examinés sur le dos, en « position de grenouille ».

Si l'enfant semble réticente, il peut être utile de demander au parent de s'asseoir sur la table d'examen avec l'enfant ou de faire l'examen sur l'enfant assis sur les genoux du parent. N'utilisez pas d'étriers car ils peuvent effrayer l'enfant. Le schéma suivant représente une enfant de 5 ans assise sur les genoux de sa mère, qui lui écarte les cuisses.

Examinez les organes génitaux de façon efficace et systématique. Inspectez les organes génitaux externes : présence d'une pilosité pubienne, taille du clitoris, couleur et taille des grandes lèvres, présence d'éruptions, hématomes ou autres lésions.

Puis visualisez les structures en séparant les lèvres avec vos doigts gantés, comme montré ci-après à gauche. Vous pouvez aussi exercer une traction douce sur les grandes lèvres saisies entre le pouce et l'index de chaque main et les écarter pour examiner les structures internes, comme ci-après à droite. On peut noter des adhérences labiales (coalescence des petites lèvres) chez les filles prépubères, qui cachent les orifices du vagin et l'urètre. C'est une variante de la normale.

Un *écoulement vaginal* chez une petite fille peut provenir d'une *irritation périnéale* (par exemple, bains moussants, savonnages), d'un *corps étranger*, d'une *vaginite* ou d'une *maladie sexuellement transmise* (par abus sexuels).

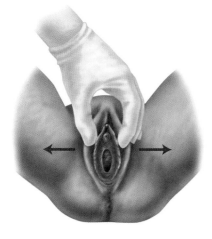

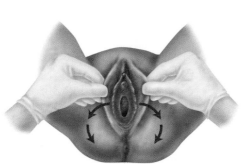

Un *saignement vaginal* est toujours inquiétant. Ses causes comprennent l'*irritation vaginale*, un *traumatisme accidentel*, un *abus sexuel*, un *corps étranger*, une *tumeur*. La *puberté précoce*, quelle qu'en soit la cause, peut provoquer des règles chez une fillette.

Un écoulement purulent, abondant, malodorant, teinté de sang, doit faire rechercher un *processus infiltrant*, un *corps étranger* ou un *traumatisme*.

Notez l'état des petites lèvres, de l'urètre, de l'hymen et du vagin proximal. Si vous n'arrivez pas à voir les bords de l'hymen, demandez à l'enfant d'inspirer profondément pour relâcher ses muscles abdominaux. Une autre technique utile consiste à l'installer en position génupectorale, comme montré à droite et ci-dessous. Ces manœuvres suffisent souvent à ouvrir l'hymen. Vous pouvez aussi utiliser des gouttes de sérum physiologique pour décoller les bords de l'hymen.

Les *abus sexuels* sont malheureusement trop fréquents dans le monde entier. Jusqu'à 25 % des femmes rapportent des antécédents d'abus sexuel ; la plupart ne comportent pas de traumatisme physique grave.

Évitez de toucher les bords de l'hymen car cette membrane est très sensible sans l'effet protecteur des hormones. Recherchez un écoulement, des adhérences labiales, des lésions, une imprégnation œstrogénique (indiquant le début de la puberté), des variations hyménéales (telles qu'une imperforation de l'hymen, qui est rare) et appréciez l'hygiène locale. Un écoulement blanchâtre, fluide (leucorrhée), est fréquent. L'examen du vagin et du col (au spéculum) n'est pas nécessaire chez la fille prépubère, sauf en cas de suspicion de traumatisme grave ou de corps étranger.

Des *éraflures* ou des signes de traumatisme des organes génitaux externes peuvent être dus à des causes bénignes, comme la masturbation, des irritants ou un traumatisme accidentel, mais ils doivent aussi faire penser à la possibilité d'un *abus sexuel*. Voir tableau 18-11 : « Signes physiques d'abus sexuel », p. 909.

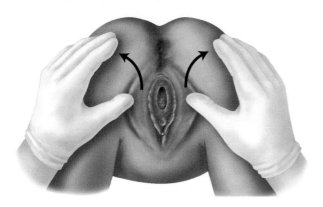

L'hymen normal des nourrissons et des jeunes enfants a beaucoup de configurations possibles, comme montré à la page suivante.

## ASPECTS NORMAUX DE L'HYMEN CHEZ LES FILLES PRÉPUBÈRES ET ADOLESCENTES

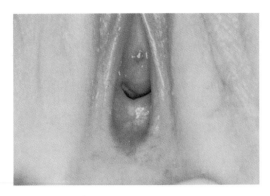

Fille de 7 ans, qui a un orifice hyménéal en forme de croissant.

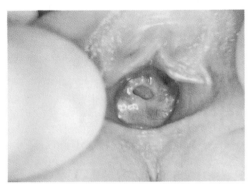

Fille de 2 ans, qui a un orifice annulaire, excentré, visible après rétraction des lèvres.

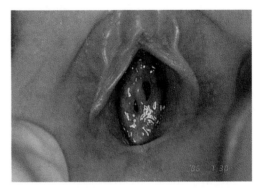

Fille de 6 ans, qui a un hymen cloisonné, avec deux orifices. Une traction est nécessaire pour visualiser les deux orifices.

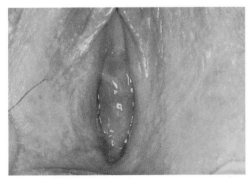

Fille de 9 ans, avec du tissu labial redondant. Une plus grande traction ou une position génupectorale révéleraient l'orifice.

Fille de 12 ans, qui a un orifice annulaire et un tissu rose, épais, du fait des modifications hormonales de la puberté.

Source des photos : Reece R, Ludwig S (eds). Child abuse : medical diagnosis and management. 2nd edition. Philadelphia : Lippincott William & Wilkins, 2001

L'examen physique peut révéler des signes évocateurs d'*abus sexuel*, et il est très important s'il y a des éléments de suspicion dans l'anamnèse. Souvenez-vous que, même en cas d'abus sexuel connu, la grande majorité des examens est sans particularité ; donc un examen génital normal n'élimine pas un abus sexuel. Les saillies, les encoches et les appendices de l'hymen peuvent être des variantes de la normale. La taille de l'orifice varie avec l'âge et la technique d'examen. Si les bords de l'hymen sont lisses, sans interruption sur leur moitié inférieure, alors l'hymen est vraisemblablement normal. Cependant, des signes physiques suggérant la possibilité d'un abus sexuel imposent une évaluation plus complète par un expert médicojudiciaire spécialisé (voir tableau 18-11 : « Signes physiques d'abus sexuel », p. 909).

## Examen du rectum

L'examen du rectum n'est pas systématique mais il doit être fait quand on soupçonne une maladie intra-abdominale, pelvienne ou périrectale.

L'examen rectal du jeune enfant peut être fait en décubitus latéral ou en position « gynécologique ». Chez nombre de jeunes enfants, la position gynécologique est moins menaçante et plus commode. Placez l'enfant en décubitus dorsal, les genoux et cuisses fléchis et les membres inférieurs en abduction. Recouvrez la moitié inférieure du corps. Rassurez fréquemment l'enfant au cours de l'examen et demandez-lui de respirer par la bouche pour se détendre. Écartez les fesses et observez l'anus. Vous pouvez utiliser votre index ganté et lubrifié, même chez les petits enfants. Palpez l'abdomen avec l'autre main, à la fois pour distraire l'enfant et pour essayer de percevoir des structures abdominales entre vos mains. La prostate n'est pas perceptible chez les jeunes garçons.

Des appendices cutanés de l'anus (ou marisques) se voient en cas de *maladie inflammatoire de l'intestin* mais aussi de façon isolée.

Chez un enfant, une douleur au toucher rectal indique en général un processus infectieux ou inflammatoire, tel qu'un *abcès* ou une *appendicite*.

## Appareil locomoteur

Chez les enfants plus âgés, les anomalies des membres supérieurs sont rares en l'absence de traumatisme.

Les grands nourrissons peuvent avoir une *pronation douloureuse du coude*, c'est-à-dire une subluxation de la tête radiale due à une traction du membre supérieur.

Le jeune enfant a normalement une concavité lombaire exagérée (hyperlordose), une convexité thoracique diminuée par rapport à l'adulte et, souvent, un abdomen proéminent.

Observez l'enfant debout et marchant pieds nus. Vous pouvez aussi lui demander de toucher ses orteils, de passer de la position assise à la position debout, de courir sur une petite distance, de ramasser des objets. Vous détecterez la plupart des anomalies en l'observant minutieusement de devant et de derrière. Pour évaluer indirectement la démarche de l'enfant, vous pouvez aussi examiner les semelles de ses chaussures afin de rechercher une usure inégale.

Chez le nourrisson, il est fréquent – et normal – d'observer des jambes arquées jusque vers l'âge de 18 mois (voir ci-dessous à gauche), et souvent, après, des genoux cagneux *(genu valgum)*. Le *genu valgum* (voir ci-dessous à droite) atteint en général un maximum vers 3-4 ans et se corrige progressivement jusqu'à l'âge de 9-10 ans.

Des jambes très arquées *(genu varum)* peuvent encore être physiologiques et se redresser spontanément. Une arcature extrême ou unilatérale peut être due à des causes telles qu'un *rachitisme* ou une *maladie de Blount*.

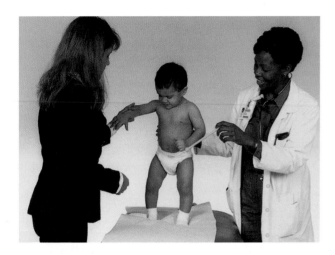
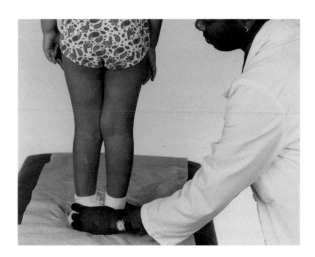

La présence d'une torsion tibiale peut être évaluée de plusieurs façons[41] ; l'une des méthodes est montrée ci-contre. Installez le nourrisson en décubitus ventral sur la table d'examen, les genoux fléchis à 90°, comme montré. Notez l'axe cuisse-pied. Normalement, il y a ± 10° de rotation interne ou externe, que le pied reflète en pointant dans une direction.

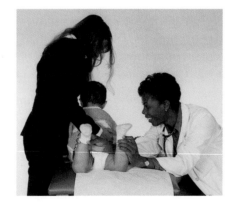

Dans l'enfance, la plus fréquente des pathologies du membre inférieur est la blessure accidentelle. Les traumatismes articulaires, fractures, entorses et luxations, et les lésions ligamentaires graves, comme les déchirures du LCA du genou, sont tous fréquents à cet âge.

Les enfants peuvent avoir les pieds *qui tournent en dedans* quand ils commencent à marcher. Cela peut augmenter jusqu'à 4 ans, puis cela disparaît progressivement jusque vers 10 ans.

Recherchez par l'inspection une *scoliose* chez tout enfant qui peut tenir debout, en utilisant les techniques décrites pour les adolescents.

Décelez un éventuel *raccourcissement d'un membre inférieur* accompagnant une affection de la hanche, en comparant la distance de l'épine iliaque antérosupérieure à la malléole interne du côté droit et du côté gauche. D'abord, étendez bien les membres inférieurs de l'enfant en tirant doucement dessus, puis comparez le niveau des malléoles internes. Faites une marque sur la saillie des malléoles et rapprochez-les pour une mesure directe.

Vous pouvez aussi demander à l'enfant de se tenir droit et, par l'arrière, placer vos mains horizontalement sur les crêtes iliaques. Vous apprécierez ainsi de petites différences de longueur des membres inférieurs. Si vous notez un écart et que vous suspectez une inégalité de longueur parce qu'une crête iliaque est plus haute que l'autre, une astuce intelligente consiste à placer un livre sous le membre le plus court pour compenser cet écart.

Recherchez une maladie des hanches avec sa faiblesse associée du moyen fessier. Observez l'enfant de derrière tandis qu'il fait passer le poids de son corps d'un pied sur l'autre. Le bassin doit rester horizontal quand le poids du corps est porté par le côté sain *(signe de Trendelenburg négatif)*.[42] Anormalement, dans une *maladie grave de la hanche*, il s'incline vers le côté sain quand le poids du corps est porté par le côté touché (signe de Trendelenburg positif).

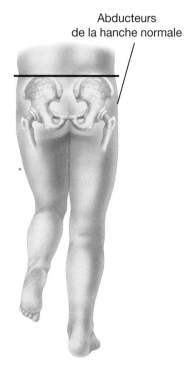
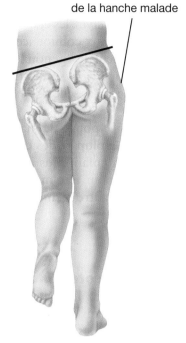

Abducteurs de la hanche normale

Abducteurs de la hanche malade

**SIGNE DE TRENDELENBURG NÉGATIF**

**SIGNE DE TRENDELENBURG POSITIF**

## Système nerveux

Après les premiers mois de vie, l'examen neurologique comprend les composantes étudiées chez l'adulte. À nouveau, vous devez combiner l'examen neurologique et l'évaluation développementale et les transformer en un jeu avec l'enfant pour apprécier le développement optimal et la performance neurologique.

Pratiquez le DDST comme montré pages 788-789. Les enfants apprécient en général ce test. Rappelez-vous que le DDST est meilleur pour détecter les retards des capacités motrices que ceux des capacités linguistiques et cognitives. De nombreux praticiens utilisent à présent des outils de développement standardisés.

*Sensibilité.* L'examen de la sensibilité peut être fait en utilisant une boule de coton ou en chatouillant l'enfant. Il est préférable de faire fermer les yeux à l'enfant. N'utilisez pas des piqûres d'épingle pour évaluer la sensibilité, si vous ne voulez pas avoir affaire à un patient opposant et mécontent !

*Démarche, force et coordination.* Observez la démarche de l'enfant pendant qu'il marche et, mieux encore, pendant qu'il court. Notez toute asymétrie, faiblesse, chute ou maladresse. Suivez les étapes de l'examen du DDST pour faire les tests appropriés, tels que la marche talon-pointe des pieds (photo page suivante), les sauts et les bonds. Utilisez un jouet pour tester la coordination et la force des membres supérieurs.

Les enfants qui ont des *diplégies spastiques* étaient souvent des petits nourrissons hypotoniques puis des grands nourrissons hypertoniques, avec spasticité, ciseaux des membres inférieurs et, parfois, poings fermés.

Chez les enfants qui ont une démarche incoordonnée, faites bien la distinction entre les *causes orthopédiques* telles que des malpositions de la hanche, du genou, ou du pied, et les *anomalies neurologiques* telles qu'une *paralysie cérébrale* (infirmité motrice cérébrale), une *ataxie*, ou une *affection neuromusculaire*.

## ÉVALUATION DE L'ADOLESCENT

### ➜ Développement : de 11 à 20 ans

L'adolescence peut être divisée en trois stades : début, adolescence proprement dite et fin (voir le tableau de la page suivante). Votre entrevue et vos techniques d'examen varieront beaucoup en fonction du niveau de développement physique, cognitif et socioémotionnel de l'adolescent.

***Développement physique.*** L'adolescence est une période de transition entre l'enfance et l'âge adulte. La transformation physique se produit en général sur quelques années, à partir de 10 ans en moyenne chez les filles et de 11 ans en moyenne chez les garçons. En général, les filles terminent leur développement pubertaire par une poussée de croissance à 14 ans et les garçons à 16 ans. L'âge de début et la durée de la puberté sont très variables, mais les stades en sont prévisibles. Les préadolescents sont préoccupés par ces modifications physiques.

***Développement cognitif.*** Bien que moins évidents, les changements cognitifs pendant l'adolescence sont aussi importants que les changements physiques. La plupart des adolescents passent d'une pensée opératoire concrète à une pensée opératoire formelle ; ils acquièrent la capacité de raisonner logiquement et abstraitement et d'envisager les répercussions futures de leurs actions actuelles. Bien que l'entrevue et l'examen ressemblent à ceux de l'adulte, gardez en tête la grande variabilité du développement cognitif des adolescents et leur capacité souvent imprévisible et encore limitée d'aller au-delà de solutions simples. La pensée morale devient complexe, avec beaucoup de temps consacré à discuter de problèmes.

***Développement social et émotionnel.*** L'adolescence est une période tumultueuse, marquée par le passage de l'influence dominante de la famille à une autonomie croissante et aux influences des camarades. La lutte pour l'identité, l'indépendance et éventuellement une vie privée provoque beaucoup de stress, des problèmes de santé et parfois des comportements à risque. Cette lutte vous donne aussi une occasion importante pour la promotion de la santé.

## Tâches de développement à l'adolescence

| Tâches | Caractéristiques | Approches en soins de santé |
|---|---|---|
| *Début de l'adolescence (10-14 ans)* | | |
| Physiques | Puberté (filles : 10-14 ans ; garçons : 11-16 ans) variable | Confidentialité, intimité |
| Cognitives | « Opératoire concret » | Insistance sur le court terme |
| Sociales | | |
| – identité | Suis-je normal ? Pairs de plus en plus importants | Rassurer et avoir une attitude positive |
| – indépendance | Ambivalence (la famille, soi-même, les pairs) | Soutien pour une autonomie croissante |
| *Adolescence proprement dite (15-16 ans)* | | |
| Physiques | Filles plus à l'aise, garçons maladroits | Soutien si le patient s'écarte de la « normale » |
| Cognitives | Transition ; beaucoup d'idées | Résolution de problèmes ; prise de décisions |
| Sociales | | |
| – identité | Qui suis-je ? Introspection, questions générales | Acceptation, sans jugement de valeur |
| – indépendance | Épreuve des limites ; « expérimentations » ; rendez-vous | Cohérence ; fixer des limites |
| *Fin de l'adolescence (17-20 ans)* | | |
| Physiques | Apparence adulte | Le minimum, sauf maladie chronique |
| Cognitives | « Opératoire formel » | Comme un adulte |
| Sociales | | |
| – identité | Rôle par rapport aux autres ; sexualité ; avenir | Encourager l'identité pour permettre la croissance |
| – indépendance | Séparation de la famille ; vers une indépendance réelle | Soutien, guidance anticipée |

# ➜ Antécédents médicaux

La clé d'un examen réussi des adolescents est un environnement confortable et confidentiel. L'examen gagne en détente et en informativité. Prenez en considération le développement social et cognitif de l'adolescent quand vous abordez des questions personnelles, familiales ou confidentielles.

Les adolescents, comme la plupart des autres personnes, répondent positivement à ceux qui leur manifestent un intérêt véritable. Il importe de montrer très tôt de l'intérêt et de maintenir le contact pour que la communication soit efficace.

Les adolescents ont plus tendance à s'épancher quand la discussion est centrée sur eux plutôt que sur leurs problèmes. Par opposition avec la plupart des autres interrogatoires, *commencez par des questions spécifiques* pour établir une relation confiante et laissez aller la conversation. Vous devrez peut-être parler plus que d'habitude, au début. Une bonne entrée en matière avec les adolescents consiste à discuter de façon informelle de leurs amis, de l'école, de leurs passe-temps favoris, de leur famille. Se taire pour essayer de faire parler les adolescents ou les interroger directement sur leurs sentiments n'est pas, en général, une bonne idée. Il est particulièrement important d'employer des phrases de résumé et de transition et d'expliquer ce que vous aller faire au cours de l'examen physique. Cet examen peut être l'occasion de faire parler les jeunes gens. Une fois que la relation est établie, revenez à des questions plus ouvertes. À ce point, demandez bien quelles sont les inquiétudes ou les questions que l'adolescent peut avoir. Étant donné que les adolescents sont souvent réticents pour poser leurs questions les plus importantes (qui portent quelquefois sur des sujets délicats), demandez si l'adolescent n'a pas d'autres questions à poser.

Rappelez-vous aussi que le comportement des adolescents dépend de leur stade de développement, qui n'est pas forcément l'âge civil ou l'âge de développement physique. Leur âge ou leur aspect physique peuvent vous faire croire, à tort, qu'ils sont plus prévoyants et réalistes qu'ils ne le sont réellement. Cela est particulièrement vrai des sujets tôt pubères, qui font plus que leur âge. L'inverse est aussi possible, notamment chez les adolescents qui ont une puberté retardée ou une maladie chronique.

Les problèmes de *confidentialité* sont importants à l'adolescence. Expliquez aux parents et aux adolescents qu'un certain degré d'indépendance et de confidentialité sont la condition de soins de qualité. Le clinicien peut demander aux parents de quitter la pièce pour une partie de l'interrogatoire dès l'âge de 10-11 ans. Cela prépare les soignants et l'enfant à de futures consultations où le patient sera seul avec le clinicien.

Avant que les parents ne quittent la pièce, obtenez d'eux toute anamnèse pertinente, par exemple certains antécédents médicaux, et clarifiez ce qu'ils attendent de la consultation. Parlez aussi de la nécessité de la confidentialité. Expliquez aux parents et aux enfants que la confidentialité a pour but d'améliorer les soins, pas de garder des secrets. Les adolescents ont besoin de savoir que leur sujet de discussion avec vous restera confidentiel. Cependant, n'offrez jamais une confidentialité illimitée. Dites toujours explicitement que vous pouvez être amené à divulguer des informations concernant la sécurité de l'adolescent. « Je ne répéterai pas à vos parents ce dont nous parlons, sauf si vous m'y autorisez ou si je suis inquiet pour votre sécurité. Par exemple, si vous me parlez de suicide et que je pense que vous risquez de passer à l'acte, je devrai en discuter avec d'autres personnes afin de vous aider. »

Le rôle du clinicien est d'aider les adolescents à exprimer leurs soucis et leurs questions à leurs parents. Encouragez les enfants à parler de problèmes délicats avec leurs parents et proposez-leur d'être présent et de les aider. Alors que les jeunes gens peuvent s'imaginer que « leurs parents les tueraient s'ils savaient », vous pouvez instaurer un dialogue plus franc. Cela passe par une appréciation soigneuse du point de vue des parents et le consentement entier et explicite de l'adolescent.

Comme chez l'enfant plus jeune, la pudeur est importante. Le patient doit rester habillé jusqu'à ce que l'examen commence et vous devez quitter la pièce pendant qu'il enfile sa blouse. La plupart des adolescents de plus de 13 ans préfèrent être examinés en dehors de la présence d'un parent mais cela dépend du niveau de développement, de la familiarité avec l'examinateur, de la relation avec le parent et des problèmes médicaux. Pour les jeunes 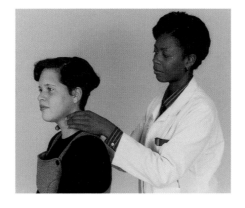 adolescents, demandez à l'adolescent et au parent leurs préférences. L'examen de l'adolescent peut être anxiogène pour le jeune clinicien mais, avec de la pratique, ces échanges seront très gratifiants pour l'adolescent et pour le clinicien.

L'ordre et le contenu de l'examen physique de l'adolescent sont similaires à ceux de l'adulte. Rappelez-vous néanmoins que l'adolescent a des problèmes qui lui sont propres, tels que la puberté, la croissance, le développement, les relations avec la famille et les pairs, la sexualité, la prise de décisions et les comportements à risque.

# → Promotion de la santé et conseils

L'AAP recommande un examen de santé systématique annuel chez les adolescents.[43] Comme les adolescents ont tendance a être vus moins fréquemment que les enfants plus jeunes en consultation médicale, vous devez inclure la promotion de la santé dans toutes les rencontres avec des jeunes. De plus, les adolescents qui présentent des problèmes chroniques ou des comportements à risque peuvent avoir besoin de consultations supplémentaires pour la promotion de la santé et la guidance anticipée.

---

## EXAMEN DE SANTÉ SYSTÉMATIQUE D'UN ADOLESCENT DE 11-18 ANS : PRINCIPAUX POINTS

### Discussion avec les parents

✔ Aborder les inquiétudes des parents.

✔ Donner des conseils.

✔ École, activités, interactions sociales.

✔ Comportements et habitudes de la jeunesse, santé mentale.

### Discussion avec l'adolescent

✔ *Développement social et émotionnel :* santé mentale, amis, famille.

✔ *Développement physique :* puberté, image de soi.

✔ *Comportements et habitudes :* nutrition, exercice physique, temps passé devant un écran de TV ou d'ordinateur, drogues/alcool.

✔ *Relations et sexualité :* rendez-vous, activité sexuelle, relations sexuelles forcées.

✔ *Fonctionnement de la famille :* relations avec les parents et les frères et sœurs.

✔ *Résultats scolaires :* activités, forces.

### Examen physique

✔ Faire un examen soigneux, incluant les mensurations (à reporter sur les courbes de croissance) et les stades de maturation sexuelle.

### Tests de dépistage

✔ Vision et audition, pression artérielle ; éventuellement hématocrite ; évaluer la santé émotionnelle et les facteurs de risque.

### Vaccinations

✔ Voir le calendrier pages 775-776.

### Guidance anticipée : ados

*Promouvoir des habitudes et des comportements sains*

✔ Prévention des accidents et des maladies : ceintures de sécurité, conduite en état d'ivresse, casque, soleil, armes.

✔ Nutrition : repas/casse-croûtes sains, prévention de l'obésité.

✔ Santé buccodentaire : dentiste, brossage des dents.

*Sexualité*

✔ Confidentialité, comportements sexuels, sexe sans risque, contraception si besoin est.

*Abus de substances*

✔ Stratégies de prévention, traitement si c'est approprié.

✔ Interaction parents-ado.

✔ Communication, règles.

*Réussite sociale*

✔ Activités, école, avenir.

*Interactions communautaires*

✔ Ressources, participation.

### Guidance anticipée : parents

Interactions positives, soutien, sécurité, fixer des limites, valeurs familiales, modeler des comportements.

---

La plupart des maladies chroniques des adultes ont leurs racines dans l'enfance ou l'adolescence. Par exemple, l'obésité, la maladie cardiovasculaire, les addictions (aux drogues, au tabac, ou à l'alcool), et la dépression sont influencées par le vécu de l'enfance et de l'adolescence, et des comportements établis durant l'adolescence. Plus précisément, la plupart des adultes obèses étaient déjà obèses à l'adolescence ou avaient un IMC élevé. Presque tous les adultes tabagiques ont commencé à fumer avant l'âge de 18 ans. Par conséquent, une composante capitale de la promotion de la santé des adolescents consiste en des discussions sur les comportements et les habitudes sains. Une promotion de la santé efficace peut aider les patients à acquérir des habitudes et des modes de vie sains et à éviter plusieurs problèmes de santé chroniques.

Étant donné que plusieurs sujets de la promotion de la santé, tels que la santé mentale, les addictions, le comportement sexuel, et les troubles de l'appétit, relèvent de la confidentialité, vous aurez besoin de parler en privé aux adolescents (notamment les plus grands) pendant la partie de la consultation qui concerne la surveillance de la santé.

# → Techniques d'examen

## Examen général et signes vitaux

*Croissance somatique.* Les adolescents doivent être pesés revêtus de leur blouse. Cela est particulièrement important chez les adolescentes qui sont évaluées pour une maigreur. Idéalement, les poids (et les tailles) successifs doivent être mesurés avec les mêmes appareils.

L'obésité et les troubles de l'appétit chez les filles adolescentes sont des problèmes de santé publique majeurs, qui justifient des pesées fréquentes.

*Constantes vitales.* Les mesures de la pression artérielle sont importantes chez les adolescents.[28] La fréquence cardiaque moyenne de 10 à 14 ans est de 85 battements/minute, avec des extrêmes à 55 et 115. Celle des sujets de 15 ans et plus est de 60 à 100 battements/minute.

Les causes d'hypertension artérielle permanente dans cette tranche d'âge comprennent l'*hypertension primaire,* les *maladies du parenchyme rénal* et les *toxicomanies.*

## Peau

Examinez soigneusement la peau des adolescents. De nombreux adolescents ont des soucis au sujet de lésions cutanées variées, telles que l'acné, des fossettes, des imperfections ou des grains de beauté.

L'acné de l'adolescence, une affection cutanée très fréquente, tend à guérir spontanément mais elle bénéficie souvent d'un traitement approprié. Elle débute au milieu ou à la fin de la puberté.

De nombreux adolescents passent un temps considérable au soleil et dans des salons de bronzage. Vous pouvez déceler cela au cours d'un interrogatoire complet ou en notant un bronzage lors de l'examen physique. C'est une bonne occasion d'avertir les adolescents des dangers d'une surexposition aux ultraviolets, de la nécessité des écrans solaires et des risques des salons de bronzage.

Des naevi bénins (grains de beauté) peuvent apparaître au cours de l'adolescence. Ils se différencient par leurs caractéristiques des naevi atypiques décrits dans le tableau 6-10, p. 186.

Conseillez aux adolescents de commencer à s'auto-examiner régulièrement la peau, comme montré pages 177-178.

## Tête, yeux, oreilles, nez, gorge et cou

D'une façon générale, l'examen de ces parties du corps est identique à celui de l'adulte.

Les méthodes utilisées pour examiner les yeux, y compris l'étude de l'acuité visuelle, sont les mêmes que celles des adultes. Les vices de réfraction devenant fréquents, il est important de tester l'acuité visuelle de chaque œil régulièrement, par exemple au cours de la consultation systématique annuelle.

La facilité et les techniques de l'examen des oreilles et de l'étude de l'audition se rapprochent de celles des adultes. Il n'y a pas d'anomalies des oreilles ni de variantes de la normale propres à cette tranche d'âge. Le terme de « surdité sélective » souvent employé par les parents désigne le choix de l'adolescent de n'entendre que ce qu'il veut bien entendre.

## Cœur

La technique et la séquence d'examen sont les mêmes que chez l'adulte. Les souffles cardiaques continuent à poser un problème d'évaluation.

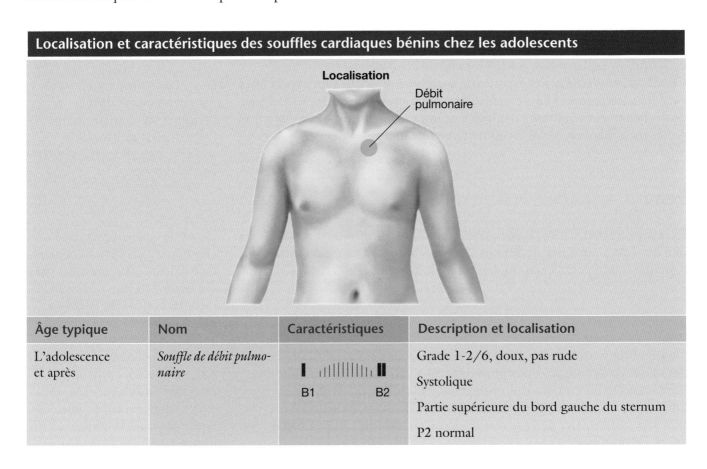

**Localisation et caractéristiques des souffles cardiaques bénins chez les adolescents**

| Âge typique | Nom | Caractéristiques | Description et localisation |
|---|---|---|---|
| L'adolescence et après | *Souffle de débit pulmonaire* | B1 — B2 | Grade 1-2/6, doux, pas rude<br>Systolique<br>Partie supérieure du bord gauche du sternum<br>P2 normal |

Le *souffle bénin de débit pulmonaire* est un souffle de grade 1-2/6, doux, pas rude, systolique, débutant après le 1er bruit du cœur et finissant avant le 2e bruit, mais sans la qualité *crescendo-decrescendo* d'un souffle éjectionnel organique. Si vous entendez un tel souffle, vérifiez que le bruit de fermeture pulmonaire a une intensité normale et que le dédoublement du 2e bruit du cœur disparaît en expiration. Un adolescent qui a un souffle pulmonaire éjectionnel bénin a des B2 d'intensité normale, normalement dédoublés.

Ce souffle de débit pulmonaire peut aussi être entendu en cas de surcharge volémique, quelle qu'en soit la raison, par exemple une anémie chronique, et après un effort. Il peut persister à l'âge adulte.

Un souffle de débit pulmonaire associé à un dédoublement fixe du 2e bruit du cœur évoque une surcharge volumique du cœur droit, comme dans une *communication interauriculaire*.

## Seins

Les changements physiques des seins d'une jeune fille sont les premiers signes de la puberté. Comme dans la plupart des changements développementaux, la maturation suit un ordre précis. En général, les seins passent par 6 stades sur une période de 4 ans : les stades de maturation sexuelle (SMS) de Tanner, ou stades de Tanner, comme montré sur la page suivante. Les bourgeons mammaires de la préadolescence se transforment en « poitrine » par augmentation de volume et modification du contour des seins et des aréoles. Ces stades s'accompagnent du développement de la pilosité pubienne et des autres caractères sexuels secondaires, comme montré pages 887-888. Les premières règles surviennent habituellement au stade mammaire 3 ou 4, alors que le pic de la poussée de croissance vient juste de passer (voir figure p. 888).

Pendant longtemps, l'âge normal de début du développement des seins se situait entre 8 et 13 ans (âge moyen de 11 ans) et la survenue du développement des seins avant 8 ans était considérée comme anormale.[45] Des études suggèrent que l'âge limite inférieur doit être fixé à 7 ans pour les filles blanches et à 6 ans pour les filles afro-américaines et hispaniques, bien que l'accord sur cet âge ne soit pas général. Chez environ 10 % des filles, les deux seins se développent à des vitesses différentes, avec comme conséquence une asymétrie des dimensions ou du stade de Tanner. Rassurez la patiente : c'est en général transitoire.

Les grandes adolescentes doivent subir un examen complet des seins et recevoir les instructions pour l'auto-examen des seins (voir p. 428). Les praticiens du sexe masculin doivent être assistés par un parent ou une infirmière.

Des masses ou des nodules dans les seins d'une adolescente doivent faire l'objet d'un examen minutieux. Ce sont en général des *adénofibromes bénins* ou des *kystes*, plus rarement des *abcès* ou des *lipomes*. Le cancer du sein est exceptionnel à l'adolescence ; il survient presque toujours dans les familles avec de lourds antécédents de cancer du sein.[44]

Chez les garçons, les seins ne comprennent qu'un petit mamelon et son aréole. Au cours de la puberté, près d'un tiers des garçons ont un bouton formé de tissu mammaire de 2 cm de diamètre ou plus, le plus souvent dans un seul sein. Les garçons obèses peuvent former plus de tissu mammaire.

De nombreux garçons adolescents développent une *gynécomastie* (hypertrophie mammaire), uni ou bilatérale. Quoiqu'en général discrète, cette hypertrophie peut être très gênante. Elle régresse en général en quelques années.

### STADES DE MATURATION SEXUELLE CHEZ LES FILLES : LES SEINS

**Stade 1**

Préadolescence. Juste une saillie du mamelon.

**Stade 2**

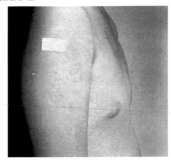

Stade du bourgeon mammaire. Surélévation du sein et du mamelon formant un petit monticule ; élargissement du diamètre aréolaire.

**Stade 3**

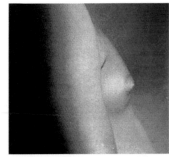

Agrandissement de la surélévation du sein et de l'aréole, sans séparation de leurs contours.

**Stade 4**

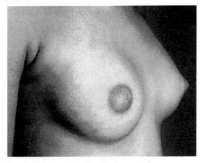

Projection de l'aréole et du mamelon, qui bombent en avant du sein.

**Stade 5**

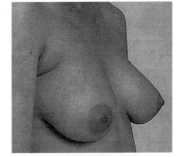

Stade mature. Projection du seul mamelon : l'aréole s'est fondue dans le contour général du sein (bien que chez certains sujets normaux, l'aréole continue à former une saillie secondaire).

Photographies utilisées avec l'autorisation de l'American Academy of Pediatrics. Assessment of Sexual Maturity Stages in Girls, 1995.

## Abdomen

Les techniques d'examen de l'abdomen sont les mêmes que chez l'adulte. La taille du foie se rapproche de celle de l'adulte au fur et à mesure que la puberté avance ; elle est en rapport avec la taille de l'adolescent. En l'absence d'études sur l'intérêt des différentes techniques d'évaluation de la taille du foie, il est évidemment possible d'utiliser les données de l'adulte, notamment chez les grands adolescents. Donc, palpez le foie. S'il n'est pas perceptible, une hépatomégalie est très improbable. Si vous palpez le bord inférieur, utilisez la percussion légère pour évaluer la hauteur du foie.

Une hépatomégalie chez un adolescent peut être due à une *infection* comme une hépatite ou une mononucléose infectieuse, à une maladie inflammatoire de l'intestin ou à des tumeurs.

# Organes génitaux masculins

L'examen génital du garçon adolescent ressemble à celui de l'homme adulte. Prêtez attention à la gêne de beaucoup de garçons concernant cette partie de l'examen.

D'importantes modifications anatomiques des organes génitaux masculins accompagnent la puberté et contribuent à en définir la progression. Le premier signe est l'accroissement sensible de la taille des testicules, habituellement entre 9 et 13 ans et demi. Ensuite, la pilosité pubienne apparaît et le pénis grandit. Le changement morphologique complet, de la préadolescence à l'âge adulte, demande environ 3 ans, avec des extrêmes allant de moins de 1 an et 8 mois à environ 5 ans.

On suspecte un *retard pubertaire* quand un garçon n'a aucun signe de développement pubertaire à 14 ans.

Attribuez un stade de maturation sexuelle aux garçons adolescents que vous examinez. Les cinq stades décrits par Tanner sont détaillés et illustrés ci-dessous.[20] Ils comprennent des changements du pénis, des testicules et du scrotum. De plus, chez environ 80 % des garçons, la pilosité pubienne remonte sur l'abdomen, en un triangle pointant vers l'ombilic. Cette phase n'est pas achevée avant 20 ans.

La cause la plus fréquente de retard pubertaire chez les garçons est le *retard constitutionnel*, qui est souvent une affection familiale avec retard d'ossification et de maturation physique mais taux hormonaux normaux.

## Stades de maturation sexuelle (SMS) chez les garçons

Pour attribuer un SMS aux garçons, étudiez chacun des trois caractères séparément car ils peuvent se développer à des rythmes différents. Cotez séparément les organes génitaux et la pilosité pubienne. Si les stades de développement du pénis et des testicules sont différents, faites la moyenne des deux pour obtenir le score génital.

| | Pilosité pubienne | Pénis | Testicules et scrotum |
|---|---|---|---|
| Stade 1 | Préadolescence : pas de pilosité pubienne sauf le duvet semblable à celui de l'abdomen | Préadolescence : taille et proportions identiques à celles de l'enfance | Préadolescence : taille et proportions semblables à celles de l'enfance |
| Stade 2 | Croissance clairsemée de grands poils légèrement pigmentés, duveteux, droits ou seulement légèrement frisés, situés pour l'essentiel à la base du pénis | Agrandissement modéré ou nul | Testicules augmentés de volume. Scrotum plus grand, un peu rougeâtre, dont la texture se modifie |
| Stade 3 | Pilosité plus sombre, plus rêche et frisée, au développement peu abondant sur la symphyse pubienne | Agrandissement surtout en longueur | Poursuite de l'agrandissement |

*(suite)*

## Stades de maturation sexuelle (SMS) chez les garçons *(suite)*

| | | Pilosité pubienne | Pénis | Testicules et scrotum |
|---|---|---|---|---|
| **Stade 4** | | Pilosité rêche et frisée, comme chez l'adulte ; elle recouvre des zones plus étendues qu'au stade 3, mais pas autant que chez l'adulte et n'intéresse pas encore les cuisses | Poursuite de l'agrandissement en longueur et en largeur avec développement du gland | Poursuite de l'agrandissement ; la peau du scrotum devient plus sombre |
| **Stade 5** | | Pilosité adulte en quantité et en qualité, s'étendant sur la région interne des cuisses mais ne remontant pas sur l'abdomen | Taille et forme de l'adulte | Taille et forme de l'adulte |

Photographies reprises de Pediatric Endocrinology and Growth, 2nd ed, Wales & Wit, 2003, avec l'autorisation d'Elsevier.

Un important principe du développement est que les changements physiques pubertaires suivent un ordre bien établi. Si les âges de début et d'achèvement sont très variables, la séquence est la même chez tous les garçons. Ce principe permet d'informer un adolescent inquiet de sa maturation actuelle et future et du déroulement de cette maturation sur une large tranche d'âge. Il permet aussi de détecter des changements physiques anormaux.

Les éjaculations nocturnes et diurnes apparaissent en général au stade 3 de maturation sexuelle. La découverte, par l'anamnèse ou l'examen physique, d'un écoulement pénien peut indiquer une *maladie sexuellement transmise.*

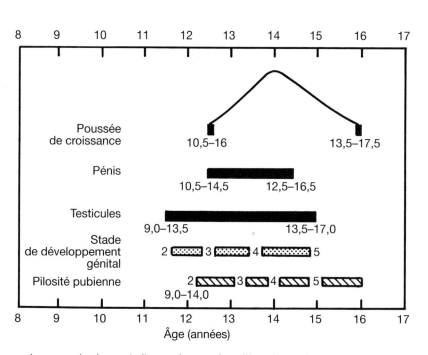

Les nombres sous les barres indiquent les tranches d'âge durant lesquelles se produisent les changements. (D'après Marshall WA, Tanner JM. Variations in the patterns of pubertal changes in boys. Arch Dis Child 45 : 22, 1970.)

# Organes génitaux féminins

L'examen externe des organes génitaux de la fille adolescente se déroule de la même manière que chez la fille d'âge scolaire. S'il faut faire un examen gynécologique chez une adolescente, la technique est identique à celle de l'adulte, y compris le toucher rectal. L'explication détaillée des étapes de l'examen, la présentation des instruments et une approche rassurante et douce sont nécessaires, parce que l'adolescente est habituellement très anxieuse. La présence d'une tierce personne (parent ou infirmière) est nécessaire. Le premier examen gynécologique d'une adolescente doit être pratiqué par un praticien expérimenté.

Les premiers signes de puberté de la fille sont des changements de l'hymen dus aux œstrogènes, un élargissement du bassin, et le début de la poussée de croissance, mais ils sont difficiles à déceler. Le premier signe de puberté facile à déceler est d'habitude l'aspect des bourgeons mammaires, quoique la pilosité pubienne apparaisse quelquefois plus tôt. L'âge moyen d'apparition de la pilosité pubienne a baissé ces dernières années, et on admet actuellement qu'il peut être normalement aussi bas que 7 ans, notamment chez les filles noires, dont les caractères sexuels secondaires apparaissent plus tôt.

Attribuez un stade de maturation sexuelle à toutes les filles, quel que soit leur âge civil. L'évaluation de la maturation sexuelle des filles repose sur la croissance de leur pilosité pubienne et le développement de leurs seins.[45] La croissance de la pilosité pubienne (stades de Tanner) est illustrée dans le tableau ci-dessous. Reportez-vous à la page 884 pour l'évaluation du développement des seins. Renseignez les filles sur cette séquence et leur SMS actuel.

Un *écoulement vaginal* chez une jeune adolescente est à traiter comme chez l'adulte. Les causes comprennent la *leucorrhée physiologique*, les *maladies sexuellement transmises* (après relations sexuelles consenties ou *viol*), la *vaginose bactérienne*, un *corps étranger*, des *irritants externes*.

Un développement pubertaire avant l'âge normal peut signifier une *puberté précoce*, qui reconnaît une variété de causes endocriniennes et neurologiques.

## STADES DE MATURATION SEXUELLE CHEZ LES FILLES : LA PILOSITÉ PUBIENNE

### Stade 1

Préadolescence : pas de pilosité pubienne sauf le duvet semblable à celui de l'abdomen.

### Stade 2        Stade 3

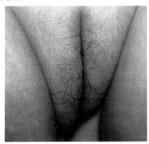     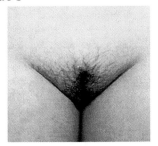

Croissance clairsemée de longs poils, légèrement pigmentés, duveteux, droits ou légèrement frisés, principalement situés le long des lèvres.

Pilosité plus sombre, plus rêche et frisée, peu abondante sur la symphyse pubienne.

*(suite)*

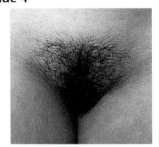

**Stade 4**

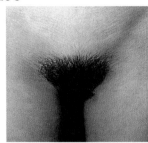

**Stade 5**

Pilosité rêche et frisée comme chez l'adulte ; elle est plus étendue qu'au stade 3, mais pas encore autant que chez l'adulte, et n'atteint pas encore les cuisses à ce stade.

Pilosité adulte en quantité et en qualité, s'étendant sur la région interne des cuisses mais ne remontant pas sur l'abdomen.

Photographies utilisées avec l'autorisation de l'American Academy of Pediatrics. Assessment of Sexual Maturity Stages in Girls, 1995.

Malgré de grandes variations des âges de début et d'achèvement de la puberté, rappelez-vous que les stades se succèdent dans un ordre prévisible, comme montré ci-après.

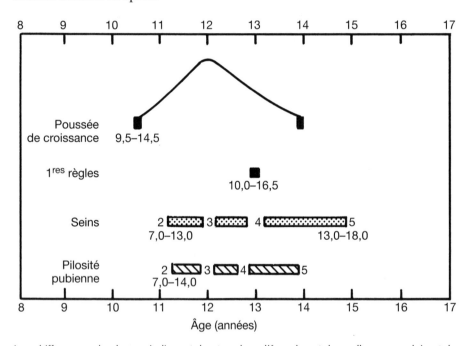

Les chiffres sous les barres indiquent les tranches d'âge durant lesquelles se produisent les changements. (D'après Marshall WA, Tanner JM. Variations in the pattern of pubertal changes in girls. Arch Dis Child 45 : 22, 1970.)

Un *retard pubertaire* et une petite taille, inférieure au 3e percentile, chez une adolescente peuvent être dus à un syndrome de Turner ou à une maladie chronique. Les deux causes les plus fréquentes de retard pubertaire chez une adolescente très maigre sont l'anorexie mentale et une maladie chronique.

# Appareil locomoteur

L'évaluation d'une scoliose et l'examen d'aptitude au sport (p. 890-891) sont des composantes fréquentes de l'examen des adolescents. Les autres parties de l'examen musculosquelettique sont identiques à celles de l'adulte.

***Évaluation d'une scoliose.*** Assurez-vous que l'enfant se penche en avant avec les genoux bien droits *(test d'Adams).* Recherchez une asymétrie de la position ou de la démarche. Chez un jeune enfant, une scoliose est inhabituelle et anormale ; chez un enfant plus âgé, une légère scoliose n'est pas rare.

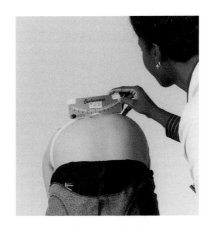

Si vous détectez une scoliose, vous pouvez utiliser un *scoliosomètre* pour mesurer son degré. L'enfant étant debout, recherchez une asymétrie des omoplates ou des plis fessiers. L'enfant étant penché en avant, comme dit plus haut, recherchez la saillie des arcs postérieurs des côtes. Placez le scoliosomètre sur le rachis au point le plus saillant, en vous assurant que le rachis est parallèle au sol à cet endroit, comme montré ci-dessus. L'enfant doit être bien penché en avant pour évaluer une scoliose lombaire et un peu moins pour évaluer une scoliose thoracique.

Plusieurs types de scoliose peuvent se manifester pendant l'enfance. La scoliose idiopathique (75 % des cas), qui touche surtout les filles, est en général détectée au début de l'adolescence.

Vous pouvez aussi utiliser un *fil à plomb,* c'est-à-dire une ficelle avec un poids au bout, pour apprécier la symétrie du dos. Placez le sommet du fil à plomb au niveau de C7 et demandez à l'enfant de se tenir droit. Le fil à plomb doit tomber dans le sillon interfessier (non montré ici).

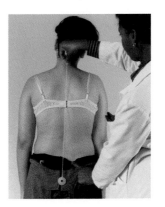

Une attitude scoliotique peut être due à une *inégalité de longueur des membres inférieurs* (voir p. 872).

***Examen musculosquelettique d'aptitude au sport.*** De très nombreux enfants et adolescents – plus de 25 millions aux États-Unis – participent à des activités sportives organisées ; ils ont souvent besoin d'une « autorisation médicale ». Commencez l'examen par une anamnèse complète, centrée sur les facteurs de risque cardiovasculaire, les interventions chirurgicales et blessures antérieures, les autres problèmes médicaux et les antécédents familiaux. L'examen d'aptitude physique est souvent la seule occasion pour un adolescent de rencontrer un médecin ; c'est pourquoi, il faut y inclure quelques questions de dépistage et une guidance anticipée (voir la discussion dans « Promotion de la santé et conseils »). Faites un examen physique général, portant notamment sur le cœur et les poumons, ainsi que sur la vision et l'audition. Incluez un examen complet de l'appareil locomoteur, recherchant une faiblesse musculaire, une limitation des mouvements, les signes d'un ancien traumatisme.

Parmi les facteurs de risque de mort subite cardiovasculaire au cours du sport, on trouve les épisodes d'*étourdissements* ou de *palpitations*, un *antécédent de syncope* (particulièrement à l'effort), des cas familiaux de *mort subite* chez des parents jeunes ou d'âge moyen.

Au cours de l'examen d'aptitude physique au sport, recherchez soigneusement des *souffles cardiaques* et des *sifflements* dans les poumons.

Un examen d'aptitude musculosquelettique de 2 minutes a été recommandé.[46, 47] Il est présenté ci-après dans une version illustrée.

## Examen d'aptitude au sport de l'appareil locomoteur

| Position et instructions aux patients | | Anomalies fréquentes dues à un traumatisme ancien |
|---|---|---|

**Étape 1 :** Tenez-vous droit, en face de moi

**Étape 2 :** Bougez le cou dans toutes les directions

**Étape 1 :** Asymétrie, gonflement des articulations

**Étape 2 :** Perte de mobilité

**Étape 3 :** Haussez les épaules tandis que je les retiens

**Étape 4 :** Maintenez les bras écartés tandis que j'appuie dessus

**Étape 3 :** Faiblesse des épaules, du cou ou des trapèzes

**Étape 4 :** Manque de force du deltoïde

**Étape 5 :** Tenez les bras écartés, coudes fléchis à 90°, soulevez et abaissez les membres supérieurs

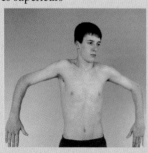

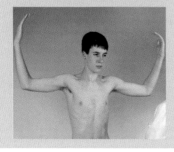

**Étape 6 :** Tenez les bras écartés ; fléchissez au maximum puis étendez les coudes

**Étape 5 :** Perte de la rotation externe et lésion de l'articulation glénohumérale

**Étape 6 :** Diminution de l'amplitude des mouvements du coude

*(suite)*

## Examen d'aptitude au sport de l'appareil locomoteur *(suite)*

| Position et instructions aux patients | | Anomalies fréquentes dues à un traumatisme ancien |
|---|---|---|

**Étape 7 :** Placez les bras le long du corps, fléchissez les coudes à 90°, et faites des mouvements de pronosupination des avant-bras

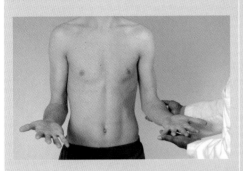

**Étape 8 :** Fermez le poing, serrez-le puis étendez les doigts

**Étape 7 :** Limitation de la mobilité due à un traumatisme de l'avant-bras, du coude ou du poignet

**Étape 8 :** Articulations des doigts proéminentes, diminution de la motilité des doigts du fait d'une entorse ou d'une fracture ancienne

**Étape 9 :** Accroupissez-vous et faites quatre pas de canard vers moi

**Étape 10 :** Tenez-vous debout droit, les bras le long du corps, en me tournant le dos

**Étape 9 :** Incapacité de fléchir complètement les genoux et difficulté à se relever du fait d'un traumatisme ancien du genou ou de la cheville

**Étape 10 :** Asymétrie due à une scoliose, une inégalité de longueur des membres inférieurs, ou une faiblesse post-traumatique

**Étape 11 :** Penchez-vous en avant, les genoux non fléchis, et touchez vos orteils

**Étape 12 :** Tenez-vous debout sur les talons et mettez-vous sur la pointe des pieds

**Étape 11 :** Asymétrie due à une scoliose et torsion du dos due à une lombalgie

**Étape 12 :** Faiblesse des muscles du mollet, due à un traumatisme de la cheville ou du tendon d'Achille

## Système nerveux

L'examen neurologique de l'adolescent est identique à celui de l'adulte. Ici encore, il est important d'évaluer le niveau de développement atteint par l'adolescent, d'après les repères décrits pages 876-877.

# CONSIGNER VOS OBSERVATIONS

Notez qu'au début, vous pouvez faire des phrases pour décrire vos constatations. Plus tard vous utiliserez des phrases courtes. Le style ci-dessous emploie des phrases convenant à la plupart des rapports écrits. En lisant ce compte rendu, vous remarquerez quelques trouvailles anormales. Testez-vous. Voyez si vous arrivez à interpréter ces trouvailles avec ce que vous avez appris sur l'examen des enfants. Vous noterez également les modifications nécessaires pour tenir compte de ce que disent les parents d'un petit enfant.

---

**Consigner votre examen : le patient pédiatrique**

1/2/2009

Brice est un enfant de 26 mois actif et turbulent, amené par sa mère qui s'inquiète de son développement et de son comportement.

*Correspondant :* aucun.

*Source et fiabilité :* la mère (maman).

**Motif de consultation :** développement lent et comportement difficile.

**Maladie actuelle :** Brice semble se développer plus lentement que sa sœur aînée. Il ne s'exprime que par mots isolés ou phrases simples, associe rarement des mots et semble frustré de ne pas arriver à communiquer. On comprend environ 25 % de son discours. Son développement physique semble normal ; il sait lancer une balle, donner des coups de pied, gribouiller et s'habiller seul. Il n'a pas eu de traumatisme crânien, de maladie chronique, de convulsions ou de régression psychomotrice.

Maman s'inquiète aussi de son comportement. Brice est très têtu, fait souvent des caprices, se met facilement en colère (notamment avec sa sœur aînée), jette les objets, mord et tape les autres quand il n'arrive pas à ses fins. Son comportement semble pire auprès de sa mère, alors qu'il est considéré comme « agréable » à la crèche. Il passe d'une activité à l'autre, il est incapable de rester tranquillement assis pour lire ou jouer à un jeu.

C'est un grand grignoteur qui ingurgite beaucoup de nourriture industrielle et peu d'autres choses. Il ne mange ni fruits ni légumes et boit beaucoup de jus de fruits et de boissons gazeuses. Sa mère a tout essayé pour qu'il se nourrisse sainement, en vain.

La famille a subi un stress important l'année passée à cause du chômage du père de Brice. Bien que Brice bénéficie d'une couverture sociale, ses parents ne sont pas assurés.

*Médicaments :* polyvitamines, une fois par jour.

*(suite)*

---

### Antécédents médicaux

*Grossesse.* Sans incident. Maman a diminué sa consommation de tabac à un demi-paquet de cigarettes par jour et elle a bu un verre d'alcool par-ci par-là. Elle dit ne pas avoir pris d'autres drogues ni eu d'infection.

*Période néonatale.* Accouchement par voie basse à 40 semaines ; sortie de l'hôpital au bout de 48 heures. Poids de naissance (PN) = 2,5 kg. Maman ne sait pas pourquoi Brice avait un petit PN.

*Maladies.* Uniquement des maladies mineures ; pas d'hospitalisation.

*Accidents.* Suture l'année dernière pour une plaie de la face secondaire à une chute sur le chemin.

*Soins préventifs.* Brice a eu les examens systématiques normaux. La dernière fois, il y a 6 mois, son médecin traitant a dit qu'il avait un peu de retard et a suggéré de le mettre en crèche et de consacrer plus de temps à lui parler, à jouer avec lui et à le stimuler. Les vaccinations sont à jour. La plombémie était un peu élevée l'année dernière ; il a une anémie d'après sa mère. Son médecin lui a conseillé un traitement martial et des aliments riches en fer, mais Brice ne veut pas manger ces aliments.

### Antécédents familiaux

Nombreux cas familiaux de diabète (les deux grands-parents, mais aucun n'avait eu de diabète dans l'enfance) et d'hypertension artérielle. Pas de maladie chronique, psychiatrique ni développementale infantile.

*Développement psychomoteur.* A tenu assis à 6 mois, a rampé à 9 mois et a marché à 13 mois. Premiers mots (« maman » et « voiture ») prononcés vers 1 an.

*Antécédents psychosociaux.* Les parents sont mariés et vivent dans une location avec les deux enfants. Le père n'a pas d'emploi stable depuis 1 an ; il travaille de façon intermittente dans le bâtiment. La mère travaille comme serveuse à mi-temps pendant que Brice est en crèche.

Maman a fait une dépression pendant la première année de vie de Brice ; elle a assisté à des séances de soutien mais a arrêté faute d'argent pour les payer, ainsi que les médicaments. Elle est aidée par sa mère qui habite à 30 minutes d'elle et par de nombreux amis, qui gardent parfois le bébé.

Malgré le stress familial, elle décrit une famille unie et aimante. Ils essayent de dîner ensemble chaque jour, regardent peu la télévision, font des lectures aux enfants (quoique Brice ne tienne pas en place), et vont régulièrement au jardin public le plus proche pour les faire jouer.

*Risques environnementaux.* Les deux parents fument, mais le plus souvent en dehors de la maison.

*Sécurité.* Maman signale un souci majeur : dès qu'elle quitte Brice des yeux, il fait une bêtise. Elle a peur qu'il se fasse écraser par une automobile. La famille envisage de clôturer le petit jardin. Brice est installé dans son siège automobile la plupart du temps ; les détecteurs de fumée fonctionnent à la maison. Les armes de papa sont sous clé et les médicaments dans une armoire dans la chambre des parents.

### Revue des appareils

*Examen général.* Pas de maladie importante.

*Peau.* Sèche et prurigineuse. On lui a prescrit de l'hydrocortisone pour cela, l'année dernière.

*(suite)*

*Tête, yeux, oreilles, nez et gorge (TYONG).* *Tête :* pas de traumatisme. *Yeux :* bonne vision. *Oreilles :* plusieurs infections l'année dernière. Souvent, ne répond pas aux demandes de ses parents ; ceux-ci ne peuvent pas dire si c'est intentionnel. *Nez :* coule souvent. Maman se demande s'il ne s'agit pas d'allergies. *Bouche :* pas de visite au dentiste. Se brosse parfois les dents (c'est une cause fréquente de dispute).

*Cou.* Pas de grosseur. Les ganglions cervicaux semblent volumineux.

*Poumons.* Toux et sifflements fréquents. Maman ne peut dire ce qui les déclenche ; ils semblent s'espacer. Il peut courir toute la journée sans paraître se fatiguer.

*Cœur et vaisseaux.* Pas de cardiopathie connue. Il a eu un souffle cardiaque quand il était plus petit mais ce souffle a disparu.

*Tube digestif.* Appétit et habitudes alimentaires décrits ci-dessus. Selles régulières. Il apprend la propreté et met des couches la nuit mais pas à la crèche.

*Appareil urinaire.* Bon jet. Pas d'antécédents d'infection urinaire.

*Appareil génital.* Normal.

*Appareil locomoteur.* C'est un « vrai garçon », qui n'est jamais fatigué. Quelques petites bosses et petits hématomes à l'occasion.

*SNC.* Marche et court bien ; est coordonné pour son âge. Pas de raideur, de convulsions ni de pertes de connaissance. Maman dit qu'il a une bonne mémoire mais manque terriblement d'attention.

*Psychisme.* Semble en général heureux ; pleure facilement. Se débat pour s'échapper et rechercher des câlins et du réconfort.

### Examen physique

Brice est un petit enfant potelé, actif et énergique. Il joue avec le marteau à réflexes, comme si c'était un camion. Il semble très attaché à sa mère, la regardant de temps à autre pour se rassurer. Elle semble avoir peur qu'il casse quelque chose. Ses vêtements sont propres.

*Constantes vitales.* Taille = 90 cm ($90^e$ percentile). Poids = 16 kg (> $95^e$ percentile). IMC = 19,8 (> $95^e$ percentile). Périmètre crânien = 50 cm ($75^e$ percentile). PA = 108/58 mmHg. FC = 90/min. RC régulier. FR = 30/min, varie avec l'activité. Température (oreille) = 37,5 °C. Pas de douleur évidente.

*Peau.* RAS en dehors des hématomes des membres inférieurs et des plaques de peau sèche sur les coudes.

*TYONG.* *Tête :* morphologie normale ; pas de lésions. *Yeux :* difficiles à examiner car il ne tient pas en place. Symétriques, avec une motricité oculaire extrinsèque normale. Pupilles de 4 à 5 mm, réagissant à la lumière. Papilles optiques difficiles à visualiser ; pas d'hémorragies visibles. *Oreilles :* pavillons normaux ; pas d'anomalies externes. Conduits auditifs externes et tympans normaux. *Nez :* narines normales ; cloison médiane. *Bouche :* plusieurs zones foncées sur la face postérieure des incisives supérieures ; une cavité nette sur une incisive supérieure droite. Langue normale. Aspect mamelonné du pharynx postérieur ; pas d'exsudats. Grosses amygdales mais bien séparées (écart de 1,5 cm).

*Cou.* Souple, trachée médiane, thyroïde non palpable.

*(suite)*

*Ganglions lymphatiques.* Ganglions amygdaliens faciles à palper (1,5 à 2 cm) des 2 côtés. Petits ganglions inguinaux (0,5 cm) bilatéraux. Tous les ganglions sont mobiles et indolores.

*Poumons.* Bonne expansion. Ni tachypnée ni dyspnée. Bruits respiratoires mais provenant plutôt des voies aériennes supérieures (plus forts près de la bouche et symétriques). Pas de ronchi, de râles ni de sifflements. Auscultation libre.

*Cœur et vaisseaux.* Choc de la pointe au 4-5ᵉ espace intercostal gauche et sur la ligne médiosternale. B1 et B2 normaux. Pas de souffles ni de bruits cardiaques anormaux. Pouls fémoraux normaux ; pouls pédieux palpables des deux côtés.

*Seins.* Normaux, avec un peu de graisse dessous.

*Abdomen.* Proéminent mais souple ; pas de masse ni de douleur provoquée. Débord hépatique de 2 cm ; pas de douleur. Rate et reins non palpables.

*Organes génitaux.* Pénis circoncis au stade 1 de Tanner ; pas de pilosité pubienne, de lésions, d'écoulement. Les testicules sont descendus mais difficiles à palper à cause d'un réflexe crémastérien vif. Bourses normales des deux côtés.

*Appareil locomoteur.* Motilité normale des 4 membres et de toutes les articulations. Rachis rectiligne. Démarche normale.

*Système nerveux. État mental :* enfant joyeux et coopératif. *Développement (DDST)* - Motricité globale : bondit et lance les objets. Motricité fine : imite un trait vertical. Langage : n'associe pas les mots ; juste des mots isolés, à trois ou quatre reprises pendant l'examen. Psychosocial : se lave le visage, se brosse les dents, enfile sa chemise. Globalement : normal, sauf pour le langage, qui semble retardé. *Nerfs crâniens :* RAS, malgré les difficultés d'examen. *Cervelet :* démarche normale, bon équilibre. *Réflexes ostéotendineux :* normaux et symétriques. *Sensibilité :* pas étudiée.

# Bibliographie

## RÉFÉRENCES

1. Levine MD, Carey WB, Crocker AC. Developmental–Behavioral Pediatrics, 3rd ed. Philadelphia: WB Saunders, 2002.

2. American Academy of Pediatrics. Guidelines for Health Supervision III, revised ed. Elk Grove Village, IL: Author, 2002.

3. American Academy of Pediatrics. Bright Futures. Available at: http://brightfutures.aap.org/web/aboutBrightFutures.asp. Accessed February 19, 2008.

4. American Medical Association. Guidelines for Adolescent Preventive Services (GAPS). Available at: http://www.ama-assn.org/ama/upload/mm/39/gapsmono.pdf. Accessed February 19, 2008.

5. United States Department of Health and Human Services. U.S. Preventive Services Task Force (USPSTF). Available at: http://www.ahrq.gov/clinic/uspstfix.htm. Accessed February 19, 2008.

6. Centers for Disease Control and Prevention. Recommendations and Guidelines: 2008 Child & Adolescent Immunization Schedules. Available at: http://www.cdc.gov/vaccines/recs/schedules/child-schedule.htm. Accessed February 19, 2008.

7. American Academy of Pediatrics Committee on Infectious Diseases. Recommended Immunization Schedules for Children and Adolescents—United States, 2007. Pediatrics 119(1):207–208, 2007.

8. AHRA Guide to Clinical Preventive Services. Available at: http://www.ahra.gov/clinic/cps3dix.htm. Accessed July 10, 2008.

9. American Academy of Pediatrics and American College of Obstetricians and Gynecologists. Guidelines for Perinatal Care, 4th ed. Washington, DC: American Academy of Pediatrics, 1997.

10. Fuloria M, Kreiter S. The newborn examination: part 1. Emergencies and common abnormalities involving the skin, head, neck, chest, and respiratory and cardiovascular system. Am Fam Phys 65(1):61–68.

11. Ballard JL, Khoury JC, Wedig K. Ballard scoring system for determining gestational age in weeks. J Pediatr 119:417, 1991.

12. Brazelton TB. Working with families: opportunities for early intervention. Pediatr Clin North Am 42(1):1–9, 1995.

13. Johnson CP, Blasco PA. Infant growth and development. Pediatr Rev 18(7):224–242, 1997.

14. Colson ER, Dworkin PH. Toddler development. Pediatr Rev 18(8):255–259, 1997.

15. Copelan J. Normal speech and development. Pediatr Rev 18:91–100, 1995.

16. Fong CT. Clinical diagnosis of genetic diseases. Pediatr Ann 22(5):277–281, 1993.

17. Hyvarinen L. Assessment of visually impaired infants. Ophthalm Clin North Am 7:219, 1994.

18. Lees MH. Cyanosis of the newborn infant: recognition and clinical evaluation. J Pediatr 77:484, 1970.

19. Gessner IH. What makes a heart murmur innocent? Pediatr Ann 26(2):82–84, 87–88, 90–91, 1997.

20. Callahan CW Jr, Alpert B. Simultaneous percussion auscultation technique for the determination of liver span. Arch Pediatr Adolesc Med 148(8):873–875, 1994.

21. Reiff MI, Osborn LM. Clinical estimation of liver size in newborn infants. Pediatrics 71:46–48, 1983.

22. Burger BJ, Burger JD, Bos CF, et al. Neonatal screening and staggered early treatment for congenital dislocation or dysplasia of the hip. Lancet 336(8730):1549–1553, 1990.

23. Zafeiriou DI. Primitive reflexes and postural reactions in the neurodevelopmental examination. Pediatr Neurol 31(1):1–8, 2004.

24. Schott JM, Rossor MN. The grasp and other primitive reflexes. J Neurol Neurosurg Psychiatry 74(5):558–560, 2003.

25. Luiz DM, Foxcroft CD, Stewart R. The construct validity of the Griffiths Scales of Mental Development. Child Care Health Dev 27:73–83, 2001.

26. Newacheck PW, Strickland B, Shonkoff JP, et al. An epidemiologic profile of children with special health care needs. Pediatrics 102:117–123, 1998.

27. Ogden CL, Carroll MD, Curtin LR, et al. Prevalence of overweight and obesity in the United States, 1999–2004. JAMA 295:1549–1555, 2006.

28. National High Blood Pressure Education Program Working Group on High Blood Pressure in Children and Adolescents. The Fourth Report on the Diagnosis, Evaluation, and Treatment of High Blood Pressure in Children and Adolescents. Pediatrics 114:555–576, 2004.

29. Shamis, DI. Collecting the "facts": vision assessment techniques: perils and pitfalls. Am Orthop J 46:7, 1996.

30. Rothman R, Owens T, Simel DL. Does this child have acute otitis media? JAMA 290:1633–1640, 2003.

31. Blomgren K, Pitkaranta A. Current challenges in diagnosis of acute otitis media. Intl J Ped Otorhinolaryn 69(3):295–299, 2005.

32. Pirozzo S, Papinczak T, Glasziou P. Whispered voice test for screening for hearing impairment in adults and children: systematic review. BMJ 327(7421):967, 2003.

33. Wolf G, Anderhuber W, Kuhn F. Development of the paranasal sinuses in children: implications for paranasal sinus surgery. Ann Otol Rhinol Laryngol 102(9):705–711, 1993.

34. Selwitz RH, Ismail AI, Pitts NB. Dental caries. Lancet 369(9555):51–59, 2007.

35. Lunt RC, Law DB. A review of the chronology of eruption of deciduous teeth. J Am Dent Assoc 89:872, 1974.

36. Ebell MH, Smith MA, Barry HC, et al. Does this patient have strep throat? JAMA 284:2912–2918, 2000.

37. Centers for Disease Control and Prevention. National Surveillance for Asthma—United States, 1980–2004. MMWR Morb Mortal Wkly Rep 56:1–60, 2007.

38. Tucker WN, Saab S, Leland SR, et al. The scratch test is unreliable for determining the liver edge. J Clin Gastroenterol 25:410–414, 1997.

39. Ashcraft KW. Consultation with the specialist: acute abdominal pain. Pediatr Rev 21:363–367, 2000.

40. Hymel KP, Jenny C. Child sexual abuse. Pediatr Rev 17(7):236–249; quiz, 249–250, 1996.

41. Scherl S. Common lower extremity problems in children. Pediatr Rev 25:43–75, 2004.

42. Bruce RW. Torsional and angular deformities. Pediatr Clin North Am 43:867–881, 1996.

43. Elster AB, Kuznets MJ. AMA Guidelines for Adolescent Preventive Services (GAPS): Recommendations and Rationale. Baltimore, MD: Williams & Wilkins, 1993.

44. ACOG Committee. Opinion no. 350, November 2006: Breast concerns in the adolescent. Obstet Gynecol 108(5):1329–1336, 2006.

45. Herman-Giddens ME, Slora EJ, Wasserman RC, et al. Secondary sexual characteristics and menses in young girls seen in office practice: a study from the Pediatric Research in Office Settings Network. Pediatrics 99(4): 505–512, 1997.

46. Metzl JD. Preparticipation examination of the adolescent athlete: part 1. Pediatr Rev 22(6):119–204, 2001.

47. Metzl JD. Preparticipation examination of the adolescent athlete: part 2. Pediatr Rev 22(7):227–239, 2001.

## AUTRES LECTURES

American Academy of Pediatrics. Bright Futures: Guidelines for Health Supervision of Infants, Children, and Adolescents, 3rd ed. Elk Grove Village, IL: American Academy of Pediatrics, 2008.

Bergen D. Human Development: Traditional and Contemporary Theories. Upper Saddle River, NJ: Pearson/Prentice Hall, 2008.

# BIBLIOGRAPHIE

Burns CE, Dunn AM, Brady MA, et al. Pediatric Primary Care: A Handbook for Nurse Practitioners, 3rd ed. St. Louis: Saunders, 2004.

Colyar MR. Well-child Assessment for Primary Care Providers. Philadelphia: FA Davis, 2003.

Cote P, Kreitz BG, Cassidy JD, et al. A study of the diagnostic accuracy and reliability of the scoliometer and Adam's forward bend test. Spine 23:796–802; discussion, 803, 1998.

Dixon SD, Stein MT. Encounters with children: pediatric behavior and development, 4th ed. Philadelphia: Mosby, 2006.

Dubowitz LMS, Dubowitz V, Mercuri E. The neurological assessment of the preterm and full-term newborn infant, 2nd ed. Clinics in Developmental Medicine, no. 148. London: Cambridge University Press, 1999:1–155.

Emans SJ, Laufer MR, Goldstein DP. Pediatric and Adolescent Gynecology, 5th ed. Philadelphia: Lippincott Williams & Wilkins, 2004.

Fenichel G. Clinical Pediatric Neurology: A Signs and Symptoms Approach, 5th ed. Philadelphia: Saunders, 2005.

Fuloria M, Kreiter S. The newborn examination: Part 2. Emergencies and common abnormalities involving the abdomen, pelvis, extremities, genitalia, and spine. Am Fam Phys 65(2):265–270, 2002.

Korovessis PG, Stamatakis MV. Prediction of scoliotic Cobb angle with the use of the scoliometer. Spine 21:1661–1666, 1996.

Naylor CD. The rational clinical examination: physical examination of the liver. JAMA 271:1859–1865, 1994.

Neinstein LS. Adolescent Health Care: A Practical Guide, 4th ed. Philadelphia: Lippincott Williams & Wilkins, 2002.

Sass P, Hassan G. Lower extremity abnormalities in children. Am Fam Phys 68:661–668, 2003.

Stellwagen L, Boies E. Care of the well newborn. Pediatr Rev 27(3):89–98, 2006.

Swaiman KF, Ashwal S, Ferriero DM. Neurologic examination of the term and preterm infant. In: Pediatric Neurology: Principles & Practice, 4th ed. Philadelphia: Mosby Elsevier, 2006:47–64.

Viviani GR, Budgell L, Dok C, et al. Assessment of accuracy of the scoliosis school screening examination. Am J Public Health 74:497–498, 1984.

Wallace GB, Newton RW. Gowers' sign revisited. Arch Dis Child 64:1317–1319, 1989.

Zitelli BJ, Davis HW. Atlas of Pediatric Physical Diagnosis, 4th ed. St. Louis: Mosby, 2002.

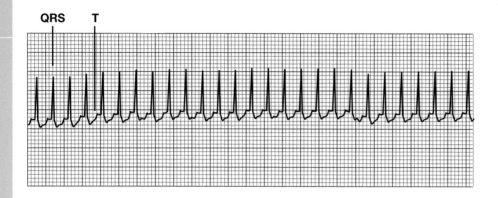

### Tachycardie supraventriculaire

La tachycardie supraventriculaire paroxystique (TSV) est le trouble du rythme cardiaque le plus fréquent chez l'enfant. Certains nourrissons ayant une TSV semblent aller très bien ou sont un peu pâles et tachypnéiques mais ils ont une fréquence cardiaque ≥ 240 battements/minute. D'autres sont très malades et en collapsus cardiovasculaire.

La TSV des petits nourrissons est durable, en règle générale, et nécessite un traitement pour être réduite. Chez les enfants plus âgés, elle est très probablement paroxystique, avec des accès de durée et de fréquence variables.

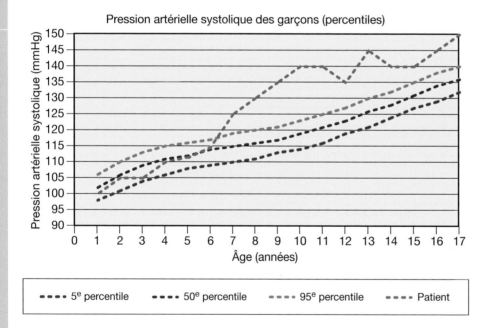

### Hypertension artérielle chez l'enfant : un exemple typique[28]

L'hypertension artérielle peut débuter dans l'enfance. Alors que l'hypertension chez les jeunes enfants est plus probablement de cause rénale, cardiaque ou endocrinienne, les adolescents hypertendus ont, en règle générale, une hypertension primaire ou essentielle.

Ce sujet a développé une hypertension dans l'enfance, qui a persisté à l'âge adulte. La PA des enfants a tendance à rester dans le même « couloir » en grandissant. Cette tendance perdure à l'âge adulte, ce qui étaye l'idée que l'hypertension essentielle de l'adulte débute souvent dans l'enfance.

Les conséquences d'une hypertension artérielle non traitée peuvent être graves.

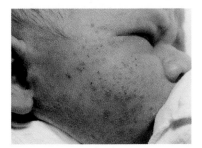

*Érythème toxiallergique*
Ces petites pustules jaunes ou blanches reposent sur une base rouge.

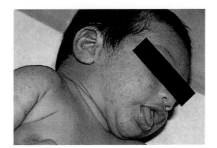

*Acné néonatale*
Des pustules et des papules rouges qui prédominent sur les joues et le nez de certains nouveau-nés normaux.

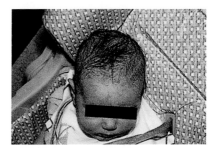

*Dermatite séborrhéique*
Les lésions érythématosquameuses intéressent souvent le visage, le cou, les aisselles, le siège et les régions rétro-auriculaires.

## Tronc et membres

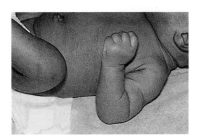
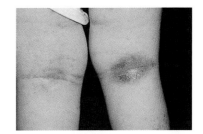

*Dermatite atopique (eczéma constitutionnel)*
Cette affection se caractérise par un érythème, une desquamation, une sécheresse cutanée et un prurit intense.

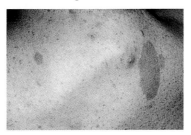
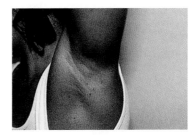

*Maladie de von Recklinghausen (neurofibromatose)*
Les signes caractéristiques comprennent plus de 5 taches café au lait et un lentigo axillaire, montrés ci-dessus. Plus tard apparaissent des neurofibromes et des nodules de Lish (non montrés).

## Siège (zone des couches)

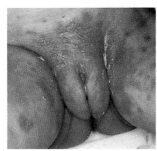
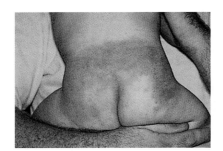
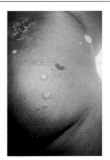

*Candidose du siège*
Cette éruption rouge vif intéresse les plis ; il y a aussi des lésions un peu à distance des bords de l'intertrigo (lésions satellites).

*Érythème fessier*
Cette éruption irritative est due à une diarrhée ou à une autre irritation. Elle siège sur les zones de contact (ici la zone de contact des couches).

*Impétigo*
Cette infection est due à des bactéries, et peut se présenter sous forme de bulles ou de croûtes colorées en jaune par du pus.

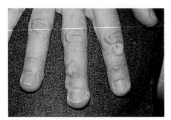

*Verrue vulgaire*
Verrues sèches, rugueuses, sur les mains.

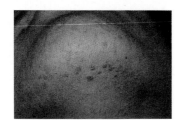

*Verrue plane*
Petites verrues planes.

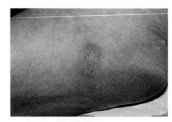

*Verrue plantaire*
Verrues douloureuses sur les pieds.

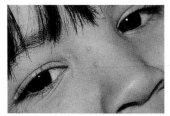

*Molluscum contagiosum*
Lésions charnues, surélevées

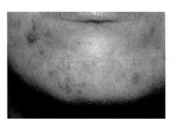

*Acné juvénile*
Chez les adolescents, l'acné comprend des comédons « ouverts » (les points noirs) et « fermés » (les points blancs), montrés à gauche, et des pustules inflammatoires (à droite).

---

## TABLEAU 18-4    Lésions cutanées fréquentes pendant l'enfance

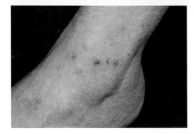

*Piqûres d'insecte*
Ces lésions se caractérisent par des papules bien délimitées, rouges et très prurigineuses.

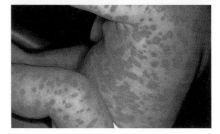

*Urticaire*
Cette réaction allergique, prurigineuse, change rapidement de forme.

*Teigne tondante microsporique (tinea capitis)*
Des squames, des croûtes et une alopécie sont visibles dans le cuir chevelu, en même temps qu'un placard douloureux (kérion) et une adénopathie occipitale (*flèche*).

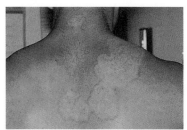

*Trichophytie des parties découvertes (tinea corporis)*
Cette lésion annulaire a un centre clair et une limite papuleuse.

---

Source des photographies (à l'exception de l'*urticaire*) : Goodheart H. A photoguide of common skin disorders. Baltimore : Williams & Wilkins, 1999.

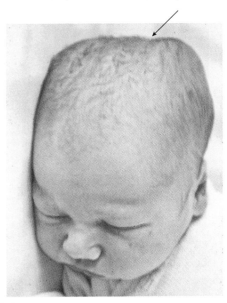

### Céphalhématome

Absents à la naissance, les céphalhématomes apparaissent dans les premières 24 heures ; ils sont dus à des hémorragies sous-périostées intéressant la table externe d'un os du crâne. La tuméfaction, comme ci-dessus, ne déborde pas les sutures, mais peut être bilatérale après un accouchement difficile. D'abord molle, elle s'entoure en quelques jours d'un rebord osseux surélevé, dû à des dépôts de calcium en bordure du décollement périosté, et elle met plusieurs semaines pour se résorber.

### Hydrocéphalie

Dans l'hydrocéphalie, la fontanelle antérieure est bombante et les globes oculaires peuvent être déviés vers le bas, découvrant la sclérotique supérieure (yeux en « coucher de soleil »), comme sur la figure ci-dessus. Un aspect des yeux en coucher de soleil peut aussi se voir brièvement chez des nouveau-nés normaux (tiré de Zitelli BJ, Davis HW. Atlas of pediatric physical diagnosis. 3rd ed. St. Louis : Mosby-Year Book, 1997. Avec l'aimable autorisation du Dr Albert Briglan, Children's Hospital of Pittsburg).

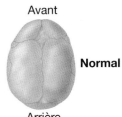

Avant

**Normal**

Arrière

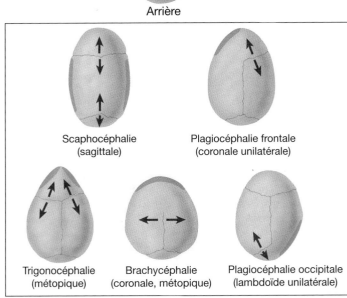

Scaphocéphalie
(sagittale)

Plagiocéphalie frontale
(coronale unilatérale)

Trigonocéphalie
(métopique)

Brachycéphalie
(coronale, métopique)

Plagiocéphalie occipitale
(lambdoïde unilatérale)

### Craniosténose (craniosynostose)

La craniosténose est la fermeture prématurée d'une ou plusieurs sutures du crâne. Elle entraîne une anomalie de la croissance et de la forme du crâne, parce que la croissance se poursuit dans les sutures qui ne sont pas atteintes et pas dans celles qui sont atteintes. Les figures ci-contre montrent les formes de crâne associées aux différents types de craniosténose. La suture prématurément fermée n'est pas dessinée. La scaphocéphalie et la plagiocéphalie frontale sont les types les plus fréquents. Les zones d'aplatissement maximal sont *colorées en bleu*. La direction de la croissance du crâne est indiquée par les *flèches rouges*.

## Syndrome d'alcoolisme fœtal

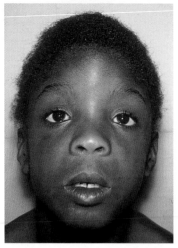

Le nouveau-né de mère alcoolique chronique a un risque élevé de retard staturopondéral, de microcéphalie et de retard mental. Le faciès caractéristique comprend des fentes palpébrales étroites, un philtrum large et aplati (le philtrum est la zone déprimée entre les narines et la lèvre supérieure) et des lèvres minces.

## Syphilis congénitale

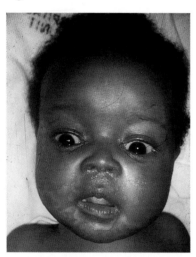

L'infection *in utero* par le tréponème de la syphilis survient en général après la 16e semaine de gestation et touche pratiquement tous les organes. Si elle n'est pas traitée, 25 % des enfants infectés meurent *in utero* et 30 % peu après la naissance. Chez les survivants, des signes sont notés le premier mois de vie. Le faciès caractéristique montré ici comprend un bombement du front et une *ensellure nasale*, tous deux dus à une périostite ; une rhinorrhée séreuse due à des lésions suintantes de la muqueuse nasale ; et une éruption péribuccale. Une inflammation cutanéomuqueuse avec des fissures de la bouche et des lèvres *(rhagades)*, non montrée ici, peut être aussi un stigmate de syphilis congénitale, de même qu'une périostite tibiale *(tibias en lames de sabre)* ou une dysplasie dentaire *(dents de Hutchinson* : voir p. 290).

## Hypothyroïdie congénitale

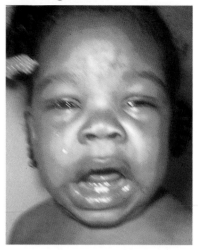

L'enfant atteint d'hypothyroïdie congénitale a des traits grossiers, une implantation basse des cheveux, des sourcils clairsemés et une grosse langue. Les autres signes sont un cri rauque, une hernie ombilicale, des extrémités froides et sèches, un myxœdème, une peau marbrée et un retard mental. La plupart des nouveau-nés atteints d'hypothyroïdie congénitale ne présentent aucun signe physique, ce qui justifie le dépistage systématique de l'hypothyroïdie fait à la naissance dans la plupart des pays développés.

## Paralysie faciale

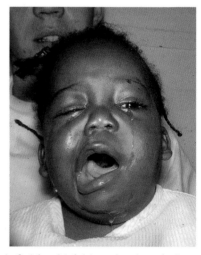

Une paralysie faciale périphérique (atteinte du 2e motoneurone) peut être due à : (1) un traumatisme du nerf par compression pendant le travail ou l'expulsion, (2) l'inflammation du facial intrapétreux lors d'épisodes d'otite moyenne aiguë ou chronique, (3) une cause inconnue (paralysie de Charles Bell). Du côté atteint, le sillon nasogénien est effacé et l'œil ne se ferme pas. Ces anomalies s'accentuent lors des pleurs, comme montré ici. Plus de 90 % des enfants atteints guérissent complètement en quelques semaines.

## Trisomie 21 (mongolisme, ou syndrome de Down)

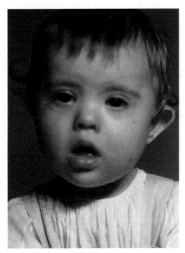

Les enfants atteints de trisomie 21 ont habituellement une petite tête ronde, une racine du nez aplatie, des fentes palpébrales obliques, un épicanthus, des petites oreilles bas implantées, en forme de conque, et une langue assez grosse. Les autres signes sont une hypotonie globale, un pli palmaire unique bilatéral, une brièveté et une incurvation des 5ᵉˢ doigts *(clinodactylie)*, des taches de Brushfield (voir page suivante) et un retard mental.

## Syndrome des enfants battus

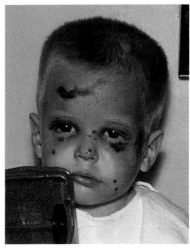

L'enfant qui a subi des sévices physiques (enfant battu) peut présenter des ecchymoses plus ou moins anciennes sur le crâne et la face, et sembler triste et désespéré, ou chercher activement à plaire. Quelquefois il manifeste beaucoup d'intérêt et d'attention pour ses parents maltraitants. Les autres stigmates sont : des ecchymoses dans des endroits qui ne sont pas d'habitude sujets à traumatismes (aisselles et aines plutôt que saillies osseuses) ; sur les radiographies osseuses, des fractures du crâne, des côtes et des os longs à différents stades de consolidation ; et des marques cutanées correspondant aux moyens utilisés pour blesser (main, boucle de ceinture, courroie, corde, cintre ou bout de cigarette allumée).

## Rhinite allergique chronique

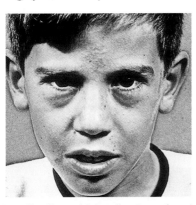

L'enfant qui souffre d'une rhinite allergique chronique (ou perannuelle) a la bouche ouverte (il n'arrive pas à respirer par le nez), un œdème et une décoloration des sillons orbitopalpébraux inférieurs (« cernes allergiques »). Cet enfant relève et abaisse souvent son nez (« salut allergique ») et fait des grimaces (plissement du nez et de la bouche) pour soulager les picotements et l'obstruction nasale (photographie reproduite avec autorisation de Marks MB. Allergic shiners : darkcircles under the eyes in children. Clin Pediatr 1966 ; 5 : 656).

## Hyperthyroïdie

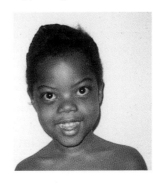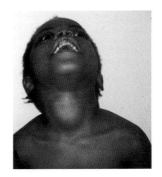

La thyréotoxicose *(maladie de Basedow)* affecte environ 2 pour 1 000 enfants de moins de 10 ans. Les enfants atteints ont un hypermétabolisme et une vitesse de croissance accélérée. Comme la petite fille de 6 ans montrée ici, ils ont un regard fixe (pas une véritable exophtalmie, qui est rare chez l'enfant) et un *goitre* (voir p. 293).

## Anomalies des yeux

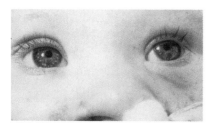

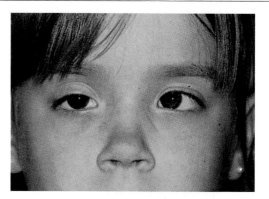

**Tâches de Brushfield**

Des tâches de Brushfield sur l'iris évoquent une trisomie 21.

**Strabisme**

Le strabisme, ou mauvais alignement des yeux, peut conduire à l'amaurose. L'ésotropie, montrée ici, est un strabisme convergent.

## Anomalies des oreilles

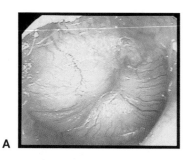

A

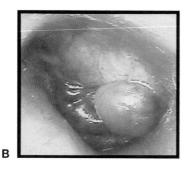

B

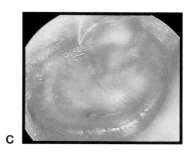

C

**Otite moyenne**

L'otite moyenne est l'une des plus fréquentes affections du jeune enfant. Le spectre de l'otite moyenne est montré ici. **(A)** Otite moyenne aiguë typique avec un tympan bombant, déformé et rouge chez un enfant très symptomatique. **(B)** Otite moyenne aiguë avec formation d'une bulle et présence de liquide derrière le tympan. **(C)** Otite moyenne avec épanchement (otite séreuse), c'est-à-dire présence de liquide jaunâtre derrière un tympan épaissi et rétracté.

Source des photographies – *Otite moyenne* : avec la permission de Alejandro Hoberman, Children's Hospital de Pittsburgh, Université de Pittsburgh.

## Anomalies de la bouche

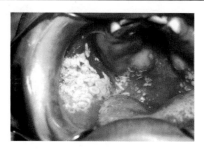

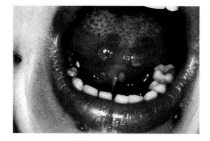

**Candidose buccale (muguet)**
Cette infection est fréquente chez les nourrissons. Les plaques blanches sont difficiles à détacher.

**Stomatite herpétique**
Les ulcérations douloureuses de la muqueuse buccale sont entourées d'un halo érythémateux.

## Caries dentaires

Les caries dentaires constituent un grand problème de santé publique et pédiatrique dans le monde. Les photographies ci-dessous montrent les différentes caractéristiques des caries.

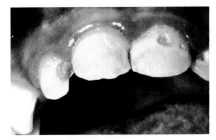

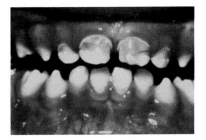

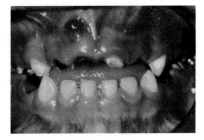

Caries du biberon         Érosion des dents         Érosion grave

## Coloration des dents

Les dents des enfants peuvent être colorées pour diverses raisons : coloration intrinsèque due aux tétracyclines (à droite), ou coloration extrinsèque due à une mauvaise hygiène buccale (non montrée). Les colorations extrinsèques peuvent être effacées.

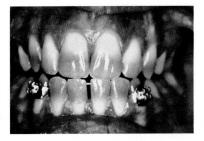

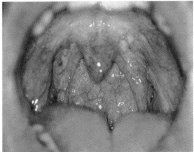

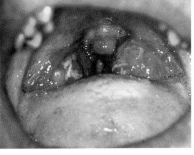

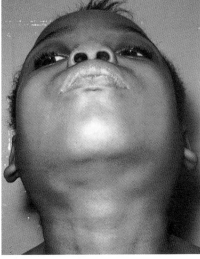

### Pharyngite ou angine streptococcique

Cette infection fréquente de l'enfant donne classiquement un érythème du pharynx postérieur et des pétéchies du palais *(à gauche)*. Un exsudat nauséabond *(à droite)* est aussi fréquemment noté.

### Adénopathie

Des ganglions cervicaux augmentés de volume et sensibles sont fréquents chez les enfants. Les causes les plus probables en sont des infections bactériennes ou virales. L'adénopathie peut être bilatérale, comme montré ici.

Source des photographies – *Caries dentaires et coloration des dents* : avec l'aimable autorisation de l'American Academy of Pediatrics. *Pharyngite streptococcique* et *adénopathie* : Fleisher G, Ludwig S. Textbook of Pediatric Emergency Medecine. 4th ed. Philadelphia : Lippincott Williams & Wilkins, 2000.

Il est important de reconnaître une cyanose. Le meilleur endroit à examiner est la muqueuse buccale. La cyanose est une coloration « framboisée ». Les muqueuses normales doivent avoir une coloration « fraise ». Essayez d'identifier la cyanose sur ces photographies avant d'en lire les légendes.

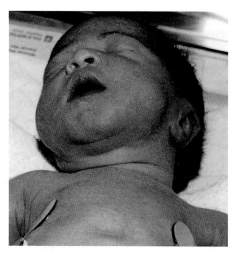

**Cyanose généralisée**
Ce bébé a un retour veineux pulmonaire anormal total et une saturation en oxygène de 80 %.

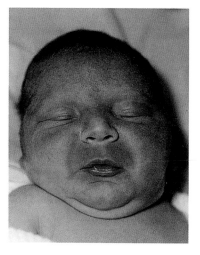

**Cyanose péribuccale**
Ce bébé a une discrète cyanose autour des lèvres, mais la muqueuse buccale reste rose.

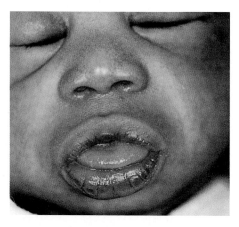

**Lèvres bleutées, simulant une cyanose**
Le dépôt normal de pigment sur la bordure vermillon des lèvres leur donne une teinte bleutée, mais la muqueuse buccale reste rose.

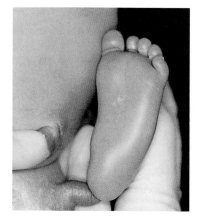

**Acrocyanose**
Elle apparaît fréquemment sur les pieds et les mains des nouveau-nés, peu après leur naissance. Cet enfant est un nouveau-né de 32 SA.

Source des photographies : Fletcher M. Physical Diagnosis in Neonatology. Philadelphia : Lippincott-Raven, 1998.

Certains souffles cardiaques traduisent une maladie cardiaque sous-jacente. En comprenant leurs mécanismes, vous pourrez plus facilement les identifier et les distinguer des souffles cardiaques anorganiques. Dans les lésions obstructives, un débit sanguin normal doit traverser des valvules trop étroites. Comme le problème est indépendant de la chute postnatale des résistances vasculaires pulmonaires, ces souffles sont audibles dès la naissance. En revanche, les défects avec shunt gauche-droit dépendent de la chute des résistances vasculaires pulmonaires. Dans le cas des shunts à pression élevée, comme la communication interventriculaire, le canal artériel persistant et le tronc artériel commun, les souffles ne sont pas entendus avant une semaine de vie ou plus. Les shunts gauche-droit à basse pression, comme les communications inter-auriculaires, peuvent être silencieux beaucoup plus longtemps et ne commencer à souffler qu'après l'âge de 1 an. Beaucoup d'enfants ayant des cardiopathies congénitales ont des associations de malformations et des variantes d'anomalies, ce qui fait que les trouvailles à l'examen cardiaque ne sont pas toujours conformes aux schémas classiques. Ce tableau présente quelques-unes des malformations les plus fréquentes.

| Malformation congénitale et mécanisme | Caractéristiques du souffle | Trouvailles associées |
|---|---|---|

### Sténose valvulaire pulmonaire

Habituellement, un anneau valvulaire normal mais des valves plus ou moins fusionnées, ce qui réduit le débit transvalvulaire.

*Modérée*

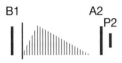

*Sévère*

*Localisation.* Partie supérieure du bord gauche du sternum.

*Irradiation.* Quand la sténose n'est que légèrement serrée, le souffle peut être entendu sur le trajet des artères pulmonaires dans les champs pulmonaires.

*Intensité.* Augmente en intensité et en durée avec le degré d'obstruction.

*Qualité.* Éjectionnel, maximal en fin de systole quand l'obstruction augmente.

Habituellement, un fort clic d'éjection au début de la systole.

La composante pulmonaire du deuxième bruit à la base (P2) est retardée et plus douce ; elle disparaît quand l'obstruction augmente. L'inspiration peut renforcer le souffle, l'expiration peut renforcer le clic.

La croissance est en général normale.

Les nouveau-nés qui ont une sténose sévère peuvent être cyanosés du fait d'un shunt droit-gauche à l'étage auriculaire. Ils développent rapidement une insuffisance cardiaque congestive.

### Rétrécissement aortique orificiel

En général, une bicuspidie aortique avec obstruction progressive, mais la valvule peut être dysplasique ou endommagée par un rhumatisme articulaire aigu ou une maladie dégénérative.

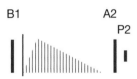

*Localisation.* Milieu du sternum, partie supérieure du bord droit du sternum.

*Irradiation.* Vers les artères carotides et la fourchette sternale. Il peut aussi y avoir un frémissement.

*Intensité.* Variable. Plus forte quand la sténose est plus serrée.

*Qualité.* Souffle systolique éjectionnel, souvent rude.

Peut être associé à un clic d'éjection.

Le bruit de fermeture aortique peut être plus intense. Il peut y avoir un souffle diastolique d'insuffisance aortique. Les nouveau-nés qui ont un rétrécissement serré peuvent avoir des pouls faibles ou absents et une insuffisance cardiaque congestive grave. Le souffle peut être inaudible jusqu'à l'âge adulte bien que la valvule soit congénitalement anormale.

### Tétralogie de Fallot

Malformation complexe qui comprend une communication interventriculaire, une obstruction infundibulaire et habituellement valvulaire de la chambre de chasse du ventricule droit, une dextroposition de l'aorte et un shunt droit-gauche à l'étage ventriculaire.

*Avec sténose pulmonaire*

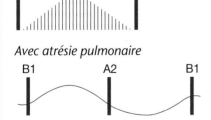

*Avec atrésie pulmonaire*

*Généralités.* Cyanose variable, augmentant avec l'activité.

*Localisation.* Partie moyenne à supérieure du bord gauche du sternum. En cas d'atrésie pulmonaire, il n'y pas de souffle systolique mais un souffle continu de canal artériel à la partie supérieure du bord gauche du sternum ou dans le dos.

*Irradiation.* Faible, vers la partie supérieure du bord gauche du sternum, parfois vers les poumons.

*Intensité.* Habituellement grade 3-4.

*Qualité.* Souffle systolique d'éjection, maximal au milieu de la systole.

Pouls normaux.

Le bruit de fermeture pulmonaire n'est pas entendu, en général. Peuvent exister des accès de cyanose, avec augmentation brusque de la cyanose, manque d'air et troubles de la conscience.

Absence de prise de poids, avec une cyanose qui perdure et s'aggrave.

Hippocratisme digital si la cyanose dure.

L'hypoxémie prolongée entraîne une polyglobulie, qui accentue la cyanose.

*(suite)*

| Malformation congénitale et mécanisme | Caractéristiques du souffle | Trouvailles associées |
| --- | --- | --- |

### Transposition des gros vaisseaux

Une malformation grave, par défaut de rotation des gros vaisseaux : l'aorte naît du ventricule droit et l'artère pulmonaire du ventricule gauche.

*Généralités.* Cyanose généralisée intense.

*Localisation.* Pas de souffle cardiaque caractéristique. La présence d'un souffle peut traduire un défect associé, tel qu'une CIV.

*Irradiation et qualité.* Dépendent des anomalies associées.

Deuxième bruit unique et fort de la valvule aortique antérieure.

Apparition rapide d'une insuffisance cardiaque congestive.

Malformations associées fréquentes, comme indiqué à gauche.

### Communication interventriculaire

Le sang qui passe du ventricule gauche, à pression élevée, au ventricule droit, à pression plus basse, par un défect septal, crée des turbulences, habituellement pendant toute la systole.

#### Petite à moyenne

*Localisation.* Partie inférieure du bord gauche du sternum.

*Irradiation.* Peu.

*Intensité.* Variable, en partie déterminée par la taille du shunt. Les petits shunts, avec fort gradient de pression, soufflent très fort. Les grands défects avec des résistances vasculaires pulmonaires élevées peuvent ne pas souffler. Grade 2-4/6, avec un frémissement si le grade est ≥ 4/6.

*Qualité.* Pansystolique, en général rude ; peut masquer B1 et B2 s'il est assez fort.

Dans les grands shunts, il peut y avoir un souffle mésodiastolique grave de rétrécissement mitral relatif, à la pointe.

Avec l'augmentation de la pression pulmonaire, la composante pulmonaire de B2 à la base augmente d'intensité. Quand la pression artérielle pulmonaire égale la pression aortique, le souffle peut disparaître ; P2 sera très fort.

Dans les petits shunts, la croissance est normale.

Dans les grands shunts, une insuffisance cardiaque congestive peut apparaître vers 6 à 8 semaines ; la prise de poids est médiocre.

Des malformations associées sont fréquentes.

### Canal artériel persistant

Quand le canal artériel ne se ferme pas après la naissance, il y a un débit continu de sang de l'aorte vers l'artère pulmonaire, pendant la révolution cardiaque.

#### Petit à moyen

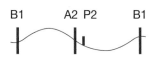

*Localisation.* Partie supérieure du bord gauche du sternum et à gauche.

*Irradiation.* Quelquefois dans le dos.

*Intensité.* Dépend de l'importance du shunt, en général, grade 2-3/6.

*Qualité.* Un souffle plutôt creux, tunnellaire, continu, pendant toute la durée de la révolution cardiaque, mais parfois presque inaudible en fin de diastole, pas interrompu par les bruits du cœur, plus fort en systole.

Pouls forts à bondissants.

Peut être diagnostiqué à la naissance, chez un prématuré qui a une hyperpulsatilité artérielle, un éréthisme cardiaque et un souffle atypique.

Diagnostiqué plus tard chez le nouveau-né à terme, quand les résistances vasculaires pulmonaires chutent.

Apparition possible d'une insuffisance cardiaque congestive vers 4 à 6 semaines si le shunt est important.

Prise de poids médiocre, en rapport avec l'importance du shunt.

L'hypertension pulmonaire influe sur le souffle, comme ci-dessus.

### Communication interauriculaire

Shunt gauche-droit par un orifice de la cloison interauriculaire, pouvant siéger à différents endroits.

*Localisation.* Partie supérieure du bord gauche du sternum.

*Irradiation.* Dans le dos.

*Intensité.* Variable, en général grade 2-3/6.

*Qualité.* Éjectionnel mais pas rude.

Dédoublement large de B2, à tous les temps de la respiration, d'intensité normale.

En général, inaudible avant l'âge de 1 an.

Diminution progressive de la prise de poids avec l'augmentation du shunt.

Diminution de la tolérance à l'effort, mais discrète, pas importante.

Une insuffisance cardiaque congestive est rare.

**TABLEAU 18-11**    **Signes physiques d'abus sexuel**

## Signes de suspicion

1. Dilatation de l'anus immédiate et marquée en position génupectorale, en l'absence de constipation, de selles dans l'ampoule rectale et de troubles neurologiques.
2. Encoche ou fente de l'hymen intéressant plus de 50 % du bord inférieur de l'hymen (confirmée en position génupectorale).
3. Condylomes acuminés chez une enfant de plus de 3 ans.
4. Hématomes, érosions, lacérations ou traces de morsure sur les lèvres ou la région périhyménéale.
5. Herpès de la région anogénitale, au-delà de la période néonatale.
6. Écoulement vaginal purulent ou malodorant chez une jeune fille (tous les écoulements doivent être cultivés et examinés au microscope pour rechercher une MST).

## Signes de forte suspicion

1. Déchirures, ecchymoses et cicatrices récentes de l'hymen ou de la fourchette vaginale.
2. Absence d'hymen de 3 à 9 heures (confirmée dans différentes positions).
3. Sections transversales cicatrisées de l'hymen, notamment entre 3 et 9 heures (fente complète).
4. Déchirures péri-anales atteignant le sphincter externe.

**Tout enfant qui présente des signes physiques inquiétants doit être évalué par un expert médicojudiciaire (anamnèse complète et examen spécialisé).**

Tout signe physique doit être interprété à la lumière de l'anamnèse complète, des autres parties de l'examen physique et des résultats des examens de laboratoire.

*Légendes des photos*

**A** Hémorragie aiguë et ecchymoses locales (enfant de 10 mois).

**B** Érythème et abrasions superficielles des petites lèvres (enfant de 5 ans).

**C** Déchirure cicatrisée de l'hymen à 9 heures (enfant de 4 ans).

**D** Anneau postérieur rétréci en continuité avec le plancher du vagin (enfant de 12 ans).

**E** Écoulement vaginal abondant et érythème (enfant de 9 ans).

**F** Condylomatose étendue autour de l'anus (enfant de 2 ans).

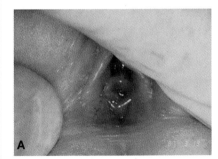
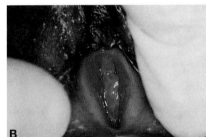
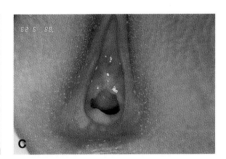
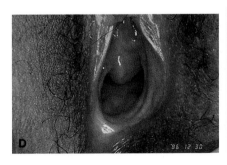
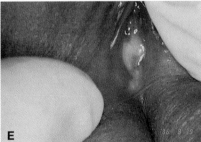
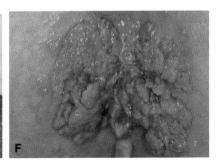

Source des photographies : Reece R, Ludwig S (eds). *Child Abuse Medical Diagnosis and Management.* 2nd ed. Philadelphia : Lippincott Williams & Wilkins, 2001.

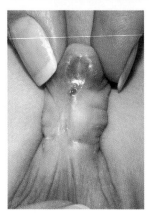

### Hypospadias

L'hypospadias est l'anomalie congénitale la plus fréquente de la verge. Le méat urétral s'ouvre anormalement sur la face ventrale du pénis. Un hypospadias balanopréputial est montré ci-dessus ; dans des formes plus graves, le méat s'ouvre sous le corps du pénis ou sur les bourses.

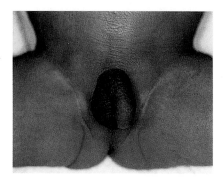

### Testicules non descendus

Il faut distinguer les testicules non descendus montrés ci-dessus (les testicules sont dans les canaux inguinaux) et les testicules rétractiles, dus à un réflexe crémastérien très vif.

Source des photographies – *Hypospadias* : avec l'aimable autorisation de Warren Snodgrass, MD, UT-Southwestern Medical Center at Dallas. *Testicules non descendus* : Fletcher M. Physical Diagnosis in Neonatology. Philadelphia : Lippincott-Raven, 1998.

## TABLEAU 18-13 Anomalies des pieds fréquentes chez le jeune enfant

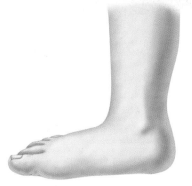

Pieds plats *(pes planus)* dus à la laxité des parties molles du pied.

Inversion du pied *(varus)*.

Metatarsus adductus chez un enfant. L'avant-pied est en adduction, pas inversé.

**A**

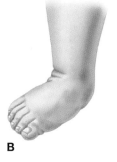
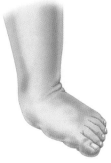

**B**

Pronation chez un grand nourrisson. **(A)** Quand on regarde le pied de l'arrière, l'arrière-pied est éversé. **(B)** Quand on le regarde de l'avant, l'avant-pied est éversé et en abduction.

Ce tableau montre des photographies d'enfants atteints de maladies évitables par les vaccinations. On a dit que les vaccinations de l'enfant étaient la plus importante action médicale dans le monde du point de vue de l'effet sur la santé publique. Grâce aux vaccinations, nous espérons que vous ne verrez jamais plusieurs de ces maladies, mais vous devez être capable de les reconnaître. Essayez de reconnaître ces maladies avant de lire les légendes.

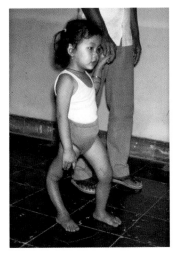

### Poliomyélite
La déformation du membre inférieur de cette enfant est due à la poliomyélite.

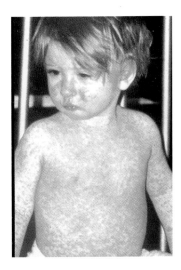

### Rougeole
Éruption caractéristique d'une rougeole.

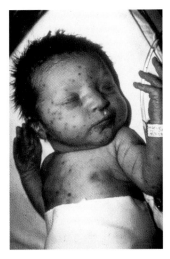

### Rubéole
Syndrome de rubéole congénitale chez un nouveau-né.

### Tétanos
Nouveau-né raide, du fait d'un tétanos néonatal.

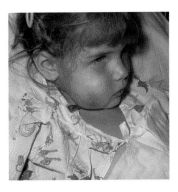

### Infection à *Haemophilus influenzae* type b
Cellulite péri-orbitaire due à cette maladie bactérienne invasive.

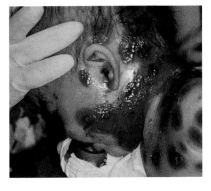

### Varicelle
Nourrisson atteint d'une forme grave de varicelle.

Source des photographies – *Poliomyélite* : avec l'aimable autorisation de l'OMS. *Infection à Haemophilus influenzae* : avec l'aimable autorisation de l'American Academy of Pediatrics. *Varicelle* : avec l'aimable autorisation de Barbara Watson, MD, Albert Einstein Medical Center and Division of Disease Control, Philadelphia Department of Health. *Autres* : avec l'aimable autorisation des Centers for Disease Control and Prevention.

# Femme enceinte

Ce chapitre traite de l'interrogatoire et de l'examen physique de la femme adulte bien portante qui est enceinte. Les techniques d'examen sont semblables à celles de la femme non enceinte, mais le clinicien doit faire la distinction entre les modifications anatomiques et physiologiques dues à la grossesse et les trouvailles anormales. Ce chapitre met l'accent sur les changements anatomiques et physiologiques qui se poursuivent tout au long de la grossesse, les inquiétudes particulières révélées par l'interrogatoire, les recommandations pour la nutrition, l'exercice physique, et le dépistage de la violence conjugale. Puis sont exposées les techniques de base des examens prénataux.

## ANATOMIE ET PHYSIOLOGIE

***Changements hormonaux.*** Pendant la grossesse, des changements hormonaux entraînent des modifications anatomiques et physiologiques importantes de tous les grands appareils. Plusieurs modifications endocriniennes et métaboliques de la grossesse sont commandées par les taux élevés d'œstradiol et de progestérone et par les hormones placentaires, notamment l'HCG *(Human Chorionic Gonadotropin)*. Ces changements multiples et complexes peuvent être résumés de la façon suivante :

■ l'œstradiol stimule les cellules à prolactine de l'*antéhypophyse*. Ces cellules peuvent tripler de taille avec l'accroissement de la sécrétion de prolactine, qui prépare la glande mammaire à l'allaitement[1] ;

■ la *posthypophyse* stocke l'ocytocine et l'hormone antidiurétique (ADH). L'HCG semble régler différemment les récepteurs de la soif et la libération d'ADH, entraînant une diminution de la natrémie et, chez certaines femmes, une polyurie ;

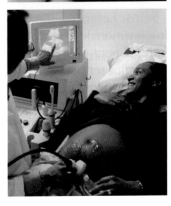

■ la *thyroïde* conserve une taille normale ; cependant, les effets des œstrogènes sur la TBG *(Thyroxine-Binding Globulin)* et la stimulation par l'HCG du récepteur de la TSH *(Thyroid-Stimulating Hormone* ou thyrotropine) entraînent des variations des taux de T4 libre, T3 libre et TSH, mais, en général, dans les limites de la normale[2] ;

Au fur et à mesure qu'il grossit, l'utérus change de forme et de position. L'utérus non gravide peut être antéversé, rétroversé ou rétrofléchi. Jusqu'à 12 semaines de gestation, l'utérus gravide est encore un organe pelvien. Quelle que soit sa position initiale, l'utérus qui grossit devient antéversé ; il remplit rapidement l'espace d'habitude occupé par la vessie, déclenchant de fréquentes envies d'uriner. À 12 semaines de gestation, il se redresse et s'élève au-dessus du bassin, devenant palpable au niveau de l'abdomen.

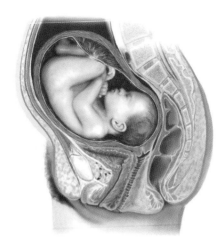

**TROISIÈME TRIMESTRE**

En grossissant, il repousse l'intestin en haut et en dehors et il étire les ligaments qui le soutiennent, ce qui provoque parfois une « douleur du ligament rond » dans les quadrants inférieurs, plus typiquement à droite. Il s'adapte à la croissance et aux positions du fœtus et il tend à tourner vers la droite pour que le rectosigmoïde puisse se loger dans la partie gauche du bassin.

**Col et ovaires.** Le col est aussi très différent d'aspect et de consistance. Le ramollissement et la cyanose du col *(signe de Chadwick)* persistent durant toute la grossesse. Le canal cervical est rempli d'un mucus tenace *(bouchon muqueux)*, qui protège le fœtus en développement de l'infection. Une muqueuse rouge, veloutée, est fréquente autour de l'orifice cervical pendant la grossesse et est considérée comme normale *(ectropion)*.

Les ovaires et les trompes subissent aussi des modifications, mais peu d'entre elles peuvent être notées au cours de l'examen physique. Au tout début de la grossesse, le *corps jaune* (c'est-à-dire le follicule ovarien vidé de son ovule) peut être suffisamment saillant pour être perçu comme un petit nodule sur son ovaire, mais il disparaît à la mi-gestation.

**Abdomen.** Comme la peau s'étire pour s'adapter à la croissance du fœtus, des vergetures pourpres peuvent apparaître. La ligne brune, une ligne pigmentée au milieu de l'abdomen, peut devenir visible.

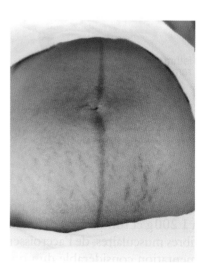

**VERGETURES ET LIGNE BRUNE**

Le tonus musculaire diminue avec le terme de la grossesse et un espace peut séparer les muscles droits sur la ligne médiane (diastasis des droits). Si le diastasis est important (comme chez certaines multipares), seuls la peau, l'aponévrose et le péritoine recouvrent la plus grande partie de la paroi antérieure de l'utérus et le fœtus peut être aisément perçu par ce hiatus musculaire.[7, 8]

Le tableau ci-après donne les bases anatomiques et physiologiques de symptômes courants pendant la grossesse.

## Symptômes fréquents au cours de la grossesse et leurs explications

| Symptôme | Trimestre(s) | Explication |
|---|---|---|
| Absence de règles (aménorrhée) | Tous | Grâce à la persistance de taux élevés d'œstrogènes, progestérone et HCG après la fécondation, l'endomètre se développe au lieu de desquamer sous forme de règles. |
| Nausées avec ou sans vomissements | Premier | Les causes possibles comprennent des modifications hormonales qui ralentissent le péristaltisme intestinal, des changements du goût et de l'odorat, la croissance de l'utérus, et des facteurs émotionnels. La femme enceinte peut perdre un peu de poids (1 à 2,5 kg) au 1er trimestre.[9] |
| Sensibilité, fourmillements des seins | Premier | Les hormones de la grossesse stimulent la croissance du tissu mammaire. Comme les seins grossissent tout au long de la grossesse, la femme enceinte peut éprouver des douleurs dorsales hautes, consécutives à leur poids. Les seins sont aussi hypervascularisés et de fines veines deviennent visibles sous la peau. |
| Perte de poids | Premier | Si une femme a des nausées et vomit, il se peut qu'elle ne mange pas normalement en début de grossesse (voir nausées ci-dessus). |
| Fatigue | Premier / Troisième | Les rapides changements des besoins en énergie, les changements hormonaux (la progestérone a un effet sédatif) et, au 3e trimestre, la prise de poids, des changements de la mécanique du mouvement et des troubles du sommeil y contribuent. |
| Douleurs hypogastriques / inguinales | Deuxième (14-20 semaines) | La croissance rapide de l'utérus au début du 2e trimestre entraîne une tension et un étirement des ligaments ronds et, par suite, un spasme lors d'un mouvement brusque ou d'un changement de position. |
| Vergetures abdominales | Fin du deuxième et troisième | 90 % des femmes enceintes présentent des vergetures, des raies fines et habituellement roses sur l'abdomen, les seins et les cuisses. Elles traduisent des déchirures du collagène et la distension de la peau. |
| Contractions utérines | Troisième | L'utérus peut se contracter de façon irrégulière et imprévisible (contractions de Braxton Hicks). Ces contractions sont rarement associées au travail. Si elles deviennent régulières et/ou douloureuses, pensez à la possibilité d'un début de travail. |
| Perte du bouchon muqueux | Troisième | Bien que le bouchon muqueux se détache en général au cours du travail, quelques femmes perdent le bouchon muqueux en fin de grossesse, avant le travail. S'il n'y a pas de contractions utérines, de saignement ou de perte de liquide, il ne faut pas s'inquiéter. |
| Œdèmes | Troisième | Augmentation de la pression veineuse aux membres inférieurs, obstruction lymphatique et diminution de la pression oncotique du plasma. |
| Pyrosis, constipation | Tous | Le relâchement du sphincter inférieur de l'œsophage permet la remontée du contenu gastrique dans le bas œsophage. La diminution de la motricité digestive, d'origine hormonale, ralentit le péristaltisme. La constipation qui en résulte peut provoquer ou aggraver des hémorroïdes. |
| Douleurs du dos | Tous | Le relâchement des articulations et ligaments d'origine hormonale et l'hyperlordose minime, compensant la croissance utérine, peuvent entraîner des lombalgies. Il faut éliminer une cause pathologique. |
| Pollakiurie | Tous | Augmentation du volume sanguin et du débit de filtration des reins, et de la diurèse. Étant donné l'espace restreint laissé à la vessie par la croissance utérine (1er trimestre) ou la descente de la tête fœtale (3e trimestre), les mictions doivent être plus fréquentes |
| Leucorrhée | Tous | L'augmentation des sécrétions de l'épithélium cervicovaginal, d'origine hormonale et congestive, se traduit par un écoulement vaginal blanc laiteux, asymptomatique. |

# ANTÉCÉDENTS MÉDICAUX

## Inquiétudes fréquentes

- Symptômes de grossesse.
- Attitude maternelle vis-à-vis de la grossesse.
- Santé actuelle : consommation de tabac, d'alcool, de drogues ; violence conjugale.
- Complications gravidiques antérieures.
- Maladies chroniques, antécédents familiaux.
- Détermination de l'âge gestationnel (en semaines) et de la date prévue de l'accouchement.

Les soins prénataux doivent procurer la meilleure santé possible à la mère et à son fœtus, et limiter les risques encourus par la mère. La future mère appréciera une relation empathique au moment si important où elle aménage sa vie familiale et professionnelle pour préparer l'arrivée d'un nouvel enfant.

***La première consultation prénatale.*** L'objectif de la première consultation prénatale est triple : confirmer la grossesse, estimer l'état de santé de la mère et tout risque de complication, et donner des conseils pour assurer la naissance d'un bébé bien portant.

- Recherchez les *symptômes de grossesse* : absence de règles, plénitude et tension mammaires, nausées ou vomissements, fatigue et pollakiurie (voir tableau de la page précédente). Expliquez que le dosage des bêta-HCG dans les urines est le meilleur test de confirmation de la grossesse. Le dosage sérique des bêta-HCG est rarement nécessaire à titre de confirmation.

- Questionnez la mère sur *ses inquiétudes et son attitude vis-à-vis de la grossesse*. Comment ressent-elle la grossesse ? Était-elle programmée ? Désirée ? Prévoit-elle de la mener à son terme ? Est-ce que le père de l'enfant ou son partenaire actuel la soutient ? A-t-elle un réseau de soutien plus large ? Est-elle enthousiaste, inquiète ou effrayée ? Si elle a peur, de quoi a-t-elle peur ? Posez ces questions d'une façon ouverte et neutre.

- Évaluez *l'état de santé actuel* et tout facteur de risque qui pourrait être dommageable pour la mère ou le fœtus ou entraîner des complications gravidiques. Questionnez la mère sur ses habitudes alimentaires et appréciez la qualité de son alimentation. Fume-t-elle, boit-elle de l'alcool, consomme-t-elle des drogues ? Prend-elle des médicaments ou est-elle exposée à des substances toxiques ? Quelles sont ses ressources et son milieu social ? Y a-t-il des causes de stress inhabituel à la maison ou au travail ? Y a-t-il des antécédents d'abus sexuel ou de violence conjugale ?

- Précisez les *antécédents obstétricaux*. Que s'est-il passé lors de grossesses antérieures (les problèmes obstétricaux ont tendance à récidiver) ? Y a-t-il eu des complications du travail ou de l'accouchement ? Ses enfants sont-ils nés par voie basse, avec l'aide d'un forceps ou d'une ventouse, ou par césarienne ? Demandez les poids des précédents enfants. A-t-elle eu un enfant prématuré ou hypotrophe, ou trop gros pour l'âge gestationnel ? A-t-elle fait des fausses couches ? A-t-elle fait une dépression dans le *post-partum* ?

■ Précisez les *antécédents médicaux*. Faites un interrogatoire complet, portant sur les maladies aiguës et chroniques des grands appareils. Posez notamment des questions sur l'hypertension artérielle, le diabète, les affections cardiaques, l'asthme, le lupus érythémateux aigu disséminé (LEAD), des convulsions, des maladies sexuellement transmises, l'exposition *in utero* au diéthylstilbestrol ou l'infection à VIH.

■ Recherchez également des *antécédents familiaux* de maladies chroniques ou génétiques telles que la drépanocytose, la mucoviscidose et la dystrophie musculaire.

### Âge gestationnel (en semaines) et date prévue de l'accouchement. Vous devrez relever les éléments de la grossesse actuelle qui vous permettent de calculer l'*âge gestationnel* et la *date prévue de l'accouchement*.

■ L'*âge gestationnel* peut être calculé en semaines, à partir 1) du premier jour des dernières règles : c'est l'*âge menstruel*, exprimé en semaines d'aménorrhée (SA), ou 2) de la date de la conception (si elle est connue) : c'est l'*âge conceptionnel*, exprimé en semaines ou mois de grossesse. L'âge menstruel est la méthode de calcul la plus utilisée. La durée théorique de la gestation permettra d'apprécier la taille de l'utérus, mais cela suppose que les dernières règles étaient normales et leur date retenue avec précision. Au cours de l'examen, comparez la taille présumée à la taille palpable de l'utérus, s'il est encore dans la cavité pelvienne, ou avec la hauteur du fond utérin, s'il dépasse la symphyse pubienne. En cas de discordance, vous devrez en rechercher la cause.

■ Le premier jour des dernières règles (DR) est aussi utilisé pour calculer la *date prévue de l'accouchement* (DPA) ou moment prévu du travail et de la naissance à terme, chez les femmes ayant des cycles réguliers de 28 à 30 jours. La DPA peut être déterminée en ajoutant 7 jours au premier jour des dernières règles, en soustrayant 3 mois et en ajoutant 1 an *(règle de Naegele)*. Cette date peut être l'une des premières questions que vous pose la femme enceinte.

La datation précise de la grossesse est faite au mieux précocement et facilite plus tard les décisions en cas de retard de croissance du fœtus, d'accouchement prématuré ou de prolongation de la grossesse au-delà de 42 SA. Si la femme n'arrive pas à se rappeler la date de ses DR ou a des cycles menstruels irréguliers, ou si la datation est incertaine, une échographie par voie endovaginale, faite au premier trimestre, permet de préciser l'âge gestationnel au premier trimestre.

Établissez la fréquence souhaitable des *consultations prénatales* d'après les besoins de la patiente. Ces examens doivent comprendre la mesure de la pression artérielle, la pesée, la palpation du fond utérin (« hauteur utérine ») pour apprécier la croissance fœtale, le contrôle des bruits du cœur fœtal, la détermination de la présentation et des mouvements du fœtus. Il est de bonne règle de rechercher du glucose et des protéines dans les urines. D'autres examens de laboratoire seront nécessaires au deuxième et au troisième trimestre.

## PROMOTION DE LA SANTÉ ET CONSEILS

### Sujets importants pour la promotion de la santé et les conseils

- Nutrition.
- Prise de poids.
- Exercice physique.
- Arrêt de la consommation de tabac.
- Dépistage de la violence conjugale.
- Vaccinations.

**Nutrition.** Les conseils sur la *nutrition* et la *prise de poids* contribuent à protéger la santé de la femme enceinte et du fœtus. Évaluez l'état nutritionnel de la future mère lors de la première consultation prénatale, à savoir le régime alimentaire, la mesure de la taille et du poids, et l'indice de masse corporelle (IMC) ; obtenez un hématocrite pour dépister une anémie. Explorez ses habitudes et ses attitudes concernant l'alimentation et la prise de poids ainsi que la prise des suppléments nécessaires de vitamines et de minéraux.

- Élaborez un projet d'alimentation adapté aux préférences culturelles de la femme. Trois repas par jour d'un régime alimentaire équilibré, plus riche en calories et en protéines, sont en général suffisants. Conseillez à la femme enceinte d'augmenter ses ingesta quotidiens des quantités suivantes : 300 kilocalories supplémentaires, 5 à 6 g de protéines, 15 mg de fer, 250 mg de calcium et 400 à 800 µg d'acide folique.[10]

- Prescrivez des polyvitamines, apportant au minimum 400 µg d'acide folique par jour. La prescription de polyvitamines au cours de la grossesse, quel que soit le régime, est une pratique courante. Il n'y a pas de marque supérieure aux autres.

- Mettez en garde la femme enceinte contre l'ingestion de produits laitiers non pasteurisés, de viandes mal cuites, de quantités excessives de vitamine A, qui peuvent devenir toxiques.[11] La consommation de fruits de mer pendant la grossesse est controversée. La prise d'oligoéléments peut avoir un effet bénéfique sur l'intelligence verbale de la descendance ; cependant, les taux élevés de mercure de certains poissons et coquillages peuvent nuire au bon développement du système nerveux du fœtus et du nourrisson.[12] La FDA *(Food and Drug Administration)* et l'EPA *(Environmental Protection Agency)* recommandent d'éviter les poissons à taux élevé de mercure, tels que le requin, l'espadon, le thazard (un poisson de la famille du maquereau), et le thon albacore en boîte.[13]

**Prise de poids.** La prise de poids idéale pendant la grossesse obéit au schéma suivant : elle est faible au premier trimestre, rapide au deuxième trimestre et un peu plus lente au troisième trimestre. La prise de poids totale moyenne est d'environ 10 kg. La femme enceinte doit être pesée à chaque consultation et son poids reporté sur un graphique afin d'être revu et discuté avec elle. Les prises de poids recommandées en 1992 par l'IM *(Institute of Medicine)*, présentées ci-après, sont toujours d'actualité.

| Prise de poids recommandée pour les femmes enceintes | | |
|---|---|---|
| Catégorie de l'IMC avant la grossesse | Prise de poids totale recommandée | |
| | En kg | En livres anglaises |
| Bas : IMC < 19,8 | 12,5-18 | 28-40 |
| Normal : IMC de 19,8 à 26,0 | 11,5-16 | 25-35 |
| Élevé : IMC de 26,0 à 29,0 | 7,0-11,5 | 15-25 |
| Obésité : IMC > 29,0 | ≈7,0 | ≈15 |

Ces chiffres concernent les grossesses uniques. Pour les grossesses gémellaires, les extrêmes sont de 16 à 20 kg (35 à 45 livres anglaises). Les jeunes adolescentes (< 2 ans après les premières règles) doivent viser des prises de poids à la limite supérieure de la normale. Les femmes petites (< 1,57 m) doivent viser des prises de poids à la limite inférieure de la normale.

Source : Institute of Medicine. Nutrition during pregnancy and lactation : an implementation guideline. Washington, DC : National Academy Press, 1992.

*Exercice physique.* L'exercice physique est important pour la santé et le mode de vie des femmes enceintes. Les recommandations 2002 de l'ACOG (*American College of Obstetricians and Gynecologists*) préconisent que, en accord avec leur médecin et en l'absence de contre-indications, les femmes enceintes aient une activité physique modérée pendant 30 minutes ou plus, presque tous les jours de la semaine.[14] Les femmes qui avaient une activité physique régulière avant la grossesse peuvent continuer une activité légère à modérée, de préférence pendant de courtes périodes et trois fois par semaine. Celles qui débutent une activité physique pendant la grossesse doivent être plus prudentes et recourir à des programmes mis au point spécialement pour les femmes enceintes. Après le premier trimestre, les femmes doivent éviter l'exercice en décubitus dorsal, qui peut comprimer la veine cave inférieure et diminuer le débit sanguin vers le placenta. La femme enceinte doit cesser tout exercice quand elle se sent fatiguée ou mal à l'aise et éviter d'avoir trop chaud et de se déshydrater. Étant donné que le centre de gravité se déplace au troisième trimestre, avertissez-la que les exercices qui risquent de faire perdre l'équilibre ou de provoquer un traumatisme abdominal, comme les sports de contact, ne sont pas raisonnables.

*Tabac, alcool et drogues.* La *consommation de tabac* doit être arrêtée. Le tabagisme est associé à des complications du travail telles que l'hématome rétroplacentaire et le *placenta praevia*, aux accouchements prématurés, à l'hypotrophie fœtale et même à la mort périnatale.

Les femmes enceintes *qui ont une addiction à l'alcool ou qui consomment des drogues illégales* doivent être adressées pour traitement. La consommation d'alcool et de drogues peut avoir de graves conséquences pour le nouveau-né, y compris des effets délétères sur le devenir neurodéveloppemental.[15]

***Dépistage de la violence conjugale.*** La grossesse est une période où les femmes ont plus de risques de subir des sévices de la part de leurs partenaires et où les différents types de sévices peuvent s'intensifier, ce qui accroît les risques de suivi retardé de la grossesse, d'avortement et d'hypotrophie fœtale. Les sévices pendant la grossesse ont une prévalence comprise entre 7 et 20 %, en fonction du contexte ; ils peuvent aboutir au meurtre de la mère et du fœtus.[16, 17] L'ACOG recommande un dépistage systématique d'une histoire de *violence conjugale*, susceptible de s'aggraver pendant la grossesse.[18] Les indices d'une violence conjugale comprennent de fréquents changements de rendez-vous à la dernière minute, le comportement pendant l'entrevue, des céphalées ou des douleurs abdominales chroniques, et des ecchymoses et d'autres signes de traumatisme.

Les cliniciens peuvent surmonter les obstacles au dépistage en posant des questions directes et neutres, dans un cadre intime, à chaque consultation prénatale.[19, 20] Par exemple, vous pouvez demander : « Depuis que vous êtes enceinte, quelqu'un vous a-t-il frappée ou giflée ou fait mal d'une façon ou d'une autre ? » Les femmes peuvent avoir besoin de plusieurs occasions pour parler de sévices en raison de craintes sur leur sécurité et les représailles. Validez les réponses positives et notez les zones traumatisées sur un schéma du corps. Par-dessus tout, en cas de sévices reconnus, demandez à la femme comment vous pourriez l'aider. Donnez-lui des informations sur les lieux d'asile, les centres de conseils, les numéros téléphoniques à appeler et les autres moyens d'assistance dès qu'elle est décidée à s'y adresser. Appréciez la sécurité de la patiente et demandez tous les avis nécessaires. Apprenez à faire un signalement.

***Vaccinations.*** Revoyez les vaccinations de la patiente. Toutes les femmes enceintes doivent avoir une vaccination antitétanique et antigrippale à jour. Ces vaccins peuvent être administrés à n'importe quel trimestre. Si c'est indiqué, les vaccins contre le pneumocoque, le méningocoque et l'hépatite B sont également sûrs pendant la grossesse.[21]

## TECHNIQUES D'EXAMEN

Pour commencer, montrez votre souci du confort et de l'intimité de la patiente, de ses besoins et de ses sensibilités personnels. Si c'est la première consultation, prenez l'anamnèse avant de lui demander de se déshabiller. Demandez-lui si elle a déjà subi un examen gynécologique complet. Sinon, prenez le temps de lui expliquer en quoi consiste cet examen et cherchez à obtenir sa collaboration pour toutes ses composantes. Cela renforcera votre relation et l'aidera à comprendre les modifications de son corps consécutives à la grossesse. Notez que si elle a été victime d'un viol, elle peut s'opposer à l'examen gynécologique.

À présent, demandez-lui d'enfiler la blouse, avec l'ouverture devant, pour faciliter l'examen des seins et de l'abdomen et tenez le matériel nécessaire prêt à l'emploi, à portée de main.

**Positionnement.** Prenez quelques minutes pour bien installer la femme enceinte. Vous aurez besoin d'accorder plus de temps et d'attention à la palpation de l'utérus et à l'auscultation du cœur fœtal. La position demi-assise avec les genoux fléchis, montrée ci-dessous, offre le meilleur confort et diminue le poids de l'utérus sur les organes et les vaisseaux abdominaux, notamment aux 2e et 3e trimestres.

Évitez de demander à la femme enceinte de rester en décubitus dorsal de façon prolongée, parce que l'utérus repose alors directement sur la colonne vertébrale et peut comprimer l'aorte descendante et la veine cave inférieure, interférant avec le retour du sang veineux des membres inférieurs et du bassin. Par conséquent, la palpation abdominale doit être brève et efficace.

Le syndrome d'hypotension posturale, après environ 20 semaines, est une forme de réduction de la circulation, au cours de laquelle la femme peut ressentir des vertiges et perdre connaissance, notamment quand elle est couchée sur le dos.

Incitez la femme à se rasseoir brièvement avant d'effectuer l'examen gynécologique. Cette pause lui donne aussi le temps de revider sa vessie. Assurez-vous, cependant, qu'elle s'est adaptée à la position assise avant de la laisser se lever. L'examen gynécologique doit par ailleurs être relativement rapide. Toutes les autres procédures d'examen doivent être effectuées en position assise ou en décubitus latéral gauche.

**Matériel.** Les mains de l'examinateur constituent ses principaux moyens d'examen. Elles doivent être chaudes et fermes, quoique douces, pour la palpation. Autant que possible, les doigts doivent être joints et posés à plat sur la peau de l'abdomen ou du bassin afin de causer le minimum de désagréments. Par ailleurs, la palpation doit être faite d'un mouvement doux, continu, en effleurant la peau, plutôt que par pétrissage ou contact brutal. Ce sont les pulpes des doigts qui sont les plus sensibles.

On utilise le spéculum gynécologique pour l'inspection du col et du vagin avant les prélèvements pour étude cytobactériologique. Étant donné que les parois vaginales sont relâchées pendant la grossesse et peuvent tomber à l'intérieur, gênant la vision, un spéculum de taille supérieure à celle prévue peut être nécessaire. Le relâchement des structures vulvaires et périnéales permet son utilisation, avec un désagrément minimal pour la patiente. En raison de l'hypervascularisation du vagin et du col, introduisez et ouvrez le spéculum avec douceur. Vous éviterez ainsi de traumatiser et de faire saigner les tissus (un saignement interfère avec l'interprétation des frottis cervicaux).

Une spatule d'Ayre, en bois, ou un petit « balai » sont en général utilisés pour les frottis. La brosse cervicale peut provoquer un saignement chez la femme enceinte.

Revoyez le chapitre 14 pour les instruments et techniques employés pour faire des frottis cervicaux (p. 554-569).

## → Inspection générale

Observez l'état général, l'état nutritionnel, la coordination neuromusculaire et l'état émotionnel tandis que la femme marche dans la pièce pour grimper sur la table d'examen. La conversation portant sur les priorités de l'examen pour la femme, ses réactions à la grossesse et son état général fournit à l'examinateur les renseignements dont il a besoin et concourt à mettre la femme à l'aise.

## → Constantes vitales, taille et poids

*Prenez la pression artérielle.* Une valeur de départ permet de déterminer la plage habituelle de la pression artérielle de la femme. Au milieu de la grossesse, la pression artérielle est normalement inférieure à ce qu'elle est en dehors de la grossesse.

L'*hypertension gravidique* est une PA systolique (PAS) ≥ 140 mmHg et une PA diastolique (PAD) ≥ 90 mmHg, apparaissant pour la première fois après 20 semaines, *sans protéinurie.*

Une *hypertension chronique* est une PAS ≥ 140 mmHg et une PAD ≥ 90 mmHg avant la grossesse, avant 20 semaines et au-delà de 12 semaines après l'accouchement.

Une *prééclampsie* est une PAS ≥ 140 mmHg et une PAD ≥ 90 mmHg après 20 semaines, *avec une protéinurie.*[22]

*Toisez et pesez la femme.* Calculez l'IMC en utilisant les tableaux et considérez un IMC compris entre 19 et 25 comme normal avant la grossesse (voir p. 115).

Notez que, au cours du premier trimestre, une perte de poids due aux nausées et aux vomissements est banale mais qu'elle ne doit pas dépasser 5 % du poids antérieur à la grossesse.

Une perte de poids supérieure à 5 % au cours du premier trimestre peut être due à des *vomissements incoercibles.*

# → Tête et cou

Tenez-vous en face de la femme assise et observez sa tête et son cou, à savoir :

■ le *visage*. Le masque de grossesse *(chloasma)* est fréquent mais pas constant. Il est fait de taches brunâtres irrégulières autour du front et des joues, sur le nez et parfois le long de la mâchoire ;

Un œdème de la face, après 24 semaines, évoque une *hypertension gravidique*.

■ la *pilosité*, avec sa texture, son humidité et sa répartition. Les cheveux peuvent être secs, gras, parfois un peu clairsemés. Un hirsutisme modéré de la face, de l'abdomen et des membres est fréquent ;

Une alopécie en aires ne doit pas être attribuée à la grossesse (mais une chute de cheveux est fréquente après l'accouchement).

■ les *yeux*. Notez la couleur des conjonctives ;

L'anémie de la grossesse peut causer une pâleur.

■ le *nez*, y compris la muqueuse nasale et la cloison. Une congestion nasale est fréquente au cours de la grossesse ;

Les épistaxis sont plus fréquentes pendant la grossesse. La cloison nasale peut présenter des signes de toxicomanie à la cocaïne.

■ la *bouche*, notamment les dents et les gencives ;

Une hypertrophie gingivale avec des saignements (p. 289) est fréquente pendant la grossesse.

■ la *glande thyroïde*. Inspectez et palpez la thyroïde. Une augmentation de volume symétrique est prévisible.[23]

Une hypertrophie significative est anormale et doit être explorée.

# → Thorax et poumons

*Inspectez* le thorax et précisez le type de la respiration. L'élévation des coupoles diaphragmatiques et une augmentation du diamètre thoracique peuvent se voir dès le premier trimestre. Le volume courant et le volume minute augmentent mais la fréquence respiratoire reste stable. Ces modifications entraînent parfois des plaintes d'essoufflement. Attendez-vous à une alcalose respiratoire.[24]

En cas de plainte de dyspnée associée à de la toux ou à une détresse respiratoire, recherchez une infection, un *asthme* ou une *embolie pulmonaire*.

# → Cœur

*Palpez* le choc de la pointe du cœur. En fin de grossesse, il peut siéger un peu plus haut que normalement dans le 4e espace intercostal, du fait d'une rotation transversale vers la gauche du cœur, consécutive à l'élévation du diaphragme.

*Auscultez* le cœur. Un bruit de diable et un souffle mammaire systolique ou continu (voir p. 403) sont fréquents au cours de la grossesse ; ils reflètent un débit sanguin accru dans des vaisseaux normaux.[25] Recherchez un souffle mammaire, en fin de grossesse et pendant l'allaitement. Il est mieux entendu dans les régions latérosternales des deuxième et troisième espaces intercostaux et il est typiquement systolodiastolique. Seule la composante systolique peut être audible.

Des souffles peuvent aussi accompagner une anémie. Des souffles diastoliques récents et une dyspnée d'effort doivent être explorés.

## → Seins

*Inspectez* les seins et les mamelons, pour préciser leur symétrie et leur coloration. Le réseau veineux peut être marqué, les mamelons et les aréoles sont foncés, et les glandes de Montgomery proéminentes.

Un mamelon inversé doit retenir l'attention si un allaitement au sein est prévu.

*Palpez-les* à la recherche de masses. Pendant la grossesse, les seins sont sensibles et nodulaires.

Une masse anormale peut être difficile à isoler.

*Comprimez chaque mamelon* entre le pouce et l'index. Cette manœuvre peut exprimer du colostrum des mamelons.

Un écoulement sanglant ou purulent ne doit pas être attribué à la grossesse.

## → Abdomen

Aidez la femme enceinte à se mettre en position demi-assise, les genoux fléchis (voir p. 923).

*Inspectez* les cicatrices et vergetures, la forme et le contour de l'abdomen, et le fond utérin. Des vergetures pourpres et une ligne brune sont normales au cours de la grossesse. La forme et le contour de l'abdomen peuvent indiquer le terme (voir figure p. 916).

Les cicatrices peuvent confirmer la nature des interventions chirurgicales antérieures, notamment une césarienne.

*Palpez* l'abdomen pour :

- les *organes* et les *masses* (la masse due à la grossesse est attendue) ;

- les *mouvements fœtaux*. Ils sont habituellement perçus par l'examinateur après 24 semaines (et par la mère à partir de 18-20 semaines) ;

Si des mouvements ne sont pas perceptibles après 24 semaines, pensez à une erreur de terme, une mort *in utero*, une pathologie fœtale ou une grossesse nerveuse.

- la *contractilité utérine*. L'utérus se contracte irrégulièrement à partir de 12 semaines, et souvent en réaction à la palpation pendant le 3e trimestre. L'abdomen semble alors tendu ou ferme à l'examinateur, et il est difficile d'y sentir les parties fœtales. Si la main reste sur le fond utérin, les doigts percevront le relâchement du muscle utérin.

Avant 37 semaines, des contractions utérines régulières, avec ou sans douleur ou saignement, sont pathologiques ; elles suggèrent une menace d'*accouchement prématuré*.

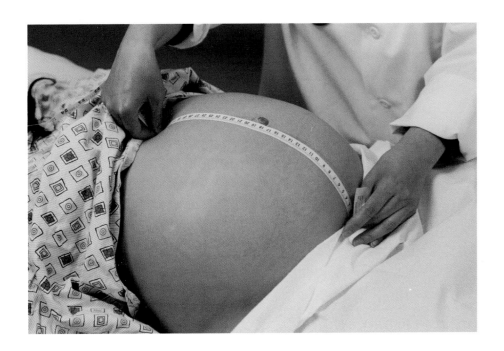

Si la femme est à plus de 20 semaines de grossesse, *mesurez la hauteur utérine* (la hauteur du fond utérin) avec un ruban métrique. En tenant le ruban comme sur la figure et en suivant la ligne médiane de l'abdomen, mesurez du bord supérieur de la symphyse pubienne au bord supérieur du fond utérin. Quoique sujette à erreur, entre 20 et 32 semaines, la mesure en centimètres est égale environ au nombre de semaines de gestation.[26, 27]

Si le fond utérin est à plus de 4 cm au-dessus de la hauteur attendue, pensez à une *grossesse multiple*, un gros fœtus, un excès de liquide amniotique ou un *fibrome utérin*. S'il reste à plus de 4 cm au-dessous de cette hauteur, pensez à une mort *in utero*, une présentation transverse, un retard de croissance intra-utérin, une grossesse nerveuse.

*Auscultez le cœur fœtal,* en notant sa fréquence (rythme cardiaque fœtal ou RCF), son siège et son rythme. Un sonicaide détecte le RCF après 10 semaines. Le RCF est audible avec un stéthoscope fœtal à partir d'environ 18 semaines, mais cet instrument est rarement utilisé de nos jours.

La non-audition des bruits du cœur fœtal traduit une grossesse plus jeune qu'alléguée, une mort *in utero* ou une grossesse nerveuse.

De 12 à 18 semaines, le *foyer d'auscultation* du RCF se trouve à la partie basse de la ligne médiane de l'abdomen. Après 28 semaines de gestation, le cœur fœtal est mieux entendu au-dessus du dos ou du thorax du fœtus. Le foyer du RCF dépend donc de la position du fœtus. La palpation de la tête et du dos du fœtus vous permet de savoir où il faut écouter les bruits du cœur (voir les manœuvres de Léopold, p. 930-932). Si le fœtus a la tête en bas et le dos dans le flanc gauche de la femme, le RCF est mieux entendu dans le quadrant inférieur gauche. Si la tête du fœtus est sous l'appendice xiphoïde *(présentation du siège)*, avec le dos à droite, le RCF est entendu dans le quadrant supérieur droit.

Après 24 semaines, l'auscultation de plus d'un RCF (avec des rythmes variables) dans plusieurs endroits suggère qu'il y a plus d'un fœtus.

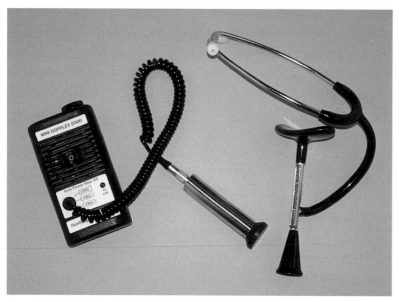

**SONICAIDE (À GAUCHE) ET STÉTHOSCOPE FŒTAL (À DROITE)**

La *fréquence* est habituellement de l'ordre de 160/min au début de la grossesse. Elle descend à 120-140/min près du terme. À partir de 32-34 semaines, le RCF augmente lors des mouvements fœtaux.

Un RCF qui se ralentit notablement près du terme, lors des mouvements, peut traduire une circulation placentaire médiocre ou un liquide amniotique peu abondant.

Le *rythme* devient important dans le dernier trimestre. Attendez-vous à une variation de 10-15 battements par minute (BPM) sur 1 à 2 minutes.

L'absence de variabilité d'un battement à l'autre en fin de grossesse justifie un enregistrement du RCF avec un cardiotocographe.

# → Organes génitaux, anus et rectum

Inspectez les *organes génitaux externes*, en notant la répartition de leur pilosité, leur couleur et des cicatrices éventuelles. Un relâchement de l'orifice vaginal chez les multipares et une augmentation de volume notable des lèvres et du clitoris sont normaux. On peut voir les cicatrices d'une *épisiotomie* (incision périnéale destinée à faciliter l'accouchement d'un enfant) ou de déchirures périnéales, chez les multipares.

Certaines femmes ont des varices des grandes lèvres qui deviennent sinueuses et douloureuses.

Recherchez des *hémorroïdes* au niveau de l'*anus* et, s'il y en a, précisez leur taille et leur siège.

Les hémorroïdes sont souvent turgescentes plus tard dans la grossesse. Elles peuvent être douloureuses et saigner.

Palpez les *glandes de Bartholin* et *de Skene*. Elles ne doivent présenter ni sensibilité ni écoulement.

Recherchez une *cystocèle* ou une *rectocèle*.

Parfois volumineuse, du fait du relâchement musculaire dû à la grossesse.

**Examen au spéculum.** Inspectez le *col* : couleur, forme, cicatrices de déchirures. Le col d'une multipare peut sembler irrégulier à cause des déchirures (voir p. 572).

Un col de couleur rose n'est pas compatible avec une grossesse.

Faites des *frottis cervicaux* et, si c'est indiqué, d'autres prélèvements cervicaux ou vaginaux. Le col utérin saigne plus facilement au contact, du fait de la congestion vasculaire due à la grossesse.

Des prélèvements peuvent être nécessaires au diagnostic si une infection vaginale ou cervicale est présente.

Inspectez les *parois vaginales* : coloration, écoulement, plis et relâchement. Une coloration bleuâtre ou violette, des plis profonds et un écoulement blanc laiteux, plus abondant *(leucorrhée)*, sont normaux.

Un vagin de couleur rose n'est pas compatible avec une grossesse. Une irritation vaginale avec prurit et écoulement suggère une infection.

**Toucher vaginal.** Introduisez deux doigts lubrifiés dans le vagin, la pulpe vers le bas, en appuyant légèrement sur le périnée. Faites glisser les doigts sur le dôme postérieur du vagin. En maintenant une pression vers le bas, faites tourner doucement la pulpe des doigts vers le haut. Évitez toujours l'urètre, qui est sensible. Avec le relâchement dû à la grossesse, le toucher vaginal est généralement plus facile à exécuter. Les tissus sont flasques et les parois vaginales moulées sur les doigts de l'examinateur. Il peut être difficile de distinguer le col, au début, à cause de son ramollissement.

Placez un doigt sur l'orifice, avec douceur, puis faites-lui balayer la *surface du col*. Le col d'une nullipare doit être fermé, alors que celui d'une multipare admet l'extrémité d'un doigt à l'*orifice externe*. L'*orifice interne* – l'étroit passage entre le canal cervical et la cavité utérine – est fermé dans tous les cas. La surface du col d'une multipare peut sembler irrégulière, du fait des déchirures cicatrisées, provoquées par un accouchement antérieur.

Un col raccourci, effacé avant 32 semaines, peut traduire une menace d'accouchement prématuré.

Estimez la *longueur du col* en palpant la surface externe du col, de l'extrémité du col au cul-de-sac latéral. Avant 34 à 36 semaines, le col doit conserver sa longueur normale, de 1,5 à 2 cm.

Palpez l'*utérus* : taille, forme, consistance et position. Celles-ci dépendent de l'âge de la grossesse. Un ramollissement précoce de l'isthme *(signe de Hegar)* est caractéristique de la grossesse. L'utérus a la forme d'une poire inversée jusqu'à 8 semaines, avec une légère augmentation de volume de son fond. Il devient globuleux à 10-12 semaines et perd son anté ou sa rétroflexion à 12 semaines, la partie fundique mesurant alors environ 8 cm de diamètre.

Avec les doigts intravaginaux placés de chaque côté du col, les pulpes vers le haut, soulevez doucement l'utérus vers la main abdominale. Coincez le fond de l'utérus entre vos deux mains et estimez la taille de l'utérus, avec douceur.

Palpez les deux *annexes*. Le corps jaune peut être perçu comme un petit nodule sur un ovaire au cours des premières semaines de gestation. En fin de grossesse, les annexes peuvent être difficiles à percevoir.

Appréciez *la force des muscles pelviens* au moment où vous retirez vos doigts.

L'*examen rectovaginal* est réservé aux cas où il faut affirmer l'intégrité de la cloison rectovaginale ou explorer des symptômes tels qu'une rectorragie, suggérant une pathologie rectale. Il peut aussi aider à déterminer la taille d'un utérus rétroversé ou rétrofléchi, mais on lui préfère actuellement une échographie endovaginale dans ce but.

Une forme irrégulière de l'utérus suggère un utérus myomateux ou un *utérus bicorne* (deux cavités utérines distinctes séparées par une cloison).

Tôt dans la grossesse, il est important d'exclure une *grossesse extra-utérine*. Voir tableau 14-9 : « Masses annexielles », p. 576.

## → Membres

L'inspection générale peut être faite sur la femme assise ou couchée sur le côté gauche.

Regardez les *membres inférieurs* à la recherche de varices.

Des varices peuvent apparaître ou s'aggraver durant la grossesse.

Inspectez les mains et les jambes à la recherche d'*œdèmes*. Recherchez par la palpation des œdèmes prétibiaux, des chevilles et des pieds. L'œdème est coté sur une échelle de 0 à 4+. Un œdème physiologique est banal en fin de grossesse, pendant la saison chaude et chez les femmes qui restent longtemps debout.

Vérifiez les *réflexes achilléen* et *rotulien*.

## → Techniques spéciales

### Manœuvres de Léopold modifiées

Ces manœuvres sont des compléments importants de la palpation de l'abdomen de la femme enceinte à partir de 28 semaines. Elles permettent de préciser la position du fœtus par rapport au rachis de la mère (longitudinale ou transverse), la partie qu'il présente au détroit supérieur (tête ou siège), la localisation de son dos, le degré de descente de la présentation fœtale dans le bassin maternel, et le poids estimé du fœtus. Ces renseignements sont nécessaires pour évaluer la croissance fœtale et les chances d'accouchement par voie basse.

Deux variantes sont fréquentes : la *présentation du siège* (les fesses constituent la présentation fœtale) et l'absence d'engagement de la présentation à terme. Aucune d'elles n'exclut un accouchement par voie basse. Les découvertes les plus graves sont une *présentation transverse* près du terme et une croissance fœtale ralentie (*retard de croissance intra-utérin*).

**Première manœuvre (pôle supérieur).** Tenez-vous à côté de la femme, lui faisant face. Tout en gardant les doigts joints aux deux mains, palpez doucement avec la pulpe des doigts pour déterminer quelle partie du fœtus se trouve dans le fond de l'utérus.

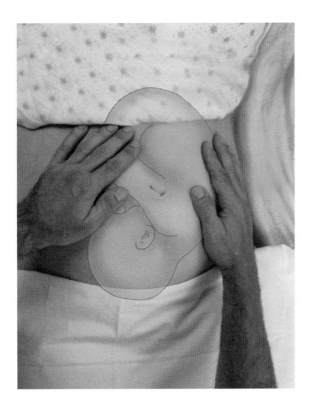

Le plus souvent, les fesses du fœtus sont au pôle supérieur. Elles sont fermes mais irrégulières et moins globuleuses que la tête. La tête fœtale est ferme, ronde et lisse.

**Deuxième manœuvre (parties latérales).** Mettez les mains de chaque côté de l'abdomen de la femme, afin de coincer le corps du fœtus entre elles. Servez-vous d'une main pour bloquer l'utérus et de l'autre pour palper le fœtus.

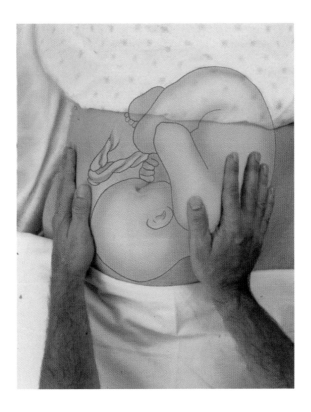

La main sur le dos fœtal perçoit une surface ferme, lisse, de la taille de la main (ou plus) à 32 semaines de gestation. La main sur les membres du fœtus perçoit des bosselures irrégulières et parfois des coups, si le fœtus est éveillé et actif.

***Troisième manœuvre (pôle inférieur).*** Tournez-vous et regardez les pieds de la femme. Avec les faces palmaires des mains et des doigts, les extrémités des doigts se touchant au début, palpez la zone juste au-dessus de la symphyse pubienne. Regardez si les mains divergent en appuyant vers le bas ou restent en contact. Vous saurez ainsi si la présentation fœtale (tête ou siège) est descendue ou non dans le bassin (engagée ou non).

Si la tête fœtale est la présentation, les doigts sentent une surface arrondie, ferme, lisse, des deux côtés.

Si les mains s'écartent, c'est que la présentation est engagée, comme sur l'illustration.

Si les mains restent en contact et que vous pouvez déprimer avec douceur la région sus-vésicale sans toucher le fœtus, c'est que la présentation est au-dessus de vos mains.

Si la présentation fœtale est engagée, palpez sa structure et sa fermeté. Sinon, remontez doucement les mains vers le bas abdomen et saisissez la présentation entre les mains.

La tête fœtale est lisse, ferme, arrondie, les fesses fermes mais irrégulières.

***Quatrième manœuvre (confirmation de la présentation).*** Avec votre main dominante, attrapez le pôle inférieur du fœtus, de l'autre main le pôle supérieur. Cette manœuvre vous permet de faire la distinction entre tête et siège du fœtus.

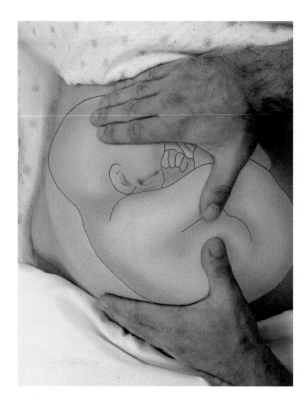

Le plus souvent, la tête est au pôle inférieur, et les fesses au pôle supérieur. Si la tête n'est pas engagée, elle se déplace de façon un peu indépendante du reste du corps fœtal.

# ➜ Conclusion de la consultation

Une fois l'examen terminé et la patiente rhabillée, affirmez-lui votre engagement à vous occuper de sa santé et de ses problèmes pendant la grossesse. Posez des questions supplémentaires si besoin est, et faites part de vos constatations. S'il faut d'autres éléments pour affirmer la grossesse, discutez avec elle des prochaines étapes. Soulignez l'importance d'une surveillance prénatale régulière et programmez les consultations suivantes. Notez toutes vos constatations sur le dossier obstétrical.

## CONSIGNER VOS OBSERVATIONS

Notez qu'au début vous pouvez faire des phrases pour décrire vos trouvailles ; plus tard vous utiliserez des phrases courtes. Le style ci-dessous emploie des phrases convenant à la plupart des rapports écrits.

### Consigner l'examen physique : la femme enceinte

« *Abdomen* : cicatrice chirurgicale transversale basse. Bruits intestinaux présents. Souple, pas douloureux, pas d'hépatosplénomégalie ni de masses. Fond utérin à peine palpable au-dessus de la symphyse pubienne. Bruits du cœur fœtal pas entendus. Pas d'adénopathie inguinale *Toucher vaginal* : col médian, mou ; orifice interne fermé. Pas de douleur à la mobilisation du col. Ovaire droit palpable, gauche non palpable ; pas d'autre masse annexielle. Fond utérin antéversé, hauteur utérine correspondant à 14-16 semaines ; tonus vaginal modéré. »

Décrit l'examen d'une femme enceinte bien portante à 16 semaines de gestation.

**Ou**

« *Abdomen* : pas de cicatrice chirurgicale. Bruits intestinaux présents. Souple, pas douloureux ; pas d'hépatosplénomégalie ni de masses palpables. Fond utérin palpable à deux travers de doigts au-dessous de l'ombilic, de forme ovoïde et lisse. RCF = 144/min. Pas de ganglions inguinaux. *Organes génitaux externes* : cicatrice d'épisiotomie médiane. Pas de lésions, d'écoulement ni de signes d'infection. *Toucher vaginal* : col médian, mou ; orifice externe admettant la pulpe d'un doigt ; orifice interne fermé. Pas de douleur provoquée par la mobilisation du col ; pas de masses annexielles. Hauteur utérine correspondant à 20 semaines, fond utérin médian et lisse ; tonus vaginal diminué. »

Décrit l'examen d'une femme enceinte bien portante à 20 semaines de gestation.

## Bibliographie

### RÉFÉRENCES

1. Cunningham FG, Leveno KL, Bloom SL, et al. (eds). Williams Obstetrics, 22nd ed. New York, McGraw Hill, Medical Publishers Division, 2005.
2. Berghout A, Wiersinga W. Thyroid size and function during pregnancy: an analysis. Eur J Endocrinol 138:536–542, 1998.
3. Boden G. Fuel metabolism in pregnancy and in gestational diabetes mellitus. Obstet Gynecol Clin North Am 23:1–10, 1996.
4. Smith R. Parturition. N Engl J Med 356(3):271–283, 2007.
5. Andersen HF, Johnson TR, Barclay ML, et al. Gestational age assessment. I. Analysis of individual clinical observations. Am J Obstet Gynecol 139(2):173–177, 1981.

6. Hillier SL, Krohn MA, Rabe LK, et al. The normal vaginal flora, H202-producing lactobacilli, and bacterial vaginosis in pregnant women. Clin Infect Dis 16(Suppl 4):S273–S281, 1994.

7. Boisonnault JS, Blaschak MJ. Incidence of diastasis rectus abdominis during the childbearing year. Phys Ther 68(7): 1082–1086, 1988.

8. Gilleard WL, Brown JMM. Structure and function of the abdominal muscles in primigravid subjects during pregnancy and the immediate postbirth period. Phys Ther 76(7): 750–762, 1996.

9. American College of Obstetricians and Gynecologists (ACOG). Nausea and vomiting of pregnancy. Practice Bulletin No. 52. Obstet Gynecol 104(4):803–814, 2004.

10. Institute of Medicine. Nutrition during Pregnancy and Lactation: An Implementation Guideline, p. 14. Washington, DC: National Academy Press, 1992.

11. Kaiser L, Allen LH, American Dietetic Association. Position of American Dietetic Association: nutrition and life style for a healthy pregnancy outcome. JAM Diet Assoc 108(3):553–561, 2008.

12. Hibbeln JR, Davis JM, Steer C, et al. Maternal seafood consumption in pregnancy and neurodevelopmental outcomes in childhood (ALSPAC study): an observational cohort study. Lancet 369(9561):578–585, 2007.

13. Food and Drug Administration. Mercury and seafood advice still current. FDA Consumer Magazine 40(5):2–3, 2006. Also What you need to know about mercury in fish and shellfish. 2004 EPA and FDA advice for: women who might become pregnant, women who are pregnant, nursing mothers, young children. EPA-823-R-04-005, March 2004.

14. American College of Obstetricians and Gynecologists (ACOG). Exercise during pregnancy and the postpartum period. ACOG Committee Opinion, No. 267, January 2002.

15. American College of Obstetricians and Gynecologists (ACOG). At-risk drinking and illicit drug use: ethical issues in obstetric and gynecologic practice. ACOG Committee Opinion, No. 294, January 2004.

16. Gazmararian JA, Lazorick S, Spitz AM, et al. Prevalence of violence against pregnant women. JAMA 275(24):1915–1920, 1996.

17. Martin SL, Mackie L, Kupper LL, et al. Physical abuse of women before, during, and after pregnancy. JAMA 85(12): 1581–1584, 2001.

18. American College of Obstetricians and Gynecologists (ACOG). Psychosocial risk factors: perinatal screening and intervention. ACOG Committee Opinion, No. 255, 1999.

19. Elliott L, Nerney M, Jones T, et al. Barriers to screening for domestic violence. J Gen Intern Med 17:112–116, 2002.

20. Friedman LS, Samet JH, Roberts MS, et al. Inquiry about victimization experiences: a survey of patient preferences and physician practices. Arch Intern Med 152:1186–1190, 1992.

21. American College of Obstetricians and Gynecologists (ACOG). Guidelines for Women's Health Care, 2nd ed. Washington, DC, ACOG, 2002.

22. American College of Obstetricians and Gynecologists (ACOG). Chronic hypertension in pregnancy. ACOG Committee Opinion, No. 29. Obstet Gynecol 98(1):S177–S185, 2001.

23. American College of Obstetricians and Gynecologists (ACOG). Guidelines for Women's Health Care, 2nd ed. Washington, DC, 2002.

24. Periera A, Kreiger BP. Pulmonary complications of pregnancy. Clin Chest Med 25(2):299–310, 2004.

25. Gei AF, Hankins CD. Cardiac disease and pregnancy. Obstet Gynecol Clin N Am 28(3):465–512, 2001.

26. Belizan JM, Villar J, Nardin JC, et al. Diagnosis of intrauterine growth retardation by a simple clinical method: measurement of uterine height. Am J Obstet Gynecol 131(6):643–646, 1978.

27. Persson B, Stangenberg M, Lunell NO, et al. Prediction of size of infants at birth by measurement of symphysis fundus height. Br J Obstet Gynaecol 93(3):206–211, 1986.

## AUTRES LECTURES

American College of Obstetricians and Gynecologists, Committee on Health Care for Underserved Women. ACOG Committee Opinion No. 361. Breastfeeding: maternal and infant aspects. Obstet Gynecol 109(2 Pt 1):479–480, 2007.

American Diabetes Association. Preconception care of women with diabetes. Diabetes Care 26(Suppl 1):S91–S93, 2003.

Bell R, Bailey K, Cresswell T, et al. Northern Diabetic Pregnancy Survey Steering Group. Trends in prevalence and outcomes of pregnancy in women with pre-existing type I and type II diabetes. BJOG 115(4):445–452, 2008.

Blenning CE, Paladine H. An approach to the postpartum office visit. Am Fam Phys 72(12):2491–2496, 2005.

Cunningham FG, Williams JW. Williams Obstetrics, 22nd ed. New York, McGraw-Hill, Medical Pub Division, 2005.

Fraser DC, Cooper MA, Myles MF. Myles Textbook for Midwives, 14th ed. New York, Churchill Livingstone, 2003.

Gavin NI, Gaynes BN, Lohr KN, et al. Perinatal depression: a systematic review of prevalence and incidence. Obstet Gynecol 106 (5 Pt 1):1071–1083, 2005.

Kirkham C, Harris S, Grzybowski S. Evidence-based prenatal care: Part I. General prenatal care and counseling issues. Am Fam Physician 71(7):1307–1316, 2005.

Pick ME, Edwards M, Moreau D, et al. Assessment of diet quality in pregnant women using the Healthy Eating Index. J Am Diet Assoc 105(2):240–246, 2005.

Read JS, American Academy of Pediatrics Committee on Pediatric AIDS. Human milk, breastfeeding, and transmission of human immunodeficiency virus type 1 in the United States. American Academy of Pediatrics Committee on Pediatric AIDS. Pediatrics 112(5):1196–1205, 2003.

Turok DK, Ratcliffe SD, Baxley EG. Management of gestational diabetes mellitus. Am Fam Phys 68(9):1767–1772, 2003.

U.S. Preventive Services Task Force. Screening for family and intimate partner violence: recommendation statement. Ann Intern Med 140(5):382–386, 2004.

Varney, HK, Kriebs JM, Gegor CL. Varney's Midwifery, 4th ed. Sudbury, MA, Jones and Bartlett Publishers, 2004.

Yang J, Cummings EA, O'Connell C, et al. Fetal and neonatal outcomes of diabetic pregnancies. Obstet Gynecol 108(3 Pt 1): 644–650, 2006.

Wisner KL, Parry BL, Piontek CM. Postpartum depression. N Engl J Med 347(3):194–199, 2002.

# Sujet âgé

Il y a maintenant plus de 37 millions de personnes âgées aux États-Unis, et il y en aura probablement 86 millions en 2050.[1] Ces seniors vivront plus longtemps que les précédentes générations. L'espérance de vie est actuellement de 79 ans pour les femmes et de 74 ans pour les hommes. On prévoit que les gens âgés de plus de 85 ans représenteront 5 % de la population des États-Unis d'ici 40 ans. Donc, l'« impératif démographique » est non seulement d'allonger la durée de vie mais aussi la période de bonne santé de notre population âgée, afin que les seniors restent valides aussi longtemps que possible et jouissent de vies riches et actives dans leurs maisons et leurs communautés.

Les cliniciens identifient à présent la fragilité comme l'un des principaux mythes de la société sur la vieillesse. Plus de 95 % des Américains de plus de 65 ans vivent dans leur communauté et seulement 5 % résident dans des établissements de long séjour.[1, 2] Au cours des 20 dernières années, les seniors sont véritablement devenus plus actifs et moins handicapés. Ces changements imposent de nouveaux buts aux soins cliniques : « un patient informé et coopérant, en interaction avec une équipe formée et dynamique, ce qui donne des rencontres satisfaisantes et de bonne qualité et améliore le pronostic », et un ensemble de conduites et de compétences cliniques spécifiques.[3, 4]

L'évaluation du sujet âgé fournit des occasions et soulève des difficultés particulières. Elle diffère de l'« approche orientée vers la maladie » de l'interrogatoire et de l'examen physique des patients plus jeunes par : le centrage sur un vieillissement en « en bonne santé » ou réussi ; la nécessité de comprendre et de mobiliser les soutiens familiaux, sociaux et communautaires ; l'importance des compétences dirigées vers l'évaluation fonctionnelle, la « sixième constante vitale » ; et les occasions de promouvoir une santé et une sécurité prolongées pour les personnes âgées.

Voir tableau 20-1 : « Compétences minimales en gériatrie », p. 976.

---

### Vue d'ensemble du chapitre sur le sujet âgé

- Anatomie et physiologie : changements liés au vieillissement.
- Antécédents médicaux :
  - approche du patient : aménagement de la pièce de consultation ; adaptation du contenu et du rythme de la consultation ; obtention des symptômes ; prise en compte des dimensions culturelles du vieillissement ;
  - points d'intérêt particuliers : activités de base de la vie quotidienne ; activités instrumentales de la vie quotidienne ; traitements ; nutrition ; douleur aiguë et chronique ; consommation d'alcool et de tabac ; directives anticipées et soins palliatifs.
- Promotion de la santé et conseils :
  - inclut quand dépister, la vision et l'audition, l'activité physique, les vaccinations, la sécurité à la maison, le dépistage du cancer, la dépression et la démence, et les mauvais traitements aux vieillards.
- Techniques d'examen :
  - bilan fonctionnel, avec le « Dépistage gériatrique en 10 minutes » ;
  - examen physique du sujet âgé.
- Consigner vos observations.

---

# ANATOMIE ET PHYSIOLOGIE

En premier lieu, le vieillissement reflète des modifications des réserves physiologiques avec le temps qui sont indépendantes et non induites par des maladies. Ces modifications se révèlent plutôt dans les périodes de stress, telles que l'exposition à des variations de température, une déshydratation ou même un choc. La diminution de la vasoconstriction cutanée et de la sudation peuvent altérer la réponse à la chaleur ; la diminution de la soif peut retarder la correction d'une déshydratation ; et les chutes physiologiques du débit cardiaque maximal, du remplissage du ventricule gauche et de la fréquence cardiaque maximale constatées chez le sujet âgé peuvent gêner la réponse au choc.

En même temps, la population âgée présente une grande hétérogénéité. Les chercheurs ont identifié de très grandes différences dans le vieillissement des gens et ils distinguent le vieillissement « habituel », avec son lot de maladies et de handicaps, du vieillissement « optimal ». Le vieillissement optimal se voit chez les gens qui ont complètement échappé à l'invalidité et restent bien-portants au-delà de 80-90 ans. Des études sur des centenaires montrent que les gènes sont responsables d'environ 20 % de la probabilité de vivre jusqu'à 100 ans et les modes de vie sains d'environ 20 à 30 %.[5-7]

Ces données sont des arguments convaincants pour promouvoir une nutrition optimale, des exercices physiques, et des activités quotidiennes chez les sujets âgés afin de retarder la diminution des réserves physiologiques.

## Constantes vitales

**Pression artérielle.** Dans les sociétés occidentales, la pression artérielle systolique a tendance à s'élever de l'enfance à la vieillesse. L'aorte et les grosses artères deviennent rigides et artérioscléreuses. Comme l'aorte devient moins élastique, un volume d'éjection donné provoque une plus grande élévation de la pression artérielle systolique ; il s'ensuit souvent une *hypertension systolique* avec *élargissement de la pression différentielle*. La pression artérielle diastolique cesse de s'élever après la cinquantaine. À l'inverse, certains sujets très âgés présentent une *hypotension orthostatique*, une chute de la pression artérielle quand ils se mettent debout.

**Fréquence et rythme cardiaques.** Chez les sujets âgés, la fréquence cardiaque au repos reste inchangée mais les cellules excitatrices du nœud sinusal de Keith et Flack déclinent, de même que la fréquence cardiaque maximale, ce qui retentit sur la réaction au stress physiologique.[8]

Les sujets très âgés ont plus de risques d'avoir des troubles du rythme cardiaque, tels que des extrasystoles auriculaires ou ventriculaires. Les troubles du rythme asymptomatiques sont en général bénins. Cependant, comme l'hypotension orthostatique, ils peuvent provoquer des *syncopes* ou pertes de conscience brèves.

**Fréquence respiratoire et température.** La fréquence respiratoire est inchangée mais la thermorégulation est modifiée, ce qui entraîne une propension à l'*hypothermie*.

**Peau et ses annexes.** Avec l'âge, la peau se ride, se relâche et perd de son turgor. La vascularisation du derme diminue et la peau des personnes de race blanche semble plus pâle et plus opaque. La peau du dos des mains et des avant-bras paraît fine, fragile, lâche et transparente. Il peut exister des macules ou taches pourpre, dénommées *purpura actinique*, qui s'atténuent avec le temps. Ces taches sont formées par du sang provenant de capillaires rompus, qui se répand dans le derme.

Les ongles perdent quelque peu de leur brillant avec l'âge, et peuvent jaunir et épaissir, notamment ceux des orteils.

Les poils subissent une série de changements. Les cheveux perdent leur pigmentation et grisonnent. La calvitie est génétiquement déterminée. Dès 20 ans, la limite de la chevelure de l'homme peut commencer à régresser sur les tempes ; une chute des cheveux sur le vertex lui succède. Chez les femmes, la chute des cheveux suit le même schéma, mais à un moindre degré. Dans les deux sexes, les cheveux deviennent moins denses et plus fins. Moins connue, mais vraisemblablement plus importante, est la dépilation du reste du corps : tronc, pubis, aisselles et membres. Des poils grossiers apparaissent sur le menton et la lèvre supérieure de beaucoup de femmes, à partir de 55 ans, mais n'augmentent pas par la suite.

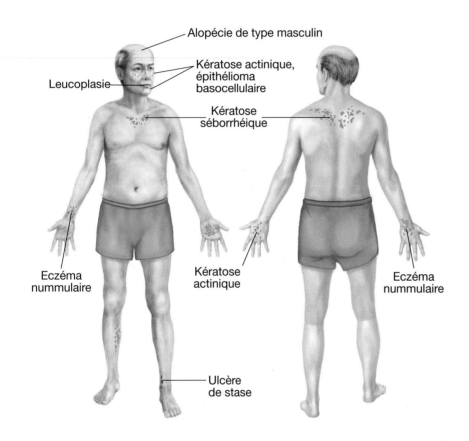

La plupart des changements décrits ici concernent les personnes ayant la peau blanche ; ils ne s'appliquent pas forcément à celles qui ont la peau plus foncée. Par exemple, les hommes amérindiens ont une pilosité faciale et corporelle moins dense que celles des hommes blancs et ils doivent être évalués selon leurs propres normes.

***Tête et cou.*** Les yeux, les oreilles et la bouche subissent les offenses de l'âge. La graisse qui entoure et protège l'œil dans l'orbite peut s'atrophier, permettant au globe oculaire de reculer un peu. Les paupières se rident, et tombent parfois en plis lâches. La graisse peut pousser l'aponévrose palpébrale vers l'avant, créant des « poches » dans les paupières inférieures et le tiers interne des paupières supérieures. Les personnes âgées peuvent se plaindre de sécheresse oculaire, parce que leurs yeux produisent moins de larmes. Les cornées perdent un peu de leur éclat.

Les pupilles diminuent de taille, ce qui rend l'examen ophtalmoscopique plus difficile. Elles peuvent devenir légèrement irrégulières mais doivent continuer à réagir à la lumière ou à la vision de près.

L'acuité visuelle reste très stable de 20 à 50 ans, puis diminue progressivement jusqu'à 70 ans, plus vite après. La plupart des gens âgés conservent néanmoins une vision correcte (de 3/10 à 10/10). Cependant, la vision de près faiblit de façon notable chez tout le monde. Dès l'enfance, le cristallin perd graduellement de son élasticité et les yeux deviennent progressivement moins capables d'accommoder et de mettre au point sur les objets proches. La *presbytie* qui en résulte commence en général à se manifester entre 40 et 50 ans.

Le vieillissement affecte les cristallins et augmente le risque de *cataracte*, de *glaucome* et de *dégénérescence maculaire*. L'épaississement et le jaunissement des cristallins entravent le passage de la lumière vers la rétine, et les gens âgés ont besoin de plus de lumière pour lire ou faire un travail fin. Les cataractes touchent 1 sujet sur 10 après 60 ans et 1 sur 3 après 80 ans. Comme le cristallin continue à grossir au fil des années, il peut repousser l'iris en avant, ce qui rétrécit l'angle entre l'iris et la cornée, et augmente le risque de *glaucome à angle fermé*.

Voir chapitre 7 : « Tête et cou », p. 269-271.

L'acuité auditive, comme l'acuité visuelle, diminue habituellement avec l'âge. Les déficits initiaux, qui touchent le jeune adulte, portent surtout sur les sons aigus, au-delà du spectre de la voix humaine, et ont assez peu d'incidence fonctionnelle. Mais, progressivement, le déficit s'étend aux sons de fréquences moyennes et basses. Quand un sujet ne saisit pas les tons les plus aigus alors qu'il entend les plus graves, les mots entendus sont déformés et difficiles à comprendre, surtout dans un environnement bruyant. Le déficit auditif lié à l'âge ou *presbyacousie* devient de plus en plus net en général après 50 ans.

Une diminution des sécrétions salivaires et du sens gustatif accompagnent le vieillissement, mais des traitements et diverses maladies contribuent vraisemblablement beaucoup à ces changements. La diminution de l'odorat et l'accroissement de la sensibilité aux saveurs amères et salées affectent aussi le goût. Les dents peuvent être usées ou abrasées, ou détruites par des caries dentaires ou d'autres affections. La parodontolyse est la principale cause de perte dentaire chez l'adulte. Chez le sujet totalement édenté, la partie inférieure du visage est amincie et creusée, avec des rides profondes, rayonnant autour de la bouche. La fermeture excessive de la bouche peut entraîner une macération des commissures, et une *perlèche*. Les rebords osseux des maxillaires, autrefois creusés par les alvéoles dentaires, se résorbent progressivement, surtout au niveau de la mâchoire inférieure.

Voir chapitre 7 : « Tête et cou », p. 241-246.

La fréquence avec laquelle on peut palper des ganglions cervicaux diminue avec l'âge. D'après une étude, elle tombe en dessous de 50 % entre 50 et 60 ans. Contrastant avec les ganglions lymphatiques, les glandes sous-maxillaires deviennent plus faciles à palper.

***Thorax et poumons.*** Avec le vieillissement, l'aptitude à l'effort diminue. Le thorax devient plus rigide et plus difficile à mobiliser, les muscles respiratoires peuvent s'affaiblir et les poumons perdre de leur élasticité. La masse pulmonaire diminue et le volume résiduel augmente. Le débit expiratoire maximal diminue progressivement et la toux devient moins efficace.

Les modifications squelettiques liées au vieillissement accentuent souvent la courbure dorsale du rachis thoracique, donnant une cyphose par tassement ostéoporotique des vertèbres, accroissant le diamètre antéropostérieur du thorax. Le « thorax en tonneau » qui en résulte a peu de conséquences fonctionnelles.

***Appareil cardiovasculaire.*** Les trouvailles cardiovasculaires varient significativement avec l'âge. Le vieillissement retentit sur les bruits vasculaires du cou et modifie la signification des bruits cardiaques supplémentaires, comme B3 et B4, et de certains souffles systoliques.

Revoyez les effets de l'âge sur la pression artérielle et la fréquence cardiaque, p. 350.

**Vaisseaux du cou.** L'allongement et la sinuosité de l'aorte et de ses branches aboutissent parfois à une coudure ou une boucle de l'artère carotide à la partie inférieure du cou, en particulier du côté droit. La masse pulsatile qui en résulte, et qui se voit surtout chez les femmes hypertendues, peut être confondue avec un anévrisme carotidien, une dilatation authentique de l'artère. Une aorte sinueuse augmente parfois la pression dans les veines jugulaires du côté gauche en gênant leur drainage dans le thorax.

Chez les gens âgés, l'audition de souffles systoliques à la partie moyenne ou supérieure des artères carotides évoque, sans la prouver, une obstruction artérielle partielle résultant de l'athérosclérose. Chez le sujet jeune, au contraire, les souffles cervicaux n'ont pas de caractère pathologique.

**Bruits du cœur supplémentaires : B3 et B4.** Un *troisième bruit cardiaque* physiologique, entendu de façon banale chez l'enfant et l'adulte jeune, peut persister jusqu'à la quarantaine, surtout chez la femme. Après 40 ans, cependant, un B3 évoque fortement une insuffisance cardiaque congestive par surcharge volumique du ventricule gauche, comme dans la maladie coronarienne ou une cardiopathie valvulaire (par exemple, l'insuffisance mitrale). Il est rare au contraire d'entendre un *quatrième bruit cardiaque* chez l'adulte jeune, à moins qu'il ne soit un athlète de haut niveau. On peut l'entendre chez des gens plus âgés par ailleurs bien-portants, mais il évoque souvent une diminution de la compliance ventriculaire et une altération du remplissage ventriculaire.

Voir tableau 9-8 : « Bruits cardiaques surajoutés en diastole », p. 398.

**Souffles cardiaques.** Beaucoup d'adultes d'âge moyen ou avancé ont un *souffle systolique aortique.* Ce souffle s'entend chez environ un tiers des sujets proches de la soixantaine et chez bien plus de la moitié de ceux qui atteignent 85 ans. Le vieillissement épaissit les bases des sigmoïdes aortiques avec un tissu fibreux puis calcifié, d'où des vibrations audibles. La turbulence du sang dans une aorte dilatée peut amplifier ce souffle. Chez la plupart des gens, ce processus de fibrose et de calcification, dénommé *sclérose aortique*, n'entrave pas le flux sanguin. Chez certains cependant, les valves calcifiées deviennent immobiles, entraînant une véritable *sténose aortique*, avec obstacle à l'éjection.

Une expansion normale de la carotide peut aider à distinguer la sclérose aortique de la sténose aortique (où cette expansion est retardée), mais les deux pathologies peuvent être difficiles à différencier cliniquement. Toutes les deux augmentent le risque de morbidité et de mortalité cardiovasculaires.

Des changements similaires atteignent la valvule mitrale, habituellement une dizaine d'années plus tard que la sclérose aortique. La calcification de l'anneau mitral gêne la fermeture normale de la valvule pendant la systole, entraînant un souffle systolique d'*insuffisance mitrale*. Ce souffle peut devenir pathologique quand la surcharge volumique augmente dans le ventricule gauche.

### *Système vasculaire périphérique.*

*Système vasculaire périphérique.* Le vieillissement modifie cliniquement peu le système vasculaire périphérique. Bien que des affections artérielles et veineuses, notamment l'athérosclérose, atteignent plus souvent les gens âgés, elles ne font vraisemblablement pas partie du processus de vieillissement. Les artères périphériques s'allongent, deviennent sinueuses et semblent plus dures et moins élastiques. Cependant, ces changements n'indiquent pas forcément une athérosclérose ou des modifications pathologiques des vaisseaux cérébraux ou coronaires.

Les changements fréquents de la peau et de ses annexes, discutés plus haut, ne traduisent pas une insuffisance artérielle, même s'ils lui sont classiquement associés. La disparition des pouls artériels est anormale et impose une évaluation minutieuse. Exceptionnellement, chez les sujets de plus de 50 ans, les artères temporales peuvent devenir le siège d'une artérite à cellules géantes (maladie de Horton) qui se complique d'une cécité dans 15 % des cas, de céphalées et de claudication de la mâchoire. L'âge de début moyen est de 72 ans. Il faut craindre un anévrisme de l'aorte abdominale chez les sujets âgés qui se plaignent de douleurs abdominales ou dorsales, surtout si ce sont des hommes, qui fument et ont une maladie coronarienne.

### *Seins et aisselles.*

*Seins et aisselles.* Le sein de l'adulte normal peut être mou, mais aussi granuleux ou nodulaire. Cette texture inhomogène constitue la nodularité physiologique. Elle peut être bilatérale et diffuse ou localisée à certaines parties du sein. Avec l'âge, la poitrine féminine tend à diminuer de volume parce que le tissu glandulaire s'atrophie et est remplacé par de la graisse. Bien que la proportion de graisse augmente, sa masse totale peut aussi diminuer. Les seins deviennent souvent flasques et plus pendulaires. Les canaux entourant le mamelon sont plus facilement palpés comme des filaments durs. La pilosité axillaire diminue.

### *Abdomen.*

*Abdomen.* À l'âge mûr et par la suite la graisse tend à s'accumuler dans la partie inférieure de l'abdomen et autour des hanches, même si le poids reste stable. Cette accumulation de graisse et le relâchement des muscles abdominaux produisent un aspect de bedaine. Il arrive qu'une personne s'inquiète en notant ces changements et se demande s'il ne s'agit pas d'une ascite ou d'un signe de maladie.

Le grand âge peut atténuer les manifestations d'une affection abdominale aiguë. La douleur peut être moins intense, la fièvre moins élevée, et les signes d'inflammation péritonéale, tels que la défense musculaire et la douleur à la décompression, peuvent être atténués, voire absents.

Voir chapitre 11 : « Abdomen », p. 433-491.

***Organes génitaux masculins et féminins, anus, rectum et prostate.*** Chez les hommes vieillissants, la libido semble rester intacte, quoique la fréquence des relations sexuelles diminue. Plusieurs changements accompagnent la diminution des taux de testostérone. Les érections deviennent plus dépendantes de la stimulation tactile, moins sensibles aux signaux érotiques. La taille du pénis diminue et les testicules descendent plus bas dans le scrotum. Les maladies prolongées, plus que le vieillissement, sont responsables de l'atrophie testiculaire. La pilosité pubienne décroît et grisonne. Les troubles de l'érection ou l'impuissance touchent environ 50 % des sujets âgés. Ils sont en général dus à une insuffisance artérielle hypogastrique et caverneuse ou à une fuite veineuse par les veinules superficielles.[9]

Chez les femmes, la fonction ovarienne commence à décliner en général vers la quarantaine et les cycles menstruels cessent en moyenne entre 45 et 52 ans. Avec la chute de la stimulation œstrogénique, beaucoup de femmes éprouvent des « bouffées de chaleur » pendant une période pouvant durer jusqu'à 5 ans. Les symptômes vont de la rougeur du visage, de la transpiration et des palpitations, aux tremblements et à l'anxiété. Des insomnies et des sautes d'humeur sont fréquentes. Les femmes peuvent se plaindre de sécheresse vaginale, d'incontinence d'urines ou de dyspareunie. Il se produit plusieurs modifications vaginales : la pilosité pubienne s'éclaircit et grisonne, les lèvres et le clitoris deviennent plus petits, le vagin se rétrécit et se raccourcit, et sa muqueuse s'amincit, pâlit et s'assèche, avec la perte de sa lubrification. La taille de l'utérus et des ovaires diminue. Dans les 10 ans qui suivent la ménopause, les ovaires ne sont plus palpables, en général. Les ligaments suspenseurs des trompes, de l'utérus et de la vessie peuvent aussi se détendre. La libido et la sexualité sont souvent inchangées, surtout en l'absence de problèmes tenant au partenaire, de perte du partenaire ou de stress personnel ou professionnel inhabituel.[10]

Chez les hommes, la prolifération du stroma et de l'épithélium prostatiques, appelée hypertrophie bénigne ou adénome prostatique (AP), commence entre 20 et 30 ans, mais l'augmentation de volume de la prostate n'entraîne des symptômes que dans environ la moitié des cas.[11] Un retard à la miction, une miction « goutte à goutte » ou une miction incomplète peuvent souvent être rattachés à d'autres causes que l'AP : une maladie concomitante, un traitement, des anomalies de la partie basse de d'arbre urinaire. L'adénome grossit jusqu'à 60-70 ans, où il atteint un plateau. Tous ces changements sont dépendants des androgènes.

***Appareil locomoteur.*** Les changements musculosquelettiques se poursuivent durant tout l'âge adulte. Peu après la maturité, la taille commence à diminuer imperceptiblement ; un rapetissement significatif est visible chez les sujets âgés. La majeure partie de la perte de taille concerne le tronc du fait de l'amincissement des disques intervertébraux et du tassement, voire de l'effondrement des corps vertébraux dû à l'ostéoporose. La flexion des genoux et des hanches joue aussi un rôle dans la réduction de la taille. Les altérations des disques et des vertèbres contribuent également à la cyphose de la vieillesse et augmentent le diamètre antéropostérieur du thorax, en particulier chez les femmes. Pour ces raisons, les membres inférieurs d'une personne âgée tendent à paraître longs par rapport au tronc.

En vieillissant, les muscles squelettiques décroissent en masse et en force, et les ligaments perdent un peu de leur extensibilité. L'amplitude des mouvements diminue en partie à cause de l'arthrose.

***Système nerveux.*** Le vieillissement affecte toutes les facettes du système nerveux, depuis l'état mental jusqu'à la motricité, la sensibilité et la réflectivité. Les déficits liés à l'âge sont lourds. Les personnes âgées sont éprouvées par la mort d'êtres aimés et d'amis, la retraite professionnelle et la diminution des revenus, l'affaiblissement des capacités physiques, y compris les altérations de la vision et de l'audition, et souvent un isolement social croissant. De plus, le cerveau vieillissant subit des modifications biologiques. Son volume et le nombre des cellules corticales diminuent, et l'on a identifié des modifications à la fois biochimiques et microscopiques. La plupart des hommes et des femmes s'adaptent cependant bien au vieillissement. Ils gardent de l'estime pour eux-mêmes, s'adaptent au changement de leurs capacités et des situations, et se préparent finalement d'eux-mêmes à la mort.

La plupart des personnes âgées se comportent bien à l'examen du fonctionnement mental mais des troubles peuvent devenir manifestes, en particulier à des âges avancés. Beaucoup se plaignent de leur mémoire. Un « léger manque de mémoire » est l'explication habituelle et peut se voir à tout âge. Ce terme désigne la difficulté à se souvenir de noms de personnes ou d'objets ou de certains détails d'événements précis. Reconnaître cela comme un phénomène banal, quand c'est le cas, peut rassurer une personne qui craint une maladie d'Alzheimer. Outre ce manque de mémoire limité, les personnes âgées relatent et analysent les faits plus lentement et prennent plus de temps pour apprendre des choses nouvelles. Leurs réponses motrices peuvent se ralentir et leur capacité à accomplir des tâches complexes peut s'altérer.

Le clinicien doit souvent essayer de faire la distinction entre les changements liés à l'âge et les manifestations de troubles mentaux spécifiques dont la prévalence augmente en vieillissant, tels que la dépression et la démence. Isoler ces troubles parmi les plaintes médicales peut s'avérer difficile notamment parce que les troubles thymiques et les changements cognitifs peuvent altérer la capacité du patient à reconnaître ses symptômes et à les rapporter. Les patients âgés sont plus sujets au délire, un état de confusion transitoire qui peut être le premier signe d'une infection ou d'une iatrogénie médicamenteuse. Le praticien doit apprendre à reconnaître rapidement ces états et à protéger le patient contre lui-même. Cependant, certaines constatations, qui seraient jugées anormales chez des gens plus jeunes, sont si fréquentes chez les gens âgés qu'elles peuvent être attribuées au seul vieillissement, par exemple les changements concernant l'audition, la vision, la motricité extrinsèque de l'œil, la taille de la pupille, sa forme et sa réactivité, décrits plus haut.

Revoyez au chapitre 5 : « Comportement et état mental », l'examen de l'état mental, p. 149-157, et le tableau 20-2 : « Délire et démence », p. 977.

Des modifications du système moteur sont habituelles. Les personnes âgées se déplacent et réagissent plus lentement et moins agilement que les plus jeunes, leur masse musculaire décroît. Les mains d'un sujet âgé semblent souvent fines et osseuses du fait de l'atrophie des muscles interosseux, qui entraîne une fonte musculaire au dos des mains, faisant apparaître des concavités et des sillons. Comme illustré page 710, ce changement est souvent le plus net entre le pouce et le reste de la main (1<sup>er</sup> espace interosseux) mais il peut également se voir entre les autres métacarpiens. L'atrophie des petits muscles peut aussi aplatir les éminences thénar et hypothénar des paumes. Les muscles des membres sont aussi atrophiés, ce qui exagère le volume apparent des articulations de voisinage. La force musculaire, quoique diminuée, est relativement bien conservée.

De temps en temps, une personne âgée présente un tremblement bénin essentiel de la tête, de la mâchoire, des lèvres ou des mains, qui peut être pris pour une maladie de Parkinson (p. 754-755). Par différence avec le tremblement parkinsonien, le tremblement bénin est un peu plus rapide, disparaît au repos et n'est pas associé à une rigidité musculaire.

Voir au chapitre 17 : « Système nerveux », le tableau 17-4 : « Tremblements et mouvements involontaires », p. 754-755.

Le vieillissement affecte aussi le sens vibratoire et les réflexes. Le sens vibratoire est souvent diminué ou aboli sur les pieds et les chevilles (mais pas sur les doigts ou sur les crêtes tibiales). Plus rarement, le sens de la position peut s'atténuer ou disparaître. Le réflexe nauséeux peut être diminué ou aboli. Les réflexes abdominaux peuvent diminuer ou disparaître. Les réflexes achilléens peuvent être symétriquement diminués ou abolis, même en renforçant la stimulation. Il est moins habituel que les réflexes rotuliens soient affectés. En partie à cause des changements musculosquelettiques des pieds, le réflexe cutané plantaire devient moins net, plus difficile à interpréter. Si d'autres anomalies neurologiques accompagnent ces changements ou si l'atrophie et les modifications des réflexes sont asymétriques, vous devrez rechercher une explication autre que le seul vieillissement.

## ANTÉCÉDENTS MÉDICAUX

## ➜ Approche du patient

Pour parler avec des sujets âgés, commencez par perfectionner vos techniques habituelles d'interrogatoire. Votre comportement doit marquer du respect, de la patience et une vigilance culturelle. Appelez les patients par leur civilité et leur nom de famille.

### Approche du patient âgé

- Aménager la pièce de consultation.
- Adapter le contenu et le rythme de la consultation.
- Obtenir les symptômes.
- Prendre en compte les dimensions culturelles du vieillissement.

***Aménager la pièce de consultation.*** D'abord prenez le temps d'adapter l'environnement de la pièce de consultation du cabinet médical, de l'hôpital ou de l'établissement pour personnes âgées afin de mettre le patient à l'aise. Rappelez-vous les changements physiologiques de la thermorégulation et assurez-vous que la pièce n'est ni trop froide ni trop chaude. Un éclairage plus intense compense les modifications du cristallin : une pièce bien éclairée permet au sujet âgé de voir vos mimiques et vos gestes. Mettez-vous en face du patient, assis à hauteur d'yeux.

Plus de 50 % des sujets âgés ont des déficits auditifs, notamment dans les aigus, ce qui fait qu'une pièce tranquille, sans distractions ni bruit, favorise une bonne communication. En milieu hospitalier, éteignez la radio ou la télévision, avant d'entamer la discussion. Si besoin est, envisagez d'utiliser un microphone relié à une oreillette mise en place par le patient. Essayez de parler avec une voix grave et assurez-vous que le patient a les bonnes lunettes, ses prothèses auditives et dentaires, pour faciliter la communication. Les patients qui ont des quadriceps faibles tirent profit de sièges surélevés et de grands tabourets avec une rampe pour les amener à la table d'examen.[12]

### *Adapter le contenu et le rythme de la consultation.*

Avec les sujets âgés, prévoyez de modifier le format habituel de la consultation initiale et de la consultation de suivi. À partir de la maturité, les gens commencent à mesurer leur vie en termes d'années restant à vivre plutôt que d'années déjà vécues. Les vieilles personnes se souviennent du passé et pensent à des expériences anciennes. Écouter ce qu'elles disent peut vous donner des éclairages importants et vous aider à soutenir les patients qui éprouvent des sentiments pénibles ou se rappellent des joies et des réussites.

En même temps, il faut mettre en balance la nécessité d'évaluer des problèmes complexes avec l'endurance et la possible fatigue du patient. Pour avoir assez de temps pour écouter le patient mais l'empêcher de s'épuiser, utilisez largement les outils de dépistage courts, les renseignements fournis par les visites à domicile et le dossier médical, et les récits des membres de la famille, des auxiliaires de vie et des paramédicaux. Envisagez la possibilité de répartir la première évaluation sur deux consultations. Deux consultations ou plus peuvent être moins fatigantes et plus fructueuses parce que les patients âgés ont besoin de plus de temps pour répondre aux questions et que leurs explications peuvent être lentes et longues.

Voyez les outils de dépistage courts, p. 959.

### *Obtenir les symptômes du sujet âgé.*

Obtenir une anamnèse de sujets âgés nécessite l'ingéniosité du praticien : les patients peuvent, volontairement ou non, ne pas parler de certains symptômes ; le tableau clinique de maladies aiguës peut être différent ; des symptômes banaux peuvent dissimuler un syndrome gériatrique ; les patients peuvent avoir des troubles cognitifs.

Les patients âgés ont tendance à surestimer leur état de santé en cas d'aggravation d'une maladie ou d'un handicap.[12] Il vaut mieux commencer la consultation par des questions ouvertes telles que : « En quoi puis-je vous être utile aujourd'hui ? » Des gens âgés peuvent être réticents à raconter leurs symptômes. Certains ont peur ou sont gênés ; d'autres essayent d'éviter des dépenses médicales ou les désagréments du diagnostic et du traitement. D'autres encore négligent leurs symptômes, en pensant qu'ils sont inhérents à la vieillesse, et ils les oublient tout simplement. Pour réduire le risque de diagnostic et d'intervention tardifs, vous pouvez avoir besoin de poser des questions plus directes ou de recourir à des outils de dépistage sanitaire, ainsi que de consulter les membres de la famille et les personnes qui s'occupent d'eux.

Les maladies aiguës se présentent différemment chez les sujets âgés. Les patients âgés infectés ont moins souvent de la fièvre. Chez ceux qui ont fait un infarctus du myocarde, le signalement d'une douleur devient moins fréquent et les plaintes de dyspnée, syncope, accident vasculaire cérébral et confusion aiguë deviennent plus fréquentes.[13] Les patients âgés hyper ou hypothyroïdiens ont moins de symptômes et de signes. Dans l'hyperthyroïdie, la fatigue, la perte de poids et la tachycardie constituent la triade symptomatique la plus fréquente à partir de 50 ans.[14] Les patients âgés souffrent plus probablement d'anorexie et de fibrillation auriculaire ; l'intolérance à la chaleur, la transpiration excessive et l'hyperréflectivité sont beaucoup plus rares.[15] Dans l'hypothyroïdie, la fatigue et la faiblesse sont fréquentes mais pas spécifiques du tout ; les trémulations, les paresthésies, la prise de poids et les crampes rencontrés chez les patients plus jeunes sont inhabituelles.[15]

La prise en charge d'un nombre croissant d'affections interconnectées nécessite de savoir reconnaître les groupements de symptômes évocateurs de différents *syndromes gériatriques*. Ceux-ci ont pour caractéristiques d'être d'origine multifactorielle, observés chez des adultes âgés, souvent fragiles, déclenchés par un événement aigu, épisodiques, et souvent suivis d'une dégradation fonctionnelle. Étant donné que leur définition est encore fluctuante, certains préfèrent parler de *conditions gériatriques* ou d'une « collection de symptômes et de signes fréquents chez les adultes âgés mais pas nécessairement liés à une maladie spécifique ».[16] Les exemples de syndromes ou de conditions gériatriques comprennent le délire, les troubles cognitifs, les chutes, les étourdissements, la dépression, l'incontinence urinaire et les déficits fonctionnels.[16, 17] Les apprentis cliniciens doivent connaître ces syndromes parce qu'un symptôme peut être lié à plusieurs autres, selon un schéma ignoré du patient. La recherche du « diagnostic unique » peut ne convenir qu'à moins de 50 % des adultes âgés.[18]

Enfin, l'étudiant doit savoir de quelle façon les troubles cognitifs affectent l'anamnèse du patient. Les faits suggèrent que lorsque des patients âgés rapportent des symptômes, leurs récits sont fiables et plus riches que ceux de leurs proches ou d'autres sources.[19-21] Par comparaison avec des témoins normaux, même des vieillards avec des troubles cognitifs modérés fournissent une anamnèse suffisante pour révéler des troubles en cours d'évolution.[9] Utilisez des phrases simples pour obtenir les renseignements indispensables. Chez les patients qui sont plus atteints, confirmez les symptômes clés avec les proches ou les personnes qui s'occupent d'eux, en présence et avec l'accord du patient.

Apprenez à reconnaître et à éviter les stéréotypes qui vous empêchent d'apprécier chaque patient comme un être unique, avec une mine d'expériences vécues. Découvrez quelle perception les patients ont d'eux-mêmes et de leurs situations. Écoutez leurs priorités, leurs objectifs et leurs capacités à se débrouiller. Cette connaissance renforcera votre alliance avec les personnes âgées quand vous ferez des plans pour les soins et le traitement.

### ASTUCES POUR COMMUNIQUER EFFICACEMENT AVEC DES ADULTES ÂGÉS

✔ Trouvez un cadre bien éclairé, modérément chauffé, avec un bruit de fond minime, des sièges et un accès à la table d'examen sûrs.

✔ Mettez-vous en face du patient, parlez d'une voix grave ; assurez-vous que le patient porte ses lunettes, ses appareils auditifs et ses prothèses dentaires, si besoin est.

✔ Adaptez le rythme et le contenu de l'entrevue à la résistance physique du patient ; envisagez de faire l'évaluation initiale sur deux consultations, si c'est indiqué.

✔ Laissez du temps pour des questions ouvertes et des souvenirs ; faites appel à la famille et aux auxiliaires de vie, si besoin est, notamment si le patient a des troubles cognitifs.

✔ Utilisez des instruments de dépistage courts, le dossier médical et les comptes rendus des paramédicaux.

✔ Évaluez soigneusement les symptômes, notamment la fatigue, la perte d'appétit, les étourdissements et la douleur, comme signes d'alarme de troubles sous-jacents.

✔ Assurez-vous que les instructions écrites sont en grands caractères d'imprimerie et faciles à lire.

***Tenir compte des dimensions culturelles du vieillissement.*** Les cliniciens doivent acquérir une connaissance et une conscience nouvelles des croyances et de la culture qui façonnent la réaction des personnes âgées à la maladie et au système de soins.[23] Entre 1990 et 2000, les Hispaniques, les Afro-Américains, les Amérindiens et d'autres groupes ethniques ont été responsables d'environ 43 % de l'accroissement de la population des États-Unis.[24] En 2050, la population âgée globale sera multipliée par 2,3 et la population très âgée par 5,1.[25] Les grandes catégories utilisées dans les rapports fédéraux ne saisissent plus l'éventail des différences culturelles qui influent sur la façon dont les personnes âgées pensent la souffrance, la maladie, les décisions concernant les soins, en allant de l'utilisation des médecines douces à la chronologie des examens systématiques. Les groupes d'immigrés ou de réfugiés qui ont des besoins de santé particuliers aux États-Unis comprennent les Vietnamiens, les Laotiens, les Haïtiens, les Somalis, les Russes et les Européens de l'Est, les Afghans et les Bosniaques.

Les différences culturelles influent sur l'épidémiologie des maladies et la santé mentale, le processus d'acculturation, les problèmes spécifiques des personnes âgées, la possibilité d'erreurs de diagnostic et la disparité des évolutions.[25-28]

Consacrez quelques minutes à revoir les composantes personnelles nécessaires à la compétence culturelle discutée au chapitre 3 (p. 88-92). Apprenez les différentes façons culturelles de montrer du respect aux anciens et utilisez des modes de communication non verbale appropriés. Par exemple, un contact oculaire direct et une poignée de main peuvent ne pas être culturellement adéquats. Identifiez les expériences importantes qui retentissent sur les conceptions et le psychisme du patient et qui découlent de son origine géographique ou de son passé migratoire. Enquérez-vous de conseillers spirituels et de guérisseurs traditionnels.

Les valeurs culturelles influent particulièrement sur les décisions de fin de vie. Les anciens, la famille et même un groupe communautaire peuvent prendre ces décisions avec ou pour un patient âgé. Un tel groupe de décision est contraire à l'autonomie du patient et au consentement éclairé que beaucoup de soignants contemporains valorisent, attendent et supposent être automatiquement désirés par tous.[24] Il importe d'être réceptif aux stress de l'immigration et de l'acculturation, d'utiliser efficacement des traducteurs, d'enrôler des « pilotes du patient » issus de la famille et de la communauté, et de recourir à des instruments d'évaluation validés culturellement, comme l'« Échelle de dépression gériatrique », pour soigner avec empathie les sujets âgés.[26]

Voir au chapitre 3 : « Interrogatoire et antécédents », le travail avec des interprètes, p. 78-79.

# → Points importants dans l'évaluation de symptômes fréquents ou inquiétants

## Inquiétudes fréquentes

- Activités de base de la vie quotidienne.
- Activités instrumentales de la vie quotidienne.
- Traitements.
- Nutrition.
- Douleur aiguë et chronique.
- Tabac et alcool.
- Directives anticipées et soins palliatifs.

Les symptômes du sujet âgé peuvent avoir plusieurs significations et interconnections, comme nous l'avons vu à propos des syndromes gériatriques. Précisez la signification de ces symptômes comme vous le feriez pour n'importe quel patient, et revoyez les parties sur les symptômes fréquents ou inquiétants dans les chapitres précédents. Pour les sujets âgés, replacez ces symptômes dans le contexte de votre évaluation fonctionnelle globale. Plusieurs domaines justifient une attention particulière pendant que vous recueillez l'anamnèse. Abordez ces domaines avec encore plus de tact et de minutie, en ayant pour but d'aider le patient âgé à maintenir un bien-être et un niveau fonctionnel optimaux.

*Activités de la vie quotidienne.* Savoir comment les sujets âgés, particulièrement ceux qui ont des maladies chroniques, se comportent dans leurs activités quotidiennes est essentiel et vous donnera un important point de référence pour le futur. En premier lieu, évaluez la capacité du patient à s'occuper de lui-même. Interrogez-le sur sa capacité à exécuter les *activités de base de la vie quotidienne* (AVQ) – c'est-à-dire à s'occuper de lui-même –, puis interrogez-le sur sa capacité à accomplir les *activités instrumentales de la vie quotidienne* (AIVQ), énumérées ci-dessous. Est-ce que le patient peut exécuter ces activités tout seul, ou a-t-il besoin d'un peu d'aide, ou est-il totalement dépendant des autres ?

Vous pouvez souhaiter commencer par une demande ouverte telle que : « Racontez-moi une journée type », ou « Racontez-moi votre journée d'hier ». Amenez ensuite le récit à un niveau plus détaillé. « Vous vous réveillez à 8 heures ? Comment se passe le lever ? Que faites-vous ensuite ? » Demandez ce qui a changé, qui est disponible pour aider et qui aide réellement. Rappelez-vous que l'évaluation de la sécurité du patient est l'une de vos priorités.

---

### ACTIVITÉS DE LA VIE QUOTIDIENNE (AVQ ET AIVQ)

**Activités de base de la vie quotidienne (AVQ)**

✔ Se laver.
✔ S'habiller.
✔ Faire sa toilette.
✔ Se transférer*.
✔ Être continent.
✔ S'alimenter.
✔ Gérer son argent.

**Activités instrumentales de la vie quotidienne (AIVQ)**

✔ Se servir du téléphone.
✔ Faire ses courses.
✔ Préparer ses repas.
✔ Tenir la maison.
✔ Laver le linge.
✔ Utiliser les moyens de transport.
✔ Prendre ses médicaments.

*  NdT : par exemple, se lever d'un fauteuil et aller au lit.

---

*Traitements.* Les statistiques sur les prescriptions de médicaments servent de rationnel pour obtenir une anamnèse complète des médicaments.[3] Environ 80 % des sujets âgés ont au moins une maladie chronique et prennent au moins un médicament sur prescription chaque jour. Les adultes de plus de 65 ans sont l'objet d'environ 30 % de l'ensemble des prescriptions. Approximativement 30 % d'entre eux prennent plus de huit médicaments prescrits par jour ! Les sujets âgés sont victimes de plus de 50 % des effets indésirables des médicaments motivant une hospitalisation, ce qui reflète des modifications pharmacologiques dans la distribution, le métabolisme et l'élimination des médicaments, qui les classent en risque accru.

Prenez une anamnèse complète des traitements, avec le nom, la posologie, le nombre de prises et l'indication de chaque médicament. Étudiez bien toutes les composantes d'une polymédication, y compris la prescription non optimale, l'utilisation concomitante de plusieurs médicaments, la sous-utilisation, l'utilisation inappropriée et la non-observance. Recherchez l'utilisation de médicaments non prescrits, de suppléments vitaminiques et nutritionnels, de produits modifiant l'humeur tels que les stupéfiants, les benzodiazépines et les drogues douces. Prenez connaissance des interactions des médicaments. Faites particulièrement attention quand vous traitez une insomnie, qui touche environ 40 % des sujets âgés. L'exercice physique peut être le meilleur remède. Rappelez-vous que les traitements sont le facteur de risque de chute modifiable le plus fréquent. Revoyez les stratégies destinées à éviter les poly-médications avec vos enseignants. Il est sage de réduire au minimum le nombre des médicaments prescrits. Apprenez les interactions médicamenteuses et les médicaments contre-indiqués chez les sujets âgés.[29, 30]

***Nutrition.*** Chez les sujets âgés, il est particulièrement important de préciser le régime alimentaire et d'utiliser l'« estimation rapide des apports » et la « *check-list* du dépistage nutritionnel ». La prévalence de la sous-alimentation augmente avec l'âge ; elle touche 5 à 10 % des patients externes très âgés, et 30 à 50 % des vieillards hospitalisés.[31] Ceux qui sont atteints de maladies chroniques sont particulièrement à risque, surtout s'ils ont une mauvaise dentition, des troubles buccaux ou gastro-intestinaux, une dépression ou une autre maladie psychiatrique, et des traitements qui perturbent l'appétit ou la sécrétion salivaire. Pour les sujets très âgés et maigres, l'albuminémie est un facteur de risque indépendant de la mortalité de toute cause.[32]

***Douleur aiguë et chronique.*** La douleur et les plaintes associées motivent 80 % des consultations. La prévalence de la douleur peut atteindre 25 à 50 % chez les adultes vivant chez eux et 40 à 80 % chez ceux résidant en maison de retraite. La douleur est habituellement d'origine musculosquelettique, dorsale ou articulaire.[33] Les céphalées, les névralgies du diabète et du zona, les douleurs nocturnes des membres inférieurs et les douleurs cancéreuses sont également fréquentes. Les patients âgés expriment plus rarement leur douleur, ce qui conduit à une souffrance indue, une dépression, un isolement social, un handicap physique et une perte de fonction. L'AGS (*American Geriatrics Society*) préfère le terme de *douleur persistante*, parce que la douleur chronique a des connotations négatives.[34]

La douleur étant subjective, certains la considèrent comme un spectre de troubles plutôt que comme la « 5e constante vitale ».[35] Voyez la discussion p. 124-127.

| Caractéristiques de la douleur aiguë et persistante | |
|---|---|
| **Douleur aiguë** | **Douleur persistante (chronique)** |
| Début net | Dure plus de 3 mois |
| Pathologie évidente | Souvent associée à des altérations psychologiques ou fonctionnelles |
| Durée brève | Peut varier dans le temps, en qualité et en intensité |
| Causes fréquentes : postopératoire, traumatisme, céphalées | Causes fréquentes : rhumatisme, cancer, claudication, crampes des membres inférieurs, névrite, radiculite |

Source : Reuben DB, Herr KA, Pacala JT *et al.* Geriatrics at your fingertips : 2004. 6th ed. Malden, MA : Blackwell Publishing, Inc., for the American Geriatrics Society, 2004 : p. 119.

Posez des questions sur la douleur *chaque fois* que vous rencontrez un patient âgé. Apprécier la douleur d'un sujet âgé est difficile ; les patients peuvent s'abstenir de signaler des symptômes par peur des examens supplémentaires, des coûts, ou de l'évolution de la maladie.[35] Il peut exister des troubles cognitifs ou de la parole, un manque de confiance, un défaut de compréhension linguistique ou culturelle. Ou encore le patient peut rapporter plusieurs affections, ce qui complique l'évaluation. Néanmoins, les faits montrent que la douleur rapportée par des patients avec même des troubles cognitifs légers à modérés est fiable. Demandez spécifiquement : « Avez-vous des douleurs actuellement ? En avez-vous eu la semaine passée ? » ; faites attention aux signes alarmants de la douleur non traitée, comme les termes de « brûlure », « inconfort » ou « souffrance », un affect déprimé, et des changements non verbaux de posture ou de démarche. De nombreuses échelles de douleur, uni et multidimensionnelles, sont disponibles. Les échelles unidimensionnelles telles que l'échelle visuelle analogique (EVA), les images, et l'échelle verbale de 1 à 10 sont toutes validées, et très faciles à utiliser.[33, 36] Faites appel aux membres de la famille et aux auxiliaires de vie pour les patients qui ont des déficits cognitifs sévères.

Apprenez à distinguer la douleur aiguë de la douleur chronique et recherchez-en la cause de façon exhaustive. Chez les sujets âgés, la confusion, l'agitation, la fatigue ou l'irritabilité peuvent toutes provenir d'affections douloureuses. L'évaluation de la douleur inclut l'évaluation de ses effets sur la qualité de vie, les interactions sociales, et le niveau fonctionnel. Une évaluation multidisciplinaire est justifiée si la cause ne peut être identifiée et si les risques de handicap et de comorbidité sont élevés. Étudiez les différentes façons de soulager la douleur, des analgésiques aux traitements non pharmacologiques, notamment ceux qui engagent directement et activement les patients dans leur projet et donnent confiance en soi. L'éducation du patient s'avère efficace à elle seule.[34] Les techniques de relaxation, le Tai Chi, l'acupuncture, les massages, et le « biofeedback » peuvent éviter d'alourdir les traitements médicamenteux.

Voir le « Dépistage gériatrique en 10 minutes », p. 959, pour le bilan fonctionnel.

**Tabac et alcool.** Fumer est nocif à tout âge. À chaque consultation, incitez les fumeurs âgés à cesser de fumer. L'engagement à s'arrêter de fumer peut être long à obtenir mais l'arrêt du tabac est un pas important pour réduire les risques de maladie cardiaque, de maladie pulmonaire, de cancer et de déficit fonctionnel.

On estime que 5 à 10 % des adultes de plus de 65 ans ont des problèmes liés à l'alcool.[37] La prévalence de l'alcoolisme sur toute une vie chez les adultes de plus de 65 ans vivant chez eux va de 4 à 8 %.[38] Chez les patients âgés vus à l'hôpital, aux urgences ou en cabinet, les taux d'alcoolisme atteignent respectivement 21 %, 24 % et 36 % ; ils expliquent environ 1 % des hospitalisations dans cette tranche d'âge.[38] On prévoit que le nombre des gens âgés ayant des problèmes de boisson va augmenter avec le vieillissement de la population au cours des prochaines décennies.

Malgré la prévalence des problèmes d'alcool chez les vieillards, les taux de détection et de traitement sont faibles. La détection est spécialement importante parce qu'une centaine de médicaments peuvent avoir des interactions indésirables avec l'alcool, et que, chez jusqu'à 30 % des buveurs âgés, l'alcool aggrave des affections chroniques comme la cirrhose, les hémorragies digestives et le reflux gastro-œsophagien, la goutte, l'hypertension artérielle, l'insomnie, les troubles de la marche et la dépression.[39] Recherchez les indices exposés dans l'encadré ci-dessous, notamment chez les sujets âgés avec des deuils récents, des douleurs, un handicap ou une dépression, ou des antécédents familiaux d'alcoolisme.

---

**INDICES CLINIQUES POUR DÉTECTER DES TROUBLES LIÉS À LA CONSOMMATION D'ALCOOL CHEZ LES ADULTES ÂGÉS**

✔ Perte de mémoire, troubles cognitifs.

✔ Dépression, anxiété.

✔ Manque d'hygiène, aspect négligé.

✔ Appétit médiocre, carences nutritionnelles.

✔ Insomnie.

✔ Hypertension artérielle rebelle au traitement.

✔ Problèmes d'équilibre de la glycémie.

✔ Convulsions résistant au traitement.

✔ Troubles de l'équilibre et de la marche, chutes.

✔ Gastrite et œsophagite récidivantes.

✔ Difficultés à ajuster la posologie des antivitamines K.

Source : American Geriatrics Society. Screening recommendation : clinical guidelines for alcohol use disorders in older adults. Accessible sur : http://www.americangeriatrics.org/products/positionpapers/alcohol.shtml. Visité le 23 février 2008.

---

Utilisez le questionnaire CAGE pour découvrir un problème de boisson. Quoique les symptômes et les signes soient plus discrets chez les sujets âgés, ce qui rend la détection plus difficile, les quatre questions CAGE restent sensibles et spécifiques dans cette tranche d'âge si on utilise une valeur seuil de 2.[38, 39]

Voir au chapitre 3 : « Interrogatoire et antécédents », l'alcool et les drogues illégales, p. 85-86.

***Directives anticipées et soins palliatifs.*** Beaucoup de patients âgés manifestent de l'intérêt pour exprimer leurs volontés pour les décisions de fin de vie et aimeraient trouver des interlocuteurs pour commencer à en discuter avant l'apparition d'une maladie grave.[40] La planification des soins à l'avance suppose plusieurs tâches : informer, solliciter les préférences du patient, identifier les personnes de confiance ou les mandataires de santé, et manifester de l'empathie et du soutien. Utilisez un langage clair et simple. Vous pouvez ouvrir la discussion en rattachant ces décisions à la maladie actuelle ou à des expériences concernant des parents ou des amis. Questionnez le patient sur ses préférences concernant les ordres écrits de « ne pas réanimer », précisant les mesures de suppléance des fonctions vitales « si le cœur ou les poumons s'arrêtaient de fonctionner ». Puis incitez-le à désigner par écrit une personne de confiance ou à donner un pouvoir à un homme de loi pour les soins médicaux, « quelqu'un qui pourrait prendre des décisions correspondant à vos volontés en cas de confusion ou d'urgence ». Ces

Voir aussi au chapitre 3, le patient incapable, p. 76-77, et la mort et le patient en fin de vie, p. 87-88.

conversations, difficiles au début, témoignent de votre respect et de votre souci des patients et permettent à ceux-ci et à leurs familles de se préparer ouvertement et à l'avance à une mort paisible.[41] Il vaut mieux avoir ces discussions dans un cabinet médical plutôt que dans le cadre stressant et incertain de l'urgence et des soins aigus.

Pour les patients parvenus à un stade avancé ou terminal d'une maladie, incluez ces discussions dans le plan global des soins palliatifs. Le but des soins palliatifs est de « soulager la souffrance et d'améliorer la qualité de vie des patients arrivés à un stade avancé de leur maladie, ainsi que de leurs familles, grâce à une connaissance et des compétences spécifiques, comprenant la communication avec le patient et ses parents, la prise en charge de la douleur et des autres symptômes, le soutien psychosocial, spirituel, et du deuil, et la coordination de tous les services médicaux et sociaux ».[42] Pour soulager la détresse du patient et de sa famille, perfectionnez vos capacités de communication : établissez un bon contact oculaire, posez des questions ouvertes, réagissez à l'anxiété, à la dépression ou aux changements d'affect du patient, et montrez de l'empathie.

## PROMOTION DE LA SANTÉ ET CONSEILS

> **Sujets importants pour la promotion de la santé et les conseils chez les adultes âgés**
>
> - Quand dépister.
> - Vision et audition.
> - Exercice physique.
> - Vaccinations.
> - Sécurité au domicile.
> - Dépistage du cancer.
> - Dépression.
> - Démence et légers troubles cognitifs.
> - Maltraitance des personnes âgées.

*Quand dépister.* Avec l'allongement de la durée de vie dans les années 1980, de nouveaux problèmes de dépistage ont émergé. Étant donné l'hétérogénéité de la population âgée, des principes directeurs pour décider qui pourrait profiter du dépistage et quand celui-ci pourrait être arrêté sont utiles, notamment en raison du manque de données pour décider en matière de dépistage. En général, fondez les décisions de dépistage sur le contexte propre à chaque personne âgée plutôt que sur l'âge seul. Il faut prendre en considération trois facteurs : l'espérance de vie, le temps nécessaire pour tirer profit du dépistage et la préférence du patient.[43] Si l'espérance de vie est brève, l'AGS recommande de donner la priorité au traitement profitable au patient dans le temps qui lui reste à vivre. Envisagez de remettre le dépistage s'il alourdit la prise en charge d'un sujet âgé ayant plusieurs problèmes médicaux, une espérance de vie courte ou une démence. Les examens complémentaires utiles au pronostic et au projet restent cependant justifiés, même si le patient ne désire pas se faire traiter.[44]

**Vision et audition.** Le dépistage des changements *visuels* et *auditifs* liés à l'âge est important pour permettre aux adultes âgés de conserver une fonction optimale ; il est inclus dans le « Dépistage gériatrique en 10 minutes ».[45] Testez la *vision* objectivement avec une échelle de Snellen. Demandez au patient s'il a un déficit *auditif*, puis faites un test de la voix chuchotée et, si c'est indiqué, d'autres tests auditifs.

Voir le « Dépistage gériatrique en 10 minutes », p. 959.

Voir au chapitre 7 : « Tête et cou », les techniques d'évaluation de l'audition, p. 234-237.

**Exercice physique.** Recommandez une activité physique aérobie régulière pour améliorer la force et la capacité aérobie, augmenter la réserve physiologique, améliorer les niveaux d'énergie pour exécuter les AVQ et ralentir l'installation d'un handicap.

Les recommandations 2007 de l'ACSM *(American College of Sports Medicine)* et de l'AHA *(American Heart Association)* sur « l'activité physique et la santé publique pour les personnes âgées » préconisent un mode de vie physiquement actif ; elles visent une intensité d'activité aérobie fondée sur le niveau de capacité aérobie du sujet âgé, des activités qui augmentent la force et la souplesse musculaires, des exercices d'équilibre pour ceux qui sont à risque de chutes, et des projets thérapeutiques qui incorporent le traitement et la prévention, y compris à l'échelle communautaire. Il est conseillé aux sujets âgés d'effectuer des activités aérobies d'intensité modérée pendant au moins 30 minutes 5 jours par semaine, ou une activité d'intensité vigoureuse pendant au moins 20 minutes 3 jours par semaine.[46]

**Vaccinations.** Conseillez à vos patients de se faire vacciner contre les pneumocoques, la grippe et le zona.[47, 48]

Voir aussi au chapitre 8 : « Thorax et poumons », les vaccinations, p. 306-307.

■ *Vaccin contre la grippe.* Les groupes suivants doivent recevoir le *vaccin contre la grippe* chaque année : les personnes âgées de 50 ans et plus, tous les sujets âgés ayant une pathologie cardiovasculaire ou pulmonaire chronique, un diabète, un dysfonctionnement rénal ou hépatique, un déficit immunitaire, une infection à VIH/un SIDA, les résidents et le personnel soignant des maisons de retraite et des services de long séjour, les personnes qui s'occupent d'enfants, toute personne demandant à être vaccinée.[49]

■ *Vaccin pneumococcique.* Le *vaccin contre les pneumocoques* doit être administré tous les 5 ans aux adultes âgés de 65 ans et plus ayant une pathologie cardiovasculaire ou pulmonaire chronique, un diabète, un dysfonctionnement rénal ou hépatique, une asplénie, un alcoolisme chronique, un déficit immunitaire, une brèche méningée, une infection à VIH/un SIDA ; aux résidents des maisons de retraite et des services de long séjour ; aux Esquimaux de l'Alaska et à certains groupes d'Amérindiens, tels que les Navajos et les Apaches.

■ *Vaccin zostérien.* Le *vaccin contre le zona* est recommandé à 60 ans, que le sujet ait fait ou non un épisode antérieur de zona. Des études montrent que la vaccination réduit l'incidence du zona d'environ 50 % et celle des algies postzostériennes de plus de 65 %.[50]

*Sécurité au domicile.* Les consultations dans les services d'urgence pour des accidents survenus à la maison augmentent rapidement, surtout chez les adultes de plus de 75 ans. Dans un rapport datant de 2002, l'USCPSC (*US Consumer Product Safety Commission*) estimait que presque 1,5 million d'adultes âgés de plus de 65 ans avaient été traités pour des accidents dus à des objets domestiques, y compris plus de 60 % de ceux avec chutes.[51] Le plus souvent les visites aux urgences et les décès faisaient suite à l'utilisation de matériel de jardinage, d'échelles et de marchepieds, d'articles personnels comme un sèche-cheveux ou un vêtement inflammable, ou à des traumatismes dans la salle de bains ou au sport. Encouragez les sujets âgés à prendre des mesures correctives en cas d'éclairage insuffisant, de chaises trop hautes, de surfaces glissantes ou inégales et de risques environnementaux.

Voir aussi l'évaluation et la prévention des chutes, p. 957-960.

---

### PRÉCAUTIONS POUR LA SÉCURITÉ AU DOMICILE DES ADULTES ÂGÉS

✔ Rampes des deux côtés d'un escalier.

✔ Escaliers, allées et trajets bien éclairés.

✔ Tapis munis d'un revêtement antidérapant ou fixés avec du ruban adhésif.

✔ Barres d'appui et tapis antidérapant ou bandes antiglisse dans la baignoire ou la douche.

✔ Détecteurs de fumée et plan d'évacuation en cas d'incendie.

---

*Dépistage du cancer.* Le dépistage de certains cancers est controversé compte tenu du peu de données en faveur de son utilisation chez les adultes de plus de 70-80 ans. L'AGS recommande une mammographie annuelle ou bisannuelle pour le dépistage du cancer du sein jusqu'à 75 ans, puis tous les 2 à 3 ans si l'espérance de vie reste supérieure à 4 ans. Bien que la prévalence du cancer du col utérin ait diminué aux États-Unis, 40 à 50 % des décès dus à ce cancer concernent des femmes de plus de 65 ans. Faites des frottis cervicaux tous les 1 à 3 ans jusqu'à 65-70 ans quand il n'y a pas d'antécédent de pathologie cervicale. Une coloscopie est recommandée pour dépister le cancer du côlon tous les 10 ans à partir de 50 ans. Cet examen est lourd pour nombre de patients âgés, qui le refusent malgré les incitations. Revoyez la discussion de la coloscopie, de la recherche de sang occulte dans les selles, et les pièges du dosage du PSA (*Prostate-Specific Antigen*) et du toucher rectal (p. 580-582). Le dépistage du cancer du poumon et du cancer de l'ovaire n'est pas recommandé. Recherchez un cancer de la peau et un cancer buccal chez les patients à risque élevé.[52]

*Dépression.* Une *dépression* affecte fréquemment les sujets âgés mais elle est sous-diagnostiquée et sous-traitée.[53] Une réponse positive à la question : « Vous sentez-vous souvent triste ou déprimé ? » a une sensibilité et une spécificité d'environ 80 % et doit déclencher une exploration plus poussée, possiblement avec l'Échelle de dépression gériatrique. Les hommes déprimés de plus de 65 ans ont un risque accru de suicide ; ils nécessitent une évaluation soigneuse.

Voir au chapitre 5 : « Comportement et état mental », la dépression, p. 148.

***Démence et légers troubles cognitifs.*** La *démence*, un « syndrome acquis de déclin de la mémoire et d'au moins un autre secteur cognitif, tel que le langage, la capacité visuospatiale ou la fonction exécutive, suffisant pour perturber le fonctionnement social et professionnel d'une personne alerte », touche 11 % des Américains de plus de 65 ans, soit environ 4,5 millions de personnes.[54, 55] Ses principales caractéristiques sont des déficits de la mémoire à court et à long terme et une altération du jugement. Les mécanismes de la pensée sont appauvris ; le langage peut être hésitant par suite de la difficulté à trouver les mots. La perte du sens de l'orientation peut rendre les déplacements à pied ou en voiture problématiques, voire dangereux. La plupart des démences correspondent à une maladie d'Alzheimer (50 à 85 %) ou à une démence vasculaire par infarctus multiples (10 à 20 %). Recherchez une maladie d'Alzheimer chez les patients qui ont des antécédents familiaux parce que leur risque est trois fois plus élevé que dans la population générale.

Voir le tableau 20-2 : « Délire et démence », p. 977, et le tableau 20-3 : « Dépistage de la démence : le Mini-Cog », p. 978.

La démence a souvent un début lent, insidieux, et peut échapper à la vigilance de la famille et des cliniciens, notamment aux stades précoces de l'*altération cognitive légère* (ACL). L'ACL désigne un syndrome de troubles cognitifs plus légers que ceux de la démence ; plus précisément, l'altération n'a pas une importance suffisante pour perturber les activités socioprofessionnelles. La personne se plaint inconstamment d'une dégradation cognitive, mais des tests cognitifs standardisés mettent en évidence un déclin significatif dans au moins un secteur cognitif. Quand le secteur touché est la mémoire, on parle d'*ACL mnésiques* ; quand c'est un autre secteur que la mémoire qui est touché, par exemple le langage ou la fonction visuospatiale, on parle d'*ACL non mnésiques*. Un pourcentage significatif de ces personnes – mais pas 100 % – évoluera vers un diagnostic clinique de maladie d'Alzheimer. Il existe des syndromes de troubles cognitifs plus légers qui surviennent plus tard dans la vie, comme l'*altération cognitive liée à l'âge*. Les personnes qui sont atteintes par ce syndrome se plaignent de déficits cognitifs dus à l'âge, mais les tests cognitifs ne mettent pas en évidence de dégradation. La signification clinique de ce syndrome et des syndromes de déficit cognitif voisins n'est pas encore connue. Les recherches actuelles tentent d'identifier les caractéristiques cliniques de ces divers syndromes.[56-61]

Dans la démence de type Alzheimer, recherchez des problèmes de mémoire, des troubles du langage et un déficit visuospatial. L'atteinte initiale d'une AVQ supérieure, comme le contrôle de l'écriture ou l'utilisation des transports en commun, évolue pour finir vers la perte des activités de base, comme se nourrir ou faire sa toilette. Un changement de l'humeur et une apathie apparaissent souvent précocement, et une psychose et une agitation tardivement.[55] Écoutez les plaintes de la famille concernant des comportements nouveaux ou inhabituels. Le *Mini Mental State Examination* peut être utile, encore que le niveau d'éducation et des variables culturelles, comme le langage, puissent influer sur les scores. Si vous identifiez des changements cognitifs, recherchez des facteurs favorisants comme des traitements, la dépression, les troubles métaboliques ou d'autres affections médicales ou psychiatriques. Informez les familles des patients déments du risque de comportements perturbateurs, d'accidents, de chutes et sur l'arrêt de la conduite automobile. Discutez des dispositions légales, telles que le mandat d'un homme de loi ou les directives à l'avance, tant que le patient peut encore participer à la prise de décision.

***Maltraitance des personnes âgées.*** Enfin, envisagez un dépistage de possibles *mauvais traitements aux vieillards*, qui comprennent les sévices, la négligence, l'exploitation et l'abandon. La dépression, la démence et la malnutrition en sont des facteurs de risque indépendants. La prévalence des mauvais traitements est d'environ 1 à 5 % chez les personnes âgées ; cependant, cette statistique ne repose que sur les cas signalés par les victimes elles-mêmes et beaucoup de cas peuvent rester méconnus. L'auto-négligence est un souci national croissant et concerne plus de 50 % des signalements aux services de protection des adultes.[63] Bien qu'il existe plusieurs outils de dépistage, aucun d'entre eux, pris isolément, ne s'est imposé comme moyen d'évaluation et de diagnostic rapide et précis de ces importants problèmes.[62-64]

## TECHNIQUES D'EXAMEN

Comme vous l'avez vu, l'évaluation du sujet âgé ne suit pas le format traditionnel de l'anamnèse et de l'examen physique. Elle exige des techniques renforcées d'interrogatoire mettant l'accent sur le fonctionnement quotidien et les sujets clés de la santé des personnes âgées, et un centrage sur l'évaluation fonctionnelle pendant l'examen physique. En raison de son importance pour la santé des sujets âgés et de l'ordre de votre évaluation, cette partie commence par l'évaluation de l'état fonctionnel : la « sixième constante vitale ». Elle parle de l'évaluation du risque de chutes, l'une des plus grandes menaces pour la santé et le bien-être des vieillards. Puis elle envisage l'examen physique « de la tête aux pieds », en l'adaptant au sujet âgé.

## ➜ Évaluation de l'état fonctionnel : la « sixième constante vitale »

Au cours de l'évaluation des sujets âgés, le clinicien accorde un intérêt primordial au maintien de la santé et du bien-être du patient. Dans un sens, toutes les consultations sont des occasions pour promouvoir l'autonomie et un niveau de fonctionnement optimal du patient. Même si les objectifs particuliers des soins sont variables, un objectif majeur est la conservation de l'état fonctionnel du patient, la « sixième constante vitale ». Par état fonctionnel, on entend la capacité à effectuer des tâches et à remplir des rôles sociaux de complexité plus ou moins grande, dans la vie de tous les jours.[65] Votre appréciation de l'état fonctionnel commence dès que le patient entre dans la pièce. Plusieurs outils d'évaluation bien validés et consommant peu de temps peuvent être utiles dans cette approche.

***Évaluation de la capacité fonctionnelle.*** Les déficits fonctionnels sont reconnus à présent comme de meilleurs éléments prédictifs de la mortalité et du devenir du patient après hospitalisation que les diagnostics d'admission.[66] Plusieurs outils d'évaluation fondés sur les performances sont disponibles. Le « Dépistage gériatrique en 10 minutes » est bref, a une forte concordance entre observateurs, et est facile à utiliser par le personnel d'un cabinet médical. Il couvre aussi les trois secteurs fonctionnels importants de l'évaluation gériatrique : physique, cognitif et psychosocial. Notez qu'il explore la vision et l'audition, deux sens essentiels, et qu'il comprend des questions sur l'incontinence urinaire, un problème souvent tu, qui retentit grandement sur les relations sociales et l'estime de soi des personnes âgées.

Un moyen mnémotechnique aidant les étudiants à évaluer l'incontinence est **DIAPERS**[*] : **D**élire, **I**nfection, urétrite/vaginite **A**trophique, produits **P**harmaceutiques, débit urinaire **E**xcessif (dû à des affections comme une insuffisance cardiaque congestive ou une hyperglycémie), mobilité **R**estreinte, et encombrement **S**tercoral. Un autre moyen est **DDRRIIPP**[*] : **D**élire, effets secondaires des **D**rogues (médicaments), **R**étention de matières, mobilité **R**estreinte, **I**nfection urinaire, **I**nflammation, **P**olyurie, et **P**sychogène.[67, 68]

### *Évaluation plus poussée des chutes.*

Énormément de faits établissent un lien entre les chutes et la morbimortalité des personnes âgées. Chaque année, environ 35 à 40 % des sujets âgés bien-portants, vivant à domicile, font des chutes. L'incidence à l'hôpital et en maison de retraite est presque triple, avec des blessures dans approximativement 25 % des cas. La perte de confiance par peur de tomber et l'anxiété après une chute obèrent aussi une récupération totale.[67, 68]

L'AGS recommande d'évaluer les facteurs de risque de chute au cours des consultations systématiques en soins primaires, et de renforcer l'évaluation dans les groupes à risque élevé : ceux qui ont fait une première ou plusieurs chutes, les résidents des maisons de retraite, et ceux qui ont tendance à se blesser en tombant.[68] Le bilan des chutes doit comprendre des détails sur les circonstances de survenue de la chute, recueillis notamment auprès des témoins, l'identification des facteurs de risque, les comorbidités, l'état fonctionnel, les dangers environnementaux, en même temps que des actions de prévention.[69] La vitesse de la marche émerge aussi comme un prédicteur significatif des chutes et des événements indésirables liés. Les interventions efficaces comprennent les exercices de marche et d'équilibre, les exercices de musculation, la réduction des dangers domestiques, l'arrêt des médicaments psychotropes et l'évaluation multifactorielle avec des interventions ciblées. Des stratégies supplémentaires utiles consistent à rechercher une hypotension orthostatique et une maladie aiguë intercurrente, à réduire les traitements à moins de quatre, à détecter une neuropathie sensitive ou une altération de la proprioception, à explorer tout épisode de syncope, à éduquer le patient et sa famille, à traiter une ostéoporose et à utiliser éventuellement des protections de hanche.[71] Étudiez l'algorithme de l'AGS sur la « Prévention des chutes chez les sujets âgés ».

---

[*] NdT : moyens mnémotechniques fondés sur la signification de *diapers* et de *drip* en anglais : « couches » et « couler goutte à goutte », respectivement.

## Dépistage gériatrique en 10 minutes

| Problème | Mesure de dépistage | Dépistage positif |
|---|---|---|
| Vision | Deux temps :<br>– demandez : « Avez-vous du mal à conduire, ou à regarder la télévision, ou à lire, ou à accomplir l'une ou l'autre de vos activités quotidiennes à cause de votre vue ? »<br>– si oui, testez alors chaque œil avec une échelle de Snellen, le patient étant muni de ses verres correcteurs (si c'est applicable) | Une réponse par « oui » et une acuité visuelle $\leq 5/10$ sur l'échelle de Snellen |
| Audition | Utilisez un audiomètre réglé à 40 dB et testez l'audition aux fréquences de 1 000 et 2 000 Hz | Incapacité d'entendre 1 000 ou 2 000 Hz dans les deux oreilles, ou les 2 fréquences dans une oreille |
| Mobilité des membres inférieurs | Chronométrez le patient après lui avoir demandé :<br>« Levez-vous de la chaise, parcourez rapidement 6 mètres, faites demi-tour, revenez à la chaise et asseyez-vous » | Incapacité d'accomplir le tout en moins de 15 secondes |
| Incontinence urinaire | Deux temps :<br>– demandez : « Au cours de l'année écoulée, avez-vous perdu des urines et vous êtes-vous mouillé ? »<br>– si oui, demandez alors : « Avez-vous perdu des urines à au moins 6 reprises, à des dates différentes ? » | « Oui » aux deux questions |
| Nutrition/ Perte de poids | Deux temps :<br>– demandez : « Avez-vous maigri de 5 kg ou plus au cours des 6 derniers mois, sans faire de régime ? »<br>– pesez le patient | « Oui » à la question, ou un poids < 45 kg |
| Mémoire | Se rappeler 3 items | Incapacité de se rappeler les 3 items au bout de 1 minute |
| Dépression | Demandez : « Vous sentez-vous souvent triste ou déprimé ? » | « Oui » à la question |
| Handicap physique | Six questions : « Êtes-vous capable de :<br>– faire des activités fatigantes telles qu'une marche rapide ou du vélo ?<br>– faire des gros travaux dans la maison, comme laver les vitres, les murs ou les sols ?<br>– aller acheter de l'alimentation ou des vêtements ?<br>– aller dans des endroits éloignés ?<br>– vous laver avec une éponge, prendre un bain ou vous doucher ?<br>– vous habiller, c'est-à-dire enfiler une chemise, fermer des boutons, tirer une fermeture éclair ou vous chausser ? » | « Non » à n'importe laquelle de ces questions |

Source : Moore AA, Siu AL. Screening for common problems in ambulatory elderly : clinical confirmation of a screening instrument. Am J Med 1996 ; 100 : 438-40.

## PRÉVENTION DES CHUTES DES SUJETS ÂGÉS

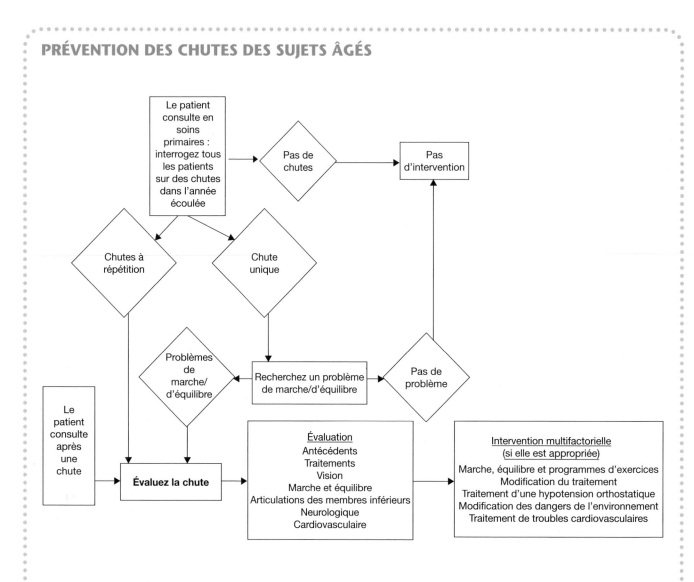

Source : American Society, British Geriatrics Society, American Academy of Orthopaedic Surgeons. Guideline for the prevention of falls in older persons. J Am Geriatr Soc 2001 ; 49 (5) : 664-72.

## ➜ Examen physique du sujet âgé

***Examen général.*** Approfondissez les observations que vous avez faites sur le patient depuis le début de la consultation. Quel est l'état de santé apparent du patient et son degré de vitalité ? Qu'en est-il de son humeur et de son affect ? Est-il nécessaire de dépister des troubles cognitifs ? Notez l'hygiène et la tenue vestimentaire du patient. Comment le patient marche-t-il dans la pièce ? Monte-t-il sur la table d'examen ? Y a-t-il des changements dans la posture ou des mouvements involontaires ?

Affect abattu ou appauvri dans la *dépression*, la *maladie de Parkinson* ou la *maladie d'Alzheimer.*

Voir le tableau 20-3 : « Dépistage de la démence : le Mini-Cog », p. 978, un outil de dépistage de la démence, court et bien validé.[72, 73]

Une dénutrition, un ralentissement moteur, une fonte ou une faiblesse musculaire évoquent une fragilité.

Une cyphose ou une démarche anormale peuvent perturber l'équilibre et augmenter le risque de chutes.

***Constantes vitales.*** Mesurez la pression artérielle (PA) en utilisant les techniques recommandées. Recherchez une élévation de la PA systolique et un élargissement de la différentielle (PAD = PA systolique – PA diastolique). Avec l'âge, la PA systolique et les résistances vasculaires périphériques augmentent alors que la PA diastolique diminue.

Une *hypertension systolique isolée* (PA systolique ≥ 140 mmHg) après 50 ans triple le risque de maladie coronarienne chez les hommes et augmente le risque d'AVC. Cependant, une grande prudence est conseillée pour abaisser la PA des vieillards de plus de 80 ans.[74-76] Une PAD ≥ 60 mmHg est un facteur de risque de maladie cardiovasculaire et rénale et d'AVC.[77-80]

Recherchez une hypotension orthostatique, définie par une chute de la PA systolique ≥ 20 mmHg ou de la PA diastolique ≥ 10 mmHg après moins de 3 minutes de station debout.[81, 82] Mesurez la PA et la fréquence cardiaque dans deux positions : en décubitus dorsal, après 10 minutes de repos, puis debout, dans les 3 minutes.

Revoyez les catégories de préhypertension du JNC7 pour vous aider à détecter et à traiter précocement une hypertension artérielle (p. 120).

L'*hypotension orthostatique* affecte 10 à 20 % des sujets âgés et jusqu'à 30 % de ceux qui vivent en maison de retraite, en particulier le matin au lever. Elle peut se manifester par des étourdissements, une faiblesse, une instabilité, une vision floue et, chez 20 à 30 % des patients, une syncope. Ses causes comprennent certains traitements, les troubles végétatifs, le diabète, le repos au lit prolongé, la spoliation sanguine et les troubles cardiovasculaires.[77, 83-85]

Comptez les fréquences cardiaque et respiratoire et prenez la température. Le choc de la pointe du cœur peut fournir plus de renseignements sur les troubles du rythme cardiaque chez les sujets âgés. Utilisez des thermomètres précis pour les basses températures.

Une FR ≥ 25/minute évoque une infection des voies aériennes inférieures ; également une insuffisance cardiaque congestive et une maladie pulmonaire chronique obstructive.

L'hypothermie est plus fréquente chez les vieillards.[12]

Le poids et la taille sont très importants chez les vieillards et nécessaires au calcul de l'indice de masse corporelle. Il faut peser les patients à chaque consultation.

Un poids faible est un indicateur clé de dénutrition.

La dénutrition se voit dans la dépression, l'alcoolisme, les troubles cognitifs, les cancers, les insuffisances viscérales chroniques (cardiaque, rénale, pulmonaire), la consommation de médicaments, l'isolement social et la pauvreté.

***Peau.*** Notez les changements physiologiques du vieillissement tels que l'amincissement, la perte du tissu élastique et du turgor, et la formation de rides. La peau peut être sèche, squameuse, rugueuse et souvent prurigineuse *(astéatose)*, avec un réseau de fissures qui la découpent en une mosaïque de petits polygones, notamment sur les jambes.

Recherchez des changements de couleur en plaques. Vérifiez la face d'extension des mains et des avant-bras à la recherche de plaques dépigmentées, blanchâtres *(pseudocicatrices)* et de macules ou de plaques violet vif, bien délimitées, qui s'effacent en plusieurs semaines *(purpura actinique)*.

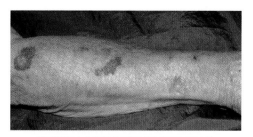

**PURPURA ACTINIQUE (AVANT-BRAS)**

Recherchez des lésions dues à l'exposition au soleil. Des zones de peau peuvent apparaître hâlées, épaissies, jaunies et profondément plissées ; il peut y avoir un *lentigo actinique* (ou taches hépatiques), une *kératose actinique* (des papules superficielles aplaties, surmontées d'une squame sèche).

Inspectez la peau à la recherche de lésions bénignes liées au vieillissement, à savoir des *comédons* ou points noirs sur les joues ou autour des yeux, des *taches rubis*, qui apparaissent souvent précocement à l'âge adulte, une *kératose séborrhéique*, des lésions jaunâtres surélevées qui semblent graisseuses et veloutées ou verruqueuses.

Distinguez ces lésions d'un *épithélioma basocellulaire*, un nodule translucide qui grossit et se déprime en son centre en gardant une bordure surélevée et ferme, et d'un *épithélioma spinocellulaire*, une lésion rougeâtre ferme, qui se forme souvent sur une zone exposée au soleil. Une lésion asymétrique, surélevée et foncée, avec des bords irréguliers peut être un *mélanome*. Voir le tableau 6-9 : « Tumeurs cutanées », p. 192, et le tableau 6-10 : « Naevi bénins et malins », p. 193.

Recherchez des lésions vésiculeuses douloureuses à topographie métamérique.

Soupçonnez un *zona*, réactivation d'un virus varicelle-zona latent dans les ganglions rachidiens. Le risque augmente avec l'âge et l'altération de l'immunité cellulaire.[86]

Chez les patients âgés alités, inspectez la peau à la recherche de lésions ou d'ulcérations, notamment s'ils sont cachectiques ou neurologiquement atteints.

Les *escarres* peuvent être dues à l'oblitération des capillaires et artérioles irrigant la peau ou à des forces de cisaillement (déplacement dans les draps, passage en position assise incorrect). Voir le tableau 6-13 : « Escarres », p. 198.

***Tête et cou.*** Menez une évaluation minutieuse et complète de la tête et du cou.

Voir le chapitre 7 : « Tête et cou », p. 203-260.

Inspectez les paupières, les orbites osseuses et les yeux. L'œil peut sembler plus enfoncé du fait de l'atrophie de la graisse autour du globe oculaire. Recherchez un *ptosis sénile* dû à la faiblesse du releveur de la paupière, au relâchement de la peau et à l'augmentation du poids de la paupière supérieure. Vérifiez les paupières inférieures à la recherche d'un *ectropion* ou d'un *entropion*. Notez le jaunissement des sclérotiques et l'arc sénile (*gérontoxon*), un anneau blanchâtre autour du limbe cornéen.

Voir le tableau 7-6 : « Variations et anomalies des paupières, p. 267, et le tableau 7-9 : « Opacités de la cornée et du cristallin », p. 270.

Testez l'acuité visuelle avec une planche de Snellen portative ou murale. Notez une *presbytie*, c'est-à-dire la perte de la vision de près due à la diminution de l'élasticité du cristallin avec l'âge.

Plus de 40 millions d'Américains ont des vices de réfraction.

Les pupilles doivent réagir à la lumière et à l'accommodation. Sauf une atteinte possible du regard vers le haut, la motricité oculaire extrinsèque doit rester intacte.

Avec votre ophtalmoscope, examinez soigneusement les cristallins et les fonds d'yeux.

Les cataractes, le glaucome et la dégénérescence maculaire augmentent de fréquence avec l'âge.[87]

Inspectez soigneusement les cristallins à la recherche d'opacités. Ne comptez pas seulement sur le reflet lumineux parce que le cristallin peut n'être clair qu'en superficie.

Les *cataractes* sont la première cause de cécité de par le monde. Les facteurs de risque comprennent : le tabagisme, l'exposition à la lumière (UVB), l'alcoolisme, le diabète, certains traitements (dont les corticoïdes) et les traumatismes. Voir tableau 7-9, p. 270.

Chez les sujets âgés, les fonds d'yeux perdent leur éclat et leurs reflets lumineux juvéniles, et les artères semblent rétrécies, plus pâles, plus droites et moins brillantes. Appréciez le rapport excavation de la papille/papille, habituellement ≤ 1/2.

Un rapport excavation de la papille/papille augmenté évoque un *glaucome* à angle ouvert, dû à une névrite optique irréversible, qui entraîne la perte de la vision centrale et périphérique et une cécité. La prévalence en est trois à quatre fois plus élevée chez les Afro-Américains que dans la population générale.[88]

Inspectez les fonds d'yeux à la recherche de corps colloïdes entraînant des altérations de la pigmentation, appelés *druses*.

La *dégénérescence maculaire* provoque une mauvaise vision centrale et une cécité. Elle peut être *sèche*, *atrophique* (plus fréquente mais moins grave), ou *humide*, *exsudative*, avec prolifération vasculaire. Les druses peuvent être dures et bien délimitées ou molles et confluentes, avec une pigmentation altérée (voir ci-dessous et p. 231).

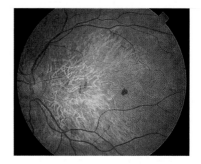

Testez l'audition en bouchant une oreille et en utilisant la technique de la voix chuchotée ou un audiomètre. Examinez les conduits auditifs externes à la recherche de cérumen, parce que son ablation peut améliorer immédiatement l'audition.

Voir les techniques d'étude de l'audition p. 234-237. Le dépistage consistant à demander s'il y a un déficit auditif est efficace. Les patients qui rapportent un déficit auditif ont un *likelihood ratio* (LR) de 2,2 d'avoir une atteinte, ceux qui n'en rapportent pas un LR de 0,13. Faites une audiométrie à ceux qui répondent « oui », un test de la voix chuchotée à ceux qui répondent « non » (LR = 6 si pas d'audition ; LR = 0,03 si audition intacte).[89, 90]

Examinez la cavité buccale : odeur, aspect de la muqueuse des gencives, caries, mobilité des dents, volume de salive. Inspectez attentivement à la recherche de lésions de la muqueuse buccale. Demandez au patient d'enlever ses prothèses dentaires afin de rechercher des lésions gingivales.

Une *mauvaise odeur* peut être due à une mauvaise hygiène buccale, une parodontite, ou des caries. Une *gingivite* peut être due à une maladie desmodontale. La plaque dentaire et l'excavation peuvent entraîner des caries. Une mobilité accrue des dents, du fait d'abcès ou de caries évoluées, justifie leur ablation pour éviter une inhalation.

Une diminution de la salivation peut résulter de certains traitements, d'une irradiation, d'un syndrome de Sjögren ou d'une déshydratation. Les lésions peuvent correspondre à des *tumeurs buccales*, habituellement sur les bords de la langue et sur le plancher de la bouche.[91]

Continuez par l'examen habituel de la glande thyroïde et des ganglions cervicaux.

***Thorax et poumons.*** Faites l'examen habituel, en prenant note des signes discrets de changement de la fonction pulmonaire.

Une augmentation du diamètre antéropostérieur du thorax, une respiration avec les lèvres pincées, une dyspnée en parlant ou pour un effort minime évoquent une *maladie pulmonaire chronique obstructive*.

***Appareil cardiovasculaire.*** Revoyez les mesures de la pression artérielle et de la fréquence cardiaque.

Une hypertension systolique isolée et un élargissement de la PA différentielle sont des facteurs de risque cardiaque qui doivent faire rechercher une *hypertrophie ventriculaire gauche* (HVG).

Comme pour les adultes plus jeunes, commencez par inspecter la PVJ, palper le pouls carotidien et ausculter les carotides à la recherche de souffles.

Une *aorte athéroscléreuse sinueuse* peut élever la pression dans les veines jugulaires gauches en gênant le retour du sang dans l'oreillette droite. Elle peut aussi entraîner une coudure de la carotide dans sa partie cervicale basse à droite, principalement chez les femmes hypertendues ; cette coudure peut être prise pour un anévrisme carotidien.

Les souffles carotidiens du vieillard justifient des explorations à la recherche d'une sténose carotidienne, qui peut entraîner un AVC du même côté.

Appréciez le choc de la pointe, puis auscultez les bruits du cœur : B1, B2 et, éventuellement, les bruits surajoutés, B3 et B4.

Choc de la pointe prolongé dans l'HVG ; choc de la pointe diffus dans l'insuffisance cardiaque congestive (voir p. 371-376).

Un écoulement peut accompagner une vaginite ou une cervicite. Voir tableau 14-6 : « Pertes vaginales », p. 573.

Utilisez une spatule d'Ayre ou une brosse endocervicale pour faire le frottis cervical. Un prélèvement « à l'aveugle » peut être indiqué si le vagin est trop atrophié.

Voir le tableau 14-7 : « Positions de l'utérus », p. 574, et le tableau 14-8 : « Anomalies de l'utérus », p. 575.

Après avoir retiré le spéculum, demandez à la patiente de pousser pour détecter un prolapsus utérin, une cystocèle, une urétrocèle ou une rectocèle.

Faites le toucher vaginal. Vérifiez la mobilité du col et recherchez d'éventuelles masses utérines ou annexielles.

La mobilité du col est restreinte par l'inflammation, un cancer, des adhérences postopératoires. Augmentation de volume des fibromes ou léiomyomes utérins en cas de cancérisation *(léiomyosarcomes)*. Les ovaires sont palpables en cas de *cancer de l'ovaire*.

Pratiquez l'examen rectovaginal. Recherchez des irrégularités de l'utérus ou des annexes à travers la paroi antérieure du rectum, et des masses rectales. Changez de gants si le gant de la main intravaginale est souillé par du sang, avant de faire un prélèvement de selles.

Un utérus augmenté de volume, fixé ou irrégulier peut suggérer des adhérences ou un possible cancer. On trouve des masses rectales dans le cancer du côlon.

***Organes génitaux masculins et prostate.*** Examinez le pénis après avoir rétracté le prépuce s'il est présent. Examinez le scrotum, les testicules et les épididymes.

Les trouvailles comprennent le smegma, le cancer du pénis et l'hydrocèle vaginale.

Pratiquez un toucher rectal, en portant une attention particulière à des masses rectales, des nodules ou des masses de la prostate. Notez que les lobes médian et antérieur de la prostate sont inaccessibles par voie rectale, ce qui limite l'intérêt du toucher rectal à la détection d'une hypertrophie ou d'un éventuel cancer de la prostate.

On trouve des masses rectales dans le *cancer du côlon*. L'*adénome prostatique* est lié à l'hypertrophie ; un *cancer de la prostate* est possible en cas de nodules ou masses.

***Appareil locomoteur.*** Commencez l'évaluation par le « Dépistage gériatrique en 10 minutes » (p. 959). Si vous constatez des déformations articulaires, des limitations de la mobilité ou des douleurs au mouvement, faites un examen plus complet. Revoyez les techniques d'examen de chaque articulation au chapitre 16 : « Appareil locomoteur ».

Changements dégénératifs des articulations dans l'*arthrose* ; inflammation articulaire dans l'*arthrite rhumatoïde* et la *goutte*.

Voir chapitre 16 : « Appareil locomoteur » ; voir les tableaux 16-1 à 16-10, p. 670-681.

***Système nerveux.*** Comme pour l'examen musculosquelettique, commencez votre évaluation du système nerveux par le « Dépistage gériatrique en 10 minutes » (p. 959).

Approfondissez l'examen si vous notez des déficits. Concentrez-vous notamment sur la mémoire et l'affect.

Apprenez à distinguer le délire de la dépression et de la démence (voir tableau 20-2). La recherche minutieuse d'une cause sous-jacente est justifiée.[98] Voir tableau 20-3 : « Dépistage de la démence : le Mini-Cog », p. 978.

Faites aussi très attention à la marche et à l'équilibre, en particulier en station debout, au temps nécessaire pour faire 8 pas, aux caractéristiques du pas (largeur, rythme) et au demi-tour.

Les anomalies de la démarche et de l'équilibre, en particulier l'élargissement du polygone de sustentation, le ralentissement et l'allongement du pas, et la difficulté à tourner, sont corrélées au risque de chute.[99-101]

Il n'a pas été démontré que les tests neuromusculaires standard permettaient de prédire des atteintes de la mobilité.[102] De plus, quoique les anomalies neurologiques soient fréquentes chez les personnes âgées, leur prévalence sans maladie identifiable augmente avec l'âge, allant de 30 à 50 %.[103] Comme exemples d'anomalies liées à l'âge, on peut citer l'inégalité pupillaire, la diminution du balancement et des mouvements spontanés des membres supérieurs, l'augmentation de la rigidité des membres inférieurs et une démarche anormale, la présence du réflexe de la moue et du réflexe de préhension, et la diminution de la sensibilité vibratoire des orteils.

Recherchez des trémulations, une rigidité, une bradykinésie, une micrographie, une démarche traînante et des difficultés à se retourner dans le lit, à ouvrir la mâchoire et à se lever d'une chaise.

Ces trouvailles se rencontrent dans la *maladie de Parkinson*, qui touche 1 % des adultes âgés de 65 ans ou plus, et 2 % de ceux de 85 ans ou plus.[104, 105] Le tremblement parkinsonien est lent et survient au repos ; il ressemble à un émiettement ; il est aggravé par le stress et disparaît pendant le sommeil et le mouvement. Le *tremblement essentiel* est bilatéral et symétrique ; il y a souvent des antécédents familiaux ; l'alcool le fait diminuer.

Un clignement des paupières prolongé après percussion de la glabelle et une difficulté à la marche talon-pointe du pied sont également fréquents dans la *maladie de Parkinson*.

# CONSIGNER VOS OBSERVATIONS

Notez qu'au début vous pouvez faire des phrases pour décrire vos trouvailles, plus tard vous utiliserez des phrases courtes. Le style ci-dessous emploie des phrases convenant à la plupart des rapports écrits. En parcourant cet examen physique, vous remarquerez quelques constatations anormales. Essayez de vous tester. Voyez si vous pouvez les interpréter en fonction de ce que vous avez appris sur l'examen du sujet âgé.

Voir tableau 20-4 : « Prise en charge des adultes âgés : le modèle de prise en charge par domaine de Siebens », p. 979, une autre façon de structurer le CRO et les soins du patient.

---

### Consigner l'examen physique – Sujet âgé

M. J. est un adulte âgé qui semble bien-portant mais amaigri avec une bonne masse musculaire. Il est alerte et interactif et se rappelle bien de l'histoire de sa vie. Il est accompagné par son fils.

**Mensurations et constantes vitales** – Taille (pieds nus) : 1,60 m. Poids (habillé) : 65 kg. IMC = 25. PA = 145/88 mmHg au bras droit, couché ; 154/94 au bras gauche, couché. Fréquence cardiaque : 98, régulière. Fréquence respiratoire : 18. Température buccale : 37 °C.

**Dépistage gériatrique en 10 minutes** (voir p. 959).
*Vision :* le patient signale des difficultés à lire. Acuité visuelle : 3/10 à l'échelle de Snellen.
*Audition :* n'entend pas la voix chuchotée, des deux côtés. N'entend pas l'audiomètre à 1 000 et 2 000 Hz, des deux côtés.
*Mobilité des membres inférieurs :* peut parcourir rapidement 6 mètres, faire demi-tour, revenir à sa chaise et s'asseoir en 14 secondes.
*Incontinence urinaire :* a perdu des urines et s'est souillé 20 jours non consécutifs.

*Nutrition :* a perdu 7 kg en 6 mois, sans le vouloir.

*Mémoire :* se rappelle 3 items après 1 minute.
*Dépression :* ne se sent pas souvent triste ou déprimé.
*Handicap physique :* peut marcher rapidement mais ne peut pas faire du vélo. Fait des travaux à la maison, mais pas des travaux lourds. Peut faire ses courses. Se rend dans des endroits éloignés. Se lave chaque jour sans difficulté. S'habille, boutons et fermeture éclair compris, et se chausse seul.

*(suite)*

Nécessite une évaluation plus poussée pour des lunettes et une aide auditive.

Nécessite une évaluation plus poussée de l'incontinence (voir « DIAPERS », p. 958), un examen de la prostate et une mesure du résidu postmictionnel, qui est normalement $\leq 50$ mL (ce qui demande un cathétérisme vésical).

Nécessite un dépistage nutritionnel (p. 950).

Envisagez des exercices physiques pour augmenter la force musculaire.

**Examen physique**

*Peau.* Chaude et humide. Pas d'hippocratisme digital ni de cyanose des ongles. Chevelure fine sur le sommet du crâne.

*Tête, Yeux, Oreilles, Nez, Gorge (TYONG).* Pas de lésion du cuir chevelu. Crâne de forme normale, pas de traumatisme. Conjonctives roses, sclérotiques ternes. Pupilles de 2 mm, se contractant à 1 mm, rondes, régulières, réagissant à la lumière et à l'accommodation. Motricité oculaire extrinsèque conservée. Papilles optiques à bords nets, sans hémorragies ni exsudats. Rétrécissement artériolaire modéré. Tympans avec triangles lumineux visible. Weber sur la ligne médiane. CA ≥ CO. Muqueuse nasale rose. Pas de douleur des sinus. Dentition assez bonne. Présence de caries. Langue médiane, légèrement rouge. Pharynx sans exsudats.

*Cou.* Souple. Trachée médiane. Lobes thyroïdiens un peu augmentés de volume ; pas de nodules.

*Ganglions lymphatiques.* Pas d'adénopathie cervicale, axillaire, épitrochléenne ou inguinale.

*Thorax et poumons.* Thorax symétrique. Présence d'une cyphose. Poumons sonores, avec une bonne expansion. Murmure vésiculaire présent. Coupoles diaphragmatiques s'abaissant de 4 cm, des deux côtés.

*Cœur et vaisseaux.* PVJ à 6 cm au-dessus de l'oreillette droite. Pouls carotidiens vifs ; pas de souffle carotidien. Choc de la pointe net dans le 5ᵉ espace intercostal gauche, à 9 cm de la ligne médiosternale. Souffle holosystolique, apical, rude, de 2/6, irradiant dans l'aisselle. Pas de B3, de B4 ni d'autres souffles.

*Abdomen.* Abdomen scaphoïde, gargouillant, souple et indolore. Pas de masses ni d'hépatosplénomégalie. Hauteur du foie : 7 cm sur la ligne médioclaviculaire droite ; bord inférieur lisse, palpable juste en dessous du rebord costal. Pas de douleur dans les angles costovertébraux.

*Appareil urogénital.* Mâle circoncis. Pas de lésions du pénis. Testicules en place des deux côtés, lisses.

*Rectum.* Pas de masses dans l'ampoule rectale. Selles marron. Recherche de sang microscopique négative.

*Membres.* Membres chauds, pas œdématiés. Mollets souples.

*Vaisseaux périphériques.* Pouls 2+ et symétriques.

*Appareil locomoteur.* Changements dégénératifs discrets au niveau des genoux, avec fonte des quadriceps. Amplitudes articulaires satisfaisantes.

*Système nerveux.* Bonne orientation temporospatiale. État mental minimal : score de 29. Nerfs crâniens II à XII : RAS. Motricité : diminution de la masse des quadriceps. Tonus normal. Force 4/5 partout. MAR, épreuve doigt-nez normaux. Élargissement du polygone de sustentation. Sensibilité à la piqûre, au toucher léger, à la position et aux vibrations normale. Romberg négatif. Réflexes 2+, symétriques. RCP en flexion plantaire.

## Bibliographie

### RÉFÉRENCES

1. Administration on Aging, Department of Health and Human Services. Statistics: A Profile on Older Americans 2007. Available at: http://www.aoa.gov/prof/Statistics/profile/2007/3.asp. See also Statistics on Aging. Available at: http://agingstats.gov/agingstatsdotnet/Main_Site/Data/2006_Documents/Population.pdf. Accessed February 19, 2008.
2. Fries JF. Measuring and monitoring success in compressing morbidity. Ann Intern Med Suppl 139(5):455, 2003.
3. Bodenheimer T, Wagner EH, Grumbach K. Improving primary care for patients with chronic illness. JAMA 288(14): 1775–1779, 2002.
4. Geriatrics Interdisciplinary Advisory Group, American Geriatrics Society. Interdisciplinary care for older adults with complex needs: American Geriatrics Society Position Statement. J Am Geriatr Soc 54(5):849–852, 2006.
5. Perls TT. Understanding the determinants of exceptional longevity. Ann Intern Med Suppl 139(5):445, 2003.
6. Perls TT, Kunkel LM, Puca AA. The genetics of exceptional human longevity. J Am Geriatr Soc 50:359–368, 2002.
7. Rowe JW, Kahn RL. Human aging: usual and successful. Science 237:143–149, 1987.
8. Taffet GE. Physiology of aging. In: Cassel CK, Leipzig RM, Cohen HJ, et al., eds. Geriatric Medicine, 4th ed. New York: Springer, 2003:27–36.
9. Mulligan T, Saddiqi W. Changes in male sexuality. In: Cassel CK, Leipzig RM, Cohen HJ, et al., eds. Geriatric Medicine, 4th ed. New York: Springer, 2003: 719–726.
10. Kaiser FE. Sexual function and the older woman. In: Cassel CK, Leipzig RM, Cohen HJ, et al, eds. Geriatric Medicine, 4th ed. New York: Springer, 2003: 727–736.
11. DuBeau CE. Benign prostatic hyperplasia. In: Cassel CK, Leipzig RM, Cohen HJ, et al., eds. Geriatric Medicine, 4th ed. New York: Springer, 2003: 755–768.
12. Tangarorang GL, Kerins GJ, Besdine RW. Clinical approach to the older patient: an overview. In: Cassel CK, Leipzig RM, Cohen HJ, et al., eds. Geriatric Medicine, 4th ed. New York: Springer, 2003:149–162.
13. Bayer AJ, Chadna JS, Farag RR, et al. Changing presentation of myocardial infarction with increasing old age. J Am Geriatr Soc 34:263–266, 1986.
14. Trivalle C, Doucet J, Chassagrie P, et al. Differences in the signs and symptoms of hyperthyroidism in older and younger patients. J Am Geriatr Soc 44:50–53, 1996.
15. Doucet J, Trivalle C, Chassagrie P, et al. Does age play a role in clinical presentation of hypothyroidism? J Am Geriatr Soc 42:984–986, 1994.
16. Cigolle CT, Langa KM, Kabeto MU, et al. Geriatric conditions and disability: the health and retirement study. Ann Intern Med 147(3):156–164, 2007.
17. Tinetti ME, Williams CS, Gill TM. Dizziness among older adults: a possible geriatric syndrome. Ann Intern Med 132(5): 337–344, 2000.
18. Fried LP, Sotrer DJ, King DE, et al. Diagnosis of illness presentation in the elderly. J Am Geriatr Soc 39:117–123, 1991.
19. Davis PB, Robins LN. History-taking in the elderly with and without cognitive impairment. J Am Geriatr Soc 37:249–255, 1989.
20. Ferraro KF, Su YP. Physician-evaluated and self-reported morbidity for predicting disability. Am J Public Health 90(1):103–108, 2000.
21. Kuczmarski MF, Kuczmarski RJ, Najjar M. Effects of age on validity of self-reported height, weight and body mass index: findings from the third National Health and Nutrition Examination Survey, 1988–1994. J Am Diet Assoc 101(1): 28–34, 2001.
22. Lagaay AM, van der Meij JC, Hijmans W. Validation of medical history taking as part of a population based survey in subjects aged 85 and over. BMJ 304:1091–1092, 1992.
23. Kobylarz FA, Heath JM, Lide RC. The ETHNIC(S) mnemonic: a clinical tool for ethnogeriatric education. J Am Geriatr Soc 50(9):1582–1589, 2002.
24. Nunez GR. Culture, demographics, and critical care issues: an overview. Crit Care Clin 19:619–639, 2003.
25. Xakellis G, Brangman SA, Ladson H, et al. Curricular framework: core competencies in multicultural geriatric care. J Am Geriatr Soc 52(1):137–142, 2004.
26. Goldstein MZ, Griswold K. Practical geriatrics: cultural sensitivity and aging. Psychiatric Serv 49:769–771, 1998.
27. Lee SJ, Moody-Ayers SY, Landfeld CS, et al. The relationship between self-rated health and mortality in older black and white Americans. J Am Geriatr Soc 55(10):1624–1629, 2007.
28. Sudore RL, Mehta KM, Simonsick EM, et al. Limited literacy in older people and disparities in health and healthcare access. J Am Geriatr Soc 54(5):770–776, 2006.
29. Fick DM, Cooper JW, Wade WE, et al. Updating the Beers criteria for potentially inappropriate medication use in older adults: results of a US consensus panel of experts. Arch Intern Med 163:2716–2724, 2003.
30. Reuben DB, Herr KA, Pacala JT, et al. Geriatrics at Your Fingertips, 6th ed. Malden, MA: Blackwell Science, Inc., for the American Geriatrics Society, 2004:9–12.
31. Takahashi PY, Okhravi HR, Lim LS, et al. Preventive health care in the elderly population: a guide for practicing physicians. Mayo Clinic Proc 79:416–427, 2004.
32. Corti MC, Guralnik JM, Salive ME, et al. Serum albumin level and physical disability as predictors of mortality in older persons. JAMA 272(13):1036–1042, 1994.
33. Ferrell BA. Acute and chronic pain. In: Cassel CK, Leipzig RM, Cohen HJ, et al., eds. Geriatric Medicine, 4th ed. New York: Springer, 2003:323–342.
34. American Geriatrics Society Panel of Persistent Pain in Older Persons, American Geriatrics Society. The management of persistent pain in older persons. JAGS 50(6 Suppl):S205–S224, 2002. Available at: http://www.americangeriatrics.org/products/positionpapers/JGS5071.pdf. Accessed February 23, 2008.
35. Charlton JE, ed. Core Curriculum for Professional Education in Pain, 3rd ed. Seattle: International Association for the Study of Pain, 2005. Available at: http//www.iasppain.org/AM/Template.cfm?Section=Publications&Template=/CM/HTMLDisplay.cfm&ContentID=2307#TOC. Accessed June 9, 2008.

36. American Medical Association. Pain Management Module 5: Assessing and Treating Pain in Older Adults. Available at: http://www.ama-cmeonline.com/pain_mgmt/module05/index.htm. Accessed February 23, 2008.

37. Jones TV, Lindsey BA, Yount P, et al. Alcoholism screening questionnaires: are they valid in elderly medical outpatients? J Gen Intern Med 8(12):674–678, 1993.

38. Callahan CM, Tierney WM. Health services use and mortality among older primary care patients with alcoholism. J Am Geriatr Soc 43(12):1378–1383, 1995.

39. American Geriatrics Society. Screening recommendation: clinical guidelines for alcohol use disorders in older adults. Available at: http://www.americangeriatrics.org/products/positionpapers/alcohol.shtml. Accessed February 23, 2008.

40. Tulsky JA. Doctor-patient communication issues. In: Cassel CK, Leipzig RM, Cohen HJ, et al., eds. Geriatric Medicine, 4th ed. New York: Springer, 2003:287–298.

41. Callahan D. The value of achieving a peaceful death. In: Cassel CK, Leipzig RM, Cohen HJ, et al., eds. Geriatric Medicine, 4th ed. New York: Springer, 2003:351–360.

42. Morrison RS, Meier DE. Clinical practice: palliative care. N Engl J Med 350(25):2582–2590, 2004.

43. Beck LH. Periodic health examination and screening tests in adults. Hosp Pract 15:121–126, 1999.

44. American Geriatrics Society Ethics Committee, American Geriatrics Society. Health screening decisions for older adults: AGS Position Paper. J Am Geriatr Soc 51(2):211–270, 2003. Available at http://www.americangeriatrics.org/products/positionpapers/stopscreening.shtml. Accessed February 23, 2008.

45. Bogardus ST, Yueh B, Shekelle PG. Screening and management of adult hearing loss in primary care: clinical applications. JAMA 289(15):1986–1990, 2003.

46. Nelson ME, Rejeski WJ, Blair SN, et al., American College of Sports Medicine, American Heart Association. Physical activity and public health in older adults: recommendation from the American College of Sports Medicine and the American Heart Association. Circulation 116(9):1094–1105, 2007.

47. Centers for Disease Control and Prevention (CDC). Recommended adult immunization schedule. October 2007–September 2008. http://www.cdc.gov/vaccines/recs/schedules/downloads/adult/07-08/adult-schedule-11x17.pdf. Accessed February 24, 2008.

48. Centers for Disease Control and Prevention (CDC). Vaccines and Immunizations. Recommendations and guidelines. Adult immunization schedule. Updated January 2008. Available at: http://www.cdc.gov/vaccines/recs/schedules/adult-schedule.htm#chgs. Accessed February 24, 2008.

49. Nichol KL, Nordin JD, Nelson DB, et al. Effectiveness of influenza vaccine in the community-dwelling elderly. N Engl J Med 357(14):1373–1381, 2007.

50. Oxman MN, Levin MJ, Johnson GR, et al. A vaccine to prevent herpes zoster and postherpetic neuralgia in older adults. N Engl J Med 352(22):2271–2284, 2005.

51. U.S. Consumer Product Safety Commission. Special Report: Emergency Room Injuries—Adults 65 and Older. 2002. Available at: http://www.nsc.org/public/issues/CPSCSafetyReport.pdf. Accessed February 23, 2008.

52. Oddone EZ, Heflin MT, Feussner JR. Screening for cancer. In: Cassel CK, Leipzig RM, Cohen HJ, et al., eds. Geriatric Medicine, 4th ed. New York: Springer, 2003:375–392.

53. Unutzer J. Late-life depression. N Engl J Med 357(22):2269–2276, 2007.

54. U.S. Preventive Services Task Force. Screening for dementia: recommendations and rationale. June 2003. Rockville, MD: Agency for Healthcare Research and Quality. Available at: http://www.ahrq.gov/clinic/3rduspstf/dementia/dementrr.htm. Accessed February 23, 2008.

55. Cummings JL. Alzheimer's disease. N Engl J Med 351(1):56–67, 2004.

56. Small BJ, Gagnon E, Robinson B. Early identification of cognitive deficits: preclinical Alzheimer's disease and mild cognitive impairment. Geriatrics 62(4):19–23, 2007.

57. Karlawish JHT, Clark CM. Diagnostic evaluation of elderly patients with mild memory problems. Ann Intern Med 138(5):411–419, 2003.

58. Budson AE, Price BH. Memory dysfunction. N Engl J Med 352(7):692–699, 2005.

59. Tschanz JT, Weklsg-Bohmer KA, Lyketsos CG, et al. Conversion to dementia from mild cognitive disorder: the Cache County Study. Neurology 67(2):229–234, 2006.

60. Boyle PA, Wilson RS, Aggarwal NT, et al. Mild cognitive impairment: risk of Alzheimer's disease and rate of cognitive decline. Neurology 67(3):441–445, 2006.

61. Busse A, Hensel A, Guhne U, et al. Mild cognitive impairment: long-term course of four clinical subtypes. Neurology 67(12):2176–2185, 2006.

62. Dyer CB, Pickens S, Burnett J. Vulnerable elders: when it is no longer safe to live alone. JAMA 298(12):1448–1450, 2007.

63. Fulmer T, Guadagno L, Dyer CB, et al. Progress in elder abuse screening and assessment instruments. J Am Geriatr Soc 52:297–304, 2004.

64. Fulmer T, Hernandez M. Elder mistreatment. In: Cassel CK, Leipzig RM, Cohen HJ, et al., eds. Geriatric Medicine, 4th ed. New York: Springer, 2003:1057–1066.

65. Koretz B, Reuben DB. Instruments to assess functional status. Also see Reuben DB. Comprehensive geriatric assessment and systems approaches to geriatric care. In: Cassel CK, Leipzig RM, Cohen HJ, et al., eds. Geriatric Medicine, 4th ed. New York: Springer, 2003:185–204.

66. Moore AA, Siu AL. Screening for common problems in ambulatory elderly: clinical confirmation of a screening instrument. Am J Med 100:438–440, 1996.

67. Resnick NM. Urinary incontinence. In: Cassel CK, Leipzig RM, Cohen HJ, et al., eds. Geriatric Medicine, 4th ed. New York: Springer, 2003:931–956.

68. American Geriatrics Society. Urinary incontinence in older adults: management in primary practice. Contributors to incontinence. Available at: http://www.americangeriatrics.org/education/urinary_incontinence.shtml. Accessed February 23, 2008.

69. Ganz DA, Bao Y, Shekelle PG, et al. Will my patient fall? JAMA 297(1):77–86, 2007.

70. Montero-Odasso M, Schapira M, Soriano ER, et al. Simple gait velocity assessment predicts adverse events in healthy seniors aged 75 years and older. J Gerontol A Biol Sci Med Sci 60(10):1304–1309, 2005.

71. Tinetti ME. Preventing falls in elderly persons. N Engl J Med 348(1):42–48, 2003.

72. Borson S, Scanlan J, Brush M, et al. The Mini-Cog: a cognitive "vital signs" measure for dementia screening in multi-lingual elderly. Int J Geriatric Psychiatry 15(11):1021–1027, 2000.

73. Borson S, Scanlan JM, Chen P, et al. The Mini-Cog as a screen for dementia: validation in a population-based sample. J Am Geriatr Soc 51(10):1451–1454, 2003.

74. Bulpitt CJ, Beckett NS, Cooke J, et al. Results of the pilot study for the hypertension in the very elderly trial. J Hypertens 21(12):2409–2417, 2003.

75. Oates DJ, Berlowitz DR, Glickman ME, et al. Blood pressure and survival in the oldest old. J Am Geriatr Soc 55(3): 383–388, 2007.

76. Lloyd-Jones DM, Evans JC, Levy D. Hypertension in adults across the age spectrum: current outcomes and control in the community. JAMA 294(4):466–472, 2005.

77. Bobrie G, Genes N, Vaur L, et al. Is "isolated home" hypertension as opposed to "isolated office" hypertension a sign of greater cardiovascular risk? Arch Intern Med 161(18):2205–2211, 2001.

78. Chaudhry SI, Krumholz HM, Foody JM. Systolic hypertension in older persons. JAMA 292(9):1074–1080, 2004.

79. Papademetriou V. Comparative prognostic value of systolic, diastolic, and pulse pressure. Am J Cardiol 91(4):433–435, 2003.

80. Vaccarino V, Berger AK, et al. Pulse pressure and risk of cardiovascular events in the systolic hypertension in the elderly program. Am J Cardiol 88(9):980–986, 2001.

81. Carlson JE. Assessment of orthostatic blood pressure: measurement technique and clinical applications. South Med J 92(2):167–173, 1999.

82. Consensus Committee of the American Autonomic Society and the American Academy of Neurology. Consensus statement on the definition of orthostatic hypotension, pure autonomic failure, and multiple system atrophy. Neurology 46(5):1470, 1996.

83. McGee S, Abernethy WB, Simel DL. Is this patient hypovolemic? JAMA 281(11):1022–1029, 1999.

84. Ooi WL, Barrett S, Hossain M, et al. Patterns of orthostatic blood pressure change and their clinical correlates in a frail elderly population. JAMA 277(16):1299–1304, 1997.

85. Raiha I, Luntonen S, Piha J, et al. Prevalence, predisposing factors and prognostic importance of postural hypotension. Arch Intern Med 155(9):930–935, 1995.

86. Gnann JW, Whitely RJ. Herpes zoster. N Engl J Med 347(5): 340–346, 2002.

87. Congdon NG, Friedman DS, Lietman T. Important causes of visual impairment in the world today. JAMA 290(15): 2057–2060, 2003.

88. Freidman DS, Jampel HD, Munoz B, et al. The prevalence of open-angle glaucoma among blacks and whites 73 years and older: the Salisbury Eye Evaluation Glaucoma Study. Arch Ophthalmol 124(11):1625–1630, 2006.

89. Ragia A, Thavendiranathan P, Detsky AS. Does this patient have hearing impairment? JAMA 295(4):416–428, 2006.

90. Swan IRC, Browning GG. The whispered voice as a screening test for hearing impairment. J Royal Col Gen Pract 35:197, 1985.

91. Gordon SR, Jahnigen DW. Oral assessment of the dentulous elderly patient. J Am Geriatr Soc 34:276–281, 1986.

92. Otto CM, Lind BK, Kitzman DW, et al. Association of aortic-valve sclerosis with cardiovascular mortality and morbidity in the elderly. JAMA 341(3):142–147, 1999.

93. Leach RM, McBrien DJ. Brachiocardial delay: a new clinical indicator of the severity of aortic stenosis. Lancet 335(8699):1199–1201, 1990.

94. McDermott MM, Greenland P, Liu K, et al. The ankle brachial index is associated with leg function and physical activity: the walking and leg circulation study. Ann Intern Med 136(12):873–883, 2002.

95. Dumesic DA. Pelvic examination: what to focus on in menopausal women. Consultant 36:39–46, 1996.

96. American Geriatrics Society. Screening for cervical carcinoma in older women. J Am Geriatr Soc 49(5):655–657, 2001.

97. Hoffman MS, Cardosi RD, Roberts WS, et al. Accuracy of pelvic examination in the assessment of patients with operable cervical cancer. Am J Obstet Gynecol 190(4):986–993, 2004.

98. Holsinger T, Deveau J, Boustani M, et al. Does this patient have dementia? JAMA 297(21):2391–2404, 2007.

99. Baloh RW, Ying SH, Jacobson KM. A longitudinal study of gait and balance dysfunction in normal older people. Arch Neurol 60:835–839, 2003.

100. Guralnik JM, Ferrucci L, Simonsek E et al. Lower extremity function in persons over the age of 70 years as a predictor of subsequent disability. N Engl J Med 332(9):556–561, 1995.

101. Tinetti ME, Williams TF, Mayewski R. Fall risk index for elderly patients based on number of chronic disabilities. Am J Med 80(3):429–434, 1986.

102. Tinetti ME, Ginter SF. Identifying mobility dysfunctions in elderly patients. JAMA 259(8):1190–1193, 1988.

103. Odenheimer G, Funkenstein HH, Beckett L, et al. Comparison of neurologic changes in 'successfully aging' persons vs. the total aging population. Arch Neurol 51(6):573–580, 1994.

104. Rao G, Fisch L, Srinivasan S, et al. Does this patient have Parkinson disease? JAMA 289(3):347–353, 2003.

105. Nutt JG, Wooten GF. Diagnosis and initial management of Parkinson's disease. N Engl J Med 353(10):1021–1027, 2005.

## AUTRES LECTURES

Ahmed A. Clinical manifestations, diagnostic assessment, and etiology of heart failure in older adults. Clin Geriatr Med 23:11–30, 2007.

American Geriatrics Society. Available at: http://www.american geriatrics.org. Accessed June 22, 2008.

American Geriatrics Society, Ethnogeriatrics Steering Committee. Doorway Thoughts: Cross-cultural Health Care for Older Adults. Sudbury, MA: Jones and Bartlett, 2004.

Amin SH, Kuhle CL, Fitzpatrick LA. Comprehensive evaluation of the older woman. Mayo Clin Proc 78(9):1157–1185, 2003.

Beckett NS, Peters R, Fletcher AE, et al., for the HYVET Study Group. Treatment of hypertension in patients 80 years of age or older. N Engl J Med 78(9):1887–1898, 2008.

# BIBLIOGRAPHIE

Burks K. Osteoarthritis in older adults: current treatments. J Gerontol Nurs 31(5):11–19, 2005.

Cassel CK. Geriatric Medicine: An Evidence-based Approach, 4th ed. New York: Springer, 2003.

Carolan Doerflinger DM. How to try this: the mini-cog. Am J Nurs 107(12):62–71, 2007.

Chobanion AV. Isolated systolic hypertension in the elderly. N Engl J Med 357(80):789–796, 2007.

Clark CM, Karlawish JHT. Alzheimer disease: current concepts and emerging diagnostic and therapeutic strategies. Ann Intern Med 138(5):400–410, 2003.

Donowitz GR, Cox HL. Bacterial community-acquired pneumonia in older patients. Clin Geriatr Med 23(5):515–534, 2007.

Ene-Stroescu D, Gorbien MJ. Gouty arthritis: a primer on late-onset gout. Geriatrics 60(7):24–31, 2005.

Gupta V, Lipsitz LA. Orthostatic hypotension in the elderly: diagnosis and treatment. Am J Med 120(10):841–847, 2007.

Hazzard WR. Principles of Geriatric Medicine and Gerontology, 5th ed. New York: McGraw-Hill/Professional, 2003.

Inouye SK. Delirium in older persons. N Engl J Med 354(11): 1157–1165, 2006.

Kales HC, Mellow AM. Race and depression: does race affect the diagnosis and treatment of late-life depression? Geriatrics 61(5):18–21, 2006.

Karlawish JHT, Clark CM. Diagnostic evaluation of elderly patients with mild memory problems. Ann Intern Med 138(5):411–419, 2003.

Kennedy-Malone L, Fletcher KR, Plank LR. Management Guidelines for Nurse Practitioners Working with Older Adults, 2nd ed. Philadelphia: FA Davis, 2004.

Khan AA, Hodsman AB, Papaioannou A, et al. Management of osteoporosis in men: an update and case example. CMAJ 176(3):345–348, 2007.

Kobylarz FA, Pomidor A, Heath JM. SPEAK: a mnemonic tool for addressing health literacy concerns in geriatric clinical encounters. Geriatrics 61(7):20–26, 2006.

Landefeld CS. Current Geriatric Diagnosis & Treatment. New York: Lange Medical Books–McGraw-Hill, 2004.

Meldon SW, Ma OJ, Woolard R, for American College of Emergency Physicians. Geriatric Emergency Medicine. New York: McGraw-Hill, 2004.

Moylan KC, Binder EF. Falls in older adults: risk assessment, management and prevention. Am J Med 120(6):493–497, 2007.

Morrison LJ, Morrison RS. Palliative care and pain management. Med Clin North Am 90(5):983–1004, 2006.

Nakasato YR, Carnes BA. Health promotion in older adults: promoting successful aging in primary care settings. Geriatrics 61(4):27–31, 2006.

Norton P, Brubaker L. Urinary incontinence in women. Lancet 367(9504):57–67, 2006.

Nusbaum MR, Lenahan P, Sadovsky R. Sexual health in aging men and women: addressing the physiologic and psychological sexual changes that occur with age. Geriatrics 60(9):18–23, 2005.

Scalf LA, Shenefelt PD. Contact dermatitis: diagnosing and treating skin conditions in the elderly. Geriatrics 62(6):14–19, 2007.

Small BJ, Gagnon E, Robinson B. Early identification of cognitive deficits: preclinical Alzheimer's disease and mild cognitive impairment. Geriatrics 62(4):19–23, 2007.

Springhouse Corporation, ed. Handbook of Geriatric Nursing Care, 2nd ed. Philadelphia: Lippincott Williams & Wilkins, 2002.

Staats DO. Preventing injury in older adults. Geriatrics 63(4): 12–17, 2008.

Villareal DT, Apovian CM, Kushner RF, et al. Obesity in older adults: technical review and position statement of the American Society for Nutrition and NAASO, The Obesity Society. Am J Clin Nutr 82(5):923–934, 2005.

Vistamehr S, Shelsta HN, Pammisano PC, et al. Glaucoma screening in a high-risk population. J Glaucoma 15(6):534–540, 2006.

Walter LC, Lewis CL, Barton MB. Screening for colorectal, breast, and cervical cancer in the elderly: a review of the evidence. Am J Med 118(10):1078–1086, 2005.

Weiner DK. Office management of chronic pain in the elderly. Am J Med 120(4):306–315, 2007.

Wolkove N, Elkholy O, Baltzan M, et al. Sleep and aging: sleep disorders commonly found in older people. CMAJ 176(9):1299–1304, 2007.

## Traitements médicamenteux

1 Expliquer l'impact des changements liés à l'âge sur le choix des médicaments et leur posologie, en se fondant sur les modifications de la fonction rénale et hépatique, de la composition du corps, et de la sensibilité du système nerveux central.

2 Identifier les médicaments des classes suivantes : anticholinergiques, psychotropes, anticoagulants, analgésiques, hypoglycémiants et médicaments cardiovasculaires, à éviter ou à utiliser prudemment chez les sujets âgés, et expliquer leurs dangers potentiels.

3 Établir la liste complète des médicaments pris par un patient, à savoir les médicaments prescrits, les médicaments non prescrits et les médecines douces, et préciser pour chacun d'entre eux la posologie, la fréquence, l'indication, les bénéfices, les effets secondaires, et l'observance.

## Troubles cognitifs et comportementaux

4 Définir et différencier les tableaux cliniques du délire, de la démence et de la dépression.

5 Formuler le diagnostic différentiel et mettre en œuvre l'évaluation initiale chez un patient qui présente des troubles cognitifs.

6 Lancer en urgence un bilan diagnostique pour déterminer l'étiologie d'un délire chez un patient âgé.

7 Pratiquer et interpréter une évaluation cognitive chez les patients âgés pour lesquels on soupçonne des troubles de la mémoire ou du fonctionnement.

8 Développer une évaluation et un projet de prise en charge non pharmacologique pour un patient agité, dément ou délirant.

## Capacité à prendre soin de soi-même

9 Apprécier et décrire les capacités fonctionnelles (activités instrumentales de la vie quotidienne, activités de base de la vie quotidienne, et sensibilités spéciales), au départ et actuellement, chez un patient âgé en recueillant des informations de plusieurs sources et en effectuant un examen physique pour confirmer.

10 Développer un plan préliminaire de prise en charge des patients qui présentent des déficits fonctionnels, comprenant des interventions d'adaptation et la participation d'une équipe gériatrique pluridisciplinaire (avec assistance sociale, nursing, réadaptation, nutrition, pharmacie, etc.).

11 Identifier et évaluer les dangers de l'environnement domestique, et faire des recommandations pour les atténuer.

## Chutes, troubles de l'équilibre et de la marche

12 Interroger tous les patients âgés de plus de 65 ans ou les personnes qui s'occupent d'eux à propos de chutes durant l'année écoulée ; observer le patient quand il se lève d'une chaise et marche, ou se transfère ; puis consigner et interpréter les constatations.

13 Si le patient a fait des chutes, élaborer un diagnostic différentiel et un plan abordant les différentes étiologies identifiées par l'anamnèse, l'examen physique, et l'évaluation fonctionnelle.

## Projet de soins et promotion de la santé

14 Définir et distinguer les différents types de codes de réanimation (ou *codes status*), de mandataires de santé, et de directives anticipées en vigueur dans le site où l'on se forme.

15 Identifier avec précision les situations cliniques où l'espérance de vie, l'état fonctionnel, les préférences du patient et l'objectif des soins doivent prendre le pas sur les recommandations standard pour les tests de dépistage chez des personnes âgées.

16 Identifier avec précision les situations cliniques où l'espérance de vie, l'état fonctionnel, les préférences du patient et l'objectif des soins doivent prendre le pas sur les recommandations standard pour le traitement chez des personnes âgées.

## Présentation atypique des maladies

17 Identifier au moins 3 changements physiologiques dus à l'âge pour chaque appareil et leur impact sur le patient, y compris leur contribution à l'« homéosténose » (le rétrécissement lié à l'âge des mécanismes de maintien de l'homéostasie).

18 Élaborer un diagnostic différentiel fondé sur la reconnaissance de la présentation unique d'affections fréquentes chez les sujets âgés, dont le syndrome coronaire aigu, la déshydratation, l'infection urinaire, l'abdomen aigu, et la pneumonie.

## Soins palliatifs

19 Apprécier et assurer la prise en charge initiale de la douleur et des symptômes non douloureux en tenant compte des objectifs des soins du patient.

20 Identifier les besoins psychologiques, sociaux et spirituels des patients à un stade avancé de leur maladie, et des membres de leur famille, et faire le lien entre ces besoins et les membres appropriés de l'équipe gériatrique pluridisciplinaire.

21 Présenter les soins palliatifs (y compris l'établissement de soins palliatifs) comme une option thérapeutique positive et active pour un patient à un stade avancé d'une maladie.

## Hospitalisation des personnes âgées

22 Connaître les risques potentiels d'une hospitalisation chez les patients âgés (à savoir l'immobilisation, le délire, les effets secondaires des médicaments, la malnutrition, les escarres, les techniques, les périodes péri et postopératoires, et les infections acquises à l'hôpital) et identifier les stratégies de prévention possibles.

23 Expliquer les risques, les indications, les alternatives et les contre-indications de l'utilisation de cathéters à demeure (sonde de Foley) chez les personnes âgées.

24 Expliquer les risques, les indications, les alternatives et les contre-indications de l'utilisation de moyens de contention physiques ou pharmacologiques.

25 Exposer les points importants d'un plan de sortie sûr (par exemple, la liste précise des médicaments, le projet de suivi), y compris les avantages/inconvénients des différents lieux de sortie possibles.

26 Faire un examen de surveillance des différentes zones de la peau à risque élevé d'escarres et décrire les lésions existantes.

---

\* Ces compétences concernent en premier lieu les étudiants en médecine mais elles peuvent être étendues à tous les membres de l'équipe soignante.
Source : Association of American Medical Colleges/John A. Hartford Foundation, Inc. A consensus conference on competencies in geriatrics education, 5 octobre 2007.

Délire et démence sont des troubles fréquents et très importants qui affectent de nombreux aspects de l'état mental. Tous deux ont beaucoup de causes possibles. Certaines caractéristiques cliniques de ces deux affections et leurs effets sur l'état mental sont comparés ci-dessous. Un délire peut se surajouter à une démence.

| | Délire | Démence |
|---|---|---|
| **Caractéristiques cliniques** | | |
| *Début* | Aigu | Insidieux |
| *Évolution* | Fluctuante, avec des périodes de lucidité ; aggravation la nuit | Aggravation lente |
| *Durée* | De quelques heures à plusieurs semaines | De quelques mois à plusieurs années |
| *Cycle sommeil/éveil* | Toujours perturbé | Sommeil fractionné |
| *Affection médicale ou intoxication médicamenteuse* | Souvent présentes | Souvent absentes, notamment dans la maladie d'Alzheimer |
| **État mental** | | |
| *Niveau de conscience* | Perturbé. Sujet moins conscient de son environnement et moins capable de centrer, maintenir ou déplacer son attention | Habituellement normal, jusqu'à un stade avancé de la maladie |
| *Comportement* | Activité souvent anormalement diminuée (somnolence) ou augmentée (agitation, hypervigilance) | Normal à lent ; peut devenir inadapté |
| *Parole* | Peut être hésitante, lente ou rapide, incohérente | Difficulté à trouver ses mots, aphasie |
| *Humeur* | Variable, labile, de craintive ou irritable à normale ou déprimée | Souvent abattue, déprimée |
| *Processus de la pensée* | Désorganisée, voire incohérente | Appauvrie. Le discours est peu informatif |
| *Contenu de la pensée* | Hallucinations fréquentes, souvent transitoires | Des hallucinations peuvent survenir |
| *Perceptions* | Illusions, hallucinations, le plus souvent visuelles | Des hallucinations peuvent survenir |
| *Jugement* | Altéré, à un degré variable | S'altérant de plus en plus |
| *Orientation* | Habituellement perturbée, notamment pour le temps. Un endroit familier peut sembler étranger | Bien conservée, mais s'altère à un stade avancé |
| *Attention* | Fluctue. Distraction facile, incapacité à se concentrer sur des taches sélectionnées | Habituellement pas touchée jusqu'à un stade avancé |
| *Mémoire* | Mémoire immédiate et récente altérées | Mémoire récente et apprentissages nouveaux particulièrement altérés |
| **Exemples de cause** | *Delirium tremens* (dû au sevrage d'alcool) Insuffisance rénale chronique Insuffisance hépatique aiguë Vascularite cérébrale aiguë Intoxication par l'atropine | *Réversibles* : déficit en vitamine B12, dysfonctionnements thyroïdiens *Irréversibles* : maladie d'Alzheimer, démence vasculaire (ramollissements multiples), après un traumatisme crânien |

**Passation**

Le test est passé de la façon suivante :

1. Dites au patient d'écouter attentivement 3 mots non liés afin de s'en rappeler et de pouvoir les répéter ensuite.

2. Dites au patient de dessiner la face avant d'une montre (avec les heures), soit sur une feuille de papier blanche, soit sur une feuille de papier où est déjà représenté le cercle du cadran. Une fois que le patient a inscrit les chiffres des heures dans le cadran, demandez-lui de dessiner la position des aiguilles pour une heure précise.

3. Demandez au patient de répéter les trois mots prononcés auparavant.

**Cotation**

Comptez 1 point par mot restant mémorisé après le dessin de la montre (DM), qui avait pour but de distraire le patient.

Les patients qui ne se rappellent aucun des trois mots sont classés comme déments (score = 0).

Les patients qui se rappellent les 3 mots sont classés comme non déments (score = 3).

Les patients qui se rappellent 1 ou 2 mots sont classés d'après le DM (anormal = dément ; normal = non dément).

Remarque : le DM est considéré comme normal si tous les chiffres sont disposés dans le bon ordre et au bon endroit, et si les aiguilles indiquent lisiblement l'heure demandée.

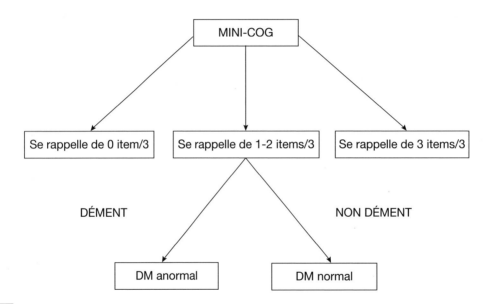

* NdT : apocope de Mini-Cognitive Assessment.
Tiré de : Borson S, Scanlan J, Brush M *et al*. The Mini-Cog : a cognitive "vital signs" measure for dementia screening in multi-lingual elderly. Int J Geriatr Psychiatry 2000 ; 15 (11) : 1021-1027. Copyright John Wiley & Sons Limited. Reproduit avec autorisation.

Le modèle de prise en charge par domaine de Siebens *(Siebens Domain Management Model* ou *SDMM)* est un cadre de travail pour soigner les personnes âgées.[a,b] Dans un but pratique, ce modèle structure les problèmes de santé du patient et ses forces en quatre domaines : I. Problèmes médicochirurgicaux ; II. État mental/Émotions/Ajustement *(Coping)* ; III. Fonctionnement physique ; IV. Environnement de la vie. L'utilisation de ces grands domaines permet de planifier et documenter les soins de façon efficace et complète et favorise le travail en équipe pluridisciplinaire.

## Format des comptes rendus de l'anamnèse et de l'examen physique
(à modifier selon besoin pour les consultations de suivi),
d'après le SDMM[a]

### Données subjectives[b]

**Plainte principale ou motif de la consultation (suivi)**

**Histoire de la maladie actuelle**
Symptômes/Bilans à ce jour/Point de vue du patient/Inquiétudes

**Traitements**

**Allergies**

**Antécédents médicaux personnels**
Protection de la santé

**Antécédents familiaux**

**Antécédents sociaux**
Instruction/Littératie en santé fonctionnelle*
Statut marital, enfants, animaux familiers
Nature des relations (soutien/charge pour les aidants)
Alcool/Tabac/Drogues
Croyances et pratiques spirituelles et religieuses
Mandataire légal/Directives médicales

**Histoire fonctionnelle**
Niveau fonctionnel antérieur de mobilité
Soins prodigués à soi-même
Prise des médicaments/Paiement des factures
Travail/Loisirs/Distractions

**Revue des appareils**
Y compris la sexualité

### Données objectives[b]

**Examen physique approprié**
Constantes vitales et examen des appareils pertinents

Cognition, affect

Mobilité : se mettre au lit, se lever du lit ou d'une chaise, marcher, etc.

**Examens de laboratoire appropriés**
Ionogramme, fonction rénale, NFS, albumine, etc.

**Appréciation/Projet[b] (ou séjour hospitalier)**
(Remarque : les forces et les problèmes identifiés sont mieux définis en réunissant l'appréciation et le projet ; dans l'idéal, chaque domaine doit être cité avec des catégories appropriées ou sinon noté « pas de problèmes » ; les sujets jugés importants mais pas évalués doivent être notés « à aborder demain/à la prochaine consultation »)

**I. Problème médicochirurgicaux**
Symptômes/Maladies/Prévention

**II. État mental/Émotions/Ajustement** *(Coping)*
Cognition (précédée de la Communication en cas de problèmes de la vision, de l'audition de la parole ou du langage)
Émotions
Ajustement/Troubles du comportement
Spiritualité
Préférences du patient : directives anticipées

**III. Fonctionnement physique**
AVQ de base (prendre soin de soi-même : habillage, bain, déplacements dans la maison, etc.)
AVQ intermédiaires (gestion des repas, des traitements, de l'argent, etc.)
AVQ avancées (sexualité, travail, parentalité, loisirs/distractions, conduite automobile, activités physiques en général/exercice physique, etc.)

**IV. Environnement de la vie**
A. Matériel (maison, adaptations, communauté)
B. Social (soutiens/ajustements familiaux, interactions sociales, etc.)
C. Financiers (assurance santé, revenus personnels, etc.) et aides sociales

---

* NdT : la littératie en santé a été définie comme « l'ensemble des compétences permettant l'accès, la compréhension et l'utilisation d'informations pour une meilleure santé » (Association canadienne de santé publique).
a. Siebens H. Applying the Domain Management Model in Treating Patients with Chronic Diseases Jt. Comm J Qual Improvement 2001 ; 27 : 302-314.
b. Notez que les informations sont structurées selon le format SOAP : données Subjectives, données Objectives, Appréciation, Projet.
© Hilary C. Siebens, MD, 2005.
Également accessible sur : www.siebenspcc.com.

# Index

NOTE : Les numéros de pages suivis de la lettre e renvoient à des encadrés situés dans le corps du chapitre ; ceux suivis de la lettre t, renvoient aux tableaux en fin de chapitre.

dans la pneumonie, 330t
normaux, 330t
surajoutés, 315-316, 316e, 321, 332t-333t
Bruits trachéaux, 314, 314e
Bruits vocaux, transmis, 316-317
dans la pneumonie, 330t
dans diverses affections thoraciques, 332t-333t
normaux, 330t
Bulbe rachidien, 686, 761t
Bulle, 187t, 194t
Bursite
ansérine, 654, 656
ischiofessière, 647
olécranienne, 623, 676t
prérotulienne, 654, 656
sous-acromiale ou sous-deltoïdienne, 614, 616
sous-deltoïdienne, 616
trochantérienne, 599, 647

# C

CAGE, questionnaire, 84, 84e, 143e, 450, 952
Calcanéum, 661
Calcium
sources alimentaires du, 136t
ostéoporose et, 604
Canal
anal, 577-578
artériel persistant, 403t, 815, 908t
carpien, 626
crural, 525
déférent
anatomie, 523-524
infection chronique du, 532
de Schlemm, 216
de Stenon (parotidien), 203, 244
de Wharton (sous-maxillaire), 214, 243
éjaculateur, 523-524
inguinal, 525
lacrymal, 215
recherche d'une obstruction du, 255
Cancer
carcinome basocellulaire de la peau, 172, 192t
de l'oreille, 280t
du sujet âgé, 962t
carcinome spinocellulaire, 172, 192t, 194t, 962t
colorectal
chez le sujet âgé, 968
constipation dans le, 479t
dépistage du, 452-453, 582, 955
diarrhée dans le, 480t-481t
facteurs de risque du, 452-453
de la bouche, 285t, 292t
de la langue, 245
de la lèvre, 285t
de la peau, 172-173
auto-examen de la peau et, 173
carcinome basocellulaire, 172, 962t
carcinome spinocellulaire, 172, 962t
chez le sujet âgé, 962t
examen de la totalité de la peau, 173

examen des grains de beauté et, 173-174, 174e
mélanome, 172-173, 173e, 193t, 962t
prévention du, 173-174
de la prostate, 592t
dépistage du, 580-582
facteurs de risque du, 580-581
de la vulve, 569t
de l'estomac, 476t-477t
de l'œsophage, 478t
de l'ovaire, 552
dépistage du, chez le sujet âgé, 955
du col utérin, 572t
dépistage du, 549-551, 550e, 551e, 955
facteurs de risque du, 549
papillomavirus humains et, 549
du pancréas, 476t-477t
peau dans le, 196t
du pénis, 536t
du poumon, hémoptysie dans le, 328t
du rectum, 591t
du sein, 410-418
affections bénignes et, 414
caractéristiques du, 410e, 414e
chez l'adolescente, 883
chez les femmes afro-américaines, 411-412
chez l'homme, 425
chimioprévention du, 417
conseils à propos du, 418
densité du sein et, 415
dépistage du, 415-417
évaluation du risque de, 412
facteurs de risque de, 412-414, 414e, 419
incidence, 410-412, 411e
mutations de BRCA1 et BRCA2, 412-413, 413e
signes d'inspection du, 432t
sites web pour le, 418e
du testicule, 531, 538t
Candidose
buccale (muguet), 287t, 291t, 809, 904t
cutanée, 176
du palais, 287t
du siège, 899t
vaginale, 573t
Capacité à décider, entrevue et, 76-77
Capacités d'apprentissage, dans l'examen de l'état mental, 158
Capillaires
anatomie des, 495
et échanges liquidiens, 499
Capsule articulaire, 595
de l'épaule, 614, 616
Capsule interne, 685
Capsulite rétractile, 675t
Carcinome. *Voir* Cancer
Cardiomégalie, chez le nourrisson, 815
Cardiomyopathie hypertrophique, 401t, 750t-751t
Cardiopathies cyanogènes, chez le nourrisson, 796, 814e
Caries dentaires
chez l'enfant, 857, 905t
chez le sujet âgé, 964
Caroncules de l'urètre, 570t, 967
Carotène, 170

Carotide. *Voir* Artères
Carotinémie, 175, 182t
Cartilage
articulaire, 595
cricoïde, 248
tarse (de la paupière), 215
thyroïde, 248
Casuistique, 93
Cataracte, 206
chez le sujet âgé, 939, 963
nucléaire, 270t
périphérique, 270t
Cavité glénoïde, 612
Cavité synoviale, 595
Cécité légale, 221
Ceinture scapulaire, 611
Cellulite aiguë, 516t-517t
Céphalées
dans les antécédents médicaux, 204-205, 694
de tension, 204-205, 261t
migraineuses, 204-205, 261t
post-traumatiques, 262t-263t
primaires, 204, 261t
secondaires, 204, 262t-263t
vasculaires, 204-205, 261t
Céphalhématome, 802, 901t
Cerveau
aires fonctionnelles du, 749t
anatomie du, 684-685, 686
lobes du, 684
tumeurs du, et céphalées, 262t-263t
Cervelet, 684-685
lésions du, 762t
Cervicalgie, 598, 671t
Cervicite mucopurulente, 552, 560, 572t
Chalazion, 268t
Chaleur
des articulations, 607e
des pieds, 508
Champs visuels, 217
défects du, 221-222, 266t
nerf optique et, 704
techniques d'examen du, 221-222
chez l'enfant, 851-852
Chancre mou, 537t
Chancre syphilitique, 285t
chez la femme, 569t
chez l'homme, 537t
Changements hormonaux pendant la grossesse, 913-914
Charnière lombosacrée, 635
Chéilite
actinique, 284t
commissurale (perlèche), 939
Chéloïdes, 188t, 280t
Cheveux
chez le sujet âgé, 938
pendant la grossesse, 925
perte des (alopécie), 199t
techniques d'examen des, 177, 214
Cheville
anatomie de la, 660-662
flexion-extension de la, testing, 717-718
mouvements de la, 663, 664e
techniques d'examen de la, 662-664
*Chlamydia*, cervicite à, 552, 560, 572t

médial (interne), 652, 659e
Ménopause, 544e, 546
  promotion de la santé et conseils et, 553-554
Ménorragies, 546
Menstruation (règles), 544-545, 544e
Mésencéphale, 686, 761t
Mesures de sécurité, 10
Métacarpophalangiennes (MCP), articulations, 625, 628
Métaplasie du col, 571t
Métatarsalgie, 663
Métatarsiens, tête des, 661
Métatarsus adductus, 828, 910t
Météorisme, 487t
Métrorragies, 546
Microanévrismes rétiniens, 276t
Microcéphalie, 802
Micrognathie, 803
Mictions impérieuses, 448, 484t-485t
Migraine, 204-205, 261t
Miliaire rouge, 796, 798e
Milium, du nouveau-né, 796, 799e
Mimique, évaluation de la, 707
Mini-Cog dépistage de la démence avec le, 978t
MMSE (examen de l'état mental minimum), 160, 161e
Mobilité du cou
  chez l'enfant, 860
  dans la méningite, 737
Mode de vie
  habitudes du, dans les antécédents médicaux, 10
  modifications du, pour la maladie cardiovasculaire, 359-361, 359e, 360e
Modelage de la tête, chez le nouveau-né, 801
Moelle épinière
  anatomie de la, 688
  lésions de la, 763t
  segments de la (myélomères), 693-694
*Molluscum contagiosum*, 900t
Mongolisme. *Voir* Trisomie 21
Mononeuropathie, des nerfs périphériques, 763t
Mononeuropathies multiples (multinévrite), 701
Mont de Vénus, 541
Mort et fin de vie, dans l'entrevue, 87-88
Mort subite cardiovasculaire, au cours du sport, 889
Mort subite du nourrisson (MSN), 811
Moteur oculaire commun (NC III). *Voir* Oculomoteur
Moteur oculaire externe (NC VI). *Voir* Abducens
Motif de consultation, 7e, 8
Motoneurone, 689
  inférieur, lésions du, 692
  supérieur, 691-692
Motricité. *Voir aussi* Activité motrice, Mimique, Motricité
  dans l'examen général, 113-114
  dans l'examen neurologique, 709-722
  dans l'examen physique, 22-23
  fine/globale, chez le nourrisson, 836e
  oculaire extrinsèque
    chez le nourrisson, 804-805

techniques d'examen, 225-227, 705
vue d'ensemble, 220
Mouvements. *Voir aussi* Amplitude des mouvements, Motricité
  alternants rapides, évaluation des, 719
  conjugués, des yeux, 225
  de la face (mimique), évaluation des, 707
  des yeux de poupée, 741
  du nouveau-né, 783
  d'un point à un autre, évaluation des, 719-720
  fœtaux, 926
  involontaires
    dans les antécédents médicaux, 697
    dans l'évaluation motrice, 709
    types de, 754t-755t
  oculaires, évaluation chez les patients comateux, 741
Moyenne enfance (de 5 à 10 ans), 841-843, 845-846
MPCO. *Voir* Maladie pulmonaire chronique obstructive
MSN. *Voir* Mort subite du nourrisson
MST. *Voir* Maladies sexuellement transmises
Mucus cervical, chez la femme âgée, 967
Muguet (candidose buccale), 287t, 291t, 809, 904t
Muqueuse
  alvéolaire, 241-242
  buccale, 244
    techniques d'examen de la, 244
    trouvailles dans, 286t-288t
  labiale, 244
  nasale, 240
  urétrale, prolapsus de la, 570t
Murmure vésiculaire, 313-314, 314e
Muscle(s). *Voir aussi* Groupes musculaires
  autour du genou, 652
  biceps, 613, 623
  brachioradial (long supinateur), 623
  de la cheville et du pied, 661-662
  de la hanche, 643-644
  de l'articulation temporomandibulaire, 609
  de l'épaule, 612, 613
  deltoïde, 613, 635
  des globes oculaires (extrinsèques de l'œil), 220, 225-227
  du cou, 247, 635
  du coude, 623
  du poignet et de la main, 626
  du rachis, 635
  droit de l'abdomen, 433
  évaluation des
    force, 711-718, 712e, 873-874
    masse, 709-710
    tonus, 711
  extrinsèques de l'œil, 220, 225-227
  fléchisseurs dorsaux, du pied, 661
  fléchisseurs plantaires, du pied, 661
  gastrocnémien (jumeaux de la jambe), 661
  grand dentelé (*serratus anterior*), 405-406
  grand dorsal (*latissimus dorsi*), 635
  grand fessier (*gluteus maximus*), 643-644
  grand pectoral, 405-406, 613
  hypotoniques, 711
  infra-épineux (sous-épineux), 613, 616, 621e

intrinsèques de la main (interosseux et lombricaux), 626
ischiojambiers, 652
lésions des, 763t
masséters, 609-610
masticateurs, 609-610
moyen fessier (*gluteus medius*), 644
parasternaux, 301
paravertébraux, 636
pelviens, évaluation de la force des, 564
petit fessier (*gluteus minimus*), 644
petit rond (*teres minor*), 613, 635
psoas iliaque, 643-644
ptérygoïdiens, 609-610
quadriceps, 652
rond pronateur, 623
scalènes, 301
SITS, 613, 616
soléaire, 658
sous-scapulaire, 613, 616
spinaux, 635
splénius de la tête (*splenius capitis*), 635
sternocléidomastoïdien, 247-248, 301, 635
supinateur, 623
supra-épineux (sus-épineux), 613-614, 616, 621e
temporaux, 609-610
trapèze, 635, 708
triceps brachial, 613, 623
triceps sural (gastrocnémien et soléaire), 658
Musculosquelettique, système. *Voir* Appareil locomoteur
Mutations géniques BRCA1/BRCA2, 412-413, 414e
Mycosis fongoïde, 184t
Myasthénie, 695
Mydriase, 224
Myéloméningocèle, 825
Myélopathie cervicoarthrosique, 671t
Myoclonies, 753t
Myomes (fibromes), de l'utérus, 552t
Myopathie, 738, 874
  de Duchenne, 710
Myopie, 205, 221, 229
  de l'enfant, 851
Myosis, 224
Myringite phlycténulaire, 282t
Myxœdème, faciès du, 265

## N

Nævus/Naevi
  bénins, 193t
  chez l'adolescent, 881
  dépistage des, 172-174, 173e, 174e
  épidermique linéaire, 184t
  malins, 193t
  simplex, 797
Narine, 237
Nausées, 441
  pendant la grossesse, 917e
*Neisseria gonorrhoeae*, cervicite à, 552, 560, 572t
Néologismes, 154e
Néovascularisation, rétinienne, 276t
Ne pas nuire (*primum non nocere*), dans les soins au patient, 93e